Patricia,

J'espère que tu trouveras ce livre, non seulement une source spirituelle mais aussi un centre où tu pourras y puiser tout l'amour que ton cœur désire.

Ta petite sœur spirituelle

Suzanne

LE
LIVRE DE MORMON

Un témoignage
de Jésus-Christ

LE
LIVRE DE MORMON

RÉCIT ÉCRIT SUR PLAQUES
DE LA MAIN DE MORMON
D'APRÈS LES PLAQUES DE NÉPHI

Ce livre est donc un abrégé des annales du peuple de Néphi et aussi des Lamanites – Ecrit à l'intention des Lamanites, qui sont un reste de la maison d'Israël, et aussi à l'intention des Juifs et des Gentils – Ecrit par commandement et aussi par l'esprit de prophétie et de révélation – Ecrit, scellé et caché dans le Seigneur afin qu'il ne soit pas détruit – Pour reparaître par le don et le pouvoir de Dieu, pour être interprété – Scellé de la main de Moroni et caché dans le Seigneur pour reparaître, en temps voulu, par le ministère des Gentils – L'interprétation de ce livre par le don de Dieu.

Il comprend aussi un abrégé tiré du Livre d'Ether, qui contient les annales du peuple de Jared, lequel fut dispersé à l'époque où le Seigneur confondit la langue des hommes, alors que ceux-ci bâtissaient une tour pour atteindre le ciel. Le but de ce livre est de montrer au reste de la maison d'Israël les grandes choses que le Seigneur a faites en faveur de ses pères, et de lui faire connaître les alliances du Seigneur et de lui faire savoir qu'il n'est pas rejeté à tout jamais ; et aussi de convaincre le Juif et le Gentil que JÉSUS est le CHRIST, le DIEU ETERNEL, qui se manifeste à toutes les nations – Et maintenant, s'il contient des fautes, ce sont celles des hommes ; c'est pourquoi ne condamnez pas les choses de Dieu, afin que vous soyez trouvés sans tache devant le siège du jugement du Christ.

TRADUIT EN ANGLAIS, PAR JOSEPH SMITH, FILS

Publié par
l'Église de Jésus-Christ
des Saints des Derniers Jours
Paris, France

Titre de l'édition originale:
THE BOOK OF MORMON

Copyright de l'édition originale:
Corporation of the President of
The Church of Jesus Christ of Latter-day Saints
Salt Lake City, Utah, USA
1981

Copyright de la traduction française:
Église de Jésus-Christ des Saints des Derniers Jours
Torcy (Seine-et-Marne), France, 1985

Première édition anglaise publiée en 1830

Première édition française publiée en 1851

ISBN 2-903879-12-5

Imprimé en République Fédérale d'Allemagne, 1989 – CHB 6/90

PB CS 0200 FR

INTRODUCTION

Le Livre de Mormon est un volume de saintes Ecritures comparable à la Bible. Ce sont les annales des relations entre Dieu et les anciens habitants du continent américain. Le Livre de Mormon contient, comme la Bible, la plénitude de l'Evangile éternel. Ce livre fut écrit par de nombreux anciens prophètes, par l'esprit de prophétie et de révélation. Leurs paroles, écrites sur des plaques d'or, furent citées et abrégées par un prophète-historien nommé Mormon. Ces annales racontent l'histoire de deux grandes civilisations. L'une était venue de Jérusalem en 600 av. J.-C.; elle se sépara par la suite en deux nations, les Néphites et les Lamanites. L'autre était arrivée beaucoup plus tôt, à l'époque où le Seigneur avait confondu la langue des hommes à la tour de Babel. Ce groupe est connu sous le nom de Jarédites. Des milliers d'années plus tard, ces civilisations furent détruites, à l'exception des Lamanites qui sont les principaux ancêtres des Indiens d'Amérique.

L'événement suprême relaté dans le Livre de Mormon est le ministère personnel du Seigneur Jésus-Christ parmi les Néphites peu après sa résurrection. Ce livre expose les doctrines de l'Evangile, présente le plan de salut et dit aux hommes ce qu'ils doivent faire pour gagner la paix dans cette vie et le salut éternel dans la vie à venir.

Quand Mormon eut terminé ses écrits, il transmit le récit à son fils Moroni, qui ajouta quelques paroles à lui et cacha les plaques dans la colline Cumorah. Le 21 septembre 1823, ce même Moroni, alors un être ressuscité et glorifié, apparut au prophète Joseph Smith et l'instruisit concernant les annales anciennes et leur traduction prévue en anglais.

Au moment voulu, les plaques furent remises à Joseph Smith qui les traduisit par le don et le pouvoir de Dieu. Les annales sont maintenant publiées dans beaucoup de langues et constituent un témoignage nouveau et supplémentaire que Jésus-Christ est le Fils du Dieu vivant et que tous ceux qui viendront à lui et observent les lois et les ordonnances de son Evangile peuvent être sauvés.

Le prophète Joseph Smith a dit de ces annales: «Je dis aux frères que le Livre de Mormon est le plus correct de tous les livres sur cette terre, et la clef de voûte de notre religion, et qu'un homme se rapproche davantage de Dieu en observant ses préceptes qu'en observant ceux de n'importe quel autre livre.»

En plus de Joseph Smith, le Seigneur prévit onze autres hommes qui devaient voir les plaques d'or et être des témoins spéciaux du caractère vrai et divin du Livre de Mormon. Leurs témoignages écrits figurent dans ce livre sous le titre «Le témoignage de trois témoins» et «Le témoignage de huit témoins».

Nous invitons les hommes de partout à lire le Livre de Mormon, à méditer dans leur cœur le message qu'il contient, puis à demander à Dieu, le Père éternel, au nom du Christ, si ce livre est vrai. Ceux qui le font et demandent avec foi acquerront, par le pouvoir du Saint-Esprit, le témoignage qu'il est vrai et divin (voir Moroni 10:3-5). Ceux qui, par le Saint-Esprit, acquièrent ce témoignage divin en viendront à savoir, par ce même pouvoir, que Jésus-Christ est le Sauveur du monde, que Joseph Smith est son révélateur et prophète en ces derniers jours, et que l'Eglise de Jésus-Christ des Saints des Derniers Jours est le royaume de Dieu établi à nouveau sur terre, en préparation à la seconde venue du Messie.

LE TÉMOIGNAGE DE TROIS TÉMOINS

Qu'il soit connu de toutes les nations, familles, langues et peuples, à qui cette œuvre parviendra, que nous avons vu, par la grâce de Dieu le Père et de notre Seigneur Jésus-Christ, les plaques contenant ces annales, qui sont l'histoire du peuple de Néphi et des Lamanites, leurs frères, et du peuple de Jared, venu de la Tour dont il a été parlé. Nous savons aussi que ces annales ont été traduites par le don et le pouvoir de Dieu, car sa voix nous l'a déclaré; c'est pourquoi, nous savons, avec certitude, que cette œuvre est vraie. Et nous témoignons aussi avoir vu les caractères gravés qui sont sur les plaques; et qu'ils nous ont été montrés par le pouvoir de Dieu, et non par celui de l'homme. Et nous déclarons, en toute sincérité, qu'un ange de Dieu vint du ciel, et qu'il apporta et plaça les plaques devant nos yeux, de sorte que nous pûmes les regarder et les voir, ainsi que les caractères qui y étaient gravés. Et nous savons que c'est par la grâce de Dieu, le Père, et de notre Seigneur Jésus-Christ, que nous vîmes, et que nous rendons témoignage que ces choses sont vraies. Et c'est un miracle à nos yeux. Néanmoins la voix du Seigneur nous a ordonné d'en rendre témoignage; c'est pourquoi, voulant obéir aux commandements de Dieu, nous rendons témoignage de ces choses. Et nous savons que si nous sommes fidèles au Christ, nous laverons nos vêtements du sang de tous les hommes, et nous serons trouvés sans tache devant le siège du jugement du Christ; et nous demeurerons éternellement avec lui dans les cieux. Et gloire en soit au Père, au Fils et au Saint-Esprit, qui sont un Dieu. Amen.

OLIVER COWDERY
DAVID WHITMER
MARTIN HARRIS

LE TÉMOIGNAGE DE HUIT TÉMOINS

Qu'il soit connu de toutes les nations, familles, langues et peuples, à qui cette œuvre parviendra, que Joseph Smith, fils, le traducteur de cette œuvre, nous a fait voir les plaques dont il a été parlé, qui ont l'apparence de l'or; et que nous avons tenu et touché de nos mains chacune des feuilles que ledit Smith a traduites, et que nous avons vu, aussi, les caractères gravés, le tout ayant l'apparence d'un travail très ancien, et d'une exécution curieuse. Et nous rendons témoignage, en toute sincérité, que ledit Smith nous a montré ces plaques, car nous les avons vues et soupesées, et nous savons avec certitude que ledit Smith possède les plaques dont nous avons parlé. Et nous donnons nos noms au monde, pour témoigner à toute la terre de ce que nous avons vu. Et nous ne mentons pas, Dieu en rend le témoignage.

CHRISTIAN WHITMER	HIRAM PAGE
JACOB WHITMER	JOSEPH SMITH, PÈRE
PETER WITHMER, FILS	HYRUM SMITH
JOHN WHITMER	SAMUEL H. SMITH

LE TÉMOIGNAGE DU PROPHÈTE JOSEPH SMITH

Voici les paroles du prophète Joseph Smith lui-même à propos de la parution du Livre de Mormon :

«Le soir du vingt et un septembre [1823] . . ., je me mis à prier et à supplier le Dieu tout-puissant . . .

«Tandis que j'étais ainsi occupé à invoquer Dieu, je m'aperçus qu'une lumière apparaissait dans ma chambre ; la lumière s'accrut jusqu'à ce que la chambre fût plus claire qu'à l'heure de midi, et, tout à coup, un personnage parut à côté de mon lit ; il se tenait dans l'air, car ses pieds ne touchaient point le sol.

«Il était vêtu d'une tunique ample de la plus exquise blancheur, d'une blancheur qui surpassait celle de toutes les choses terrestres que j'avais vues, et je ne crois pas que quoi que ce soit de terrestre puisse être rendu aussi extraordinairement blanc et brillant. Ses mains étaient nues, ses bras aussi, un peu au-dessus des poignets ; ses pieds étaient nus et ses jambes aussi, un peu au-dessus des chevilles. Sa tête et son cou étaient nus aussi. Je pus découvrir qu'il n'avait d'autre vêtement que cette tunique, celle-ci étant ouverte, de sorte que je pouvais voir son sein.

«Non seulement sa tunique était extrêmement blanche, mais toute sa personne était glorieuse au-delà de toute description, et son visage était véritablement comme l'éclair. La chambre était extraordinairement claire, mais pas aussi brillante que dans le voisinage immédiat de sa personne. D'abord je fus effrayé de le voir, mais la crainte me quitta bientôt.

«Il m'appela par mon nom et me dit qu'il était un messager envoyé d'auprès de Dieu vers moi et que son nom était Moroni ; que Dieu avait une œuvre à me faire accomplir, et que mon nom serait connu en bien et en mal parmi toutes les nations, familles et langues, ou qu'on en dirait du bien et du mal parmi tous les peuples.

«Il dit qu'il existait un livre caché, écrit sur des plaques d'or, donnant l'histoire des anciens habitants de ce continent* et la source dont ils étaient issus. Il dit aussi que la plénitude de l'Evangile éternel y était contenue, telle qu'elle avait été donnée par le Sauveur à ces anciens habitants.

«En outre, que deux pierres contenues dans des arcs d'argent – et ces pierres, fixées à un pectoral, constituaient ce qu'on appelle l'ourim et le toummim – étaient disposées avec les plaques ; que la possession et l'emploi de ces pierres étaient ce qui faisait les ‹voyants› dans les temps anciens ; et que Dieu les avait préparées pour la traduction du livre.

* * * * * * * *

«Il me dit encore que lorsque j'aurais reçu les plaques dont il avait parlé – car le temps où je les obtiendrais n'était pas encore accompli – je ne devrais les montrer à personne, pas plus que le pectoral avec l'ourim et le toummim, sauf à ceux à qui il me serait commandé de les montrer ; si je les montrais à d'autres, je serais détruit. Tandis qu'il conversait avec moi au sujet des plaques, une vision s'ouvrit à mon esprit, de sorte que je pus voir l'endroit où les plaques étaient cachées et cela si clairement et si distinctement que je reconnus le lieu quand je m'y rendis.

* L'Amérique, N. d. t.

«Après cette communication, je vis la lumière qui remplissait la chambre commencer à se rassembler immédiatement, autour de la personne de celui qui m'avait parlé et elle continua à se rapprocher de lui jusqu'à ce que la chambre fût de nouveau laissée dans les ténèbres, sauf juste autour de lui, et tout à coup je vis comme un passage ouvert directement vers le ciel ; il y monta jusqu'à disparaître entièrement et la chambre fut de nouveau comme elle était avant que cette lumière céleste eût fait son apparition.

«J'étais couché, méditant sur la singularité de cette scène et m'émerveillant de ce que m'avait dit cet extraordinaire messager, quand, au milieu de ma méditation, je m'aperçus soudain que la chambre recommençait à s'éclairer et en un instant, pour ainsi dire, le même messager fut de nouveau à côté de mon lit.

«Il se mit à me raconter exactement les mêmes choses que lors de sa première visite, sans la moindre variation ; cela fait, il m'annonça que de grands jugements venaient sur la terre, avec de grandes désolations par la famine, l'épée et la peste ; et que ces jugements douloureux s'abattraient sur la terre dans cette génération. Ayant raconté ces choses, il remonta comme auparavant.

«A ce moment, les impressions faites sur mon esprit étaient si profondes que le sommeil avait fui mes yeux et que je restai couché, accablé d'étonnement de ce que j'avais vu et entendu tout à la fois. Mais quelle ne fut pas ma surprise quand je vis de nouveau le même messager à côté de mon lit et l'entendis de nouveau me répéter et me redire les mêmes choses qu'avant ; et il ajouta un avertissement à mon intention, disant que Satan essayerait de me tenter (à cause de l'indigence de la famille de mon père) d'aller chercher les plaques dans le but de m'enrichir. Il me le défendit, me disant de n'avoir d'autre objet en vue, en recevant ces plaques, que la gloire de Dieu, et de ne me laisser influencer par aucun autre motif que celui d'édifier son royaume, sinon je ne pourrais les recevoir.

«Après cette troisième visite, il remonta au ciel comme les autres fois, me laissant de nouveau réfléchir sur l'étrangeté de ce qui venait de m'arriver ; à ce moment, presque aussitôt après que le messager céleste fût remonté pour la troisième fois, le coq chanta, et je vis que le jour était proche, de sorte que nos entrevues devaient avoir rempli toute cette nuit-là.

«Peu après, je me levai de mon lit et me rendis comme d'habitude aux travaux nécessaires du jour ; mais en tentant de travailler comme les autres fois, je m'aperçus que mes forces étaient si épuisées que j'étais incapable de rien faire. Mon père, qui travaillait avec moi, vit que je n'étais pas bien et me dit de rentrer. Je me mis en route dans l'intention de me diriger vers la maison, mais comme j'essayais de passer la clôture du champ où nous étions, les forces me manquèrent tout à fait, je tombai impuissant sur le sol et fus, un moment, absolument inconscient à tout.

«La première chose dont je me souviens, c'est d'une voix qui me parlait et m'appelait par mon nom. Je levai les yeux et vis le même messager, debout au-dessus de ma tête, entouré de lumière comme précédemment. Il me répéta alors tout ce qu'il m'avait dit la nuit d'avant et me commanda d'aller à mon père et de lui raconter la vision que j'avais eue et les commandements que j'avais reçus.

«J'obéis ; je retournai vers mon père dans le champ et je lui répétai tout. Il me répondit que cela venait de Dieu et me dit de faire ce que le messager me commandait. Je quittai le champ pour me rendre au lieu où le messager m'avait dit que les plaques se trouvaient ; et grâce à la netteté de la vision que j'avais eue à son sujet, je reconnus l'endroit dès que j'y arrivai.

«Tout près du village de Manchester, dans le comté d'Ontario (New York), est située une colline de dimensions considérables, la plus élevée de toutes celles du voisinage. Sur le côté ouest de cette colline, non loin du sommet, sous une pierre de grande dimension, se trouvaient les plaques avec une boîte de pierre. Cette pierre était épaisse et arrondie au milieu de la face supérieure et plus mince vers les bords, de sorte que la partie du milieu en était visible au-dessus du sol, tandis que les bords tout autour étaient recouverts de terre.

Ayant enlevé la terre, je me procurai un levier que je glissai sous le rebord de la pierre et, d'un petit effort, je la soulevai. Je regardai à l'intérieur et j'y vis, en effet, les plaques, l'ourim et le toummim, et le pectoral comme le messager l'avait déclaré. On avait formé la boîte qui les renfermait en assemblant des pierres dans une sorte de ciment. Au fond de la boîte, deux pierres étaient posées en travers et sur ces pierres se trouvaient les plaques et les autres objets.

«J'essayai de les sortir, mais le messager me l'interdit et m'informa de nouveau que le moment de les faire paraître n'était pas encore arrivé ni ne le serait avant quatre années à partir de ce jour; mais il me dit de revenir à cet endroit dans un an exactement, en comptant à partir de ce jour, qu'il m'y rencontrerait, et de continuer ainsi jusqu'à ce que fût venu le moment d'obtenir les plaques.

«En conséquence, comme j'en avais reçu l'ordre, j'y allai à la fin de chaque année, j'y trouvai chaque fois le même messager et je reçus, à chacune de nos entrevues, des instructions et des renseignements sur ce que le Seigneur allait faire, sur la manière dont son royaume devait être dirigé dans les derniers jours.

* * * * * * * *

«Enfin, le moment de recevoir les plaques, l'ourim et le toummim et le pectoral, arriva. Le vingt-deux septembre mil huit cent vingt-sept, m'étant rendu comme d'habitude, à la fin d'une autre année, au lieu où ils étaient déposés, le même messager céleste me les remit avec cette recommandation: que j'en serais responsable; que si je les perdais par insouciance ou négligence de ma part, je serais retranché; mais que si j'employais tous mes efforts à les garder jusqu'à ce que lui, le messager, vînt les réclamer, ils seraient protégés.

«Je découvris bientôt la raison pour laquelle j'avais reçu l'ordre si sévère de les garder en sûreté et pourquoi le messager avait dit que, quand j'aurais fait ce qui était exigé de moi, il les redemanderait. En effet, aussitôt que l'on sut que je les avais, les efforts les plus énergiques furent déployés pour me les enlever. On eut recours à tous les stratagèmes qui se peuvent inventer dans ce but. La persécution devint plus violente et plus acharnée qu'avant, et des multitudes étaient continuellement aux aguets pour me les enlever, s'il était possible. Mais par la sagesse de Dieu, ils restèrent entre mes mains jusqu'à ce que j'eusse terminé par eux ce qui était requis de moi. Quand, selon ce qui avait été conclu, le messager les réclama, je les lui remis; et c'est lui qui en a la garde jusqu'à ce jour, 2 mai 1838.»

On trouvera le texte complet dans Joseph Smith, Histoire, dans La *Perle de Grand Prix*, et dans *History of the Church of Jesus Christ of Latter-day Saints*, volume 1, chapitres 1 à 6 inclus.

Les anciennes annales ainsi sorties de la terre, comme la voix d'un peuple qui parle de la poussière, et traduites en une langue moderne par le don et le pouvoir de Dieu comme il a été divinement affirmé, furent publiées pour la première fois au monde en 1830 sous le titre de LIVRE DE MORMON.

BRÈVE EXPLICATION À PROPOS
DU LIVRE DE MORMON

Le Livre de Mormon est un recueil d'annales sacrées de peuples de l'Amérique ancienne qui furent gravées sur des plaques de métal. On parle de quatre sortes de plaques d'annales en métal dans ce livre :

1. *Les plaques de Néphi*, qui étaient de deux sortes : les Petites Plaques et les Grandes Plaques. Les premières étaient plus particulièrement consacrées aux affaires spirituelles et au ministère et aux enseignements des prophètes, tandis que les autres traitaient principalement de l'histoire séculière des peuples en question (1 Néphi 9 : 2-4). Depuis l'époque de Mosiah, cependant, les grandes plaques contenaient aussi des points d'une grande importance spirituelle.

2. *Les Plaques de Mormon*, qui sont un abrégé par Mormon des Grandes Plaques de Néphi, avec de nombreux commentaires. Ces plaques contiennent aussi la suite des événements historiques par Mormon et un supplément par son fils Moroni.

3. *Les Plaques d'Ether*, qui contiennent l'histoire des Jarédites. Ce récit fut abrégé par Moroni, qui y inséra ses propres commentaires et qui incorpora les annales dans l'histoire générale sous le nom de Livre d'Ether.

4. *Les Plaques d'airain*, apportées de Jérusalem par le peuple de Léhi en 600 av. J.-C. Elles «contiennent les cinq livres de Moïse . . . et aussi une histoire des Juifs depuis le début jusqu'au commencement du règne de Sédécias, roi de Juda. Et aussi les prophéties des saints prophètes» (1 Néphi 5 : 11-13). De nombreuses citations tirées de ces plaques, citant Esaïe et d'autres prophètes figurant ou non dans la Bible, apparaissent dans le Livre de Mormon.

Le Livre de Mormon comprend quinze parties ou divisions principales qui sont, à une exception près, appelées Livres, chacun étant désigné par le nom de l'auteur principal. La première partie (les six premiers livres, jusqu'à Omni) est une traduction à partir des petites plaques de Néphi. Entre le livre d'Omni et le livre de Mosiah se trouve une insertion appelée les Paroles de Mormon. Cette insertion fait le lien entre les annales gravées sur les Petites plaques et l'abrégé par Mormon des Grandes Plaques.

La plus grande partie, de Mosiah à Mormon, chapitre 7 inclus, est une traduction de l'abrégé par Mormon des Grandes Plaques de Néphi. La partie conclusion, du chapitre 8 de Mormon jusqu'à la fin du volume, fut gravée par Moroni, le fils de Mormon, qui, après avoir fini les annales sur la vie de son père, fit un abrégé des annales des Jarédites (le livre d'Ether) et ajouta plus tard les parties que l'on appelle le livre de Moroni.

Vers ou au cours de 421 ap. J.-C., Moroni, dernier prophète-historien néphite, scella les annales sacrées et les cacha sous la protection du Seigneur, afin qu'elles reparussent dans les derniers jours, comme prédit par la voix de Dieu par l'intermédiaire de ses anciens prophètes. En 1823 ap. J.-C., ce même Moroni, alors personnage ressuscité, rendit visite au prophète Joseph Smith et lui remit par la suite les plaques gravées.

TITRES ET ORDRE DES LIVRES DANS LE LIVRE DE MORMON

ABRÉVIATIONS ET DÉSIGNATION
DES NOTES DE BAS DE PAGE ET DE L'INDEX

Ancien Testament

Gen.	Genèse
Ex.	Exode
Lév.	Lévitique
Nom.	Nombres
Deut.	Deutéronome
Josué	Josué
Juges	Juges
Ruth	Ruth
1 Sam.	1 Samuel
2 Sam.	2 Samuel
1 Rois	1 Rois
2 Rois	2 Rois
1 Chron.	1 Chroniques
2 Chron.	2 Chroniques
Esdras	Esdras
Néh.	Néhémie
Est.	Esther
Job	Job
Ps.	Psaumes
Prov.	Proverbes
Eccl.	Ecclésiaste
C. d. C.	Cantique des Cantiques
És.	Ésaïe
Jér.	Jérémie
Lam.	Lamentations de Jérémie
Éz.	Ézéchiel
Dan.	Daniel
Osée	Osée
Joël	Joël
Amos	Amos
Abd.	Abdias
Jon.	Jonas
Mich.	Michée
Nah.	Nahum
Hab.	Habaquq
Soph.	Sophonie
Aggée	Aggée
Zach.	Zacharie
Mal.	Malachie

Nouveau Testament

Matt.	Évangile selon Matthieu
Marc	Évangile selon Marc
Luc	Évangile selon Luc
Jean	Évangile selon Jean
Actes	Actes des Apôtres
Rom.	Épître de Paul aux Romains
1 Cor.	Première épître de Paul aux Corinthiens
2 Cor.	Seconde épître de Paul aux Corinthiens
Gal.	Épître de Paul aux Galates
Éph.	Épître de Paul aux Éphésiens
Phil.	Épître de Paul aux Philippiens
Col.	Épître de Paul aux Colossiens
1 Thess.	Première épître de Paul aux Thessaloniciens
2 Thess.	Deuxième épître de Paul aux Thessaloniciens
1 Tim.	Première épître de Paul à Timothée
2 Tim.	Deuxième épître de Paul à Timothée
Ti.	Épître de Paul à Tite
Phm.	Épître de Paul à Philémon
Héb.	Épître de Paul aux Hébreux
Jaq.	Épître de Jacques
1 Pi.	Première épître de Pierre
2 Pi.	Seconde épître de Pierre
1 Jean	Première épître de Jean
2 Jean	Seconde épître de Jean
3 Jean	Troisième épître de Jean
Jude	Épître de Jude
Apo.	Apocalypse de Jean

Livre de Mormon

L. de M.	Livre de Mormon
1 Né.	Premier livre de Néphi
2 Né.	Deuxième livre de Néphi
Jacob	Livre de Jacob
Énos	Livre d'Énos
Jar.	Livre de Jarom
Om.	Livre d'Omni
P. de Morm.	Les Paroles de Mormon
Mos.	Livre de Mosiah
Al.	Libre d'Alma
Héla.	Livre d'Hélaman
3 Né.	Troisième Néphi
4 Né.	Quatrième Néphi
Morm.	Livre de Mormon
Eth.	Livre d'Éther
Moro.	Livre de Moroni

Doctrine et Alliances

D. et A.	Doctrine et Alliances
sec.	Section

Perle de Grand Prix

P. de G. P.	Perle de Grand Prix
Moïse	Livre de Moïse
Abraham	Livre d'Abraham
J. Sm.	Écrits de Joseph Smith
A. de F.	Articles de Foi
Hist. of the Church	History of the Church
Ind.	Index

LE LIVRE DE MORMON

LE PREMIER LIVRE DE NEPHI

SON RÈGNE ET SON MINISTÈRE

Histoire de Léhi, de sa femme Sariah, et de ses quatre fils, appelés (en commençant par l'aîné) Laman, Lémuel, Sam et Néphi. Le Seigneur avertit Léhi de quitter le pays de Jérusalem, car les habitants de cette ville cherchent à lui ôter la vie à cause de ses prophéties au sujet de leurs iniquités. Il voyage, avec sa famille, pendant trois jours, dans le désert. Néphi, prenant ses frères avec lui, retourne au pays de Jérusalem, pour aller chercher les annales des Juifs. Récit de leurs souffrances. Ils prennent pour femmes les filles d'Ismaël. Ils se mettent en route et entrent dans le désert avec leurs familles. Leurs souffrances et leurs afflictions dans le désert. Itinéraire de leur marche. Ils arrivent aux grandes eaux. Les frères de Néphi se révoltent contre lui. Il les confond et construit un navire. Ils donnent à l'endroit le nom d'Abondance. Ils traversent les grandes eaux et arrivent à la terre promise, etc. — Ceci est d'après les annales de Néphi ou, en d'autres termes, moi, Néphi, j'ai écrit ces annales.

CHAPITRE 1.

Léhi voit en vision la colonne de feu et le livre des prophéties. — Il prédit le sort imminent de Jérusalem et annonce la venue du Messie. — Les Juifs cherchent à lui ôter la vie.

1. Moi, Néphi, étant né de bonne famille, je fus, pour cette raison, instruit quelque peu dans toute la science de mon père ; et ayant vu beaucoup d'afflictions dans le cours de ma vie, mais ayant néanmoins reçu de grandes faveurs de la part du Seigneur pendant tous mes jours ; oui, ayant eu une grande connaissance de la bonté et des mystères de Dieu, pour cette raison, je fais un récit des actions de ma vie.

2. Oui, je fais un récit dans la langue de mon père, qui consiste en la science des Juifs et le ªlangage des Egyptiens.

3. Et je sais que le récit que je fais est vrai ; et je le fais de ma propre main, et je le fais selon ma connaissance.

4. Car il arriva, au commencement de la ᵇpremière année du règne de Sédécias, roi de Juda (mon père Léhi ayant habité Jérusalem toute sa vie), il arriva qu'en cette même année, il vint un grand nombre de ᶜprophètes prophétisant au peuple qu'il devait se repentir, sinon la grande ville de Jérusalem serait détruite.

5. C'est pourquoi * mon père Léhi, tandis qu'il voyageait, pria le Seigneur, oui, même de tout son cœur, en faveur de son peuple.

a, Mos. 1 : 4. Morm. 9 : 32.   *b,* 2 Rois 24 : 17, 18.   *c,* 2 Chron. 36 : 15, 16.
VERS 600 AV. J.-C.

* L'expression « It came to pass that » (Il arriva que), qui apparaît fréquemment dans le texte anglais, a été omise dans la traduction. Cette omission sera signalée chaque fois par un astérisque.

6. Et * tandis qu'il priait le Seigneur, une colonne de feu apparut et s'arrêta devant lui sur un rocher ; et il vit et entendit beaucoup de choses et à cause des choses qu'il vit et entendit, il frémit et trembla beaucoup.

7. Et * il retourna vers sa propre maison à Jérusalem ; et il se jeta sur son lit, accablé par l'Esprit et par les choses qu'il avait vues.

8. Et étant ainsi accablé par l'Esprit, il fut ravi en vision au point de voir les cieux ouverts et il crut voir Dieu assis sur son trône, entouré d'un concours innombrable d'anges, qui paraissaient chanter et louer leur Dieu.

9. Et * il vit un être qui descendait du milieu du ciel et il constata que son éclat surpassait celui du soleil en plein midi.

10. Et il en vit aussi douze autres qui le suivaient, et leur éclat surpassait celui des étoiles du firmament.

11. Et ils descendirent et allèrent sur la surface de la terre ; et le premier vint se tenir devant mon père, lui donna un livre et lui ordonna de lire.

12. Et * comme il lisait, il fut rempli de l'Esprit du Seigneur.

13. Et il lut, disant : Malheur, malheur à Jérusalem, car j'ai vu tes abominations ! Oui, mon père lut beaucoup de choses touchant Jérusalem — ᵈqu'elle serait détruite avec ses habitants ; beaucoup périraient par l'épée, et beaucoup seraient emmenés captifs à Babylone.

14. Et * quand mon père eut lu et vu beaucoup de choses grandes et merveilleuses, il dit, en s'exclamant, de nombreuses choses au Seigneur, telles que : Grandes et merveilleuses sont tes œuvres, ô Seigneur Dieu tout-puissant ! Ton trône est haut dans les cieux, et ta puissance, ta bonté et ta miséricorde s'étendent sur tous les habitants de la terre ; et parce que tu es miséricordieux, tu ne souffriras pas que ceux qui viennent à toi périssent.

15. Tel est le langage que mon père employa pour louer son Dieu ; car son âme se réjouissait et son cœur tout entier était rempli, à cause des choses qu'il avait vues, oui, que le Seigneur lui avait montrées.

16. Et maintenant, moi, Néphi, je ne fais pas un récit complet des choses que mon ᵉpère a écrites, car il a écrit un grand nombre de choses qu'il a vues dans des visions et dans des songes ; et il a aussi écrit beaucoup de choses qu'il prophétisa, et annonça à ses enfants, et dont je ne ferai pas le récit complet.

17. Mais je ferai le récit des actions de ma vie. Voici, je fais un abrégé des ᶠannales de mon père, sur des plaques que j'ai faites de mes propres mains ; c'est pourquoi, lorsque j'aurai abrégé les annales de mon père, je ferai le récit de ma vie.

18. C'est pourquoi, je voudrais que vous sachiez que lorsque le Seigneur eut montré à mon père Léhi tant de choses étonnantes, touchant la destruction de Jérusalem, voici, mon père se rendit parmi le peuple et commença à prophétiser et à lui déclarer ce qu'il avait vu et entendu.

19. Et * les ᵍJuifs se moquèrent de lui à cause des choses dont il témoignait à leur propos, car, en vérité, il témoignait de leur méchanceté et de leurs abominations ; et il témoignait que ce qu'il avait vu et entendu, et aussi ce qu'il avait lu dans le livre, annonçaient clairement la venue d'un Messie et aussi la rédemption du monde.

---

d, 2 Chron. 36 : 17-20. Jér. 39 : 1-9.   *e*, 1 Né. 6 : 1.   *f*, 1 Né. 6 : 1. 9 : 2-5. 10 : 1. 19 : 1-6. 2 Né. 5 : 29-33. Jacob 1 : 1-4. 3 : 13, 14. 4 : 1, 2. 7 : 26, 27. Enos 13, 15-18. Jar. 14, 15. P. de Morm. 1-11.   *g*, 2 Chron. 36 : 16. Jér. 26 : 8-11.
                                                              Vers 600 av. J.-C.

20. Et quand les Juifs entendirent cela, ils furent irrités contre lui, comme ils l'ont toujours été contre les prophètes d'autrefois, qu'ils ont chassés, lapidés et tués ; et ils cherchèrent également à lui ôter la vie. Mais voici, moi, Néphi, je vous montrerai que les tendres miséricordes du Seigneur sont sur tous ceux qu'il a choisis à cause de leur foi, pour leur donner de la puissance, même le pouvoir de se délivrer.

CHAPITRE 2.

Léhi se met en route avec sa famille dans le désert qui borde la mer Rouge. — Ses fils aînés, Laman et Lémuel, murmurent contre lui. — Néphi et Sam, croient en ses paroles. — Promesses du Seigneur à Néphi.

1. Car voici, * le Seigneur parla à mon père, oui, même en songe, et lui dit : Tu es béni, Léhi, à cause de ce que tu as fait, et parce que tu m'as été fidèle et que tu as déclaré à ce peuple ce que je t'avais ordonné, voici, il cherche à t'ôter la vie.

2. Et * le Seigneur commanda à mon père, en songe, de prendre sa famille et de partir au désert.

3. Et * il obéit à la parole du Seigneur, c'est pourquoi il fit ce que le Seigneur lui commandait.

4. Et * †il partit dans le désert, et il quitta sa maison, la terre de son héritage, son or, son argent, ses choses précieuses, et ne prit rien avec lui que sa famille, ses provisions et ses tentes, et partit dans le désert.

5. Et il descendit le long des limites du désert près du rivage de la mer Rouge ; et il voyagea dans le désert dans les régions frontières qui sont les plus proches de la mer Rouge ; et il voyagea dans le désert avec sa famille, composée de ma mère Sariah et de mes frères aînés, qui étaient Laman, Lémuel et Sam.

6. Et * quand il eut voyagé trois jours dans le désert, il dressa sa tente dans une vallée sur les bords d'une rivière d'eau.

7. Et * il construisit un autel de pierres, fit une offrande au Seigneur et rendit grâces au Seigneur, notre Dieu.

8. Et * il donna le nom de Laman à la rivière, et elle se jetait dans la mer Rouge ; et la vallée était sur les bords, près de son embouchure.

9. Et lorsque mon père vit que les eaux de la rivière se déversaient dans la fontaine de la mer Rouge, il parla à Laman, disant : O puisses-tu être semblable à cette rivière, coulant continuellement vers la source de toute justice !

10. Et il dit aussi à Lémuel : O puisses-tu être semblable à cette vallée, ferme et constant, et inébranlable à garder les commandements du Seigneur !

11. Et il parlait ainsi à cause de l'endurcissement du cœur de Laman et de Lémuel ; car voici, ils murmuraient contre leur père en bien des choses, parce qu'il avait des visions et les avait emmenés hors du pays de Jérusalem pour quitter la terre de leur héritage, leur or, leur argent et leurs choses précieuses, pour périr dans le désert. Et ils disaient qu'il avait fait cela à cause des folles imaginations de son cœur.

12. C'est ainsi que Laman et Lémuel, qui étaient les aînés, murmuraient contre leur père. Et ils murmuraient parce qu'ils ne connaissaient point les voies de ce Dieu qui les avait créés.

13. Ils ne croyaient pas non plus que Jérusalem, cette grande ville, pût être détruite, selon les paroles des prophètes. Et ils ressemblaient aux Juifs de Jérusalem, qui avaient cherché à ôter la vie à mon père.

14. Et il arriva que mon père leur parla dans la vallée de Lémuel, avec puissance, étant rempli de l'Es-

prit, jusqu'à ce qu'ils tremblassent de tout leur corps devant lui. Et il les confondit de telle sorte qu'ils n'osèrent plus rien dire contre lui ; c'est pourquoi, ils firent ce qu'il leur commandait.

15. Et mon père demeura sous une tente.*

16. Et * moi, Néphi, très jeune encore, mais pourtant d'une haute taille et ayant aussi un grand désir de connaître les mystères de Dieu, j'invoquai le Seigneur ; et voici, il me visita et adoucit mon cœur, de sorte que je crus toutes les paroles qui avaient été dites par mon père ; c'est pourquoi je ne me révoltai pas contre mon père, comme mes frères.

17. Et je parlai à Sam, lui faisant connaître ce que le Seigneur m'avait manifesté par son Saint-Esprit, et * il crut en mes paroles.

18. Mais voici, Laman et Lémuel ne voulurent point écouter mes paroles ; et moi, affligé de la dureté de leur cœur, j'invoquai le Seigneur pour eux.

19. Et * le Seigneur me parla, disant : Tu es béni, Néphi, à cause de ta foi, car tu m'as cherché avec diligence et humilité de cœur.

20. Et tant que vous garderez mes commandements, vous serez prospères, ᵃet vous serez conduits dans une terre de promission, oui, même dans une terre que j'ai préparée pour vous, oui, une terre qui est préférable à toutes les autres terres.

21. Et tant que tes ᵇfrères se révolteront contre toi, ils seront retranchés de la présence du Seigneur.

22. Et tant que tu garderas mes commandements, ᶜtu seras le gouverneur et l'instructeur de tes frères.

23. Car voici, le jour où ils se révolteront contre moi, je les maudirai, même d'une grande ᵈmalédiction, et ils n'auront aucun pouvoir sur ta postérité, à moins qu'elle ne se révolte aussi contre moi.

24. Et s'il arrive qu'elle se révolte contre moi, ils seront un fléau pour ta postérité, pour la pousser à se souvenir de moi.

CHAPITRE 3.

Les fils de Léhi renvoyés à Jérusalem pour obtenir les plaques d'airain. — Laban refuse de remettre les plaques. — Laman et Lémuel réprimandés par un ange.

1. Et * moi, Néphi, je revins, après avoir parlé au Seigneur, à la tente de mon père.

2. Et * il me parla, disant : Voici, j'ai eu un songe, dans lequel le Seigneur m'a ordonné que toi et tes frères vous retourniez à Jérusalem.

3. Car voici, Laban a les annales des Juifs, et aussi une généalogie de tes pères, et elles sont ᵃgravées sur les plaques d'airain.

4. C'est pourquoi, le Seigneur m'a commandé que toi et tes frères, vous alliez à la maison de Laban, cherchiez les annales et les apportiez ici dans le désert.

5. Et maintenant, voici, tes frères murmurent, disant que ce que j'exige d'eux est dur ; mais voici, ce n'est point moi qui l'exige d'eux, c'est un commandement du Seigneur.

6. Va donc, mon fils, et tu seras favorisé de Dieu, parce que tu n'as pas murmuré.

7. Et * moi, Néphi, je dis à mon père : J'irai et je ferai ce que le Seigneur a commandé, car je sais que le Seigneur ne donne aucun commandement aux enfants des

---

a, 1 Né. 18 : 22, 23. Eth. 1 : 42. 2 : 7-12.　　*b*, 2 Né. 5 : 20. Al. 9 : 13, 14. 38 : 1.　*c*, 1 Né. 3 : 29. 2 Né. 5 : 19.　　*d*, 1 Né. 12 : 22, 23. 2 Né. 5 : 21-25. Al. 3 : 6-19. 17 : 15. 3 Né. 2 : 15, 16. Morm. 5 : 15. **Chap.** 3 : *a*, 1 Né. 3 : 12. 19, 20, 24. 4 : 24, 38. 5 : 10-22. 13 : 23. 19 : 22. 2 Né. 4 : 2. 5 : 12. Mos. 1 : 3, 4. 28 : 20. Al. 37 : 3-12. 63 : 1, 11-14. 3 Né. 1 : 2.　　　　　　　　　　　　　　**Vers 600 av. J.-C**

hommes, sans leur préparer la voie pour qu'ils puissent accomplir ce qu'il leur commande.

8. Et * quand mon père eut entendu ces paroles, il fut extrêmement réjoui, car il savait que j'avais été béni du Seigneur.

9. Et moi, Néphi, et mes frères, nous nous mîmes en route dans le désert, avec nos tentes, pour monter au pays de Jérusalem.

10. Et * quand nous fûmes montés au pays de Jérusalem, mes frères et moi, nous nous concertâmes.

11. Et nous ᵇtirâmes au sort pour savoir lequel de nous irait à la maison de Laban. Et * le sort tomba sur Laman ; et Laman entra dans la maison de Laban et il parla avec lui alors qu'il était assis dans sa maison.

12. Et il demanda à Laban les annales qui étaient gravées sur les plaques d'airain, qui contenaient la ᶜgénéalogie de mon père.

13. Et * voici, Laban fut irrité et le chassa de sa présence ; et il ne voulut pas qu'il eût les annales. C'est pourquoi, il lui dit : Voici, tu es un voleur, et je te tuerai.

14. Mais Laman s'enfuit de sa présence et nous raconta ce que Laban avait fait. Et nous commençâmes à être très affligés, et mes frères étaient sur le point de retourner vers mon père dans le désert.

15. Mais voici, je leur dis : Comme le Seigneur vit, et comme nous vivons, nous ne descendrons point vers notre père, dans le désert, que nous n'ayons accompli ce que le Seigneur nous a commandé.

16. C'est pourquoi, soyons fidèles à garder les commandements du Seigneur ; allons au pays de l'héritage de notre père, car voici, il y a laissé de ᵈl'or, de l'argent et toutes sortes de richesses. Et il

a fait tout ceci pour obéir aux commandements du Seigneur.

17. Car il savait que ᵉJérusalem doit être détruite à cause de la méchanceté du peuple.

18. Car voici, ce dernier a rejeté les paroles des prophètes. C'est pourquoi, si mon père demeurait dans le pays après avoir reçu l'ordre de fuir loin du pays, voici, il périrait aussi. C'est pourquoi, il était nécessaire qu'il s'enfuît du pays.

19. Et voici, Dieu, dans sa sagesse, veut que nous obtenions ces annales, afin de conserver à nos enfants la ᵉlangue de nos pères.

20. Et aussi, afin que nous puissions leur conserver les paroles qui ont été dites de la bouche de tous les saints prophètes, qui les ont reçues de l'Esprit et de la puissance de Dieu, depuis le commencement du monde jusqu'aux temps présents.

21. Et * je persuadai mes frères en employant ce genre de langage pour qu'ils pussent être fidèles à garder les commandements de Dieu.

22. Et * nous descendîmes au pays de notre héritage et nous réunîmes notre ᶠor, notre argent et nos choses précieuses.

23. Et lorsque nous eûmes réuni ces choses, nous remontâmes à la maison de Laban.

24. Et * nous entrâmes chez Laban et lui demandâmes de nous donner les annales gravées sur les ᵍplaques d'airain, pour lesquelles nous lui donnerions notre or, notre argent et toutes nos choses précieuses.

25. Et * Laban vit nos biens et qu'ils étaient considérables ; il les convoita, de sorte qu'il nous jeta dehors et envoya ses serviteurs pour nous tuer afin de s'emparer de nos biens.

b, Josué 18 : 6, 10. Juges 20 : 9. Actes 1 : 26.   *z*, 1 Né. 5 : 14.   *c*, 1 Né. 2 : 4. *d*, voir *d*, 1 Né. 1.   *e*, 1 Né. 1 : 2, 3. Mos. 1 : 4.   *f*, 1 Né. 2 : 4. 3 : 16.   *g*, voir *a*.

26. Et * nous prîmes la fuite devant les serviteurs de Laban, et nous fûmes obligés d'abandonner nos biens, et ils tombèrent entre les mains de Laban.

27. Et * nous nous enfuîmes dans le désert, et les serviteurs de Laban ne purent nous atteindre, et nous nous cachâmes dans la cavité d'un rocher.

28. Et * Laman fut irrité contre moi et aussi contre mon père ; et Lémuel l'était aussi car il écoutait ce que disait Laman. C'est pourquoi Laman et Lémuel nous dirent beaucoup de paroles dures, à nous, leurs frères cadets, et ils nous frappèrent, même d'une verge.

29. Et * comme ils nous frappaient avec une verge, voici, un ange du Seigneur vint se placer devant eux et leur parla, disant : Pourquoi frappez-vous votre frère cadet avec une verge ? Ne savez-vous pas que le Seigneur l'a choisi pour être votre ʰchef, et cela à cause de vos iniquités ? Voici, vous allez remonter à Jérusalem, et le Seigneur livrera Laban entre vos mains.

30. Et lorsque l'ange nous eut parlé, il partit.

31. Et lorsque l'ange fut parti, Laman et Lémuel recommencèrent à murmurer, disant : Comment le Seigneur pourra-t-il livrer Laban entre nos mains ? Voici, c'est un homme puissant, et il peut commander cinquante, oui, il peut même en tuer cinquante ; alors pourquoi pas nous ?

CHAPITRE 4.

Néphi s'empare des plaques par stratagème. — Laban tué avec sa propre épée. — Zoram accompagne Néphi et ses frères dans le désert.

1. Et * je parlai à mes frères, disant : Remontons à Jérusalem, et soyons fidèles à garder les commandements du Seigneur ; car voici, il est plus puissant que toute la terre, alors pourquoi ne serait-il pas plus puissant que Laban avec ses cinquante, oui, ou même avec ses dizaines de mille ?

2. Montons-y donc : soyons forts comme Moïse ; car en vérité, il parla aux eaux de la mer Rouge, et elles se divisèrent de part et d'autre, et nos pères la traversèrent, hors de captivité, à pied sec, et les armées de Pharaon suivirent et furent noyées dans les eaux de la mer Rouge.

3. Maintenant, voici, vous savez que cela est vrai ; et vous savez aussi qu'un ange vous a parlé ; comment alors pouvez-vous douter ? Montons ; le Seigneur peut nous délivrer aussi bien que nos pères, et détruire Laban comme il a détruit les Egyptiens.

4. Lorsque je leur eus dit ces paroles, ils étaient toujours irrités, et continuaient à murmurer ; cependant ils montèrent derrière moi jusqu'à ce que nous fûmes arrivés en dehors des murs de Jérusalem.

5. Et il faisait nuit. Et je les fis cacher hors des murs. Et lorsqu'ils se furent cachés, moi, Néphi, je me glissai à l'intérieur de la ville et je marchai vers la maison de Laban.

6. Et j'étais guidé par l'Esprit, ne sachant pas d'avance ce que je ferais.

7. Cependant, je m'avançai et comme j'approchais de la maison de Laban, je vis un homme ; il était tombé par terre devant moi, car il était ivre de vin.

8. Et quand j'arrivai à lui, je m'aperçus que c'était Laban.

9. Et je vis son ᵃépée et je la tirai du fourreau ; et la poignée était d'or pur et d'un très beau travail, et je vis que la lame était de l'acier le plus précieux.

ʰ, 1 Né. 2 : 22.   Chap. 4 : ᵃ, 2 Né. 5 : 14. Jacob 1 : 10. Mos. 1 : 16. D. et A. 17 : 1.
Entre 600 et 592 av. J.-C.

10. Et * je fus contraint par l'Esprit de tuer Laban. Mais je dis en mon cœur : Jamais je n'ai répandu le sang de l'homme. Et je reculais et souhaitais de ne pas avoir à le tuer.

11. Et l'Esprit me dit encore : Voici, le Seigneur l'a livré entre tes mains. Oui, et je savais aussi qu'il avait cherché à m'ôter la vie ; oui, et il ne voulait point écouter les commandements du Seigneur ; et il s'était aussi emparé de nos biens.

12. * L'Esprit me dit encore : Tue-le, car le Seigneur l'a livré entre tes mains.

13. Voici, le Seigneur fait périr les méchants pour accomplir ses justes desseins. Il vaut mieux qu'un seul homme périsse que de laisser toute une nation dégénérer et périr dans l'incrédulité.

14. Et lorsque moi, Néphi, j'eus entendu ces paroles, je me souvins des paroles que le Seigneur m'avait dites dans le désert : Tant que ta postérité gardera mes commandements, ᵇelle prospérera dans la terre de promission.

15. Oui, et je pensai aussi qu'elle ne pourrait point garder les commandements du Seigneur selon la loi de Moïse, sans avoir la loi.

16. Et je savais aussi que la loi était gravée sur les plaques d'airain.

17. Et en outre, je savais que le Seigneur avait livré Laban entre mes mains à cause de cela — afin que je pusse obtenir les annales selon ses commandements.

18. C'est pourquoi j'obéis à la voix de l'Esprit, je pris Laban par les cheveux de la tête et je lui coupai la tête avec sa propre épée.

19. Et lorsque je lui eus coupé la tête avec sa propre épée, je pris les vêtements de Laban, et je m'en revêtis le corps, oui, même complètement, et je me ceignis les reins de ses armes.

20. Et après avoir fait cela, je me rendis à la trésorerie de Laban. Et comme j'allais vers la trésorerie de Laban, voici, je vis le serviteur de Laban qui avait les clefs de la trésorerie. Et je lui commandai, avec la voix de Laban, d'entrer avec moi dans la trésorerie.

21. Et il me prit pour son maître Laban, car il vit les vêtements et l'épée dont je m'étais ceint les reins.

22. Et il me parla des anciens des Juifs, sachant que son maître Laban était allé, la nuit, parmi eux.

23. Et je lui parlai comme si ç'avait été Laban.

24. Et je lui dis aussi que je devais porter les annales qui étaient sur les ᶜplaques d'airain à mes frères aînés, qui étaient en dehors des murs.

25. Et je lui ordonnai aussi de me suivre.

26. Et lui, croyant que je parlais des frères de l'église, et que j'étais bien ce Laban que j'avais tué, pour cette raison, il me suivit.

27. Et il me parla de nombreuses fois des anciens des Juifs, pendant que j'allais vers mes frères, restés en dehors des murs.

28. Et * lorsque Laman me vit, il fut extrêmement effrayé, ainsi que Lémuel et Sam. Et ils se sauvèrent à mon approche ; car ils pensaient que j'étais Laban, qu'il m'avait tué et cherchait à leur ôter la vie aussi.

29. Et * je les appelai, et ils m'entendirent ; c'est pourquoi, ils cessèrent de s'enfuir de ma présence.

30. Et * quand le serviteur de Laban vit mes frères, il se mit à trembler, et il était sur le point de s'enfuir et de retourner à Jérusalem.

31. Mais moi, Néphi, étant un homme de grande taille et ayant

---

ᵇ, 1 Né. 2 : 20.   ᶜ, voir ᵃ, 1 Né. 3.   Entre 600 et 592 av. J.-C.

également reçu beaucoup de force
du Seigneur, je saisis le serviteur
de Laban et le tins pour l'empêcher
de s'enfuir.

32. Et * je lui dis que s'il voulait écouter mes paroles, comme le
Seigneur vit et comme je vis, si
donc il voulait écouter nos paroles,
nous lui épargnerions la vie.

33. Et je lui dis, même par serment, qu'il n'avait pas besoin
d'avoir peur ; qu'il serait un
homme libre comme nous, s'il voulait descendre au désert avec nous.

34. Et je lui parlai, disant : Certainement, le Seigneur nous a
ordonné de faire ce que nous avons
fait ; et ne devons-nous pas être
diligents à garder les commandements du Seigneur ? C'est pourquoi, si tu veux descendre au désert, vers mon père, tu auras ta
place parmi nous.

35. Et * en entendant mes paroles, Zoram prit courage. *Zoram
était le nom du serviteur ; et il
promit qu'il descendrait au désert,
vers mon père. Et il nous fit aussi
le serment de rester dorénavant
avec nous.

36. Maintenant voici pourquoi
nous désirions qu'il restât avec
nous : C'est afin que les Juifs ne
connussent pas notre fuite dans le
désert, de peur qu'ils ne nous poursuivissent et ne nous détruisissent.

37. Et * quand Zoram se fut
engagé par serment envers nous,
les craintes que nous éprouvions à
son égard cessèrent.

38. Et * nous prîmes les plaques
d'airain et le serviteur de Laban,
et partîmes dans le désert, et nous
allâmes à la tente de notre père.

CHAPITRE 5.

*Reproches de Sariah à Léhi. — Tous
deux se réjouissent du retour de leurs
fils. — Contenu des plaques d'airain.*

*Léhi, descendant de Joseph. — Laban
aussi de cette même lignée. — Prophéties
de Léhi.*

1. Et * lorsque nous fûmes descendus dans le désert chez notre
père, voici, il fut rempli de joie,
et ma mère Sariah se réjouit aussi
extrêmement, car elle avait été
dans une grande affliction à cause
de nous.

2. Car elle pensait que nous
avions péri dans le désert ; et elle
s'était plainte aussi à mon père,
le traitant de visionnaire ; disant :
Tu nous as emmenés du pays de
notre héritage, et mes fils ne sont
plus, et nous périssons dans le
désert.

3. Et c'est en usant pareil langage que ma mère s'était plainte
à mon père.

4. Et * mon père lui avait parlé,
disant : Je sais que je suis un
visionnaire, car si je n'avais pas
vu les choses de Dieu en *vision,
je n'aurais pas connu la bonté de
Dieu, mais je serais resté à Jérusalem et j'y aurais péri avec mes
frères.

5. Mais voici, j'ai obtenu une
terre de promission, chose dont je
me réjouis ; oui, et je sais que le
Seigneur délivrera mes fils des
mains de Laban et qu'il nous les
ramènera dans le désert.

6. Et c'est dans ce langage que
mon père Léhi rassura ma mère
Sariah à notre sujet, pendant que
nous voyagions dans le désert pour
monter au pays de Jérusalem, pour
obtenir les annales des Juifs.

7. Lorsque nous fûmes de retour à la tente de mon père, voici,
leur joie fut complète et ma mère
fut consolée.

8. Et elle parla, disant : Maintenant je sais avec certitude que
le Seigneur a *ordonné à mon mari
de fuir dans le désert ; oui, et je

---

d, 1 Né. 16 : 7. 2 Né. 5 : 6. Jacob 1 : 13. Al. 54 : 23. 4 Né. 36, 37.   Chap. 5 :
a, 1 Né. 1 : 13. 3 : 18.   b, 1 Né. 2 : 2.   Entre 600 et 592 av. J.-C.

sais aussi, avec certitude, que le Seigneur a protégé mes fils, qu'il les a délivrés des mains de Laban et qu'il leur a donné le pouvoir d'accomplir ce que le Seigneur leur a commandé. C'est dans ce langage qu'elle parla.

9. Et * ils se réjouirent extrêmement et offrirent au Seigneur un sacrifice et des holocaustes ; et ils rendirent grâces au Dieu d'Israël.

10. Et lorsqu'ils eurent rendu grâces au Dieu d'Israël, mon père Léhi prit les annales, qui étaient gravées sur les ᶜplaques d'airain et il les examina depuis le commencement.

11. Et il vit qu'elles contenaient les cinq livres de Moïse, qui donnaient l'histoire de la création du monde, et aussi d'Adam et d'Eve, qui furent nos premiers parents.

12. Et aussi une histoire des Juifs depuis le début jusqu'au commencement du règne de Sédécias, roi de Juda.

13. Et aussi, les prophéties des saints prophètes depuis le début jusqu'au commencement du règne de Sédécias ; et aussi, beaucoup de prophéties qui ont été dites de la bouche de Jérémie.

14. Et * mon père Léhi trouva aussi sur les plaques d'airain la ᵈgénéalogie de ses pères ; c'est pourquoi, il sut qu'il descendait de Joseph ; oui, même de ce Joseph, fils de Jacob, qui fut vendu en Egypte et qui fut préservé par la main du Seigneur, pour sauver son père Jacob et toute sa maison de la famine.

15. Et ils furent aussi emmenés hors de captivité et hors du pays d'Egypte, par ce même Dieu qui les avait protégés.

16. Et c'est ainsi que mon père Léhi découvrit la généalogie de ses pères. Et Laban descendait aussi de Joseph ; et c'est pour cela que

lui et ses pères avaient conservé les annales.

17. Et quand mon père vit toutes ces choses, il fut rempli de l'Esprit et il commença de prophétiser sur sa postérité.

18. Que ces plaques d'airain seraient envoyées à toutes les nations, familles, langues et peuples de sa postérité.

19. C'est pourquoi, il dit que ces plaques d'airain ne périraient jamais et qu'elles ne seraient même jamais ternies par le temps. Et il prophétisa bien des choses touchant sa postérité.

20. * Jusqu'alors, mon père et moi avions gardé les commandements que le Seigneur nous avait donnés.

21. Et nous avions obtenu les annales, ainsi que le Seigneur nous l'avait ordonné ; nous les avions examinées et découvert qu'elles étaient désirables ; et elles nous étaient d'un grand prix, étant donné que nous pouvions transmettre les commandements du Seigneur à nos enfants.

22. C'est pourquoi, c'était sagesse de la part du Seigneur que nous les emportions avec nous pendant notre marche dans le désert vers la terre de promission.

CHAPITRE 6.

Intentions de Néphi. — Il écrit ce qui plaît à Dieu.

1. Et moi, Néphi, je ne donne point la généalogie de mes pères dans cette partie de mes annales ; et dorénavant je ne la donnerai, à aucun moment, sur ces plaques que je suis occupé à écrire, parce qu'elle est donnée dans les annales que mon père a ᵃgardées ; c'est pourquoi je ne l'écris point dans cette œuvre.

---

c, voir a, 1 Né. 3.   d, 1 Né. 3 : 12. 5 : 16. 6 : 1. Al. 10 : 3. 37 : 3.   CHAP. 6 :
a, 1 Né. 1 : 16.   ENTRE 600 et 592 av. J.-C.

2. Car il me suffit de dire que nous sommes descendants de Joseph.

3. Et je ne tiens pas particulièrement à donner un récit complet de toutes les choses de mon père, car elles ne peuvent être écrites sur ces plaques, étant donné que je désire la place pour pouvoir écrire ce qui concerne les choses de Dieu.

4. Car tout mon dessein est de pouvoir persuader les hommes de venir au Dieu d'Abraham, au Dieu d'Isaac et au Dieu de Jacob, et être sauvés.

5. C'est pourquoi, je n'écris point les choses qui plaisent au monde, mais celles qui plaisent à Dieu et à ceux qui ne sont pas du monde.

6. C'est pourquoi, je donnerai à ma postérité l'ordre de ne point ᵇremplir ces plaques de choses sans valeur pour les enfants des hommes.

CHAPITRE 7.

Les fils de Léhi renvoyés de nouveau à Jérusalem. — Ismaël et sa maison acceptent de se joindre à la compagnie de Léhi. — Dissension. — Néphi, lié de cordes, est délivré par le pouvoir de la foi. — Ses frères rebelles se repentent.

1. Et maintenant, je veux que vous sachiez que lorsque mon père Léhi eut fini de ᵃprophétiser sur sa postérité, * le Seigneur lui parla de nouveau, disant qu'il n'était point convenable que lui, Léhi, emmenât sa famille seule dans le désert ; mais que ses fils devaient aussi prendre les filles de quelqu'un pour ᵇfemmes, afin qu'ils pussent élever une postérité dans le Seigneur dans la terre de promission.

2. Et * le Seigneur lui ordonna de nous faire retourner, moi, Néphi, et mes frères, au pays de Jérusalem, pour emmener ᶜIsmaël et sa famille dans le désert.

3. Et * moi, Néphi, et mes frères, nous allâmes de nouveau dans le désert pour monter à Jérusalem.

4. Et * nous nous rendîmes à la maison d'Ismaël et nous trouvâmes grâce aux yeux d'Ismaël, en sorte que nous pûmes lui annoncer les paroles du Seigneur.

5. Et * le Seigneur adoucit le cœur d'Ismaël et de sa maison, et ils se mirent en route avec nous, dans le désert, vers la tente de notre père.

6. Et * comme nous voyagions dans le désert, voici, Laman et Lémuel, et deux des filles d'Ismaël, et les deux fils d'Ismaël et leurs familles, se révoltèrent contre nous, ou contre moi, Néphi, contre Sam et contre leur père Ismaël, sa femme et ses trois autres filles.

7. Et * dans leur révolte, ils étaient désireux de retourner au pays de Jérusalem.

8. Et moi, Néphi, affligé de leur dureté de cœur, pour cette raison, je leur parlai, disant, oui, même à Laman et à Lémuel : Voici, vous êtes mes frères aînés ; or, comment se fait-il que vous êtes si endurcis de cœur et si aveuglés d'esprit, que vous ayez besoin que moi, votre frère cadet, je vous parle et que je vous donne l'exemple ?

9. Comment se fait-il que vous n'ayez pas écouté la parole du Seigneur ?

10. Comment se fait-il que vous ayez oublié que vous avez vu ᵈun ange du Seigneur ?

11. Oui, et comment se fait-il que vous ayez oublié les grandes choses que le Seigneur a faites pour nous, en nous ᵉdélivrant des mains de Laban et en nous rendant possesseurs des annales ?

---

b, Jacob 1 : 1-4. 3 : 13, 14. 4 : 1-3. Enos 25. P. de Morm. 3-11. CHAP. 7 : a, 1 Né. 7 : 6, 19. d, 1 Né. 3 : 29. e, 1 Né. 4. 13-18. Jar. 1, 2, 14, 15. Om. 1, 3, 9, 11, 1 : 16. 2 : 14. b, 1 Né. 16 : 7. c, 1 Né.

ENTRE 600 et 592 AV. J.-C.

12. Oui, et comment se fait-il que vous ayez oublié que le Seigneur a le pouvoir de faire toutes choses, selon sa volonté, pour les enfants des hommes, s'ils ont foi en lui ? Soyons-lui donc fidèles.

13. Et si nous lui sommes fidèles, 'nous obtiendrons la terre de promission ; et vous saurez, *à une époque future, que la parole du Seigneur, touchant la destruction de Jérusalem, sera accomplie ; car tout ce que le Seigneur a dit touchant la destruction de Jérusalem, doit être accompli.

14. Car voici, l'Esprit du Seigneur cesse bientôt de lutter avec eux ; car voici, ils ont ʰrejeté les prophètes et jeté 'Jérémie en prison. Et ils ont cherché à ʲôter la vie à mon père, au point qu'ils l'ont chassé du pays.

15. Maintenant, voici, je vous dis que si vous voulez retourner à Jérusalem, vous périrez aussi avec eux. Et maintenant, si vous avez fait votre choix, montez au pays ; et souvenez-vous des paroles que je vous dis, que si vous y allez, vous périrez aussi ; car c'est ce que l'Esprit du Seigneur me contraint à dire.

16. Et * lorsque. moi, Néphi, j'eus dit ces paroles à mes frères, ils furent irrités contre moi. Et * ils mirent les mains sur moi, car voici, ils étaient excessivement irrités ; et ils me lièrent avec des cordes, car ils cherchaient à m'ôter la vie et à me laisser dans le désert pour être dévoré par les bêtes sauvages.

17. Mais * je priai le Seigneur, disant : O Seigneur, selon ma foi en toi, veuille me délivrer des mains de mes frères ; oui, donne-moi la force de rompre ces liens qui m'entravent.

18. Et * quand j'eus dit ces paroles, voici, les liens tombèrent de mes mains et de mes pieds ; et je me tins debout devant mes frères et je leur parlai de nouveau.

19. Et * ils furent de nouveau irrités contre moi et cherchèrent à mettre les mains sur moi ; mais voici, une des filles d'Ismaël, oui, et aussi sa mère, et un des fils d'Ismaël, parlèrent en ma faveur à mes frères, en sorte que leur cœur fut attendri, et qu'ils cessèrent de vouloir m'ôter la vie.

20. Et * ils furent affligés à cause de leur méchanceté, au point qu'ils se courbèrent devant moi et me prièrent de leur pardonner ce qu'ils avaient fait contre moi.

21. Et * je leur pardonnai de bon cœur ce qu'ils avaient fait, et je les exhortai à demander aussi pardon au Seigneur, leur Dieu. Et * ils le firent. Et lorsqu'ils eurent fini de prier le Seigneur, nous reprîmes notre route vers la tente de notre père.

22. Et * nous descendîmes à la tente de notre père. Et lorsque moi et mes frères et toute la maison d'Ismaël fûmes descendus à la tente de mon père, ils rendirent grâces au Seigneur, leur Dieu ; et ils lui offrirent des sacrifices et des holocaustes.

CHAPITRE 8.

Rêve de Léhi : l'arbre, la rivière et la barre de fer. — Laman et Lémuel ne prennent pas du fruit de l'arbre.

1. Et * nous avions rassemblé toutes sortes de ᵘsemences, de toute espèce, tant de graines de toute espèce que de semences de fruits de toute espèce.

2. Et * tandis que mon père séjournait dans le désert, il nous parla, disant : Voici, j'ai eu un

---

f, 1 Né. 2 : 20. 18 : 22, 23.   *g*, 2 Né. 6 : 8, 9. 25 : 10. Om. 15. Héla. 8 : 20, 21.   *h*, Jér. 44 : 4-6.   *i*, Jér. 37 : 15.   *j*, 1 Né. 2 : 1.   CHAP. 8 : *a*, 1 Né. 18 : 24.

ENTRE 600 et 592 av. J.-C.

songe ; ou, en d'autres termes, j'ai eu une vision.

3. Et voici, à cause de ce que j'ai vu, j'ai des raisons de me réjouir dans le Seigneur à cause de Néphi, et aussi à cause de Sam ; car j'ai lieu de croire qu'eux et beaucoup de leurs descendants seront sauvés.

4. Mais, voici, Laman et Lémuel, j'ai de grandes craintes à cause de vous, car voici, il me sembla voir, en songe, un désert sombre et triste.

5. Et * je vis un homme, vêtu d'une robe blanche ; et il vint se tenir devant moi.

6. * Il me parla et m'ordonna de le suivre.

7. Et * comme je le suivais, je me vis dans un désert ténébreux et désolé.

8. Et lorsque j'eus marché dans les ténèbres pendant de nombreuses heures, je me mis à prier le Seigneur d'être miséricordieux envers moi, selon la multitude de ses tendres miséricordes.

9. Et * après avoir prié le Seigneur, je découvris un champ vaste et spacieux.

10. Et * je vis un ᵇarbre dont le fruit était désirable pour rendre heureux.

11. Et * m'étant avancé, je pris de son fruit ; et je vis qu'il était très doux, meilleur que tout ce que j'avais jamais goûté auparavant. Oui, et je vis que le fruit en était blanc, au point que sa blancheur dépassait tout ce que j'eusse jamais vu.

12. Et comme j'en mangeais le fruit, il me remplit l'âme d'une joie extrême ; c'est pourquoi je commençai à éprouver le désir que ma famille en prît aussi, car je savais que c'était un fruit préférable à tout autre.

13. Et comme je jetais les regards autour de moi, espérant découvrir peut-être ma famille aussi, je vis une ᶜrivière d'eau ; elle coulait, et elle était près de l'arbre dont je prenais le fruit.

14. Et je regardai pour voir d'où elle venait ; et j'en vis la source à une petite distance ; et à sa source je vis votre mère Sariah, Sam et Néphi : et ils se tenaient là comme s'ils ne savaient pas où aller.

15. Et * je leur fis signe ; et je leur criai aussi à haute voix de venir à moi et de prendre du fruit qui était préférable à tout autre fruit.

16. Et * ils vinrent à moi et ils prirent aussi du fruit.

17. Et * je désirai que Laman et Lémuel vinssent en prendre aussi. C'est pourquoi, je tournai mes regards vers la source de la rivière dans l'espoir de les apercevoir.

18. Et * je les vis, mais ᵈils ne voulurent pas venir vers moi et prendre du fruit.

19. Et je vis une ᵉbarre de fer qui s'étendait le long du bord de la rivière et qui conduisait à l'arbre à côté duquel je me tenais.

20. Et je vis aussi un sentier droit et étroit qui longeait la barre de fer jusqu'à l'arbre à côté duquel je me tenais ; et il passait aussi par la source de la fontaine jusqu'à un champ vaste et spacieux comme un monde.

21. Et je vis des multitudes innombrables de gens dont un grand nombre se pressait en avant pour gagner le sentier conduisant à l'arbre à côté duquel je me tenais.

22. Et * ils commencèrent à s'avancer dans le sentier qui menait à l'arbre.

23. Et * il s'éleva un brouillard

b, 1 Né. 8 : 15, 20, 24, 25, 30. 11 : 8, 9, 21-23, 25.   *c*. 1 Né. 8 : 19. 12 : 16, 18. 15 : 26-29.   *d*, 2 Né. 5 : 20.   *e*, 1 Né. 8 : 24, 30. 15 : 23, 24.

de ténèbres ; oui, même un brouillard de ténèbres excessivement épais au point que ceux qui étaient entrés dans le sentier sortirent du chemin, s'égarèrent et se perdirent.

24. Et * j'en vis d'autres qui se pressaient en avant ; ils vinrent et, s'étant saisis de l'extrémité de la barre de fer, ils se pressèrent en avant au travers du brouillard de ténèbres, s'accrochant à la barre de fer, jusqu'à ce qu'ils arrivassent et pussent prendre du fruit de l'arbre.

25. Et lorsqu'ils eurent pris du fruit de l'arbre, ils jetèrent les regards autour d'eux, comme s'ils avaient honte.

26. Et je jetai aussi les regards autour de moi, et je vis, de l'autre côté de la rivière d'eau, un ᶠédifice grand et spacieux ; et il semblait être au milieu de l'air, bien au-dessus de la terre.

27. Et il était rempli de monde, jeunes et vieux, hommes et femmes ; et ils avaient des vêtements très riches ; ils paraissaient se moquer et montrer du doigt ceux qui étaient venus prendre du fruit.

28. Et lorsqu'ils eurent goûté du fruit, ceux-ci furent saisis de honte à la vue de ceux qui se moquaient d'eux ; et ils tombèrent dans des sentiers défendus où ils se perdirent.

29. Et moi, Néphi, je ne rapporte pas toutes les paroles de mon père.

30. Mais afin d'être bref dans mon récit, voici, il vit d'autres multitudes qui se pressaient, s'avançaient, et se saisissaient de l'extrémité de la ᵍbarre de fer ; et elles s'avançaient, se tenant toujours fermement à la barre de fer jusqu'au moment où elles arrivaient, se laissaient tomber et prenaient du fruit de l'arbre.

31. Et il vit aussi d'autres multitudes qui marchaient en tâtonnant, vers le grand et spacieux édifice.

32. Et * beaucoup furent ʰnoyés dans les profondeurs de la source ; et beaucoup disparurent à ses regards, tandis qu'ils erraient sur des routes étranges.

33. Et grande fut la multitude de ceux qui entrèrent dans ce ⁱsingulier édifice. Et après qu'ils furent entrés dans cet édifice, ils nous montrèrent du doigt avec mépris, moi et ceux qui prenaient du fruit avec moi ; mais nous ne fîmes pas attention à eux.

34. Voici les paroles de mon père : Tous ceux qui firent attention à eux s'éloignèrent et se perdirent.

35. ʲLaman et Lémuel ne prirent point du fruit, dit mon père.

36. Et * lorsque mon père nous eut entièrement rapporté son songe ou sa vision, qui était fort étendu, il nous dit qu'il craignait extrêmement pour Laman et pour Lémuel à cause de ce qu'il avait vu en songe ; oui, il redoutait qu'ils ne fussent ᵏchassés de la présence du Seigneur.

37. Il les exhorta alors, avec tous les sentiments d'un père tendre, à écouter ses paroles, espérant que le Seigneur leur ferait peut-être miséricorde, et ne les rejetterait point. Oui, mon père leur prêcha.

38. Et lorsqu'il leur eut prêché et leur eut prophétisé beaucoup de choses, il les engagea à garder les commandements du Seigneur et il cessa de leur parler.

CHAPITRE 9.

Concerne les plaques de Néphi. — Deux ensembles d'annales, un sur le ministère,

---

f, vers. 31. 33. 1 Né. 11 : 35, 36. 12 : 18. 8 : 13, 14. 15 : 26-29.   i, 1 Né. 8 : 26.   g, 1 Né. 8 : 19. 15 : 23, 24.   h, 1 Né. j, vers. 4, 17, 18.   k, 2 Né. 5 : 20.

ENTRE 600 et 592 AV. J.-C.

l'autre sur les gouverneurs, les guerres, etc.

1. Et toutes ces choses, ainsi que beaucoup d'autres qui ne peuvent être écrites sur ces plaques, mon père les vit, les entendit et les dit *pendant qu'il demeurait sous la tente dans la vallée de Lémuel.

2. Or, comme j'ai parlé de ces *plaques, voici, ce ne sont pas les plaques sur lesquelles je fais le récit complet de l'histoire de mon peuple ; car les plaques sur lesquelles je fais le récit complet de mon peuple, je leur ai donné le nom de Néphi ; c'est pourquoi, elles s'appellent plaques de Néphi, d'après mon propre nom ; et ces plaques s'appellent aussi plaques de Néphi.

3. Néanmoins, j'ai reçu du Seigneur le commandement de faire ces plaques dans le but spécial d'y graver l'histoire du ministère de mon peuple.

4. Sur les autres plaques sera gravée l'histoire du règne des rois, et des guerres et des contentions de mon peuple ; c'est pourquoi ces plaques traitent surtout du ministère ; et les autres plaques traitent surtout du règne des rois et des guerres et des contentions de mon peuple.

5. Voilà pourquoi le Seigneur m'a commandé de faire ces plaques dans un ᶜsage dessein, qui m'est inconnu.

6. Mais le Seigneur connaît toutes choses depuis le commencement ; c'est pourquoi, il prépare la voie pour accomplir toutes ses œuvres parmi les enfants des hommes ; car voici, il a tout pouvoir pour accomplir toutes ses paroles. Ainsi en est-il. Amen.

CHAPITRE 10.

Léhi prédit la captivité babylonienne et la venue de l'Agneau de Dieu. — La maison d'Israël est comparée à un olivier. — Symbole de la dispersion et du rassemblement ultérieur.

1. Et moi, Néphi, je vais maintenant rapporter sur ces plaques mes actions, mon règne et mon ministère. Mais afin de continuer mon récit, il faut que je parle un peu de mon père et de mes frères.

2. Car voici, * lorsque mon père eut fini de raconter le songe qu'il avait eu et de les exhorter à se montrer diligents en tout, il leur parla des Juifs, disant

3. Que lorsqu'ils auraient été détruits, à savoir cette grande ville de Jérusalem, et que beaucoup d'entre eux auraient été emmenés captifs à Babylone, au temps marqué par le Seigneur, ils reviendraient encore, oui, seraient même ramenés de leur captivité ; et lorsqu'ils auraient été ᵃramenés de captivité, ils posséderaient de nouveau le pays de leur héritage.

4. Et aussi, que ᵇsix cents ans après le départ de mon père de Jérusalem, le Seigneur Dieu susciterait un ᶜprophète parmi les Juifs, même un Messie, ou, en d'autres termes, un Sauveur du monde.

5. Et il leur parla aussi des prophètes, leur montrant combien était ᵈconsidérable le nombre de ceux qui avaient rendu témoignage de ce Messie, ou de ce Rédempteur du monde dont il avait parlé.

6. Et que tout le genre humain était dans un ᵉétat de chute et de perdition et le serait toujours, à moins qu'il n'ait recours à ce Rédempteur.

a, 1 Né. 2 : 6, 15. *b,* voir *f,* 1 Né. 1. D. et A. 3 : 19. 10 : 34-42. 1 Né. 19 : 3. *b,* 1 Né. 19 : 8. 2 Né. 25 : 19. 3 Né. 1 : 1. *d,* 3 Né. 20 : 24. *e,* 2 Né. 2 : 5-8. 9 : 6-38. 32. 12 : 22.

c, P. de Morm. 7. Al. 37 : 2, 12, 14, 18. Снар. 10 : *a,* 2 Né. 6 : 8-11. Dan. 9 : 2. *c,* 1 Né. 22 : 20, 21. 3 Né. 20 : 23. 25 : 20. 31 : 21. Mos. 16 : 4, 5. Al. 9 : 30, Entre 600 et 592 av. J.-C.

7. Et il parla aussi d'un prophète qui devait précéder le Messie afin de préparer la voie du Seigneur.

8. Et qui irait, criant dans le désert : Préparez la voie du Seigneur ; aplanissez ses sentiers, car il y en a un parmi vous que vous ne connaissez point ; et il est plus puissant que moi ; et je ne suis pas digne de délier la courroie de ses chaussures. Et mon père parla beaucoup de ceci.

9. Mon père dit que celui-là baptiserait à Béthabara, au-delà du Jourdain ; et il dit aussi qu'il baptiserait d'eau ; et même qu'il baptiserait d'eau le Messie.

10. Et que lorsqu'il aurait baptisé d'eau le Messie, il verrait et rendrait témoignage d'avoir baptisé l'Agneau de Dieu, qui allait effacer les péchés du monde.

11. Et * lorsque mon père eut dit ces paroles, il parla à mes frères de l'évangile qui serait prêché parmi les Juifs, et aussi de l'incrédulité dans laquelle les Juifs ᵍtomberaient. Et qu'ils tueraient le Messie qui devait venir, et qu'après avoir été tué, il ressusciterait d'entre les morts et se manifesterait par le Saint-Esprit aux Gentils.

12. Oui, mon père parla beaucoup des Gentils et de la maison d'Israël : il dit qu'on devait les comparer à un ʰolivier dont les branches seraient rompues et dispersées sur toute la surface de la terre.

13. Voilà pourquoi il faut, disait-il, que nous soyons tous conduits d'un commun accord à ⁱla terre de promission pour accomplir la parole du Seigneur, qui a déclaré que nous serions dispersés sur toute la surface de la terre.

14. Et il dit que la maison d'Is-

raël, après sa dispersion, serait rassemblée ; c'est-à-dire que, quand les ʲGentils auraient reçu la plénitude de l'évangile, les branches naturelles de l'olivier, ou restes de la maison d'Israël, seraient entées sur eux, c'est-à-dire feraient connaissance du vrai Messie, leur Seigneur et leur Rédempteur.

15. Et c'est ainsi que mon père prophétisa et parla à mes frères, leur disant beaucoup d'autres choses que je n'écris point dans ce livre, ayant mis dans mon ᵏautre livre tout ce qui était utile pour mon but.

16. Et toutes les choses que j'ai rapportées arrivèrent au temps où mon père demeurait sous la ˡtente dans la vallée de Lémuel.

17. Et * lorsque moi, Néphi, j'eus entendu toutes les paroles de mon père sur la vision qu'il avait eue et aussi tout ce qu'il dit par le pouvoir du Saint-Esprit, pouvoir qu'il avait reçu par la foi au Fils de Dieu — et le Fils de Dieu était le Messie qui devait venir — moi, Néphi, je désirai aussi voir, entendre et connaître ces choses par le pouvoir du Saint-Esprit que Dieu ᵐdonne à tous ceux qui le cherchent diligemment, comme il l'a donné dans les temps anciens et comme il le donnera dans le temps où il se manifestera aux enfants des hommes.

18. Car il est le même hier, aujourd'hui et à jamais ; et la voie est préparée pour tous les hommes depuis la fondation du monde, s'ils se repentent et viennent à lui ;

19. Car celui qui cherche diligemment trouve ; et les mystères de Dieu lui seront dévoilés par la puissance du Saint-Esprit, dans les temps présents comme ils l'ont été

ƒ, 1 Né. 11 : 27. 2 Né. 31 : 4-18.   g, Rom. 11. Jacob 4 : 15. 1 Né. 4 : 13. 12 : 22. 13 : 35. Morm. 5 : 14.   h, Jacob chaps. 5,6.   i, 1 Né. 2 : 20. 18 : 23.   j, Jacob 5. 3 Né. 16 : 4-7. 21 : 1-11.   k, voir ƒ, 1 Né. 1.   l, voir a, 1 Né. 9.   m, 2 Pi. 1 : 21.

dans les temps anciens ; et ils le furent dans les temps anciens comme ils le seront dans les temps à venir ; c'est pourquoi les voies du Seigneur sont une ronde éternelle.

20. Souviens-toi donc, ô homme, que pour tout ce que tu auras fait, tu seras mis en jugement.

21. C'est pourquoi, si vous avez cherché le mal aux jours de votre épreuve, vous serez trouvés impurs devant le siège du jugement de Dieu ; et rien d'impur ne peut habiter avec Dieu : c'est pourquoi, vous serez rejetés à jamais.

22. Et le Saint-Esprit me donne autorité pour dire ces choses, mais non pour les nier.

CHAPITRE 11.

Néphi et l'Esprit du Seigneur. — Interprétation du rêve prophétique de Léhi. — Néphi voit la Vierge et le Fils de Dieu. — Le futur ministère du Christ lui est montré.

1. * Après avoir souhaité connaître les choses que mon père avait vues, et croyant que le Seigneur pouvait me les faire connaître, comme je méditais dans mon cœur, je fus ravi dans l'Esprit du Seigneur, sur une très haute montagne que je n'avais jamais vue auparavant et sur laquelle je n'avais jamais mis le pied.

2. Et l'Esprit me dit : Que désires-tu ?

3. Et je dis : Je souhaite voir les choses que mon père a vues.

4. Et l'Esprit me dit : Crois-tu que ton père a vu ªl'arbre dont il a parlé ?

5. Et je dis : Oui, tu sais que je crois toutes les paroles de mon père.

6. Et quand j'eus dit ces paroles l'Esprit s'écria d'une voix forte,

disant : Hosanna au Seigneur, le Dieu très haut ! car il est Dieu sur toute la terre, oui, même au-dessus de tout. Et toi, Néphi, tu es béni, parce que tu crois au Fils du Dieu très haut ; c'est pourquoi tu verras les choses que tu as désirées.

7. Et voici, ceci te sera donné pour signe : Lorsque tu auras vu l'arbre qui a porté le fruit que ton père a goûté, tu verras aussi un homme descendre du ciel et tu en seras témoin ; et lorsque tu l'auras vu, tu rendras témoignage que c'est le Fils de Dieu.

8. Et * l'Esprit me dit : Regarde. Et je regardai, et je vis un arbre : et il était semblable à l'arbre que mon père avait vu ; et sa beauté dépassait de loin, oui, surpassait toute autre beauté, et sa blancheur dépassait la blancheur de la neige fraîchement tombée.

9. Et * quand j'eus vu l'arbre, je dis à l'Esprit : Je vois que tu m'as montré l'arbre qui est plus précieux que tout.

10. Et il me dit : Que désires-tu ?

11. Et je lui dis : En connaître l'interprétation — car je lui parlai comme un homme parle ; car je voyais qu'il avait la ᵇforme d'un homme ; néanmoins, je savais que c'était l'esprit du Seigneur ; et il me parla comme un homme parle à un autre.

12. Et * * il me dit : Regarde. Et je regardai pour le voir ; mais je ne le vis point, car il s'était retiré de ma présence.

13. Et * je regardai, et je vis la grande ville de Jérusalem, ainsi que d'autres villes. Et je vis la ville de ᶜNazareth ; et dans la ville de Nazareth, je vis une vierge, et elle était extrêmement belle et de toute blancheur.

14. Et * je vis les cieux s'ouvrir ; et un ange descendit, se tint

---

a, 1 Né. 8 : 10-12. 11 : 8, 9. 15 : 21, 22.   *b*, Jean 14 : 14.   *c*, Luc 1 : 26, 27.
ENTRE 600 et 592 AV. J.-C

devant moi et me dit : Néphi, que vois-tu ?

15. Et je lui dis : Une vierge, qui est la plus belle et la plus jolie de toutes les vierges.

16. Et il me dit : Comprends-tu la condescendance de Dieu ?

17. Et je lui dis : Je sais qu'il aime ses enfants ; néanmoins, je ne connais pas la signification de toutes choses.

18. Et il me dit : Voici, la vierge que tu vois est, selon la chair, la *d*mère du Fils de Dieu.

19. Et * je vis qu'elle était ravie en esprit ; et lorsqu'elle eut été ravie en esprit pendant quelque temps, l'ange me parla, disant : Regarde !

20. Et je regardai, et je vis de nouveau la vierge portant un enfant dans ses bras.

21. Et l'ange me dit : Voici l'Agneau de Dieu, oui, le Fils même du Père éternel ! Connais-tu la signification de l'arbre que ton père a vu ?

22. Et je lui répondis, disant : Oui, *e*c'est l'amour de Dieu qui se répand dans le cœur des enfants des hommes ; c'est pourquoi, c'est la plus désirable de toutes les choses.

23. Et il me parla, disant : Oui, et la plus joyeuse pour l'âme.

24. Et quand il eut prononcé ces paroles, il me dit : Regarde ! Et je regardai, et je vis le Fils de Dieu allant parmi les enfants des hommes, et j'en vis beaucoup se jeter à ses pieds et l'adorer.

25. Et * je vis que la *f*barre de fer que mon père avait vue était la parole de Dieu, qui conduit à la source des eaux vives, ou à l'arbre de vie ; lesquelles eaux représentent l'amour de Dieu ; et je vis aussi

que l'arbre de vie représentait l'amour de Dieu.

26. Et l'ange me dit de nouveau : Regarde et vois la condescendance de Dieu !

27. Et je regardai et vis le Rédempteur du monde, dont mon père avait parlé ; et je vis aussi le *g*prophète qui devait préparer le chemin devant lui. Et l'Agneau de Dieu vint et fut baptisé par lui ; et lorsqu'il eut été baptisé, je vis les cieux s'ouvrir, et le Saint-Esprit descendre du ciel et se poser sur lui sous la forme d'une colombe.

28. Et je le vis exercer le ministère parmi le peuple avec pouvoir et grande gloire ; et les multitudes se rassemblaient pour l'entendre ; et je vis qu'elles le chassaient de leur sein.

29. Et je vis aussi *h*douze hommes qui le suivaient. Et il arriva qu'ils furent ravis dans l'Esprit de devant ma face, et je ne les vis plus.

30. Et * l'ange me parla de nouveau, disant : Regarde ! Et je regardai et je vis les cieux s'ouvrir de nouveau, et je vis des anges descendre sur les enfants des hommes ; et ils les servirent.

31. Et il me parla de nouveau, disant : Regarde ! Et je regardai, et je vis l'Agneau de Dieu aller parmi les enfants des hommes. Et je vis des multitudes de gens malades, affligés de toutes sortes de maux et de démons et d'esprits impurs. Et l'ange me parla et me montra toutes ces choses. Et ils furent guéris par le pouvoir de l'Agneau de Dieu ; et les démons et les esprits impurs furent chassés.

32. Et * l'ange me parla encore, disant : Regarde ! Et je regardai, et je vis l'Agneau de Dieu pris par le

---

d, Luc 1 : 31, 32. 1 Né. 11 : 20, 21. Mos. 3 : 8. 15 : 2-5. Eth. 3 : 9.   *e*, 1 Né. 11 : 25. Moro. 8 : 26.   *f*, 1 Né. 8 : 19.   *g*, 1 Né. 10 : 7-10. 2 Né. 31 : 4-14. *h*, 1 Né. 11 : 34, 35, 36. 12 : 9. 13 : 24-26, 40, 41. 14 : 20.

peuple ; oui, le Fils de l'Eternel fut jugé par le monde : je le vis, et j'en rends témoignage.

33. Et moi, Néphi, je vis qu'il était élevé sur une croix et mis à mort pour les péchés du monde.

34. Et lorsqu'il eut été mis à mort, je vis que les multitudes de la terre étaient rassemblées pour combattre les apôtres de l'Agneau. Car c'est ainsi que les douze apôtres étaient appelés par l'ange du Seigneur.

35. Et les multitudes de la terre furent rassemblées, et je vis qu'elles étaient dans un vaste et spacieux édifice, semblable à ᶜcelui que mon père avait vu. Et l'ange du Seigneur me parla de nouveau, disant : Voilà le monde et sa sagesse ; oui, voici, la maison d'Israël s'est rassemblée pour combattre les douze apôtres de l'Agneau.

36. Et * je vis et je rends témoignage que le grand et spacieux édifice représentait l'orgueil du monde ; il tomba, et sa chute fut très grande. Et l'ange du Seigneur me parla de nouveau, disant : C'est ainsi que seront détruites toutes les nations, toutes les familles, langues et peuples qui combattront les douze apôtres de l'Agneau.

CHAPITRE 12.

Néphi voit en vision la terre de promission. — L'apparition future du Sauveur au peuple de Néphi. — Leur justice, leur iniquité et leur décadence prédites.

1. Et * l'ange me dit : Regarde et vois ta postérité, et aussi la postérité de tes frères. Et je regardai, et je vis la terre de promission ; et je vis des multitudes de peuples, et ils étaient, pour ainsi dire, aussi nombreux que le sable de la mer.

2. Et * je vis des multitudes rassemblées pour se battre les unes contre les autres ; et je vis des guerres, des bruits de guerre et de grands massacres faits par l'épée au milieu de mon peuple.

3. Et * je vis beaucoup de générations passer au milieu de guerres et de contentions dans le pays ; et je vis un grand nombre de villes, si grand même que je ne les comptai point.

4. Et * je vis un ᵃbrouillard de ténèbres sur la surface de la terre de promission ; et je vis des éclairs, et j'entendis les tonnerres, et des tremblements de terre, et toutes sortes de bruits tumultueux. Et je vis la terre et les rochers se fendre, et je vis des montagnes s'écrouler ; et je vis les plaines de la terre s'entrouvrir ; et je vis de nombreuses villes englouties ; et j'en vis beaucoup de brûlées par le feu ; et j'en vis beaucoup s'écrouler à cause des tremblements de terre.

5. Et * lorsque j'eus vu ces choses, je vis les vapeurs des ténèbres se dissiper de dessus la surface de la terre ; et voici, je vis des multitudes qui étaient tombées à cause des grands et terribles jugements du Seigneur.

6. Et je vis les cieux s'ouvrir, et l'Agneau de Dieu ᵇdescendre du ciel ; et il descendit et se montra à eux.

7. Et je vis aussi, et j'en rends témoignage, que le Saint-Esprit descendit sur ᶜdouze autres hommes ; et ils furent ordonnés de Dieu et choisis.

8. Et l'ange me parla, disant : Voici les douze disciples de l'Agneau, qui sont choisis pour enseigner ta postérité.

9. Et il me dit : Tu te rappelles les douze apôtres de l'Agneau ?

i, 1 Né. 8 : 26-28. Chap. 12 : *a,* 1 Né. 19 : 10-12. 2 Né. 26 : 3-7. Héla. 14 : 20-27. 3 Né. chaps 8-10. *b,* 2 Né. 26 : 1, 9. Al. 16 : 20. 3 Né. 11 : 3-17. *c,* 3 Né. 11 : 22. 12 : 1. 13 : 25. 15 : 11. 18 : 37. 19 : 4-36. Chaps 27, 28. 4 Né. 1-14.
ENTRE 600 et 592 av. J.-C.

Voici, ce sont eux qui jugeront les douze tribus d'Israël ; c'est pourquoi les douze ministres de ta postérité seront jugés par eux : car vous êtes de la maison d'Israël.

10. Et ces douze ministres que tu vois, jugeront ta postérité. Et ils sont justes à jamais ; car, à cause de leur foi en l'Agneau de Dieu, leurs vêtements sont blanchis dans son sang.

11. Et l'ange me dit : Regarde ! Et je regardai, et je vis' *d* trois générations passer dans la justice ; et leurs vêtements étaient blancs et semblables à l'Agneau de Dieu. L'ange me dit : Ceux-ci ont été blanchis dans le sang de l'Agneau, à cause de leur foi en lui.

12. Et moi, Néphi, j'en vis aussi beaucoup de la quatrième génération, qui vécurent dans la justice.

13. Et * je vis les multitudes de la terre rassemblées.

14. Et l'ange me dit : Voilà ta postérité, et aussi la postérité de tes frères.

15. Et * je regardai et vis le peuple de ma *e* postérité rassemblé en foules contre la postérité de mes frères ; et il était rassemblé en bataille.

16. Et l'ange me parla, disant : Voici la source d'eau impure que ton père a vue ; oui, même la *f* rivière dont il a parlé ; et ses profondeurs sont les profondeurs de l'enfer.

17. Et les brouillards de ténèbres sont les tentations du diable qui rendent les yeux aveugles et endurcissent le cœur des enfants des hommes, et les emmènent dans les voies larges pour qu'ils périssent et soient perdus.

18. Et le vaste et spacieux édifice que ton père a vu, ce sont les vaines imaginations, et l'orgueil des

enfants des hommes. Et un gouffre grand et terrible les sépare, c'est la parole de la justice de l'Eternel, c'est le Messie qui est l'Agneau de Dieu, dont le Saint-Esprit rend témoignage depuis le commencement du monde jusqu'à ce jour, et depuis ce jour jusque dans l'éternité.

19. Et pendant que l'ange prononçait ces paroles, je regardai et je vis que la postérité de mes frères combattait contre ma postérité, selon la parole de l'ange ; et je vis, qu'à cause de l'orgueil de ma postérité, et des tentations du diable, la postérité de mes frères l'emporta sur le peuple de ma postérité.

20. Et * je regardai, et vis que le peuple de la postérité de mes frères avait vaincu ma postérité ; et il se répandit en multitudes sur la surface du pays.

21. Et je le vis rassemblé en grandes foules ; et je vis des guerres et j'entendis des bruits de guerres parmi eux ; et je vis *g* beaucoup de générations passer dans les guerres et les bruits de guerres.

22. Et l'ange me dit : Voici, ceux-ci tomberont dans l'incrédulité.

23. Et * je vis que lorsqu'ils furent tombés dans l'incrédulité, ils devinrent un peuple de couleur *h* sombre, dégoûtant et sale, paresseux, et rempli de toutes sortes d'abominations.

CHAPITRE 13.

Les nations des Gentils. — Une grande et abominable église. — Vision de l'histoire de l'Amérique. — La Bible et le Livre de Mormon.

1. * L'ange me parla, disant : Regarde ! Et je regardai et je vis beaucoup de nations et de royaumes.

---

d, 2 Né. 26 : 9, 10. Al. 45 : 10-14. Héla. 13 : 5, 6, 9, 10. 3 Né. 27 : 31, 32. Morm. 6. *e*, Morm. 6.   *f*, 1 Né. 8 : 13, 14. 15 : 26-29.   *g*, 1 Né. 12 : 3. 2 Né. 26 : 2.   *h*, 2 Né. 5 : 20-25. Al. 3 : 6-19. Morm. 5 : 15.

2. Et l'ange me dit : Que vois-tu ? Et je dis : Je vois beaucoup de nations et de royaumes.

3. Et il me dit : Ce sont là les nations et les royaumes des Gentils.

4. Et * je vis parmi les nations des Gentils la fondation d'une "grande église.

5. Et l'ange me dit : Voici la fondation d'une église, qui est la plus abominable de toutes les églises, qui ^btue les saints de Dieu ; oui, qui les torture et les entrave, leur impose un joug de fer, et les conduit en captivité.

6. Et * je vis cette grande et abominable église ; et je ^cvis que le diable en était le fondement.

7. Je ^dvis aussi de l'or, de l'argent, les soieries, de l'écarlate, du fin lin, et toutes sortes de vêtements précieux, et je vis beaucoup de prostituées.

8. Et l'ange me parla, disant : Voici, l'or, l'argent, les soieries, l'écarlate, le fin lin, les vêtements précieux, et les prostituées sont les désirs de cette grande et abominable église.

9. Et c'est pour jouir des louanges du monde qu'elle détruit les saints de Dieu et qu'elle les emmène en captivité.

10. Et * je regardai et vis beaucoup d'eaux ; et elles séparaient les Gentils de la postérité de mes frères.

11. Et * l'ange me dit : Voici, la colère de Dieu est sur la postérité de tes frères.

12. Et je regardai, et je vis un homme parmi les Gentils ; il était séparé de la postérité de mes frères par les grandes eaux ; et je vis l'Esprit de Dieu descendre sur cet homme et agir en lui ; et il s'en alla sur les grandes eaux, et se rendit auprès de la postérité de mes

frères qui vivait dans la terre promise.

13. Et * je vis l'Esprit de Dieu agir sur d'autres Gentils ; et ils sortirent de captivité et s'en allèrent sur les grandes eaux.

14. Et * je vis beaucoup de multitudes de Gentils sur la terre de promission ; et je vis que la colère de Dieu était sur la postérité de mes frères ; et ils furent dispersés devant les Gentils et furent détruits.

15. Et je vis que l'Esprit du Seigneur était sur les Gentils, au point qu'ils prospérèrent et obtinrent le pays pour leur héritage. Et je vis qu'ils étaient blancs, très beaux et bien faits de corps, comme l'était mon ⁱpeuple avant sa destruction.

16. Et * moi, Néphi, je vis les Gentils qui étaient sortis de captivité s'humilier devant le Seigneur ; et la puissance du Seigneur était avec eux.

17. Et je vis les Gentils dont ils étaient originaires se rassembler sur les eaux, ainsi que sur la terre, pour se battre contre eux.

18. Et je vis que la puissance de Dieu était avec eux, et que la colère de Dieu était sur tous ceux qui étaient réunis pour les combattre.

19. Et moi, Néphi, je vis que les ^kGentils, qui étaient sortis de captivité, étaient délivrés par la puissance de Dieu, des mains de toutes les autres nations.

20. Et * moi, Néphi, je vis qu'ils prospéraient dans le pays. Et je vis un ^llivre, et il était répandu au milieu d'eux.

21. Et l'ange me dit : Sais-tu ce que signifie ce livre ?

22. Et je lui dis : Je ne le sais pas.

23. Et il dit : Voici, il sort de la bouche d'un Juif. Et moi, Néphi, je le vis. Et il me dit : Le livre que tu

---

a, vers. 6, 26, 28, 32, 34. 1 Né. 14 : 3, 9-17.   *b*, ver. 9. 1 Né. 14 : 13. Apo. 17 : 6. 18 : 24.   *c*, 1 Né. 14 : 9, 10. 22 : 22, 23.   *d*, Morm. 8 : 36-38. Apo. 18 : 10-17. *i*, Morm. 6 : 17-22.   *k*, 2 Né. 10 : 10-12.   *l*, vers. 23, 28, 38, 40.

ENTRE 600 et 592 AV. J.-C.

vois, ce sont les annales des Juifs, qui contiennent les alliances que le Seigneur a conclues avec la maison d'Israël ; et il contient aussi beaucoup de prophéties des saints prophètes ; ce sont des annales semblables à celles qui sont gravées sur les plaques ^md'airain ; seulement, elles ne sont pas aussi nombreuses ; cependant, elles renferment les alliances que le Seigneur a faites avec la maison d'Israël ; c'est pourquoi, elles sont d'une grande valeur aux Gentils.

24. Et l'ange du Seigneur me dit : Tu as vu que le livre est sorti de la bouche d'un Juif ; et lorsqu'il est sorti de la bouche du Juif, il contenait, dans sa clarté, l'évangile du Seigneur, de qui les douze apôtres rendent témoignage ; et ils rendent témoignage selon la vérité qui est en l'Agneau de Dieu.

25. C'est pourquoi, ces choses vont des Juifs aux Gentils dans toute leur pureté, selon la vérité qui est en Dieu.

26. Et après leur transfert des Juifs aux Gentils, par la main des douze apôtres de l'Agneau, tu vois la fondation d'une grande et abominable église, abominable par-dessus toutes les autres églises ; car voici, elle a ôté de l'évangile de l'Agneau de nombreuses ⁿparties qui sont claires et extrêmement précieuses ; et elle a ôté aussi beaucoup d'alliances du Seigneur.

27. Et elle a fait tout cela pour pervertir les voies droites du Seigneur, pour rendre aveugles les yeux et endurcir le cœur des enfants des hommes.

28. C'est pourquoi, tu vois que lorsque le livre a passé par les mains de la grande et abominable église, beaucoup de choses claires et précieuses ont été ôtées de ce livre, qui est le livre de l'Agneau de Dieu.

29. Et une fois ces choses claires et précieuses ôtées, il est répandu parmi toutes les nations des Gentils ; et une fois répandu parmi toutes les nations des Gentils, oui, même à travers les grandes eaux que tu as vues, avec les Gentils qui sont sortis de captivité, tu vois qu'à cause de la suppression de ces nombreuses choses claires et précieuses qu'il était facile aux enfants des hommes de comprendre, selon la clarté qui est en l'Agneau de Dieu — à cause de la suppression de ces choses, ôtées de l'évangile de l'Agneau, un très grand nombre d'hommes trébuchent, oui, à ce point que Satan a un grand pouvoir sur eux.

30. Néanmoins, tu vois que les ^oGentils qui sont sortis de captivité et qui ont été élevés par la puissance de Dieu au-dessus de toutes les autres nations sur la surface du pays qui est préférable à tous les autres pays — le pays à propos duquel le Seigneur a promis à ton père, par alliance, qu'il le donnerait à sa postérité comme pays de son héritage — tu vois que le Seigneur Dieu ne souffrira pas que les Gentils détruisent totalement le ^pmélange de ta postérité qui se trouve parmi tes frères.

31. Et il ne souffrira pas non plus que les Gentils détruisent la ^qpostérité de tes frères.

32. De même, le Seigneur Dieu ne souffrira pas que les Gentils demeurent à toujours dans cet horrible état d'aveuglement, où tu vois qu'ils sont tombés à cause de la suppression des parties claires et extrêmement précieuses de l'évangile de l'Agneau par cette église abominable dont tu as vu la formation.

---

m, voir *a*, 1 Né. 3.   *n*, vers. 28-32.   *o*, 2 Né. 10 : 10-14.   *p*, Al. 45 : 10-14. *q*, vers. 33, 34. Al. 45 : 14. 3 Né. 16 : 7-10. 21 : 4. Morm. 5 : 19-21.

ENTRE 600 et 592 AV. J.-C.

33. C'est pourquoi, dit l'Agneau de Dieu, je ferai miséricorde aux Gentils, pendant que je visiterai le reste de la maison d'Israël par de grands jugements.

34. Et il arriva que l'ange du Seigneur me parla, disant : Voici, dit l'Agneau de Dieu, quand j'aurai visité le reste de la maison d'Israël — et ce reste dont je parle, c'est la postérité de ton père — quand je l'aurai visité en jugement, et que je l'aurai 'frappé par la main des Gentils, et quand les Gentils auront trébuché excessivement à cause de la suppression des parties extrêmement claires et précieuses de l'évangile de l'Agneau par cette abominable église, qui est la mère des prostituées, dit l'Agneau — je ferai miséricorde aux Gentils en ce jour-là, en leur faisant parvenir, par mon propre pouvoir, une grande partie de mon évangile, qui sera claire et précieuse, dit l'Agneau.

35. Car voici, dit l'Agneau, je me manifesterai à ta postérité, en sorte qu'elle écrira beaucoup de choses que je lui administrerai, et qui seront claires et précieuses ; et lorsque ta postérité aura été détruite et sera tombée dans l'incrédulité ainsi que la postérité de tes frères, voici, ces choses *seront cachées pour revenir aux Gentils par le don et le pouvoir de l'Agneau.

36. Et en elles sera écrit mon évangile, dit l'Agneau, mon rocher et mon salut.

37. Et bénis sont 'ceux qui chercheront à établir ma Sion en ce jour-là, car ils auront le don et le pouvoir du Saint-Esprit ; et s'ils persévèrent jusqu'à la fin, ils seront exaltés au dernier jour, et ils seront sauvés dans le royaume éternel de l'Agneau ; et ceux qui annonceront la paix, oui, la bonne nouvelle d'une grande joie, qu'ils seront beaux sur les montagnes !

38. Et * je vis le reste de la postérité de mes frères, et aussi que le "livre de l'Agneau de Dieu, sorti de la bouche du Juif, était apporté par les Gentils au reste de la postérité de mes frères.

39. Et lorsqu'il leur fut parvenu, je vis d'autres 'livres que les Gentils, par le pouvoir de l'Agneau, leur apportèrent, pour convaincre les Gentils et le reste de la postérité de mes frères, ainsi que les Juifs, qui étaient dispersés sur toute la surface de la terre, que les annales des prophètes et des douze apôtres de l'Agneau sont vraies.

40. Et l'ange me parla, disant : Ces dernières annales, que tu as vues parmi les Gentils, établiront la vérité des "premières, qui sont celles des douze apôtres de l'Agneau et feront connaître les choses claires et précieuses qui en ont été retranchées ; et elles feront savoir à toutes familles, langues et peuples, que l'Agneau de Dieu est le Fils du Père éternel et le Sauveur du monde ; et que tous les hommes doivent venir à lui, sinon ils ne peuvent être sauvés.

41. Et ils doivent venir selon les paroles qui seront établies par la bouche de l'Agneau. Et les paroles de l'Agneau seront révélées dans les annales de ta postérité, ainsi que dans les annales des douze apôtres de l'Agneau. C'est pourquoi les *deux seront établies en une seule, car il y a un seul Dieu et un seul Berger sur toute la terre.

42. Et le temps vient où il se manifestera à toutes les nations, tant aux Juifs qu'aux Gentils. Et lorsqu'il se sera manifesté aux Juifs et aussi aux Gentils, alors, il se manifestera aux Gentils et aussi

r, voir d.   s, 2 Né. 27 : 6-26. 3 Né. 16 : 4. Morm. 8 : 4.   t, 2 Né. 30 : 3. Jacob 5 : 70-75. 6 : 2, 3.   u, vers. 40.   v, 3 Né. 27 : 25, 26.   w, vers. 38.   x, 2 Né. 3 : 12. 2 Né. 29 : 13, 14. Ez. 37 : 15-23.   ENTRE 600 et 592 av. J.-C.

aux Juifs ; et les derniers seront les premiers, et les premiers seront les derniers.

CHAPITRE 14.

Alternative de bénédiction ou de malédiction pour les Gentils. — Deux églises seulement. — Ruine de la mère des prostituées. — Mission de Jean le Révélateur. — Fin de la vision de Néphi.

1. Et il arrivera que, si les Gentils écoutent l'Agneau de Dieu en ce jour où il se manifestera à eux en paroles, et en ªpuissance, en vérité, jusqu'à leur enlever les pierres d'achoppement —

2. Et s'ils ne s'endurcissent point le cœur contre l'Agneau de Dieu, ils seront ᵇcomptés parmi la postérité de ton père ; oui, ils seront comptés dans la maison d'Israël, et ils seront un peuple éternellement béni sur la terre promise ; ils ne seront plus ᶜemmenés en captivité ; et la maison d'Israël ne sera plus confondue.

3. Et cet abîme profond, qui a été creusé pour eux par cette grande et abominable église, fondée par le diable et ses enfants pour séduire les âmes des hommes et les pousser en enfer — oui, cet abîme profond, qui a été creusé pour la destruction des hommes, sera rempli par ceux qui l'ont creusé, jusqu'à ce qu'ils soient tous entièrement détruits, dit l'Agneau de Dieu ; non pas de la destruction de l'âme, à moins qu'on appelle ainsi son bannissement dans cet enfer qui n'a point de fin.

4. Car voici, tout cela est selon la captivité du diable, et c'est aussi selon la justice de Dieu envers tous ceux qui veulent commettre des iniquités et des abominations devant lui.

5. Et il arriva que l'ange me parla, à moi, Néphi, disant : Tu as vu que si les Gentils se repentent, tout ira bien pour eux ; et tu connais aussi les alliances du Seigneur avec la maison d'Israël ; et tu as également entendu que quiconque ne se repent pas, doit périr.

6. C'est pourquoi, ᵈmalheur aux Gentils s'ils viennent à s'endurcir le cœur contre l'Agneau de Dieu.

7. Car le temps vient, dit l'Agneau de Dieu, où j'accomplirai une œuvre grande et ᵉmerveilleuse parmi les enfants des hommes ; une œuvre qui sera éternelle, soit d'un côté soit de l'autre — soit pour convaincre les hommes de la paix et de la vie éternelle, soit pour les livrer à l'endurcissement de leur cœur et à l'aveuglement de leur esprit jusqu'à ce qu'ils soient conduits en captivité et aussi à la destruction, temporellement et spirituellement, selon la captivité du diable, dont j'ai parlé.

8. Et * quand l'ange m'eut ainsi parlé, il me dit : Te rappelles-tu des alliances du Père avec la maison d'Israël ? Je lui dis : Oui.

9. Et * il me dit : Regarde, et vois cette grande et abominable église qui est la mère des abominations, dont la fondation est le diable.

10. Et il me dit : Voici, il n'y a que ᶠdeux églises : l'une est l'église de l'Agneau de Dieu, et l'autre est l'église du diable ; c'est pourquoi, quiconque n'appartient pas à l'église de l'Agneau de Dieu, appartient à cette grande église qui est la mère des abominations ; et c'est la ᵍprostituée de toute la terre.

11. Et * je regardai et vis la prostituée de toute la terre ; et elle était assise sur bien des eaux ; et elle avait pouvoir sur toute la terre, parmi toutes nations, familles, langues et tous peuples.

---

a, vers. 14. 1 Né. 13 : 37. Jacob 6 : 2, 3. *b*, 3 Né. 21 : 6, 22-25. Chap. 30. Eth. 13 : 10. *c*, 2 Né. 10 : 10-14. *d*, 2 Né. 28 : 32. 3 Né. 16 : 7-15. 21 : 11-21. *e*, Es. 29 : 14. *f*, vers. 11-17. 22 : 14, 22-26. *g*, vers. 11-17. Apo. 17 : 5, 15.

12. Et * je vis l'église de l'Agneau de Dieu, et ses membres étaient ʰpeu nombreux, à cause de l'iniquité et des abominations de la grande prostituée qui était assise sur bien des eaux. Cependant, je vis que l'église de l'Agneau, qui était constituée par les saints de Dieu, était aussi sur toute la surface de la terre ; et ses territoires, sur la surface de la terre, étaient peu étendus, à cause de l'iniquité de la prostituée que j'avais vue.

13. Et * je vis que la grande mère des abominations rassemblait des multitudes sur toute la surface de la terre, parmi toutes les nations des Gentils, pour combattre contre l'Agneau de Dieu.

14. Et ʲ* moi, Néphi, je vis le pouvoir de l'Agneau de Dieu descendre sur les saints de l'église de l'Agneau et sur le peuple de l'alliance du Seigneur, dispersé sur toute la surface de la terre ; et ils furent armés de justice et de la ᶦpuissance de Dieu, en grande gloire.

15. Et * je vis que la colère de Dieu était déversée sur la grande et abominable église, de sorte qu'il y eut des guerres et des bruits de guerres parmi toutes les nations et familles de la terre.

16. Et quand les ʲguerres et les bruits de guerres commencèrent parmi toutes les nations qui appartenaient à la mère des abominations, l'ange me parla, disant : Voici, la colère de Dieu est sur la mère des prostituées : et voici, tu vois toutes ces choses.

17. Et quand le jour arrivera où la ᵏcolère de Dieu sera répandue sur la mère des prostituées, qui est la grande et abominable église de toute la terre, dont la fondation est le diable, alors, en ce jour-là, le Père commencera son œuvre, en préparant la voie pour l'accomplissement des alliances qu'il a faites avec son peuple, qui est de la maison d'Israël.

18. Et * l'ange me parla, disant : Regarde !

19. Et je regardai, et je vis un homme, et il était vêtu d'une robe blanche.

20. Et l'ange me dit : Voici ᶦl'un des douze apôtres de l'Agneau.

21. Voici, il verra et il écrira le reste de ces choses ; oui, et aussi beaucoup de choses qui ont été.

22. Et il écrira aussi touchant la fin du monde.

23. C'est pourquoi, ce qu'il écrira est exact et vrai ; et voici, cela est écrit dans le ᵐlivre que tu as vu sortir de la bouche du Juif. Et au moment où elles sortirent de la bouche du Juif, ou, au moment où le livre sortit de la bouche du Juif, les choses qui y étaient écrites étaient claires, pures, extrêmement précieuses et faciles à être comprises de tous les hommes.

24. Et voici, parmi les choses que l'apôtre de l'Agneau écrira, il s'en trouve beaucoup que tu as vues ; et voici, le reste, tu le verras.

25. Mais les choses que tu verras ci-après, tu ne les écriras point ; car c'est l'apôtre de l'Agneau de Dieu que le Seigneur Dieu a choisi pour les écrire.

26. Il en est d'autres encore, qui ont été, à qui il a montré toutes choses, et ⁿqui les ont écrites ; et elles sont scellées pour qu'au temps déterminé par le Seigneur, elles arrivent à la maison d'Israël, dans toute leur pureté, selon la vérité qui est dans l'Agneau.

27. Et moi, Néphi, j'entendis, et j'en rends témoignage, que le nom de l'apôtre de l'Agneau était °Jean, selon la parole de l'ange.

28. Et voici, il m'est défendu à

h, 3 Né. 14 : 14. Es. 24 : 6. Matt. 24 : 37.   i, 1 Né. 13 : 37, 38. Jacob 6 : 2, 3. j, 1 Né. 22 : 13, 14. Es. 66 : 15, 16.   k, 1 Né. 22 : 15, 16. 3 Né. 20 : 20. 21 : 20, 21. Morm. 8 : 41.   l, vers. 27.   m, 1 Né. 13 : 20, 38, 40.   n, 2 Né. 27 : 6-23. Éth. 3 : 21-27. 12 : 21.   o, vers. 20.
ENTRE 600 et 592 AV. J.-C.

moi, Néphi, d'écrire le reste des choses que j'ai vues et entendues. C'est pourquoi, celles que j'ai écrites me suffisent ; et je n'ai écrit qu'une petite partie de ce que j'ai vu.

29. Et je rends témoignage que j'ai vu les choses que mon ^ppère a vues, et que c'est l'ange du Seigneur qui me les a fait connaître.

30. Et maintenant, je cesse de parler des choses que je vis pendant que j'étais ravi en esprit ; et si tout ce que je vis n'est pas écrit, ce que j'ai écrit est vrai. Et ainsi en est-il. Amen.

CHAPITRE 15.

Les enseignements de Léhi interprétés par Néphi. — L'olivier. — L'arbre de vie. — La parole de Dieu.

1. Et il arriva que moi, Néphi, après avoir été ravi en esprit et vu toutes ces choses, je revins à la tente de mon père.

2. Et * je vis mes frères se disputer entre eux sur les choses que mon père leur avait dites.

3. Car, en vérité, il leur avait dit beaucoup de grandes choses, difficiles à comprendre si l'on n'a point recours au Seigneur ; et comme ils avaient le cœur dur, ils ne se tournaient point vers le Seigneur comme ils le devaient.

4. Et alors, moi, Néphi, je fus affligé de la dureté de leur cœur, ainsi que des choses que j'avais vues, et que je savais devoir arriver inévitablement, à cause de la grande perversité des enfants des hommes.

5. Et * je fus abattu par mes afflictions, car je considérais que mes afflictions étaient les plus grandes de toutes, à cause des destructions de ^amon peuple, car j'avais vu sa chute.

6. Et * après avoir été fortifié, je parlai à mes frères dans le désir d'apprendre d'eux le motif de leurs disputes.

7. Et ils dirent : Voici, nous ne pouvons comprendre les paroles de ^bnotre père touchant les branches naturelles de l'olivier, et touchant les Gentils.

8. Et je leur dis : Avez-vous demandé au Seigneur ?

9. Et ils me dirent : Non, car le Seigneur ne nous fait rien connaître de pareil.

10. Alors, je leur dis : Pourquoi ne gardez-vous point les commandements du Seigneur ? Pourquoi voulez-vous périr par l'endurcissement de votre cœur ?

11. Ne vous souvenez-vous pas de ce que le Seigneur a dit ? — Si vous ne vous endurcissez point le cœur, si vous me demandez avec foi, croyant que vous recevrez, et si vous gardez mes commandements avec diligence, assurément, ces choses vous seront dévoilées.

12. Voici, je vous dis que la maison d'Israël a été comparée à un ^colivier par l'Esprit du Seigneur qui était en nos pères ; et voici, ne sommes-nous pas rompus de la maison d'Israël, et ne sommes-nous pas une branche de la maison d'Israël ?

13. Lorsque notre père a dit, touchant les branches naturelles, qu'elles seront entées par la plénitude des Gentils, il a voulu dire que, dans les derniers jours, alors que notre ^dpostérité sera tombée dans l'incrédulité, oui, pendant beaucoup d'années et beaucoup de générations après que le Messie se sera manifesté dans son corps aux enfants des hommes ; c'est alors que la plénitude de l'évangile du Messie arrivera aux Gentils et que des Gentils, il passera au reste de notre postérité.

---

p, 1 Né. 8 : 2. Chap. 15 : *a,* Enos 13. Morm. 6. *b,* 1 Né. 9 : 1. 10 : 14. *c,* vers. 13, 16. 2 Né. 3 : 5. Jacob 5. 6 : 1-4. *d,* 3 Né. 21 : 4, vers. 14-20. 1 Né. 22 : 8-12. 3 Né. 5 : 21-26. 16 : 10-12. Chap. 21. Morm. 5 : 10-15, 20, 21.
Entre 600 et 592 av. J.-C.

14. Et en ce temps-là, le reste de notre postérité saura qu'il est de la maison d'Israël, et qu'il est le peuple de l'alliance du Seigneur. Et alors, il saura quels ont été ses pères, et il connaîtra aussi l'évangile de son Rédempteur, qui avait donné cet évangile à ses pères. C'est pourquoi, ce reste de notre postérité viendra à la connaissance de son Rédempteur et à la vraie lumière de sa doctrine, afin qu'il sache comment venir à lui pour être sauvé.

15. Et, en ce jour-là, ne se réjouira-t-il pas, et ne glorifiera-t-il pas l'Eternel, son rocher et son salut ? Oui, en ce jour-là, ne recevra-t-il pas la force et la sève de la vraie vigne ? Oui, ne viendra-t-il pas dans la vraie bergerie de Dieu ?

16. Voici, je vous dis que oui ; on se souviendra à nouveau de lui parmi la maison d'Israël ; et comme il est une branche naturelle de l'olivier, il sera enté sur le véritable olivier.

17. Et c'est là ce que notre père veut dire ; il veut dire que cela n'arrivera qu'après que le reste de notre postérité aura été dispersé par les Gentils ; il veut dire que cela se fera par les Gentils, afin que le Seigneur puisse montrer son pouvoir aux Gentils, parce qu'il aura été rejeté par les Juifs ou par la maison d'Israël.

18. C'est pourquoi, notre père n'a pas parlé de notre postérité seulement, mais encore de toute la maison d'Israël, désignant l'alliance qui doit être accomplie dans les derniers jours ; alliance que le Seigneur a faite avec notre père Abraham, disant : Dans ta postérité, toutes les familles de la terre seront bénies.

19. Et * moi, Néphi, je leur par- lai beaucoup de ces choses ; oui, je leur parlai de la restauration des *Juifs dans les derniers jours.

20. Et je leur répétai les paroles d'Esaïe sur le rétablissement des Juifs ou de la maison d'Israël, disant que lorsqu'ils seraient restaurés, ils ne seraient plus confondus et ne seraient plus dispersés. Et * je dis beaucoup de choses à mes frères, de sorte qu'ils s'apaisèrent et s'humilièrent devant le Seigneur.

21. Et il arriva qu'ils me parlèrent de nouveau, disant : Que signifie ce que notre père a vu en songe ? Que signifie *l'arbre qu'il a vu ?

22. Et je leur dis : C'était une figure de l'arbre de vie.

23. Et ils me dirent : Que signifie la *barre de fer que notre père vit, qui conduisait à l'arbre ?

24. Et je leur dis que c'était la parole de Dieu ; et que quiconque écoutait la parole de Dieu et s'y tenait fermement ne périrait jamais ; et que les tentations et les traits enflammés de l'adversaire ne parviendraient pas à l'accabler d'aveuglement pour le mener à la destruction.

25. C'est pourquoi, moi, Néphi, je les exhortai à faire attention à la parole du Seigneur ; oui, je les exhortai avec toute l'énergie de mon âme et de toutes les facultés que je possédais, à faire attention à la parole de Dieu et à se souvenir de toujours garder ses commandements en toutes choses.

26. Et ils me dirent : Que signifie la *rivière d'eau que notre père a vue ?

27. Et je leur répondis que l'eau que mon père avait vue représentait l'impureté ; que son esprit était si préoccupé d'autres choses, qu'il ne vit pas la saleté de l'eau.

e, 1 Né. 19 : 13-16. 22 : 11, 12. 2 Né. 6 : 10-15. 9 : 1, 2. 10 : 5-9. 25 : 16, 17. 30 : 7, 8. 3 Né. 5 : 21-26. 20 : 29-34. 21 : 26-29. 29 : 1, 8. Morm. 5 : 14.   f, 1 Né. 8 : 10-12. g, 1 Né. 8 : 19.   h, 1 Né. 8 : 13.   ENTRE 600 et 592 av. J.-C.

28. Et je leur dis que c'était un 'gouffre effroyable qui séparait les méchants de l'arbre de vie et des saints de Dieu.

29. Et je leur dis que c'était une figure de cet enfer terrible que l'ange m'avait dit être préparé pour les méchants.

30. Et je leur dis que notre père vit aussi que la justice de Dieu séparait également les méchants des justes ; et que l'éclat de cette justice était semblable à la lueur d'un feu ardent, montant éternellement vers Dieu, et qui n'a pas de fin.

31. Et ils me dirent : Cela signifie-t-il les tourments du corps pendant les jours d'épreuve, ou cela signifie-t-il l'état final de l'âme après la mort du corps temporel ? Ou bien cela parle-t-il des choses qui sont temporelles ?

32. Et * je leur dis que c'était une représentation de choses à la fois temporelles et spirituelles ; car le jour viendrait où ils devraient être jugés selon leurs œuvres, oui, même les œuvres qui furent accomplies par leur corps temporel, durant les jours de leur épreuve.

33. C'est pourquoi, s'ils mouraient dans leur iniquité, ils seraient rejetés aussi, quant aux choses qui sont spirituelles, qui appartiennent à la justice ; c'est pourquoi, ils devraient être amenés à comparaître devant Dieu pour être jugés selon leurs œuvres. Et si leurs œuvres étaient 'impures, ils devraient nécessairement être impurs ; et s'ils étaient impurs, il ne leur serait pas possible d'habiter dans le royaume de Dieu, autrement le royaume de Dieu serait également impur.

34. Mais voici, je vous dis, le royaume de Dieu n'est pas impur, et rien d'impur ne peut entrer dans le royaume de Dieu ; c'est pourquoi, il faut nécessairement qu'il y ait un lieu d'impureté préparé pour ce qui est impur.

35. Or, un tel endroit est préparé : c'est précisément cet *enfer effroyable dont j'ai parlé, et le diable en est le fondement. C'est pourquoi, l'état final des âmes des hommes est d'habiter dans le royaume de Dieu, ou d'être rejetées à cause de cette 'justice dont j'ai parlé.

36. Ainsi, les méchants sont rejetés des justes et de cet arbre de vie dont le fruit est plus précieux et plus désirable que tous les autres fruits ; oui, et c'est le plus grand de tous les dons de Dieu. Et c'est ainsi que je parlai à mes frères. Amen.

CHAPITRE 16.

Les fils de Léhi et Zoram épousent les filles d'Ismaël. — Suite du voyage. — La boule directrice. — Mort d'Ismaël.

1. Et maintenant, * lorsque moi, Néphi, j'eus fini de parler à mes frères, voici, ils me dirent : Tu nous as déclaré des choses "dures, que nous ne sommes point capables de supporter.

2. Et * je leur dis que je savais que j'avais dit des choses dures contre les méchants, selon la vérité ; que j'avais justifié les justes et attesté qu'ils seraient exaltés au dernier jour. C'est ce qui fait que les coupables trouvent la vérité est dure, car elle les blesse au plus profond d'eux-mêmes.

3. Or, mes frères, si vous étiez des hommes justes, désireux d'écouter la vérité, et d'y faire attention pour que vous puissiez marcher droit devant Dieu, vous ne murmureriez pas à cause de la vérité, en

i, 1 Né. 12 : 18. 2 Né. 1 : 13. Al. 26 : 20. Héla. 3 : 29.   *j*, 2 Né. 9 : 16. Mos. 2 : 37. Al. 11 : 37. Morm. 9 : 4, 14.   *k*, vers. 29. 2 Né. 1 : 13. 2 : 29. 9 : 8-19, 26, 34, 36. 28 : 15, 21, 23. Jacob 6 : 10. Al. 12 : 16-18. 3 Né. 27 : 11, 12. Moro. 8 : 13, 14, 21. *l*, vers. 30. D. et A. 29 : 37, 38. 76 : 36, 44, 84.   CHAP. 16 : *a*, vers. 2, 3. 2 Né. 1 : 26, 27. Enos 23. Moro. 9 : 4.   ENTRE 600 et 592 av. J.-C.

disant : Tu nous dis des choses dures.

4. Et * moi, Néphi, j'exhortai vivement mes frères à garder les commandements du Seigneur.

5. Et * ils s'humilièrent devant le Seigneur ; ce qui me donna de la joie et l'espoir de les voir marcher dans les sentiers de la justice.

6. Et toutes ces choses furent dites et faites pendant que mon père demeurait sous la tente dans la ^bvallée qu'il appelait Lémuel.

7. Et il arriva que moi, Néphi, je choisis une des filles ^cd'Ismaël pour femme ; et mes frères prirent des filles d'Ismaël pour femmes ; et Zoram prit aussi l'aînée des filles d'Ismaël pour femme.

8. Et ainsi, mon père avait accompli tous les commandements que le Seigneur lui avait donnés. Et moi, Néphi, j'avais aussi été grandement béni par le Seigneur.

9. Et il arriva que la voix du Seigneur se fit entendre à mon père durant la nuit et lui ordonna de se mettre en route le lendemain dans le désert.

10. Et * comme mon père se levait le matin et sortait de sa tente, il aperçut par terre, à son grand étonnement, une ^dboule ronde, d'un ouvrage curieux ; et elle était d'airain fin. Et dans la boule se trouvaient deux aiguilles ; l'une indiquait le chemin que nous avions à prendre dans le désert.

11. Et * nous réunîmes tout ce que nous devions emporter dans le désert, tout ce qu'il nous restait des provisions dont le Seigneur nous avait pourvus ; et nous prîmes des semences de toutes sortes pour les emporter dans le désert.

12. Et * nous prîmes nos tentes, et partîmes dans le désert, au-delà de la rivière Laman.

13. Et * nous voyageâmes, l'espace de quatre jours, dans une direction proche du sud-sud-est, et nous dressâmes de nouveau nos tentes ; et nous donnâmes au lieu le nom de Shazer.

14. Et * nous prîmes nos arcs et nos flèches, et nous en allâmes dans le désert afin d'abattre du gibier pour nos familles ; et lorsque nous eûmes abattu du gibier pour nos familles, nous retournâmes auprès de nos familles dans le désert, à l'endroit que nous avions appelé Shazer. Et nous voyageâmes de nouveau dans le désert, en suivant la même direction, restant dans les parties les plus fertiles du désert, qui se trouvaient aux frontières, près de la mer Rouge.

15. Et * nous marchâmes pendant de nombreux jours, abattant, chemin faisant, du gibier avec nos arcs et nos flèches et avec nos frondes et nos pierres.

16. Et nous suivîmes les indications de la boule, qui nous conduisait dans les endroits les plus fertiles du désert.

17. Et après avoir voyagé pendant de nombreux jours, nous dressâmes nos tentes pour quelque temps, afin de nous reposer de nouveau et de nous procurer de la nourriture pour nos familles.

18. Et il arriva que comme moi, Néphi, j'allais abattre du gibier, voici, je brisai mon arc, qui était ^ed'acier fin ; et lorsque j'eus brisé mon arc, voici, mes frères s'irritèrent contre moi à cause de la perte de mon arc, car nous n'obtenions pas de nourriture.

19. Et * nous revînmes à nos familles sans nourriture. Et comme elles étaient très fatiguées de leur voyage, elles souffrirent beaucoup du manque de nourriture.

---

b, 1 Né. 2 : 8, 14. 9 : 1.   *c*, 1 Né. 7 : 2-6, 19, 22.   *d*, vers. 16, 26-30. 1 Né. 18 : 12, 21. 2 Né. 5 : 12. Al. 37 : 38-47.   *e*, 1 Né. 4 : 9. 2 Né. 5 : 15. Jar. 8. Eth. 7 : 9. Ps. 18 : 34.

20. Et * Laman et Lémuel, ainsi que les fils d'Ismaël, se prirent à murmurer excessivement à cause des souffrances et des afflictions qu'ils enduraient dans le désert ; et mon père même commença à murmurer contre le Seigneur son Dieu ; oui, ils étaient tous tellement affligés qu'ils murmurèrent contre le Seigneur.

21. Or, * moi, Néphi, j'avais été affligé comme mes frères de la perte de mon arc ; et leurs arcs ayant perdu leurs ressorts, il commença à devenir fort difficile de pourvoir à notre nourriture, et en fait nous ne pûmes pas en trouver.

22. Et * moi, Néphi, je parlai longuement à mes frères parce qu'ils s'étaient de nouveau endurci le cœur, au point de murmurer contre le Seigneur leur Dieu.

23. Et * moi, Néphi, je fis un arc dans du bois et une flèche d'un bâton droit ; ainsi donc, je m'armai d'un arc et d'une flèche, d'une fronde et de pierres. Et je dis à mon père : Où faut-il que j'aille pour trouver de la nourriture ?

24. Et * il interrogea le Seigneur, car ils s'étaient humiliés à cause de mes paroles ; je leur avais dit, en effet, beaucoup de choses avec toute l'énergie de mon âme.

25. Et * la voix du Seigneur vint à mon père, et il fut vraiment réprimandé pour avoir murmuré contre le Seigneur, au point qu'il fut entraîné dans les profondeurs du chagrin.

26. Et * la voix du Seigneur lui dit : Regarde la 'boule et vois les choses qui y sont écrites.

27. Et * quand mon père vit ce qui était écrit sur la boule, il fut saisi d'une grande crainte et de grands tremblements, de même que mes frères, les fils d'Ismaël et nos femmes.

28. Et * moi, Néphi, je vis que les aiguilles qui étaient dans la boule ªopéraient selon la foi, la diligence et l'attention que nous leur accordions.

29. Et il y avait dessus une nouvelle écriture, très facile à lire, qui nous faisait comprendre les voies du Seigneur ; et elle était écrite et changeait de temps en temps, suivant la foi et la diligence que nous y apportions. Nous voyons ainsi que le Seigneur peut faire de grandes choses avec de petits moyens.

30. Et * moi, Néphi, je montai au sommet de la montagne, selon les directives indiquées sur la boule.

31. Et * j'abattis des bêtes sauvages de sorte que j'obtins de la nourriture pour nos familles.

32. Et * je revins à nos tentes, portant les bêtes que j'avais tuées ; et quand ils virent que j'avais trouvé de la nourriture, combien grande fut leur joie ! Et * ils s'humilièrent devant le Seigneur, et lui rendirent grâces.

33. Et * nous nous remîmes en route, à peu près dans la même direction qu'au commencement ; et après avoir voyagé pendant de nombreux jours, nous dressâmes de nouveau nos tentes pour séjourner un certain temps.

34. Et * ᵍIsmaël mourut et fut enterré dans le lieu qu'on appelait Nahom.

35. Et * les filles d'Ismaël se lamentèrent excessivement à cause de la perte de leur père et à cause de leurs afflictions dans le désert ; et elles murmurèrent contre mon père de ce qu'il les avait emmenées du pays de Jérusalem, disant : Notre père est mort ; oui, et nous avons beaucoup erré dans le désert ; et nous avons souffert beaucoup d'afflictions, la faim, la soif

et la fatigue ; et après toutes ces souffrances, il faut encore que nous mourions de faim dans le désert.

36. Et c'est ainsi qu'elles murmuraient contre mon père et aussi contre moi ; et leur désir était de retourner à Jérusalem.

37. Et Laman dit à Lémuel et aux fils d'Ismaël : Voici, tuons notre père et notre frère Néphi, qui a pris sur lui d'être notre gouverneur et notre instructeur, à nous qui sommes ses frères aînés.

38. Il dit que le Seigneur lui a parlé et qu'il a reçu le ministère d'anges. Mais voici, nous savons qu'il nous ment. Il nous dit ces choses, et il en machine encore beaucoup d'autres par son astuce, afin de tromper nos yeux, espérant, peut-être, parvenir à nous conduire dans quelque désert étranger ; et il pense que quand il nous aura emmenés, il pourra s'établir roi et gouverneur sur nous pour nous traiter selon sa volonté et son bon plaisir. C'est ainsi que mon frère Laman excitait leur cœur à la colère.

39. Et il arriva que le Seigneur fut avec nous, oui, même la voix du Seigneur se fit entendre et leur dit beaucoup de choses, et les réprimanda très sévèrement. Et après avoir été ainsi réprimandés par la voix du Seigneur, leur colère s'apaisa, et ils se repentirent de leurs péchés, de sorte que le Seigneur nous bénit encore en nous donnant de la nourriture pour que nous ne périssions pas.

CHAPITRE 17.

Irréantum ou bien des eaux. — Le Seigneur donne à Néphi l'ordre de construire un vaisseau. — Ses frères se dressent contre lui mais sont confondus.

1. Et * nous reprîmes notre voyage dans le désert, et nous nous acheminâmes dès lors, pres-

que vers l'est. Et nous voyageâmes et passâmes par beaucoup d'afflictions dans le désert ; et nos femmes eurent des enfants dans le désert.

2. Et les bénédictions du Seigneur furent si grandes sur nous que, pendant que nous vivions de viandes crues dans le désert, nos femmes avaient abondance de lait pour leurs enfants ; elles étaient même fortes comme des hommes ; aussi commencèrent-elles à supporter leurs voyages sans murmurer.

3. Nous voyons, par là, que les commandements de Dieu doivent être accomplis. Si les enfants des hommes gardent les commandements de Dieu, il les nourrit et les fortifie, et leur donne les moyens d'accomplir ce qu'il leur a ordonné ; c'est ainsi qu'il nous a donné des moyens pendant que nous voyagions dans le désert.

4. Et nous demeurâmes dans le désert pendant de nombreuses années, oui, même †l'espace de huit ans.

5. Et nous arrivâmes au pays que nous appelâmes Abondance, à cause de l'abondance de ses fruits et de son miel sauvage ; et tout cela fut préparé par le Seigneur pour que nous ne périssions pas. Et nous vîmes la mer à laquelle nous donnâmes le nom d'Irréantum, ce qui signifie par interprétation, bien des eaux.

6. Et * nous dressâmes nos tentes sur le bord de la mer ; et quoique nous ayons eu beaucoup d'afflictions et de nombreuses difficultés, à ce point que nous ne pouvons les écrire toutes, nous fûmes très joyeux d'arriver au bord de la mer ; et nous appelâmes le lieu Abondance, à cause de la grande quantité de ses fruits.

7. Et * lorsque moi, Néphi, j'eus passé de nombreux jours dans le pays d'Abondance, j'entendis la voix du Seigneur me dire : Lève-toi

et va dans la montagne. Et * je me levai, et allai dans la montagne, où j'invoquai le Seigneur.

8. Et * le Seigneur me parla disant : Tu construiras un vaisseau, d'après ce que je te montrerai, pour que je puisse emmener ton peuple à travers ces eaux.

9. Et je dis : Seigneur, où irai-je pour trouver du métal à fondre, afin d'en faire des outils pour construire le vaisseau de la manière que tu m'as montrée ?

10. Et * le Seigneur me dit où je devais aller pour trouver du métal pour faire les outils.

11. Et * moi, Néphi, je me fis, avec des peaux de bêtes, un soufflet pour aviver le feu ; et après avoir fait un soufflet, je frappai deux cailloux l'un contre l'autre pour en obtenir du feu.

12. Car le Seigneur n'avait pas permis jusqu'alors que nous fassions beaucoup de feu, durant notre voyage au désert, car il disait : Je rendrai votre nourriture douce au goût, pour que vous n'ayez pas besoin de la cuire.

13. Et je serai aussi votre lumière dans le désert ; et je fraierai le chemin devant vous, si vous gardez mes commandements. C'est pourquoi, tant que vous garderez mes commandements, vous serez conduits vers la ªterre promise, et vous saurez que c'est par moi que vous êtes conduits.

14. Et le Seigneur dit aussi : Lorsque vous serez arrivés dans la terre promise, vous saurez que moi, le Seigneur, je suis Dieu ; et que c'est moi, le Seigneur, qui vous ai sauvés de la destruction ; oui, que c'est moi qui vous ai tirés du pays de Jérusalem.

15. Aussi, moi, Néphi, m'efforçai-je de garder les commande-

ments du Seigneur ; et j'exhortai mes frères à la fidélité et à la diligence.

16. Et * je fis des ᵇoutils avec le métal que j'avais fondu du rocher.

17. Et quand mes frères virent que je me préparais à ᶜconstruire un vaisseau, ils se mirent à murmurer contre moi, disant : Notre frère est fou ; il s'imagine pouvoir construire un vaisseau, il s'imagine aussi pouvoir traverser ces grandes eaux.

18. C'est ainsi que mes frères se plaignaient de moi ; et leur désir était de ne point travailler, car ils ne me croyaient pas capable de construire un vaisseau ; ils ne croyaient pas, non plus, que je recevais des instructions du Seigneur.

19. Et * moi, Néphi, je fus fort affligé de la dureté de leur cœur. Et alors, quand ils s'aperçurent que je commençais à être affligé, leur cœur fut heureux, au point qu'ils se réjouirent à mon sujet, disant : Nous savions bien que tu ne pourrais pas construire un vaisseau, car nous savions que tu manquais de jugement ; c'est pourquoi, tu ne peux pas accomplir un travail aussi grand.

20. Tu ressembles à notre père, qui est égaré par les folles imaginations de son cœur ; oui, il nous a emmenés du pays de Jérusalem ; nous avons erré dans le désert pendant toutes ces années ; nos femmes ont travaillé et se sont fatiguées, même dans leur grossesse avancée ; et elles ont donné naissance à des enfants dans le désert et ont souffert tous les maux, excepté la mort. Et il aurait été préférable pour elles de mourir avant de quitter Jérusalem, que d'avoir subi toutes ces afflictions.

---

a, 1 Né. 2 : 20. 18 : 23.   *b*, vers. 9, 10.   *c*, vers. 8, 49, 51. 18 : 1-6.

21. Voici, nous avons souffert dans le désert pendant toutes ces années ; et durant ce temps, nous aurions pu jouir de nos possessions et de la terre de notre héritage ; oui, et nous aurions pu être heureux.

22. Nous savons que le peuple qui habitait le pays de Jérusalem était un peuple juste ; car il gardait les statuts et les jugements du Seigneur et tous les commandements, selon la loi de Moïse ; c'est pourquoi, nous savons qu'il est un peuple juste. Et notre père l'a jugé, et il nous a emmenés, parce que nous avons prêté attention à ses paroles ; oui, et notre frère est comme lui. C'est ainsi que mes frères murmuraient et se plaignaient de nous.

23. Et * moi, Néphi, je leur parlai, disant : Croyez-vous que nos pères, qui étaient les enfants d'Israël, auraient été délivrés des mains des Egyptiens, s'ils n'avaient pas écouté les paroles du Seigneur ?

24. Oui, supposez-vous qu'ils auraient été retirés de la servitude, si Dieu n'avait pas commandé à Moïse de les retirer de la servitude ?

25. Car vous savez que les enfants d'Israël étaient en servitude ; et vous savez qu'ils étaient chargés de corvées qui étaient pénibles à supporter ; c'est pourquoi, vous savez que ce devait nécessairement être pour eux une bonne chose que d'être retirés de la servitude.

26. De plus, vous savez que Moïse reçut du Seigneur l'ordre d'accomplir cette grande œuvre ; et vous savez que, par sa parole, les eaux de la mer Rouge se divisèrent et qu'ils traversèrent à pied sec.

27. Mais vous savez que les Egyptiens, qui composaient les armées de Pharaon, furent noyés dans la mer Rouge.

28. Et vous savez aussi que les enfants d'Israël furent nourris de la manne dans le désert.

29. Oui, et vous savez aussi que Moïse, par sa parole, selon la puissance de Dieu qui était en lui, frappa le rocher, et qu'il en sortit de l'eau, afin qu'ils pussent étancher leur soif.

30. Et bien qu'ils fussent conduits, le Seigneur, leur Dieu, leur Rédempteur allant devant eux, les conduisant le jour, et leur donnant de la lumière la nuit, et faisant pour eux tout ce qui est utile à l'homme de recevoir, malgré tout, ils s'endurcirent le cœur, s'aveuglèrent l'esprit, insultèrent Moïse et le Dieu vrai et vivant.

31. Et * selon sa parole, il les détruisit ; selon sa parole, il les conduisit ; selon sa parole, il fit toutes choses pour eux ; et rien ne fut fait, si ce n'est par sa parole.

32. Et quand ils eurent traversé le Jourdain, il les rendit assez puissants pour chasser les enfants du pays, pour les disperser jusqu'à leur destruction.

33. Et maintenant, pensez-vous que les enfants de ce pays, qui étaient dans la terre de promission et qui furent chassés par nos pères, pensez-vous qu'ils étaient justes ? Voici, je vous dis que non.

34. Pensez-vous que nos pères auraient été plus favorisés qu'eux s'ils avaient été justes ? Je vous dis que non.

35. Voici, le Seigneur estime toute chair, l'une comme l'autre ; le juste est favorisé de Dieu. Mais, voici, ce peuple avait rejeté toutes les paroles de Dieu ; il était mûr dans l'iniquité ; et la plénitude de la colère de Dieu était sur lui. Et le Seigneur maudit le pays contre lui,

et il le bénit pour nos pères. Oui, il le maudit contre lui jusqu'à sa destruction, et il le bénit pour nos pères, afin qu'ils en eussent la domination.

36. Voici, le Seigneur a créé la terre pour qu'elle soit habitée ; et il a créé ses enfants pour qu'ils la possèdent.

37. Et il suscite une nation juste, et détruit les nations des méchants.

38. Il conduit les justes dans des pays précieux, détruit les méchants et maudit le pays à cause d'eux.

39. Il gouverne du haut des cieux ; car c'est son trône, et cette terre est son marchepied.

40. Et il aime ceux qui le veulent pour leur Dieu. Voici, il aima nos pères et fit alliance avec eux ; oui, avec Abraham, Isaac et Jacob ; et il se souvint des alliances qu'il avait faites. C'est pourquoi, il les tira du pays d'Egypte.

41. Il les châtia de sa verge, dans le désert, parce qu'ils s'étaient endurci le cœur, tout comme vous le faites ; et le Seigneur les châtia à cause de leurs iniquités. Il leur envoya des serpents brûlants, qui volaient. Lorsqu'ils en eurent été mordus, il prépara un moyen de les guérir, et tout l'effort qu'ils avaient à faire était de regarder ; et à cause de la simplicité ou de la facilité de ce moyen, il y en eut beaucoup qui périrent.

42. Et ils s'endurcirent le cœur de temps à autre, et insultèrent Moïse et Dieu ; néanmoins, vous savez que Dieu, par son pouvoir sans pareil, les conduisit dans la terre de promission.

43. Et après tout cela, le moment est arrivé où ils sont devenus méchants, oui, jusqu'à être presque

mûrs ; et je ne sais si en ce jour même, ils ne sont pas à la veille d'être détruits ; car je sais que le jour viendra assurément où il faudra qu'ils soient détruits, sauf un petit nombre qui sera emmené en captivité.

44. C'est pourquoi, le Seigneur a *d*ordonné à mon père de partir pour le désert. Et les *e*Juifs cherchèrent à lui ôter la vie ; oui, et *f*vous aussi, vous avez cherché à lui ôter la vie ; c'est pourquoi, vous êtes des meurtriers dans votre cœur, et vous êtes semblables aux Juifs.

45. Vous êtes prompts à commettre l'iniquité, mais lents à vous souvenir du Seigneur, votre Dieu. Vous avez vu *g*un ange, et il vous a parlé ; oui, vous avez entendu sa voix de temps en temps ; et il vous a parlé d'une petite voix douce, mais vous aviez perdu le sentiment, de sorte que vous ne pouviez pas sentir ses paroles ; c'est pourquoi il vous a parlé comme avec une voix de tonnerre, qui fit trembler la terre, comme si elle allait s'ouvrir.

46. Et vous savez aussi que, par le pouvoir de sa parole toute-puissante, il peut faire *h*passer la terre ; oui, et vous savez que, par sa parole, il peut rendre lisses les lieux *i*raboteux, et raboteux les lieux qui sont lisses. Or donc, comment est-il possible que vous soyez si durs de cœur ?

47. Voici, mon âme est déchirée d'angoisse à cause de vous, et mon cœur est peiné ; je crains que vous ne soyez rejetés à jamais. Voici, je suis rempli de l'Esprit de Dieu, au point que mon corps n'a pas de force.

48. Alors, il arriva que quand j'eus dit ces paroles, ils se mirent en colère contre moi et éprouvèrent

le désir de me jeter dans les profondeurs de la mer. Et comme ils s'avançaient pour mettre les mains sur moi, je leur parlai, disant : Au nom du Dieu tout-puissant, je vous défends de me ʲtoucher, car je suis rempli du pouvoir de Dieu, à ce point que ma chair en est consumée. Et quiconque pose les mains sur moi, se desséchera comme un roseau ; et il sera comme le néant devant la puissance de Dieu, car Dieu le frappera.

49. Et * moi, Néphi, je leur dis qu'ils ne devaient plus murmurer contre leur père ni me refuser leur travail, car Dieu m'avait ordonné de construire un vaisseau.

50. Et je leur dis : ᵏSi Dieu m'ordonnait de faire toutes choses, je pourrais les faire. S'il me commandait de dire à cette eau : Sois de la terre, elle serait de la terre ; et si je le disais, cela se ferait.

51. Or, si le Seigneur a un si grand pouvoir, et s'il a fait tant de miracles parmi les enfants des hommes, pourquoi ne pourrait-il pas m'apprendre à construire un vaisseau ?

52. Et * moi, Néphi, je dis beaucoup de choses à mes frères, de sorte qu'ils furent confondus, et ne purent lutter contre moi. Ils n'osèrent pas non plus poser les mains sur moi ni me toucher des doigts, et cela pendant de nombreux jours. Or, ils n'osaient pas le faire de crainte de se dessécher devant moi, si puissant était l'Esprit de Dieu. Et c'est ainsi qu'il avait agi sur eux.

53. Et il arriva que le Seigneur me dit : Etends encore la main vers tes frères, et ils ˡne se dessécheront pas devant toi. Mais je les ébranlerai, dit le Seigneur ; je le ferai, afin qu'ils sachent que je suis le Seigneur, leur Dieu.

54. Et * j'étendis la main vers mes frères, et ils ne se desséchèrent pas devant moi. Mais le Seigneur les ébranla, ainsi qu'il l'avait dit.

55. Alors, ils dirent : Nous savons avec certitude que le Seigneur est avec toi, car nous savons que c'est la puissance du Seigneur qui nous a ébranlés. Et ils se jetèrent à mes pieds et étaient sur le point de m'adorer, mais je ne leur permis pas, disant : Je suis votre frère, et même votre frère cadet ; c'est pourquoi, adorez le Seigneur, votre Dieu ; et honorez votre père et votre mère, afin que vos jours soient longs sur la terre que le Seigneur, votre Dieu, vous donnera.

CHAPITRE 18.

Le vaisseau est achevé. — Jacob et Joseph. — Le voyage commence. — Orgies et mutinerie à bord. — Tempête en mer. — L'arrivée en terre promise.

1. Et * ils adorèrent le Seigneur, et vinrent avec moi, et nous travaillâmes le bois de charpente en un ouvrage curieux. Et le Seigneur me montrait de temps en temps de quelle manière je devais travailler à la charpente du vaisseau.

2. Or moi, Néphi, je ne ᵃtravaillai pas les bois de charpente selon la manière enseignée par les hommes, et je ne construisis point non plus le vaisseau à la façon des hommes ; mais je le construisis de la manière que le Seigneur m'avait montrée ; ce n'était donc pas à la manière des hommes.

3. Et moi, Néphi, je montai souvent sur la montagne et priai le Seigneur souvent ; c'est pourquoi le Seigneur me montra de grandes choses.

4. Et * quand j'eus achevé le vaisseau selon la parole du Seigneur, mes frères virent qu'il était bon, et

que le travail en était extrêmement solide ; c'est pourquoi, ils s'humilièrent de nouveau devant le Seigneur.

5. Et il arriva que la voix du Seigneur s'adressa à mon père, disant qu'il nous fallait nous lever et descendre dans le vaisseau.

6. Et * le lendemain, après avoir préparé toutes choses, beaucoup de fruits, et de gibier du désert, et du miel en abondance, et des provisions suivant ce que le Seigneur nous avait ordonné, nous entrâmes dans le vaisseau, avec tout notre chargement, nos ᵇsemences, et tout ce que nous avions apporté avec nous, chacun selon son âge. C'est ainsi que nous descendîmes dans le vaisseau, nous, nos femmes et nos enfants.

7. Or, mon père avait engendré deux fils dans le désert ; l'aîné s'appelait Jacob, et le cadet Joseph.

8. Et * lorsque nous fûmes tous descendus dans le vaisseau, munis de nos provisions et de tout ce qui nous avait été ordonné, nous nous mîmes en mer et fûmes poussés par le vent ᶜvers la terre promise.

9. Et lorsque nous eûmes été poussés par le vent pendant de nombreux jours, voici, mes frères, les fils d'Ismaël et leurs femmes, commencèrent à s'égayer jusqu'à danser, chanter, parler avec beaucoup de grossièreté et oublier le pouvoir qui les avait conduits jusqu'ici ; oui, ils s'abandonnèrent à une grossièreté excessive.

10. Et moi, Néphi, je commençai à craindre extrêmement que le Seigneur, irrité, ne nous frappât pour nos iniquités, et que nous ne fussions engloutis dans les profondeurs de la mer. C'est pourquoi, moi, Néphi, je me mis à leur parler avec beaucoup de gravité. Mais

voici, ils s'irritèrent contre moi, disant : Nous ne voulons pas que notre jeune frère soit notre ᵈgouverneur.

11. Et * Laman et Lémuel me saisirent et me lièrent de cordes, et me traitèrent avec beaucoup de dureté. Néanmoins, le Seigneur le souffrit, afin de pouvoir montrer sa puissance et accomplir la parole qu'il avait dite touchant les méchants.

12. Et * lorsqu'ils m'eurent lié, au point que je ne pouvais pas bouger, le ᵉcompas, que le Seigneur avait préparé pour nous, cessa de fonctionner.

13. Et ils ne savaient plus, dès lors, de quel côté diriger le vaisseau. Et il s'éleva un grand orage, même une tempête grande et terrible qui nous poussa en arrière sur les eaux trois jours durant ; et ils commencèrent à craindre extrêmement d'être noyés dans la mer ; néanmoins, ils ne me délivrèrent point.

14. Et le quatrième jour que nous marchions en arrière, la tempête devint horrible.

15. Et * nous fûmes près d'être engloutis dans les profondeurs de la mer. Et après avoir été poussés en arrière sur les eaux pendant quatre jours, mes frères commencèrent à voir que les jugements de Dieu étaient sur eux, et qu'ils périraient s'ils ne se repentaient pas de leurs iniquités. C'est pourquoi, ils vinrent à moi, et délièrent les liens de mes poignets et voici, ces derniers étaient enflés à l'extrême ; mes chevilles aussi étaient fort enflées et très douloureuses.

16. Néanmoins, je tournais les yeux vers mon Dieu, et je le louais tout le jour ; et je ne murmurais point contre le Seigneur à cause de mes afflictions.

b, 1 Né. 8 : 1. 16 : 11. vers. 24.   c, 1 Né. 2 : 20. 5 : 5, 22. 7 : 13. 12 : 1, 4. 13 : 12, 14. 30. 14 : 2. 18 : 22, 23.   d, 1 Né. 2 : 22 16 : 37, 38. 2 Né. 1 : 25-27. 5 : 3, 19. e, voir d. 1 Né. 16.   VERS 590 AV. J.-C.

17. Or, mon père, Léhi, avait dit beaucoup de choses à mes frères, ainsi qu'aux *f*fils d'Ismaël ; mais voici, ils proféraient de nombreuses menaces contre quiconque parlait en ma faveur. Et comme mes parents étaient fort avancés en âge, et qu'ils avaient eu beaucoup de chagrin à cause de leurs enfants, ils se trouvèrent abattus, même forcés de garder le lit.

18. A cause de leur peine et de leur chagrin, et de l'iniquité de mes frères, ils furent même près d'être enlevés de cette terre pour rencontrer leur Dieu ; oui, leurs cheveux gris étaient près d'être couchés profondément dans la poussière ; oui, ils étaient près d'être jetés par le chagrin dans une tombe liquide.

19. Et *g*Jacob et Joseph, étant jeunes, ayant besoin de beaucoup de nourriture, étaient affligés des peines de leur mère ; et ni ma *h*femme avec ses larmes et ses prières, ni mes enfants n'avaient pu adoucir le cœur de mes frères pour les porter à me délier.

20. Et il n'était rien qui pût leur adoucir le cœur si ce n'est le pouvoir de Dieu, qui les menaçait de destruction ; c'est pourquoi, quand ils se virent sur le point d'être engloutis dans les profondeurs de la mer, ils se repentirent de ce qu'ils avaient fait, en sorte qu'ils me délièrent.

21 Et * lorsqu'ils m'eurent délié, je pris le *i*compas, et il allait selon mes désirs. Et * je priai le Seigneur, et quand j'eus prié, les vents cessèrent, la tempête s'apaisa, et il y eut un grand calme.

22. Et * moi, Néphi, je *j*dirigeai le vaisseau de manière que nous naviguâmes de nouveau vers la terre promise.

23. Et * quand nous eûmes navigué durant de nombreux jours, †nous touchâmes à la terre *k*promise ; nous entrâmes dans le pays. et nous y dressâmes nos tentes ; et nous l'appelâmes la terre promise.

24. Et * nous nous mîmes à cultiver la terre, et nous commençâmes à planter des semences ; oui, nous mîmes dans la terre toutes les *l*semences que nous avions apportées du pays de Jérusalem. * Leur croissance fut extraordinaire ; et nous fûmes bénis en abondance.

25. Et * pendant que nous voyagions dans le désert, nous découvrîmes que, sur la terre de promission, il y avait des *m*bêtes de toute espèce dans les forêts, des vaches, et des bœufs, des ânes, et des chevaux, des chèvres, et des chèvres sauvages, et toutes sortes d'animaux sauvages utiles à l'homme. Nous trouvâmes aussi toutes sortes de *m*minerais d'or, d'argent et de cuivre.

CHAPITRE 19.

Les annales de Néphi concernant son peuple. — Divers prophètes cités. — Zénos et ses prédictions.

1. Et il arriva que le Seigneur m'ordonna de faire des *a*plaques de métal pour y graver les annales de mon peuple. Et sur les plaques que je fis, je *b*gravai les annales de mon père, nos voyages dans le désert et les prophéties de mon père. J'y gravai aussi un grand nombre de mes propres prophéties.

2. Et quand je fis les premières plaques, je ne savais pas que le Seigneur m'ordonnerait de faire ces plaques-ci : c'est pourquoi, les annales de mon père et la généalogie de ses pères. ainsi que la majeure partie des choses qui nous sont arri-

---

f, 1 Né. 7 : 6.   *g*, vers. 7.   *h*, 1 Né. 16 : 7.   *i*, vers. 12.   *j*, vers. 13.   *k*, 1 Né. 2 : 20.   *l*, 1 Né. 8 : 1.   *m*, Enos 21. Al. 18 : 9. 20 : 6. 3 Né. 3 : 22. 4 : 4. 6 : 1. Eth. 9 : 18, 19, 31-34. 10 : 19-21.   *n*. 1 Né. 19 : 1. 2 Né. 5 : 14-16. Jacob 2 : 12, 13. Héla. 6 : 9-11. Eth. 9 : 17. 10 : 7, 12, 23.   CHAP. 19 : *a*, voir *f*, 1 Né. 1.   *b*, 1 Né. 1 : 16, 17. 19 : 2.

† PROBABLEMENT VERS 589 AV. J.-C.

vées dans le désert, sont gravées sur les premières plaques dont j'ai parlé ; et les choses qui arrivèrent avant que je fisse ces plaques-ci sont plus particulièrement rapportées sur les premières plaques.

3. Et lorsque j'eus fait ces °plaques-ci d'après le commandement que j'avais reçu, moi, Néphi, je reçus le commandement d'y écrire le ministère et les prophéties à savoir les parties les plus simples et les plus précieuses de ceux-ci ; et de garder ces choses qui y seraient écrites pour l'instruction de mon peuple, qui posséderait le pays, et aussi dans d'autres sages desseins. desseins qui sont connus du Seigneur.

4. C'est pourquoi, moi, Néphi, je fis des annales, sur les ᵈautres plaques, qui donnent une relation, ou qui donnent une relation plus détaillée des guerres, des contentions et des destructions de mon peuple. Ceci, je l'ai fait et j'ai commandé à mon peuple ce qu'il aurait à faire quand je m'en serai allé ; que ces plaques soient transmises d'une génération à l'autre, ou d'un prophète à l'autre, jusqu'au moment où le Seigneur donnerait de nouveaux commandements.

5. Je raconterai ci-après comment j'ai fait ces °plaques ; pour le moment, je continue, selon ce que j'ai dit ; et je le fais afin que les choses d'un caractère plus sacré soient conservées pour la connaissance de mon peuple.

6. Néanmoins, je n'écris rien sur ces plaques qui, à mes yeux, ne soit sacré. Et si je me trompe, les anciens se sont aussi trompés. Non pas que je veuille m'excuser à cause des autres, mais je voudrais m'excuser de ma propre faiblesse selon la chair.

7. Car les choses que les uns estiment d'un grand prix pour le corps et pour l'âme, d'autres les comptent pour rien et les foulent aux pieds. Oui, les hommes foulent aux pieds même la véritable Dieu d'Israël. Je dis : Foulent aux pieds ; mais je voudrais m'exprimer autrement. — Ils le comptent pour rien, et n'écoutent pas la voix de ses conseils.

8. Mais, voici, il vient, selon la parole de l'ange, ᶠsix cents ans après le départ de mon père de Jérusalem.

9. Et le monde, dans son iniquité, l'estimera un homme de rien. C'est pourquoi, on le bat de verges, et il le souffre ; on le frappe, et il le souffre. Oui, on crache sur lui, et il le souffre, par amour, par bonté, par longanimité pour les enfants des hommes.

10. Et le Dieu de nos pères, qu'il a retirés de l'Egypte et de la servitude, qu'il a préservés dans le désert, oui, le Dieu d'Abraham, et d'Isaac et le Dieu de Jacob, se livre, suivant les paroles de l'ange, en tant qu'homme, entre les mains des méchants, pour être élevé, selon les paroles de ᵍZénock, et pour être crucifié, selon les paroles de Néum, et pour être enseveli dans un sépulcre, selon les paroles de ʰZénos quand il dit que les 'trois jours de ténèbres seraient un signe de sa mort donné à ceux qui habiteraient les îles de la mer, plus spécialement à ceux qui sont de la maison d'Israël.

11. Car ainsi parla le prophète : Le Seigneur Dieu visitera certainement toute la maison d'Israël en ce jour-là ; les uns de sa ʲvoix, à cause de leur justice, pour leur plus grande joie et pour

c, 1 Né. 9 : 2.   d, 1 Né. 9 : 4.   e, 2 Né. 5 : 30. D. et A. sec. 10.   f, 1 Né. 10 : 4. g, Al. 33 : 15. 34 : 7. Héla. 8 : 20. 3 Né. 10 : 15-17.   h, vers. 12, 16. Jacob 5 : 1. 6 : 1. Al. 33 : 3, 13, 15, 34 : 7. Héla. 8 : 19. 15 : 11. 3 Né. 10 : 16.   i, Héla. 14 : 20, 27. 3 Né. 8 : 19-23. 10 : 9.   j, 3 Né. 9. ENTRE 588 ET 570 AV. J.-C.

leur salut ; les autres [k]par le tonnerre et les éclairs de sa puissance, par la tempête, par le feu, par la fumée, et par les vapeurs des ténèbres, par la terre entrouverte, et par les montagnes soulevées.

12. Et toutes ces choses viendront certainement, dit le prophète Zénos. Et les [l]rochers de la terre se fendront ; et, à cause des gémissements de la terre, un grand nombre des rois des îles de la mer seront poussés, par l'Esprit de Dieu, à s'écrier : Le Dieu de la nature souffre.

13. Quant à ceux qui sont à Jérusalem, dit le prophète, ils seront châtiés par tous les peuples, parce qu'ils crucifient le Dieu d'Israël, et qu'ils détournent leur cœur de lui, rejetant les signes, les miracles, la puissance et la gloire du Dieu d'Israël.

14. Et parce qu'ils détournent leur cœur, dit le prophète, et qu'ils ont méprisé le Très-Saint d'Israël, ils seront errants dans la chair, ils périront, et deviendront un objet de moquerie et de dérision, et seront haïs parmi toutes les nations.

15. Toutefois, quand le jour arrivera, dit le prophète, [m]où ils ne détourneront plus leur cœur du Très-Saint d'Israël, en ce jour-là, il se souviendra des alliances qu'il a faites avec leurs pères.

16. Oui, alors il se souviendra des îles de la mer ; oui, alors, dit le Seigneur, suivant les paroles du prophète [n]Zénos, je rassemblerai tous les peuples de la maison d'Israël, aux quatre coins de la terre.

17. Oui, et toute la terre verra le salut du Seigneur, dit le prophète ; toutes les nations, familles, langues et peuples seront bénis.

18. Et moi, Néphi, j'ai écrit ces choses pour mon peuple, afin de pouvoir, peut-être, le persuader de

se souvenir du Seigneur, son Rédempteur.

19. C'est pourquoi, je parle à toute la maison d'Israël, si, toutefois, ces choses lui parviennent.

20. Car voici, j'éprouve, à l'égard de ceux qui sont à Jérusalem, un travail d'esprit qui me fatigue, au point que toutes mes jointures sont faibles, car si le Seigneur ne m'avait point montré, dans sa miséricorde, ce qui concerne les Juifs de Jérusalem, comme il l'a montré aux anciens prophètes, j'aurais également péri.

21. Et assurément, il a montré aux anciens prophètes tout ce qui les concerne, et il a également montré à beaucoup ce qui se rapporte à nous ; c'est pourquoi, il faut nécessairement que nous sachions ces choses, car elles sont [o]écrites sur les plaques d'airain.

22. Alors, il arriva que moi, Néphi, j'enseignai ces choses à mes frères. Et * je leur lus beaucoup de choses qui étaient gravées sur les [p]plaques d'airain, pour qu'ils pussent savoir ce que le Seigneur a fait dans d'autres pays, parmi les anciens peuples.

23. Et je leur lus aussi beaucoup de choses écrites dans le livre de Moïse. Mais pour mieux les persuader de croire au Seigneur, leur Rédempteur, je leur lus ce qui fut écrit par le prophète Esaïe ; car j'appliquais toutes les Ecritures à nous, pour notre utilité et notre instruction.

24. C'est pourquoi je leur parlai, disant : Ecoutez les paroles du prophète, vous qui êtes un reste de la maison d'Israël, une branche qui en a été rompue ; écoutez les paroles du prophète, écrites pour toute la maison d'Israël, et appliquez-les vous, pour que vous puis-

k, Héla. 14 : 20-27. 3 Né. 8 : 5-23.   l, Héla. 14 : 21, 22. 3 Né. 8 : 17, 18. m, voir e, 1 Né. 15.   n, voir h.   o, 3 Né. 10 : 16,17.   p, voir a, 1 Né. 3.

siez espérer, ainsi que vos frères, dont vous avez été séparés. Car, voici ce que le prophète a écrit.

CHAPITRE 20.

Prophéties rapportées sur les plaques d'airain. — Comparer Esaïe 48.

1. Ecoute et entends ceci, ô maison de Jacob, appelée du nom d'Israël, sortie des eaux de ^aJuda, ou des eaux du baptême, qui ^bjures par le nom du Seigneur, qui fais mention du Dieu d'Israël. Cependant, ils ne jurent ^cpas en vérité ni en justice.

2. Néanmoins ils se disent de la ^dville sainte, mais ils ne ^es'appuient point sur le Dieu d'Israël, qui est le Seigneur des armées ; oui, le Seigneur des armées est son nom.

3. Voici, j'ai déclaré les choses anciennes depuis le ^fcommencement ; elles sont sorties de ma bouche, et je les ai montrées. Je les ai montrées subitement.

4. Et je l'ai fait parce que je savais que tu es obstinée, que ton ^gcou est un muscle de fer, et que ton front est d'airain.

5. Je te les ai ^hdéclarées dès le commencement. Je te les ai montrées avant qu'elles n'arrivent ; et je les ai montrées de peur que tu ne dises : C'est mon idole qui les a faites ; c'est mon image taillée, ma statue fondue qui les a ordonnées.

6. Tu as vu et entendu tout cela ; et ne veux-tu point le déclarer ? Ne veux-tu point déclarer que je t'ai montré des choses nouvelles depuis ce temps, même des choses cachées, et que tu ne les as point connues ?

7. Elles sont créées maintenant, et pas depuis le commencement, même avant le jour où tu ne les entendis pas, elles te furent déclarées, de peur que tu ne dises : Voici, je les connaissais.

8. Oui, tu n'entendis point ; oui, tu ne connus point ; oui, dès ce moment, ton oreille ne fut point ouverte ; car je savais que tu agirais perfidement, et que tu fus appelée ⁱtransgresseuse dès ta naissance.

9. Néanmoins, à cause de mon nom, je différerai ma colère ; et, pour ma gloire, je me contiendrai pour ne pas te retrancher.

10. Car, voici, je t'ai purifiée ; je t'ai choisie dans la fournaise de l'affliction.

11. C'est pour moi-même, oui, pour moi-même, que je ferai cela, car je ne souffrirai pas que mon nom soit souillé ; et je ne donnerai pas ma ^jgloire à un autre.

12. Ecoutez-moi, ô Jacob, et toi, Israël, mon élu, car c'est moi ; je suis le ^kpremier, et je suis aussi le dernier.

13. Ma ^lmain a aussi posé le fondement de la terre, et ma main droite a mesuré les cieux : ^mje les appelle, et ils se lèvent ensemble.

14. Vous ⁿtous rassemblez-vous et écoutez : Qui d'entre eux leur a annoncé ces choses ? Le Seigneur l'a aimé ; oui, et il accomplira sa parole qu'il a déclarée par eux. Et ^oil agira selon son bon plaisir envers Babylone, et son bras viendra sur les Chaldéens.

15. Ainsi dit le Seigneur : Moi le Seigneur, j'ai parlé, ^pje l'ai appelé pour annoncer ; je l'ai amené, et il fera prospérer sa voie.

16. Approchez-vous de moi ; ^qje n'ai point parlé en secret ; depuis le commencement, depuis le moment où cela a été annoncé, j'ai parlé ; et le Seigneur Dieu, et son Esprit m'ont envoyé.

17. Et ainsi dit le Seigneur, ton Rédempteur, le Très-Saint d'Israël :

---

a, Es. 48 : 1.   *b*, Deut. 6 : 13. Es. 65 : 16. Soph. 1 : 5.   *c*, Jér. 4 : 2. 5 : 2. *d*, Es. 52 : 1.   *e*, Mich. 3 : 9-11.   *f*, Es. 41 : 22. 42 : 9. 43 : 9. 44 : 7, 8. 45 : 21. 46 : 9, 10.   *g*, Ex. 32 : 9. Deut. 31 : 27.   *h*, voir *f*.   *i*, Ps. 58 : 3.   *j*, Es. 42 : 8. *k*, Es. 41 : 4. Apo. 1 : 17. 22 : 13.   *l*, Ps. 102 : 25.   *m*, Es. 40 : 26.   *n*, voir *f*. *o*, Es. 44 : 28.   *p*, Es. 45 : 1-4.   *q*, Es. 45 : 19.   ENTRE 588 et 570 AV. J.-C.

Je l'ai envoyé ; le Seigneur ton Dieu, qui t'enseigne à profiter, qui te conduit dans la voie où tu dois marcher, a fait cela.

18. O,· si tu avais été attentif à mon commandement ! Alors, ta paix aurait été comme un fleuve, et ta justice comme les flots de la mer.

19. Ta *postérité, aussi, aurait été comme le sable ; les fruits de tes entrailles auraient été comme les grains de sable ; son nom n'aurait pas été retranché ni détruit de devant moi.

20. ˢSortez de Babylone ; fuyez les Chaldéens. Avec une voix d'allégresse, annoncez, racontez ceci ; publiez-le jusqu'au bout de la terre, dites : ˡLe Seigneur a racheté son serviteur Jacob.

21. Et ils n'ont pas eu ᵘsoif ; il les a conduits au travers des déserts ; et, pour eux, il a fait sortir les eaux du rocher, il a aussi fendu le rocher et les eaux en ont jailli.

22. Et malgré qu'il ait fait toutes ces choses, et de plus grandes encore, il n'y a pas de paix pour les méchants, dit le Seigneur.

CHAPITRE 21.

Suite des écrits d'Esaïe rapportés sur les plaques d'airain. — Comparer Esaïe 49.

1. Et encore : Ecoutez, ô maison d'Israël, vous tous qui êtes rompus et chassés à cause de la méchanceté des pasteurs de mon peuple ; oui, vous tous qui êtes rompus, qui êtes dispersés au-dehors, qui êtes de mon peuple, ô maison d'Israël. Ecoutez-moi, ô ᵃîles, et vous, peuples éloignés, prêtez l'oreille ; le Seigneur m'a appelé dès le sein de ma mère ; lorsque j'étais encore dans ses entrailles, il a annoncé mon nom.

2. Et il a rendu ma bouche comme une épée tranchante ; il m'a caché dans l'ombre de sa main ; il a fait de moi une flèche polie ; il m'a caché dans son carquois.

3. Et il m'a dit : Tu es mon serviteur, ô Israël, en qui je serai glorifié.

4. Alors, je dis : J'ai travaillé en vain, j'ai consumé mes forces sans utilité et sans fruit ; mais, sans doute, mon jugement est avec le Seigneur, et mon œuvre est avec mon Dieu.

5. Et maintenant, dit le Seigneur — par qui j'ai été formé dès le sein de ma mère pour être son serviteur, pour lui ramener Jacob — Quoique Israël ne soit point rassemblé, je serai néanmoins glorieux aux yeux du Seigneur, et mon Dieu sera ma force.

6. Et il dit : C'est peu de chose que tu sois mon serviteur, pour relever les tribus de Jacob, et pour restaurer les restes d'Israël. Je te donnerai aussi comme lumière aux ᶜGentils, afin que tu sois mon salut à tous les bouts de la terre.

7. Ainsi dit le Seigneur, le Rédempteur d'Israël, son Très-Saint, à celui qui est méprisé des hommes, à celui que les nations abhorrent, au serviteur de ceux qui dominent : Des rois verront et se lèveront ; des princes, aussi, adoreront à cause du Seigneur, qui est fidèle.

8. Ainsi dit le Seigneur : Je t'ai entendu, à un moment acceptable, ᵈô îles de la mer, et je t'ai secouru dans un jour de salut ; et je te conserverai, je te donnerai ᵉmon serviteur pour être l'alliance du peuple, pour établir la terre, pour faire en sorte que les héritages désolés soient possédés.

9. Et que tu puisses dire aux prisonniers : Sortez, et ᶠà ceux qui sont assis dans les ténèbres : Montrez-vous. Ils paîtront dans les voies ; et leurs ᵍpâturages seront sur tous les hauts lieux.

---

r, Gen. 22 : 17. Osée 1 : 10.   s, Jér. 50 : 8. 51 : 6, 44, 45. Zach. 2 : 6, 7.   t, Es. 44 : 22, 23.   u, Ps. 107 : 35-38. Es. 35 : 6, 7. 41 : 17, 18.   CHAP. 21 : a, vers. 8. Es. 51 : 5. 60 : 9. 66 : 19. 1 Né. 22 : 4. 2 Né. 10 : 20-22.   c, 3 Né. 21 : 11.   d, voir a.   e, voir e, 2 Né. 3.   f, 2 Né. 3 : 5.   g, Ez. 34 : 14. 1 Né. 22 : 25.

10. Ils n'auront ni faim, ni soif ; et la chaleur et le soleil ne les brûleront pas non plus ; car celui qui est plein de miséricorde pour eux les mènera et les conduira aux ʰsources d'eaux.

11. Et je ferai de toutes mes ⁱmontagnes un chemin, et mes ʲgrand-routes seront rehaussées.

12. Et alors, ô maison d'Israël, voici, ᵏceux-ci viendront de loin ; voici, ceux-là viendront du nord et de l'ouest, et encore du pays de Sinim.

13. ˡChantez, ô cieux ; réjouis-toi, ô terre : car les pieds de ceux qui sont à l'est seront établis ; et éclatez en chants, ô montagnes ; car ils ne seront plus frappés ; car le Seigneur a consolé son peuple, et il fera miséricorde à ses affligés.

14. Mais, voici, Sion a dit : Le Seigneur m'a abandonnée, et mon Seigneur m'a oubliée — mais il fera voir que cela n'est pas.

15. Car une ᵐmère peut-elle oublier l'enfant qu'elle allaite, au point de ne pas compatir au fils qu'elle a porté dans ses entrailles ? Oui, elle peut l'oublier, mais moi, je ne t'oublierai point, ô maison d'Israël.

16. Voici, je t'ai gravée sur la paume de mes mains ; tes murailles sont constamment devant moi.

17. Tes enfants viendront, en grande hâte, contre ceux qui te détruisent ; et ceux qui t'ont ravagée s'éloigneront de toi.

18. Lève tes yeux à l'entour, et regarde : tous ceux-ci se ⁿrassemblent, et ils viendront à toi. Et comme je vis, dit le Seigneur, assurément tu te revêtiras d'eux tous comme d'un ornement, et tu t'en ceindras comme une jeune épouse.

19. Car tes déserts, tes solitudes et le pays de ta destruction seront alors trop étroits pour ses habitants ; et °ceux qui te dévoraient seront bien loin de toi.

20. Les enfants que tu auras lorsque tu auras perdu les ᵖpremiers, te diront de nouveau aux oreilles : Ce lieu est trop étroit pour moi ; donne-moi de la place où je puisse demeurer.

21. Alors, tu diras en ton cœur : Qui m'a engendré ceux-ci, vu que j'ai perdu mes enfants et que je suis désolée, captive et chassée çà et là ? Qui m'a élevé ceux-ci ? Voici, j'étais restée seule ; ceux-ci, où étaient-ils ?

22. Ainsi dit le Seigneur Dieu : Voici, j'étendrai ʳma main vers les Gentils, et j'élèverai mon ˢétendard vers les peuples ; et ils ᵗapporteront tes fils dans leurs bras, et tes filles seront portées sur leurs épaules.

23. Et des rois seront tes nourriciers, et leurs reines tes nourrices ; ils se prosterneront devant toi, le visage contre terre ; et ils lècheront la poussière de tes pieds ; et tu sauras que je suis le Seigneur ; car ceux qui m'attendent n'auront pas honte.

24. Car peut-on ôter la proie à ᵘl'homme puissant, ou délivrer ceux qui sont légitimement captifs ?

25. Mais ainsi dit le Seigneur : Même les captifs de l'homme puissant lui seront ôtés, et la proie de l'homme terrible sera délivrée ; car je combattrai contre celui qui combat contre toi, et je sauverai tes enfants.

26. Et à ceux qui ᵛt'oppriment, je leur ferai manger leur propre chair ; ils seront ivres de leur propre sang, comme de vin doux : et toute chair saura que moi, le Seigneur, je suis ton Sauveur, ton Rédempteur, le Puissant de Jacob.

h, voir u, 1 Né. 20.　i, voir g.　j, Es. 40 : 3. 62 : 10.　k, Es. 43 : 5-7.　l, Es. 44 : 23.　m, Ps. 103 : 13.　n, Mich. 4 : 11-13.　o, vers. 17.　p, vers. 21.　r, Es. 66 : 18-20.　s, Es. 62 : 10. Voir p, 2 Né. 15.　t, 1 Né. 22 : 8. 2 Né. 6 : 6, 7. 10 : 8, 9.　u, 1 Né. 22 : 12-14.　v, 1 Né. 14 : 15-17. 22 : 13, 14. 2 Né. 6 : 14-18.
ENTRE 588 et 570 AV. J.-C.

CHAPITRE 22.

Néphi interprète les prophéties d'Esaïe. — Prédiction qu'il y aura une nation gentile puissante sur la terre promise. — Les descendants de Léhi seront nourris par les Gentils. — Sort funeste de ceux qui luttent contre Sion.

1. Et * lorsque moi, Néphi, j'eus lu ces choses qui étaient gravées sur les *ᵃplaques d'airain, mes frères vinrent à moi et me dirent : Que signifient ces choses que tu as lues ? Devons-nous les entendre comme des choses spirituelles, qui arriveront selon l'esprit et non selon la chair ?

2. Et moi, Néphi, je leur dis : Elles ont été manifestées au prophète, par la voix de l'Esprit, car c'est par l'Esprit que sont révélées aux prophètes toutes les choses qui doivent arriver aux enfants des hommes selon la chair.

3. C'est pourquoi, les choses que j'ai lues se rapportent à la fois au temporel et au spirituel ; car il apparaît que la maison d'Israël sera, tôt ou tard, dispersée sur toute la surface de la terre, parmi toutes les nations.

4. Et voici, il y en a beaucoup qui sont déjà perdus à la connaissance de ceux qui sont à Jérusalem. Oui, la plus grande partie de toutes les tribus a été emmenée ; et elles sont dispersées çà et là sur les ᵇîles de la mer ; et nul de ᶜnous ne sait où elles sont, si ce n'est qu'elles ont été emmenées.

5. Et depuis qu'elles ont été emmenées, ces prophéties ont été faites sur elles et sur tous ceux qui seront dispersés et confondus plus tard, à cause du Très-Saint d'Israël ; car ils s'endurciront le cœur contre lui. C'est pour cela qu'ils seront dispersés parmi toutes les nations et haïs de tous les hommes.

6. Néanmoins, dans la suite, ils seront nourris par les Gentils, et le Seigneur élèvera sa main sur les ᶜGentils, et les dressera comme un étendard ; leurs enfants seront portés dans leurs bras, et leurs filles seront portées sur leurs épaules ; voici, ces choses dont il est parlé sont temporelles ; car elles sont les alliances du Seigneur avec nos pères ; et cela se rapporte à nous dans les jours à venir et aussi à tous nos frères de la maison d'Israël.

7. Et cela signifie que le temps vient où, lorsque toute la maison d'Israël aura été dispersée et confondue, le Seigneur Dieu suscitera une ᵈpuissante nation parmi les Gentils, oui, même sur la surface de ce pays ; et c'est par elle que notre ᵉpostérité sera dispersée.

8. Et lorsque notre postérité aura été dispersée, le Seigneur Dieu commencera une œuvre ᶠmerveilleuse au milieu des Gentils, qui sera d'une grande valeur pour notre postérité ; c'est pourquoi il est dit, au figuré, qu'ils seront nourris par les Gentils et portés dans leurs bras et sur leurs épaules.

9. Et cette œuvre aura aussi de la ᵍvaleur pour les Gentils ; et non seulement pour les Gentils, mais encore pour toute la ʰmaison d'Israël, en ce qu'elle fera connaître les alliances que le Père céleste a faites avec Abraham, disant : En ta postérité, toutes les familles de la terre seront bénies.

10. Et je voudrais, mes frères, que vous sachiez que toutes les familles de la terre ne peuvent être bénies, si le Seigneur ne met son bras à nu aux yeux des nations.

11. C'est pourquoi, le Seigneur Dieu mettra son bras à nu aux yeux de toutes les nations en fai-

a, voir *a*, 1 Né. 3.   *b*, 2 Né. 10 : 20-22.   *c*, 1 Né. 21 : 22, 23.   *d*, 3 Né. 20 : 27. *e*, 1 Né. 13 : 12-20. 2 Né. 1 : 11. 3 Né. 16 : 4.   *f*, 1 Né. 13 : 35. 14 : 7. 2 Né. 25 : 17. 27 : 26. 29 : 1, 3 Né. 21 : 1-9. Eth. 4 : 15.   *g*, 1 Né. 13 : 34-42. 14 : 1-5. 2 Né. 28 : 2. 30 : 3. 3 Né. 21 : 6. 23 : 4.   *h*, 1 Né. 13 : 39. 14 : 17. 2 Né. 29 : 13, 14. 30 : 7, 8. 3 Né. 5 : 23-26. 16 : 4, 5. 21 : 26-29.   Entre 588 et 570 av. J.-C.

sant parvenir ses alliances et son évangile à ceux qui sont de la maison d'Israël.

12. C'est pourquoi il les ramènera de leur captivité, et ils seront rassemblés sur les terres de leur héritage ; et ils seront tirés de l'obscurité et des ténèbres ; et ils sauront que le Seigneur est leur Sauveur et leur Rédempteur, le Puissant d'Israël,

13. Et le sang de cette grande et abominable église, qui est la prostituée de toute la terre, sera versé sur sa propre tête ; car ils se feront la ᵍguerre entre eux, et l'épée tombera de leurs propres mains sur leur propre tête ; et ils seront enivrés de leur propre sang.

14. Et toutes les nations qui feront la guerre contre toi, ô maison d'Israël, se tourneront les unes contre les autres, et elles tomberont dans la fosse qu'elles ont creusée pour prendre au piège le peuple du Seigneur. Et tous ceux qui ʲcombattent Sion périront, et cette grande prostituée qui a perverti les voies droites du Seigneur, oui, cette grande et abominable église tombera en poussière, et la chute en sera grande.

15. Car voici, dit le prophète, le temps vient rapidement où Satan n'aura ᵏplus de pouvoir sur le cœur des enfants des hommes, car le jour vient bientôt où tous les orgueilleux et ceux qui commettent l'iniquité seront comme du chaume ; et le jour vient où ils seront ˡbrûlés.

16. Car le temps est proche où la plénitude de la colère de Dieu sera versée sur tous les enfants des hommes ; car il ne souffrira pas que les méchants exterminent les justes.

17. C'est pourquoi, il préservera les justes par son pouvoir, même si la plénitude de sa colère doit venir,

et que les justes doivent être préservés par la destruction de leurs ennemis, même par le feu. Les justes n'ont donc point à craindre ; car, ainsi dit le prophète : Ils seront sauvés, même si ce doit être par le feu.

18. Voici, mes frères, je vous dis que ces choses arriveront sous peu ; oui, même le sang, le feu et la vapeur de la fumée viendront ; et cela doit arriver sur la surface de cette terre. Et cela arrivera aux hommes selon la chair, s'ils s'endurcissent le cœur contre le Très-Saint d'Israël.

19. Car voici, les justes ne périront point ; car le temps viendra sûrement où tous ceux qui combattent Sion seront retranchés.

20. Et le Seigneur préparera sûrement une voie pour son peuple, en accomplissement des paroles de Moïse, qui disait : Le Seigneur, votre Dieu, vous suscitera un ᵐprophète comme moi ; c'est lui que vous écouterez en tout ce qu'il vous dira. Et il arrivera que tous ceux qui n'écouteront pas ce prophète seront retranchés du milieu du peuple.

21. Et maintenant, moi, Néphi, je vous déclare que ce prophète dont Moïse a parlé est le Très-Saint d'Israël. C'est pourquoi, il jugera avec justice.

22. Et les ⁿjustes n'ont rien à craindre, car ce n'est pas eux qui seront confondus, mais bien le royaume du diable, qui sera édifié parmi les enfants des hommes, royaume qui est établi parmi ceux qui sont dans la chair.

23. Car le temps viendra rapidement où toutes les °églises qui sont édifiées en vue du gain et toutes celles qui sont édifiées pour obtenir du pouvoir sur la chair, et celles qui sont édifiées pour être populaires aux yeux du monde, et celles

---

qui recherchent les convoitises de la chair et les choses du monde, et qui se livrent à toutes sortes d'iniquités, oui, toutes celles qui appartiennent au royaume du diable sont celles qui doivent craindre, trembler et frémir ; ce sont celles qui doivent être abaissées dans la poussière ; ce sont celles qui seront consumées comme le chaume ; et c'est ce que disent les paroles du prophète.

24. Et le temps approche rapidement où les justes croîtront comme des [p]veaux de l'étable et où le Très-Saint d'Israël règnera et exercera sa domination avec puissance et pouvoir et grande gloire.

25. Et il rassemble ses [q]enfants des quatre parties de la terre ; il compte ses brebis et elles le connaissent ; et il y aura un seul troupeau et un seul berger. Il paîtra ses brebis, et c'est en lui qu'elles trouveront du pâturage.

26. Et à cause de la justice de son peuple, Satan n'a point de pouvoir et il ne sera pas délié pendant de nombreuses années ; car il n'a aucun pouvoir sur le cœur du peu-

ple, puisque celui-ci demeure dans la justice, et que le Très-Saint d'Israël règne.

27. Et maintenant voici, moi, Néphi, je vous dis que toutes ces choses arriveront selon la chair.

28. Et voici, toutes les nations, familles, langues et peuples demeureront en sûreté dans le Très-Saint d'Israël, si toutefois ils se repentent.

29. Et maintenant, moi, Néphi, je termine, car pour le moment je n'ose en dire davantage sur ces choses.

30. C'est pourquoi, mes frères, je voudrais que vous considériez que les choses qui ont été écrites sur les [r]plaques d'airain sont vraies ; et elles attestent que les hommes doivent obéissance aux commandements de Dieu.

31. Aussi ne devez-vous point supposer qu'il n'y ait que mon père et moi qui les ayons attestées et enseignées. Si donc, vous obéissez aux commandements et si vous endurez jusqu'à la fin, vous serez sauvés au dernier jour. Et ainsi en est-il. Amen.

———

LE DEUXIÈME LIVRE DE NEPHI

———

Mort de Léhi. Les frères de Néphi se révoltent contre lui. Le Seigneur avertit Néphi de partir pour le désert. Ses voyages dans le désert, etc.

CHAPITRE 1.

Une terre de liberté, bénie pour les justes mais maudite pour les méchants. — Exhortation de Léhi.

1. Et il arriva que lorsque moi, Néphi, j'eus fini d'enseigner mes frères, notre père, Léhi, leur dit aussi beaucoup de choses — toutes les grandes choses que le Seigneur

avait faites pour eux, en les emmenant du pays de Jérusalem.

2. Puis, leur parlant de leurs [a]révoltes sur les eaux, il leur montra la miséricorde de Dieu qui leur épargna la vie, en ne souffrant pas qu'ils fussent engloutis dans la mer.

3. Et il leur parla aussi de la [b]terre de promission qu'ils avaient obtenue, il leur signala combien le

———

Seigneur avait été miséricordieux en nous avertissant de ce que nous devions fuir du pays de Jérusalem.

4. Car voici, dit-il, j'ai eu une ᶜvision, qui m'apprend que Jérusalem est détruite ; et si nous étions demeurés à Jérusalem, nous aurions péri également.

5. Mais, dit-il, malgré nos afflictions, nous avons obtenu une terre de promission, une terre qui est préférable à toutes les autres, une terre qui, suivant l'alliance que le Seigneur a faite avec moi, deviendra la terre de l'héritage de ma postérité. Oui, le Seigneur, par alliance, m'a donné cette terre à jamais, à moi, à mes enfants, et à tous ceux que la main du Seigneur y amènera des autres pays.

6. C'est pourquoi, moi, Léhi, je prophétise selon les impulsions de l'Esprit qui est en moi, que nul ne viendra dans cette terre, s'il n'est conduit par la main du Seigneur.

7. C'est pourquoi, cette terre est consacrée à ceux qu'il amènera. Et s'ils le servent suivant les commandements qu'il a donnés, elle sera une terre de liberté pour eux ; c'est pourquoi, ils ne seront jamais abaissés à la captivité ; si oui, ce sera à cause de leurs iniquités ; car si l'iniquité abonde, le pays sera ᵈmaudit à cause d'eux, mais, pour les justes, il sera béni pour toujours.

8. Et voici, il est sage que cette terre reste ignorée pour le moment des autres nations ; car voici, beaucoup de nations envahiraient le pays, de sorte qu'il n'y aurait plus de place pour un héritage.

9. C'est pourquoi, moi, Léhi, j'ai obtenu la promesse que tant que ceux que le Seigneur Dieu fera sortir du pays de Jérusalem garderont ses commandements, ils prospéreront sur la surface de ce pays ; et ils seront ignorés de toutes les au-

tres nations afin de pouvoir posséder ce pays eux-mêmes. Oui, s'ils gardent ses commandements, ils seront bénis sur la surface de ce pays ; il n'y aura personne pour les molester ni pour leur enlever la terre de leur héritage, et ils l'habiteront pour toujours en sûreté.

10. Mais, voici, lorsque le temps arrivera où ils tomberont dans l'incrédulité, après avoir reçu de la main du Seigneur d'aussi grandes bénédictions — ayant la connaissance de la création de la terre et de tous les hommes, connaissant les œuvres grandes et merveilleuses du Seigneur depuis la création du monde, ayant reçu le pouvoir de faire toutes choses par la foi, possédant tous les commandements dès le commencement et conduits, par sa bonté infinie, dans cette précieuse terre de promission — voici, dis-je, si le jour vient qu'ils rejettent le Très-Saint d'Israël, le vrai Messie, leur Rédempteur et leur Dieu, voici, les jugements de celui qui est juste demeureront sur eux.

11. Oui, il leur amènera ᵉd'autres nations, auxquelles il donnera le pouvoir. Il leur ôtera la terre de leurs possessions ; et il fera en sorte qu'ils soient dispersés et battus.

12. Oui, de génération en génération, il y aura, parmi eux, effusion de sang et grandes calamités. C'est pourquoi, mes fils, je voudrais que vous vous souveniez ; oui, je voudrais que vous écoutiez mes paroles.

13. O, si vous pouviez vous éveiller ; vous éveiller d'un profond sommeil, oui, même du sommeil de l'enfer et secouer les terribles chaînes qui vous lient, qui sont les chaînes qui lient les enfants des hommes pour les emmener captifs

c, 1 Né. 17 : 14. Héla. 8 : 21, 22.   d, Al. 45 : 10-14, 16. Morm. 1 : 17. 6 : 7-22. Eth. 2 : 8-12.   e, 1 Né. 13 : 12-20. Morm. 5 : 19, 20.

dans le gouffre éternel de la misère et du malheur.

14. Eveillez-vous ! levez-vous de la poussière, et écoutez les paroles d'un père tremblant dont vous déposerez bientôt les membres dans la tombe froide et silencieuse, d'où nul voyageur ne peut revenir ; encore quelques jours, et je suivrai le chemin de toute la terre.

15. Mais voici, le Seigneur a racheté mon âme de l'enfer ; j'ai vu sa gloire et suis entouré éternellement des bras de son amour.

16. Et je souhaite que vous vous souveniez d'observer les statuts et les jugements du Seigneur ; voici, c'est ce qui a donné de l'anxiété à mon âme depuis le commencement.

17. Mon cœur a été de temps en temps accablé par le chagrin, car j'ai craint, qu'à cause de la dureté de votre cœur, le Seigneur, votre Dieu, ne fonde *f* sur vous dans la plénitude de sa colère, que vous ne soyez retranchés et détruits pour toujours.

18. Ou qu'une malédiction, qui durerait pendant un *g* grand nombre de générations, ne tombe sur vous ; et que vous ne soyez visités par l'épée et par la famine ; j'ai craint que vous ne soyez haïs, et conduits selon la volonté du diable, et réduits en sa captivité.

19. O mes fils, puissent ces choses ne point vous arriver ! Puissiez-vous au contraire, être un peuple de choix, favorisé du Seigneur ! Mais voici, que sa volonté soit faite ; car ses voies sont justes à jamais.

20. Et il a dit : *h* Si vous gardez mes commandements, vous prospérerez dans ce pays ; mais si vous ne voulez pas garder mes commandements, vous serez retranchés de ma présence.

21. Et maintenant, pour que mon âme se réjouisse en vous, et que mon cœur puisse quitter ce monde avec contentement à cause de vous, pour que je ne sois pas porté au tombeau par le chagrin et la douleur, levez-vous de la poussière, mes fils, et soyez hommes, et soyez déterminés d'un seul esprit et d'un seul cœur, unis en toutes choses, afin de ne pas être menés en captivité.

22. Afin de ne pas être maudits d'une terrible malédiction, et aussi, afin de ne point encourir le déplaisir d'un Dieu juste, qui vous frapperait jusqu'à la destruction, même jusqu'à la destruction éternelle du corps et de l'âme.

23. Eveillez-vous mes fils, revêtez-vous de l'armure de justice. Secouez les chaînes qui vous lient ; sortez de l'obscurité, et levez-vous de la poussière.

24. Ne vous révoltez plus contre votre frère, dont les vues ont été *i* glorieuses, et qui a gardé les commandements depuis notre départ de Jérusalem ; qui a été l'instrument dans les mains de Dieu, pour nous amener dans la terre de promission ; car, sans lui, nous serions morts de *j* faim dans le désert. Et cependant, vous avez cherché à lui ôter la *k* vie, oui, et il a eu beaucoup à souffrir de vous.

25. Et je crains beaucoup et je tremble que vous ne le fassiez encore souffrir ; car voici, vous l'avez accusé de chercher à acquérir du pouvoir et de *l* l'autorité sur vous · mais je sais qu'il n'a cherché ni le pouvoir ni l'autorité sur vous ; mais il a cherché la gloire de Dieu et votre propre bien-être éternel.

26. Vous avez murmuré parce qu'il a été franc avec vous. Vous dites qu'il a employé un ton sévère ; vous dites qu'il s'est mis en colère

f, 1 Né. 2 : 23. 2 Né. 5 : 21-24. Al. 3 : 6-19. Morm. 5 : 15.   *g*, 1 Né. 12 : 20-22. *h*. Jar. 9. Om. 6. Mos. 1 : 7. 2 : 22, 31. Al. 9 : 13, 14. 36 : 1, 30. 37 : 13. 38 : 1. 3 Né. 5 : 22.   *i*. 1 Né. 11. 18 : 3.   *j*, 1 Né. 16 : 32.   *k*. 1 Né. 16 : 37.   *l*. 1 Né. 16 : 38.

contre vous ; mais voici, sa sévérité était la ᵐsévérité de la puissance de la parole de Dieu qui était en lui ; et ce que vous appelez colère, était la vérité, selon ce qui est en Dieu ; vérité qu'il ne pouvait retenir, manifestant hardiment touchant vos iniquités.

27. Et il faut que le pouvoir de Dieu soit avec lui, pour qu'il vous commande de telle sorte que vous deviez lui obéir. Mais voici, ce n'était point lui, c'était l'Esprit du Seigneur, qui était en lui, qui lui ouvrait la bouche pour parler ; et il n'était point libre de se taire.

28. Et maintenant, mon fils Laman, et vous, Lémuel et Sam, et vous aussi, mes fils, qui êtes les fils d'Ismaël, voici, si vous voulez écouter la voix de Néphi, vous ne périrez pas. Et si vous voulez l'écouter, je vous laisse une bénédiction, et même ma première bénédiction.

29. Mais, si vous ne voulez point l'écouter, je retire ma première bénédiction, et même ma bénédiction, et elle demeurera sur lui.

30. Et maintenant, Zoram, c'est à toi que je parle : Voici, tu es le ⁿserviteur de Laban ; néanmoins, tu as été emmené du pays de Jérusalem, et je sais que tu es, et que tu seras toujours un ami fidèle de mon fils Néphi.

31. C'est pourquoi, parce que tu as été fidèle, ta postérité sera bénie avec sa postérité et elles demeureront et prospéreront longtemps ensemble sur la surface de ce pays ; et rien, si ce n'est leur iniquité, ne nuira ni ne troublera jamais leur prospérité sur la surface de ce pays.

32. C'est pourquoi, si vous gardez les commandements du Seigneur, le Seigneur a consacré ce pays pour que ta postérité y demeure en sûreté avec la postérité de mon fils.

CHAPITRE 2.

Léhi s'adresse à son fils Jacob. — L'opposition est nécessaire en toutes choses. — Le fruit défendu et l'arbre de vie. — Adam tomba pour que les hommes fussent. — Le Messie, le grand Médiateur, rachètera l'humanité.

1. Et maintenant, c'est à toi, Jacob, que je parle. Tu es mon ᵃpremier-né dans mes jours de tribulations au désert. Et voici, dans ton enfance, tu as souffert des afflictions et bien des chagrins, à cause de la dureté de tes frères.

2. Néanmoins, Jacob, mon premier-né dans le désert, tu connais la grandeur de Dieu ; et il consacrera tes afflictions à ton avantage.

3. C'est pourquoi, ton âme sera bénie, et tu habiteras en sécurité avec ton frère Néphi, et tes jours se passeront au service de ton Dieu. C'est pourquoi, je sais que tu es racheté par la justice de ton Rédempteur ; car tu as vu qu'il vient dans la plénitude des temps, apporter le salut aux hommes.

4. Et dans ta jeunesse, tu as vu sa gloire ; c'est pourquoi tu es béni tout autant que ceux sur lesquels il exercera le ministère dans la chair ; car l'Esprit est le même, hier, aujourd'hui et à jamais. Et la voie est préparée depuis la chute de l'homme et le salut est gratuit.

5. Les hommes sont suffisamment instruits pour discerner le bien du mal. Et la loi est donnée aux hommes. Et par la loi nulle chair n'est justifiée ; ou, par la loi, les hommes sont retranchés. Oui, ils furent retranchés par la loi ᵇtemporelle, et ils périssent par la loi ᶜspirituelle ; par elle, ils perdent ce qui est bon, et deviennent malheureux à jamais.

6. C'est pourquoi, la rédemption viendra dans et par l'intermédiaire

m. 1 Né. 17 : 48.　　*n.* 1 Né. 4 : 20, 35.　　**CHAP.** 2 : *a,* 1 Né. 18 : 7, 19.　　*b,* 2 Né. 9 : 4, 6, 7. Al. 11 : 42-45. 12 : 12, 16, 24, 27, 31, 36. 42 : 6-9. Héla. 14 : 16.　　*c,* 2 Né. 9 : 8-15, 26. Mos. 16 : 4-10. Al. 11 : 40-45. 12 : 16-18, 32, 36, 37. 40 : 13, 14, 26. 42 : 6-11, 14. Héla. 14 : 15-18.

ENTRE 588 et 570 av. J.-C.

du saint Messie ; car il est plein de grâce et de vérité.

7. Voici, il s'offre en sacrifice pour le péché, il satisfait aux buts de la loi pour tous ceux qui ont le cœur brisé et l'esprit contrit ; et les buts de la loi ne peuvent être satisfaits en nul autre.

8. Il est donc d'une grande importance de faire connaître ces choses aux habitants de la terre, afin qu'ils sachent qu'il n'est pas de chair qui puisse demeurer dans la présence de Dieu, si ce n'est par les mérites, la miséricorde et la grâce du saint Messie, qui donne sa vie selon la chair, et la reprend par le pouvoir de l'Esprit, pour réaliser la ᵈrésurrection des morts, étant lui-même le premier qui ressuscitera.

9. C'est pourquoi, il est les prémices de Dieu, en ce qu'il ᵉintercédera pour tous les enfants des hommes ; et ceux qui croient en lui seront sauvés.

10. Et parce qu'il intercède pour tous, tous les hommes viennent à Dieu ; et ils se tiennent en sa présence pour être jugés par lui suivant la vérité et la sainteté qui sont en lui ; ce sont là les buts de la loi donnée par le Très-Saint, qui inflige la punition attachée à la loi, et cette punition attachée à la loi est en opposition avec le bonheur qui y est également attaché, pour répondre au but de ᶠl'expiation.

11. Car il faut qu'il y ait de ᵍl'opposition en toutes choses. S'il n'en était pas ainsi, ô mon premier-né· dans le désert, la justice ne pourrait pas exister, pas plus que la méchanceté, la sainteté, la misère, le bien ou le mal. C'est pour-

quoi, toute chose est nécessairement un composé en elle-même. Car, si elle n'était qu'un seul corps, elle devrait nécessairement rester comme morte, n'ayant ni vie ni mort, ni corruptibilité ni incorruptibilité, ni bonheur ni misère, ni sensibilité ni insensibilité.

12. C'est pourquoi, elle aurait été créée pour rien et sa création n'aurait pas eu de but ; et la sagesse de Dieu, ses desseins éternels, sa puissance, sa miséricorde et sa justice auraient nécessairement été détruits.

13. Et si vous dites qu'il n'y a pas de loi, vous dites qu'il n'y a pas de péché. Si vous dites qu'il n'y a pas de péché, vous dites qu'il n'y a pas de justice. Et s'il n'y a pas de justice, il n'y a pas de bonheur. Et s'il n'y a ni justice ni bonheur, il n'y a ni punition ni misère. Et si ces choses ne sont pas, il n'y a pas de Dieu. Et s'il n'y a pas de Dieu, nous ne sommes pas, et la terre non plus ; car il n'aurait pu y avoir de création, ni de choses qui se meuvent, ni de choses qui sont mues, et toutes choses se seraient évanouies.

14. Et maintenant, mes fils, je vous dis tout ceci pour votre profit et votre instruction, car il y a un Dieu qui a créé toutes choses, le ciel, la terre, et tout ce qui s'y trouve, tant les choses qui se meuvent que celles qui sont mues.

15. Et pour accomplir ses desseins éternels sur l'homme, il fallut, après la création de nos premiers parents, celle des bêtes des champs, des oiseaux du ciel, et après la création de toutes les choses, il fallut une ʰopposition ; même

---

d, 2 Né. 9 : 4, 6-19, 22. Mos. 13 : 35. 15 : 8, 9, 20-27. 16 : 7-11. Al. 5 : 15. 7 : 12. 11 : 41-45. 12 : 12-18, 24, 25. 22 : 14. 33 : 22. Chap. 40. 41 : 2-5. 42 : 23. Héla. 14 : 15-17, 25. 3 Né. 23 : 9-13. 26 : 5. Morm. 6 : 21. 7 : 6. 9 : 13. Moro. 7 : 41. 10 : 34. Ez. 37 : 3-10. Rom. 8 : 10. 1 Cor. 15 : 35-45.   *e*, vers. 10. Mos. 14 : 12. 15 : 4. Moro. 7 : 27, 28.   *f*, 2 Né. 9 : 7, 21, 22, 25, 26. 10 : 25 : 16. Jacob 4 : 11, 12. Mos. 3 : 11, 15-19. 18 : 2. Al. 5 : 27. 13 : 5, 11. 21 : 9. 22 : 14. 24 : 13. 30 : 17. 33 : 22. 34 : 8-16, 36. 36 : 17. 42 : 15, 23. Héla. 14 : 15, 16. 3 Né. 11 : 11. 27 : 19. Morm. 9 : 13. Moro. 7 : 41. 8 : 20. 10 : 33.   *g*, vers. 15, 16. *h*, vers. 11.   ENTRE 588 et 570 AV. J.-C.

le fruit défendu en opposition avec l'arbre de vie ; l'un étant doux, l'autre étant amer.

16. C'est pourquoi, le Seigneur Dieu laissa l'homme libre d'agir par lui-même. Et l'homme ne pourrait agir par lui-même, s'il n'était entraîné par l'attrait de l'un ou de l'autre.

17. Et moi, Léhi, je dois supposer, d'après ce que j'ai vu, qu'un ange de Dieu est tombé du ciel, selon ce qui est ⁱécrit ; et il est devenu un diable pour avoir cherché à faire ce qui était mal aux yeux de Dieu.

18. Et parce qu'il était tombé du ciel, et rendu malheureux pour toujours, il chercha également le malheur de toute l'humanité. C'est pour cela qu'il dit à Eve, oui, même ce vieux serpent qui est le diable, le père du mensonge, il dit : Prenez du fruit défendu et vous ne mourrez point, mais vous serez comme Dieu, sachant le bien et le mal.

19. Et après qu'Adam et Eve eurent pris du fruit défendu, ils furent chassés du jardin d'Eden pour cultiver la terre.

20. Ils ont eu des enfants ; oui, même la famille de toute la terre.

21. Et, selon la volonté de Dieu, les jours des enfants des hommes furent prolongés, pour qu'ils pussent se repentir pendant qu'ils vivaient dans la chair ; c'est pourquoi leur état devint un état d'épreuve et leur temps fut prolongé, selon les commandements que le Seigneur Dieu donna aux enfants des hommes. Car il commanda à tous les hommes de se repentir ; car il montra à tous les hommes qu'ils étaient perdus à cause de la transgression de leurs parents.

22. Et maintenant voici, si Adam n'avait pas transgressé, il ne serait pas tombé, mais il serait resté dans le jardin d'Eden, et toutes les choses qui ont été créées auraient dû rester dans l'état même où elles se trouvaient après leur création ; et elles auraient dû demeurer toujours et ne pas avoir de fin.

23. Ils n'auraient ʲpas eu d'enfants ; ils seraient demeurés dans un état d'innocence, sans ressentir de joie, car ils ne connaissaient aucune misère, sans faire de bien, car ils ne connaissaient aucun péché.

24. Mais toutes choses ont été faites par la sagesse de celui qui sait tout.

25. Adam ᵏtomba pour que les hommes fussent, et les hommes sont pour avoir de la joie.

26. Et le Messie viendra dans la plénitude des temps pour racheter les enfants des hommes de la chute. Et parce qu'ils sont rachetés de la chute, ils sont devenus ˡlibres pour toujours, connaissant le bien et le mal, agissant par eux-mêmes et non par la volonté d'autrui, à moins que ce ne soit au grand et dernier jour, quand ils recevront le châtiment de la loi, d'après les commandements que Dieu a donnés.

27. Ainsi, les hommes sont libres selon la chair ; et toutes les choses qui sont utiles à l'homme leur sont données. Et ils sont libres de choisir la liberté et la vie éternelle par l'entremise de la grande médiation donnée à tous les hommes, ou de choisir la captivité et la mort selon la captivité et le pouvoir du diable ; car il cherche à rendre tous les hommes malheureux comme lui.

28. Et maintenant, mes fils, je voudrais que vous vous tourniez vers le grand Médiateur, que vous écoutiez ses grands commandements, gardiez fidèlement ses paroles, et choisissiez la vie éternelle

i, vers. 18. 2 Né. 9 : 8. Mos. 16 : 3. P. de G. P., Moïse 4 : 3-4. Abraham 3 : 27, 28. Gen. 3 : 1. Apo. 12 : 9. 20 : 2.   j, vers. 25. P. de G. P., Moïse 5 : 11.   k, vers. 23. l, vers. 27-29. Al. Chap. 29. 41 : 7. 42 : 27. Héla. 14 : 30.

Entre 588 et 570 av. J.-C.

selon la volonté de son Saint-Esprit.

29. Et que vous ne choisissiez pas la mort éternelle, selon la volonté de la chair et du mal qui est en elle, qui donne à l'esprit du diable le pouvoir de vous rendre captifs et de vous entraîner dans l'enfer, pour pouvoir régner sur vous dans son propre royaume.

30. Je vous ai dit ces quelques paroles, à vous tous, mes fils, dans mes derniers jours d'épreuve, et j'ai choisi la bonne part, selon les paroles du prophète ; et je n'ai d'autre objet que le bien-être éternel de votre âme. Amen.

CHAPITRE 3.

Léhi s'adresse à son fils Joseph. — Prophétie de Joseph en Egypte. — Un voyant de choix est annoncé. — La mission de Moïse. — Les Ecritures hébraïques et néphites.

1. Et maintenant, c'est à toi, Joseph, ^amon dernier-né, que je vais parler. Tu es né dans le désert de mes afflictions ; oui, ta mère te mit au monde aux jours de mes plus grandes peines.

2. Puisse le Seigneur te consacrer aussi ^bce pays qui est un pays extrêmement précieux, pour ton héritage, l'héritage de ta postérité et de tes frères, pour votre sécurité à toujours, si vous gardez les commandements du Très-Saint d'Israël.

3. Et maintenant, Joseph, mon dernier-né, toi que j'ai emmené du désert de mes afflictions, puisses-tu être à jamais béni du Seigneur, car ta postérité ne sera point ^centièrement détruite.

4. Car voici, tu es le fruit de mes reins, et je suis un ^ddescendant de ce Joseph qui fut emmené captif en Egypte. Et grandes furent les alliances que le Seigneur fit avec Joseph.

5. C'est pourquoi, Joseph a réellement vu notre jour. Il a obtenu du Seigneur la promesse que, du fruit de ses reins, le Seigneur Dieu susciterait une branche juste à la maison d'Israël ; non pas le Messie, mais une branche qui devait être rompue et séparée, mais être cependant rappelée dans les alliances du Seigneur que le Messie, se manifesterait à elle dans les derniers jours dans l'esprit de pouvoir, pour la ramener des ténèbres à la lumière — oui, des ténèbres les plus obscures, et de la captivité à la liberté.

6. Car Joseph a réellement rendu témoignage, disant : Le Seigneur mon Dieu suscitera un ^evoyant, qui sera un voyant de choix pour le fruit de mes reins.

7. Oui, Joseph a dit en vérité : Ainsi me dit le Seigneur : Je susciterai un voyant de choix du fruit de tes reins, et il sera en grand honneur parmi le fruit de tes reins. Je lui donnerai le commandement de faire une œuvre pour le fruit de tes reins, ses frères, qui aura une grande valeur pour eux, car elle les amènera à connaître les alliances que j'ai faites avec tes pères.

8. Et je lui donnerai le commandement de ne rien faire d'autre que l'œuvre que je lui dirai. Et je le rendrai grand à mes yeux, car il fera mon œuvre.

9. Et il sera grand comme Moïse, de qui j'ai dit que je te le susciterais pour délivrer mon peuple, ô maison d'Israël.

10. Et je susciterai Moïse pour délivrer ton peuple et l'emmener du pays d'Egypte.

11. Mais je susciterai un voyant du fruit de tes reins, et je lui donnerai le pouvoir d'apporter ma parole à la postérité de tes reins — et pas seulement d'apporter ma parole, dit le Seigneur, mais aussi de les

a, 1 Né. 18 : 7, 19.   *b*, 1 Né. 2 : 20. 18 : 22, 23.   *c*, 1 Né. 13 : 30.   *d*, 1 Né. 5 : 14-16. Al. 10 : 3.   *e*, vers. 11, 14. Mos. 8 : 13-18. 3 Né. 21 : 8-11. Morm. 8 : 16, 25. Eth. 3 : 21-28.

ENTRE 588 et 570 AV. J.-C.

convaincre de ma parole qui sera déjà allée parmi eux.

12. C'est pourquoi, le fruit de tes reins écrira, et le fruit des reins de Juda écrira ; et ce qui sera écrit par le fruit de tes reins et aussi ce qui sera écrit par le fruit des reins de Juda, sera [f]réuni pour confondre les fausses doctrines, pour mettre fin aux disputes, pour établir la paix au milieu du fruit de tes reins et pour l'amener, dans les derniers jours, à la [g]connaissance de ses pères et à la connaissance de mes alliances, dit le Seigneur.

13. Et de faible qu'il sera, je le rendrai fort, au jour où mon œuvre commencera parmi tout mon peuple pour te restaurer, ô maison d'Israël, dit le Seigneur.

14. Et Joseph prophétisait ainsi, disant : Le Seigneur bénira ce voyant-là. Ceux qui cherchent à le détruire seront confondus, car cette promesse que j'ai obtenue du Seigneur, touchant le fruit de mes reins sera accomplie. Et je suis assuré de l'accomplissement de cette promesse.

15. Il portera le même nom que [h]moi ; et ce sera le même nom que celui de son père. Et il sera semblable à moi, car la chose que le Seigneur suscitera de sa main, par la puissance du Seigneur, [i]conduira mon peuple au salut.

16. Oui, ainsi a prophétisé Joseph : J'en suis assuré comme je suis assuré de la promesse de Moïse, car le Seigneur m'a dit : Je conserverai ta postérité à jamais.

17. Et le Seigneur a dit : Je susciterai un Moïse, je lui donnerai de la puissance dans une verge, je lui donnerai du jugement pour écrire. Cependant, je ne délierai pas sa langue pour qu'il parle beaucoup ; car je ne le rendrai pas puissant en paroles. Mais je lui écrirai ma loi avec le doigt de ma propre main, et je lui donnerai un porte-parole.

18. Et le Seigneur me dit aussi : J'en susciterai un, aussi, au fruit de tes reins, et je lui donnerai un [j]porte-parole. Et je lui ferai transcrire l'écriture du fruit de tes reins au fruit de tes reins, et le porte-parole de tes reins la proclamera.

19. Et les paroles qu'il écrira seront celles que, dans ma sagesse, je jugerai utile d'envoyer aux fruits de tes reins. Et ce sera comme si les fruits de tes reins leur avaient crié de la poussière, car je connais leur foi.

20. Et ils [k]crieront de la poussière, oui, ils crieront repentance à leurs frères, même quand de nombreuses générations auront passé après eux. Et il arrivera que leur cri se fera entendre, même selon la simplicité de leurs paroles.

21. A cause de leur foi, leurs paroles se répandront de ma bouche à leurs frères, qui sont le fruit de tes reins ; et la faiblesse de leurs paroles, je la rendrai forte dans leur foi pour qu'ils se rappellent mon alliance avec tes pères.

22. Et maintenant, voici, mon fils Joseph, c'est ainsi que mon père a prophétisé autrefois.

23. C'est pourquoi, à cause de cette alliance, tu es béni ; car ta postérité ne sera pas détruite, car elle écoutera les paroles du livre.

24. Et, du milieu d'elle, il s'élèvera un homme puissant, qui, par ses paroles et ses actions, fera beaucoup de bien ; qui, ayant une foi extrêmement vive, sera un instrument entre les mains de Dieu, pour opérer de grands miracles et faire ce qui est grand aux yeux de Dieu, en accomplissant de nombreuses restaurations à la maison

d'Israël et à la postérité de tes
frères.

25. Et maintenant tu es béni,
Joseph. Voici, tu es petit ; c'est
pourquoi, écoute les paroles de ton
frère Néphi, et il te sera fait selon
ce que j'ai dit. Souviens-toi des
paroles de ton père mourant.
Amen.

CHAPITRE 4.

*Léhi bénit les fils et les filles de Laman
et de Lémuel. — Bénédictions sur la
maison d'Ismaël et sur Sam et sa postérité. — Mort de Léhi. — Nouvelle
révolte.*

1. Maintenant, moi, Néphi, je
parle des prophéties dont mon père
a parlé touchant Joseph qui fut
emmené en Egypte.

2. Car voici, ce qu'il a prophétisé sur toute sa postérité est vrai.
Et il n'y a pas beaucoup de prophéties qui soient plus grandes que
celles qu'il a écrites. Et il prophétisa sur nous et nos générations à
venir ; et elles sont consignées sur
*a*les plaques d'airain.

3. Quand mon père eut cessé de
parler des prophéties de Joseph, il
appela les enfants de Laman, ses
fils et ses filles, et il leur dit :
Voici, mes fils et mes filles, qui êtes
les fils et les filles de mon premier-
né, je voudrais que vous soyez
attentifs à mes paroles.

4. Car le Seigneur Dieu a dit : Si
vous gardez mes commandements,
vous prospérerez dans le pays ;
mais si vous ne gardez pas mes
commandements, vous serez retranchés de ma présence.

5. Mais voici, mes fils et mes
filles, je ne peux pas descendre au
tombeau, sans vous laisser une bénédiction, car voici, je sais que si
vous êtes élevés dans la voie où
vous devez marcher, vous ne vous
en écarterez point.

6. C'est pourquoi, je vous donne

ma bénédiction, afin que, si vous
êtes maudits, la malédiction soit
détournée de vous et retombe sur
la tête de vos parents.

7. C'est pourquoi, le Seigneur
Dieu, à cause de la bénédiction
que je vous donne, ne vous lais-
sera point périr ; c'est pourquoi
il vous *b*fera miséricorde, à vous
et à votre postérité, pour toujours.

8. Et * quand mon père eut fini
de parler aux fils et aux filles de
Laman, il fit amener devant lui les
fils et les filles de Lémuel.

9. Et il leur parla, disant : Voici,
mes fils et mes filles, qui êtes les
fils et les filles de mon second fils,
voici, je vous laisse la *c*même bénédiction que j'ai laissée aux fils et
aux filles de Laman ; c'est pourquoi
vous ne serez point totalement détruits ; mais à la fin, votre postérité sera bénie.

10. Et * quand mon père eut
fini de leur parler, voici, il s'adressa
aux *d*fils d'Ismaël, oui, et même à
toute sa maison.

11. Et lorsqu'il eut fini de leur
parler, il parla à Sam, disant : Tu es
béni, toi et ta postérité : car tu pos-
séderas le pays ainsi que ton frère
Néphi. Et ta postérité sera *e*comptée
avec sa postérité ; et tu seras comme
ton frère, et ta postérité comme sa
postérité, et chacun de tes jours sera
béni.

12. Et * lorsque mon père Léhi
eut parlé à toute sa maison, selon
les sentiments de son cœur et
l'Esprit de Dieu qui était en lui,
il devint vieux. Et il arriva qu'il
mourut, et fut enterré.

13. Et * peu de jours après sa
mort, Laman, Lémuel et les fils
d'Ismaël s'irritèrent contre moi à
cause des admonitions du Seigneur.

14. Car moi, Néphi, j'étais obligé de leur parler selon sa parole ;
car je leur avais dit beaucoup de

a, voir *a,* 1 Né. 3.   *b,* 1 Né. 13 : 31. 2 Né. 10 : 18, 19. Jacob 3 : 3-9. Héla. 7 : 23,
24. 15 : 10-17. 3 Né. 20 : 22. Morm. 5 : 20, 21. Eth. 13 : 6, 8-11.   *c,* vers. 5-7.
d, 1 Né. 7 : 6.   *e,* Jacob 1 : 12-14.   ENTRE 588 et 570 AV. J.-C.

choses, comme l'avait fait mon père avant de mourir, et beaucoup de ces paroles sont conservées sur mes ʲautres plaques ; car la partie plus historique est écrite sur mes autres plaques.

15. J'écris sur ᵍcelles-ci les choses de mon âme, et beaucoup des Ecritures qui sont gravées sur les plaques d'airain. Car mon âme met toute sa joie dans les Ecritures, et mon cœur les médite, et les écrit pour l'instruction et le profit de mes enfants.

16. Voici, les choses du Seigneur font la joie de mon âme, et mon cœur ne cesse de méditer sur ce que j'ai vu et entendu.

17. Néanmoins, en dépit de la grande bonté du Seigneur qui me montre ses œuvres grandes et merveilleuses, mon cœur s'écrie : O misérable que je suis ! Mon cœur est dans l'affliction à cause de ma chair, et mon âme est dans la désolation à cause de mes iniquités.

18. Je suis encerclé par les tentations et les péchés qui m'assiègent si aisément.

19. Et quand je désire me réjouir, mon cœur gémit à cause de mes péchés ; néanmoins, je sais en qui j'ai mis ma confiance.

20. Mon Dieu a été mon appui ; au milieu de toutes mes afflictions, il a dirigé mes pas dans le désert, et il m'a préservé sur les eaux du grand abîme.

21. Il m'a rempli de son amour au point de consumer ma chair.

22. Il a confondu mes ennemis, au point de les rendre tremblants devant moi.

23. Voici, pendant le jour, il a entendu mon cri, et pendant la nuit, il m'a envoyé des visions pour m'instruire.

24. J'ai osé lui adresser des prières ferventes durant le jour, oui, j'ai élevé ma voix au ciel, et des anges sont descendus pour me servir.

25. Et mon corps a été transporté sur les ailes de son Esprit sur des montagnes extrêmement élevées. Et mes yeux ont vu de grandes choses, oui, même trop grandes pour l'homme : c'est pourquoi il me fut ordonné de ne pas les écrire.

26. O alors, puisque j'ai vu de si grandes choses ; puisque le Seigneur, dans sa condescendance pour les enfants des hommes, a visité les hommes avec tant de miséricorde, pourquoi mon cœur pleurerait-il, pourquoi mon âme languirait-elle dans la vallée des larmes, pourquoi ma chair dépérirait-elle, et mes forces faibliraient-elles sous le poids de mes afflictions ?

27. Et pourquoi céderais-je au péché à cause de ma chair ? Et pourquoi succomberais-je à la tentation pour que le malin ait place en mon cœur pour détruire ma paix et affliger mon âme ? D'où vient que je suis irrité à cause de mon ennemi ?

28. Eveille-toi, mon âme ! Ne languis plus dans le péché. Réjouis-toi, ô mon cœur, et ne fais plus place à l'ennemi de mon âme.

29. Ne t'irrite plus à cause de mes ennemis. N'affaiblis pas mes forces à cause de mes afflictions.

30. Réjouis-toi, ô mon cœur, invoque le Seigneur, et dis : O Seigneur, je te louerai à jamais ; oui, mon âme se réjouira en toi, mon Dieu, rocher de mon salut.

31. O Seigneur, veux-tu racheter mon âme ? Veux-tu me délivrer des mains de mes ennemis ? Veux-tu me rendre tel que je puisse trembler à l'apparence du péché ?

32. Puissent les portes de l'enfer demeurer éternellement fermées devant moi, parce que mon cœur est brisé et que mon esprit est

contrit ! O Seigneur, veuille ne pas fermer les portes de ta justice devant moi, afin que je puisse marcher dans le sentier de l'humble vallée, et que je puisse être strict sur la route simple !

33. O Seigneur, veuille m'envelopper de la robe de ta justice ! O Seigneur, veuille m'ouvrir un sentier pour que je me dérobe à mes ennemis ! Veuille rendre mon chemin droit devant moi ! Veuille ne pas placer de pierre d'achoppement sur mon chemin — mais dégager le chemin devant moi, et ne pas dresser de barrière sur mon chemin, mais sur les voies de mon ennemi.

34. O Seigneur, j'ai mis en toi ma confiance, et c'est en toi que je mettrai toujours ma confiance. Je ne placerai pas ma confiance dans un bras de chair, car je sais que celui qui place sa confiance dans un bras de chair est maudit. Oui, maudit est celui qui met sa confiance en l'homme, ou qui fait de la chair son bras.

35. Oui, je sais que Dieu donnera généreusement à celui qui demande. Oui, mon Dieu me donnera, si je ne lui demande point à tort ; c'est pourquoi, j'élèverai ma voix vers toi ; oui, je t'invoquerai, mon Dieu, rocher de ma justice. Voici, ma voix montera sans cesse vers toi, mon rocher et mon Dieu éternel. Amen.

CHAPITRE 5.

Néphi, mis en garde par Dieu, se sépare de ceux qui cherchent à le tuer. — Zoram, Sam, Jacob, Joseph et d'autres l'accompagnent. — L'épée de Laban. — Un temple est érigé. — Néphi, roi ou protecteur. — Les rebelles sont maudits et leur peau devient sombre. — Des prêtres et des instructeurs sont consacrés.

1. Voici, il arriva que moi, Néphi, j'invoquai beaucoup le Seigneur mon Dieu, à cause du ^acourroux de mes frères.

2. Mais voici, leur colère contre moi s'accrut tellement qu'ils cherchèrent à m'ôter la vie.

3. Oui, ils murmuraient contre moi, disant : Notre jeune frère pense à nous gouverner, et nous avons subi beaucoup d'épreuves à cause de lui ; c'est pourquoi, tuons-le, afin que nous ne soyons plus affligés par ses discours. Car voici nous ne voulons pas l'avoir pour notre gouverneur ; car il appartient à nous, qui sommes les frères aînés, de gouverner ce peuple.

4. Mais je n'écris point sur ces plaques toutes les paroles qu'ils murmuraient contre moi. Il me suffit de dire qu'ils cherchaient à m'ôter la vie.

5. Et * le Seigneur m'avertit, moi, Néphi, de m'éloigner d'eux, et de m'enfuir dans le désert avec tous ceux qui voudraient m'accompagner.

6. C'est pourquoi, il arriva que moi, Néphi, je pris ma famille, Zoram et sa famille, Sam, mon frère aîné et sa famille, et Jacob et Joseph, mes frères cadets, et mes sœurs, et tous ceux qui voulurent venir avec moi. Et tous ceux qui voulaient venir avec moi étaient ceux qui croyaient aux avertissements et aux révélations de Dieu ; c'est pourquoi ils écoutaient mes paroles.

7. Et nous prîmes nos tentes et tout ce qu'il nous fut possible d'emporter, et nous voyageâmes dans le désert pendant de nombreux jours. Et lorsque nous eûmes voyagé pendant de nombreux jours, nous dressâmes nos tentes.

8. Et mon peuple voulut qu'on appelât cet endroit ^bNéphi ; c'est pourquoi, nous l'appelâmes Néphi.

a. 2 Né. 4 : 13. Enos 20. Mos. 10 : 15.   *b.* Om. 12, 27. P. de Morm. 13. Mos. 7 : 6, 7. 9, 21. 9 : 1, 3. 4. 14. 11 : 13. 19 : 15, 19, 22. 21 : 26. 23 : 35-38. 28 : 1, 5. 29 : 3. Al. 2 : 24. 5 : 3. 17 : 8. 20 : 1, 2. 22 : 1, 26-34. 25 : 13. 27 : 14. 47 : 1, 20. 50 : 8, 11. 54 : 6. Hé. 4 : 12. 5 : 20, 21.   Entre 588 et 570 av. J.-C.

9. Et tous ceux qui étaient avec moi prirent sur eux de s'appeler le peuple de Néphi.

10. Et nous prîmes soin de garder les jugements, les statuts et les commandements du Seigneur, en toutes choses, conformément à la loi de Moïse.

11. Et le Seigneur était avec nous ; et nous prospérâmes grandement ; car nous semions et nous récoltions en abondance. Et nous commençâmes à élever des troupeaux, du bétail et des animaux de toute espèce.

12. Et moi, Néphi, j'avais emporté avec moi les annales gravées sur les ᶜplaques d'airain, ainsi que la ᵈboule ou compas, qui avait été préparée pour mon père par la main du Seigneur, comme il est écrit.

13. Et * nous commençâmes à prospérer grandement et à multiplier dans le pays.

14. Et moi, Néphi, je pris ᵉl'épée de Laban, et, sur ce modèle, j'en fis un grand nombre d'autres, de peur que le peuple qu'on appelait maintenant les Lamanites, ne vînt fondre sur nous pour nous détruire ; car je savais qu'ils avaient une grande ᶠhaine contre moi et mes enfants, et contre ceux qu'on appelait mon peuple.

15. Et j'enseignai à mon peuple l'art de bâtir des maisons et de faire ᵍtoutes sortes d'ouvrages en bois, en fer, en cuivre, en airain, en acier, en or, en argent, et en minerais précieux qui étaient en grande abondance.

16. Et moi, Néphi, je bâtis un ʰtemple et je le construisis sur le modèle du temple de Salomon, à part qu'il ne fut pas construit de tant de choses précieuses, parce qu'on ne pouvait pas les trouver dans le pays ; il n'était donc pas possible de le rendre semblable à celui de Salomon. Cependant le genre de construction était semblable au temple de Salomon ; et l'exécution en était extrêmement belle.

17. Et * moi, Néphi, je rendis mon peuple industrieux, et le fis travailler de ses mains.

18. Et * il voulut que je fusse son ⁱroi. Mais moi, Néphi, j'étais désireux qu'il n'eût pas de roi ; cependant je fis pour lui ce qui était en mon pouvoir.

19. Et voici, les paroles que le Seigneur avait dites que je serais le ʲgouverneur et l'instructeur de mes frères, se trouvèrent alors accomplies. Car, selon les commandements du Seigneur, j'avais été leur gouverneur et leur instructeur, jusqu'au jour où ils cherchèrent à m'ôter ᵏla vie.

20. Ainsi fut accomplie la parole que le Seigneur m'adressa, disant : S'ils n'écoutent pas tes paroles, ils seront ˡretranchés de la présence du Seigneur. Et voici, ils furent retranchés de sa présence.

21. Et il avait fait tomber la ᵐmalédiction sur eux, oui, même une grande malédiction, à cause de leur iniquité. Car voici, ils s'étaient endurci le cœur contre lui, et ils étaient devenus durs comme le roc : et comme ils étaient blancs, très beaux et pleins de charme, le Seigneur Dieu couvrit leur peau d'une couleur sombre, afin qu'ils ne fussent point un sujet de séduction pour mon peuple.

22. Et ainsi dit le Seigneur Dieu : Je les rendrai repoussants pour ton peuple, à moins qu'ils ne se repentent de leurs iniquités.

23. Et maudite sera la postérité de celui qui se mêle à leur posté-

c, voir a, 1 Né. 3. d, voir d, 1 Né. 16.   e, voir a, 1 Né. 4.   f, voir a, 2 Né. 5. g, Jar. 8. Eth. 7 : 9.   h, Jacob 1 : 17. Al. 16 : 13. 23 : 2. 26 : 29. Héla. 3 : 9, 14. 3 Né. 11 : 1.   i, 2 Né. 6 : 2. Jacob 1 : 9, 11, 15. Jar. 7, 14. Om. 12, 19, 23, 24. Mos. 1 : 10. 6 : 4-7.   j, voir c, 1 Né. 2.   k, voir vers. 2.   l, voir b, 1 Né. 2. m, voir d, 1 Né. 2.

rité, car il sera frappé de la même malédiction. Le Seigneur le dit, et cela fut fait.

24. Et à cause de la malédiction qui était sur eux, ils sont devenus paresseux, remplis de fourberie et de méchanceté, et cherchant les bêtes de proie dans le désert.

25. Et le Seigneur Dieu me dit : Ils seront, pour ta postérité, un ⁿfléau qui l'incitera à se souvenir de moi et qui, si elle ne veut pas se souvenir de moi et écouter mes paroles, la châtiera même jusqu'à extermination.

26. Et il arriva que moi, Néphi, je consacrai Jacob et Joseph pour qu'ils fussent °prêtres et instructeurs sur le pays de mon peuple.

27. Et * nous vécûmes dans la prospérité.

28. Et †trente ans s'étaient écoulés depuis que nous avions quitté Jérusalem.

29. Et moi, Néphi, j'avais tenu jusque-là les ᵖannales de mon peuple sur les plaques que j'avais faites.

30. Et * le Seigneur Dieu me dit : Fais d'autres ᵍplaques ; et tu y graveras beaucoup de choses qui sont bonnes à mes yeux pour le profit de ton peuple.

31. C'est pourquoi, moi, Néphi, pour obéir aux commandements du Seigneur, j'allai faire ces plaques sur lesquelles j'ai gravé ces choses.

32. Et j'y ai gravé ce qui est agréable à Dieu. Et si mon peuple se réjouit des choses de Dieu, il se réjouira aussi des choses qui sont gravées sur ces plaques.

33. Et si mon peuple désire connaître la partie plus particulièrement historique des annales de mon peuple, il doit la chercher sur mes autres plaques.

34. Et il me suffit de dire que †quarante ans se sont écoulés et que nous avons déjà eu des guerres et des contentions avec nos frères.

CHAPITRE 6.

Jacob exhorte le peuple. — Il cite les prophéties d'Esaïe.

1. Paroles que Jacob, frère de Néphi, déclara au peuple de Néphi.

2. Voici, mes frères bien-aimés, moi, Jacob, appelé de Dieu, et ᵃordonné selon son saint ordre, consacré par mon frère Néphi, que vous regardez comme ᵇroi ou protecteur, et le gardien de votre salut, voici, vous savez que je vous ai dit un très grand nombre de choses.

3. Néanmoins, je vous parle encore, car je désire le bien-être de votre âme. Oui, mon anxiété pour vous est grande et vous savez vous-mêmes qu'il en a toujours été ainsi ; car je vous ai exhortés en toute diligence ; et je vous ai enseigné les paroles de mon père ; je vous ai parlé de toutes les choses qui sont écrites depuis la création du monde.

4. Et maintenant, voici, je veux vous parler de ce qui est et de ce qui sera ; c'est pourquoi, je vais vous lire les paroles d'Esaïe ; et ce sont les choses que mon frère a voulu que je vous dise. Je vous les dis pour votre bien, afin que vous appreniez à connaître et à glorifier le nom de votre Dieu.

5. Et ces paroles que je vais vous lire, sont celles qu'Esaïe a prononcées touchant toute la maison d'Israël ; c'est pourquoi, vous pouvez vous les appliquer car vous êtes de la maison d'Israël. Et il y a beaucoup de choses, dont Esaïe a parlé, que vous pouvez vous appliquer, parce que vous êtes de la maison d'Israël.

6. Voici ses paroles : ᶜAinsi dit le Seigneur Dieu : Voici, j'étendrai

---

n, 1 Né. 2 : 24. 12 : 19. Al. 45 : 9-14. 46 : 24. Morm. 6.   *o*, 2 Né. 6 : 2. Jacob 1 : 18, 19.   *p*, voir *j*, 1 Né. 1.   *q*, voir *c*, 1 Né. 9.   **Chap.** 6 : *a*, 2 Né. 5 : 26. Jacob 1 : 18, 19.   *b*, voir *i*, 2 Né. 5.   *c*, Es. 49 : 22, 23. 2 Né. 10 : 9.

† 559 av. J.-C.

la main sur les Gentils, et je dresserai mon étendard pour les peuples ; et ils apporteront tes fils dans leurs bras, et tes filles seront portées sur leurs épaules.

7. Et des rois seront tes pères nourriciers, et leurs reines, tes nourrices. Ils se prosterneront devant toi, la face contre terre, et lècheront la poussière de tes pieds ; et tu sauras que je suis le Seigneur ; car ceux qui m'attendent n'auront pas honte.

8. Et maintenant, moi, Jacob, je voudrais parler quelque peu de ces paroles. Car voici, le Seigneur m'a ^dmontré que ceux qui étaient à Jérusalem, d'où nous sommes sortis, ont été tués et emmenés captifs.

9. Néanmoins, le Seigneur m'a fait voir qu'ils y retourneront. Et il m'a montré aussi que le Seigneur Dieu, le Très-Saint d'Israël, se manifestera à eux dans la chair ; et qu'après qu'il se sera manifesté, ils le fouetteront et le crucifieront, selon les paroles de l'ange qui m'a parlé.

10. Et lorsqu'ils se seront endurci le cœur et raidi le cou contre le Très-Saint d'Israël, voici, les jugements du Très-Saint d'Israël viendront sur eux. Et le jour viendra où ils seront frappés et affligés.

11. C'est pourquoi, lorsqu'ils auront été chassés çà et là, car ainsi dit l'ange, beaucoup seront affligés dans la chair ; mais Dieu ne permettra pas qu'ils périssent, à cause des prières des fidèles ; ils seront dispersés, frappés et haïs ; néanmoins, le Seigneur aura pitié d'eux, en sorte que ^elorsqu'ils viendront à la connaissance de leur Rédempteur, ils seront de nouveau rassemblés dans les pays de leur héritage.

12. Et bénis sont les ^fGentils, ceux dont le prophète a parlé ; car voici, s'il arrive qu'ils se repentent et qu'ils ne combattent point contre Sion, et qu'ils ne s'unissent point à cette grande et ^gabominable église, ils seront sauvés, car le Seigneur Dieu accomplira les alliances qu'il a faites avec ses enfants ; c'est pour cela que le prophète a écrit ces choses.

13. Voilà pourquoi ^hceux qui combattent contre Sion et contre le peuple de l'alliance du Seigneur, lècheront la poussière de ses pieds, et le peuple du Seigneur n'aura point honte. Car le peuple du Seigneur ce sont ceux qui l'attendent ; car ils attendent encore la venue du Messie.

14. Et voici, selon les paroles du prophète, le Messie viendra une ⁱseconde fois pour les recouvrer ; c'est pourquoi, il se manifestera à eux dans sa puissance et avec une grande gloire, en anéantissant leurs ennemis, quand viendra le jour où ils croiront en lui. Et il ne détruira aucun de ceux qui croiront en lui.

15. Et ceux qui ne croiront ^jpoint en lui seront détruits par le feu et par les tempêtes, par des tremblements de terre, par des effusions de sang, par la peste et par la famine. Et ils sauront que le Seigneur est Dieu, le Très-Saint d'Israël.

16. ^kCar peut-on ravir sa proie à l'homme fort ? Et celui qui est légitimement captif, peut-il être délivré ?

17. Mais ainsi dit le Seigneur : Même les captifs du puissant lui seront enlevés, et la proie du terrible sera délivrée : car le Dieu puissant délivrera le peuple de son alliance. Car ainsi dit le Seigneur :

---

d, 1 Né. 7 : 13, 14.   e, voir e, 1 Né. 15.   f, 1 Né. 13 : 12-23, 30-35, 38-42. 14 : 1-5. 2 Né. 10 : 8-14, 18, 19. 3 Né. 16 : 6, 7. 27 : 21 : 2-6, 22-25. Morm. 5 : 19. g, voir a, 1 Né. 13.   h, voir j. 1 Né. 22.   i, 2 Né. 21 : 11. 25 : 17. 29 : 1.   j, 1 Né. 14 : 3, 15-17. 22 : 13-23. 2 Né. 10 : 15, 16. 27 : 2-4. 28 : 15-32. 3 Né. 16 : 8-15. 20 : 15-20. 21 : 11-21, 29. Morm. 5 : 22-24. Eth. 2 : 8-11.   k, Es. 49 : 24-26.

ENTRE 559 et 545 AV. J.-C.

Je combattrai ceux qui te combattent.

18. Et je ferai manger à tes oppresseurs leur propre chair ; et ils seront ivres de leur propre sang, comme de vin doux ; et toute chair saura que moi, le Seigneur, je suis ton Sauveur et ton Rédempteur, le Puissant de Jacob.

CHAPITRE 7.

Suite des enseignements de Jacob. — Comparer Esaïe 50.

1. Oui, car ainsi dit le Seigneur : "T'ai-je mis de côté, ou t'ai-je répudié pour toujours ? Car ainsi dit le Seigneur : Où est la *b*lettre de divorce de ta mère ? A qui t'ai-je envoyé, auquel de mes *c*créanciers t'ai-je vendu ? Oui, à qui t'ai-je vendu ? Voici, c'est pour vos iniquités que vous vous *d*êtes vendus, et c'est pour vos transgressions que votre mère est répudiée.

2. C'est pourquoi, il n'y avait personne quand je suis venu, et lorsque *e*j'appelais, il n'y avait personne pour me répondre. O maison d'Israël, est-ce que ma main est raccourcie au point de ne pouvoir plus racheter ? Ou n'ai-je plus le pouvoir de délivrer ? Voici, à *f*ma voix la mer se dessèche, et le lit *g*des fleuves se change en désert ; et leurs *h*poissons pourrissent, parce que les eaux sont desséchées, et qu'ils meurent de soif.

3. *i*Je couvre les cieux de ténèbres, et je les *j*enveloppe comme d'un sac de deuil.

4. Le *k*Seigneur Dieu m'a donné la langue des savants, afin que je puisse te faire entendre ma voix à propos, ô maison d'Israël. Lorsque tu tombes de fatigue, c'est lui qui veille de l'aurore à l'aurore. Et il m'ouvre l'oreille pour que j'entende comme un savant.

5. Le Seigneur Dieu m'a ouvert l'oreille et je n'ai point été rebelle et je n'ai point tourné mes regards en arrière.

6. J'ai offert le dos à celui qui frappe et les joues à ceux qui m'arrachaient la barbe. Je ne me suis point caché le visage à la honte et aux crachats.

7. Car le Seigneur Dieu m'aidera, c'est pourquoi je ne serai point confondu. C'est pourquoi j'ai rendu ma tête comme un roc, et je sais que je ne serai point rendu honteux.

8. Le Seigneur est proche et il me justifie. Qui luttera contre moi ? Mettons-nous face à face. Quel est mon adversaire ? Qu'il s'approche et je le frapperai de la *l*force de ma bouche.

9. Car le Seigneur Dieu m'aidera. Et ceux qui me condamneront, voici, ils *m*vieilliront tous comme un vêtement et la teigne les dévorera.

10. Quel est celui d'entre vous qui craint le Seigneur ? Qui obéit à la voix de son serviteur ? Qui marche dans les ténèbres, n'ayant point la lumière ?

11. Voici, vous tous qui allumez du feu, qui vous entourez d'étincelles, marchez à la lueur de votre feu et dans les étincelles que vous avez allumées. *n*Voici ce que vous recevrez de ma main : Vous vous coucherez dans l'affliction.

CHAPITRE 8.

Suite des enseignements de Jacob. — Comparer Esaïe 51.

1. Ecoutez-moi, vous qui suivez la justice. Regardez vers le rocher dans lequel vous êtes taillés, et

---

a, Mal. 2 : 16. Matt. 19 : 9.   *b*, Deut. 24 : 1-4. Jér. 3 : 8. Osée 2 : 2.   *c*, 2 Rois 4 : 1. Matt. 18 : 25.   *d*, Es. 52 : 3.   *e*, Prov. 1 : 24-27. Es. 65 : 12. 66 : 4. Jér. 7 : 13. 35 : 15. D. et A. 133 : 67.   *f*, Ex. 14 : 21. Ps. 106 : 9. Nah. 1 : 4. D. et A. 133 : 68. *g*, Josué 3 : 15, 16.   *h*, Ex. 7 : 18, 21.   *i*, Ex. 10 : 21.   *j*, Apo. 6 : 12.   *k*, Ex. 4 : 11.   *l*, Es. 11 : 4. 2 Thess. 2 : 8.   *m*, Job. 13 : 28. Ps. 102 : 26. Es. 51 : 6, 8. *n*, D. et A. 133 : 70.   ENTRE 559 et 545 av. J.-C.

au fond du puits d'où vous êtes tirés.

2. Rappelez-vous Abraham, votre père, et Sara qui vous a donné le jour : c'est lui seul que j'ai choisi et béni.

3. Car le Seigneur [a]consolera Sion, il consolera tous ses [b]lieux désolés ; et il rendra son [c]désert semblable à Eden, et [d]sa solitude semblable au jardin du Seigneur. On y trouvera la joie et l'allégresse, des actions de grâces et les plus douces mélodies.

4. Ecoute-moi, ô mon peuple ; et toi, ma nation, prête l'oreille : une [e]loi sortira de moi, et j'établirai mon jugement pour être la lumière du peuple.

5. Ma justice est proche, mon salut a paru, et mon bras jugera le peuple. Les [f]îles m'attendront et elles mettront leur confiance en mon bras.

6. [g]Elevez vos regards vers les cieux, abaissez-les vers la terre, car les cieux passeront comme une fumée, et la terre tombera de vétusté comme un vêtement ; et ses habitants mourront de la même manière. Mais son salut demeurera pour toujours, et ma justice ne sera point abolie.

7. Ecoutez-moi, vous qui connaissez la justice ; peuple, au cœur duquel j'ai gravé ma [h]loi, ne craignez point le mépris des hommes et n'ayez point peur de leurs outrages.

8. Car [i]la teigne les dévorera comme un vêtement, et le ver les mangera comme la laine. Mais ma justice demeurera à toujours, et mon salut de génération en génération.

9. [j]Eveille-toi, éveille-toi ! [k]revêts ta force, ô bras du Seigneur, éveille-toi [l]comme aux anciens jours. N'est-ce pas toi qui [m]mis en pièces Rahab, et qui as blessé le dragon ?

10. N'est-ce pas toi qui as séché la mer, et tari les eaux du grand abîme ? Qui as fait, dans les endroits les plus profonds de la mer, un chemin pour faire passer les rachetés ?

11. [n]C'est pourquoi, les rachetés du Seigneur retourneront et viendront en Sion en chantant ; ils seront couronnés d'une joie et d'une sainteté éternelles ; ils seront dans la joie et dans l'allégresse : la douleur et le deuil s'enfuiront.

12. Je suis celui, oui, je suis celui qui te console. Qui es-tu pour avoir peur de l'homme qui mourra, et du fils de l'homme qui passera comme l'herbe ?

13. Qui es-tu pour oublier le Seigneur qui t'a fait, qui a déployé les cieux, et posé les fondements de la terre ; qui es-tu pour être continuellement [o]effrayé de la furie de l'oppresseur, comme s'il allait t'anéantir ? [p]Qu'est devenue la fureur de l'oppresseur ?

14. L'exilé [q]captif se hâte afin d'être délié, de ne point mourir dans le puits et de ne point manquer de pain.

15. Mais, je suis le Seigneur, ton Dieu, dont les vagues ont mugi ; le Seigneur des armées est mon nom.

16. Et j'ai mis mes paroles dans ta bouche, et je t'ai couvert de l'ombre de ma main, afin de [r]planter les cieux, et de poser les fondements de la terre, et que je puisse

a, vers. 12. Ps. 102 : 13. Es. 40 : 1. 52 : 9. *b*, Es. 35 : 1. *c*, Ps. 107 : 3, 4, 35-37. Es. 32 : 15-20. 35 : 1, 2, 6, 7. 43 : 19, 20. *d*, Es. 35 : 1, 2, 6, 7. 43 : 19, 20. *e*, Es. 2 : 3. Mich. 4 : 2. *f*, voir *a*, 1 Né. 21. *g*, Ps. 102 : 25, 26. Matt. 24 : 35. 2 Pi. 3 : 10-12. *h*, voir *e*, *i*, voir *m*, 2 Né. 7. *j*, Ps. 44 : 23. Es. 52 : 1. *k*, Ps. 93 : 1. Apo. 11 : 17. *l*, Ps. 44 : 1. *m*, Ps. 74 : 13, 14. 89 : 10. Es. 27 : 1. Ez. 29 : 3. *n*, Es. 35 : 8-10. Jér. 31 : 12, 13. *o*, 1 Né. 22 : 17. *p*, voir *j*, 1 Né. 22. *q*, vers. 25. 2 Né. 9 : 12. Es. 60 : 15. Zach. 9 : 11. *r*, Es. 65 : 17. 66 : 22.

Entre 559 et 545 av. J.-C.

dire à Sion : 'Voici, tu es mon peuple.

17. Eveille-toi, éveille-toi, lève-toi, ô Jérusalem, 'toi qui as bu, de la main du Seigneur, la coupe de sa fureur — tu as bu la coupe du tremblement jusqu'à la lie.

18. Et personne pour la guider, parmi tous les fils à qui elle a donné le jour, personne qui la prenne par la main, parmi tous les fils qu'elle a élevés.

19. Ces "deux fils sont venus vers toi, mais qui te plaindra ? — ta désolation, ta ruine, la famine et l'épée — et par qui te consolerai-je ?

20. Tes fils sont tombés évanouis, excepté ces deux-ci ; ils gisent à tous les coins de rue, comme le bœuf sauvage dans un filet, et ils sont pleins de la fureur du Seigneur, de la réprimande de ton Dieu.

21. Ecoute donc à présent ceci, toi qui es affligée et ivre, mais non pas de vin.

22. Ainsi dit ton Seigneur, le Seigneur et ton Dieu défend la cause de son peuple ; voici j'ai ôté de ta main la coupe de tremblement, la lie de la coupe de ma fureur ; désormais, tu ne la boiras plus.

23. Mais "je la mettrai dans les mains de ceux qui t'affligent, qui ont dit à ton âme : Courbe-toi, que nous passions dessus — et tu as étendu ton corps, comme terre et comme rue aux passants.

24. "Eveille-toi, éveille-toi, revêts-toi de ta force, ô Sion ; revêts-toi de tes beaux vêtements, ô Jérusalem, ville sainte ; *car désormais ni l'incirconcis ni l'impur n'entreront plus chez toi.

25. Secoue-toi de ta poussière ;

lève-toi, assieds-toi, ô Jérusalem ; romps les "liens de ton cou, ô fille captive de Sion.

CHAPITRE 9.

Suite des enseignements de Jacob. — L'expiation infinie. — Vision des souffrances du Sauveur. — Là où il n'y a pas de loi, il n'y a pas de châtiment.

1. Et maintenant, mes frères bien-aimés, je vous ai lu ces choses, afin que vous ayez connaissance des alliances du Seigneur avec toute la maison d'Israël.

2. Qu'il a déclarées aux Juifs par la bouche de ses saints prophètes, de génération en génération, depuis le commencement des temps jusqu'à ce que le moment vienne où ils seront "rendus à la vraie Eglise et au vrai troupeau de Dieu, lorsqu'ils seront réunis et ramenés dans les pays de leur héritage, et rétablis dans toutes leurs terres de promission.

3. Voici, mes frères bien-aimés, je vous dis ces choses afin que vous vous réjouissiez, et que vous leviez la tête à jamais, à cause des bénédictions que le Seigneur Dieu répandra sur vos enfants.

4. Car je sais que beaucoup d'entre vous ont ardemment cherché à connaître les choses à venir ; c'est pourquoi, je sais que vous n'ignorez pas que notre chair doit dépérir et mourir ; néanmoins, c'est dans notre ᵇcorps que nous verrons Dieu.

5. Oui, je sais que vous avez appris qu'il se manifestera dans la chair à ceux qui sont à Jérusalem, d'où nous sommes sortis : car il convient qu'il paraisse au milieu d'eux, parce qu'il est dans les desseins du grand Créateur de s'assujettir à l'homme dans la chair, et

s, vers. 3. Ps. 26 : 4-7. 48 : 1-3. 102 : 13-16.   t, Jér. 25 : 15, 16. Luc 21 : 22-24. u, vers. 20. Apo. 11 : 3-13.   v, Jér. 25 : 17. Joël 3 : 9-16. Zach. 12 : 2, 3, 8, 9. 14 : 3, 12-15.   w, vers. 9, 17. Es. 52 : 1, 2.   x, Joël 3 : 17. Zach. 14 : 21.   y, voir q.   CHAP. 9 : a, voir e, 1 Né. 15.   b, vers. 15, 22, 26, 38. Mos. 16 : 10. Al. 5 : 15, 22. 11 : 41-45. 12 : 12-18. 40 : 21. 42 : 23. Héla. 14 : 15-18. 3 Né. 27 : 14, 15. Morm. 9 : 13. Moro. 10 : 34.

ENTRE 559 et 545 AV. J.-C.

de ᶜmourir pour tous les hommes, afin que tous les hommes deviennent ses sujets.

6. De même que la mort a passé sur tous les hommes pour accomplir le dessein miséricordieux du grand Créateur, il est nécessaire qu'il y ait un pouvoir de résurrection ; et ᵈla résurrection doit venir aux hommes par suite de la chute ; et la chute est venue de la transgression, et parce que l'homme est tombé, il a été retranché de la ᵉprésence du Seigneur.

7. C'est pourquoi il faut qu'il y ait une ᶠexpiation infinie ; et si l'expiation n'était pas infinie, cette corruption ne pourrait pas revêtir l'incorruptibilité, et le premier ᵍjugement qui a frappé l'homme aurait eu nécessairement une durée éternelle. Et s'il en avait été ainsi, notre chair serait rendue à la terre pour y pourrir et y tomber en poussière sans jamais se relever.

8. O la sagesse de Dieu, sa miséricorde et sa grâce ! Car voici, si la chair ne devait plus se relever, notre esprit serait devenu esclave de cet ʰange qui est tombé de la présence du Dieu éternel, et qui est devenu le diable, pour ne jamais se relever.

9. Votre esprit serait devenu semblable à lui, et nous serions devenus des diables, des anges du diable, pour être retranchés de la présence de notre Dieu, et pour demeurer avec le père du mensonge, dans la misère, comme lui ! oui comme cet être qui trompa nos premiers parents, qui se transforme presque en un ange de lumière, qui porte les enfants des hommes à des combinaisons secrètes pour commettre des meurtres et toute espèce d'œuvres secrètes de ténèbres.

10. O, combien grande est la bonté de notre Dieu, qui prépare une voie pour nous soustraire aux griffes de ce monstre horrible ; oui de ce monstre, ⁱla mort et l'enfer, que j'appelle la mort du corps et aussi la mort de l'esprit.

11. Et à cause du moyen de délivrance de notre Dieu, le Très-Saint d'Israël, cette mort dont j'ai parlé, qui est la mort temporelle, rendra ses morts ; laquelle mort est le tombeau.

12. Et cette mort dont j'ai parlé, qui est la mort spirituelle, rendra ses morts ; et cette mort spirituelle est l'enfer. ᵏAinsi, la mort et l'enfer doivent rendre leurs morts ; l'enfer doit rendre ses esprits captifs ; et le tombeau doit rendre ses corps captifs ; et le corps et l'esprit des hommes seront rendus l'un à l'autre ; et cela se fera par le pouvoir de la résurrection du Très-Saint d'Israël.

13. O, que le plan de notre Dieu est grand ! Car, d'un autre côté, le ˡparadis de Dieu doit rendre les esprits des justes, et le tombeau les corps des justes ; et l'esprit et le corps sont ᵐrendus l'un à l'autre ; et tous les hommes deviennent incorruptibles et immortels, et ils sont des âmes vivantes, ayant une connaissance parfaite comme nous dans la chair, seulement avec cette différence que notre connaissance sera parfaite.

14. C'est pourquoi, nous aurons une ⁿconnaissance parfaite de toute notre culpabilité, de notre impureté et de notre nudité ; et les justes auront la connaissance parfaite de

c, vers. 21. 22. Héla. 14 : 15-18. 3 Né. 27 : 14, 15.   d, voir d, 2 Né. 2. e, vers. 9. Al. 42 : 7, 9, 11, 14, 23. Héla. 14 : 16, 17.   f, voir f, 1 Né. 2.   g, vers. 8-16. Mos 3 : 26, 27. 16 : 4-11. Al. 11 : 45.   12 : 18, 26, 36. 42 : 6, 9, 14. Héla. 14 : 16, 17. Morm. 9 : 13.   h, voir i, 2 Né. 2.   i, vers. 16, 26, 37, 46. 1 Né. 14 : 3, 4, 7. 2 Né. 28 : 20-23. Mos. 16 : 2-5, 11. 3 Né. 29 : 7.   j, vers. 11-13, 26. Mos. 16 : 7, 8. Al. 12 : 24-27. 40 : 23-26. 42 : 6-15. Héla. 14 : 15-19. Morm. 9 : 13.   k, voir j. l. Al. 40 : 12, 14. 4 Né. 14. Moro. 10 : 34.   m, Al. 11 : 42-45. 40 : 21-24. Chap. 41. n. Mos. 3 : 25. Al. 11 : 43. 12 : 14.   ENTRE 559 et 545 av. J.-C.

leur bonheur et de leur justice, étant revêtus de pureté, oui, même de la robe de justice.

15. Et * lorsque tous les hommes auront passé de cette première mort à la vie, de sorte qu'ils seront devenus immortels, ils comparaîtront devant le siège du jugement du Très-Saint d'Israël ; et alors viendra le jugement ; et ils seront jugés selon le saint jugement de Dieu.

16. Et assurément, comme le Seigneur vit, car le Seigneur Dieu l'a dit, et c'est sa parole éternelle, qui ne peut passer ; ceux qui sont justes resteront toujours justes, et ceux qui sont impurs, resteront toujours °impurs. C'est pourquoi ceux qui sont impurs sont le diable et ses anges, et ils iront dans le feu éternel, préparé pour eux ; et leurs tourments sont comme un lac de feu et de soufre, dont la flamme monte d'éternité en éternité et n'a pas de fin.

17. O grandeur et justice de notre Dieu ! Car il exécute toutes ses paroles. Elles sont sorties de sa bouche, et il faut que sa loi soit accomplie.

18. Mais voici, les justes, les saints du Très-Saint d'Israël, ceux qui ont cru au Très-Saint d'Israël, ceux qui ont enduré les croix du monde, et en ont méprisé la honte, ceux-là hériteront du royaume de Dieu, qui était préparé pour eux depuis ᵖle commencement du monde, et leur joie sera pleine à tout jamais.

19. O grandeur de la miséricorde de notre Dieu, le Très-Saint d'Israël ! Car il délivre ses saints de ce ᑫmonstre horrible, le diable, la mort, l'enfer et ce lac de feu et de soufre, qui est le tourment sans fin.

20. O que la sainteté de notre Dieu est grande ! Car il connaît ʳtoutes choses, et il n'est rien qu'il ne connaisse.

21. Et il vient dans le monde pour sauver tous les hommes, s'ils veulent écouter sa voix ; car voici, il souffre les peines de tous les hommes, oui, ˢles peines de toute créature vivante, homme, femme, enfant, qui appartient à la famille d'Adam.

22. Et il supporte cela, afin que tous les hommes puissent obtenir la ᵗrésurrection, et que tous puissent se présenter devant lui au grand jour du jugement.

23. Et il ordonne à tous les hommes de se ᵘrepentir et d'être baptisés en son nom, ayant une foi parfaite dans le Très-Saint d'Israël, sinon, ils ne peuvent pas être sauvés dans le royaume de Dieu.

24. Et s'ils ne veulent pas se repentir et croire en son nom, et être baptisés en son nom, et persévérer jusqu'à la fin, il faut qu'ils soient damnés ; car le Seigneur Dieu, le Très-Saint d'Israël, l'a dit.

25. C'est pourquoi, il a donné une loi ; et là où aucune loi n'est donnée, il n'y a pas de châtiment ; et là où il n'y a pas de châtiment, il n'y a pas de condamnation ; et là où il n'y a pas de condamnation, les miséricordes du Très-Saint d'Israël s'étendent sur eux à cause de ᵛl'expiation ; car ils sont délivrés par son pouvoir.

26. Car l'expiation satisfait aux

o, 1 Né. 15 : 33-35. Al. 7 : 21. Morm. 9 : 14.   p, Al. 13 : 3, 5, 7-9. 22 : 13. 42 : 26. Héla. 5 : 47. 3 Né. 26 : 5. Eth. 3 : 14 : 4 : 14, 15, 19. 12 : 32-34, 37. Moro. 8 : 12. q, voir k, 1 Né. 15.   r, Al. 7 : 13. 13 : 7. 18 : 32. 26 : 35. Héla. 9 : 41. 3 Né. 27 : 26. Morm. 8 : 17. Moro. 7 : 22.   s, vers. 5, 7. Mos. 3 : 7. 15 : 10. Al. 7 : 11-13. 11 : 40. 22 : 14. 34 : 8-15. Héla. 14 : 15-17. 3 Né. 9 : 22. 11 : 11, 14, 15. 27 : 14, 15. Morm. 9 : 13, 14.   t, voir d, 2 Né. 2.   u, Matt. 3 : 5, 6. Marc 1 : 4. Luc 3 : 3. Jean 3 : 5. Actes 2 : 38. 2 Né. 31 : 5, 9-13, 17. Mos. 18 : 8-17. Al. 15 : 12-14. 19 : 35. 62 : 45. Héla. 3 : 24-26. 5 : 17, 19. 3 Né. 7 : 23-26. 11 : 21-38. 12 : 1, 2. 18 : 5, 11, 30. 19 : 10-13. 23 : 5. 26 : 17, 21. 27 : 1, 16, 20. 28 : 18. Chap. 30. 4 Né. 1. Morm. 7 : 8, 10. 9 : 23. Eth. 4 : 18. Moro. 6 : 1-4. 8 : 5-26.   v, voir f, 2 Né. 2. ENTRE 559 et 545 av. J.-C.

exigences de sa justice pour tous ceux à qui la loi n'a pas été donnée ; ainsi, ils sont délivrés de ce terrible monstre, ^wla mort et l'enfer, et le diable, et le lac de feu et de soufre, qui est le tourment sans fin ; et ils sont rendus à ce Dieu qui leur a donné le souffle et qui est le Très-Saint d'Israël.

27. Mais malheur à celui à qui la loi est donnée, oui, qui a tous les commandements de Dieu, comme nous, et qui les transgresse, et qui prodigue les jours de son épreuve, car son état est terrible !

28. O le subtil plan du malin ! O la vanité, la fragilité et la folie des hommes ! Quand ils sont ^xinstruits, ils se croient sages, et ils n'écoutent pas les conseils de Dieu, ils les laissent de côté, s'imaginant tout savoir par eux-mêmes. C'est pourquoi leur sagesse est folie, et elle ne leur sert de rien, et ils périront.

29. Cependant, être instruit est une bonne chose si on écoute les conseils de Dieu.

30. Mais malheur aux riches, qui sont riches des choses du monde. Car, à cause de leurs richesses, ils méprisent les pauvres, et ils persécutent les humbles ; et leur cœur est dans leurs trésors ; c'est pourquoi, leur trésor est leur dieu. Et voici, leur trésor périra avec eux aussi.

31. Et malheur aux sourds qui ne veulent pas entendre, car ils périront.

32. Malheur aux aveugles qui ne veulent pas voir, car ils périront aussi.

33. Malheur à ceux qui ont le cœur incirconcis ; car la connaissance de leurs iniquités les frappera au dernier jour.

34. Malheur au menteur, car il sera précipité en enfer.

35. Malheur au meurtrier qui tue délibérément, car il mourra.

36. Malheur à ceux qui commettent la ^yluxure, car ils seront précipités en enfer.

37. Oui, malheur à ceux qui adorent les idoles, car le démon de tous les démons trouve en eux ses délices.

38. Et enfin, malheur à tous ceux qui meurent dans leurs péchés, car ils ^zretourneront à Dieu, et ils verront sa face, et ils demeureront dans leurs péchés.

39. O mes frères bien-aimés, rappelez-vous qu'il est terrible de transgresser contre ce Dieu saint, qu'il est terrible aussi de succomber aux tentations du malin. Souvenez-vous : Avoir l'esprit tourné vers le charnel, c'est la mort, et avoir l'esprit tourné vers le spirituel, c'est la vie éternelle.

40. O mes frères bien-aimés, prêtez l'oreille à mes paroles. Souvenez-vous de la grandeur du Très-Saint d'Israël. Ne dites pas que je vous ai dit des paroles sévères ; car si vous le dites, vous outrageriez la vérité, car les paroles que je vous déclare sont celles de votre Créateur. Je sais que les paroles de vérité sont dures contre toute impureté ; mais les justes ne les craignent pas, car ils aiment la vérité et ne sont pas ébranlés.

41. Venez donc, mes frères bien-aimés, venez au Seigneur, le Très-Saint. Souvenez-vous que ses sentiers sont justes. Voici, la voie est ^{2a}étroite pour l'homme, mais elle va en ligne droite devant lui, et le gardien de la porte est le Très-Saint d'Israël ; et il n'y place aucun serviteur ; et il n'y a pas d'autre voie que la porte ; car il ne peut être trompé, car Seigneur Dieu est son nom.

42. Et il ouvre à tous ceux qui

w, voir j.   x, vers. 29, 42. 2 Né. 26 : 20. 27 : 15-26. 28 : 4,15.   y, 2 Né. 28 : 15. Jacob 2 : 28. Al. 39 : 3, 11. 3 Né. 12 : 27-32.   z, vers. 15. Al. 40 : 11.   2a, 2 Né. 31 : 9, 17, 18. 33 : 9. Al. 37 : 44, 45. Héla. 3 : 29, 30. 3 Né. 14 : 13, 14.

frappent : et les [b]sages, les savants et les riches et tous ceux qui sont enflés d'orgueil à cause de leur savoir, de leur sagesse et de leurs richesses — oui, ce sont ceux qu'il méprise. Et à moins qu'ils ne rejettent ces choses, qu'ils ne se considèrent insensés devant Dieu, et ne descendent dans les profondeurs de l'humilité, il ne leur ouvrira point.

43. Mais ce qui est réservé au sage, et au prudent leur sera caché à jamais — oui, ce bonheur qui est préparé pour les saints.

44. O mes frères bien-aimés, souvenez-vous de mes paroles. Voici, j'ôte mes vêtements, et je les secoue devant vous ; je prie le Dieu de mon salut de me regarder de son œil qui pénètre toutes choses. C'est pourquoi vous connaîtrez au dernier jour, quand tous les hommes seront jugés selon leurs œuvres, que le Dieu d'Israël m'a vu secouer vos iniquités loin de mon âme, et vous saurez que je me tiens brillant devant lui, et que je suis débarrassé de votre sang.

45. O mes frères bien-aimés, détournez-vous de vos péchés ; secouez les chaînes de celui qui voudrait vous lier étroitement ; venez à ce Dieu qui est le rocher de votre salut.

46. Préparez votre âme pour ce jour glorieux où il sera rendu justice aux justes, pour le jour du jugement, afin que vous ne reculiez pas dans une crainte terrible ; pour que vous puissiez ne pas vous souvenir [c]parfaitement de votre culpabilité terrible, et être contraints de vous écrier : Saints, saints sont tes jugements, ô Seigneur, Dieu tout-puissant — mais, je connais ma culpabilité ; j'ai transgressé ta loi ; et mes transgressions sont miennes ; et le diable m'a [d]gagné et je suis la proie de sa terrible misère.

47. Mais voici, mes frères, faut-il que j'attire votre attention sur la terrible réalité de ces choses ? Déchirerais-je votre âme si votre esprit était pur ? Serais-je clair avec vous, selon la clarté de la vérité si vous étiez libres du péché ?

48. Voici, si vous étiez saints, je vous parlerais de sainteté ; mais, puisque vous n'êtes pas saints, et que vous me regardez comme un instructeur, il est utile et même nécessaire que je vous enseigne les conséquences du péché.

49. Voici, mon âme a horreur du péché, et mon cœur met sa joie dans la justice ; et je louerai le saint nom de mon Dieu.

50. Venez, mes frères ; que ceux qui ont [e]soif viennent aux eaux, et que celui qui n'a pas d'argent achète et mange ; oui, venez acheter le vin et le lait sans argent et sans coût.

51. C'est pourquoi, ne dépensez point de l'argent pour ce qui n'a pas de valeur, ni votre travail à ce qui ne peut satisfaire. Ecoutez-moi attentivement, et souvenez-vous des paroles que j'ai dites ; venez au Très-Saint d'Israël, et faites festin de ce qui ne périt pas et ne peut se corrompre et laissez votre âme se réjouir dans les délices.

52. Souvenez-vous, mes frères bien-aimés, des paroles de votre Dieu ; priez-le continuellement pendant le jour, et rendez grâces à son saint nom la nuit. Que votre cœur se réjouisse.

53. Voyez combien sont grandes les alliances du Seigneur, et ses condescendances pour les enfants des hommes. Et à cause de sa majesté, de sa grâce et de sa miséricorde, il nous a promis que [f]notre postérité ne sera pas entièrement détruite selon la chair ; mais qu'il la préservera ; et dans les générations à venir, elle deviendra une branche juste de la maison d'Israël.

---

54. Et je voudrais, mes frères, vous parler encore davantage, mais je vous dirai demain le reste de mes paroles. Amen.

CHAPITRE 10.

Suite des enseignements de Jacob. — La venue du Christ. — Pas de rois sur la terre promise. — Ceux qui luttent contre Sion périront.

1. Et maintenant, moi, Jacob, je vous parle de nouveau, mes frères bien-aimés, de cette ªbranche juste dont je vous ai parlé.

2. Car voici, les promesses que nous avons obtenues, sont des promesses qui nous ont été faites selon la chair. C'est pourquoi, bien qu'il m'ait été montré que ᵇbeaucoup de nos enfants périront dans la chair, à cause de leur incrédulité, cependant, Dieu fera miséricorde à un grand nombre, et nos enfants seront restaurés, afin qu'ils puissent arriver à ce qui leur donnera une véritable connaissance de leur Rédempteur.

3. Il faut donc, ainsi que je vous l'ai dit, que le Christ — car la nuit dernière, l'ange m'a appris que ce serait là son nom — vienne parmi les Juifs, le peuple le plus méchant de la terre ; et ils le crucifieront — car ainsi le veut notre Dieu ; et il n'y a point d'autre nation sur la terre qui crucifierait son Dieu.

4. Car si tous les grands prodiges arrivaient chez d'autres nations, elles se repentiraient, et reconnaîtraient qu'il est leur Dieu.

5. Mais à cause des intrigues de prêtres, et des iniquités, ceux qui sont à Jérusalem raidiront leur cou contre lui, pour qu'il soit crucifié.

6. C'est pourquoi, à cause de leurs iniquités, des destructions, des famines, des pestes, et des effusions de sang fondront sur eux ; et ceux qui ne seront point détruits, seront dispersés parmi toutes les nations.

7. Mais voici, ainsi dit le Seigneur Dieu : J'ai fait alliance avec leurs pères, que le jour où ils croiront en moi, que je suis le Christ, ils seront ʿrestaurés dans la chair sur la terre dans les pays de leur héritage.

8. Et il arrivera qu'ils seront rassemblés et ramenés de leur longue dispersion, des îles de la mer et des quatre parties de la terre ; et les nations des Gentils seront grandes à mes yeux, dit Dieu, en les transportant dans les pays de leur héritage.

9. Oui, les ªrois des Gentils leur seront des pères nourriciers, et leurs reines deviendront des nourrices ; c'est pourquoi, les promesses du Seigneur aux Gentils sont grandes : Car il l'a dit et qui peut le contredire ?

10. Mais voici, ce pays, dit Dieu, sera un pays de ᵉton héritage, et les ᶠGentils seront bénis dans le pays.

11. Et ce pays sera un pays de liberté pour les Gentils, et il ne s'élèvera point de roi parmi les Gentils dans ce pays.

12. Et je fortifierai ce pays ᵍcontre toutes les autres nations.

13. Et celui qui ʰcombat contre Sion périra, dit Dieu.

14. Et celui qui élèvera un roi contre moi, périra, car c'est moi, le Seigneur, le roi du ciel, qui serai leur roi ; et je serai à toujours la lumière de celui qui écoute mes paroles.

15. C'est pourquoi, afin d'accomplir les alliances que j'ai faites avec les enfants des hommes, que je leur ai promis de faire pendant

a, 1 Né. 15 : 12-17. 2 Né. 3 : 5. 9 : 53. Jacob 5 : 25. 43-45. Al. 46 : 24, 25. *b*. voir *d*. 1 Né. 15. *c*. voir *e*, 1 Né. 15. *d*, 1 Né. 13 : 35, 39. 15 : 17, 18. 22 : 5-9. 2 Né. 6 : 6, 7. *e*, voir *a*, 1 Né. 2. *f*, 1 Né. 13 : 15, 19, 34-42. 14 : 1-7. 15 : 13, 17. 22 : 6-10. 3 Né. 16 : 4-7. 21 : 2-6. 22-25. Morm. 5 : 19. Eth. 2 : 12. *g*. 1 Né. 13 : 19. *h*. vers. 16. 1 Né. 22 : 14, 19. 2 Né. 27 : 2, 3.

Entre 559 et 545 av. J.-C.

qu'ils sont dans la chair, il faut que je détruise les œuvres [i]secrètes des ténèbres, les meurtres et les abominations.

16. C'est pourquoi, celui qui combat [j]contre Sion, Juif ou Gentil, esclave ou libre, homme ou femme, périra ; car ce sont eux qui sont la [k]prostituée de toute la terre ; car ceux qui ne sont pas pour moi, sont contre moi, dit notre Dieu.

17. Car j'accomplirai les promesses que j'ai faites aux enfants des hommes, et je les réaliserai pendant qu'ils seront dans la chair.

18. C'est pourquoi, mes frères bien-aimés, ainsi dit notre Dieu : J'affligerai ta postérité par la [l]main des Gentils ; néanmoins j'amollirai le cœur des Gentils, afin qu'ils soient pour eux comme un père ; c'est pourquoi les Gentils seront bénis et comptés parmi la maison d'Israël.

19. Je consacrerai donc à jamais ce pays comme terre d'héritage à ta postérité et à ceux qui seront comptés dans ta postérité ; car me dit Dieu, c'est un pays préférable à tous les autres pays ; c'est pourquoi je veux que tous les hommes qui y habitent m'adorent, dit Dieu.

20. Et maintenant, mes frères bien-aimés, puisque notre Dieu, plein de miséricorde, nous a donné une si grande connaissance de ces choses, souvenons-nous de lui, délaissons nos péchés, et ne soyons plus dans l'affliction, car nous ne sommes pas rejetés. Cependant, nous avons été chassés du pays de notre héritage, mais nous avons été conduits dans un pays meilleur, car le Seigneur a fait de la mer notre sentier et nous sommes dans une île de la mer.

21. Mais grandes sont les promesses du Seigneur à ceux qui sont dans les [n]îles de la mer : et puisqu'il est parlé d'îles, il faut qu'il y en ait d'autres que celle-ci, et elles sont aussi habitées par nos frères.

22. Car voici, le Seigneur Dieu, selon sa volonté et son bon plaisir, en a [o]emmenés, de temps en temps, de la maison d'Israël. Et maintenant, voici, le Seigneur se souvient de tous ceux qui ont été rompus, c'est pourquoi, il se souvient de nous aussi.

23. C'est pourquoi, réjouissez-vous le cœur et rappelez-vous que vous êtes libres d'agir par vous-mêmes, de choisir la voie de la mort éternelle ou la voie de la vie éternelle.

24. Soumettez-vous donc, mes frères bien-aimés, à la volonté de Dieu, et non point à la volonté du diable et de la chair ; et rappelez-vous, lorsque vous serez soumis à Dieu, ce n'est que dans la grâce et par la grâce de Dieu que vous êtes sauvés.

25. C'est pourquoi, que Dieu vous relève de la mort par le pouvoir de la [p]résurrection, et aussi de la mort éternelle par le pouvoir de [q]l'expiation, afin que vous soyez reçus dans le royaume éternel de Dieu, pour y chanter ses louanges par la grâce divine. Amen.

CHAPITRE 11.

Suite des enseignements de Jacob. — Témoins de la parole de Dieu. — Symboles du Rédempteur.

1. Jacob dit encore beaucoup de choses à mon peuple à ce moment-là ; néanmoins je n'ai fait écrire que celles-ci, car ce que j'ai écrit me suffit.

---

i, 2 Né. 9 : 9. 26 : 22. 27 : 27. Al. 37 : 21-32. Héla. 1 : 11, 12. 2 : 3-14. 3 : 23. 6 : 17-30, 37-41. 7 : 4, 5, 20, 21, 25. 8 : 1, 4, 27, 28. 9 : 6. 10 : 3. 11 : 2, 10, 25-33. 3 Né. 1 : 27-30. 2 : 10-19. Chaps 3, 4. 5 : 4-6. 6 : 28-30. 7 : 6, 9-12. 9 : 9. 4 Né. 42, 46. Morm. 1 : 18. 2 : 8, 10, 27. 8 : 27, 40. Eth. 8 : 9-25. 9 : 1, 5, 6, 26. 10 : 33. 11 : 15, 22. 13 : 15, 18. 14 : 8-10. *j.* voir *h.* *k,* voir *g.* 1 Né. 14. *l,* voir *p* et *q,* 1 Né. 13, aussi vers. 14, 15. *m,* 1 Né. 13 : 15. Voir *a,* 1 Né. 2. *n,* 1 Né. 19 : 16. 22 : 3-5. Es 49 : 1. 51 : 5. 60 : 9. 66 : 19. *o,* 1 Né. 22 : 4, 5. *p,* voir *d,* 2 Né. 2. *q,* voir *f,* 2 Né. 2.

ENTRE 559 et 545 AV. J.-C.

2. Et moi, Néphi, j'écris davantage des paroles d'Esaïe, parce qu'elles réjouissent mon âme. Et je les appliquerai à mon peuple ; et je les enverrai à tous mes enfants ; car il a réellement vu mon *a*Rédempteur, comme je l'ai vu moi-même.

3. Et mon frère Jacob l'a *b*vu aussi, comme je l'ai vu. C'est pourquoi, j'enverrai leurs paroles à mes enfants, pour leur prouver que mes paroles sont vraies. Par la bouche de *c*trois, a dit Dieu, j'établirai ma parole. Néanmoins, Dieu envoie *d*davantage de témoins, et il prouve toutes ses paroles.

4. Voici, mon âme se réjouit de prouver à mon peuple la vérité de l'avènement du Christ ; c'est pour cela que la loi de Moïse a été donnée ; et toutes les choses que l'homme a reçues de Dieu depuis le commencement du monde sont autant de figures du Christ.

5. Et mon âme se réjouit des alliances que le Seigneur a faites avec nos pères ; oui, mon âme se réjouit de sa grâce, de sa justice, de sa puissance et de sa miséricorde dans le grand plan éternel de *e*délivrance de la mort.

6. Et mon âme se réjouit de prouver à mon peuple que si le Christ ne vient pas, tous les hommes doivent périr.

7. Car s'il n'y a point de Christ, il n'y a *f*point de Dieu, et s'il n'y a point de Dieu, nous ne sommes pas, car il n'aurait pu y avoir de création. Mais il y a un Dieu, et il est le Christ, et il viendra dans la plénitude de son temps.

8. Et maintenant, j'écris quelques-unes des *g*paroles d'Esaïe, afin que tout homme de mon peuple qui verra ces paroles, élève son cœur et se réjouisse. Voici donc ces paroles, et vous pourrez vous les appliquer, ainsi qu'à tous les hommes.

CHAPITRE 12.

Prophéties rapportées sur les plaques d'airain. — Comparer Esaïe 2.

1. Vision d'Esaïe, fils d'Amots, touchant Juda et Jérusalem.

2. Et il arrivera, *a*aux derniers jours, que la montagne de la *b*maison du Seigneur sera établie au sommet des montagnes et sera exaltée au-dessus des collines et toutes les nations y afflueront.

3. Et beaucoup de peuples viendront et diront : Venez, montons à la *c*montagne du Seigneur, à la maison du Dieu de Jacob ; il nous instruira de ses voies, et nous marcherons dans ses sentiers ; car de Sion sortira la loi et de Jérusalem la parole du Seigneur.

4. Et il *d*jugera parmi les nations, et il réprimandera bien des peuples ; et ils feront de leurs *e*épées des socs de charrue, et de leurs lances ils forgeront des hoyaux — une nation ne lèvera plus l'épée contre l'autre, et on n'apprendra plus à faire la guerre.

5. Venez, ô maison de Jacob ; et marchons dans la lumière du Seigneur ; *f*oui, venez, car vous êtes tous égarés, chacun à ses voies corrompues.

6. C'est pourquoi, ô Seigneur, tu as abandonné ton peuple, la maison de Jacob, parce qu'ils sont remplis de *g*l'Orient, et *h*écoutent les devins comme les Philistins, et parce

a. 2 Né. 16 : 1. Es. 6 : 1, 5.   *b.* 2 Né. 2 : 3, 4.   *c.* 2 Né. 27 : 12. Eth. 5 : 3, 4. D. et A. 5 : 11, 15. Voir le témoignage de trois témoins au début du livre.   *d.* 2 Né. 27 : 13, 14. Eth. 5 : 2. Voir le témoignage de huit témoins au début du livre. *e.* voir *f.* 2 Né. 2.   *f,* 2 Né. 2 : 13, 14. Al. 42 : 22, 23. Morm. 9 : 19.   *g.* voir Es. chaps. 2 à 14 inclus, cités dans les 13 chapitres qui suivent, pris par Néphi des plaques d'airain.   CHAP. 12 : *a,* Mich. 4 : 1-3.   *b.* vers. 3. 3 Né. 24 : 1.   *c,* D. et A. 133 ; 13.   *d.* 2 Né. 21 : 2-5.   *e,* 2 Né. 21 : 9.   *f,* Es. 53 : 6. 1 Né. 13. 2 Né. 28 : 14. Mos. 14 : 6. Al. 5 : 37.   *g,* Nomb. 23 : 7.   *h,* Deut. 18 : 14.

ENTRE 559 et 545 AV. J.-C.

qu'ils se complaisent avec les enfants des étrangers.

7. ʿSon pays est rempli d'or et d'argent, et son trésor est infini ; son pays est plein de chevaux, et ses chariots sont sans nombre.

8. Son pays est ʲaussi rempli d'idoles ; il adore l'œuvre de ses mains, l'ouvrage de ses propres doigts.

9. Et l'homme simple ᵏne s'incline pas, et le grand homme ne s'humilie pas ; c'est pourquoi, ne lui pardonne point.

10. O vous, pervers, entrez ᵐdans les rochers et cachez-vous dans la poussière, car la crainte du Seigneur et la gloire de sa majesté vous frapperont.

11. Et il arrivera que ⁿles regards superbes de l'homme seront humiliés, et que l'orgueil des hommes sera rabaissé ; et le Seigneur seul sera exalté en ce jour.

12. Car le ᵒjour du Seigneur des armées va bientôt venir sur toutes les nations ; oui, sur chacune ; ou, sur les ᵖorgueilleux et les hautains, et sur tous ceux qui sont élevés, et ils seront abaissés.

13. Oui, et le jour du Seigneur viendra sur tous les ᵍcèdres du Liban, car ils sont grands et élevés ; et sur tous les chênes de Basan.

14. Et sur toutes les hautes ʳmontagnes, et sur toutes les collines, et sur toutes les nations orgueilleuses, et sur tous ceux qui sont élevés.

15. Et sur toute ˢtour élevée, et sur toutes les murailles fortifiées.

16. Et ᵗsur tous les vaisseaux de la mer, et sur tous ceux de Tharsis, et sur tout ce qui plaît à l'œil.

17. Et ᵘl'orgueil de l'homme sera courbé, et l'arrogance des hommes sera abaissée et le Seigneur seul sera exalté en ce jour.

18. Et les idoles, il les abolira ʳentièrement.

19. Et les ʷhommes se cacheront dans les cavernes des rochers, dans les trous de la terre, parce que la crainte du Seigneur les saisira, et la gloire de sa majesté le frappera quand il se lèvera pour secouer terriblement la terre.

20. En ˣce jour, l'homme renversera ses idoles d'or et ses idoles d'argent qu'il a façonnées de ses mains pour les adorer ; et il les jettera aux taupes et aux chauves-souris.

21. Pour ʸaller dans les fentes des rochers, et sur le sommet des rochers hérissés, car la crainte du Seigneur fondra sur eux, et la majesté de sa gloire les frappera quand il se lèvera pour secouer terriblement la terre.

22. Cessez de vous fier à l'homme, dont le souffle est dans ses narines ; car quel cas peut-on faire de lui ?

CHAPITRE 13.

Suite des Ecritures des plaques d'airain. — Comparer Esaïe 3.

1. Car voici, le Seigneur, l'Eternel des armées, retire de Jérusalem et de Juda le soutien et l'appui, tout le soutien du pain et tout l'appui de l'eau.

2. L'homme ᵃpuissant et l'homme de guerre, le juge et le prophète, le sage et le vieillard.

3. Le capitaine de cinquante et l'homme honorable, et le conseiller, et l'habile artisan et l'orateur éloquent.

4. Et je leur donnerai des ᵇenfants pour princes, et ils seront gouvernés par de tout petits enfants.

i, Deut. 17 : 16, 17. j, Jér. 2 : 28. k, Es. 2 : 9. m, vers. 19, 21. Apo. 6 : 15, 16. n, vers. 17. 2 Né. 15 : 15, 16. o, Soph. 1 : 14-18. p, Mal. 4 : 1. q, Es. 14 : 8. 37 : 24. Ez. 31 : 3. Zach. 11 : 1, 2. r, Es. 30 : 25. s, Es. 33 : 18. 3 Né. 21 : 15, 18. t, 1 Rois 10 : 22. u, vers. 11. v, vers. 20. w, voir m. x, vers. 18. y, voir m. CHAP. 13 : a, 2 Rois 24 : 14. b, Eccl. 10 : 16.

ENTRE 559 et 545 AV. J.-C.

5. Et le peuple sera opprimé, chacun par un autre, et chacun par son prochain ; l'enfant se conduira avec arrogance envers le vieillard, l'homme de rien envers l'homme honorable.

6. Quand un homme prendra son frère de la maison de son père, et lui dira : Toi, qui as des vêtements, sois notre gouverneur, et ne souffre pas que cette ruine s'accomplisse entre tes mains.

7. En ce jour, il jurera, disant : Je ne veux pas être un guérisseur, car dans ma maison, il n'y a ni pain, ni vêtements ; ne me fais pas gouverneur du peuple.

8. Car ᶜJérusalem est ruinée, et Juda est tombé, parce que leur langue et leurs actes ont été contre le Seigneur pour provoquer les yeux de sa gloire.

9. L'aspect de leur visage témoigne contre eux, et déclare que leur péché est semblable à celui de ᵈSodome, et ils ne le peuvent cacher. Malheur à leur âme, car ils ont attiré le mal sur eux.

10. Dites aux justes que tout est bien pour eux, car ils mangeront le fruit de leurs actes.

11. Malheur aux méchants, car ils périront ; et le châtiment préparé de leurs mains tombera sur eux.

12. Quant à mon peuple, des ᵉenfants l'oppriment et des femmes le gouvernent. O mon peuple, ceux qui te conduisent ᶠt'égarent, et détruisent la voie de tes sentiers.

13. Le Seigneur se lève pour ᵍplaider, il se tient debout pour juger le peuple.

14. Le Seigneur entrera en jugement avec les anciens et les princes de son peuple ; car vous avez dévoré la ʰvigne, et la dépouille des pauvres dans vos maisons.

15. Que voulez-vous ? Vous ᶦbrisez mon peuple en pièces, et vous broyez la face des pauvres, dit le Seigneur Dieu des armées.

16. Le Seigneur dit encore : Parce que les filles de Sion sont hautaines, marchant le cou tendu et les yeux lascifs, allant avec affectation, et faisant tinter leurs pieds.

17. Pour cette raison, le Seigneur ʲcouvrira d'ulcères le sommet de la tête des filles de Sion, et ᵏdécouvrira leurs parties secrètes.

18. En ce jour, le Seigneur enlèvera l'effronterie de leurs ornements sonnants et leurs coiffes, et leurs atours ronds comme la lune.

19. Les chaînes, les bracelets, les ceintures.

20. Les bonnets, les ornements des jambes, les bandeaux des cheveux, les boîtes de parfums, les pendants d'oreilles.

21. Les bagues et les anneaux du nez.

22. Les habillements variés, les manteaux, les guimpes et les épingles à friser.

23. Les miroirs, le lin fin, les coiffes et les voiles.

24. Et il arrivera qu'au lieu de parfum il y aura de la puanteur ; et au lieu d'une ceinture, une déchirure ; au lieu d'une belle chevelure, de la ᶦcalvitie ; au lieu de robes flottantes des sacs étroits ; une brûlure au lieu de beauté.

25. Tes hommes tomberont par l'épée, et tes puissants dans la guerre.

26. ᵐEt tes portes se lamenteront et seront dans le deuil ; et elle sera désolée et ⁿassise sur le sol.

CHAPITRE 14.

Suite des Ecritures des plaques d'airain. — Comparer Esaïe 4.

1. En ce jour, sept femmes se saisiront d'un seul homme, disant : Nous mangerons notre propre pain

c, Mich. 3 : 12.   d, Gen. 13 : 13. 18 : 20, 21. 19 : 5.   e, vers. 4.   f, Es. 9 : 16.
g, Mich. 6 : 2.   h, Es. 5 : 7.   i, Es. 58 : 4. Mich. 3 : 2, 3.   j, Deut. 28 : 27.
k, Jér. 13 : 22. Nah. 3 : 5.   l, Es. 22 : 12. Mich. 1 : 16.   m, Jér. 14 : 2. Lam. 1 : 4.
n, Lam. 2 : 10.

et nous porterons nos propres vêtements ; permets seulement que nous portions ton nom, afin d'ôter notre opprobre.

2. En ce jour, la *b*branche du Seigneur sera belle et glorieuse ; le fruit de la terre excellent et délicat, pour ceux d'Israël qui se seront échappés.

3. Et * ceux qui restent en Sion, et qui demeurent à Jérusalem seront appelés saints, tous ceux qui sont inscrits parmi les vivants à Jérusalem.

4. Quand le Seigneur aura *d*lavé les souillures des filles de Sion, et purgé Jérusalem du sang qui se trouve au milieu d'elle, par l'esprit du jugement et par *e*l'esprit du feu.

5. Et le *f*Seigneur créera sur chaque demeure de la montagne de Sion, et sur ses assemblées, un *g*nuage et une fumée pendant le jour, et l'éclat d'un feu flamboyant pendant la nuit ; car sur toute la gloire de Sion il y aura une défense.

6. Et il y aura un tabernacle pour donner de l'ombre contre la chaleur du jour, et pour servir de *h*refuge et d'asile contre la tempête et la pluie.

CHAPITRE 15.

Suite des Ecritures des plaques d'airain. — Comparer Esaïe 5.

1. Et je chanterai alors à mon bien-aimé le cantique de mon bien-aimé touchant sa *a*vigne. Mon bien-aimé a une vigne sur un coteau très fertile.

2. Et il l'entoura d'une haie, il en ôta les pierres, et il la planta des ceps les mieux choisis. Et il éleva une tour au milieu, et il y fit un pressoir à vin ; et il s'attendait à

ce qu'elle portât des raisins, et elle produisit des raisins *b*sauvages.

3. Et maintenant, ô habitants de Jérusalem, et hommes de Juda, soyez juges, je vous prie, entre moi et ma vigne.

4. Que pourrait-on faire que je n'aie fait à ma vigne ? Et quand j'en attendais des raisins, elle n'a donné que des raisins sauvages.

5. Et maintenant, donc, je vous dirai ce que je ferai à ma vigne — j'en arracherai la *c*haie et elle sera dévorée ; j'en abattrai le mur, et elle sera foulée aux pieds.

6. Et je la mettrai en ruines ; elle ne sera ni taillée ni cultivée, mais les *d*ronces et les épines y croîtront ; je *e*commanderai aussi aux nuées de ne pas déverser de pluie sur elle.

7. Car la vigne du Seigneur des armées est la maison d'Israël, et les hommes de Juda sont le plant auquel il prenait plaisir. Et il attendait la droiture, et voilà l'oppression ; la justice, et voici un cri.

8. Malheur à ceux qui joignent *f*maison à maison jusqu'à ce qu'il n'y ait plus de place, afin d'être seuls au milieu de la terre !

9. Le Seigneur des armées m'a dit à l'oreille : En vérité, beaucoup de maisons seront désolées, et de grandes et belles villes seront sans habitants.

10. Oui, dix arpents de vignes produiront un *g*bath, et la graine d'un homer produira un épha.

11. *h*Malheur à ceux qui se lèvent dès le matin pour rechercher les boissons fortes, et qui s'y livrent jusqu'à la nuit, jusqu'à ce que le vin les enflamme !

12. Et la *i*harpe, et le luth, et le tambour, et la flûte, et le vin ornent leurs festins ; mais ils *j*oublient les

b, 2 Né. 3 : 5. Es. 60 : 21. 61 : 3. 2 Né. 10 : 1. Jacob 2 : 25.   *c*, Matt. 13 : 41-43, 47-50. 25 : 1-12.   *d*, 2 Né. 13 : 16-26.   *e*, Ez. 20 : 37, 38. Mal. 3 : 2. 4 : 1-3. *f*, Es. 33 : 14, 15. 60 : 1-3, 19 : 21. Mal. 3 : 2, 3.   *g*, Ex. 13 : 21. Zach. 2 : 5. *h*, Es. 25 : 4.   Chap. 15 : *a*, Ps. 80 : 8. Es. 27 : 2. Matt. 21 : 33. Marc 12 : 1. Luc 20 : 9. D. et A, 101 : 44-62.   *b*, Jacob 5.   *c*, Ps. 80 : 12.   *d*, Es. 7 : 23. 24. 32 : 13.   *e*, Jér. 3 : 3.   *f*, Mich. 2 : 2.   *g*, Ez. 45 : 11.   *h*, vers. 22. Prov. 23 : 29-32. Eccl. 10 : 17.   *i*, Amos 6 : 5, 6.   *j*, Job 34 : 30 : 27. Ps. 28 : 5.

ouvrages du Seigneur, et ne considèrent point l'œuvre de ses mains.

13. C'est pourquoi mon peuple est allé en captivité, ^kparce qu'il n'a aucune connaissance ; et les hommes honorables parmi eux sont affamés, et leur multitude est desséchée par la soif.

14. C'est pourquoi l'enfer s'est élargi et il a ouvert sa gueule sans mesure ; et la gloire de mon peuple, et ses multitudes, ses pompes, et celui qui se réjouit, y descendront.

15. Et ^ll'homme du commun sera abaissé et l'homme puissant sera humilié, et les yeux du superbe seront rendus humbles.

16. Mais le Seigneur des armées sera ^mexalté dans le jugement, et Dieu, qui est saint, sera sanctifié dans la justice.

17. Alors, les agneaux paîtront à leur ordinaire, et des ⁿétrangers se nourriront dans les places vides des riches.

18. Malheur à ceux qui traînent l'iniquité avec des cordes de vanité, et le péché comme avec des cordes de chariot.

19. Qui disent : ^oQu'il se hâte et accomplisse bien vite son œuvre, afin que nous la voyions ; et que le conseil du Très-Saint d'Israël s'approche et vienne, pour que nous en ayons connaissance.

20. Malheur à ceux qui appellent bien ce qui est mal, et mal ce qui est bien ; qui prennent les ténèbres pour la lumière, et la lumière pour les ténèbres ; qui prennent le doux pour l'amer et l'amer pour le doux !

21. Malheur à ceux qui sont sages à leurs propres yeux, et qui se croient prudents !

22. Malheur à ceux qui sont puissants à boire le vin, et vaillants à y mêler les liqueurs fortes.

23. Qui, pour des présents, justifient les coupables, et ravissent au juste sa propre justice !

24. C'est pourquoi, de même que le feu consume le chaume, de même que la flamme dévore la paille, ainsi leur racine tombera en pourriture, et leurs fleurs s'en iront en poussière ; parce qu'ils ont rejeté la loi du Seigneur des armées, et qu'ils ont méprisé la parole du Très-Saint d'Israël.

25. C'est pourquoi la colère du Seigneur s'est embrasée contre son peuple, et il a étendu la main contre lui et l'a frappé ; et les coteaux en ont tremblé. Et leurs cadavres ont été déchirés au milieu des rues. Malgré tout ceci, sa colère n'est point apaisée, et sa main est toujours étendue.

26. Et il élèvera un ^pétendard pour les nations lointaines, et il leur sifflera du ^rbout de la terre ; et voici, elles viendront rapidement, en toute hâte ; aucune d'elles ne sentira de lassitude ni ne trébuchera.

27. Nulle ne sommeillera ni ne dormira ; la ceinture de leurs reins ne sera point détachée ; et les courroies de leurs chaussures ne seront point rompues.

28. Leurs flèches seront aiguës, tous leurs arcs seront tendus ; les sabots de leurs chevaux paraîtront durs comme la pierre ; les roues de leurs chariots seront semblables à un tourbillon, et leur rugissement sera semblable à celui du lion.

29. Ainsi que de jeunes lions, elles rugiront ; oui, elles rugiront et se précipiteront sur leur proie, l'emportant en sûreté, et personne ne la délivrera.

30. Et en ce jour, elles rugiront contre eux, comme les mugissements de la mer ; et si elles regardent vers la terre, elles n'y verront que ténèbres et détresse, et la

---

k, Es. 1 : 3. Osée 4 : 6. Luc 19 : 44.   *l*, Es. 2 : 9, 17.   *m*, Es. 2 : 11.   *n*, Es. 10 : 16.   *o*. Jér. 17 : 15.   *p*, Es. 11 : 10, 12. 13 : 2. 18 : 3. 49 : 22. 66 : 19. Zach. 9 : 16.   *r*. 2 Né. 29 : 2. Moro. 10 : 28.   ENTRE 559 et 545 AV. J.-C.

lumière sera obscurcie dans les cieux.

CHAPITRE 16.

Suite des Ecritures des plaques d'airain. — Comparer Esaïe 6.

1. L'année de la mort du roi Ozias, je ªvis le Seigneur assis sur un trône haut et élevé, et la traîne de son vêtement remplissait le temple.

2. Au-dessus se tenaient les séraphins ; chacun avait six ailes : De deux, il se voilait la face ; de deux, il se couvrait les pieds ; et de deux, il volait.

3. Et l'un criait à l'autre, et disait : Saint, saint, saint est le Seigneur des armées ; ᵇtoute la terre est remplie de sa gloire.

4. Et les colonnes de la porte s'ébranlèrent à la voix de celui qui criait ; et la maison fut remplie de fumée.

5. Alors, je dis : Malheur à moi ! car je suis perdu, parce que je suis un homme aux lèvres impures ; j'habite au milieu d'un peuple dont les lèvres sont souillées ; car mes yeux ont vu le Roi, le Seigneur des armées.

6. Alors, un des séraphins vola vers moi, ayant à la main un charbon ardent qu'il avait pris sur l'autel avec les pincettes.

7. Et il le posa sur ma bouche, disant : Ceci a touché tes lèvres, et ton iniquité est effacée, et tu es purifié de ton péché.

8. J'entendis aussi la voix du Seigneur, disant : Qui enverrai-je ? Qui ira pour nous ? Alors je dis : Me voici, envoie-moi.

9. Et il dit : Va et dis à ce peuple — En vérité, ᶜentendez, mais ils ne comprenaient point ; voyez, mais ils ne discernaient point.

10. Rends le cœur de ce peuple gras, et ses oreilles dures, et ferme-lui les yeux — de peur qu'il ne voie de ses yeux, n'entende de ses oreilles, ne comprenne de son cœur, et qu'il ne soit converti et guéri.

11. Je dis alors : Seigneur, jusques à quand ? Et il dit : ᵈJusqu'à ce que les villes soient désolées et sans habitants, les maisons sans hommes, et le pays entièrement dévasté.

12. Et que le Seigneur ait pris les hommes pour les transporter au ᵉloin, car il y aura un grand abandon au milieu du pays.

13. Toutefois, il y aura un dixième qui retournera et sera mangé, comme le tilleul et le chêne dont la substance est en eux lorsqu'ils se dépouillent de leurs feuilles ; de même la semence ᶠsainte sera leur substance.

CHAPITRE 17.

Suite des Ecritures des plaques d'airain. — Comparer Esaïe 7.

1. Et il arriva, du temps ªd'Achaz, fils de Jotham, fils d'Ozias, roi de Juda, que Retsin, roi de Syrie, et Pékah, fils de Remalia, roi d'Israël, montèrent vers Jérusalem pour lui faire la guerre, mais ils ne purent la vaincre.

2. Et l'on dit à la maison de David : la Syrie est liguée avec Ephraïm. Et son cœur et celui de son peuple tremblèrent comme les arbres de la forêt sont agités par le vent.

3. Alors le Seigneur dit à Esaïe : Va, maintenant à la rencontre d'Achaz, toi et Schear-Jaschub, ton fils, à l'extrémité de l'aqueduc du ᵇhaut étang sur la grand-route du champ du foulon ;

4. Et dis-lui : Prends garde, et sois calme ; ne crains rien et que ton cœur ne se trouble pas en présence de ces deux bouts de tisons fumants, à cause de la colère fu-

---

a, vers. 5. 1 Rois 22 : 19. Jean 12 : 41.   *b*, Ps. 72 : 19.   *c*, Matt. 13 : 14, 15. Jean 12 : 40.   *d*, Mich. 3 : 12.   *e*, 2 Rois 25 : 21.   *f*, Esd. 9 : 2.   CHAP. 17 : *a*, 2 Rois 16 : 5. 2 Chron. 28 : 5, 6.   *b*, 2 Rois 18 : 17. Es. 36 : 2.

ENTRE 559 et 545 AV. J.-C.

rieuse de Retsin, de la Syrie, et du fils de Remalia.

5. Car la Syrie, Ephraïm et le fils de Remalia ont conspiré contre toi, disant :

6. Marchons contre Juda, attaquons-la, et ouvrons-nous une brèche et établissons un roi au milieu d'elle, oui, le fils de Tabeel.

7. Ainsi dit le Seigneur Dieu : ᶜce projet échouera et ne s'accomplira point.

8. Car la ᵈtête de la Syrie est Damas, et la tête de Damas est Retsin ; et dans soixante-cinq ans, Ephraïm sera rompu, et il ne sera plus un peuple.

9. Et la tête d'Ephraïm est Samarie, et la tête de Samarie est le fils de Remalia. ᵉSi vous ne voulez pas croire, en vérité, vous ne serez pas établis.

10. En outre, le Seigneur parla encore à Achaz, disant :

11. ᶠDemande un signe pour toi au Seigneur, ton Dieu ; demande-le ou au fond des abîmes, ou dans les hauts lieux.

12. Mais Achaz répondit : Je n'en demanderai point, je ne veux point tenter le Seigneur.

13. Et il dit : A présent, ô maison de David, écoutez : Est-ce peu de chose pour vous de lasser les hommes, que vous vouliez aussi lasser mon Dieu ?

14. C'est pourquoi, le Seigneur lui-même vous donnera un signe : Voici, une ᵍvierge concevra, elle enfantera un fils, et lui donnera le nom ʰd'Emmanuel.

15. Il mangera du beurre et du miel, pour qu'il sache refuser le mal et choisir le bien.

16. Car, avant que ᶦl'enfant sache refuser le mal et choisir le bien, le pays que tu abhorres sera ʲdélaissé de ses deux rois.

17. Le ᵏSeigneur fera tomber sur toi et sur ton peuple, et sur la maison de ton père, des jours tels qu'il n'en fut pas de semblables depuis ˡqu'Ephraïm s'est séparé de Juda, le roi d'Assyrie.

18. Et il arrivera en ce jour-là, que le Seigneur sifflera la mouche qui est aux extrémités de l'Egypte, et l'abeille qui est dans le pays d'Assyrie.

19. Et elles viendront, et elles se reposeront toutes dans les vallées désertes, dans les fentes des rochers, et sur toutes les épines, et sur tous les buissons.

20. En ce même jour, le Seigneur rasera avec un ᵐrasoir loué, par ceux qui sont au-delà du fleuve, par le roi d'Assyrie, la tête, et le poil des pieds ; et il consumera aussi la barbe.

21. Et il arrivera, en ce jour-là, qu'un homme nourrira une jeune vache et deux brebis ;

22. Et * avec l'abondance du lait qu'elles donneront, il se nourrira de beurre, car tout homme qui sera de reste dans le pays, mangera du beurre et du miel.

23. Et * en ce jour, chaque place où il y avait eu mille ceps de vigne à mille sicles d'argent, sera couverte de ronces et ⁿd'épines.

24. Des hommes y iront avec des flèches et des arcs, parce que tout le pays deviendra ronces et épines.

25. Et la peur des ronces et des épines n'ira pas dans toutes les collines qui seront creusées à la pioche ; mais on y enverra des bœufs et on y fera marcher le petit bétail.

CHAPITRE 18.

Suite des Ecritures des plaques d'airain. — Comparer Esaïe 8.

c, Prov. 21 : 30. Es. 8 : 10.   d, 2 Sam. 8 : 6.   e, 2 Chron. 20 : 20.   f, Juges 6 : 36-40. Matt. 12 : 38-40.   g, Matt. 1 : 23. Luc 1 : 31, 34. Voir f, Al. 7.   h. Es. 8 : 8.   i. Es. 8 : 4.   j, 2 Rois 15 : 30. 16 : 9.   k, 2 Chron. 28 : 19-21.   l, 1 Rois 12 : 16-19.   m, 2 Rois 16 : 7. 8. 2 Chron. 28 : 20, 21.   n, voir d, 2 Né. 15.

ENTRE 559 et 545 av. J.-C.

1. Le Seigneur me dit encore :
Prends un grand rouleau et écris
dessus avec une plume d'homme
ce qui concerne ᵃMaher-Schalal-
Chasch-Baz.

2. Et pour écrire, je pris avec
moi des témoins fidèles : Urie le
prêtre, et Zacharie le fils de Jébé-
rékia.

3. Et je m'approchai de la pro-
phétesse : elle conçut et enfanta
un fils. Alors le Seigneur me dit :
Nomme-le   Maher-Schalal-Chasch-
Baz.

4. ᵇCar voici, avant que l'enfant
sache crier : Mon père, et ma mère,
les richesses de ᶜDamas et les dé-
pouilles de Samarie seront enlevées
devant le roi d'Assyrie.

5. Le Seigneur me parla encore
et me dit :

6. Parce que ce peuple refuse
les eaux de ᵈSiloë qui coulent paisiblement, et se réjouit de ᵉRetsin
et du fils de Remalia ;

7. C'est pourquoi, voici, le Seigneur fait descendre sur eux les
eaux du fleuve fortes et abondantes,
à savoir le roi ᶠd'Assyrie et toute
sa gloire ; et il débordera de tous
ses lits, et il se répandra par-dessus
toutes ses rives.

8. Et il traversera Juda, il inon-
dera, il montera jusqu'au ᵍcou ; et
en ouvrant ses ailes, il en couvrira
ton pays, ô ʰEmmanuel.

9. Peuples, ⁱliguez-vous, et vous
serez brisés en pièces et vous tous,
des pays lointains prêtez l'oreille :
ceignez-vous, et vous serez mis en
pièces ; ceignez-vous, et vous serez
mis en pièces.

10. Concertez toutes vos mesures, et elles seront vaines ; ordon-
nez, et ce sera sans effet, car Dieu
est avec nous.

11. Car le Seigneur m'a parlé,
et me soutenant de sa main puis-

sante, il m'a instruit de ne pas
marcher dans les voies de ce peuple, disant :

12. Ne dis pas confédération à
tous ceux à qui ce peuple dira
confédération ; ne redoute point ce
qu'il redoute, et ne t'effraie pas.

13. Sanctifie le Seigneur des
armées, et que lui seul soit ta
crainte, lui seul, ton effroi.

14. Il sera un sanctuaire ; mais
une ʲpierre d'achoppement et de
scandale pour les deux maisons
d'Israël, un piège et un filet pour
les habitants de Jérusalem.

15. Et beaucoup d'entre eux
ᵏtrébucheront et tomberont ; ils
seront brisés, enlacés et pris.

16. Lie le témoignage, scelle la
loi parmi mes disciples.

17. Et je me confierai au Seigneur qui ˡcache sa face de la maison de Jacob, et pour lui, je resterai
dans l'attente.

18. Voici, moi et les enfants que
Dieu m'a donnés, nous sommes des
signes et des prodiges en Israël de
la part du Seigneur des armées, qui
habite sur le mont Sion.

19. Et lorsqu'on vous dira : Con-
sultez ceux qui ont des ᵐesprits
familiers, et les magiciens qui parlent tout bas et qui murmurent —
Un peuple ne doit-il pas consulter
son ⁿDieu pour que les vivants
aient des nouvelles des morts ?

20. A la ᵒloi et au témoignage !
Et s'ils ne parlent point selon cette
parole, c'est qu'ils n'ont point de
lumière en eux.

21. Et ils iront, de tous côtés,
accablés et affamés ; et il arrivera
que quand ils auront faim, ils
s'emporteront et maudiront leur roi
et leur Dieu, et ils lèveront les
yeux.

22. Et ils les baisseront vers la
terre, et verront des troubles, des

a, vers. 3.   *b*, Es. 7 : 16.   *c*, 2 Rois 15 : 29, 30.   *d*, Néh. 3 : 15. Jean 9 : 7.
e, Es. 7 : 1-6.   *f*, Es. 10 : 12.   *g*, Es. 30 : 28.   *h*, Es. 7 : 14.   *i*, Joël 3 : 9-14.
j, Es. 28 : 16. Luc 2 : 34. Rom. 9 : 33. 1 Pi. 2 : 8   *k*, Matt. 21 : 44. Luc. 20 : 18.
Rom. 9 : 32.   *l*, Es. 54 : 8.   *m*, 1 Sam. 28 : 8. Es. 19 : 3.   *n*, Es. 29. Voir *c*, 2 Né.
27.   *o*, Luc 16 : 29-31.   ENTRE 559 et 545 AV. J.-C.

ténèbres, l'obscurité de [p]l'angoisse, et ils seront chassés vers les ténèbres.

CHAPITRE 19.

Suite des Ecritures des plaques d'airain. — Comparer Esaïe 9.

1. Cependant, [a]l'obscurité ne sera pas telle qu'elle fut au temps du châtiment : quand, la première fois, il affligea légèrement le pays de [b]Zabulon et celui de Nephthali ; et lorsque après il les affligea plus gravement par la voie de la mer Rouge, au-delà du Jourdain, dans la Galilée des nations.

2. Le peuple, qui marchait dans les ténèbres, a aperçu une grande lumière, ceux qui habitent le pays de l'ombre de la mort, sur eux, la lumière a lui.

3. Tu as multiplié la nation et augmenté sa joie : elle se réjouit devant toi, comme on se réjouit de la moisson, et comme les hommes se réjouissent quand ils partagent le butin.

4. Car tu as brisé le joug dont elle était chargée, le bâton qui la frappait, et la verge qui l'opprimait.

5. Car toute bataille du guerrier s'accompagne d'un bruit confus, et de vêtements roulés dans le sang ; mais celle-ci s'accompagnera d'embrasement, et de feu.

6. Car un [c]enfant nous est né, un fils nous est donné ; et [d]l'empire sera sur ses épaules ; et il se nommera Merveilleux, Conseiller, le [e]Dieu tout-puissant, le Père Eternel, le [f]Prince de la Paix.

7. A l'accroissement de l'empire et de la paix, il n'y aura [g]pas de fin, sur le trône de David et sur son royaume, pour l'affermir et pour l'établir dans l'équité et dans

la justice, désormais et pour toujours. Le zèle du Seigneur des armées fera cela.

8. Le Seigneur a envoyé sa parole à Jacob, et elle est tombée sur Israël.

9. Et tous les peuples sauront, même Ephraïm et les habitants de Samarie, qui disent dans l'orgueil et la fierté de leur cœur :

10. Les briques sont tombées, mais nous bâtirons avec des pierres taillées ; les sycomores sont abattus, mais nous les remplacerons par les cèdres.

11. C'est pourquoi, le Seigneur dressera les adversaires de Retsin contre lui, et il réunira ses ennemis ;

12. Les Syriens devant, les Philistins derrière ; et ils dévoreront Israël à pleine bouche. Mais [h]tout cela n'apaisera pas sa colère, et sa main est toujours étendue.

13. Car le peuple ne se tourne pas vers celui qui le frappe, et n'invoque point le Seigneur des armées.

14. C'est pourquoi, le Seigneur retranchera d'Israël la [i]tête et la queue, la branche et le roseau en [j]un seul jour.

15. [k]L'ancien, c'est la tête, et le prophète qui enseigne le mensonge, c'est la queue.

16. Car ce peuple est plongé dans l'erreur par ses [l]chefs ; et ceux qu'ils mènent sont détruits.

17. C'est pourquoi le Seigneur ne mettra pas sa [m]joie dans ses jeunes hommes ; et il sera sans miséricorde pour ceux qui sont sans père et pour les veuves : car ils ne sont [n]tous que des hypocrites et des malfaiteurs, et de chaque bouche il ne sort que la folie. [o]Mais tout cela n'apaisera point sa colère, et sa main est toujours étendue.

18. Car la méchanceté brûle

---

p. Es. 5 : 30. 9 : 1.   CHAP. 19 : *a,* Es. 8 : 22.   *b.* Matt. 4 : 15, 16.   *c,* Es. 7 : 14. Luc 2 : 11.   *d,* Matt. 28 : 18. 1 Cor. 15 : 25-28.   *e.* Ti. 2 : 13, Voir *2b.* Mos. 7.   *f,* Eph. 2 : 14-17.   *g,* Dan. 2 : 44.   *h,* vers. 17, 21. Es. 5 : 25. 10 : 4. Jér. 4 : 8.   *i,* vers. 15.   *j,* Es. 10 : 17.   *k,* vers. 14.   *l,* Es. 3 : 12.   *m,* Ps. 147 : 10, 11.   *n,* Mich. 7 : 2. 3.   *o,* voir *h.*   ENTRE 559 et 545 AV. J.-C.

comme le ᵖfeu ; elle consumera les ronces et les épines ; elle s'alluma sur les lieux les plus épais de la forêt, et ils s'évanouiront en fumée.

19. Le ᵍpays est assombri à cause de la colère du Seigneur des armées ; et le peuple sera comme l'aliment du feu, ʳnul n'épargnera son frère.

20. ˢEt il pillera de la main droite, et il aura faim ; et il mangera de la main gauche, et il ne sera point rassasié ; chacun mangera la chair de son bras —

21. Manassé, Ephraïm ; et Ephraïm, Manassé ; ils seront ensemble contre Juda. ᵗMais tout cela n'apaisera point sa colère, et sa main est toujours étendue.

CHAPITRE 20.

Suite des Ecritures des plaques d'airain. — Comparer Esaïe 10.

1. Malheur à ceux qui rendent des décrets ᵃiniques, et qui écrivent les énormités qu'ils ont prescrites ;

2. Afin d'écarter les pauvres de la justice, et afin de ravir les droits des pauvres de mon peuple, pour que les veuves puissent être leur proie, et qu'ils puissent dépouiller les orphelins !

3. ᵇQue ferez-vous au ᶜjour du jugement, et au jour de la désolation qui viendra de loin ? A qui recourrez-vous pour en avoir du secours ? Et où laisserez-vous votre gloire ?

4. Sans moi, ils se courberont sous les prisonniers, et ils tomberont sous ceux qui auront été tués. ᵈMais tout cela n'apaisera point sa colère, et sa main est toujours étendue.

5. O Assyrien, verge de ma fureur, le bâton dans sa main est son indignation.

6. Je l'enverrai contre une nation ᵉhypocrite ; et contre le peuple de ma colère ; et je lui donnerai la charge d'en prendre la dépouille, d'en emporter le butin, et de les fouler aux pieds comme la boue des rues.

7. Néanmoins il n'a pas ce dessein, et son cœur ne pense pas ainsi ; mais dans son cœur il se propose de détruire et d'exterminer beaucoup de nations.

8. Car il dit : ᶠMes princes ne sont-ils pas autant de rois ?

9. ᵍCalno n'est-il pas comme Carkémisch ? Hamath comme Arpad ? Samarie comme ʰDamas ?

10. De même que ma main a fondé les royaumes des idoles, dont les images taillées surpassaient celles de Jérusalem et de Samarie ;

11. De même ne ferai-je pas à Jérusalem et à ses idoles, ce que j'ai fait à Samarie et à ses idoles ?

12. C'est pourquoi il arrivera que, quand le Seigneur aura accompli toute son œuvre sur le ⁱmont Sion et Jérusalem, ᵏje punirai le fruit du cœur courageux du roi d'Assyrie, et la gloire de ses regards hautains.

13. Car il dit : C'est par la ˡpuissance de ma main, et par ma sagesse que j'ai fait ces choses, car je suis avisé et j'ai déplacé les frontières des peuples, et j'ai pillé leurs trésors ; et, comme un homme vaillant, j'en ai dompté tous les habitants ;

14. Ma main a trouvé les trésors des peuples comme on trouve un nid ; et de même qu'on ramasse les œufs abandonnés, j'ai ramassé toute la terre, et nul n'a osé remuer l'aile, ni ouvrir le bec, ni piailler.

15. La hache se glorifiera-t-elle contre la main qui s'en sert ? La scie se glorifie-t-elle contre le bras qui la pousse ? Comme si la verge

---

p, Es. 10 : 17. Mal. 4 : 1.   *q*, Es. 8 : 22.   *r*, Mich. 7 : 2-6.   *s*, Lév. 26 : 26. *t*, voir *h*.   CHAP. 20 : *a*, Ps. 58 : 2. 94 : 20.   *b*, Job 31 : 14.   *c*. Osée 9 : 7. *d*, voir *h*, 2 Né. 19.   *e*, Jér. 34 : 22.   *f*, 2 Rois 18 : 24, 33-35. 19 : 10-13.   *g*. Amos 6 : 2.   *h*, 2 Chron. 35 : 20.   *i*, 2 Rois 16 : 9.   *j*, 2 Rois 19 : 31.   *k*, Jér. 50 : 18. *l*, Es. 37 : 24-38.   ENTRE 559 et 545 av. J.-C.

pouvait se lever contre ceux qui la tiennent, et comme si le bâton se levait comme s'il n'était pas du bois !

16. C'est pourquoi le Seigneur, le Seigneur des armées, enverra chez ses hommes gras, la maigreur ; et sous sa gloire il allumera une flamme semblable à la flamme d'un feu.

17. Et la lumière d'Israël sera un feu, et son Très-Saint sera une flamme qui ᵐᵐbrûlera et dévorera en un jour ses ronces et ses épines.

18. Et consumera la gloire de sa forêt et de son champ fertile, l'âme comme le corps, et ils seront comme quand un porte-étendard tombe.

19. Et il restera si peu d'arbres dans sa forêt qu'un enfant pourra les écrire.

20. Et il arrivera, en ce jour-là, que le reste d'Israël, et les réchappés de la maison de Jacob, ne s'appuieront ⁿplus sur celui qui les aura frappés ; mais, en vérité, s'appuieront sur le Seigneur, le Très-Saint d'Israël.

21. Le ᵒreste, oui, même le reste de Jacob, retournera au Dieu puissant.

22. Car, ᵖquoique ton peuple, Israël, soit aussi nombreux que le sable de la mer, cependant une ᵠpartie retournera ; et la ʳdestruction décrétée surabondera de justice.

23. Car le Seigneur Dieu des armées, fera dans tout le pays une destruction, déjà arrêtée.

24. C'est pourquoi, ainsi dit le Seigneur Dieu des armées : O mon peuple qui habites en Sion, ne ˢredoute pas l'Assyrien ; il te frap-

pera de verges, et lèvera son bâton sur toi, comme en ᵗEgypte.

25. Car encore fort peu de temps, et ᵘl'indignation cessera et ma colère sera apaisée par leur destruction.

26. Et le Seigneur des armées suscitera contre lui un ᵛfléau, comme il fit dans le massacre de ᵂMadian au rocher d'Oreb ; et de même qu'il ˣfrappa la mer de sa verge, de même la lèvera-t-il comme en Egypte.

27. Et alors, il arrivera que tes épaules seront ʸdéchargées du fardeau ; ton cou sera délivré de son joug, et ce joug sera détruit à ᶻcause de l'onction.

28. Il est venu à Ajjath ; il est allé à Migron ; il a laissé son bagage à Micmasch ;

29. Ils ont passé le ²ᵃgué ; ils ont campé à Guéba ; Rama a eu peur ; ²ᵇGuibea de Saül s'est enfuie.

30. Elève la voix, ô fille de ²ᶜGallim. Fais-la entendre jusqu'à ²ᵈLaïs, ô pauvre ²ᵉAnathoth.

31. ²ᶠMadména a été déplacée ; les habitants de Guébim se rassemblent pour fuir.

32. Il restera encore à ²ᵍNob ce jour-là ; de sa main, il ²ʰmenacera le mont de la fille de Sion, la colline de Jérusalem.

33. Voici, le Seigneur, le Seigneur des armées ébranchera le rameau par la terreur ; les plus ²ⁱhautes branches seront coupées bas, et les hautaines seront humiliées.

34. Et par le fer, il abattra les endroits les plus épais de la forêt, et le Liban tombera sous les coups d'un puissant.

m, Es. 9 : 18, 19. 37 : 36.   *n*, 2 Rois 11 : 11. Joël 2 : 32.   *p*, Rom. 9 : 27.   *q*, Es. 37 : 6, 7.   *t*. Ex. 14.   *u*, Dan. 11 : 36.   Es. 9 : 4.   *x*, Ex. 14 : 26, 27.   *y*, Es. 14 : 25.   16 : 7-9. 2 Chron. 28 : 20, 21.   *o*, Es. 6 : 13.   *r*, Es. 28 : 22.   *s*, Es. 28 : 20.   *v*, Es. 7 : 25. *w*, Juges 7 : 25.   *z*, Ps. 105 : 15.   *2a*, 1 Sam. 13 : 23. *2b*, 1 Sam. 11 : 4.   *2c*, 1 Sam. 25 : 44.   *2d*, Juges 18 : 7.   *2e*, Josué 21 : 18. *2f*, Josué 15 : 31.   *2g*, 1 Sam. 21 : 1.   22 : 19. Néh. 11 : 32.   *2h*, Es. 13 : 2. *2i*, Amos 2 : 9.
ENTRE 559 et 545 AV. J.-C.

CHAPITRE 21.

Suite des Ecritures des plaques d'airain. — Comparer Esaïe 11.

1. Et un *"*rameau sortira du tronc de Jesse ; et une branche naîtra de ses racines.

2. Et sur lui reposera *"*l'Esprit du Seigneur, l'esprit de sagesse et d'intelligence, l'esprit de conseil et de force, l'esprit de connaissance et de crainte du Seigneur ;

3. Et rendra son intelligence vive dans la crainte de Dieu ; il ne jugera point sur la vue de ses yeux ; il ne réprimandera pas d'après ce que ses oreilles entendent.

4. Mais il jugera les pauvres *"*avec justice et il réprimandera avec équité pour les humbles de la terre. Et avec la verge de *"*sa bouche, il frappera la terre, et par le souffle de ses lèvres, il tuera les méchants.

5. Et la *"*justice sera la ceinture de ses reins ; et la fidélité sera la ceinture de ses flancs.

6. Et le *"*loup demeurera avec l'agneau ; et le léopard se couchera auprès du chevreau ; le veau, le lionceau et le bœuf gras seront ensemble, et un petit enfant les conduira.

7. Et la vache et l'ours paîtront ; leurs petits reposeront ensemble ; et, comme le bœuf, le lion mangera de la paille.

8. Et l'enfant à la mamelle jouera sur le trou de l'aspic, et l'enfant sevré mettra la main sur l'antre du basilic.

9. *"*Il n'y aura ni tort ni destruction sur toute ma montagne sainte ; car la *"*terre sera pleine de la connaissance du Seigneur, comme les eaux couvrent la mer.

10. Et en ce jour-là, *"*il y aura une racine de Jesse qui sera établie comme un *"*étendard pour le peuple ; les *"*Gentils y viendront, et son repos sera glorieux.

11. Et il arrivera qu'en ce jour-là le Seigneur étendra une *"*seconde fois la main pour recouvrer le reste de son peuple, *"*d'Assyrie, d'Egypte, de Pathros, de Cusch, d'Elam, de Schinear, d'Hamath, et des îles de la mer.

12. Et il lèvera un *"*étendard pour les nations, et il assemblera les *"*exilés d'Israël ; et il rassemblera les *"*dispersés de Juda des quatre coins de la terre.

13. La *"*jalousie d'Ephraïm cessera, et les ennemis de Juda seront retranchés. Ephraïm n'enviera plus Juda, et Juda n'attaquera plus Ephraïm.

14. Mais ils voleront vers l'Occident, sur les épaules des Philistins ; ils pilleront ensemble ceux de l'Orient, ils appesantiront leur main sur Edom et sur Moab, et les enfants d'Ammon leur obéiront.

15. Et le Seigneur *"*détruira entièrement la langue de la mer égyptienne ; il secouera sa main sur le fleuve, il l'agitera par son souffle puissant et le frappera dans ses sept branches, et fera passer les *"*hommes à pied sec.

16. *"*Et il y aura une grand-route pour le reste de mon peuple, d'Assyrie, comme il y en eut pour Israël, le jour où il sortit du pays d'Egypte.

CHAPITRE 22.

Suite des Ecritures des plaques d'airain. — Comparer Esaïe 12.

a, vers. 10. Es. 53 : 2. Jér. 23 : 5, 6. Actes 13 : 23. Apo. 5 : 5.   *b*, Es. 61 : 1-3. *c*, Ps. 72 : 2, 4. Apo. 19 : 11.   *d*, Job. 4 : 9. Mal. 4 : 6. 2 Thess. 2 : 8. Apo. 1 : 16. 2 : 16. 19 : 15.   *e*, Eph. 6 : 14.   *f*, Es. 65 : 25. Ez. 34 : 25. Osée 2 : 18.   *g*, Job. 5 : 23. Es. 2 : 4. 35 : 9.   *h*, Hab. 2 : 14.   *i*, vers. 1. Rom. 15 : 12.   *j*, vers. 12. Voir *p*, 2 Né. 15.   *k*, D. et A. 45 : 9, 10.   *l*, voir *i*, 2 Né. 6.   *m*, Zach. 10 : 10.   *n*, voir *p*, 2 Né. 15.   *o*, voir *p*, 3 Né. 15.   *p*, voir *e*, 1 Né. 15.   *q*, Jér. 3 : 18.   *r*, Zach. 10 : 11,   *s*, Apo. 16 : 12.   *t*, D. et A. 133 : 27. Zach. 10 : 11. Es. 35 : 8-10.   *u*, Ex. 14 : 29. Es. 51 : 10. 63 : 12, 13.   ENTRE 559 et 545 AV. J.-C.

1. Et [a]en ce jour, tu diras : Je veux te louer, ô Seigneur : quoique tu aies été irrité contre moi, ta colère s'est apaisée, et tu m'as consolé.

2. Voici, Dieu est mon salut. J'aurai confiance, et je ne m'effraierai point. Car le Seigneur, [b]Jéhovah, est ma [c]force et mon chant ; il est aussi devenu mon salut.

3. C'est pourquoi, vous puiserez des [d]eaux avec joie aux sources du salut.

4. Et en ce jour, vous direz : [e]Louez le Seigneur, invoquez son nom, proclamez ses œuvres parmi le peuple ; faites savoir que son nom est exalté.

5. Chantez au [f]Seigneur, car ses œuvres sont magnifiques : toute la terre le sait.

6. O toi, habitant de Sion, [g]crie et chante de joie, car grand est le Saint d'Israël au milieu de toi.

CHAPITRE 23.

Suite des Ecritures des plaques d'airain. — Comparer Esaïe 13.

1. Prophétie sur Babylone, révélée à Esaïe, fils d'Amots.

2. [a]Dressez un étendard sur la haute montagne ; élevez la voix vers eux ; [b]secouez la main, qu'ils entrent par les portes des nobles.

3. J'ai donné mes ordres à ceux que j'ai sanctifiés ; [c]j'ai fait venir mes hommes puissants, car ma colère ne s'appesantit pas sur ceux dont ma gloire fait la joie.

4. Le bruit de la multitude dans les montagnes est comme celui d'un grand peuple, le bruit tumultueux de nations et de [d]royaumes rassemblés. Le Seigneur des armées

passe en revue les armées de la bataille.

5. Ils viennent d'un pays lointain de l'extrémité du ciel, oui, le [e]Seigneur et les armes de son indignation, pour détruire le pays tout entier.

6. Hurlez, car le [f]jour du Seigneur est proche ; il viendra comme une extermination de la part du Tout-Puissant.

7. C'est pourquoi toutes les mains seront sans force ; le cœur de chaque homme fondra ;

8. Et ils seront effrayés. Les spasmes et les douleurs s'empareront d'eux ; ils se regarderont l'un l'autre avec stupeur ; leurs visages seront comme des flammes.

9. Voici, le jour du Seigneur vient, cruel de colère et de fureur ardente tout à la fois, pour désoler le pays, et en détruire les pécheurs.

10. Car ni les étoiles des cieux, ni les [g]constellations n'enverront plus leur lumière. Le soleil s'obscurcira dans sa course, et la lune ne fera plus resplendir sa clarté.

11. [h]Je punirai le monde à cause du mal, et les méchants à cause de leurs iniquités. Je ferai cesser l'arrogance des hautains et j'abaisserai l'orgueil des terribles.

12. Je ferai en sorte qu'un [i]homme sera plus précieux que l'or fin, plus précieux même que le lingot d'or d'Ophir.

13. C'est pourquoi, [j]j'ébranlerai les cieux, et la terre quittera sa place dans la colère du Seigneur des armées, au jour de son ardente fureur.

14. Et elle sera semblable au chevreuil poursuivi, à la brebis que

a, Es. 2 : 11.   *b*, Ps. 83 : 18.   *c*, Ex. 15 : 2. Ps. 118 : 14.   *d*, Jean 4 : 10, 14. 7 : 37, 38.   *e*, 1 Chron. 16 : 8. Ps. 105 : 1-5. 145 : 4-6.   *f*, Ps. 68 : 32-35.   *g*, Es. 54 : 1. Soph. 3 : 14-20. Zach. 2 : 10-13.   CHAP. 23 : *a*, voir *p*, 2 Né. 15.   *b*, Es. 10 : 32. *c*, Joël 3 : 11.   *d*, Joël 3 : 14. Soph. 3 : 8. Zach. 12 : 2-9. 14 : 2, 3.   *e*, Joël 3 : 11. Soph. 3 : 8. Zach. 12 : 4, 8, 9. 14 : 3, 5, 9.   *f*, vers. 9. Soph. 1 : 14-18. Zach. 14 : 1, 5.   *g*, Es. 24 : 23. Ez. 32 : 7, 8. Joël 2 : 31. 3 : 15. Matt. 24 : 29. Marc 13 : 24. Luc 21 : 25. Apo. 6 : 12.   *h*, Es. 2 : 17. 24 : 6. Mal. 4 : 1.   *i*, Es. 4 : 1-4.   *j*, Es. 24 : 17-20. Aggée 2 : 6, 7. Héb. 12 : 26. Voir *c*, 3 Né. 26.   ENTRE 559 et 545 AV. J.-C.

nul ne vient chercher ; et [k]chaque homme cherchera son peuple, et s'enfuira dans son pays.

15. Tous ceux qui sont fiers seront transpercés ; oui, et quiconque s'unira aux méchants tombera par l'épée.

16. Leurs enfants seront [l]écrasés sous leurs yeux, leurs maisons pillées, et leurs femmes violées.

17. Voici, [m]j'exciterai contre eux les Mèdes, qui ne feront aucun cas de l'or et de l'argent, et qui ne s'en réjouiront point.

18. Leurs arcs extermineront les jeunes gens ; ils seront sans pitié pour le fruit des entrailles ; leurs yeux n'épargneront pas les enfants.

19. Et [n]Babylone, la gloire des royaumes, la beauté de l'excellence des Chaldéens tombera comme quand Dieu détruisit [o]Sodome et Gomorrhe.

20. Elle sera [p]déserte, et jamais plus elle n'aura d'habitants de génération en génération. Les Arabes n'y dresseront plus leurs tentes, ni les bergers leurs parcs.

21. [q]Mais les bêtes sauvages du désert y coucheront ; et ses maisons seront remplies d'animaux lugubres ; les hiboux y auront leurs nids, et les satyres y danseront.

22. On entendra hurler les bêtes sauvages des îles dans ses maisons désolées, et les dragons dans ses palais de plaisance. Et son [r]temps est proche ; et son jour ne sera pas prolongé. Car je la détruirai rapidement ; car je serai miséricordieux envers mon peuple, mais les méchants périront.

CHAPITRE 24.

Suite des Ecritures des plaques d'airain. — Comparer Esaïe 14.

1. Car le Seigneur [a]fera miséricorde à Jacob et choisira encore Israël, et les rétablira dans leur pays ; et les [b]étrangers se joindront à eux, et s'attacheront à la maison de Jacob.

2. Et les peuples les prendront et les ramèneront à leur place ; oui, de loin, de l'extrémité de la terre ; et ils reviendront dans leurs terres de promission. Et la maison d'Israël les possédera, et le pays du Seigneur sera pour les [c]serviteurs et les servantes ; et ils tiendront captifs ceux dont ils étaient captifs ; et ils domineront leurs oppresseurs.

3. Et il arrivera en ce jour que le Seigneur te donnera du repos après ta peine, tes craintes et la dure servitude que l'on te fit subir.

4. Et il arrivera qu'en ce jour tu useras de cette [d]parabole contre le roi de Babylone et tu diras : Quoi ! l'oppresseur n'est plus, la ville d'or est détruite !

5. Le Seigneur a brisé le [e]bâton des impies et le sceptre des dominateurs.

6. Celui qui dans sa fureur frappait le peuple de coups incessants, celui qui gouvernait les nations avec colère est persécuté ; et personne ne l'empêche.

7. La terre entière est calme et tranquille, on éclate en chants.

8. Oui, les [f]sapins se réjouissent à cause de toi, ainsi que les cèdres du Liban disant : Depuis que tu es tombé, personne n'est venu contre nous pour nous abattre.

9. [g]L'enfer s'émeut jusque dans ses entrailles pour venir à ta rencontre à ton arrivée ; pour toi, il réveille les morts, même les principaux de la terre ; il a fait lever de leurs trônes tous les rois des nations.

---

k, Jér. 50 : 16. 51 : 9. *l*, Ps. 137 : 8, 9. Nah. 3 : 10. *m*, Es. 21 : 2. *n*, Es. 14 : 4-27. *o*, Gen. 19 : 24, 25. Deut. 29 : 23. Jér. 49 : 18. 50 : 40. *p*, Jér. 50 : 3, 39. 51 : 29, 62. *q*, Es. 34 : 11-15. Apo. 18 : 2. *r*, Jér. 51 : 33. CHAP. 24 : *a*, Zach. 1 : 17. 2 : 12. *b*, Es. 60 : 4, 5, 10. *c*, Es. 60 : 10-12, 14. 61 : 5. *d*, Es. 13 : 19. Hab. 2 : 6-8. Apo. 18 : 15-17. *e*, Ps. 125 : 3. *f*, Es. 55 : 12, 13. Ez. 31 : 16. *g*, Ez. 32 : 21.

ENTRE 559 et 545 AV. J.-C.

10. Tous parleront et te diront : Es-tu aussi devenu faible comme nous ? Es-tu devenu semblable à nous ?

11. Ta pompe est descendue dans le sépulcre ; on n'entend plus le chant de tes harpes ; le ver est étendu en dessous de toi, et les vers te couvrent.

12. O Lucifer, fils du matin, comme tu es tombé ᵃdu ciel ! Comme te voilà abattu sur la terre, toi, qui affaiblissais les nations.

13. Car tu as dit dans ton cœur : Je monterai au ciel, j'exalterai mon trône au-dessus des étoiles de Dieu ; je m'assiérai aussi sur la montagne de la congrégation, ᶦsur les côtés du nord ;

14. Je monterai au-dessus des hauteurs des nues ; ʲje serai semblable au Très-Haut.

15. Néanmoins, tu seras précipité ᵏdans l'enfer, dans les profondeurs de l'abîme.

16. Ceux qui te regarderont attentivement te considéreront et diront : Est-ce là l'homme qui faisait trembler la terre, qui ébranlait les royaumes ?

17. Qui rendait le monde semblable à un désert, en détruisait les villes, et n'ouvrait pas la maison de ses prisonniers ?

18. Tous les rois des nations, oui, tous, reposent dans leur gloire et chacun d'eux dans sa maison.

19. Mais tu es rejeté de ton sépulcre comme une branche abominable, comme le reste de ceux qui sont tués, percés par l'épée, qui descendent dans les pierres de la fosse ; comme une carcasse foulée aux pieds.

20. Tu ne seras pas enseveli avec eux, parce que tu as détruit ton pays et tué ton peuple ; la ᶦposté-rité des méchants ne sera jamais renommée.

21. Préparez le carnage de ses enfants à cause de ᵐl'iniquité de leurs pères, pour qu'ils ne se lèvent pas, ne possèdent pas le pays, et ne couvrent pas de villes la face du monde.

22. Car je me dresserai contre eux, dit le Seigneur des armées, et je retrancherai le ⁿnom et le reste, le ᵒfils et le neveu de Babylone, dit le Seigneur.

23. Et j'en ferai le séjour ᵖdes butors et des eaux marécageuses ; et je le balaierai avec le balai de la destruction, dit le Seigneur des armées.

24. Le Seigneur des armées a juré, disant : En vérité, ce que j'ai pensé arrivera ; et ce que je me suis proposé s'accomplira —

25. J'amènerai l'Assyrien dans mon pays, je le foulerai aux pieds sur mes montagnes. Alors ᵠson joug s'éloignera d'eux et son fardeau s'éloignera de leurs épaules.

26. Tel est ʳle dessein arrêté sur toute la terre ; et ceci est la main qui est étendue sur toutes les nations.

27. Car le Seigneur a arrêté, et qui annulera ? Sa main est étendue et qui la détournera ?

28. C'est en l'année de la mort du ˢroi Achaz que cette prophétie fut donnée.

29. Terre de Palestine, ne te réjouis point de ce ᵗque la verge de celui qui t'a frappée est brisée, car de la racine du ᵘserpent il sortira un basilic, et son fruit sera un serpent ailé qui brûle.

30. Et les premiers-nés des pauvres mangeront, et les nécessiteux reposeront en sûreté ; et je ferai mourir ta racine par famine, et il tuera ton reste.

---

h, D. et A. 76 : 26.   *i*, Ps. 48 : 2.   *j*, Es. 47 : 8. 2 Thess. 2 : 4.   *k*, vers. 9. *l*, Job 18 : 16-21. Ps. 21 : 10. 37 : 28. 109 : 13.   *m*, Ex. 20 : 5. Matt. 23 : 35. *n*, Prov. 10 : 7. Jér. 51 : 62.   *o*, Job 18 : 19.   *p*, Es. 34 : 11-15.   *q*, Es. 10 : 27. *r*, Es. 13 : 4-13.   *s*, 2 Rois 16 : 20.   *t*, 2 Chron. 26 : 6.   *u*, 2 Rois 18 : 8.

31. Hurle, ô porte ; pousse des cris, ô ville ; toi, Palestine tout entière, tu es dissoute ; car une fumée s'élèvera du nord, et nul ne sera seul dans les temps qui lui sont assignés.

32. Que répondront alors les messagers des nations ? Que le Seigneur ^wa fondé Sion, et les pauvres de son peuple y mettront leur espoir.

CHAPITRE 25.

Commentaires de Néphi. — Il prédit la dispersion et le rassemblement ultérieur d'Israël. — Il spécifie le temps de l'avènement du Messie.

1. Maintenant, moi, Néphi, je parle quelque peu des paroles que j'ai écrites, qui ont été dites de la bouche d'Esaïe. Car voici, Esaïe dit beaucoup de choses que beaucoup, parmi mon peuple, avaient du ^amal à comprendre ; car ils ne connaissent pas la manière de prophétiser parmi les Juifs.

2. Car moi, Néphi, je ne lui ai pas enseigné beaucoup de choses sur les coutumes des Juifs ; car leurs œuvres étaient des œuvres de ténèbres, et leurs actes des actes d'abomination.

3. C'est pourquoi, j'écris à mon peuple, à tous ceux qui, plus tard, recevront mes écrits, afin qu'ils connaissent les jugements de Dieu et qu'ils sachent qu'ils arrivent sur toutes les nations, selon sa parole.

4. Ainsi écoute, ô mon peuple de la maison d'Israël, et prête l'oreille à mes paroles : car bien que les paroles d'Esaïe ne vous soient pas claires, elles sont néanmoins claires pour tous ceux qui sont remplis de l'esprit de prophétie. Mais je vous donne une prophétie selon ^bl'esprit qui est en moi ; c'est pourquoi je prophétiserai selon la clarté qui est avec moi depuis que j'ai quitté Jérusalem avec

mon père ; car voici, mon âme prend plaisir à être claire pour mon peuple, afin qu'il s'instruise.

5. Oui, et mon âme se réjouit des paroles d'Esaïe ; car je suis venu de Jérusalem, et mes yeux ont vu les choses des Juifs, et je sais que les Juifs comprennent les choses des prophètes ; et il n'est pas d'autre peuple qui comprenne ce qui fut dit aux Juifs aussi bien que les Juifs eux-mêmes, s'il n'est lui-même instruit à la manière des choses des Juifs.

6. Mais voici, moi, Néphi, je n'ai pas enseigné mes enfants à la manière des Juifs ; mais voici, j'ai moi-même habité Jérusalem, par conséquent, je connais les régions voisines, et j'ai fait connaître à mes enfants les jugements de Dieu qui sont survenus parmi les Juifs, selon tout ce qu'Esaïe a dit ; et je ne les écris point.

7. Mais voici, je continue avec ma propre prophétie, selon ma simplicité ; dans laquelle je sais que nul ne peut s'égarer. Cependant, le jour où les prophéties d'Esaïe s'accompliront, les hommes sauront avec certitude, lorsqu'elles arriveront.

8. C'est pourquoi, elles sont d'une grande valeur aux enfants des hommes, et c'est à celui qui suppose qu'elles ne le sont pas que je parlerai spécialement. Mais je limiterai mes paroles à mon peuple, parce que je sais que dans les derniers jours, elles seront pour lui d'un grand prix, car à ce moment-là, il les comprendra : c'est donc pour son bien que je les ai rapportées.

9. Et de même qu'une génération a été détruite parmi les Juifs à cause de ses iniquités, de même ils ont été frappés de génération en génération pour leur iniquité ; et aucune d'elles n'a jamais été dé-

---

w, Ps. 87 : 1, 5. 102 : 16. Soph. 3 : 12. Zach. 11 : 11.
b, vers. 7, 8. Jacob 4 : 13.

CHAP. 25 : *a*, Jacob 4 : 14.
ENTRE 559 et 545 AV. J.-C.

truite, que cela ne lui ait été annoncé par les prophètes du Seigneur.

10. C'est pourquoi, il leur a été parlé de la destruction qui viendrait sur eux, immédiatement après le départ de mon père de Jérusalem. Malgré cela, ils s'endurcirent le cœur ; et, selon ma prophétie, ils ont été détruits, à l'exception de ceux qui sont ᶜemmenés captifs à Babylone.

11. Et maintenant, je dis ceci à cause de l'esprit qui est en moi. Et bien qu'ils aient été emmenés, ils reviendront et posséderont encore le pays de Jérusalem ; c'est pourquoi ils seront rétablis dans le pays de leur héritage.

12. Mais voici, ils auront des guerres et des bruits de guerre ; et quand viendra le jour où le Fils unique du Père, oui, même le Père du ciel et de la terre se manifestera à eux en chair, voici, ils le rejetteront à cause de leurs iniquités, de la dureté de leur cœur, et de la raideur de leur cou.

13. Voici, ils le crucifieront ; et après avoir été couché trois jours dans un sépulcre, il ressuscitera d'entre les morts avec de la guérison dans ses ailes ; et ceux qui croiront en son nom, trouveront le salut dans le royaume de Dieu. C'est pourquoi, mon âme se plaît à prophétiser sur lui, car j'ai vu son ᵈjour, et mon cœur magnifie son saint nom.

14. Et voici, il arrivera que lorsque le Messie sera ressuscité d'entre les morts, et se sera manifesté à son peuple, à tous ceux qui veulent croire en son nom, voici, Jérusalem sera encore détruite ; car malheur à ceux qui combattent contre Dieu et contre le peuple de son église.

15. C'est pourquoi, les Juifs seront ᵉdispersés parmi toutes les nations. Et Babylone elle-même sera détruite ; c'est pourquoi les Juifs seront dispersés par d'autres nations.

16. Et lorsqu'ils auront été dispersés, et que le Seigneur se sera servi des autres peuples pour les châtier pendant de nombreuses générations et même de génération en génération, jusqu'à ce qu'ils soient ᶠpersuadés de croire au Christ, le Fils de Dieu, et à ᵍl'expiation qui est infinie, pour tout le genre humain ; et quand le jour viendra où ils croiront au Christ, et adoreront le Père, en son nom le cœur pur et les mains propres, et n'attendront plus un autre Messie, en ce temps-là, le jour sera venu où il sera nécessaire qu'ils croient ces choses.

17. Et le Seigneur étendra une ʰseconde fois la main afin de relever son peuple de son état perdu et déchu. C'est pourquoi il commencera à faire une œuvre ᶦmerveilleuse et prodigieuse parmi les enfants des hommes.

18. C'est pourquoi il leur enverra ʲses paroles qui sont celles qui les jugeront au dernier jour, car elles leur seront données pour les convaincre du vrai Messie qui fut rejeté par eux, et pour les convaincre qu'ils ne doivent plus ᵏattendre un Messie à venir ; car il n'en viendra pas, à moins que ce ne soit un faux Messie qui trompera le peuple ; car les prophètes ne parlent que d'un seul Messie et ce Messie est celui qui sera rejeté des Juifs.

19. Car, selon les paroles des prophètes, le Messie doit venir ᶦsix

c, 1 Né. 1 : 13. 10 : 3. Voir g, 1 Né. 7. 10 : 12. 19 : 13, 14. 22 : 5. 2 Né. 10 : 6. 6 : 11, 14. 10 : 7-9. 25 : 18. 26 : 12. 30 : 7. 5 : 14.   g, voir f, 2 Né. 2.   h, 2 Né. 14 : 7. 1 Né. 22 : 8. 2 Né. 27 : 26. 29 : 1. j, 1 Né. 13 : 34, 35, 39, 40. 2 Né. 27 : 6-26. k, 1 Né. 13 : 39-42. 2 Né. 25 : 16, 17. 26 : 12. 1 Né. 10.

d, 1 Né. 11 : 13-34.   e, 1 Né. 10 : 14. 19 : 15-17. 2 Né. 3 Né. 5 : 26. 20 : 30-33. Morm. 3 : 21. 6 : 14. 21 : 11. 29 : 1. Jacob 6 : 2.   i, 1 Né. 28 : 31-33. Morm. 8 : 14. 3 Né. 16 : 4. Morm. 8 : 14-16, 25-34. Morm. 3 : 21. 5 : 12-15.   l, voir b,

cents ans après le départ de mon père de Jérusalem ; et, selon les paroles des prophètes et la parole de l'ange de Dieu, il aura nom Jésus-Christ, le Fils de Dieu.

20. Et maintenant, mes frères, j'ai parlé *"*clairement pour que vous n'erriez pas. Et comme le Seigneur Dieu vit, lui qui a fait sortir Israël de la terre d'Égypte, et donné à Moïse le pouvoir de guérir les nations lorsqu'elles eurent été mordues par les serpents venimeux, si elles consentaient à jeter les yeux sur le serpent qu'il dressa devant elles, et qui lui donna aussi le pouvoir de frapper le rocher et d'en faire jaillir l'eau ; oui, voici je vous le dis, de même que ces choses sont vraies, et que le Seigneur Dieu vit, de même il n'est pas d'autre nom donné sous le ciel si ce n'est ce Jésus-Christ, dont j'ai parlé, par lequel l'homme puisse être sauvé.

21. C'est pourquoi, le Seigneur Dieu m'a promis que ces choses, que je rapporte, seront gardées, conservées et transmises à ma postérité, de génération en génération, pour que s'accomplisse la promesse faite à Joseph que sa postérité ne périrait jamais tant que la terre existerait.

22. C'est pourquoi, ces choses iront de génération à génération, aussi longtemps que la terre existera ; et elles iront selon la volonté et le bon plaisir de Dieu ; et les nations qui les posséderont seront *"*jugées par elles selon les paroles qui sont écrites.

23. Car nous travaillons diligemment à écrire pour persuader nos enfants et nos frères de croire au Christ et de se soumettre à Dieu ; car nous savons que c'est par la grâce que nous sommes sauvés,

après tout ce que nous pouvons faire.

24. Et *"*malgré que nous croyons au Christ, nous gardons la loi de Moïse, et nous demeurons fermes dans l'attente du Christ, jusqu'à ce que la loi soit accomplie.

25. Car c'est à cette fin que la loi a été donnée ; c'est pourquoi la loi est devenue chose morte pour nous, et nous sommes rendus vivants dans le Christ à cause de notre foi. Cependant, nous gardons la loi à cause des commandements.

26. Et nous parlons du Christ, et nous nous réjouissons dans le Christ, nous prêchons le Christ, nous prophétisons le Christ, et nous écrivons selon nos prophéties, afin que nos enfants sachent de quelle source ils peuvent attendre la rémission de leurs péchés.

27. C'est pourquoi, nous parlons de la loi, pour que nos enfants sachent que la loi est morte, et que, sachant que la loi est morte, ils espèrent cette vie qui est dans le Christ et connaissent le but dans lequel la loi a été donnée ; et que, lorsque la loi aura été accomplie dans le Christ, ils ne s'endurcissent point le cœur contre lui, quand la loi devra être abolie.

28. Et maintenant voici, mon peuple, tu es un peuple au cou raide. C'est pourquoi, je t'ai parlé clairement, afin qu'il n'y ait pas de malentendu. Et les paroles que j'ai dites resteront comme témoignage contre vous ; car elles suffisent pour enseigner à tout homme la voie droite ; car la voie droite est de croire au Christ et de ne point le nier ; car, en le niant, vous niez aussi les prophètes et la loi.

29. Et maintenant voici, je vous dis que la voie droite est de croire au Christ et de ne point le nier ;

m, voir *b.   n,* vers. 18. 2 Né. 33 : 10-15. 3 Né. 27 : 23-27. 28 : 29-34. Éth. 4 : 8-10. *o,* vers. 25-30. 1 Né. 5 : 9. 2 Né. 5 : 10. 26 : 1. Jacob 2 : 4, 5. Jar. 5. Mos. 2 : 3. 3 : 14-16. 12 : 28, 29, 31-37. 13 : 27-35. 16 : 14, 15. Al. 25 : 14-16. 30 : 3. 31 : 9. 34 : 13, 14. Héla. 15 : 5. 3 Né. 1 : 24, 25. 9 : 17-19. 12 : 17, 18. 15 : 2-10.

ENTRE 559 et 545 AV. J.-C.

et le Christ est le Très-Saint d'Israël ; c'est pourquoi il faut que vous vous prosterniez devant lui, que vous l'adoriez de tout votre pouvoir, de tout votre esprit, de toute votre force et de toute votre âme ; et si vous le faites, vous ne serez rejetés en aucune façon.

30. Et étant donné que ce sera expédient, vous devez vous tenir aux rites et aux ordonnances de Dieu, jusqu'à ce que la loi qui fut donnée à Moïse soit accomplie.

CHAPITRE 26.

Suite des prédictions de Néphi. — Le Christ viendra chez les Néphites. — Leur destruction finale. — Le temps des Gentils.

1. Et lorsque le Christ sera ressuscité d'entre les morts, il se *montrera à vous, mes enfants et mes frères bien-aimés ; et les paroles qu'il vous dira seront la loi que vous observerez.

2. Car voici, je vous dis que j'ai vu que beaucoup de générations passeront, et qu'il y aura de grandes guerres et de grandes contentions parmi mon peuple.

3. Et lorsque le Messie sera venu, il sera donné à mon peuple des *signes de sa naissance et aussi de sa mort et de sa résurrection. Et ce jour sera grand et terrible pour les méchants, car ils périront ; et ils périssent parce qu'ils chassent les prophètes et les saints, les lapident et les tuent ; c'est pourquoi le *cri du sang des saints montera contre eux de la terre vers Dieu.

4. C'est pourquoi, le jour qui vient consumera les superbes et les impies, dit le Seigneur des armées, car ils seront comme du chaume.

5. Et ceux qui tuent les prophètes et les saints, les profondeurs de la terre les engloutiront, dit le Seigneur des armées ; des montagnes les couvriront ; des tourbillons les emporteront ; des maisons s'écrouleront sur eux, les écraseront en petits morceaux et les réduiront en poudre.

6. Et les tonnerres et les éclairs, et les tremblements de terre, et toutes sortes de destructions s'abattront sur eux, car le feu de la colère du Seigneur sera allumé contre eux ; et ils seront comme du chaume ; et le jour qui vient les consumera, dit le Seigneur des armées.

7. O douleur, ô angoisse de mon âme, pour la perte des tués de mon peuple ! Car moi, Néphi, je l'ai vu et cela me consume presque devant la présence du Seigneur ; mais je suis forcé de crier vers mon Dieu : Tes voies sont justes.

8. Mais voici les justes, qui écoutent les paroles des prophètes et ne les détruisent point, mais attendent fermement, dans le Christ, les signes qui sont donnés en dépit de toutes les persécutions — voici, ce sont ceux qui *ne périront pas.

9. Mais le Fils de justice leur *apparaîtra ; et il les guérira, et ils auront la paix en lui jusqu'à ce que trois générations aient passé ; et beaucoup de la *quatrième génération passeront en justice.

10. Et quand ces choses auront passé, une destruction rapide fondra sur mon peuple ; car je l'ai vue, malgré la souffrance de mon âme ; c'est pourquoi, je sais qu'elle viendra ; et ils se vendent pour rien ; car en récompense de leur orgueil et de leur folie, ils récolteront la destruction ; parce qu'ils cèdent au diable, et préfèrent les œuvres des ténèbres à la lumière, il faut qu'ils aillent dans l'enfer.

11. Car l'Esprit du Seigneur ne

---

a, vers. 9. 1 Né. 11 : 7. 12 : 6. Voir *b*, 1 Né. 12.   *b*, voir *a*, 1 Né. 12.   *c*, voir *f*, 2 Né. 28. 3 Né. 6 : 23, 25. 7 : 10, 14, 19.   *d*, 3 Né. 9 : 13. 10 : 12, 13.   *e*, voir *b*, 1 Né. 12.   *f*, 1 Né. 12 : 12. Al. 45 : 10, 12. Héla. 13 : 5, 9, 10. 3 Né. 27 : 32. Morm. 6 : 5-22.

ENTRE 559 et 545 av. J.-C.

luttera pas toujours avec l'homme. Et quand l'Esprit cesse de lutter avec l'homme, alors vient une destruction rapide ; et cela m'afflige l'âme.

12. Et de même que j'ai dit qu'il fallait *convaincre les Juifs que Jésus est le Christ lui-même, de même il faut ʰconvaincre aussi les Gentils que Jésus est le Christ, le Dieu éternel ;

13. Et que, par la puissance du Saint-Esprit, il se manifeste à tous ceux qui croient en lui ; oui, à toutes les nations, familles, langues et peuples, faisant, selon leur foi, des miracles, des signes et des prodiges puissants parmi les enfants des hommes.

14. Voici, je prophétise devant vous concernant les derniers jours ; concernant les jours où le Seigneur Dieu ⁱmanifestera ces choses aux enfants des hommes.

15. Lorsque ma postérité et la postérité de mes frères seront ʲtombées dans l'incrédulité, et auront été détruites par les Gentils ; oui, lorsque le Seigneur ᵏDieu aura campé contre elles, qu'il les aura assiégées avec un mont, et élevé des forts contre elles ; et lorsqu'elles auront été foulées dans la poussière au point de ne plus exister, voici, les paroles des justes seront écrites, les prières des fidèles seront entendues, et tous ceux qui sont tombés dans l'incrédulité ne seront point oubliés.

16. Car ceux qui auront été détruits leur parleront de la terre, et leur ˡparole sortira de la poussière, et leur voix sera une voix qui a un esprit familier ; car le Seigneur Dieu lui donnera le pouvoir de chuchoter ce qui les touche même comme si elle sortait de la terre ;

et leurs paroles sortiront de la poussière, comme un murmure.

17. Car, ainsi dit le Seigneur Dieu : Ils écriront les choses qui seront faites parmi eux, et elles seront écrites et scellées dans un livre ; et ceux qui seront tombés dans l'incrédulité ne les auront ᵐpas, car ils cherchent à détruire les choses de Dieu ;

18. C'est pourquoi, les peuples qui ont été détruits, l'ont été subitement ; et la ⁿmultitude de leurs hommes terribles sera comme de la paille qui disparaît — oui, ainsi dit le Seigneur Dieu : Cela sera en un instant, soudainement —

19. Et il arrivera que ceux qui seront tombés dans ᵒl'incrédulité, seront frappés par la main des Gentils.

20. Et les Gentils sont exaltés dans l'orgueil de leurs yeux, et ont ᵖtrébuché à cause de la grandeur de leur pierre d'achoppement : les ᑫéglises multiples qu'ils ont édifiées. Cependant, ils nient le ʳpouvoir et les miracles de Dieu, et ils se prêchent leur ˢpropre sagesse et leur propre science pour en obtenir du ᵗgain, et pour écraser les pauvres.

21. Et un grand nombre d'églises sont édifiées, qui occasionnent des envies, des discordes et de la malveillance.

22. Et il y a aussi des ᵘcombinaisons secrètes, tout comme dans les temps anciens, selon les combinaisons du diable, car il est le fondement de tout cela ; oui, le fondement du meurtre et des œuvres de ténèbres ; oui, et il les mène par le cou avec une corde de fin lin, jusqu'à ce qu'il les lie à jamais avec ses fortes cordes.

g, voir f, 2 Né. 25. h, voir s, 1 Né. 13. Voir 1 Né. 13 : 34-38, 42. 14 : 1-3. Morm. 3 : 21. i, voir j 2 Né. 25. j, 1 Né. 12 : 22, 23. 15 : 13. Morm. 5 : 15, 20. 8 : 27. k, Es. 29 : 3. l, Es. 29 : 4. m, Enos 14. Morm. 6 : 6. n, Es. 29 : 5. Morm. 6 : 6-15. o, voir j. p, 1 Né. 13 : 29, 34. 14 : 1-3. q, 1 Né. 14 : 9, 10. 22 : 23. 2 Né. 28. Morm. 8 : 25-41. r, 2 Né. 28 : 5, 6. Morm. 8 : 26. 9 : 7-26. Moro. 7 : 33-38. s, 2 Né. 28 : 4. t, 1 Né. 22 : 23. 2 Né. 28 : 12, 13. Morm. 8 : 28. 32, 33, 36-39. u, voir i. 2 Né. 10.   ENTRE 559 et 545 av. J.-C.

23. Car voici, mes frères bien-aimés, je vous dis que le Seigneur Dieu ne travaille pas dans les ténèbres.

24. Il ne fait rien qui ne soit pour le profit du monde ; car il aime le monde, au point de donner même sa vie pour *attirer tous les hommes à lui. C'est pourquoi il n'ordonne à personne de ne point prendre part à son salut.

25. Voici, crie-t-il à qui que ce soit, disant : Eloigne-toi de moi ? Voici, je vous dis que non ; mais il dit : Venez à moi, vous, tous les bouts de la terre ; *achetez du lait et du miel, sans argent et sans coût.

26. Voici, a-t-il commandé à qui que ce soit de sortir des synagogues ou des maisons du culte ? Voici, je vous dis que non.

27. A-t-il ordonné à qui que ce soit de ne point prendre part à son salut ? Voici, je vous dis que non. Mais il l'a donné gratuitement à tous les hommes ; et il a commandé à son peuple de persuader tous les hommes de se repentir.

28. Le Seigneur a-t-il commandé à qui que ce soit de ne pas bénéficier de sa bonté ? Voici, je vous dis que non ; mais tous les hommes ont le même privilège et nul n'est exclu.

29. Il ordonne qu'il n'y ait pas d'intrigues de prêtres ; car voici, les *intrigues de prêtres, ce sont les hommes prêchant et se posant en lumière du monde, en vue d'obtenir du gain et les louanges du monde ; mais ils ne cherchent pas le bien-être de Sion.

30. Voici, le Seigneur l'a défendu ; c'est pourquoi, le Seigneur Dieu a donné le commandement que tous les hommes aient la charité, et cette *charité, c'est l'amour. Et s'ils n'ont pas la charité, ils ne sont rien. C'est pourquoi, s'ils

avaient la charité, ils ne laisseraient pas périr l'ouvrier en Sion.

31. Mais l'ouvrier en Sion travaillera pour Sion, car s'il travaille pour de l'argent, il périra.

32. Et encore, le Seigneur Dieu a commandé aux hommes de ne pas tuer, de ne pas mentir ; de ne pas voler ; de ne pas prendre le nom du Seigneur leur Dieu en vain ; de ne pas être envieux ; de ne pas avoir de malice ; de ne pas se quereller les uns avec les autres ; de ne pas commettre de luxure ; et de ne faire aucune de ces choses ; car quiconque le fait périra.

33. Car aucune de ces iniquités ne vient du Seigneur, car il fait ce qui est bon parmi les enfants des hommes ; et il ne fait rien qui ne soit *intelligible aux enfants des hommes ; et il les invite tous à venir à lui, et à prendre part à sa bonté ; et il ne repousse aucun de ceux qui viennent à lui, noir ou blanc, esclave ou libre, mâle ou femelle ; et il se souvient des païens ; et tous sont égaux devant Dieu, Juifs et Gentils.

CHAPITRE 27.

Suite des prédictions de Néphi. — Les jugements de Dieu sur les méchants. — Le livre scellé. — L'illettré. — Les trois témoins. — Une œuvre merveilleuse et prodigieuse.

1. Mais voici, dans les derniers jours, aux jours des Gentils — oui, voici, toutes les nations des Gentils et les Juifs aussi, tous ceux qui viendront sur ce pays, comme ceux qui habiteront d'autres pays, oui, même sur tous les pays de la terre, voici, ils seront *ivres d'iniquités et de toutes sortes d'abominations —

2. Et quand ce jour viendra, ils seront *visités par le Seigneur des armées, avec le tonnerre, avec les tremblements de terre, avec un grand bruit, avec des ouragans,

v, voir *c*, 2 Né. 9.   *w*, Es. 55 : 1.   *x*, 3 Né. 16 : 10. 21 : 19-21. Chap. 30. *y*, Moro. 7 : 47, 48. 8 : 26.   *z*, vers. 23, 24.   CHAP. 27 : *a*, Es. 29 : 9.   *b*, Es. 29 : 6-10.

ENTRE 559 et 545 av. J.-C.

avec des tempêtes, et avec la flamme d'un feu dévorant.

3. Et toutes les nations qui combattent contre Sion et qui l'oppriment, seront comme le songe d'une vision nocturne ; oui, il leur arrivera ce qui arrive à l'homme affamé, qui rêve, et voici, il mange, mais il s'éveille et son âme est vide ; ou ce qui arrive à l'homme altéré, qui rêve, et voici, il boit, mais il se réveille et se trouve languissant, et son âme a soif ; oui, il en sera ainsi de la multitude de toutes les nations qui combattent contre le mont de Sion.,

4. Car voici, vous tous qui commettez l'iniquité, arrêtez-vous et soyez stupéfaits, car vous pousserez de grands cris, et vous crierez ; oui, vous serez ivres, mais non pas de vin ; vous chancellerez, mais non pas sous l'effet de boissons fortes.

5. Car voici, le Seigneur a répandu sur vous un esprit de profond sommeil ; vous avez fermé les yeux, et vous avez rejeté les prophètes ; et il a couvert vos dirigeants et vos voyants, à cause de votre iniquité.

6. Et il arrivera que le Seigneur Dieu vous fera parvenir les paroles d'un *livre ; et ce seront les paroles de ceux qui se sont assoupis.

7. Et voici, le livre sera *scellé ; et dans ce livre il y aura une *révélation de Dieu, depuis le commencement du monde jusqu'à la fin.

8. C'est pourquoi, à cause des choses qui sont scellées, celles qui sont scellées ne seront point dévoilées durant le *temps de la perversité et des abominations du peuple. C'est pourquoi, le livre leur sera refusé.

9. Mais le livre sera remis à un homme, et il remettra les paroles du livre, qui sont les paroles de ceux qui se sont assoupis dans la poussière et il remettra ces paroles à un autre ;

10. Mais les paroles qui sont scellées, il ne les remettra pas et il ne remettra pas le livre non plus. Car le livre sera scellé par la puissance de Dieu, et la révélation qui était scellée sera gardée dans le livre jusqu'au temps 'arrêté par le Seigneur, où ils pourront apparaître ; car voici, ils *révèlent toutes choses depuis la fondation du monde jusqu'à la fin.

11. Et le jour arrive où les paroles du livre qui étaient scellées seront lues sur les toits des maisons ; et elles seront lues par le pouvoir du Christ ; et toutes choses seront *révélées aux enfants des hommes, tant celles qui ont été que celles qui seront parmi les enfants des hommes, jusqu'à la fin du monde.

12. C'est pourquoi, au jour où le livre sera remis à 'l'homme dont j'ai parlé, le livre sera caché aux regards du monde, en sorte que personne ne le verra, si ce n'est *trois témoins qui le verront par le pouvoir de Dieu, en plus de celui à qui le livre sera remis ; et ils témoigneront de la vérité du livre et des choses qui y sont contenues.

13. Et nul autre ne l'examinera, si ce n'est un *petit nombre, selon la volonté de Dieu, pour rendre témoignage de sa parole aux enfants des hommes ; car le Seigneur Dieu a dit que les paroles des fidèles parleraient comme si elles provenaient des *morts.

14. Et le Seigneur Dieu se mettra en devoir de faire paraître les

c. 1 Né. 13 : 34, 35, 39-42. 2 Né. 3 : 6-23. 26 : 16. 17. 29 : 11. Enos 13-18. Morm. 5 : 12, 13. 8 : 14-16, 25-32.   *d,* Es. 29 : 11.   *e,* Eth. 4 : 1-7.   *f,* Eth. 4 : 6, 7. *i.* Eth. 4 : 7, 15.   *j,* Eth. 4 : 15.   *k.* Eth. 4 : 6, 7, 13-17.   *m.* voir *c,* 2 Né. 11. *n:,* voir Le Témoignage des Témoins au début du livre.   *o,* 2 Né. 3 : 19, 20. 26 : 16. 17. 27 : 6. 33 : 13-15. Morm. 9 : 30. Moro. 10 : 27. Es. 29 : 4.

ENTRE 559 et 545 av. J.-C.

paroles du livre ; et il établira sa parole par la bouche *p*d'autant de témoins qu'il lui semblera bon ; et malheur à celui qui *q*rejette la parole de Dieu !

15. Car voici, il arrivera que le Seigneur Dieu dira à *r*celui à qui il remettra le livre : Prends ces paroles qui ne sont pas scellées, et remets-les à un *s*autre pour qu'il les montre au *t*savant, disant : *u*Lis ceci, je te prie. Et le savant dira : Apporte le livre ici et je le lirai.

16. Et c'est pour la gloire du monde et pour obtenir du gain qu'il dira cela, et non pour la gloire de Dieu.

17. Et l'homme dira : Je ne puis apporter ce livre, car il est scellé.

18. Alors le savant dira : Je ne puis le lire.

19. C'est pourquoi * le Seigneur Dieu remettra à nouveau le livre et les paroles qu'il contient à *r*celui qui n'est pas savant ; et l'homme qui n'est pas savant dira : Je ne suis pas instruit.

20. Alors le Seigneur Dieu lui dira : Les savants ne les liront point, car ils les ont rejetées, et je suis capable de faire ma propre œuvre ; c'est pourquoi, tu liras les mots que je te donnerai.

21. *w*Ne touche pas aux choses scellées, car je les manifesterai dans le temps arrêté ; car je montrerai aux enfants des hommes que je puis faire ma propre œuvre.

22. C'est pourquoi, quand tu auras lu les paroles que je t'ordonne de lire, et que tu auras les *x*témoins que je t'ai promis, alors tu scelleras de nouveau le livre, et tu le cacheras en moi, pour que je conserve les paroles que tu n'auras pas lues, jusqu'à ce que je juge convenable, dans ma sagesse, de révéler *y*toutes choses aux enfants des hommes.

23. Car voici, je suis Dieu ; et je suis un Dieu de miracles, et je montrerai au monde que je suis le même, hier, aujourd'hui et à jamais ; et je n'agis parmi les enfants des hommes, que selon leur foi.

24. Et il arrivera encore que le Seigneur dira *z*à celui qui lira les paroles qui lui seront remises :

25. Parce que ce *2a*peuple s'approche de moi de la bouche et des lèvres pour m'honorer, mais a éloigné son cœur de moi, et parce que sa crainte pour moi est enseignée par les préceptes des hommes —

26. Pour cette raison je vais accomplir une œuvre *2b*merveilleuse parmi ce peuple ; oui, une œuvre merveilleuse et prodigieuse ; car la sagesse de leurs sages et de leurs savants périra, et l'intelligence de leurs hommes prudents sera voilée.

27. Et malheur à ceux qui cherchent profondément pour cacher leurs desseins au Seigneur ! Leurs œuvres sont dans les ténèbres, et ils disent : Qui nous voit ? Qui nous connaît ? Ils disent encore : Assurément, votre œuvre, qui tourne les choses sens dessus dessous, sera estimée comme l'argile du potier. Mais voici, je leur montrerai, dit le Seigneur des armées, que je connais toutes leurs œuvres. Car l'œuvre dira-t-elle de celui qui l'a faite : Il ne m'a pas faite ? Ou la chose créée dira-t-elle de celui qui l'a créée : Il n'avait point d'intelligence ?

28. Mais voici, dit le Seigneur des armées, je montrerai aux enfants des hommes, qu'encore très peu de temps et le Liban sera changé en champ fertile ; et le champ fertile sera réputé une forêt.

29. Et en ce *2c*temps-là, les sourds entendront les paroles du livre ; les yeux des aveugles seront

---

p, voir *d*, 2 Né. 11.   *q*, 2 Né. 28 : 29, 30. 33 : 13-15. Éth. 4 : 8.   *r*, vers. 12, 19, 24.   *s*, vers. 9.   *t*, 1 Cor. 1 : 19-21. Hist. of the Church, Vol. 1, p. 20.   *u*, Es. 29 : 11.   *v*, vers. 12, 15, 24.   *w*, Éth. 5 : 1.   *x*, voir *c*, 2 Né. 11.   *y*, 2 Né. 27 : 7, 8. Éth. 4 : 6, 7.   *z*, vers. 12, 15, 19.   *2a*, Es. 29 : 13-24.   *2b*, voir *i*, 2 Né. 25. *2c*, voir *c*.

délivrés de l'obscurité et des ténèbres ;

30. Et les humbles aussi croîtront et se réjouiront dans le Seigneur, et les pauvres parmi les
hommes se réjouiront dans le Très-
Saint d'Israël.

31. Car assurément, [2d]comme le
Seigneur vit, ils verront que le terrible est anéanti, que le contempteur est consumé, et que tous ceux
qui guettent l'iniquité sont retranchés ;

32. Eux et tous ceux qui considèrent un homme comme un offen-
seur pour un mot, ceux qui tendent
un piège à celui qui réprimande à
la porte, et repoussent le juste
comme s'il n'était d'aucune valeur.

33. C'est pourquoi, ainsi dit le
Seigneur qui racheta Abraham, touchant la maison de Jacob : [2e]Désor-
mais, Jacob n'aura plus de honte,
et sa face ne pâlira pas.

34. Mais, lorsqu'il verra ses enfants, l'œuvre de mes mains, au
milieu de lui, ils sanctifieront mon
nom, et sanctifieront le Très-Saint
de Jacob, et craindront le Dieu
d'Israël.

35. Et ceux dont l'esprit était
[2f]égaré viendront à l'intelligence, et
ceux qui murmuraient apprendront
de la doctrine.

CHAPITRE 28.

*Suite des prédictions de Néphi. —
Eglises et état des choses dans les derniers jours. — Le royaume du diable
sera ébranlé. — Préceptes séducteurs des
hommes.*

1. Et maintenant, mes frères, je
vous ai parlé selon ce que l'Esprit
m'a contraint de vous dire ; c'est
pourquoi, je sais que cela arrivera
certainement.

2. Ce qui sera écrit et extrait du
[a]livre sera d'une grande valeur pour
les enfants des hommes, et surtout

pour notre postérité, qui est un
reste de la maison d'Israël.

3. Car il arrivera en ce temps-là,
que parmi les [b]églises qui sont établies, et qui ne le sont point dans
le Seigneur, l'une dira à l'autre ;
Voici, moi, je suis celle du Seigneur ; et les autres diront : Moi,
je suis celle du Seigneur ; et c'est
ainsi que parleront tous ceux qui
ont bâti des églises, mais non pas
dans le Seigneur —

4. Et elles se disputeront l'une
avec l'autre ; et leurs prêtres se disputeront, les uns avec les autres, et
ils enseigneront avec leur [c]science
et renieront le Saint-Esprit, qui
donne le pouvoir de s'exprimer.

5. Et ils nient la [d]puissance de
Dieu, le Très-Saint d'Israël ; et ils
disent au peuple : Ecoutez-nous, et
entendez notre précepte ; car voici,
il n'y a point de Dieu aujourd'hui :
le Seigneur et le Rédempteur a fini
son œuvre, et il a donné son pouvoir aux hommes ;

6. Ecoutez donc mon précepte ;
s'ils vous disent : Un miracle a été
fait par la main du Seigneur, ne le
croyez pas ; car aujourd'hui il n'est
plus un Dieu de miracles ; il a fini
son œuvre.

7. Oui, et il y en aura beaucoup
qui diront : Mangez, buvez, et réjouissez-vous ; car demain nous
mourrons ; et tout ira bien pour
nous.

8. Et il y en aura aussi beaucoup
qui diront : Mangez, buvez, et réjouissez-vous ; mais craignez Dieu
— il [e]justifiera quand on commet
un petit péché ; oui, mentez quelque peu : tirez profit de quelqu'un
à cause de ses paroles, tendez un
piège à votre voisin : il n'y a point
là de mal. Et faites toutes ces choses, car demain nous mourrons ; et
s'il arrive que nous soyons coupables, Dieu nous battra de peu de

2d, voir j, 1 Né. 22.   2e, voir e, 1 Né. 15.   2f, 1 Né. 13 : 35-38. 14 : 1-3.
CHAP. 28 : a, voir c, 2 Né. 27.   b, voir q, 2 Né. 26.   c, 2 Né. 26 : 20.
d, voir r, 2 Né. 26.   e, vers. 21, 25, 26. Morm. 8 : 31. ENTRE 559 et 545 av. J.-C

coups, et à la fin, nous serons sauvés dans le royaume de Dieu.

9. Oui, il y en a beaucoup qui enseigneront, de la sorte, de fausses, de vaines et folles doctrines ; et leur cœur sera enflé d'orgueil, et ils chercheront profondément pour cacher leurs desseins au Seigneur, et leurs œuvres seront dans les ténèbres.

10. Et le ʲsang des saints criera de la terre contre eux.

11. Oui, ils ont tous quitté le chemin ; ils se sont corrompus.

12. A cause de leur orgueil, de leurs faux prédicateurs, et de leur fausse doctrine, leurs ᵍéglises se sont corrompues et leurs églises sont exaltées ; et elles se sont enflées d'orgueil.

13. Ils pillent les pauvres pour leurs riches sanctuaires ; ils pillent les pauvres pour leurs riches vêtements ; et ils persécutent ceux qui sont pauvres et humbles de cœur, parce qu'ils sont pleins d'orgueil.

14. Ils portent le cou raide et la tête haute ; mais, à cause de leur orgueil, de leur méchanceté, de leurs abominations, et de leur luxure, ils se sont tous égarés, sauf un petit nombre, qui sont les humbles disciples du Christ ; néanmoins, ils sont conduits de telle façon qu'ils s'égarent en bien des cas, parce qu'ils sont ʰinstruits par les préceptes des hommes.

15. O les sages, les savants, et les riches, qui sont enflés dans l'orgueil de leur cœur, et tous ceux qui prêchent de fausses doctrines, et tous ceux qui se livrent à la luxure et qui pervertissent la voie directe du Seigneur, ʲmalheur, malheur, malheur à eux, dit le Seigneur

Dieu tout-puissant, car ils seront précipités en enfer !

16. Malheur à ceux qui éloignent le juste ʲcomme un être méprisable et insultent ce qui est bien et disent que cela ne vaut rien ! Car le jour viendra où le Seigneur Dieu châtiera promptement les habitants de la terre ; et en ce jour-là, où ils seront ᵏtout à fait mûrs dans l'iniquité, ils périront.

17. Mais voici, si les habitants de la terre se repentent de leur méchanceté, et de leurs abominations, ils ne seront point détruits, dit le Seigneur des armées.

18. Mais il faut que cette grande et abominable église, la prostituée de toute la terre, ˡtombe ; et sa chute doit être grande.

19. Car le royaume du diable doit ᵐtrembler, et ceux qui lui appartiennent doivent être poussés au repentir, sinon le diable les saisira de ses chaînes éternelles, et ils deviendront furieux, et périront ;

20. Car voici, en ce jour, il fera ⁿrage dans le cœur des enfants des hommes, et les poussera à la colère contre ce qui est bon.

21. Et il en ᵒpacifiera d'autres, et les endormira dans une sécurité charnelle, en sorte qu'ils diront : Tout est bien en Sion ; oui, Sion prospère, tout va bien — c'est ainsi que le diable trompe leur âme, et les entraîne soigneusement en enfer.

22. Et voici, il en flatte d'autres, et il leur dit qu'il n'y a point d'enfer ; et il leur dit : Je ne suis pas un diable, car il n'y en a point — et c'est ce qu'il leur chuchote aux oreilles, jusqu'à ce qu'il les saisisse de ses ᵖchaînes terribles d'où il n'y a point de délivrance.

ʲ, 1 Né. 14 : 13. 22 : 14. 2 Né. 5 : 16. Morm. 8 : 27, 40, 41. Eth. 8 : 22-24. D. et A. 58 : 53. 63 : 28-31. Apo. 6 : 9-11. 18 : 24. 19 : 2.   g, voir q, 2 Né. 26.   h, 2 Né. 27 : 35.   i, 1 Né. 13 : 23. 2 Né. 26 : 20-22, 32. Al. 39 : 5. 3 Né. 29 : 4-9. Morm. 8 : 41. 9 : 26.   j, 2 Né. 27 : 32.   k, 1 Né. 22 : 16-23. Eth. 2 : 8-11. Morm. 8 : 41. l, 1 Né. 14 : 3, 4, 6, 7, 15-17. Voir k, 1 Né. 14.   m, 1 Né. 22 : 22, 23. 2 Né. 28 : 20-32.   n, vers. 28.   o, 2 Né. 26 : 29. 28 : 7-14, 25. Morm. 8 : 31.   p, 2 Né. 1 : 13, 23. 9 : 45. Vers. 19. Al. 12 : 11, 17. 36 : 18.   ENTRE 559 et 545 AV. J.-C.

23. Oui, ils seront *saisis par la mort et l'enfer ; et la mort, l'enfer et le diable, et tous ceux qui auront été saisis par eux, se tiendront devant le trône de Dieu, pour être jugés selon leurs œuvres ; d'où ils iront dans le lieu qui a été préparé pour les recevoir, qui est un *lac de feu et de soufre, qui est le tourment sans fin.

24. C'est pourquoi, malheur à celui qui est à l'aise en Sion !

25. Malheur à celui qui crie : Tout est bien !

26. Oui, malheur à celui qui *écoute les préceptes des hommes et qui nie le pouvoir de Dieu et le don du Saint-Esprit !

27. Oui, malheur à celui qui dit : Nous avons reçu, et il ne *nous faut plus rien !

28. Enfin, malheur à tous ceux qui tremblent, et sont *en colère à cause de la vérité de Dieu ! Car voici, celui qui est bâti sur le roc la reçoit avec joie ; et celui qui est bâti sur un fondement de sable, tremble de crainte de tomber.

29. Malheur à celui qui dira : Nous avons reçu la parole de Dieu, et nous n'avons plus *besoin de recevoir davantage de la parole de Dieu, car nous en avons assez.

30. Car voici, ainsi dit le Seigneur Dieu : Je donnerai aux enfants des hommes *ligne par ligne, précepte par précepte, un peu ici et un peu là ; et bénis sont ceux qui écoutent mes préceptes et qui prêtent l'oreille à mes conseils, car ils apprendront la sagesse ; car à *celui qui reçoit je donnerai davantage ; et je prendrai même ce qu'ils ont à ceux qui diront : Nous avons assez.

31. Maudit celui qui met sa confiance en l'homme, ou fait de la chair son bras, ou écoute les préceptes des hommes, à moins que leurs *préceptes ne soient donnés par le pouvoir du Saint-Esprit.

32. *Malheur aux Gentils dit le Seigneur Dieu des armées ! Car, bien que je leur tende le bras de jour en jour, ils me renieront ; cependant je leur serai miséricordieux, dit le Seigneur Dieu, s'ils se repentent et viennent à moi, car mon bras est étendu toute la journée, dit le Seigneur Dieu des armées.

CHAPITRE 29.

Suite des prédictions de Néphi. — Les Gentils et la Bible. — D'autres annales. — Les paroles de Dieu seront réunies en une seule.

1. Mais voici, il y en aura beaucoup — au jour où je me mettrai à faire une œuvre *merveilleuse parmi eux, afin de me rappeler mes alliances avec les enfants des hommes, afin d'étendre la main une *seconde fois pour recouvrer mon peuple, qui est de la maison d'Israël ;

2. Afin de me souvenir des promesses que j'ai faites, à toi, Néphi, et à ton père, que je me souviendrais de votre postérité, et afin que les *paroles de votre postérité parviennent par ma bouche à votre postérité, le jour où mes paroles *siffleront jusqu'aux bouts de la terre, comme *étendard pour mon peuple, qui est de la maison d'Israël ;

3. Et parce que mes paroles siffleront — beaucoup de Gentils, diront : Une *Bible ! Une Bible ! nous avons une Bible, et il ne peut y avoir d'autre Bible.

4. Mais ainsi dit le Seigneur Dieu : Insensés ! Ils auront une

---

q, voir j, 2 Né. 9.   r, voir k, 1 Né. 15.   s, voir r, 2 Né. 26. 2 Né. 28 : 31. t, vers. 29, 30. Al. 12 : 10, 11. 3 Né. 26 : 9, 10. Eth. 4 : 8.   u, vers. 20.   v, vers. 27. Voir aussi t.   w, Es. 28 : 10.   x, Al. 12 : 10, 11.   y, vers. 3-14. 2 Né. 27 : 25. z, voir d, 1 Né. 14.   CHAP. 29 : a, voir i, 2 Né. 25.   b, voir i. 2 Né. 6. c, 2 Né. 3 : 21. Voir l, 2 Né. 26.   d, Es. 5 : 26. Moro. 10 : 28.   e, Es. 5 : 26. 18 : 3. 49 : 22. 62 : 10. D. et A. 45 : 9. 64 : 42.   f, vers. 4, 6-14.

Bible, et elle proviendra des Juifs, le peuple ancien de mon alliance. Et quels remerciements donnent-ils aux Juifs pour la Bible qu'ils ont reçue d'eux ? Oui, que prétendent les Gentils par là ? Se souviennent-ils des pérégrinations, des travaux, des afflictions des Juifs, et de leur diligence envers moi, à apporter le salut aux Gentils ?

5. O Gentils, vous êtes-vous souvenus des Juifs, le peuple ancien de mon alliance ? Non ; vous les avez maudits ; vous les avez haïs ; et vous n'avez pas songé à les recouvrer. Mais je ferai retomber toutes ces choses sur votre propre tête ; car moi, le Seigneur, je n'ai point oublié mon peuple.

6. "Insensé, qui diras : Une Bible, nous, avons une Bible, et nous n'avons que faire d'une autre Bible. Comment avez-vous obtenu une Bible, si ce n'est par les Juifs ?

7. Ne savez-vous pas qu'il y a plus d'une nation ? Ne savez-vous pas que moi, le Seigneur votre Dieu, j'ai créé tous les hommes, et que je me souviens de ceux qui sont sur les îles de la mer ; et que je domine en haut dans les cieux, aussi bien qu'en bas sur la terre ; et que je répands ma parole aux enfants des hommes, oui, à toutes les nations de la terre ?

8. Pourquoi murmurez-vous parce que vous allez recevoir davantage de ma parole ? Ne savez-vous point que le témoignage de deux nations vous est donné comme preuve que je suis Dieu, et que je me souviens d'une nation autant que d'une autre ? C'est pourquoi, ce que je dis à l'une, je le dis à l'autre. Et quand les deux nations se réuniront, le témoignage des ʰdeux nations se réunira aussi.

9. Et je fais ceci pour prouver à

beaucoup que je suis le même hier, aujourd'hui et à jamais, et que j'envoie mes paroles selon mon propre plaisir. Et parce que j'ai dit une parole, vous ne devez pas supposer que je ne puisse en dire une autre ; car mon œuvre n'est point encore finie ; et elle ne le sera pas avant la fin de l'homme, ni après cette époque-là, ni jamais.

10. C'est pourquoi, parce que vous avez une Bible, vous ne devez point supposer qu'elle contient toutes mes paroles ; et vous ne devez point supposer non plus que je n'en aie point fait écrire davantage.

11. Car je commande à tous les hommes, à l'est, à l'ouest, au nord et au sud, et dans les îles de la mer d'écrire les paroles que je leur dis ; car, d'après les ⁱlivres qui seront écrits, je ʲjugerai le monde, chacun selon ses œuvres, suivant ce qui est écrit.

12. Car voici, je parlerai aux ᵏJuifs et ils l'écriront ; et je parlerai aussi aux ˡNéphites, et ils l'écriront ; je parlerai aussi aux ᵐautres tribus de la maison d'Israël, que j'ai emmenées au loin, et elles l'écriront ; et je parlerai aussi à ⁿtoutes les nations de la terre, et elles l'écriront.

13. Et il arrivera °que les Juifs auront les paroles des Néphites, et que les Néphites auront les paroles des Juifs ; et les Néphites et les Juifs auront les paroles des tribus perdues d'Israël ; et les tribus perdues d'Israël auront les paroles des Néphites et des Juifs.

14. Et il arrivera que mon peuple, qui est de la maison d'Israël, sera rassemblé sur les terres de sa possession : et ma parole aussi sera ᵖrecueillie en une seule parole. Et

g. vers. 3.   h, 2 Né. 3 : 12. Ez. 37 : 15-20.   i, voir c, 2 Né. 27.   j, 2 Né. 25 : 18, 22. 29 : 12-14. 3 Né. 27 : 23-26. Apo. 20 : 12.   k, 1 Né. 13 : 23-29. 2 Né. 3 : 12.   l, 1 Né. 13 : 39-42. 2 Né. 3 : 12, 18-21. 26 : 16, 17. 27 : 6-26.   m, 3 Né. 16 : 1-3. 17 : 4.   n, vers. 7-11. 2 Né. 26 : 33.   o, 2 Né. 3 : 12. 29 : 8. Morm. 5 : 13, 14. p, voir o, Jean 11 : 52.
ENTRE 559 et 545 av. J.-C.

je montrerai à ceux qui luttent contre ma parole et contre mon peuple, qui est de la maison d'Israël, que je suis Dieu, et que j'ai fait alliance avec Abraham de me souvenir à jamais de sa postérité.

CHAPITRE 30.

Suite des prédictions de Néphi. — Les Gentils convertis seront comptés parmi le peuple de l'alliance. — Les Juifs et les Lamanites croiront. — Les méchants seront détruits.

1. Et maintenant voici, mes frères bien-aimés, je voudrais vous parler ; car moi, Néphi, je ne me souffrirai pas que vous vous supposiez plus justes que ne le seront les Gentils. Car, à moins que vous ne gardiez les commandements de Dieu, vous périrez tous également ; et vous ne devez pas supposer, à cause des paroles qui ont été dites, que les Gentils seront entièrement détruits.

2. Car voici, je vous dis que tous les Gentils qui se repentiront sont le peuple de l'alliance du Seigneur ; et que tous les Juifs qui ne se repentiront pas seront retranchés ; car le Seigneur ne fait alliance qu'avec ceux qui se repentent, et qui croient en son Fils, le Très-Saint d'Israël.

3. Et maintenant je voudrais prophétiser encore touchant les Juifs et les Gentils. Lorsque le *a*livre dont j'ai parlé aura paru, et sera écrit pour les Gentils, et scellé de nouveau dans le Seigneur, il y en aura *b*beaucoup qui croiront ce qui est écrit ; et ils le feront *c*parvenir au reste de notre postérité.

4. Et alors, le reste de notre postérité nous connaîtra ; ils sauront comment nous sommes sortis de Jérusalem, et qu'ils descendent des Juifs.

5. Et l'évangile de Jésus-Christ sera déclaré *d*parmi eux ; c'est pourquoi, ils connaîtront de nouveau leurs pères, ils *e*connaîtront aussi Jésus-Christ, comme leurs pères le connaissaient.

6. Et alors ils se réjouiront car ils sauront que c'est là une bénédiction venant de la main de Dieu ; et les écailles de leurs ténèbres commenceront à tomber de leurs yeux ; et il ne se passera pas beaucoup de générations qu'ils ne deviennent un peuple *f*blanc et agréable.

7. Et * les Juifs, qui seront dispersés, commenceront aussi *g*à croire au Christ, et ils commenceront à revenir et à se rassembler sur la surface du pays ; et tous ceux qui croiront au Christ deviendront aussi un peuple agréable.

8. Et * le Seigneur Dieu commencera parmi toutes les nations, familles, langues et peuples, l'œuvre qui doit aboutir à la *h*restauration de son peuple sur la terre.

9. *i*Et le Seigneur Dieu jugera les pauvres avec justice, et il censurera avec équité pour les humbles de la terre. Et il frappera la terre de la verge de sa bouche et, du souffle de ses lèvres, il détruira les méchants.

10. Car le temps vient rapidement où le Seigneur Dieu provoquera une *j*grande division parmi le peuple, et il détruira les méchants ; et il épargnera son peuple, oui, lors même qu'il devrait détruire les méchants par le feu.

11. Et la *k*justice sera la ceinture de ses reins, et la fidélité la ceinture de ses flancs.

12. Alors, le loup habitera avec l'agneau, et le léopard reposera

a, voir *c*, 2 Né. 27.   *b*, 1 Né. 13 : 34-42. 14 : 1, 2, 5, 12-14. 22 : 8, 9. 3 Né. 16 : 6, 10, 11. 26 : 8.   *c*, 1 Né. 10 : 14. 15 : 13-18. 22 : 8-12. 3 Né. 16 : 6-13. 20 : 13. *d*, 1 Né. 13 : 38-42. 15 : 13-18. 3 Né. 16 : 11, 12. 21 : 3-7, 24-26. Morm. 5 : 15. *e*, 1 Né. 15 : 14. 2 Né. 3 : 12. Morm. 7 : 1, 9, 10.   *f*, 2 Né. 5 : 21. Jacob 3 : 8. Al. 23 : 18. 3 Né. 2 : 14-16.   *g*, voir *f*, 2 Né. 25.   *h*, voir *e*, 1 Né. 15.   *i*, Es. 11 : 4.   *j*, 1 Né. 14 : 7. 22 : 16, 17.   *k*, Es. 11 : 5-9.   ENTRE 559 et 545 AV. J.-C.

auprès du chevreau ; le veau, le lionceau et le bœuf gras iront ensemble, et un petit enfant les conduira.

13. Et la vache et l'ours paîtront, et leurs petits reposeront ensemble ; et le lion mangera de la paille comme le bœuf.

14. Et l'enfant à la mamelle jouera sur le trou de l'aspic ; et l'enfant sevré mettra la main sur l'antre du basilic.

15. On ne nuira point, on ne détruira point sur toute ma montagne sainte, car la terre sera remplie de la connaissance du Seigneur, comme les eaux couvrent la mer.

16. *l*C'est pourquoi, les choses de toutes les nations seront révélées ; oui, toutes choses seront dévoilées aux enfants des hommes.

17. Il n'y a rien de secret qui ne soit alors révélé ; point d'œuvre des ténèbres qui ne vienne à la lumière : rien de *m*scellé sur la terre qui ne soit délié.

18. C'est pourquoi, toutes les choses qui ont été révélées aux enfants des hommes seront dévoilées en ce temps-là ; et Satan n'aura plus *n*pouvoir sur le cœur des enfants des hommes, pendant longtemps. Et maintenant, mes frères bien-aimés, il faut que je cesse de vous parler.

CHAPITRE 31.

Suite des prédictions de Néphi. — Pourquoi le Seigneur se fera baptiser. — La voie droite et étroite.

1. Et maintenant, mes frères bien-aimés, moi, Néphi, je finis de vous prophétiser. Et je ne puis écrire qu'un petit nombre de choses, qui, je le sais, arriveront sûrement ; et je ne puis écrire que quelques-unes des paroles de mon frère Jacob.

2. Ainsi, ce que j'ai écrit me suffit, à part quelques mots que je dois dire touchant la doctrine du Christ ; et je vous parlerai clairement, selon la clarté de ma manière de prophétiser.

3. Car mon âme met sa joie dans la *a*clarté, parce que c'est ainsi que le Seigneur Dieu agit parmi les enfants des hommes. Car le Seigneur Dieu donne la lumière à l'intelligence ; et il parle aux hommes suivant leur langage pour qu'ils comprennent.

4. Je voudrais donc que vous vous souveniez de ce que je vous ai dit touchant ce *b*prophète que le Seigneur m'a montré, qui doit baptiser l'Agneau de Dieu, lequel ôtera les péchés du monde.

5. Et maintenant, si l'Agneau de Dieu, qui est saint, a besoin d'être baptisé d'eau, pour *c*accomplir toute justice, ô alors, combien plus, nous, qui ne sommes pas saints, n'avons-nous pas besoin d'être baptisés, oui, même d'eau !

6. Et maintenant, je vous demande, mes frères bien-aimés, en quoi l'Agneau a-t-il accompli toute justice en étant baptisé d'eau ?

7. Ne savez-vous point qu'il était saint ? Mais, bien que saint, il montre aux enfants des hommes que, selon la chair, il s'humilie devant le Père, et témoigne au Père qu'il lui sera obéissant à garder ses commandements.

8. C'est pourquoi, lorsqu'il eut été baptisé d'eau, le Saint-Esprit descendit sur lui sous la *d*forme d'une colombe.

9. Et cela montre encore aux enfants des hommes, combien est *e*droite la voie et combien est étroite la porte par laquelle ils doivent entrer, lui-même leur en ayant montré l'exemple.

---

l, 2 Né. 29 : 6-14. Eth. 4 : 6, 7, 13-17. *m*, 1 Né. 14 : 26. *n*, 1 Né. 22 : 15, 26. Jacob 5 : 76. Eth. 8 : 26. CHAP. 31 : *a*, voir *b*, 2 Né. 25. *b*, voir *f*, 1 Né. 10. *c*, vers. 6, 7. *d*, 1 Né. 11 : 27. Luc 3 : 22. Jean 1 : 32. D. et A. 93 : 15. *e*, voir *2a*, 2 Né. 9.
ENTRE 559 et 545 AV. J.-C.

10. Et il a dit aux enfants des hommes : Suivez-moi. Pouvons-nous donc, mes frères bien-aimés, suivre Jésus, si nous ne sommes pas disposés à garder les commandements du Père ?

11. Et le Père dit : Repentez-vous, repentez-vous et soyez ᶠbaptisés au nom de mon Fils bien-aimé.

12. Et la voix du Fils m'est parvenue, disant : A celui qui est baptisé en mon nom, mon Père donnera le Saint-Esprit, comme à moi. Suivez-moi donc, et faites ce que vous m'avez vu faire.

13. C'est pourquoi, mes frères bien-aimés, je sais que, si vous suivez le Fils de tout votre cœur, sans hypocrisie et sans feinte devant Dieu, mais avec une intention réelle, vous repentant de vos péchés, témoignant au Père que vous êtes disposés à prendre sur vous le nom du Christ par le baptême — oui, en suivant votre Seigneur et votre Sauveur dans l'eau, selon sa parole, alors vous recevrez le Saint-Esprit ; oui, c'est alors que vient le baptême de feu et du Saint-Esprit ; et alors vous pourrez parler le ᵍlangage des anges, et faire retentir les louanges du Très-Saint d'Israël.

14. Mais voici, mes frères bien-aimés, la voix du Fils est venue me dire : Lorsque vous vous serez repentis de vos péchés, lorsque, par le baptême d'eau, vous aurez témoigné au Père que vous êtes disposés à garder mes commandements ; et lorsque vous aurez reçu le baptême de feu et du Saint-Esprit, et que vous pourrez parler une langue nouvelle, oui, même la langue des anges si, après cela, vous veniez à me renier, il aurait mieux valu pour vous de ne pas m'avoir connu.

15. Et j'entendis la voix du Père, disant : Oui, les paroles de mon bien-aimé sont vraies et fidèles. ʰCelui qui endure jusqu'à la fin sera sauvé.

16. Et maintenant, mes frères bien-aimés, je sais par là, qu'à moins qu'un homme n'endure jusqu'à la fin, en suivant l'exemple du Fils du Dieu vivant, il ne peut être sauvé.

17. C'est pourquoi, faites les choses dont je vous ai dit que j'ai vu que votre Seigneur et Rédempteur doit les accomplir ; car c'est pour cela qu'elles m'ont été montrées, afin que vous sachiez par quelle ᶦporte vous devez entrer. Car la porte par laquelle vous devez entrer, c'est le repentir et le baptême d'eau ; et alors vient la rémission de vos péchés par le feu et par le Saint-Esprit.

18. Et alors vous êtes dans cette voie droite et étroite qui mène à la vie éternelle ; oui, vous êtes entrés par la porte, vous avez fait selon les commandements du Père et du Fils ; et vous avez reçu le Saint-Esprit, qui témoigne du Père et du Fils ; et c'est l'accomplissement de la promesse qu'il a faite : que si vous entrez par cette voie, vous recevrez.

19. Et maintenant, mes frères bien-aimés, je vous demande si tout est fait lorsque vous êtes entrés dans la voie droite et étroite ? Voici, je vous dis que non ; car vous n'êtes arrivés à ce point que par la parole du Christ, avec une foi inébranlable en lui, et vous confiant entièrement dans les mérites de celui qui a le pouvoir de sauver.

20. C'est pourquoi, il vous faut avancer avec fermeté dans le Christ, avec une parfaite espérance et avec l'amour de Dieu et de tous les hommes. Or, si vous vous em-

pressez d'avancer, vous faisant un
festin de la parole du Christ, et
endurez jusqu'à la fin, voici, ainsi
dit le Père : Vous aurez la vie
éternelle.

21. Et maintenant, voici, mes
frères bien-aimés, c'est là la ^j^voie.
Il n'est donné, sous le ciel, ni d'autre voie ni d'autre nom, par lequel
l'homme peut être sauvé dans le
royaume de Dieu. Et maintenant,
voici, ceci est la doctrine du Christ,
la seule et vraie doctrine du Père,
et du Fils, et du Saint-Esprit, qui
sont ^k^un seul Dieu sans fin. Amen.

CHAPITRE 32.

*Suite des prédictions de Néphi. — La
langue des anges. — L'office du Saint-
Esprit.*

1. Et maintenant, voici, mes
frères bien-aimés, je suppose que
vous méditez quelque peu dans vos
cœurs, touchant ce que vous devez
faire, lorsque vous serez entrés
dans la voie. Mais pourquoi
méditez-vous ces choses dans vos
cœurs ?

2. Ne vous rappelez-vous point
que je vous ai dit que lorsque vous
aurez reçu le Saint-Esprit, vous
pourrez parler la langue des anges ?
Et maintenant, comment pourriez-
vous parler ^a^la langue des anges, si
ce n'est par le Saint-Esprit ?

3. Les anges parlent par le pouvoir du Saint-Esprit, et à cause de
cela ils expriment les paroles du
Christ. C'est pourquoi je vous disais : Faites-vous un festin des
paroles du Christ, car voici, les

paroles du Christ vous diront tout
ce que vous devez faire.

4. C'est pourquoi, maintenant
que je vous ai dit ces paroles, si
vous ne pouvez les comprendre,
c'est que vous ne demandez point,
et que vous ne frappez point. C'est
pourquoi, vous n'êtes pas amenés
à la lumière, mais vous devez périr
dans les ténèbres.

5. Car voici, je vous le dis
encore, si vous voulez entrer par
la voie, et recevoir le Saint-Esprit,
il vous montrera ^b^tout ce que vous
devez faire.

6. Telle est la doctrine du
Christ ; et il ne sera plus donné
d'autre doctrine jusqu'au temps où
il se manifestera à vous dans la
^c^chair. Et quand il se manifestera
à vous dans la chair, ce qu'il vous
dira, il faudra l'observer.

7. Et maintenant moi, Néphi,
je ne puis en dire davantage ;
l'Esprit arrête ma parole ; et je
demeure dans l'affliction à cause
de l'incrédulité, de la méchanceté,
de l'ignorance et de l'obstination
des hommes, car ils ne cherchent
pas la connaissance, ni à comprendre de grandes connaissances,
quand elles leur sont données avec
^d^clarté, même aussi claires que
peuvent être les paroles.

8. Mais je m'aperçois, mes frères
bien-aimés, que vous méditez toujours dans vos cœurs ; et cela m'afflige d'être obligé de vous en
parler. Car si vous vouliez écouter
l'Esprit qui enseigne à l'homme à
^e^prier, vous sauriez que vous devez
prier. L'esprit malin n'enseigne

j, voir *e.*   *k,* Al. 11 : 44. 3 Né. 11 : 27, 28, 36. 28 : 10. Morm. 7 : 7
Deut. 6 : 4. Gal. 3 : 20. Eph. 4 : 5, 6.   CHAP. 32 : *a,* voir *g,* 2 Né. 31.   *b,* 1 Né.
10 : 17-19. 13 : 37. 2 Né. 31 : 13. Jar. 4. Al. 5 : 46-48. 3 Né. 12 : 1, 2. 16 : 6.
Chap. 30. Eth. 4 : 11, 12. Moro. 10 : 4-7.   *c,* voir *b,* 1 Né. 12.   *d,* voir *b,* 2 Né.
25.   *e,* 1 Né. 1 : 5, 6 : 21. 8 : 8. 15 : 8-11. 17 : 7. 18 : 3, 21. 24, 28-35.
Jacob 7 : 22. Enos 4, 11, 15-18. Mos. 3 : 4. 4 : 1-3, 11, 19-22. 9 : 17-18. 21 : 14.
26 : 39. Al. 6 : 6. 17 : 3. 18 : 41-43. 19 : 14-16. 22 : 16. 27 : 11, 12. 31 : 10, 26-35.
33 : 4-11. 34 : 39. 38 : 8. 43 : 49, 50. 45 : 1. 46 : 13, 16. 58 : 10. 62 : 51. Héla. 11 : 3, 4,
10-16. 3 Né. 1 : 11-14. 13 : 5-13. 14 : 7-11. 17 : 3. 15-17, 21. 18 : 15-24, 30. 19 : 6-10,
17-36. 20 : 1. 27 : 1, 2, 7, 9, 28, 29. 28 : 1-9, 30. Morm. 9 : 6, 21, 28, 36, 37. Eth.
1 : 34-43. 2 : 14, 15, 18-22. 3 : 1-5. Moro. 6 : 4, 5, 9. 7 : 6-10, 26, 48. 8 : 3, 26. 10 : 4, 5.
ENTRE 559 et 545 AV. J.-C.

point à l'homme à prier, il lui enseigne à ne point prier.

9. Mais voici, je vous dis de prier toujours, et de ne point vous en lasser ; et de ne rien faire dans le Seigneur sans commencer, avant toutes choses, par prier le Père au nom du Christ, qu'il consacre votre œuvre à vous-mêmes, pour que votre œuvre puisse être pour le bien-être de votre âme.

CHAPITRE 33.

Témoignage d'adieu de Néphi. — Pas aussi puissant à écrire qu'à parler. — Son grand souci pour son peuple.

1. Et maintenant, moi, Néphi, je ne puis écrire toutes les choses qui ont été enseignées parmi mon peuple : aussi bien ne suis-je pas aussi habile à *ᵃécrire qu'à parler ; car lorsqu'un homme parle par la puissance du Saint-Esprit, la puissance du Saint-Esprit porte ses paroles au cœur des enfants des hommes.

2. Mais voici, il y en a beaucoup qui s'endurcissent le cœur au Saint-Esprit, en sorte qu'il ne trouve point de place en eux. Aussi, ils rejettent beaucoup de choses qui sont écrites, et les comptent pour rien.

3. Mais moi, Néphi, j'ai écrit ce que j'ai écrit ; et je l'estime d'une grande valeur, particulièrement pour mon peuple. Car je prie sans cesse pour lui pendant le jour, et la nuit, mes larmes mouillent mon oreiller à cause de lui. J'invoque le Seigneur avec foi, et je sais qu'il écoutera mes plaintes.

4. Je sais que le Seigneur Dieu consacrera mes prières pour le bonheur de mon peuple. Et les paroles que j'ai écrites dans la faiblesse seront rendues fortes en lui,

car elles l'exhortent à faire le bien ; elles lui font connaître ses *ᵇpères ; et elles parlent de Jésus, et elles le persuadent à croire en lui, et à endurer jusqu'à la fin, qui est la vie éternelle.

5. Et elles parlent *ᶜdurement contre le péché, d'après la clarté de la vérité. C'est pourquoi nul ne se mettra en colère contre ce que j'ai écrit, si ce n'est celui que l'esprit du diable dominera.

6. Je mets ma gloire dans la *ᵈclarté, je mets ma gloire dans la vérité ; je mets ma gloire en mon Jésus, car il a racheté mon âme de *ᵉl'enfer.

7. J'ai de la charité pour mon peuple ; et une grande foi dans le Christ, que je rencontrerai beaucoup d'âmes sans tache devant son siège de jugement.

8. J'ai de la charité pour le Juif — quand je dis Juif, je veux dire ceux dont je suis issu.

9. J'ai aussi de la charité pour les Gentils ; mais voici, je ne puis espérer pour aucun d'eux, à moins qu'ils ne se soumettent au Christ, et entrent par la porte *ᶠétroite, et marchent dans la voie étroite qui mène à la vie, persévérant dans la voie jusqu'à la fin du jour de l'épreuve.

10. Et maintenant, mes frères bien-aimés, et vous aussi Juifs et vous, tous les bouts de la terre, écoutez ces paroles et croyez au Christ ; et si vous ne croyez pas en ces paroles, croyez au Christ. Et si vous croyez au Christ, vous croirez en ces paroles, car elles sont les paroles du Christ, et il me les a données ; et elles enseignent à tout homme à faire le bien.

11. Et si elles ne sont pas les paroles du Christ, jugez-en ; car le Christ au dernier jour, vous mon-

a, Eth. 12 : 23-27.   *b*, voir *g*, 2 Né. 3. Voir aussi *e*, 2 Né. 30.   *c*, 1 Né. 16 : 1-3. 17 : 48. 2 Né. 1 : 25-27. Enos 23. Jar. 12. P. de Morm. 17. Moro. 9 : 4.   *d*, voir *b*, 2 Né. 25.   *e*, voir *k*, 1 Né. 15.   *f*, voir *2a*, 2 Né. 9.

ENTRE 559 et 545 AV. J.-C.

trera *avec pouvoir et grande gloire qu'elles sont ses paroles ; et vous et moi serons face à face devant sa barre ; et vous saurez alors que j'ai reçu de lui le commandement d'écrire ces choses, malgré ma faiblesse.

12.. Et je prie le Père, au nom du Christ, qu'un grand nombre de nous, sinon tous, soyons sauvés dans son royaume au grand et dernier jour.

13. Et maintenant, mes frères bien-aimés, vous tous qui êtes de la maison d'Israël, et vous, tous les bouts de la terre, je vous parle

comme la voix de quelqu'un qui *crie de la poussière : Adieu, jusqu'à ce que ce grand jour arrive.

14. Et vous, qui ne voulez point prendre part à la bonté de Dieu, ni respecter les paroles des Juifs, ni mes paroles, ni les paroles qui sortiront de la bouche de l'Agneau de Dieu, en vérité, je vous dis un adieu éternel, car *ces paroles vous condamneront au dernier jour.

15. Car ce que je *scelle sur la terre sera porté en accusation contre vous à la barre du jugement ; car ainsi me l'a ordonné le Seigneur, et je dois obéir. Amen.

LE LIVRE DE JACOB

FRÈRE DE NÉPHI

Les paroles de sa prédication à ses frères. Il confond un homme qui cherche à renverser la doctrine du Christ. Quelques mots touchant l'histoire du peuple de Néphi.

CHAPITRE 1.

Néphites et Lamanites. — Mort de Néphi, fils de Léhi. — Dureté de cœur et pratiques corrompues.

1. Voici, * cinquante-cinq †ans s'étaient écoulés depuis que Léhi avait quitté Jérusalem, quand Néphi me donna un commandement à moi, Jacob, touchant les *petites plaques sur lesquelles ces choses sont gravées.

2. Il m'ordonna, à moi, Jacob, d'écrire sur ces plaques quelquesunes des choses que je considérais comme très précieuses et de ne toucher que légèrement l'histoire de ce peuple, appelé le peuple de Néphi.

3. Car il dit que l'histoire de son peuple serait gravée sur *autres plaques, et que je devais conserver ces plaques pour les

transmettre à ma postérité de génération en génération.

4. Et que s'il y avait une prédiction qui fût sacrée, ou une révélation qui fût grande, ou de la prophétie, je devais en graver les sujets sur ces plaques et les développer le plus possible pour l'amour du Christ, et pour l'amour de notre peuple.

5. Car à cause de notre foi, et de notre grande anxiété, *les choses qui devaient arriver à notre peuple nous avaient été manifestées en toute vérité.

6. Et nous eûmes aussi beaucoup de révélations, et l'esprit de nombreuses prophéties, c'est pourquoi, nous possédions la connaissance du Christ et de son royaume qui doit venir.

7. C'est pourquoi nous travaillâmes avec diligence parmi notre

---

g, Eth. 4 : 8-10. 5 : 4-6. Moro. 7 : 35. 10 : 27.   *h*, voir *l*, 2 Né. 26.   *i*, voir *q*, 2 Né. 27.   *j*, Héla. 10 : 5-11. Voir *q*, 2 Né. 27.   CHAP. 1 : *a*, voir *b*, 1 Né. 6.   *b*, voir *f*, 1 Né. 1.   *c*, vers. 1. Voir *b*, 1 Né. 6.   *d*, 1 Né. chaps. 12-14. 15 : 1-18. 19 : 10-17. 22 : 7, 8. 2 Né. 1 : 5-12. 2 : 3. Chap. 3. 4 : 1-11. Chaps. 10, 25-27. 29 : 11-40. 30 : 1-6.
† 544 AV. J.-C.

peuple pour le persuader de venir au Christ et de prendre part à la bonté de Dieu, afin qu'il pût entrer dans son repos, de crainte qu'il ne jurât dans sa colère qu'il n'entrerait pas, comme dans les jours de provocation et de tentation tandis que les enfants d'Israël étaient dans le désert.

8. C'est pourquoi nous voudrions qu'il plût à Dieu que nous pussions persuader tous les hommes de ne point se rebeller contre Dieu et de ne point le provoquer à la colère, mais de croire au Christ, de considérer sa mort, souffrir sa croix et porter la honte du monde. C'est pourquoi, moi, Jacob, je prends sur moi d'accomplir le *commandement de mon frère Néphi.

9. Or, Néphi commençait à se faire vieux et il voyait qu'il allait bientôt mourir ; c'est pourquoi, il oignit un homme et l'établit roi et gouverneur de son peuple, suivant le règne des rois.

10. Comme le peuple avait beaucoup aimé Néphi, étant donné qu'il avait été pour lui un grand protecteur, qu'il avait manié l'épée de Laban pour le défendre et qu'il avait travaillé toute sa vie à son bien-être,

11. Pour cette raison, le peuple désirait garder le souvenir de son nom. Et tous ceux qui devaient régner à sa place, le peuple les appela *deuxième Néphi, troisième Néphi et ainsi de suite, selon les règnes des rois ; et ils furent ainsi appelés par le peuple, quels que fussent leurs noms.

12. Et il advint que Néphi mourut.

13. Or donc, les peuples qui n'étaient pas Lamanites étaient Néphites. Néanmoins, on les appelait Néphites, Jacobites, Joséphites, Zoramites, Lamanites, Lémuélites et Ismaélites.

14. Mais moi, Jacob, je ne les distinguerai point désormais par ces noms ; mais j'appellerai Lamanites ceux qui cherchent à détruire le peuple de Néphi ; et ceux qui sont amis de Néphi, je les appellerai Néphites, ou peuple de Néphi, d'après les règnes des rois.

15. Et voici qu'il arriva que le peuple de Néphi, sous le règne du *second roi, commença à s'endurcir le cœur, et à s'adonner quelque peu à des pratiques corrompues, comme le faisaient autrefois David et son fils Salomon, qui désiraient beaucoup de femmes et de concubines.

16. Et il commença aussi à chercher l'or et l'argent en grande quantité, et à s'enorgueillir quelque peu.

17. C'est pourquoi moi, Jacob, je leur dis ces paroles tandis que je les enseignais dans le *temple, ayant tout d'abord obtenu du Seigneur la mission de le faire.

18. Car moi, Jacob, et mon frère Joseph, nous *avions été consacrés prêtres et instructeurs de ce peuple par la main de Néphi.

19. Et nous magnifiâmes notre office dans le Seigneur, prenant sur nous la responsabilité, répondant des péchés du peuple sur notre tête, si nous ne lui enseignions pas la parole de Dieu avec diligence ; c'est pourquoi, en travaillant de toutes nos forces, *son sang ne viendrait pas sur nos vêtements ; autrement, son sang viendrait sur nos vêtements, et nous ne serions pas sans tache au dernier jour.

CHAPITRE 2.

Jacob dénonce l'impudicité et d'autres péchés. — La pluralité des épouses est interdite pour cause d'iniquité.

1. Paroles que Jacob, frère de Néphi, dit au peuple de Néphi, après la mort de Néphi :

2. Maintenant, mes frères bien-

aimés, moi, Jacob, à cause de la responsabilité que j'ai vis-à-vis de Dieu de magnifier mon office avec modération, et afin de garder mes vêtements ^aintacts de vos péchés, je monte au temple en ce jour pour vous déclarer la parole de Dieu.

3. Et vous savez vous-mêmes que, jusqu'à présent, j'ai été diligent à remplir l'office auquel j'ai été appelé. Mais je suis aujourd'hui accablé d'une anxiété et d'un désir beaucoup plus grands, pour le bien-être de votre âme, que je ne l'ai été jusqu'à présent.

4. Car voici, vous avez été soumis, jusqu'à présent, à la parole du Seigneur que je vous ai donnée.

5. Mais voici, écoutez-moi et sachez qu'avec l'aide du Créateur tout-puissant du ciel et de la terre, je puis vous dire vos pensées, vous dire que vous commencez à travailler dans le péché ; et ce péché m'apparaît très abominable, oui, et abominable à Dieu.

6. Oui, cela m'afflige l'âme, et me fait reculer de honte en présence de mon Créateur, d'avoir à vous témoigner de l'iniquité de votre cœur.

7. Il m'attriste aussi d'avoir à user d'un langage aussi sévère envers vous, en présence de vos femmes et de vos enfants, dont les ^bsentiments, chez la plupart, sont très tendres, très délicats et pleins de chasteté devant Dieu, chose qui est agréable à Dieu.

8. Et je suppose qu'ils sont venus ici pour entendre la parole agréable de Dieu, oui, la parole qui guérit l'âme blessée.

9. C'est pourquoi, c'est un poids pour mon âme d'être contraint, pour obéir au commandement strict que j'ai reçu de Dieu, de vous réprimander en raison de vos crimes, d'agrandir les blessures de ceux qui sont déjà blessés, au lieu de consoler et de guérir leurs plaies. Quant à ceux qui ne sont pas blessés, au lieu de se faire un festin de la parole agréable de Dieu, ils ont des poignards prêts à leur percer l'âme, et à blesser leur esprit délicat.

10. Mais malgré la grandeur de ma tâche, il me faut agir selon les ordres stricts de Dieu et vous dire votre méchanceté et vos abominations, en la présence de ceux qui ont le cœur pur et de ceux qui ont le cœur brisé et sous le regard de l'œil perçant du Dieu tout-puissant.

11. C'est pourquoi, je dois vous déclarer la vérité, selon la ^cclarté de la parole de Dieu. Car voici, pendant que j'interrogeais le Seigneur, la parole est venue, me disant : Jacob, demain, monte au ^dtemple, et déclare à ce peuple la parole que je te donnerai.

12. Et maintenant voici, mes frères, la parole que je vous déclare : Un grand nombre d'entre vous s'est mis à rechercher de l'or, de l'argent et les minerais précieux de toutes sortes qui sont en grande ^fabondance dans ce pays, lequel est une ^gterre de promission pour vous et pour votre postérité.

13. La main de la providence a souri sur vous avec beaucoup de complaisance, de sorte que vous avez obtenu de grandes richesses ; et parce que quelques-uns d'entre vous ont obtenu plus abondamment que leurs frères, ils se gonflent dans l'orgueil de leur cœur ; vous avez le cou ^hraide et la tête haute à cause de la somptuosité de vos habits, et vous persécutez vos frères, parce que vous pensez que vous êtes meilleurs qu'eux.

a, voir *j*. Jacob 1.   *b*, vers. 9, 28, 33, 35. Jacob 3 : 7. Moro. 9 : 9. 10.   *c*, 2 Né. 9 : 44. Jacob 2 : 15. Mos. 27 : 31.   *d*, voir *d*, 2 Né. 33.   *e*, voir *h*, 2 Né. 5. *f*, 1 Né. 2 : 20. 4 : 14. 5 : 22. 12 : 1, 4. 13 : 12, 14, 30. 17 : 13, 14. 18 : 8, 23, 25. *g*, voir *g*, 2 Né. 5.   *h*, 2 Né. 28 : 14. Morm. 8 : 36-40.

14. Or, mes frères, pensez-vous que Dieu vous justifie en ceci ? Voici, je vous dis que non. Mais il vous condamne ; et si vous persistez, ses jugements tomberont rapidement sur vous.

15. O puisse-t-il vous montrer qu'il est capable de vous percer et que, d'un seul 'regard de son œil, il peut vous réduire en poussière !

16. O puisse-t-il vous délivrer de cette iniquité et de cette abomination. O puissiez-vous écouter la parole de ses commandements et ne pas permettre que cet orgueil de votre cœur détruise votre âme !

17. Pensez à vos frères autant qu'à vous-mêmes ; soyez affables pour tous et prodigues de vos biens, pour qu'ils soient riches comme vous.

18. Avant de chercher la richesse, cherchez le royaume de Dieu.

19. Et quand vous aurez obtenu l'espérance dans le Christ, vous acquerrez les richesses si vous les recherchez ; et vous les rechercherez dans l'intention de faire le bien ; pour vêtir les nus, pour nourrir les affamés, pour délivrer les captifs, et venir en aide aux malades et aux affligés.

20. Je viens de vous parler de l'orgueil, mes' frères ; et ceux d'entre vous qui ont affligé leur voisin, et l'ont persécuté, parce qu'ils avaient de l'orgueil dans le cœur, à cause des choses que Dieu leur a données, qu'en disent-ils ?

21. Ne pensez-vous pas que de pareilles actions sont abominables à celui qui a créé toute chair ? Toutes les créatures sont également précieuses à ses yeux ; toute chair est poussière, et il les a créées dans le même but, pour qu'elles gardent ses commandements et le glorifient à tout jamais.

22. Je cesse maintenant de vous parler de l'orgueil. Et si je n'étais contraint de vous parler d'un crime plus honteux, mon cœur se réjouirait grandement à cause de vous.

23. Mais la parole de Dieu m'oppresse à cause de vos crimes les plus grossiers. Car voici, ainsi dit le Seigneur : Ce peuple commence à croître en iniquité ; il ne comprend pas les Ecritures, car il cherche à s'excuser de se livrer à la luxure par ce qui' est écrit touchant David et Salomon, son fils.

24. Voici, en vérité, David et Salomon avaient beaucoup de femmes et de concubines, ce qui m'était en 'abomination, dit le Seigneur.

25. C'est pourquoi, ainsi dit le Seigneur : J'ai emmené ce peuple hors du pays de Jérusalem, par la puissance de mon bras, pour susciter en moi une ᵐbranche juste du fruit des reins de Joseph.

26. Aussi, moi, le Seigneur Dieu, je ne souffrirai point que ce peuple fasse comme ceux d'autrefois.

27. C'est pourquoi, mes frères, écoutez-moi, soyez attentifs à la parole du Seigneur, car tout homme parmi vous n'aura ⁿqu'une femme ; et de concubines il n'en aura aucune ;

28. Car moi, le Seigneur Dieu, je me réjouis de la chasteté des femmes, et la ᵒluxure est une abomination devant moi ; ainsi dit le Seigneur des armées.

29. C'est pourquoi ce peuple gardera mes commandements, dit le Seigneur des armées, ou que le pays soit ᵖmaudit à cause de lui.

i, voir *c*.   *j*, Mos. 4 : 16, 22, 26. Al. 1 : 26-30. 4 Né. 3 : 24-26.   *k*, 1 Rois 11 : 1-3. 2 Sam. 3 : 2-5, 14. 5 : 13. 11 : 26, 27. 12 : 7-12, 24. 15 : 16. 16 : 21. 22. 19 : 5. 20 : 3. 1 Rois 1 : 1-4.   *l*, 1 Rois 11 : 9-11. Deut. 7 : 1-4. 17 : 14-17. Esdras 9 : 1, 2. Néh. 13 : 23-27.   *m*, 2 Né. 3 : 5.   *n*, vers. 34. Jacob 3 : 5-7.   *o*, voir *i*, 2 Né. 28. *p*, Jacob 3 : 3. Al. 45 : 16. Eth. 2 : 7-12.   ENTRE 544 et 421 AV. J.-C.

30. Car, dit le Seigneur des armées, si je veux me susciter une postérité, je le *a*commandèrai à mon peuple ; autrement il faut qu'il *r*observe ces choses.

31. Et moi, dit le Seigneur, j'ai vu la douleur et entendu les lamentations des filles de mon peuple dans le pays de Jérusalem et dans tous les pays de mon peuple, à cause de la méchanceté et des abominations de *s*leurs époux.

32. Je ne souffrirai point, dit le Seigneur des armées, que les cris des filles de ce peuple que j'ai emmené hors du pays de Jérusalem, montent à moi contre les hommes de mon peuple, dit le Seigneur des armées.

33. Car ils n'emmèneront pas captives les filles de mon peuple à cause de leur tendresse, sans que je les frappe d'un *t*fléau affligeant, même jusqu'à leur destruction ; car ils ne se livreront point à la *u*luxure, comme ceux d'autrefois, dit le Seigneur des armées.

34. Et maintenant voici, mes frères, vous savez que ces commandements furent *v*donnés à notre père Léhi ; c'est pourquoi, vous les connaissiez auparavant ; et vous êtes tombés sous une grande condamnation, car vous avez fait ce que vous n'auriez pas dû faire.

35. Voici, vous avez commis de plus grandes iniquités que les Lamanites, nos frères. Vous avez brisé le cœur de vos tendres épouses et perdu la confiance de vos enfants, à cause des mauvais exemples que vous leur montrez ; et les sanglots de leur cœur montent à Dieu contre vous. Et à cause de la *w*rigueur de la parole de Dieu, qui descend contre vous, beaucoup de cœurs sont morts, percés de blessures profondes.

CHAPITRE 3.

Suite des dénonciations de Jacob. — Les Lamanites sont plus justes que les Néphites. — Les premiers cités pour leur fidélité dans le mariage. — Les Néphites sont de nouveau avertis.

1. Mais moi, Jacob, je voudrais vous parler, à vous qui avez le cœur pur : Levez les yeux vers Dieu, l'esprit ferme, et *a*priez-le avec une foi vive, et il vous consolera dans vos afflictions, et il plaidera votre cause, et il enverra d'en haut la justice contre ceux qui cherchent à vous détruire.

2. O vous tous, qui avez le cœur pur, levez la tête et recevez la parole agréable de Dieu ; faites-vous un festin de son amour, car vous le pouvez à tout jamais, si votre esprit est ferme.

3. Mais malheur, malheur à vous qui n'avez pas le cœur pur, qui êtes impurs devant Dieu, en ce jour ; car, à moins que vous ne vous repentiez, le pays est *b*maudit à cause de vous et les Lamanites, qui ne sont pas souillés comme vous, bien qu'ils soient frappés d'une *c*malédiction sévère, vous châtieront jusqu'à la destruction.

4. Et à moins que vous ne vous repentiez, le temps vient rapidement où ils *d*posséderont la terre de votre héritage, et où le Seigneur Dieu emmènera les justes de parmi vous.

5. Voici, les Lamanites, vos frères, que vous haïssez à cause de leur malpropreté et de la *e*malédiction qui est tombée sur leur peau, sont plus justes que vous ; car ils n'ont point oublié le commandement du Seigneur, donné à nos pères — de n'avoir *f*qu'une femme et point de concubines, et de ne point se livrer à la luxure.

---

q, D. et A. 132.   *r*, vers. 27, 34. Jacob 3 : 5.   *s*, Ez. 16 : 22-43.   *t*, voir *p*. *u*, voir *i*, 2 Né. 28.   *v*, 1 Né. 1 : 16, 17. 6 : 1.   *w*, Jacob 2 : 27, 34. 3 : 5.   CHAP. 3 : *a*, voir *e*, 2 Né. 32.   *b*, voir *p*, Jacob 2.   *c*, voir *d*, 1 Né. 2.   *d*, Om. 5-7, 12, 13. *e*, voir *d*, 1 Né. 2.   *f*, voir *n*, Jacob 2.

ENTRE 544 et 421 av. J.-C.

6. Et ils observent ce commandement ; aussi, parce qu'ils gardent ce commandement, le Seigneur Dieu ne les détruira pas, mais il leur sera miséricordieux ; et un jour ils deviendront un *peuple béni.

7. Les maris, chez eux, aiment leurs femmes, et leurs femmes leurs maris ; et les maris et les femmes aiment leurs enfants. S'ils sont incrédules et haineux envers vous, c'est à cause de l'iniquité de leurs pères. Or, en quoi êtes-vous meilleurs qu'eux aux yeux de votre grand Créateur ?

8. O mes frères, je crains qu'à moins que vous ne vous repentiez de vos péchés, leur peau ne soit plus blanche que la vôtre, au jour où vous serez amenés avec eux devant le trône de Dieu.

9. C'est pourquoi je vous donne un commandement, qui est la parole de Dieu, de ne plus les insulter à cause de la *couleur sombre de leur peau, et de ne pas les insulter non plus à cause de leur malpropreté ; mais de vous rappeler votre malpropreté personnelle et de vous souvenir que leur malpropreté vient de leurs pères.

10. C'est pourquoi, vous vous souviendrez de vos enfants, de la manière dont vous leur avez affligé le cœur, à cause de l'exemple que vous leur avez montré ; et souvenez-vous aussi que, par votre impureté, vous pouvez amener la destruction sur vos enfants, dont les péchés seront accumulés sur votre tête au dernier jour.

11. O mes frères, écoutez ma parole ; éveillez les facultés de votre âme ; secouez-vous pour vous éveiller du sommeil de la mort ; dégagez-vous des peines de l'enfer, pour ne pas devenir les *anges du diable, et n'être point jetés dans *l'étang de feu et de soufre, qui est la seconde mort.

12. Et moi, Jacob, je dis encore beaucoup de choses au peuple de Néphi, cherchant à le prévenir contre la fornication, la lasciveté, et tous les genres de péchés en lui en expliquant les conséquences terribles.

13. Je ne peux écrire sur ces *plaques la centième partie des actions de ce peuple qui commençait à devenir nombreux ; mais beaucoup de ses actions sont écrites sur les grandes plaques, de même que ses guerres, ses querelles et les règnes de ses rois.

14. Ces plaques sont appelées les plaques de Jacob ; et elles ont été faites de la *main de Néphi. Et je cesse ici de parler.

CHAPITRE 4.

Suite des enseignements de Jacob. — La loi de Moïse parmi les Néphites ; elle les guide vers le Christ. — Jacob annonce que celui-ci sera rejeté par les Juifs.

1. Et * moi, Jacob, j'enseignai mon peuple, en paroles, pendant longtemps. Je n'en puis écrire que fort peu, à cause de la *difficulté de graver nos mots sur des plaques. Nous savons que les choses gravées sur les plaques doivent rester ;

2. Mais ce qui est écrit sur autre chose que les plaques, périt et disparaît. Mais nous pouvons écrire sur les plaques quelques mots qui donneront à nos enfants et aussi à nos frères bien-aimés, quelques faibles connaissances, et de nous-mêmes et de leurs pères —

3. Nous nous réjouissons en cela, et nous travaillons diligemment à graver ces mots sur des plaques, avec l'espoir que nos frères bien-aimés et nos enfants les recevront, le cœur reconnaissant,

et les liront pour apprendre avec joie, et pas avec chagrin ni mépris, ce qui concerne leurs premiers parents.

4. Car nous avons écrit dans ce but, afin qu'ils sachent que nous avons eu connaissance du Christ, que nous avons espéré sa gloire de nombreuses centaines d'années avant sa venue ; et que ce n'est pas seulement nous qui espérions sa gloire, mais aussi tous les saints prophètes qui étaient avant nous.

5. Voici, ils ont cru au Christ, ils ont adoré le Père en son nom, et nous aussi nous adorons le Père en son nom. Et dans ce dessein, nous [b]observons la loi de Moïse, qui dirige notre âme vers lui ; et pour cette raison, elle est sanctifiée pour nous à justice, de même qu'il fut imputé à justice à Abraham dans le désert, d'avoir obéi aux commandements de Dieu, en lui offrant son fils Isaac, ce qui est une image de Dieu et de son Fils unique.

6. C'est pourquoi, nous scrutons les prophètes et nous avons beaucoup de révélations et l'esprit de prophétie ; et ayant tous ces témoignages, nous obtenons l'espérance ; et notre foi devient inébranlable, au point que nous pouvons [c]commander au nom de Jésus, et les arbres même nous obéissent, les montagnes aussi, et les vagues de la mer.

7. Toutefois, le Seigneur Dieu nous montre notre faiblesse pour que nous sachions que c'est par sa grâce, et sa grande condescendance pour les enfants des hommes que nous avons le pouvoir de faire ces choses.

8. Voici, grandes et merveilleuses sont les œuvres du Seigneur.

Combien insondables sont les profondeurs de ses mystères ; et il est impossible à l'homme de pénétrer toutes ses voies. Et nul ne connaît ses voies, si cela ne lui est révélé ; c'est pourquoi, frères, ne méprisez point les révélations de Dieu.

9. Car voici, c'est par [d]le pouvoir de sa parole que l'homme est venu sur la surface de la terre, et la terre fut créée par la puissance de sa parole. Si Dieu a pu parler, et le monde fut, parler, et l'homme fut créé, ô alors, pourquoi ne serait-il pas capable de commander, selon son bon plaisir, à la terre, ou à l'œuvre de ses mains répandue sur la surface de celle-ci ?

10. C'est pourquoi, mes frères, ne cherchez point à conseiller le Seigneur, mais prenez conseil de lui. Car voici, vous savez vous-mêmes qu'il gouverne toutes ses œuvres en sagesse, en justice et avec une grande miséricorde.

11. C'est pourquoi, mes frères bien-aimés, réconciliez-vous avec lui par [e]l'expiation du Christ, son Fils unique, et vous pourrez obtenir une [f]résurrection, selon le pouvoir de la résurrection qui est dans le Christ, et être présentés à Dieu comme les [g]premiers fruits du Christ, ayant la foi et bon espoir d'avoir de la gloire en lui avant qu'il ne se manifeste dans la chair.

12. Et maintenant, mes bien-aimés, ne soyez pas surpris de ce que je vous dis ces choses ; car pourquoi ne pas parler de [h]l'expiation du Christ et arriver à le connaître parfaitement de manière à parvenir à la connaissance de la [i]résurrection et du monde à venir ?

13. Voici, mes frères, que celui qui prophétise, le fasse de manière à ce que les hommes le compren-

b, voir o, 2 Né. 25.   c, 1 Né. 7 : 17, 18. 17 : 48, 50. 53-55. Jacob 7 : 13-19. Mos. 13 : 3-6. Al. 14 : 26-29. Héla. 10 : 5-11. 3 Né. 28 : 19-22. Morm. 8 : 24. Eth. 12 : 30. d, 2 Né. 2 : 14, 15. Mos. 2 : 25. Morm. 9 : 17.   e, voir f, 2 Né. 2.   f, voir d, 2 Né. g, Mos. 15 : 21-23. Al. 40 : 16-21. Héla. 14 : 25. 3 Né. 9-13. 1 Cor. 15 : 20. 1 Thess. 4 : 16. Apo. 20 : 4, 5.   h, voir f, 2 Né. 2.   i, voir d, 2 Né. 2.
ENTRE 544 et 421 AV. J.-C.

nent ; car l'Esprit dit la vérité et ne ment pas. C'est pourquoi, il parle des choses telles qu'elles sont en réalité, des choses telles qu'elles seront en réalité ; c'est pourquoi, ces choses nous sont *j*clairement manifestées, pour le salut de notre âme. Mais voici, nous ne sommes pas les seuls à témoigner de ces choses ; car Dieu les dit aussi aux prophètes d'autrefois.

14. Mais les Juifs étaient un peuple *k*obstiné. Ils méprisaient les paroles simples, ils tuaient les prophètes, et recherchaient les choses qu'ils ne pouvaient comprendre. C'est pourquoi, à cause de leur aveuglement, aveuglement qui provenait de ce qu'ils regardaient au-delà du point marqué, il fallait nécessairement qu'ils tombent. Car Dieu leur a ôté sa *l*clarté. Il leur a donné bien des choses qu'ils ne peuvent comprendre, parce qu'ils le désiraient. Et parce qu'ils le désiraient, Dieu l'a fait pour les faire trébucher.

15. Et maintenant, moi, Jacob, je suis poussé par l'Esprit à prophétiser, car les impressions de l'Esprit, qui est en moi, me font voir que les Juifs, parce qu'ils trébuchent, rejetteront la *m*pierre sur laquelle ils pouvaient bâtir, qui leur aurait été une fondation sûre.

16. Mais voici, cette pierre, selon les *n*Ecritures, deviendra la grande fondation, la dernière, la seule qui soit sûre, la dernière sur laquelle les Juifs puissent bâtir.

17. Et maintenant, mes bien-aimés, comment est-il possible que ceux-ci, après avoir rejeté la fondation sûre, puissent jamais bâtir sur elle, pour qu'elle puisse devenir la *o*principale de leur angle ?

18. Voici, mes frères bien-aimés, je vous dévoilerai ce mystère ; si,

toutefois, ma fermeté dans l'Esprit n'est pas ébranlée et si je ne trébuche pas à cause de l'excès d'inquiétude que j'éprouve pour vous.

CHAPITRE 5.

Jacob cite le prophète Zénos. — Allégorie de l'olivier franc et de l'olivier sauvage. — Israël et les Gentils.

1. Voici, mes frères, ne vous souvenez-vous pas d'avoir lu les paroles du prophète *a*Zénos, paroles qu'il déclara à la maison d'Israël, disant :

2. Ecoute, ô maison d'Israël, et entends ces paroles de moi, qui suis un prophète du Seigneur.

3. Car voici, ainsi dit le Seigneur : Je te comparerai, ô maison d'Israël, à un *b*olivier franc, qu'un homme prit et nourrit dans sa vigne. Il crût, devint vieux, et commença à déchoir.

4. Et * le maître de la vigne sortit, et il vit que son olivier commençait à déchoir. Et il dit, je le taillerai, je le bêcherai à l'entour, et je le nourrirai, dans l'espoir de lui voir pousser de jeunes et tendres branches, et de ne pas le voir périr.

5. Et * il le tailla, le bêcha à l'entour, et le nourrit selon sa parole.

6. Et il arriva qu'après bien des jours, il commença à produire quelque peu, de jeunes et tendres branches ; mais voici, la tête principale commença à périr.

7. Et * le maître de la vigne le vit et dit à son serviteur : Cela m'afflige de perdre cet arbre ; c'est pourquoi, va prendre les branches d'un *c*olivier sauvage et apporte-les-moi ici. Nous couperons ces branches principales qui commencent à dépérir et nous les jetterons

---

j, voir *b*, 2 Né. 25.   *k*, 2 Né. 25 : 2. Jacob 6 : 4.   *l*, voir *b*, 2 Né. 25.   *m*. 2 Né. 18 : 14, 15. Es. 8 : 14, 15.   *n*, Ps. 118 : 22, 23.   *o*, Ps. 118 : 22. 23.   CHAP. 5 : *a*. voir *h*, 1 Né. 19.   *b*, 1 Né. 10 : 12, 14. 15 : 7, 12. 13, 16. 2 Né. 3 : 5. Jacob 6 : 1-7.   *c*, vers. 9, 10, 17, 18, 30-37, 46, 57, 65, 73. Rom. 11 : 17, 24.

ENTRE 544 et 421 AV. J.-C.

au feu pour qu'elles soient brûlées.

8. Et voici, dit le Seigneur de la vigne, j'ôte beaucoup de ces *d*jeunes et tendres branches, et je les grefferai partout où il me plaira ; et peu importe que la racine de cet arbre périsse, si je peux m'en conserver le fruit ; c'est pourquoi, je prendrai ces jeunes et tendres branches, et je les grefferai où il me plaira.

9. Prends les branches de *f*l'olivier sauvage, et greffe-les à leur place ; et celles que j'ai coupées, je les jetterai au feu, et je les brûlerai pour qu'elles n'encombrent point la terre de ma vigne.

10. Et * le serviteur du Seigneur de la vigne fit selon l'ordre du Seigneur de la vigne : il greffa les branches de *f*l'olivier sauvage.

11. Et le Seigneur de la vigne fit bêcher l'arbre à l'entour, il le fit tailler et nourrir, disant à son serviteur : Cela m'afflige de perdre cet arbre, et c'est dans l'espoir de préserver ses racines pour qu'elles ne périssent pas, pour me les conserver, que j'ai fait ceci.

12. C'est pourquoi, va, soigne l'arbre, nourris-le selon mes paroles.

13. Et je placerai *g*celles-ci dans la partie la plus basse de ma vigne, dans l'endroit où il me plaira, peu t'importe ; et je le fais en vue de me conserver les branches naturelles de l'arbre, et pour m'amasser aussi de ses fruits pour la saison ; car cela m'afflige de perdre cet arbre et ses fruits.

14. Et * le Seigneur de la vigne s'en alla cacher les branches naturelles de l'olivier franc dans les parties les plus *h*basses de la vigne, les unes ici, les autres là, selon son bon plaisir.

15. Et * *i*beaucoup de temps se passa, et le Seigneur de la vigne dit à son serviteur : Viens, descendons à la vigne pour y travailler.

16. Et * le Seigneur de la vigne et son serviteur descendirent à la vigne pour y travailler. Et il arriva que le serviteur dit à son maître : Voici, regarde ; vois l'arbre.

17. Et * le Seigneur de la vigne regarda et vit lequel avaient été greffées les branches de l'olivier sauvage. Il avait poussé, et commencé à *j*porter du fruit. Et il vit que le fruit était bon ; et le fruit était semblable au fruit naturel.

18. Et il dit au serviteur : Voici, les branches de *k*l'arbre sauvage ont pris la sève de la racine, de sorte que la racine a produit beaucoup de vigueur ; et à cause de la grande vigueur de la racine, les branches sauvages ont produit du fruit franc ; et si nous n'avions pas greffé ces branches, l'arbre aurait péri. Aussi, j'amasserai beaucoup de fruit que l'arbre a porté, et je m'amasserai ses fruits pour la saison.

19. Et * le Seigneur de la vigne dit au serviteur : Viens, allons dans la partie la plus basse de la vigne pour voir si les branches naturelles de cet arbre n'ont pas aussi donné beaucoup de fruit, afin que je puisse m'en amasser du fruit pour la saison.

20. Et * ils s'en furent là où le maître avait caché les branches naturelles de l'arbre, et il dit au serviteur : Regarde-les. Et il vit que la première avait fourni beaucoup de fruit ; et il vit aussi qu'il était bon. Et il dit au serviteur : Prends de ce fruit et amasse-le pour la saison, afin que je me le garde ; car voici, dit-il, je l'ai nourri pendant tout ce temps, et il a porté quantité de fruits.

d, vers. 5, 13, 14, 19-27, 38-40, 43-46, *g*, voir *d*. *h*, vers. 13, 19, 38, 39, 52. Jean 15 : 16. Rom. 11 : 16. *k*, voir *c*. 52, 54, 67, 68. *e*, voir *c*. *f*. voir *c*. *i*, vers. 25, 29, 76. *j*, Matt. 12 : 33.

ENTRE 544 et 421 AV. J.-C.

21. Et * le serviteur dit à son maître : Pourquoi es-tu venu ici planter cet arbre, ou cette branche de l'arbre ? Car c'était 'l'endroit le plus maigre de la terre de ta vigne.

22. Et le Seigneur de la vigne lui dit : Ne me conseille point. Je savais que c'était une partie maigre du terrain ; c'est pourquoi je t'ai dit : Je l'ai nourrie pendant tout ce temps, et tu vois qu'elle a porté beaucoup de fruit.

23. Et * le Seigneur de la vigne dit à son serviteur : Regarde ici. Voici, j'ai planté une autre branche de l'arbre ; et tu sais que cette ᵐpartie du terrain est encore plus maigre que la première. Mais vois l'arbre. Je l'ai nourri pendant tout ce temps, et il a donné beaucoup de fruit. C'est pourquoi cueille-le, et amasse-le pour la saison, pour que je me le conserve.

24. Et * le Seigneur de la vigne dit encore à son serviteur : Voici une ⁿautre branche que j'ai plantée. Observe que je l'ai nourrie aussi ; et elle a porté du fruit.

25. Et il dit au serviteur : Regarde ici et vois la dernière. Je l'ai plantée dans un ᵒbon morceau de terrain ; et je l'ai nourrie pendant tout ce temps, et il n'y a qu'une ᵖpartie de l'arbre qui ait porté du fruit franc ; ᵠl'autre a donné du fruit sauvage ; et pourtant j'ai nourri cet arbre à l'égal des autres.

26. Et * le Seigneur de la vigne dit au serviteur : Coupe les ʳbranches qui n'ont point donné de bon fruit, et jette-les au feu.

27. Mais voici, le serviteur lui dit : Taillons l'arbre, bêchons-le à l'entour, et nourrissons-le encore un peu, et peut-être produira-t-il du bon fruit, que tu pourras t'amasser pour la saison.

28. Et il advint que le Seigneur de la vigne et le serviteur du Seigneur de la vigne nourrirent tous les arbres plantés dans la vigne.

29. Et * ˢbeaucoup de temps s'était écoulé, quand le Seigneur de la vigne dit à son ᵗserviteur : Allons, descendons à la vigne pour y travailler de nouveau. Car voici, le temps approche, et la ᵘfin viendra bientôt. Il faut donc que je m'amasse du fruit pour la saison.

30. Et * le Seigneur de la vigne et son serviteur descendirent à la vigne ; et ils arrivèrent à l'arbre, dont ils avaient coupé les branches naturelles pour y greffer des branches sauvages, et voilà que toutes ᵛsortes de fruits encombraient l'arbre.

31. Et * le Seigneur de la vigne goûta du fruit, chaque sorte selon son nombre. Et le Seigneur de la vigne dit : Nous avons nourri cet arbre pendant tout ce temps, et je m'en suis amassé beaucoup de fruit pour la saison.

32. Mais voici, cette fois il a porté une grande quantité de fruits, et il n'y en a ᵂpas un qui soit bon. Et voici, il y a ˣtoutes sortes de mauvais fruits ; et il ne me profite en rien, en dépit de tout notre travail. Et cela m'afflige de perdre cet arbre.

33. Et le Seigneur de la vigne dit au serviteur : Que ferons-nous à l'arbre, que je puisse encore en recueillir du bon fruit ?

34. Et le serviteur dit à son maître : Voici, parce que tu as greffé les branches de l'olivier sauvage, elles ont nourri les racines, de sorte qu'elles sont vivantes et n'ont pas péri ;

---

l, vers. 22.   *m*, vers. 21, 22, 25, 43, 44.   *n*, Al. 16 : 17.   *o*, vers. 43. 1 Né. 2 : 20.   *p*, Héla. 15 : 3.   *q*, Héla. 15 : 4.   *r*, vers. 25.   *s*, vers. 15, 23, 76. *t*, 2 Né. 27 : 9. D. et A. 101 : 55. 103 : 21.   *u*, 1 Né. 22 : 15-26. 2 Né. 27 : 1-3. 30 : 10. Vers. 47, 62-64, 69, 71, 75, 76. 6 : 2. 3 Né. 29 : 4. Morm. 8 : 41. Eth. 4 : 16. *v*, vers. 32. 4 Né. 26.   *w*, vers. 30, 35, 37, 42, 46.   *x*, voir w.

ENTRE 544 et 421 av. J.-C.

c'est pourquoi, tu vois qu'elles sont toujours bonnes.

35. Et * le Seigneur de la vigne dit à son serviteur : Cet arbre ne me rapporte aucun profit ; et ses racines ne me rapportent aucun profit aussi longtemps qu'il produira du mauvais fruit.

36. Cependant je sais que les racines en sont bonnes, c'est pourquoi je les ai conservées pour un dessein qui m'est propre. Et parce qu'elles étaient très vigoureuses, elles ont, jusqu'à ce moment, produit du bon fruit sur les [y]branches sauvages.

37. Mais voici, les branches sauvages ont crû et prévalu sur les racines ; et comme les branches sauvages l'ont emporté sur les racines, elles ont donné beaucoup de [z]mauvais fruit. Et parce qu'elles ont produit tant de mauvais fruit, tu vois que l'arbre commence à dépérir ; et il sera bientôt mûr à être jeté au feu, à moins que nous ne fassions quelque chose pour le conserver.

38. Et * le Seigneur de la vigne dit à son serviteur : Descendons dans les parties les plus [2a]basses de la vigne, et voyons si les branches naturelles ont aussi porté de mauvais fruits.

39. Et * ils descendirent dans les parties les plus basses de la vigne. Et * ils virent que les fruits des branches naturelles s'étaient corrompus aussi ; ceux de la [2b]première, de la [2c]seconde et même ceux de la [2d]dernière branche, tous s'étaient corrompus.

40. Et le [2e]fruit sauvage du dernier arbre avait tellement prévalu sur la [2f]partie qui avait donné du bon fruit, que la branche s'en était desséchée et était morte.

41. Et * le Seigneur de la vigne

[2g]pleura, et dit au serviteur : Qu'aurais-je pu faire de plus pour ma vigne ?

42. Je savais que tous les fruits de la vigne s'étaient corrompus à l'exception de ceux-ci. Et voici maintenant que ceux-ci, qui naguère avaient produit du bon fruit, se sont corrompus aussi : voilà que tous les arbres de ma vigne ne [2h]sont plus propres qu'à être coupés et jetés au feu.

43. Et vois ce dernier arbre, dont la [2i]branche s'est desséchée, je l'ai planté dans un [2j]bon morceau de terrain, un terrain de choix, préférable à toutes les autres parties de la terre de ma vigne ;

44. Et tu as vu, aussi, que j'ai abattu tout ce qui [2k]encombrait cette terre, pour planter cet arbre en remplacement,

45. Tu as vu aussi qu'une partie de cet arbre avait donné du [2l]bon fruit, et qu'une partie a produit du [2m]fruit sauvage, et parce que je n'ai pas coupé ses branches et que je ne les ai pas jetées au feu, elles ont pris le dessus sur la bonne branche, en sorte qu'elle s'est desséchée.

46. Et maintenant voici, malgré tous les soins que nous avons apportés à ma vigne, les arbres s'en sont corrompus de sorte qu'ils ne produisent [2n]pas de bon fruit. J'avais l'espoir de les conserver pour m'en amasser les fruits pour la saison, mais voici qu'ils sont devenus semblables à l'olivier sauvage, et ils ne sont [2o]plus bons qu'à être abattus et jetés au feu. Et cela m'afflige de les perdre.

47. Mais qu'aurais-je pu faire de [2p]plus dans ma vigne ? Ai-je ralenti les mains à ne point la nourrir ? Non, je l'ai nourrie, je l'ai bêchée à l'entour, je l'ai taillée, je l'ai en-

y, voir c.   z, voir w.   2a, voir h. 2b, vers. 20.   2c, vers. 23.   2d, vers. 25.
2e, vers. 25. Héla. 15 : 4.   2f, vers. 25. Héla. 15 : 3.   2g, Es. 5 : 4.   2h, voir w.
2i, voir n.   2j, vers. 25.   2k, Moro. 9 : 23.   2l, voir p.   2m, voir q.   2n, voir w.
2o, 2 Né. 20 : 33. Al. 5 : 52. 3 Né. 27 : 11.   2p, vers. 41, 49.

ENTRE 544 et 421 AV. J.-C.

graissée de fumier, presque toute la journée j'ai étendu la main, et voici que la [2q]fin approche. Et cela m'afflige d'abattre tous les arbres de ma vigne, et de les jeter au feu pour être brûlés. Qui a pu corrompre ma vigne ?

48. * Alors le serviteur dit à son maître : Ne serait-ce pas la hauteur de ta vigne — les branches n'ont-elles pas pris le dessus sur les racines, qui sont bonnes ? Et parce que les branches ont pris le dessus sur les racines, voici elles ont crû plus vite que la force des racines, prenant la force pour elles. Voici, dis-je, n'est-ce pas là la cause pour laquelle les arbres de ta vigne se sont corrompus ?

49. Et * le Seigneur de la vigne dit au serviteur : Allons, abattons les arbres, et jetons-les au feu pour qu'ils n'encombrent point la terre de ma vigne, car j'ai tout fait. Qu'aurais-je pu faire [2r]de plus pour ma vigne ?

50. Mais le serviteur dit au Seigneur de la vigne : Epargne-la encore un peu de temps.

51. Et le Seigneur dit : Oui, je l'épargnerai encore un peu de temps, car cela m'afflige d'avoir à perdre les arbres de ma vigne.

52. C'est pourquoi, prenons [2s]branches de ceux que j'ai plantés dans les parties les plus basses de ma vigne, greffons-les sur [2t]l'arbre dont elles proviennent ; puis, coupons de [2u]l'arbre les branches dont le fruit est le plus amer, et greffons à leur place les branches naturelles de l'arbre.

53. Et je ferai ceci afin que l'arbre ne périsse pas ; et peut-être pourrai-je me conserver ses racines, pour le but que je me propose.

54. Et voici, les [2v]racines des branches naturelles de l'arbre que

j'ai plantées où il m'a plu sont encore vivantes ; c'est pourquoi, pour me les conserver aussi pour mon but, je prendrai des branches de [2w]cet arbre, et je les [2x]grefferai sur elles. Oui, je grefferai sur elles les branches de leur arbre paternel pour m'en conserver [2y]les racines, afin que, lorsqu'elles seront suffisamment fortes, elles puissent, peut-être, m'apporter du bon fruit et que je puisse encore me glorifier du fruit de ma vigne.

55. Et * ils [2z]prirent de l'arbre naturel, qui était devenu sauvage, et ils en greffèrent les arbres naturels qui, eux aussi, étaient devenus sauvages.

56. Et ils [3a]prirent également des rejetons des arbres naturels, devenus sauvages, dont ils greffèrent l'arbre paternel.

57. Et le Seigneur de la vigne dit au serviteur : N'arrache point des arbres les branches sauvages, si ce n'est celles qui portent les fruits les [3b]plus amers : et tu grefferas sur ces arbres, selon ce que j'ai dit.

58. Et nous nourrirons encore les arbres de la vigne, nous en taillerons les branches, nous couperons des arbres les branches qui sont à [3c]maturité, qui doivent périr, et nous les jetterons au feu.

59. Et je fais ceci dans l'espoir que les racines reprendront de la force, parce qu'elles sont vigoureuses, et qu'à cause du changement de branches le bon puisse vaincre le mauvais.

60. Et comme j'ai conservé les branches naturelles, ainsi que leurs racines et que j'ai greffé de nouveau les branches naturelles sur leur arbre paternel, et que j'ai conservé les racines de leur arbre paternel, dans l'espoir que, peut-être, les

2q, voir u.   2r, vers. 41, 49.   2s, voir d.   2t, voir b.   2u, vers. 57, 65.
2v, vers. 11, 35, 37, 48, 54, 60.   2w, 3 Né. 21 : 5, 6. Morm. 5 : 15.   2x, voir 2v.
2y, voir 2v.   2z, voir 2w.   3a, voir 2v.   3b, vers. 58, 65, 66, 73, 74.   3c, voir 3b.
ENTRE 544 et 421 AV. J.-C.

arbres de ma vigne pourront porter de nouveau du bon fruit, et que je pourrai encore trouver de la joie dans le fruit de ma vigne, et que je pourrai peut-être me réjouir extrêmement d'avoir conservé le [3d]racines et les branches du premier fruit —

61. Pour cette raison, va, appelle des [3e]serviteurs afin que nous travaillions diligemment de toutes nos forces dans la vigne, afin que nous préparions la voie pour que je puisse produire encore du fruit naturel, fruit naturel qui est bon et le plus précieux de tous les fruits.

62. Ainsi, allons, travaillons de toutes nos forces une dernière fois, car voici, la fin approche, et c'est la [3f]dernière fois que je taillerai ma vigne.

63. Greffez les branches ; commencez par les [3g]dernières pour qu'elles soient les premières, et que les [3h]premières soient les dernières. Bêchez à l'entour des arbres, vieux et jeunes, premier et dernier, dernier et premier, et que tous soient encore nourris une [3i]dernière fois.

64. Ainsi, bêchez à l'entour, taillez-les, engraissez-les encore une fois, pour la dernière fois, car la fin approche. Et s'il arrive que ces dernières greffes prospèrent et produisent le fruit naturel, alors vous leur préparez la voie pour qu'elles puissent croître.

65. Et à mesure qu'elles commenceront à pousser, vous élaguerez les branches au [3j]fruit amer, en fonction de la force et de la grandeur des bonnes. Et vous n'enlèverez pas les mauvaises d'un seul coup, dans la crainte que les racines ne soient trop fortes pour la greffe, et que celle-ci ne périsse, et

qu'ainsi je ne perde les arbres de ma vigne.

66. Car cela m'affligerait de perdre les arbres de ma vigne. En conséquence, vous élaguerez les mauvaises à mesure que les bonnes croîtront, afin que la racine et le sommet soient égaux en force, jusqu'à ce que le bon prédomine sur le mauvais, et que le mauvais puisse être abattu et jeté au feu, afin qu'il n'encombre point la terre de ma vigne. Et de cette manière, j'extirperai le mauvais de ma vigne.

67. Et je grefferai de nouveau [3k]les branches de l'arbre naturel sur l'arbre naturel ;

68. Et les [3l]branches de l'arbre naturel, je les grefferai sur les branches naturelles de l'arbre ; et ainsi, je les réunirai de nouveau en vue de leur faire porter le fruit naturel, et elles seront [3m]une.

69. Et les mauvaises seront rejetées, oui, même [3n]hors de toute la terre de ma vigne ; car voici, je ne taillerai plus ma vigne que cette fois.

70. Et * le Seigneur de la vigne envoya son [3o]serviteur ; et le serviteur alla et fit ce que le Seigneur lui avait commandé, et amena d'autres [3p]serviteurs, et ils étaient [3q]peu nombreux.

71. Et le Seigneur de la vigne leur dit : Allez, [3r]travaillez dans la vigne ; mettez-y toutes vos forces, car voici, c'est la dernière fois que je nourrirai ma vigne. La [3s]fin est proche, et la saison vient rapidement. Et si vous travaillez avec moi de toutes vos forces, vous trouverez de la [3t]joie dans le fruit que je m'amasserai pour le temps qui viendra bientôt.

72. Et * les [3u]serviteurs allèrent

3d, voir *2v*.   *3e*, vers. 70. 72. 74. 75. Jacob 6 : 2.   *3f*, voir *u*.   *3g*, Matt. 20 : 16. 11 : 25, 26.   *3h*, D. et A. 88 : 51-62. 1 Né. 13 : 42.   *3i*, voir *u*.   *3j*, voir *3b*. *3k*, vers. 55.   *3l*, vers. 55.   *3m*, vers. 66, 73, 74.   *3n*, vers. 66, 74, 75. 1 Né. 22 : 15-17. 19-26. 2 Né. 30 : 9, 10.   *3o*, D. et A. 101 : 55, 60. 103 : 21. 2 Né. 27 : 9. *3p*, voir D. et A.   *3q*. 1 Né. 14 : 12.   *3r*, D. et A. 6 : 3, 4. 11 : 3. 21 : 9. 24 : 19. 31 : 4, 5. 33 : 3, 4. 39 : 17. 43 : 28.   *3s*, voir *u*.   *3t*, vers. 75. 1 Né. 13 : 37, 38. Jacob 6 : 3.   *3u*, voir *3p*.   Entre 544 et 421 av. J.-C.

et travaillèrent de toutes leurs forces ; et le Seigneur de la vigne travailla aussi avec eux ; et ils obéirent en toutes choses aux commandements du Seigneur de la vigne.

73. Et il commença à paraître, de nouveau, du fruit naturel dans la vigne ; et les branches naturelles commencèrent à croître et à prospérer. Et les branches sauvages commencèrent à être enlevées et [3r]rejetées ; et ils gardèrent la racine et la tête [3w]égales, en fonction de leur force.

74. Ils travaillèrent de la sorte en toute diligence, selon les commandements du Seigneur de la vigne, jusqu'à ce que les [3x]mauvaises branches eussent été jetées hors de la vigne, et qu'il ne restât plus au Seigneur que les seuls arbres donnant du fruit naturel ; et ils devinrent semblables à un seul [3y]corps ; et les fruits furent égaux ; et le Seigneur de la vigne se conserva, ainsi, le fruit naturel qui lui avait été le plus précieux dès le commencement.

75. Et * quand le Seigneur de la vigne vit que son fruit était bon, et que sa vigne n'était plus [3z]corrompue, il appela ses serviteurs et leur dit : Voici, nous avons cultivé ma vigne pour la dernière fois ; et vous voyez que j'ai agi selon ma volonté ; et j'ai conservé le fruit naturel, de sorte qu'il est bon, tout comme il l'était au commencement. Et vous êtes bénis. Car, parce que vous avez été diligents à travailler avec moi dans ma vigne, et que vous avez gardé mes commandements, et m'avez reproduit le fruit naturel, en sorte que ma vigne n'est plus corrompue, et que le [4a]mauvais en

est extirpé, voici, vous vous [4b]réjouirez avec moi du fruit de ma vigne.

76. Car pendant [4c]longtemps je m'amasserai du fruit de ma vigne pour la saison -qui vient rapidement ; et c'est pour la [4d]dernière fois que j'ai nourri ma vigne, que je l'ai taillée, que je l'ai bêchée à l'entour et que je l'ai engraissée ; c'est pourquoi, je m'amasserai de son fruit pour longtemps, selon ce que j'ai dit.

77. Et quand le temps viendra où du [4e]mauvais fruit croîtra encore dans ma vigne, alors je ferai cueillir le bon et le mauvais ; et je me garderai le bon ; et le mauvais, je le rejetterai en son lieu propre. Alors viendra la saison et la fin ; et je ferai [4f]brûler ma vigne par le feu.

CHAPITRE 6.

Jacob interprète l'allégorie de l'olivier. — La taille de la vigne.

1. Et maintenant, voici, mes frères, je vous ai dit que je vous prophétiserais. Voici ma prophétie : Ce que le [a]prophète Zénos a dit touchant la maison d'Israël, qu'il compare à [b]un olivier franc, arrivera certainement.

2. Et le jour où il étendra encore la main pour la [c]seconde fois, pour recouvrer son peuple, est le jour, et ce sera la [d]dernière fois, où les serviteurs du Seigneur iront, investis de son [e]pouvoir, pour nourrir et tailler sa vigne ; et après cela, la [f]fin sera proche.

3. Et combien [g]bénis sont ceux qui ont travaillé diligemment à sa vigne ; et combien [h]maudits sont ceux qui sont rejetés en leur lieu

---

3v, voir 3b.　3w, voir 3m.　3x, voir 3n.　3y, voir 3m.　3z, voir 3n.　4a, voir 3n. 4b, voir 3t.　4c. D. et A. 101 : 62. 1 Né. 22 : 26. Voir n.　4d, voir u.　4e Apo. 20 : 7, 8.　4f. Apo. 20 : 14, 15. Jacob 6 : 3. 3 Né. 26 : 3. 4 Né. 29 : 23. CHAP. 6 : a, voir h, 1 Né. 19.　b, voir b, Jacob 5.　c, voir i. 2 Né. 6.　d, voir u. Jacob 5.　e, voir t, 1 Né. 13.　f, voir u, Jacob 5. D. et A. 43 : 17-20, 28. g, voir t, 1 Né. 13.　h, vers. 7-10. D. et A. 41 : 1.

ENTRE 544 et 421 AV. J.-C.

propre ! Et le monde sera 'brûlé par le feu !

4. Combien grande est la miséricorde de Dieu pour nous, car il se souvient de la maison d'Israël, de ses racines et de ses branches et il ne cesse d'étendre sa main vers elle pendant toute la journée. Mais c'est un peuple ʲobstiné et contradicteur ; mais tous ceux qui ne s'endurciront point le cœur seront sauvés dans le royaume de Dieu.

5. C'est pourquoi, mes frères bien-aimés, je vous supplie avec ferveur, de venir avec une ferme intention plus le cœur et de vous attacher à Dieu comme il s'attache à vous. Et gardez-vous de vous endurcir le cœur, pendant que le bras de sa miséricorde est encore tendu vers vous, dans la lumière du jour.

6. Oui, si vous voulez entendre sa voix aujourd'hui, ne vous endurcissez pas le cœur, car pourquoi vouloir mourir ?

7. Après avoir été nourris de la bonne parole de Dieu tout le jour, voulez-vous produire du mauvais fruit, pour être abattus et jetés au feu ?

8. Voici, rejetterez-vous ces paroles ? Rejetterez-vous les paroles des prophètes ; et rejetterez-vous toutes les paroles qui ont été dites au sujet du Christ après que tant d'hommes ont parlé de lui ? Renierez-vous ᵏla bonne parole du Christ, la puissance de Dieu, et le don du Saint-Esprit ? Etoufferez-vous l'Esprit Saint ? Tournerez-vous en dérision le grand plan de la rédemption qui a été préparé pour vous ?

9. Ne savez-vous pas que si vous faites ces choses, le pouvoir de la rédemption et de la résurrection qui est dans le Christ vous amènera devant la barre de Dieu couverts

de honte et d'une ᵏculpabilité terrible ?

10. Et selon le pouvoir de la justice, car la justice ne peut être niée, vous devrez aller dans ce ˡlac de feu et de soufre dont les flammes sont inextinguibles, dont la fumée monte pour toujours et à jamais ; lac de feu et de soufre qui est le ᵐtourment éternel.

11. O alors, repentez-vous, mes frères bien-aimés, entrez par la ⁿporte étroite, et suivez le chemin resserré jusqu'à ce que vous obteniez la vie éternelle.

12. O soyez sages ; que puis-je dire de plus ?

13. Enfin, je vous dis adieu jusqu'au moment où je vous verrai devant la ᵒbarre agréable de Dieu, à cette barre où les méchants sont frappés d'une crainte et d'un effroi terribles. Amen.

CHAPITRE 7.

Shérem nie le Christ et demande un signe ; il est frappé. — Il confesse son péché et meurt. — Début d'une réforme. — Haine des Lamanites pour les Néphites. — Jacob donne les plaques à son fils Enos.

1. * Lorsque quelques années se furent écoulées, il vint parmi le peuple de Néphi, un homme du nom de Shérem.

2. * Il commença à prêcher parmi le peuple, et à lui déclarer qu'il n'y aurait point de Christ. Et il prêchait beaucoup de choses flatteuses pour le peuple ; et il faisait cela dans le but de renverser la doctrine du Christ.

3. Et il travaillait diligemment à égarer le cœur des gens, au point qu'il égara beaucoup de cœurs. Comme il savait que moi, Jacob,

i, Jacob 5 : 77. 3 Né. 26 : 3. *j*, voir *k*, Jacob 4. *k*, Jacob 7 : 19. Mos. 15 : 26. Al. 39 : 5, 6. 3 Né. 29 : 7. *l*, voir *k*, 1 Né. 15. *m*, D. et A. 19 : 10-12. Mos. 3 : 25, 27. 28 : 3. 1 Né. 15 : 29, 30, 35. 2 Né. 9 : 16, 19, 26, 28 : 23. Al. 12 : 17. 3 Né. 27 : 11, 17. 29 : 7. Moro. 8 : 21. *n*, voir *2a*, 2 Né. 9. *o*, Moro. 10 : 34.

ENTRE 544 et 421 AV. J.-C.

j'avais foi dans le Christ qui doit venir, il chercha toutes les occasions d'arriver jusqu'à moi.

4. Il était instruit, de sorte qu'il connaissait parfaitement la langue du peuple ; c'est pourquoi, il pouvait faire usage de beaucoup de flatterie et d'un grand pouvoir oratoire, selon le pouvoir du diable.

5. Il espérait m'ébranler dans ma foi, malgré les nombreuses révélations et la quantité de choses que j'avais vues à ce sujet. Car j'avais vraiment vu des ᵃanges, et ils m'avaient enseigné ; j'avais aussi entendu la voix du Seigneur qui m'avait, de temps en temps, parlé de sa propre voix. Aussi ne pouvais-je pas être ébranlé.

6. * Il vint donc à moi, et il me parla de la sorte : Frère Jacob, j'ai ardemment cherché l'occasion de te parler ; car j'ai entendu dire et je sais aussi que tu vas souvent prêcher ce que tu appelles l'évangile ou la doctrine du Christ.

7. Et tu en as égaré un grand nombre de parmi ce peuple, de sorte qu'il pervertit la vraie voie de Dieu et n'observe point la loi de Moïse, qui est la vraie voie. Ils substituent à la loi de Moïse, l'adoration d'un être qui, dis-tu, viendra dans de nombreuses centaines d'années. Or, moi, Shérem, je te déclare que cela est un blasphème ; car personne ne connaît ces choses ; car personne ne peut annoncer les choses à venir. C'est ainsi que Shérem s'opposait à moi.

8. Mais voici, le Seigneur Dieu versa son Esprit dans mon âme, de sorte que je le confondis dans toutes ses paroles.

9. Et je lui dis : Nies-tu le Christ qui doit venir ? Et il dit : S'il devait y avoir un Christ, je ne le nierais point ; mais je sais qu'il n'y a point de Christ, qu'il n'y en a jamais eu, et qu'il n'y en aura jamais.

10. Et je lui dis : Crois-tu aux Ecritures ? Et il dit : Oui.

11. Et je lui dis : Alors, tu ne les comprends pas, car, en vérité, elles témoignent du Christ ; et voici, je te dis qu'il n'est pas un prophète qui ait écrit ou prophétisé sans avoir parlé de ce Christ.

12. Et ce n'est pas tout — cela m'a été rendu manifeste, car j'ai vu et entendu ; et cela m'a aussi été rendu manifeste par le pouvoir du Saint-Esprit ; c'est pourquoi je sais que s'il ne devait pas y avoir ᵇd'expiation, toute l'humanité serait perdue.

13. Et * il me dit : Montre-moi un signe par ce pouvoir du Saint-Esprit, grâce auquel tu connais tant de choses.

14. Et je lui dis : Que suis-je, pour tenter Dieu à te montrer un signe pour une chose que tu sais être vraie ? Tu le renieras, car tu es du ᶜdiable. Toutefois, que ce ne soit pas ma volonté qui soit faite ; mais si Dieu veut te frapper, que cela te soit un signe qu'il a le pouvoir dans le ciel comme sur la terre ; et aussi que le Christ viendra. Mais que ta volonté soit faite, ô Seigneur, et non la mienne.

15. Et * quand moi, Jacob, ᵈj'eus dit ces mots, le pouvoir de Dieu descendit sur lui, de sorte qu'il tomba par terre. Et * il fut nourri pendant de nombreux jours.

16. Et il arriva qu'il dit au peuple : Assemblez-vous demain, car je vais ᵉmourir ; et je souhaite parler au peuple avant de mourir.

17. Et * le lendemain, la multitude se rassembla ; il lui parla avec clarté ; et il nia ce qu'il lui avait enseigné, confessa le Christ, le pouvoir du Saint-Esprit, et le ministère des anges.

a, 2 Né, 2 : 3, 4. 10 : 3. 11 : 3. Jacob, voir 1 : 17. 2 : 11. 7 : 12. Al. 19 : 34. 24 : 14. Héla. 5 : 11. 13 : 37. 16 : 14. Moro. 7 : 22.   *b*, voir *f*, 2 Né. 2.   *c*, vers. 4, 18. *d*, voir *c*, Jacob 4.   *e*, vers. 20.   ENTRE 544 et 421 AV. J.-C.

18. Et il lui dit ouvertement qu'il avait été trompé par le *pouvoir du diable. Il parla de *l'enfer, de l'éternité et du *châtiment éternel.

19. Et il dit : Je crains d'avoir commis le péché *impardonnable, car j'ai menti à Dieu, car j'ai nié le Christ, et j'ai dit que je croyais aux Ecritures, et elles témoignent vraiment de lui. Et parce que j'ai menti ainsi à Dieu, je crains beaucoup que mon état ne soit terrible ; mais je me confesse à Dieu.

20. Et * après avoir dit ces choses, il ne put plus parler, et il *rendit l'esprit.

21. Et quand la *multitude eut été témoin de ce qu'il disait ces choses alors qu'il était sur le point de rendre l'esprit, elle fut extrêmement étonnée ; au point que le pouvoir de Dieu descendit sur elle ; et en étant accablée, elle tomba à terre.

22. Or, cet événement m'était fort agréable, à moi, Jacob, car je l'avais demandé à mon Père qui est au ciel ; et il avait écouté mon cri, et exaucé ma prière.

23. Et * la paix et l'amour de Dieu furent rétablis parmi le peuple ; et il sonda les *Ecritures, et ne suivit plus les paroles de ce méchant homme.

24. Et * nombre de projets furent formés pour *réformer les Lamanites, et les amener à la connaissance de la vérité. Mais ce fut en vain, car ils ne se plaisaient que dans la guerre et dans l'effusion du sang ; et ils avaient pour nous, leurs frères, *une haine implacable et ils cherchaient continuellement à nous détruire par la force de leurs armes.

25. C'est pourquoi, le peuple de Néphi se fortifia contre eux, à l'aide de ses armées et de toutes ses forces, plaçant sa confiance dans le Dieu et le rocher de son salut ; c'est pourquoi, jusqu'ici, il a toujours vaincu ses ennemis.

26. Et * moi, Jacob, je commençais à vieillir. Et les annales de ce peuple étant gardées sur les *autres plaques de Néphi, je finis ce récit, déclarant avoir écrit selon ma connaissance, et j'ajoute que pour nous, peuple isolé, grave, errant, rejeté de Jérusalem, né dans les tribulations, au milieu du désert, *haï de nos frères, ce qui nous a valu des guerres et des contentions, le temps a passé pour nous, et notre vie aussi a passé comme un rêve ; aussi, nos jours ont-ils été des jours de tristesse.

27. Et moi, Jacob, je vis que je devrais bientôt descendre dans la tombe. Alors je dis à mon fils, Enos : Prends ces *plaques. Et je lui dis *ce que mon frère Néphi m'avait commandé de faire, et il promit d'obéir aux commandements. Et je cesse d'écrire sur ces *plaques quoique je n'aie écrit que peu de choses. Et je dis adieu au lecteur, espérant que beaucoup de mes frères liront mes paroles. Frères, adieu.

---

f, vers. 4, 14.   *g*, voir *k*, 1 Né. 15.   *h*, voir *m*, Jacob 6.   *i*, voir *k*, Jacob 6.
j, vers. 16.   *k*, vers. 17.   *l*, Al. 63 : 12.   *m*, Enos 14, 20.   *n*, vers. 26. Enos 14, 20.
Jar. 6. Mos. 10 : 11-18. 28 : 2. Al. 26 : 23-25.   *o*, voir *f*, 1 Né. 1.   *p*, voir *n*.
q, voir *b*, 1 Né. 6.   *r*, Jacob 1 : 1-4.   *s*, voir *b*, 1 Né. 6.

ENTRE 544 et 421 av. J.-C.

LE LIVRE D'ENOS

Le Seigneur promet que des annales néphites parviendront aux Lamanites. — Caractère, état, et guerres des deux peuples.

1. Voici, * moi, ^aEnos, je sais que mon père était un homme juste — car il m'enseigna dans la langue, et aussi selon la nourriture et les avertissements du Seigneur — et béni soit le nom de mon Dieu pour cela —

2. Maintenant, je vous raconterai la lutte que j'eus à soutenir devant Dieu, avant de recevoir la rémission de mes péchés.

3. Voici, j'allai chasser des bêtes dans les forêts, et les paroles que j'avais souvent entendu dire par mon père touchant la vie éternelle et le bonheur des saints, pénétraient profondément mon cœur.

4. Mon âme était affamée ; et je m'agenouillai devant mon Créateur, l'implorant pour mon âme en de ferventes prières et en vives supplications. Je l'implorai tout le jour ; et la nuit paraissait déjà, qu'encore j'élevais ma voix vers les cieux.

5. Alors il me vint une voix qui me dit : Enos, tes péchés te sont remis, et tu seras béni.

6. Et moi, Enos, je savais que Dieu ne pouvait mentir ; ainsi, ma culpabilité était balayée.

7. Et je dis : Seigneur, comment cela se fait-il ?

8. Et il me dit : C'est à cause de ta foi au Christ, que tu n'as jamais vu ni entendu. Bien des années s'écouleront avant qu'il se manifeste dans la chair. Ainsi, va, ta foi t'a guéri.

9. Et * quand j'eus entendu ces paroles, je commençai à désirer le bonheur de mes frères, les Néphites. C'est pourquoi je déversai mon âme à Dieu pour eux.

10. Et pendant que je luttais ainsi dans l'esprit, voici, la voix du Seigneur se fit entendre dans mon âme, disant : Je visiterai tes frères selon leur diligence à garder mes commandements. Je leur ai ^bdonné ce pays qui est une terre sainte, et je ne la maudirai point, à moins que ce ne soit à cause de leurs iniquités. C'est pourquoi je visiterai tes frères, ainsi que je l'ai dit, et je ferai retomber leurs transgressions sur leur propre tête, en leur envoyant de grandes afflictions.

11. Et lorsque moi, Enos, j'eus entendu ces paroles, ma foi dans le Seigneur commença à devenir inébranlable, et je me mis à le prier, menant des luttes nombreuses et longues pour mes frères les Lamanites.

12. Et * lorsque j'eus prié et fait mes efforts en toute diligence, le Seigneur me dit : Je t'accorderai selon tes désirs à cause de ta foi.

13. Mais voici ce que je désirais obtenir de lui : c'est que, si mon peuple, les Néphites, tombait en transgression, et qu'il vînt à être détruit, et que les Lamanites ne fussent point détruits, que le Seigneur Dieu voulût bien conserver l'histoire de mon peuple, les Néphites ; et je désirais que, par le pouvoir de son saint bras, cette histoire pût un jour être transmise aux Lamanites, afin qu'ils pussent être amenés au salut —

14. Car, pour le moment, nos efforts pour les restaurer à la vraie foi étaient ^dvains. Ils juraient dans leur colère que, si cela était possible, ils nous détruiraient, nos annales et nous, ainsi que toutes les traditions de nos pères.

15. C'est pourquoi, sachant que Dieu était capable de préserver nos annales, je l'implorais continuelle-

---

a, Jacob 7 : 27.   *b,* voir *a,* 1 Né. 2.   *c,* vers. 15-18. Voir *c,* 2 Né. 27.   *d,* vers 20.
Jacob 7 : 24.
ENTRE 544 et 421 AV. J.-C.

ment ; car il m'avait dit : Tout ce que tu demanderas avec foi, croyant le recevoir au nom du Christ, tu le recevras.

16. Et j'avais la foi, et j'implorai Dieu de vouloir bien ʳconserver nos annales ; et il fit alliance avec moi de les faire ʳparvenir aux Lamanites, à l'époque qu'il avait arrêtée.

17. Et moi, Enos, je savais qu'il en serait ainsi selon l'alliance qu'il avait faite et mon âme se tranquillisa.

18. Et le Seigneur me dit : Tes pères m'ont aussi demandé cette chose ; et il leur sera fait selon leur foi, car leur foi était comme la tienne.

19. Alors, * moi, Enos, j'allai parmi le peuple de Néphi, prophétisant çà et là sur les choses à venir, et rendant témoignage de celles que j'avais vues et entendues.

20. Et je rends témoignage que le peuple de Néphi cherchait diligemment à ᵍramener les Lamanites à la vraie foi en Dieu. Mais nos travaux furent vains ; leur ʰhaine était inébranlable ; et, menés par leur mauvaise nature, ils devinrent sauvages, féroces, un peuple sanguinaire, idolâtre, sale, se nourrissant de bêtes de proie, demeurant sous les tentes, errant çà et là dans le désert, ayant une courte ceinture de peau autour des reins, la tête rasée, et, pour toute science, le maniement de l'arc, du cimeterre et de la hache. Et nombre d'entre eux ne mangeaient que de la viande crue. Et ils cherchaient continuellement à nous détruire.

21. Et * le peuple de Néphi cultivait la terre, et récoltait toutes sortes de ʿgrains et de fruits. Il élevait des troupeaux de brebis et des troupeaux de toutes sortes d'animaux, des chèvres, des chèvres sau-

vages et des chevaux en quantité.

22. Et il y avait un nombre extrêmement grand de prophètes parmi nous. Et le peuple était un peuple obstiné, et d'une intelligence bornée.

23. Et rien, sinon une ʲinflexible sévérité, la prédication et la prédiction des guerres, des contentions et des destructions, le rappel de la mort, de la durée de l'éternité, des jugements de Dieu et de son pouvoir, et toutes les choses de ce genre — les efforts continuels pour les réveiller pour les garder dans la crainte de Dieu — il ne fallait, dis-je, rien moins que cela et un langage extrêmement clair, pour les empêcher de déchoir rapidement vers la destruction. Et je ne saurais écrire autrement sur leur compte.

24. Et j'ai vu, pendant ma vie, des guerres entre les Néphites et les Lamanites.

25. Et * je commençai à prendre de l'âge, et †cent soixante-dix-neuf années s'étaient écoulées depuis que notre père Léhi avait ᵏquitté Jérusalem.

26. Et je vis que je devrais bientôt descendre dans la tombe, ayant été conduit par le pouvoir de Dieu à prêcher et à prophétiser à ce peuple, et à déclarer la parole selon la vérité qui est dans le Christ. Et je l'ai déclarée pendant toute ma vie ; et m'en suis réjoui plus que de toute autre chose au monde.

27. Et bientôt j'irai à mon lieu de repos, qui est avec mon Rédempteur, car je sais qu'en lui j'aurai le repos. Et j'entrevois, avec joie, le jour où mon corps mortel revêtira ˡl'immortalité et se tiendra devant lui : alors je verrai sa face avec délices ; il me dira : Viens à moi, toi qui es béni ; une place t'est préparée dans les ᵐdemeures de mon Père. Amen.

e, vers. 13. *f*, voir *c*, 2 Né. 27. D. et A. 3 : 18-20. 10 : 48-51. *g*, vers 14. Jacob 7 : 24. *h*, voir *n*, Jacob 7. *i*, 1 Né. 18 : 25. *j*, voir *a*, 1 Né. 16. *k*. 1 Né. 1 : 4. 2 : 2, 3. *l*, voir *d*, 2 Né. 2 Cor. 15 : 53. 2 Tim. 1 : 10. *m*, Eth. 12 : 32-34. D. et A. 72 : 4. 98 : 18. Jean 14 : 2, 3. † 420 ᴀᴠ. J.-C

LE LIVRE DE JAROM

Jarom, fils d'Enos, est gardien des annales. — Les Néphites servent le Seigneur et vivent dans la prospérité.

1. Voici, moi, Jarom, selon le commandement de mon père Enos, j'écris maintenant quelques mots pour que notre généalogie soit conservée.

2. Et comme ces *ᵃ*plaques sont petites, et que ces choses sont écrites pour le bien de nos frères, les *ᵇ*Lamanites, il est utile que j'écrive quelque peu. Mais je n'écrirai point les choses de mes prophéties ni de mes révélations. Car que pourrais-je ajouter à ce que mes pères ont écrit ? N'ont-ils pas révélé le plan du salut ? Je vous dis que oui, et cela me suffit.

3. Voici, il est nécessaire que beaucoup soit fait parmi ce peuple, *ᶜ*à cause de sa dureté de cœur, de sa surdité d'oreille, de son aveuglement d'esprit et de son obstination. Cependant, Dieu lui est extrêmement miséricordieux, et ne l'a pas, jusqu'à présent, balayé de la surface du pays.

4. Beaucoup d'entre nous ont de nombreuses révélations, car ils ne sont pas tous obstinés. Et tous ceux qui ne sont pas obstinés et qui ont la foi sont en communion avec le Saint-Esprit, qui se manifeste aux enfants des hommes selon leur foi.

5. Et voici, †deux cents ans avaient passé, et le peuple de Néphi s'était fortifié dans le pays. Il *ᵈ*observait la loi de Moïse, et sanctifiait le jour du sabbat à Dieu. Il n'était pas profane ; et il ne blasphémait pas non plus. Et les lois du pays étaient extrêmement strictes.

6. Il était dispersé sur une grande partie de la surface du pays

et les Lamanites aussi. Et ceux-ci étaient beaucoup plus nombreux que les Néphites ; et ils *ᵉ*aimaient le meurtre et buvaient le sang des bêtes.

7. Et * ils nous firent de nombreuses fois la guerre, à nous, les Néphites. Mais nos rois et nos dirigeants étaient des hommes puissants dans la foi du Seigneur ; et ils enseignaient au peuple les voies du Seigneur ; c'est pourquoi, nous résistâmes aux Lamanites et les balayâmes de notre pays. Nous commençâmes à fortifier nos villes et toutes les places de notre héritage.

8. Et nous nous multipliâmes considérablement et nous nous répandîmes sur la surface du pays, et nous nous *ᶠ*enrichîmes en or, en argent, en choses précieuses, en chefs-d'œuvre d'art en bois, en bâtiments, en machinerie et aussi en fer, en cuivre, en airain, en acier, fabriquant toutes sortes d'outils pour la culture de la terre, et des armes de guerre — oui, la flèche à la pointe acérée, le carquois, le dard, le javelot, et toutes sortes de préparatifs de guerre.

9. Et puisque nous étions ainsi préparés à rencontrer les Lamanites, leurs tentatives contre nous furent impuissantes. Et ainsi fut vérifiée la parole du Seigneur à nos pères, qui disait : *ᵍ*Si vous gardez mes commandements, vous prospérerez dans le pays.

10. Et * les prophètes du Seigneur menaçaient le peuple de Néphi, d'après la parole de Dieu, que s'il ne gardait point les commandements, mais tombait dans la transgression, il serait *ʰ*balayé de la surface du pays.

11. C'est pourquoi les prophètes,

---

a. voir *b.* 1 Né. 6.   *b.* voir *c.* 2 Né. 27.   *c.* Enos. 23.   *d.* voir *o*, 2 Né. 25.   *e.* voir *n.* Jacob 7. Enos 20.   *f.* voir *n.* 1 Né. 18.   *g.* voir *h*, 2 Né. 1.   *h.* 1 Né. 12 : 19. 20. Al. 45 : 10-14. Héla. 13 : 5-10. 3 Né. 27 : 32. Morm. 6.

les prêtres et les instructeurs travaillaient avec zèle, exhortant patiemment le peuple à la diligence ; enseignant la 'loi de Moïse, et le but dans lequel elle était donnée ; le persuadant d'attendre la venue du Messie, et de croire en lui qui devait venir, comme s'il était déjà venu. Et c'est de cette manière qu'ils l'enseignaient.

12. Et * en faisant de la sorte, ils l'empêchèrent d'être détruit sur la surface du pays ; car ils lui touchaient le cœur en le portant continuellement à la repentance.

13. Et * †deux cent trente-huit ans s'étaient écoulés, et une grande partie de ce temps avait été remplie par des guerres, des contentions et des dissensions.

14. Et moi, Jarom, je n'en écris pas plus, car les plaques sont petites. Mais voici, mes frères, vous pouvez recourir aux ʲautres plaques de Néphi ; car voici, sur elles sont gravées les annales de nos guerres, selon les écrits des rois, ou celles qu'ils ont fait écrire.

15. Et je remets ces plaques entre les mains de mon fils Omni, pour qu'elles soient gardées selon les commandements de mes pères.

LE LIVRE D'OMNI

Comprenant les annales tenues par Omni, Amaron, Chémish, Abinadom et Amaléki. — Mosiah quitte le pays de Néphi, découvre le pays de Zarahemla qui est occupé par une autre colonie venue de Jérusalem. — On le fait roi. — Coriantumr, dernier des Jarédites. — Le roi Benjamin. — Autres migrations.

1. Voici * moi, Omni, ayant reçu l'ordre de mon père Jarom d'écrire quelque peu sur ces ᵃplaques, pour préserver notre généalogie —

2. Je voudrais que vous sachiez que, de mon vivant, je combattis beaucoup avec l'épée pour empêcher mon peuple, les Néphites, de tomber entre les mains des Lamanites, leurs ennemis. Mais voici, je suis, en moi-même, un homme corrompu et je n'ai pas gardé les statuts et les commandements du Seigneur comme j'aurais dû le faire.

3. Et * ‡‡ deux cent soixante-seize années s'étaient écoulées, et nous eûmes beaucoup de moments de paix ; et nous eûmes beaucoup de temps de guerres et d'effusions de sang graves. Oui, et enfin § deux cent quatre-vingt-deux années avaient passé et je gardai ces plaques selon les ᵇcommandements de mes pères ; et je les conférai à mon fils Amaron. Et je finis.

4. Et maintenant moi, Amaron, ce peu que j'écris, je l'écris dans le livre de mon père.

5. Voici * §§ trois cent vingt ans avaient passé, et ce qu'il y avait de plus ᶜpervers parmi les Néphites fut détruit.

6. Car le Seigneur ne voulut pas souffrir, après les avoir emmenés du pays de Jérusalem et les avoir gardés et empêchés de tomber dans les mains de leurs ennemis, oui, il ne voulut pas souffrir que les paroles, qu'il annonça à nos pères, ne s'accomplissent pas, à savoir : Si vous ne gardez ᵈpoint mes commandements, vous ne prospérerez point dans le pays.

7. C'est pourquoi, le Seigneur les châtia par de grands jugements. Toutefois, il épargna les justes, et les délivra des mains de leurs ennemis pour qu'ils ne périssent pas.

i, voir *o*, 2 Né. 25.   *j*, voir *b*, 1 Né. 6 ; aussi *f*, 1 Né. 1.   Le livre d'Omni. *a*, voir *b*, 1 Né. 6.   *b*, Jacob 1 : 1-4. 7 : 27. Jar. 1, 2, 15.   *c*, Jar. 10.   *d*, voir *h*, 2 Né. 1.   † 361 av. J.-C.   ‡‡ 323 av. J.-C.   § 317 av. J.-C.   §§ 279 av. J.-C.

8. Et * j'ai remis les annales à mon frère Chémish.

9. Maintenant, moi, Chémish, j'écris °dans le même livre que mon frère le peu que j'ai à écrire. J'ai vu que les derniers mots qu'il a écrits étaient écrits de sa propre main ; et il les a écrits le jour même où il me les a donnés. C'est ainsi que nous gardons les annales, selon les ᶠcommandements de nos pères. Et je cesse.

10. Moi, Abinadom, je suis le fils de Chémish. J'ai vu beaucoup de guerres et de contentions entre mon peuple, les Néphites, et les Lamanites. De mon épée, j'ai ôté la vie à beaucoup de Lamanites en défendant mes frères.

11. Voici, les annales de ce peuple, gravées sur des plaques, sont gardées par les rois de génération en génération. Et comme je ne connais aucune révélation ou prophétie qui n'ait été écrite, c'est pourquoi, ce qui suffit est écrit. Et je cesse.

12. Je suis Amaléki, fils d'Abinadom. Voici, je vous parlerai quelque peu de Mosiah qui fut établi roi sur le pays de Zarahemla. Il fut averti par le Seigneur de fuir le pays de ᵍNéphi et de prendre avec lui tous ceux qui voulaient écouter la voix du Seigneur et de se rendre dans le désert.

13. * Il fit ce que le Seigneur lui avait commandé. Ils quittèrent donc le pays, et s'en allèrent dans le désert, lui et tous ceux qui voulaient écouter la voix du Seigneur. Et l'esprit de prédication et de prophétie les conduisit. Et ils furent continuellement avertis par la parole de Dieu et guidés par le pouvoir de son bras à travers le désert, jusqu'à ce qu'ils arrivassent dans le pays que l'on appelle pays de ʰZarahemla.

14. Et ils découvrirent un peuple qui s'appelait le ⁱpeuple de Zarahemla. Et il y eut de grandes réjouissances parmi le peuple de Zarahemla ; et Zarahemla se réjouit extrêmement aussi, de ce que le Seigneur leur avait envoyé le peuple de Mosiah, avec les plaques ʲd'airain contenant les annales des Juifs.

15. Voici, * Mosiah découvrit que le peuple de Zarahemla avait quitté Jérusalem au ᵏmoment où Sédécias, roi de Juda, était emmené captif à Babylone.

16. Il voyagea dans le désert, et fut amené par la main du Seigneur, à travers les grandes eaux, jusqu'au pays où Mosiah le ˡdécouvrit ; et il y avait habité depuis ce temps-là.

17. Et au moment où Mosiah le découvrit, ce peuple était devenu extrêmement nombreux. Cependant, il avait eu de nombreuses guerres et de graves contentions, et était tombé de temps à autre par l'épée. Son langage s'était ᵐcorrompu ; il n'avait point apporté d'annales avec lui ; il niait l'existence de son Créateur ; et ni Mosiah ni le peuple de Mosiah ne pouvaient comprendre sa langue.

18. Mais * Mosiah fit enseigner à ce peuple sa propre langue ; et lorsque le peuple eut appris la langue de Mosiah, Zarahemla donna, d'après sa mémoire, la généalogie de ses pères. Elle fut écrite, mais ⁿpas sur ces plaques.

19. Il arriva que les deux peuples de Zarahemla et de Mosiah s'unirent, et Mosiah fut choisi pour °leur roi.

20. * Du temps de Mosiah, une grande pierre ᵖcouverte d'inscriptions lui fut apportée ; et il ᵠinterpréta ces inscriptions par le don et le pouvoir de Dieu.

e, voir b.   f, voir f, 1 Né. 1.   g, voir b, 2 Né. 5.   h, Al. 2 : 15.   i, vers. 15-19. Mos. 25 : 2-4. Al. 22 : 30-32. Héla. 6 : 10. 8 : 21.   j, voir a, 1 Né. 3.   k, 2 Rois 25 : 1-7. Voir i.   l, vers. 14.   m, vers. 18.   n, voir j.   o, vers. 12.   p, vers. 20. q, Mos. 8 : 13-18.   ENTRE 279 et 130 AV. J.-C.

21. Ils donnaient l'histoire d'un certain *Coriantumr, et de ceux de son peuple qui avaient été tués. Et Coriantumr fut *découvert par le *peuple de Zarahemla ; et il habita avec eux pendant neuf lunes.

22. Il y avait aussi quelques mots au sujet de ses pères ; et ses premiers parents vinrent de la *tour, au temps où le Seigneur confondit la langue du peuple ; et la sévérité du Seigneur tomba sur eux selon ses jugements, qui sont justes ; et leurs *ossements sont disséminés dans le pays du nord.

23. Voici, moi, Amaléki, je naquis du temps de Mosiah, que j'ai vu mourir. Benjamin, son fils, règne à sa place.

24. Et voici, j'ai vu, du temps du roi Benjamin, une guerre violente et beaucoup d'effusion de sang entre les Néphites et les Lamanites. Mais voici, les Néphites obtinrent de nombreux avantages sur eux, de telle sorte que le roi Benjamin finit par les chasser complètement du *pays de Zarahemla.

25. Et * je commençai à vieillir ; et, n'ayant pas de postérité, et sachant que le roi Benjamin est un homme juste devant le Seigneur, je lui remettrai les *plaques, et j'exhorte tous les hommes à venir à Dieu, le Très-Saint d'Israël, à croire aux prophéties, aux révélations, au ministère des anges, au don des langues, au don d'interprétation des langues, et à tout ce qui est bon ; car il n'est rien de bon qui ne vienne du Seigneur ; et ce qui est mal vient du diable.

26. Et maintenant, mes frères bien-aimés, je voudrais que vous veniez au Christ, qui est le Très-Saint d'Israël, et que vous preniez part à son salut et au pouvoir de sa rédemption. Oui, venez à lui et donnez-lui votre âme tout entière en offrande ; continuez à jeûner et à *prier et persévérez jusqu'à la fin ; et aussi vrai que le Seigneur vit, vous serez sauvés.

27. Je voudrais maintenant vous parler d'un certain nombre d'hommes qui montèrent dans le désert pour retourner au pays de *Néphi ; car il y en avait un grand nombre qui désiraient posséder le pays de leur héritage.

28. C'est pourquoi, ils montèrent dans le désert. Et leur chef, qui était un homme fort et puissant, un homme obstiné, provoqua une querelle parmi eux ; et *ᵃils furent tous tués dans le désert, excepté cinquante qui regagnèrent le *ᵇpays de Zarahemla.

29. Et * ils en prirent aussi *ᶜd'autres en nombre considérable, et ils s'en allèrent de nouveau dans le désert.

30. Et moi, Amaléki, j'avais un frère qui partit aussi avec eux. Et depuis lors, je n'ai plus reçu de leurs nouvelles. Et je suis sur le point de me coucher dans la tombe, et ces plaques sont *ᵈremplies. Et je cesse de parler.

---

r, Eth. 12 : 1-3. 13 : 1, 2, 13-31. Chaps 14, 15.   *s*, Eth. 11 : 20, 21. 13 : 21.
t, voir *i*.   *u*, Mos. 28 : 17. Eth. 1 : 1-6. Gen. 11 : 1-9.   *v*, Mos. 8 : 8-12. Voir *q*.
w, voir *h*.   *x*, voir *b*, 1 Né. 6.   *y*, voir *e*, 2 Né. 32.   *z*, voir *b*, 2 Né. 5.
2a, Mos. 9 : 1, 2, 4.   *2b*, voir *h*.   *2c*, Mos. 9 : 3, 4.   *2d*, vers. 11, 19.
ENTRE 279 et 130 AV. J.-C.

LES PAROLES DE MORMON

L'abrégé de Mormon et les petites plaques de Néphi. — Le rapport entre la partie précédente du Livre de Mormon et la partie qui suit.

1. Et maintenant, moi, Mormon, à la veille de remettre entre les mains de mon fils Moroni les [a]annales que j'ai écrites, je dois dire que j'ai été témoin de la destruction presque totale de mon peuple, les Néphites.

2. Et c'est de [b]nombreuses centaines d'années après l'avènement du Christ, †que je remets ces annales entre les mains de mon [c]fils ; et je suppose qu'il sera témoin de la destruction complète de mon peuple ; mais puisse Dieu lui accorder de survivre pour écrire [d]quelque peu sur eux, et quelque peu sur le Christ dans l'espoir que cela puisse peut-être leur profiter un jour.

3. Et maintenant, je parle quelque peu de ce que j'ai écrit. Lorsque j'eus fait un [e]abrégé des [f]plaques de Néphi, jusqu'au [g]règne de ce roi Benjamin, dont Amaléki a parlé, je cherchai dans les [h]annales qui avaient été remises entre mes mains et je trouvai ces [i]plaques contenant cette brève histoire des prophètes, à partir de Jacob jusqu'au règne de ce roi Benjamin, ainsi qu'un [k]grand nombre des paroles de Néphi.

4. Etant donné que les choses qui sont sur ces plaques me plaisaient, à cause des prophéties sur l'avènement du Christ, et que mes pères ont su qu'un grand nombre d'entre elles se sont accomplies ; oui, et je sais aussi que tout ce qui a été prophétisé sur nous jusqu'à ce jour s'est accompli ; et que tout ce qui va plus loin que ce jour s'accomplira sûrement.

5. C'est pourquoi, je choisis [l]ces choses pour terminer mes annales, et ce reste de mes [m]annales, je le prendrai des [n]plaques de Néphi ; et je ne puis écrire la [o]centième partie des choses de mon peuple.

6. Mais voici, je prendrai ces [p]plaques, qui contiennent ces prophéties et ces révélations, et je les mettrai avec le reste de mes [q]annales ; car elles me sont précieuses, et je sais qu'elles seront précieuses pour mes frères.

7. Et je le fais dans un [r]sage dessein, car j'y suis poussé par l'inspiration de l'Esprit du Seigneur qui est en moi. Cependant, je ne sais pas toutes choses ; mais le Seigneur connaît toutes les choses à venir ; c'est pourquoi, il me pousse à agir selon sa volonté.

8. Et ma prière à Dieu est pour mes frères, qu'ils puissent, encore une fois, venir à la connaissance de Dieu, oui, à la rédemption du Christ, pour qu'ils redeviennent, encore une fois, un peuple [t]agréable.

9. Maintenant, moi, Mormon, je vais finir mon [u]récit, que je prends des plaques de Néphi. Et je le fais selon la connaissance et l'intelligence que je tiens de Dieu.

10. Donc, * lorsque Amaléki eut remis [v]ces plaques entre les mains du roi Benjamin, celui-ci les prit et les réunit à [w]celles qui contenaient les annales transmises par les rois, de génération en généra-

a, 3 Né. 5 : 10. Morm. 1 : 1-4. 2 : 17, 18. 5 : 9. 6 : 1, 6. 8 : 1, 4, 5, 14-16. 9 : 32-36. Moro. 9 : 23, 24. 10 : 1-5. *b*, Morm. 6 : 5. *c*, Morm. 6 : 6. *d*, Morm. 8 : 1-8. *e*, Morm. 5 : 9. *f*, voir *f*, 1 Né. 1. *g*, Om. 23-25. *h*, Morm. 4 : 23. *i*, voir *b*, 1 Né. 6. *k*, voir 1 et 2 Né. *l*, vers. 6. *m*, 3 Né. 5 : 14-18. Morm. 1 : 1. *n*, 1 Né. 9 : 2. Voir *f*. Voir vers. 3. Voir aussi *f*, 1 Né. 1. *o*, vers. 3. 3 Né. 5 : 8-11. 26 : 6-12. Morm. 5 : 9. *p*, vers. 5. *q*, voir *c*. *r*, D. et A. 3, 10. *t*, 2 Né. 30 : 6. *u*, vers. 3. *v*, voir *p*. *w*, voir *f* † VERS 385 AP. J.-C.

tion jusqu'au temps de ce roi Benjamin.

11. Et du roi Benjamin elles furent transmises de génération en génération, jusqu'au moment où elles me sont tombées entre les *mains. Et moi, Mormon, je prie Dieu qu'elles soient conservées désormais ; et je sais qu'elles seront conservées ; car de grandes choses y sont écrites, par lesquelles *mon peuple et ses *frères seront *ªjugés au grand et dernier jour, selon la parole de Dieu qui est écrite.

12. Passons maintenant à ce roi Benjamin — il y eut parmi son peuple quelques dissensions.

13. Et il arriva aussi que les armées des Lamanites descendirent du *ᵇpays de Néphi pour combattre son peuple. Mais voici, le roi Benjamin rassembla ses armées et il leur fit face ; et il combattit à la force de son propre bras, armé de *ᶜl'épée de Laban.

14. Ils combattirent leurs ennemis par la puissance du Seigneur jusqu'à tuer les Lamanites par milliers. Et * ils se battirent contre les Lamanites jusqu'à ce qu'ils les eussent entièrement chassés de tous les pays de leur héritage.

15. Et * lorsqu'il eut paru de faux Christs, et que la bouche leur eut été fermée, et qu'ils eurent été punis selon leurs crimes,

16. Et lorsqu'il eut paru de faux prophètes, de faux prédicateurs, et de faux docteurs parmi le peuple, et que tous ceux-ci eurent été punis selon leurs crimes ; et lorsqu'il se fut produit de nombreuses contentions et que bien des dissidents furent passés aux Lamanites ; voici, * le roi Benjamin, aidé des saints prophètes qui étaient parmi son peuple —

17. Car voici, le roi Benjamin était un saint homme et il régna en justice sur son peuple ; et il y avait beaucoup d'hommes saints dans le pays, et ils prêchaient la parole de Dieu avec puissance et autorité ; et ils faisaient usage d'une *ᵈgrande sévérité, à cause de l'obstination du peuple —

18. C'est pourquoi, avec l'aide de ceux-ci, le roi Benjamin, en travaillant de toute la puissance de son corps et de toutes les facultés de son âme, de même que les prophètes, établit une fois de plus la paix dans le pays.

LE LIVRE DE MOSIAH

CHAPITRE 1.

Le roi Benjamin exhorte ses fils. — Mosiah est choisi pour succéder à son père. — Il reçoit les annales, etc.

1. Et maintenant, il n'y avait plus de contentions dans tout le *ªpays de Zarahemla, parmi tout le peuple qui appartenait au roi Benjamin ; de sorte que le roi Benjamin passa le reste de ses jours dans une paix permanente.

2. * Il eut trois fils ; et il les appela Mosiah, Hélorum et Hélaman. Il les fit instruire dans la *ᵇlangue de ses pères, afin qu'ils devinssent par là des hommes d'intelligence ; et afin qu'ils connussent les prophéties qui avaient été dites de la bouche de leurs pères, et révélées par la main du Seigneur.

3. Et il les instruisit aussi touchant les annales qui étaient gravées sur les *ᶜplaques d'airain, disant : Je

x, 3 Né. 5 : 8-11. Morm. 4 : 23.   *y*, Héla. 15 : 3. Voir *p*, Jacob 5.   *z*, Héla. 15 : 4. Voir *q*, Jacob 5.   *2a*, 2 Né. 25 : 18. 29 : 11. 33 : 11, 14, 15. 3 Né. 27 : 23-27. Eth. 4 : 8-10. 5 : 4.   *2b*, voir *b*, 2 Né. 5.   *2c*, voir *a*, 1 Né. 4.   *2d*, voir *a*, 1 Né. 16.   LE LIVRE DE MOSIAH : *a*, Om, 13.   *b*, vers. 4, 1 Né. 1 : 2. Morm. 9 : 32. *c*, voir *a*, 1 Né. 3.   VERS 130 AV. J.-C.

souhaite, mes fils, que vous vous souveniez que, sans ces plaques qui contiennent ces annales et ces commandements, nous aurions souffert dans l'ignorance, même en ce moment, ne connaissant pas les mystères de Dieu.

4. Car il était impossible que notre père Léhi se souvînt de toutes ces choses pour les enseigner à ses enfants, sans l'aide de ces plaques ; car ayant été instruit dans la langue des *d*Egyptiens, il pouvait lire ces inscriptions, et les apprendre à ses enfants, afin que ceux-ci pussent les apprendre à leurs enfants, accomplissant ainsi les commandements de Dieu jusqu'à nos jours.

5. Je vous le dis, mes fils, sans ces annales, qui ont été tenues et conservées par la main de Dieu, pour que nous puissions lire et comprendre ses mystères, et avoir toujours sous les yeux ses commandements, nos pères mêmes seraient tombés dans l'incrédulité, et nous aurions été semblables à nos frères, les Lamanites, qui ne connaissent rien de ces choses ; et qui, à cause de leurs *e*traditions de leurs pères, qui ne sont pas correctes, ne les croient pas quand elles leur sont enseignées.

6. O mes fils, je voudrais que vous vous souveniez que ces paroles sont vraies et que ces annales sont vraies aussi. Et voici, les plaques de Néphi, qui contiennent les annales et les paroles de nos pères depuis le temps où ils quittèrent Jérusalem jusqu'à ce jour, sont également vraies ; et nous pouvons savoir qu'elles sont sûres, car nous les avons sous les yeux.

7. Et maintenant, mes fils, je voudrais que vous vous souveniez de les sonder avec diligence, pour que vous puissiez en profiter, et je voudrais que vous observiez les commandements de Dieu, afin de prospérer dans le pays, selon les *f*promesses que le Seigneur a faites à nos pères.

8. Et le roi Benjamin enseigna à ses fils beaucoup d'autres choses, qui ne sont point écrites dans ce livre.

9. Et * quand le roi Benjamin eut fini de donner ses instructions à ses fils, il devint vieux, et il vit qu'il devrait suivre très bientôt la voie que suit toute la terre ; c'est pourquoi il jugea qu'il était opportun de conférer le royaume à un de ses fils.

10. C'est pourquoi, †il fit amener Mosiah devant lui et lui tint ce langage : Mon fils, je voudrais que tu fasses une proclamation partout dans ce pays, parmi tout ce peuple, soit au peuple de *g*Zarahemla et au peuple de *h*Mosiah, qui habite ce pays, afin qu'ils se rassemblent ; car demain j'annoncerai de ma propre bouche, à ce peuple, qui est le mien, que tu es *i*roi et gouverneur de ce peuple que le Seigneur, notre Dieu, nous a donné.

11. Et de plus, je donnerai à ce peuple un *j*nom qui le distinguera de tout autre, parmi ceux que le Seigneur Dieu a emmenés du pays de Jérusalem. Et j'agis ainsi parce qu'il a été diligent à garder les commandements du Seigneur.

12. Et je lui donne un nom qui ne sera jamais effacé, à moins qu'il ne transgresse.

13. Oui, et de plus, je te dis que s'il arrive que ce peuple, si hautement favorisé du Seigneur, tombe dans la transgression et devienne un peuple pervers et adultère, le Seigneur l'abandonnera de sorte qu'il deviendra faible comme ses frères ; et il ne le préservera plus par son pouvoir incomparable et

d, voir *b*.   *e*, voir *n*, Jacob 7. Al. 19 : 14.   *f*, voir *h*, 2 Né. 1.   *g*, Om. 14. *h*, voir *p*, Mos. 27 : 35. 28 : 18. 29 : 40. Héla. 15 : 3.   *i*, Mos. 2 : 30. 6 : 3, 4. *j*, vers. 12. Mos. 5 : 11.   † VERS 124 AV. J.-C.

miraculeux, comme il a préservé nos pères jusqu'à présent.

14. Car je te dis que si Dieu n'avait pas étendu le bras pour protéger nos pères, ils seraient tombés entre les mains des Lamanites pour être les victimes de leur haine.

15. Et * lorsque le roi Benjamin eut mis fin à ces paroles qu'il adressait à son fils, il lui donna la charge de toutes les affaires du royaume.

16. Et de plus, il lui donna aussi la charge des annales gravées sur les ᵏplaques d'airain ; et aussi les ˡplaques de Néphi, ᵐl'épée de Laban et la ⁿboule ou directeur qui avait conduit nos pères à travers le désert, laquelle avait été faite par la main du Seigneur pour les guider, selon l'attention et la diligence dont chacun faisait preuve envers lui.

17. C'est pourquoi, quand ils étaient infidèles, ils ne prospéraient ni n'avançaient dans leur voyage, mais ils étaient ᵒpoussés en arrière, et encouraient le déplaisir de Dieu ; aussi étaient-ils frappés de famine et de graves afflictions pour être ramenés au souvenir de leur devoir.

18. * Mosiah partit et fit ce que son père lui avait ᵖcommandé. Il annonça à tout le peuple du ᵠpays de Zarahemla qu'il fallait qu'il se rassemblât et qu'il montât ʳau temple pour entendre ce que son père avait à lui dire.

CHAPITRE 2.

Le roi Benjamin fait ériger une tour du haut de laquelle il s'adresse à son peuple. — Le règne de justice d'un roi qui craint Dieu.

1. Et * lorsque Mosiah eut fait ce que son père lui ᵃavait commandé, et eut fait une proclamation

à travers tout le pays, le peuple se rassembla de toutes parts, afin de monter au ᵇtemple pour y entendre les paroles du roi Benjamin.

2. Et il y en avait un grand nombre, et il y en avait même tant qu'on n'en fit pas le dénombrement, car ils s'étaient beaucoup multipliés et étaient devenus puissants dans le pays.

3. Et ils prirent aussi certains des premiers-nés de leurs troupeaux pour les offrir en sacrifice et en holocauste, conformément à la ᶜloi de Moïse.

4. Et pour rendre grâces au Seigneur leur Dieu qui les avait tirés du pays de Jérusalem et les avait délivrés des mains de leurs ennemis ; qui leur avait donné des hommes justes pour les enseigner, et pour roi un homme juste qui avait établi la paix dans le ᵈpays de Zarahemla et leur avait enseigné à garder les commandements de Dieu, afin qu'ils pussent se réjouir et être emplis d'amour envers Dieu et envers tous les hommes.

5. * Arrivés au ᵉtemple, ils dressèrent leurs tentes à l'entour, chaque homme avec sa famille, comprenant sa femme, ses fils, ses filles, leurs fils et leurs filles, depuis l'aîné jusqu'au plus jeune ; et chaque famille à part.

6. Et ils dressèrent leurs tentes tout autour du temple de manière à ce que la porte fît face au ᶠtemple, afin que les familles pussent rester sous leurs tentes et écouter de là les paroles du roi Benjamin.

7. La multitude étant si grande que le roi Benjamin ne pouvait pas les enseigner tous à l'intérieur des murs du temple, il fit élever une ᵍtour pour que son peuple entendît ses paroles.

---

k, voir a, 1 Né. 3.   l, voir f, 1 Né. 1.   m, voir a, 1 Né. 4.   n, voir d, 1 Né. 16.   o, 1 Né. 18 : 12, 13.   p, vers. 10. Mos. 2 : 1.   q, Om. 13.   r, voir h, 2 Né. 5.   CHAP. 2 : a, Mos. 1 : 10, 18.   b, voir h, 2 Né. 5.   c, voir o, 2 Né. 25. d, Om. 13.   e, voir h, 2 Né. 5.   f, voir h, 2 Né. 5.   g, vers. 8.

8. Et * il se mit à parler à son peuple du haut de la tour ; et tous ne pouvaient pas entendre ses paroles à cause de la grandeur de la multitude ; c'est pourquoi, il fit écrire ce qu'il avait dit et l'envoya à ceux qui n'étaient point à la portée de sa voix, pour qu'ils reçussent aussi ses paroles.

9. Et voici les paroles qu'il prononça et fit écrire : Mes frères, vous tous qui vous êtes rassemblés, vous qui pouvez entendre ce que je vais vous dire en ce jour, je ne vous ai point ordonné de venir ici pour que vous tourniez mes paroles en dérision, mais pour que vous me prêtiez votre attention, que vous ouvriez les oreilles pour entendre, le cœur pour comprendre et l'esprit pour que les mystères de Dieu soient dévoilés à votre vue.

10. Je ne vous ai point ordonné de monter jusqu'ici pour que vous me craigniez, ou que vous pensiez que, de moi-même, je suis plus qu'un mortel.

11. Mais je suis comme vous, sujet à toutes les infirmités du corps et de l'âme ; cependant, j'ai été choisi par ce peuple et consacré par mon *père, et la main du Seigneur a souffert que je sois gouverneur et roi de ce peuple ; et j'ai été gardé et protégé par son pouvoir sans pareil, pour vous ʲservir de toutes les forces, de tout l'esprit et de tout le pouvoir que le Seigneur m'a accordés.

12. Je vous dis qu'il m'a été permis de consacrer ma vie à votre service jusqu'à ce moment ; et je n'ai recherché de vous ni or, ni argent, ni aucune espèce de richesse ;

13. Et je n'ai point souffert que vous fussiez enfermés dans des cachots, ni que l'un de vous fasse de l'autre son esclave, ni que vous commettiez des meurtres, des pillages, des vols, ou des adultères ; et je n'ai même point toléré la moindre transgression, mais je vous ai enseigné à garder les commandements du Seigneur en tout ce qu'il vous a ordonné.

14. Et j'ai travaillé de mes propres mains pour vous servir, et ne point vous accabler d'impôts, et pour que rien ne vienne sur vous qui soit dur à porter ; — et vous êtes témoins aujourd'hui de tout ce que j'ai dit.

15. Cependant, mes frères, je n'ai pas fait ceci pour en tirer vanité, et je ne vous en parle point pour vous accuser ; mais je vous dis ceci pour que vous sachiez que je puis, en ce jour, répondre d'une conscience pure devant Dieu.

16. Voici, je vous dis que parce que je vous ai dit que j'ai passé mes jours à vous ʲservir, je ne désire pas me vanter, car je ne faisais que servir Dieu.

17. Et voici, je vous dis ceci, c'est pour vous enseigner la sagesse ; c'est pour vous apprendre qu'en servant vos semblables, c'est Dieu seulement que vous servez.

18. Vous m'avez appelé votre roi ; et si moi, que vous appelez votre roi, je travaille pour vous servir, ne devez-vous pas travailler pour vous servir les uns les autres ?

19. Or, si moi, que vous appelez votre roi, qui ai passé mes jours à votre ᵏservice, et qui ai cependant été au service de Dieu, je mérite la moindre reconnaissance de votre part, ô combien plus n'en devez-vous pas à votre Roi céleste ?

20. Je vous dis, mes frères, que si vous rendiez toute la reconnaissance et toutes les louanges que votre âme tout entière a le pouvoir de posséder, à ce Dieu qui vous a créés, gardés et préservés, qui vous a donné des raisons de vous réjouir,

---

h, Om. 23, 24.   i, vers. 14, 16-19.   j, vers. 11, 17-19.   k, vers. 11, 16-18.
VERS 124 AV. J.-C.

et vous a accordé de vivre en paix les uns avec les autres —

21. Je vous dis que si vous serviez celui qui vous a créés dès le commencement, qui vous préserve de jour en jour, en vous prêtant le souffle pour que vous puissiez vivre, avoir le mouvement et agir à votre volonté, vous soutenant même d'un instant à l'autre — je le dis, si vous le serviez de toute votre âme, vous ne seriez encore que de vains serviteurs.

22. Et voici, tout ce qu'il vous demande, c'est de garder ses commandements ; et il vous a [1]promis que si vous gardiez ses commandements vous prospéreriez dans le pays ; et il ne varie jamais de ce qu'il a dit ; c'est pourquoi, si vous gardez ses commandements, il vous bénira et vous fera prospérer.

23. En premier lieu, il vous a créés, il vous a donné la vie, dont vous lui êtes redevables.

24. En second lieu, il demande que vous fassiez ce qu'il vous a commandé ; et si vous le faites, il vous bénit immédiatement ; c'est pourquoi, il vous a payés. Et vous lui êtes encore redevables, vous l'êtes et vous le serez à tout jamais. Aussi, de quoi tirez-vous vanité ?

25. Maintenant, je vous le demande, pouvez-vous dire quoi que ce soit de vous-mêmes ? Je vous réponds, non. Vous ne pouvez pas dire que vous êtes même autant que la poussière de la terre ; pourtant vous avez été créés de la [m]poussière de la terre ; mais voici, elle appartient à celui qui vous a créés.

26. Et moi, moi-même, que vous appelez votre roi, je ne suis pas meilleur que vous ne l'êtes vous-mêmes ; car je suis également poussière. Et vous voyez que je suis vieux, prêt à rendre cette forme mortelle à la terre, sa mère.

27. C'est pourquoi, de même que je vous ai dit que je vous avais [n]servis, marchant devant Dieu avec une conscience nette, de même je vous ai fait rassembler aujourd'hui, pour que je sois trouvé innocent et que votre sang ne retombe pas sur moi, quand je comparaîtrai pour être jugé de Dieu touchant les choses qu'il m'a commandées relativement à vous.

28. Je vous dis que je vous ai fait assembler pour rendre mes vêtements purs de votre sang, à ce moment où je suis à la veille de descendre dans la tombe, afin que je puisse y descendre en paix, et que mon esprit immortel puisse se joindre aux [o]chœurs célestes pour chanter les louanges d'un Dieu juste.

29. Et de plus, je vous dis que je vous ai fait assembler pour vous déclarer que je ne puis plus être votre instructeur ni votre roi ;

30. Car en ce moment même, tout mon corps tremble extrêmement tandis que j'essaie de vous parler ; mais le Seigneur Dieu me soutient et a souffert que je parle et m'a commandé de vous déclarer aujourd'hui que mon fils Mosiah est votre [p]roi et votre gouverneur.

31. Et maintenant, mes frères, je voudrais que vous fassiez ce que vous avez fait jusqu'à présent. De même que vous avez gardé mes commandements et les commandements de mon père, et que vous avez prospéré et qu'il vous a été évité de tomber entre les mains de vos ennemis, de même, si vous observez les commandements de mon fils ou les commandements de Dieu qu'il vous remettra, vous prospérerez dans le pays, et vos

l, voir *h*, 2 Né. 1.   *m*, 2 Né. 2 : 15. 29 : 7. Jacob 2 : 21. 4 : 9. Mos. 4 : 21. 7 : 27. 28 : 17. Al. 18 : 28, 34, 36. 22 : 10-13. 42 : 2. Morm. 6 : 15. 9 : 11, 12, 17. Eth. 3 : 15, 16. Moro. 10 : 3. Gen. 2 : 7. 3 : 19.   *n*, vers. 11, 12, 14-19.   *o*, Morm. 7 : 7.   *p*, Mos. 1 : 10. 6 : 3, 4.

ennemis n'auront aucun pouvoir sur vous.

32. Mais, ô mon peuple, soyez sur vos gardes de peur que des contentions ne s'élèvent parmi vous et que vous ne choisissiez d'obéir à ᵠl'esprit malin, dont vous a parlé mon père Mosiah.

33. Car voici, il y a une malédiction prononcée contre celui qui choisit d'obéir à cet esprit ; car, s'il choisit de lui obéir, qu'il reste et meurt dans ses péchés, il boit de la damnation pour son âme. Pour gages, il reçoit un ʳchâtiment éternel, ayant, avec connaissance, violé la loi de Dieu.

34. Je vous dis qu'il n'en est pas un parmi vous, si ce n'est vos petits enfants, à qui ces choses n'ont pas été enseignées, qui ne sache qu'il est éternellement redevable à son Père céleste de ce qu'il a et de ce qu'il est ; qui n'ait, également, appris ce qui touche les annales qui contiennent les prophéties prononcées par les saints prophètes, même jusqu'au temps où notre père Léhi sortit de Jérusalem ;

35. Ainsi que tout ce qu'ont annoncé nos pères jusqu'à ce jour. Et ce qu'ils ont annoncé, c'est ce que le Seigneur leur a commandé ; c'est pourquoi, c'est juste et vrai.

36. Et maintenant, je vous dis, mes frères, que si, après avoir connu toutes ces choses, après qu'elles vous ont été enseignées, vous transgressez et faites le contraire de ce qui a été dit, que vous vous éloignez de l'Esprit du Seigneur, et qu'il ne peut avoir place en vous pour vous guider dans les sentiers de la sagesse, pour vous bénir, vous faire prospérer et vous préserver —

37. Je vous dis que l'homme qui agit de la sorte entre en rébellion ouverte contre Dieu. Il choisit d'obéir à ˢl'esprit malin, il devient ennemi de toute justice, et le Seigneur n'a point de place en lui ; car le Seigneur n'habite point les temples profanes.

38. C'est pourquoi, si cet homme ne se repent pas, s'il reste et meurt ennemi de Dieu, les exigences de la justice divine éveillent son âme immortelle à la conscience vive de son crime, qui le fait reculer hors de la présence du Seigneur et lui remplit l'âme de culpabilité, de peine et d'angoisse, ce qui est semblable à un ᵘfeu inextinguible dont la flamme monte pour toujours.

39. Et maintenant je vous dis que la miséricorde n'a aucun droit sur cet homme, c'est pourquoi sa condamnation est d'endurer un tourment ᵛsans fin.

40. O vous tous, hommes d'âge, vous, jeunes hommes, et vous, petits enfants qui pouvez comprendre mes paroles, car je vous ai parlé clairement, afin que vous puissiez comprendre, je prie que vous vous éveilliez au souvenir de la terrible situation de ceux qui sont tombés en transgression.

41. Et de plus, je voudrais que vous méditiez sur l'état de bonheur et de bénédiction dont jouissent ceux qui gardent les commandements de Dieu. Car voici, ils sont bénis en toutes choses, tant temporelles que spirituelles, et s'ils restent fidèles jusqu'à la fin, ils sont reçus dans le ciel pour y habiter avec Dieu, dans un état de félicité sans fin. O souvenez-vous, souvenez-vous que ces choses sont vraies, car le Seigneur Dieu l'a dit.

q, voir i, 2 Né. 2. 9 : 39. 18 : 19. 28 : 20-22. 32 : 8. Mos. 2 : 37. 3 : 6. 4 : 14. 16 : 3. Al. 3 : 26, 27. 5 : 20, 39-42. 30 : 42, 53. 34 : 34, 35, 39. 40 : 13, 14. Héla. 7 : 15, 16. 13 : 37. 3 Né. 27 : 11, 32. Morm. 1 : 19. 5 : 18. Moro. 7 : 11-14. 17. 10 : 30.   r, voir m, Jacob 6.   s, 1 Né. 3 : 24. 5 : 14.   t, voir q,   u, voir m, Jacob 6.   v, voir m, Jacob 6.

CHAPITRE 3.

Suite du discours du roi Benjamin. — Une autre prophétie au sujet du Christ. — Détails supplémentaires sur l'expiation.

1. De nouveau, mes frères, je voudrais attirer votre attention car j'ai encore quelque chose à vous dire ; car voici, j'ai des choses à vous dire sur ce qui doit arriver.

2. Et ce que je vais vous dire m'a été dévoilé par un ange de Dieu. Il m'a dit : Eveille-toi ! et je m'éveillai, et voici, il se tenait devant moi.

3. Et il me dit : Eveille-toi et écoute les paroles que je vais te dire ; car voici, je suis venu te déclarer la bonne nouvelle d'une grande joie.

4. Le Seigneur a entendu tes prières et a jugé ta justice ; il m'a envoyé pour te déclarer que tu peux te réjouir, et pour que tu annonces à ton peuple que lui, aussi, peut être rempli de joie.

5. Car voici, le temps arrive et n'est pas très éloigné, où le Seigneur omnipotent qui règne, qui était et qui ᵃest de toute éternité à toute éternité, descendra du ciel parmi les enfants des hommes, habitera un ᵇtabernacle d'argile et ira parmi les hommes, opérant de ᶜgrands miracles, guérissant les malades, ressuscitant les morts, faisant marcher les boiteux, rendant la vue aux aveugles et l'ouïe aux sourds, et guérissant toutes sortes de maladies.

6. Et il chassera les démons ou les mauvais ᵈesprits qui habitent le cœur des enfants des hommes.

7. Et il subira des tentations, il souffrira les ᵉdouleurs du corps la faim, la soif et la fatigue, plus qu'un homme ne peut endurer, sans en mourir ; car son sang coulera par chaque pore tant son angoisse sera grande à cause des iniquités et des abominations de son peuple.

8. Il sera appelé Jésus-Christ, le Fils de Dieu, Père du ciel et de la terre, créateur de toutes choses dès le commencement ; et le nom de sa mère sera ᶠMarie.

9. Et voici, il viendra parmi les siens afin que le salut soit donné aux enfants des hommes par la foi en son nom ; et même après tout cela, on le prendra pour un homme, et on dira qu'il a un démon, et on le fouettera, et on le ᵍcrucifiera.

10. Et il ressuscitera des morts le ʰtroisième jour ; et voici, il se tient pour juger le monde ; et voici, toutes ces choses ont lieu pour qu'un juste jugement soit accordé aux enfants des hommes.

11. Car son sang ⁱexpie les péchés de ceux qui sont tombés par la transgression d'Adam, sont morts sans avoir connu la volonté de Dieu à leur sujet, ou ont péché par ʲignorance.

12. Mais malheur, malheur à celui qui sait qu'il se rebelle contre Dieu ! Car le salut n'est pas pour lui ou ses pareils, à moins qu'il ne se repente et ait foi au Seigneur Jésus-Christ.

13. Et le Seigneur Dieu a envoyé ses saints prophètes parmi tous les enfants des hommes pour déclarer ces choses à toutes familles, nations et langues, afin que quiconque croira que le Christ va venir, puisse recevoir la rémission de ses péchés

---

a, 2 Né. 19 : 6. 26 : 12. Mos. 15 : 1-5. Al. 11 : 38, 39, 44. 13 : 7-9. Héla. 14 : 12. Moro. 7 : 22. 8 : 18. D. et A. 29 : 33. 39 : 1. 76 : 4.   *b*, 2 Né. 9 : 18-21. 2 Né. 2 : 4. 6 : 9. 9 : 5, 21. 25 : 12. 32 : 6. Mos. 7 : 27.   *c*, 1 : 7-5. Al. 7 : 9-13. 19 : 13. Héla. 14 : 4. 3 Né. 1 : 14. 9 : 15, 16. 18, 19. Chaps 11-28. Morm. 3 : 21. *c*, 1 Né. 11 : 31. 2 Né. 10 : 4. 26 : 13. Al. 7 : 11.   *d*, voir *q*. Mos. 2.   *e*, voir *s*, 2 Né. 9.   *f*, Al. 7 : 10.   *g*, 1 Né. 11 : 33. 19 : 10, 13. 2 Né. 6 : 9. 10 : 3. 25 : 13. Mos. 15 : 7. 3 Né. 11 : 14, 15.   *h*, 1 Né. 19 : 10. 2 Né. 25 : 13. Héla. 14 : 20, 27. 3 Né. 10 : 9.   *i*, voir *f*, 2 Né. 2.   *j*, 2 Né. 9 : 25, 26. Mos. 3 : 20-22. 15 : 24, 25. Al. 9 : 15, 16. 29 : 5. 42 : 21. Héla. 15 : 14, 15. Moro. 8 : 22.   VERS 124 AV. J.-C.

et être comblé de joie, comme s'il était déjà venu parmi eux.

14. Cependant, le Seigneur Dieu a vu que son peuple était un peuple obstiné, et il lui a donné une loi, la ᵏloi de Moïse.

15. Et il lui a montré un grand nombre de signes, de prodiges, de symboles et de figures touchant son avènement ; et de saints prophètes lui parlèrent de sa venue ; et cependant, il s'endurcit le cœur, ne comprenant pas que la loi de Moïse ne sert à rien pour le salut, si ce n'est par ˡl'expiation de son sang.

16. Et même si les petits enfants étaient susceptibles de pécher, ils ne pourraient être sauvés. Mais je te déclare qu'ils sont bénis ; car, de même qu'ils sont déchus en Adam ou par nature, de même le sang du Christ expie ᵐleurs péchés.

17. Et je te dis, en outre, qu'il ne sera point d'autre nom donné, ni aucune voie ou moyen par lesquels le salut puisse être donné aux enfants des hommes, si ce n'est dans et par le nom du Christ, le Seigneur omnipotent.

18. Car il juge et son jugement est juste, et le ⁿpetit enfant qui meurt en bas âge ne périt pas. Mais les hommes boivent de la damnation pour leur âme s'ils ne s'humilient et ne deviennent comme de petits enfants, et ᵒs'ils ne croient que le salut a été, est et sera dans le sang et par le sang expiatoire du Christ, le Seigneur Omnipotent.

19. Car l'homme naturel est l'ennemi de Dieu, l'a été depuis la chute d'Adam et le sera pour toujours et à jamais, à moins qu'il ne se rende aux persuasions du Saint-Esprit, qu'il ne se dépouille de l'homme naturel, ne devienne un saint par l'expiation du Christ, le

Seigneur, et ne devienne comme un enfant, soumis, doux, humble, patient, plein d'amour, disposé à se soumettre à toutes les choses que le Seigneur jugera bon de lui infliger, tout comme l'enfant se soumet à son père.

20. Et de plus, je te déclare que le temps viendra où la connaissance d'un Sauveur se répandra parmi toutes les nations, familles, langues et peuples ;

21. Et voici, quand ce temps sera venu, nul ne sera trouvé innocent devant Dieu, si ce n'est les ᵖpetits enfants, que par le repentir et la foi au nom du Seigneur Dieu omnipotent.

22. Et en ce moment même, quand tu auras enseigné à ton peuple les choses que le Seigneur ton Dieu t'a ordonnées, à ce moment-là, il ne sera plus sans tache aux yeux de Dieu, si ce n'est selon les paroles que je t'ai dites.

23. Et maintenant, j'ai dit les paroles que le Seigneur Dieu m'a ordonnées.

24. Et ainsi dit le Seigneur : Elles resteront comme un témoignage éclatant contre ce peuple, au jour du jugement ; il sera jugé par elles, chaque homme selon ses œuvres, qu'elles soient bonnes ou mauvaises.

25. Et si elles sont mauvaises, ils sont consignés à une vision terrible de leurs propres crimes et de leurs abominations, qui les fait reculer hors ᵈe la présence du Seigneur, dans un état de misère et de ᵠtourment sans fin, dont ils ne peuvent plus revenir ; ils ont ainsi bu de la damnation pour leur âme.

26. Ils ont bu à la coupe de la colère de Dieu, que la justice ne pourrait pas plus leur refuser qu'elle ne pouvait refuser qu'Adam ne tombât, parce qu'il avait pris le

k, voir o, 2 Né. 25.   l, voir f, 2 Né. 2.   m, vers. 18, 19. Mos. 15 : 25. Moro. 8 : 8, 12, 22.   n, voir m.   o, voir f, 2 Né. 2.   p, voir m.   q, voir m, Jacob 5. r, voir m, Jacob 6.

fruit défendu. Ainsi la miséricorde n'aura plus jamais de droit sur eux.

27. Et leur tourment est comme un lac de feu et de soufre, dont les flammes sont inextinguibles, et dont la fumée monte pour toujours et à jamais. Et c'est ce que le Seigneur m'a ordonné. Amen.

CHAPITRE 4.

Fin du discours du roi Benjamin. — Les conditions du salut. — L'homme dépend de Dieu. — Exhortation à la générosité, à la sagesse, et à la diligence.

1. Et * quand le roi Benjamin eut fini de dire les paroles qui lui avaient été déclarées par ᵃl'ange du Seigneur, il jeta les yeux sur la multitude, et voici, elle était tombée à terre, car la crainte du Seigneur l'avait frappée.

2. Et elle s'était vue, dans son état charnel, valant même moins que la poussière de la terre. Et tous crièrent d'une seule voix, disant : O aie pitié, et applique le sang ᵇexpiatoire du Christ, pour que nous en recevions le pardon de nos péchés, et que notre cœur soit purifié ; car nous croyons en Jésus-Christ, le Fils de Dieu, qui a créé le ciel et la terre, et toutes choses, et qui descendra parmi les enfants des hommes.

3. Et * lorsqu'ils eurent ainsi parlé, l'Esprit du Seigneur descendit sur eux, et ils furent remplis de joie, ayant reçu la rémission de leurs péchés, et ayant la conscience en paix à cause de leur très grande foi en Jésus-Christ qui devait venir, suivant les paroles que le roi Benjamin leur avait adressées.

4. Et le roi Benjamin ouvrit de nouveau la bouche et se mit à leur parler, disant : Mes amis et mes frères, mes parents et mon peuple, je veux encore demander votre attention afin que vous entendiez et que vous compreniez le reste des paroles que je vais vous adresser.

5. Car voici, si en ce moment la connaissance de la bonté de Dieu vous a éveillés au sens de votre néant et de votre état vil et déchu —

6. Je vous le dis, si vous êtes parvenus à connaître la bonté de Dieu, sa puissance incomparable, sa sagesse, sa patience, sa longanimité envers les enfants des hommes, ainsi que ᶜl'expiation préparée, dès la ᵈfondation du monde, pour donner le salut à celui qui met sa confiance dans le Seigneur et qui est diligent à garder ses commandements et à persévérer dans la foi jusqu'à la fin de sa vie, je veux dire la vie du corps mortel —

7. Or je dis que c'est celui-là qui reçoit le salut par ᵉl'expiation préparée dès la fondation du monde, pour tous les hommes qui aient jamais été depuis la chute d'Adam, ou qui sont ou qui seront jamais, même jusqu'à la fin du monde.

8. Et que c'est là le moyen d'obtenir le salut. Et il n'est d'autre salut que celui dont il a été parlé ; de même il n'y a point de conditions par lesquelles les hommes puissent être sauvés, si ce n'est les conditions que je vous ai dites.

9. Croyez en Dieu ; croyez qu'il est et qu'il a créé toutes choses dans le ciel et sur la terre : croyez qu'il est souverainement sage, souverainement puissant dans le ciel et sur la terre ; croyez que l'homme ne comprend pas toutes les choses que le Seigneur peut comprendre.

10. Croyez encore que vous

---

a, vers. 11. Mos. 3 : 2. *b*, voir *f*, 2 Né. 2. *c*, voir *f*, 2 Né. 2. *d*, vers. 7. Mos. 18 : 13. Al. 12 : 25, 30. 13 : 3, 5, 7, 8. 18 : 39. 22 : 13. 42 : 26. Héla. 5 : 47, 3 Né. 1 : 14. 26 : 5. Eth. 3 : 14. *e*, voir *f*, 2 Né. 2.

devez vous repentir de vos péchés, y renoncer et vous humilier devant Dieu ; et lui demander, en toute sincérité de cœur, de vous pardonner ; et maintenant, si vous croyez toutes ces choses, veillez à les pratiquer.

11. Et je vous dis encore, comme je l'ai déjà dit, que puisque vous êtes parvenus à la connaissance de la gloire de Dieu, ou si vous avez connu sa bonté et avez goûté de son amour, reçu la rémission de vos péchés, ce qui provoque une joie aussi extrême dans votre âme, je souhaiterais que vous vous souveniez et que vous gardiez toujours le souvenir de la grandeur de Dieu et de votre propre néant, et de sa bonté et de sa longanimité envers vous, qui n'êtes que d'indignes créatures ; et que vous vous humiliiez même dans les profondeurs de l'humilité, invoquant chaque jour le nom du Seigneur, et vous tenant fermes dans la foi de ce qui doit venir, ainsi que ʲl'ange l'a annoncé de sa bouche.

12. Et voici, je vous dis que si vous faites cela, vous vous réjouirez toujours, vous serez remplis de l'amour de Dieu, et vous aurez toujours la rémission de vos péchés ; et vous croîtrez dans votre connaissance de la gloire de celui qui vous a créés, ou dans votre connaissance de ce qui est juste et vrai.

13. Vous n'aurez pas le désir de vous nuire les uns aux autres, mais celui de vivre dans la paix, et de rendre à chacun ce qui lui est dû.

14. Et vous ne souffrirez pas que vos enfants aillent affamés ou nus, et vous ne souffrirez pas non plus qu'ils transgressent les lois de Dieu, qu'ils se battent et se querellent, et servent le ᵍdiable, qui

est maître du péché, qui est cet esprit malin dont nos pères ont parlé, l'ennemi de toute justice.

15. Mais vous leur enseignerez à marcher dans les sentiers de la vérité, et de la sobriété ; vous leur enseignerez à s'aimer les uns les autres et à se servir les uns les autres.

16. Et vous-mêmes, vous porterez secours à ceux qui ont besoin de votre secours ; vous donnerez de vos biens à ceux qui n'en ont point, et vous ne laisserez point le ʰmendiant vous supplier en vain, et ne le renverrez pas pour qu'il périsse.

17. Tu diras peut-être : L'homme s'est attiré sa propre misère ; c'est pourquoi je retiendrai ma main, et je ne donnerai ni ma nourriture ni ma substance pour qu'il ne souffre pas, car son châtiment est mérité —

18. Mais je te dis, ô homme, que quiconque agira ainsi, a grand sujet de se repentir ; et s'il ne se repent pas de ce qu'il a fait, il périra à jamais, et perdra ses droits au royaume de Dieu.

19. Car ne sommes-nous pas tous des ʿmendiants ? Ne dépendons-nous pas tous du même Etre, Dieu, en tout ce que nous possédons, pour notre nourriture, nos vêtements, l'or, l'argent, et toutes les richesses de toutes sortes que nous avons ?

20. Et voici, en ce moment même, vous venez d'invoquer son nom et de mendier de lui la rémission de vos péchés. Et a-t-il souffert que vous mendiiez en vain ? Non ; il a versé son Esprit sur vous, il a rempli votre cœur d'allégresse, et a rendu votre bouche muette, tant votre joie était grande.

21. Or, si Dieu, qui vous a créés, et à qui vous êtes redevables

---

ʲ, voir a.   g, voir q, Mos. 2.   h, vers. 19, 20, 22-25.   i, voir h.

de votre existence, de tout ce que vous possédez et de tout ce que vous êtes, vous accorde ce que vous demandez de *juste, avec foi, croyant le recevoir, ô alors, comme vous devriez vous accorder les uns aux autres de votre subsistance.

22. Et si vous jugez l'homme qui vous demande un secours pour ne point périr, et que vous le condamnez, combien plus juste sera votre condamnation pour avoir refusé vos biens, qui ne vous appartiennent pas, mais appartiennent à Dieu, de qui vous tenez aussi la vie ; et pourtant vous n'offrez point de prières, et vous ne vous repentez pas de ce que vous avez fait.

23. Je vous dis donc, malheur à celui-là, car ses biens périront avec lui. Et je dis cela à ceux qui sont riches des biens de ce monde.

24. Et je dis aux pauvres : Vous qui ne possédez rien, mais qui cependant possédez assez pour subsister au jour le jour ; je veux dire, vous tous qui refusez au *mendiant parce que vous n'avez rien, je souhaiterais que vous disiez en votre cœur : Je ne donne pas, parce que je n'ai pas, mais si j'avais, je donnerais.

25. Si vous dites cela en votre cœur, vous n'êtes pas coupables ; autrement vous êtes condamnés ; et votre condamnation est juste, car vous convoitez ce que vous n'avez pas reçu.

26. Or, pour mériter ce que je viens de vous dire — c'est-à-dire, pour vous conserver de jour en jour la rémission de vos péchés, et pour marcher purs devant Dieu — je souhaiterais que vous donniez de vos biens aux pauvres, chacun selon ce qu'il a, de manière à 'nourrir ceux qui ont faim, vêtir ceux qui sont nus, visiter et sou-

lager les malades tant spirituellement que temporellement, selon leurs besoins.

27. Et que vous veilliez à tout faire avec sagesse et avec ordre, car il n'est pas requis que l'homme coure plus vite qu'il n'a de forces. Et d'un autre côté, il est nécessaire qu'il soit diligent, pour qu'il puisse, par là, gagner le prix ; c'est pourquoi tout doit se faire avec ordre.

28. Et je voudrais que vous vous souveniez que quiconque *emprunte à son voisin doit lui rendre ce qu'il a emprunté, selon sa promesse, sinon il commettra un péché, et il fera peut-être pécher son voisin également.

29. Enfin, je ne puis vous indiquer tout ce qui pourrait vous entraîner au péché, car il y a divers voies et moyens, et même en si grand nombre que je ne puis les énumérer.

30. Mais je puis vous déclarer que si vous ne veillez pas à vous-mêmes, à vos pensées, à vos paroles et à vos actions, et que si vous ne gardez pas les commandements de Dieu et ne persévérez pas, même jusqu'à la fin de vos jours, dans la foi de ce que vous avez appris sur la venue de notre Seigneur, vous périrez. Et maintenant, ô homme, souviens-toi et ne péris pas.

CHAPITRE 5.

Effet du discours du roi Benjamin. — Le peuple se repent, fait alliance avec le Christ, et porte son nom.

1. Et * quand le roi Benjamin eut ainsi parlé à son peuple, il lui envoya des gens pour s'enquérir s'il croyait aux paroles qu'il lui avait dites.

j, voir *e*, 2 Né. 32.   *k*, voir *h*.   *l*, 2 Né. 26 : 30. Jacob 2 : 19. Mos. 18 : 27-29. 21 : 17. Al. 1 : 27, 30. 4 : 12, 13. 34 : 28, 29. 3 Né. 12 : 42. 13 : 1-4. 4 Né. 3. Morm. 8 : 37, 39. Moro. 7 : 6-8.   *m*, 3 Né. 12 : 42.

2. Et ils s'écrièrent tous d'une voix : Oui, nous croyons toutes les paroles que tu nous a dites ; et nous savons qu'assurément elles sont vraies, parce que l'Esprit du Seigneur omnipotent a produit un grand changement en nous ou dans notre cœur de sorte que nous n'avons plus de disposition à faire le mal, mais à faire le bien continuellement.

3. Et, nous-mêmes, par la bonté infinie de Dieu, et par les manifestations de son Esprit, nous avons de grandes perspectives sur ce qui est à venir ; et s'il était expédient, nous pourrions prophétiser sur toutes choses.

4. Et c'est la foi que nous avons dans les choses que notre roi nous a dites, qui nous a amenés à cette grande connaissance, qui nous donne des raisons de nous réjouir tellement.

5. Et nous sommes disposés à faire alliance avec notre Dieu, à faire sa volonté, et à obéir à ses commandements en tout ce qu'il ordonnera durant le reste de nos jours, afin de ne point attirer sur notre tête un ^atourment sans fin, ainsi que ^bl'ange l'a déclaré ; et aussi pour ne point boire à la coupe de la colère de Dieu.

6. Or, ce sont là les paroles que le roi Benjamin désirait d'eux. C'est pourquoi il leur dit : Vous avez parlé selon mes vœux, et l'alliance que vous venez de faire est une alliance juste.

7. Et maintenant, à cause de l'alliance que vous avez faite, vous serez appelés les enfants du Christ, ses fils et ses filles ; car voici, il vous a engendrés spirituellement aujourd'hui ; car vous dites que votre cœur s'est changé par votre foi en son ^cnom ; c'est pourquoi, vous êtes ^dnés de lui, vous êtes devenus ses fils et ses filles.

8. Et à ce titre, vous êtes affranchis et il n'est aucun autre titre auquel vous pouvez être affranchis. Il n'est pas ^dd'autre nom donné par lequel le salut soit accordé ; c'est pourquoi je souhaite que vous ^epreniez le nom du Christ sur vous, vous tous qui avez fait alliance avec Dieu de lui obéir jusqu'à la fin de vos jours.

9. Et * quiconque le fera aura sa place à la droite de Dieu, car il saura le nom par lequel il est appelé ; car il sera appelé par le ^fnom du Christ.

10. Et * quiconque ne prendra pas le nom du Christ sera appelé d'un autre nom ; c'est pourquoi, il se trouve à la gauche de Dieu.

11. Et je voudrais que vous vous souveniez aussi que c'est là le nom que je disais que je vous donnerais, lequel ne ^gserait jamais effacé que pour cause de transgression ; gardez-vous donc de transgresser, pour que ce nom ne soit point effacé de votre cœur.

12. Je vous le dis ; je voudrais que vous vous souveniez de toujours retenir ce nom ^hgravé dans votre cœur, pour ne pas vous trouver à la ⁱgauche de Dieu, mais pour que vous entendiez et connaissiez la voix qui vous appellera et le nom par lequel vous serez appelés.

13. Car, comment un homme connaît-il le maître qu'il n'a pas servi, qui lui est étranger, qui est loin de ses pensées et des désirs de son cœur ?

14. Et encore : Un homme prend-il l'âne de son voisin et le soigne-t-il ? Je vous dis que non : il ne souffrira même pas qu'il

a, voir *m*, Jacob 6.   *b*, Mos. 3 : 2, 3, 4 : 1.   *c*, Mos. 27 : 24-27. Al. 5 : 14, 49. 22 : 15. 36 : 23, 26. 38 : 6. Jean 1 : 13. 3 : 3. Tite 3 : 5.   *d*, 1 Né. 10 : 6. 2 Né. 2 : 8. 11 : 6. 25 : 20. 31 : 21. Mos. 4 : 8. 13 : 28. 15 : 19. 16 : 4. Al. 21 : 9. 34 : 9. 38 : 9. Actes 4 : 12   *e*, vers. 9-14. Mos. 26 : 18, 24. Al. 1 : 19. 5 : 38. 34 : 38. 3 Né. 27 : 5-9. Morm. 8 : 38.   *f*, voir *e*.   *g*, Mos. 1 : 11, 12.   *h*, voir *e*.   *i*, vers. 10.
VERS 124 AV. J.-C.

paisse au milieu de ses troupeaux, mais il le chassera et l'expulsera. Je vous le dis, ainsi en sera-t-il parmi vous, si vous ne connaissez pas le *j*nom dont vous êtes appelés.

15. C'est pourquoi, je voudrais que vous restiez fermes et inébranlables, toujours pleins de bonnes œuvres, afin que le Christ, le *k*Seigneur Dieu Omnipotent vous scelle à lui, pour que vous soyez amenés au ciel, pour jouir du salut et de la vie éternelle, par la sagesse, la puissance, la justice et la miséricorde de celui qui a *l*créé toutes choses au ciel et sur la terre, qui est Dieu, qui est au-dessus de tout. Amen.

CHAPITRE 6.

Les noms des inscrits. — Des prêtres sont choisis. — Début du règne de Mosiah. — Mort du roi Benjamin.

1. Et après que le roi Benjamin eut cessé de parler, il jugea convenable de prendre les noms de tous ceux qui venaient de faire, avec le Seigneur, alliance de garder ses commandements.

2. Et il arriva que, les petits enfants exceptés, il n'y eut pas une seule âme qui n'eût fait alliance, et qui n'eût pris sur elle le *a*nom du Christ.

3. Et * lorsque le roi Benjamin eut terminé tout cela, eut *b*consacré son fils Mosiah comme gouverneur et roi de son peuple, lui eut donné la charge du royaume, et eut établi des *c*prêtres pour enseigner le peuple, afin qu'il pût, par eux, entendre et connaître les commandements de Dieu, et être porté à se rappeler le *d*serment qu'il avait fait,

il renvoya la multitude ; et chacun retourna avec sa famille à sa propre demeure.

4. Et Mosiah commença à *e*régner à la place de son père. †Et il commença à régner dans sa trentième année, ce qui fait en tout quatre cent soixante-seize ans *f*après la sortie de Léhi de Jérusalem.

5. Le roi Benjamin vécut encore trois ans ╫et mourut.

6. Et * le roi Mosiah marcha dans les voies du Seigneur, observant ses jugements et ses statuts, et gardant ses commandements en tout ce que le Seigneur lui commandait.

7. Et le roi Mosiah fit cultiver la terre par son peuple. Lui-même la cultivait, afin de ne pas être à charge à son peuple, imitant son père en toutes choses. Et pendant trois ans, on ne vit point de contentions parmi le peuple.

CHAPITRE 7.

Expédition au pays de Léhi-Néphi. — Ammon et le roi Limhi. — Le peuple de Léhi-Néphi est assujetti aux Lamanites.

1. Et il arriva qu'après cette paix continuelle de trois ans, le roi Mosiah voulut savoir ce qu'était devenu le peuple qui était monté habiter le pays de *a*Léhi-Néphi, ou la ville de Léhi-Néphi, car son peuple n'avait eu aucune nouvelle de lui depuis son départ du pays de *b*Zarahemla ; c'est pourquoi il l'assaillait de ses importunités.

2. * Le roi §Mosiah permit que seize hommes des plus vaillants montassent au pays de *c*Léhi-

j, voir *e*. *k*, Mos. 3 : 5, 17, 18, 21. *l*, Mos. 3 : 8. 4 : 2. Al. 11 : 39. 3 Né. 9 : 15. Morm. 9 : 17. Eth. 3 : 14-16. 4 : 7. Col. 1 : 16. CHAP. 6 : *a*, voir *e*, Mos. 5. *b*, voir *i*, Mos. 1. *c*, voir *o*, 2 Né. 5. Mos. 18 : 18. 23 : 14, 28. 21 : 33. 23 : 16, 17. 25 : 19, 21. 26 : 7. 27 : 1, 5, 22. 29 : 42. Al. 1 : 3, 26. 4 : 7, 16, 18, 20. 5 : 3 6 : 1, 8. 8 : 11, 23. 13 : 1-20. 15 : 13. 16 : 5, 18. 18 : 34. 23 : 4, 16. 24 : 7. 29 : 13. 30 : 20-23, 29, 31. 43 : 2. 46 : 38. 49 : 30. 3 Né. 6 : 21, 22, 27. 11 : 21, 22. 12 : 1. 18 : 36, 37. 4 Né. 14. Moro. 2 : 1-3. Chaps 3, 4. 6 : 1, 7. 7 : 2, 8 : 1, 2, 28. *d*, vers. 1, 2. Mos. 5 : 5-7. *e*, Mos. 1 : 10, 15. *f*, 1 Né. 1 : 4. 2 : 4. CHAP. 7 : *a*, voir *b*, 2 Né. 5. *b*, Om. 13. *c*, voir *b*, 2 Né. 5.

† Vers 124 av. J.-C.   ╫ Vers 121 av. J.-C.   § Vers 121 av J.-C.

Néphi, en vue de s'enquérir de leurs frères.

3. * Ils partirent le lendemain, ayant avec eux un certain Ammon, homme fort et puissant, ^ddescendant de Zarahemla ; et il était aussi leur chef.

4. Et ils ne savaient quelle direction prendre dans le désert pour monter au ^epays de Léhi-Néphi ; c'est pourquoi ils errèrent de nombreux jours dans le désert, ils errèrent même pendant quarante jours.

5. Et lorsqu'ils eurent erré pendant quarante jours, ils arrivèrent à une colline, au nord du pays de ^fShilom, et ils dressèrent leurs tentes.

6. Et Ammon prit avec lui trois de ses frères, Amaléki, Hélem et Hem, et ils descendirent dans le pays de ^gNéphi.

7. Et voici, ils rencontrèrent le roi du peuple qui se trouvait dans le pays de Néphi et dans le pays de Shilom. Ils furent entourés par les gardes du roi, saisis, liés, et jetés en prison.

8. * Lorsqu'ils eurent passé deux jours en prison, ils furent de nouveau amenés devant le roi, et leurs liens furent détachés ; ils se tinrent devant le roi, et il leur fut permis, ou plutôt commandé de répondre aux questions qui leur seraient faites.

9. Et le roi leur dit : ^hJe suis Limhi, fils de Noé, qui était le fils de Zéniff, qui monta du pays de ⁱZarahemla pour hériter de ce pays, la terre de leurs pères, et qui fut fait roi par la ^jvoix du peuple.

10. Et maintenant, je veux savoir la raison pour laquelle vous avez été assez téméraires pour venir près des murailles de cette ville, quand, moi-même, j'étais en

dehors de la porte avec mes gardes ?

11. Et si j'ai permis qu'on vous épargnât, c'est afin de vous interroger, autrement je vous aurais fait mettre à ^lmort par mes gardes. Il vous est permis de parler.

12. Et quand Ammon vit qu'il lui était permis de parler, il s'avança, ^ms'inclina devant le roi, et se relevant, il dit : O roi, je suis très reconnaissant envers Dieu d'avoir aujourd'hui la vie sauve, et qu'il me soit permis de parler ; et je tâcherai de parler sans crainte ;

13. Car je suis persuadé que, si tu m'avais connu, tu n'aurais point souffert que je portasse ces liens. Je suis Ammon, ⁿdescendant de Zarahemla ; et je suis monté du ^opays de Zarahemla pour m'enquérir de nos frères que ^pZéniff fit monter de ce pays.

14. * Quand Limhi eut entendu les paroles d'Ammon, il fut rempli d'une joie extrême et dit : Maintenant je sais avec certitude que mes frères, qui étaient dans le pays de Zarahemla, sont ^qtoujours vivants. Et maintenant je me réjouirai ; et demain je veillerai à ce que mon peuple se réjouisse aussi.

15. Car voici, nous sommes sous la domination des Lamanites, ^rchargés d'impôts lourds à porter. Et maintenant, nos frères nous délivreront de notre servitude, et des mains des Lamanites ; et nous serons leurs esclaves ; car il vaut mieux être esclaves des Néphites que de payer tribut au roi des Lamanites.

16. Et le roi Limhi ordonna à ses gardes de ne plus lier Ammon et ses frères, et d'aller à la ^scolline qui est au nord de Shilom, et d'amener leurs frères à la ville, afin

d, Om. 14.   e, voir b, 2 Né. 5.   f, vers. 7, 16, 21. Mos. 9 : 6, 8, 14. 10 : 8.
11 : 12, 13. 22 : 8, 11. 24 : 1. Al. 23 : 12.   g, voir b, 2 Né. 5.   h, Mos. 11 : 1,
19 : 16.   i, Om. 13.   j, Mos. 19 : 26.   k, Mos. 21 : 23, 24.   l, Mos. 21 : 23.
m, Al. 47 : 22, 23.   n, Om. 14.   o, Om. 13.   p, Mos. 9 : 1.   q, Mos. 21 : 25, 26.
r, vers. 22. Mos. 19 : 15.   s, vers. 5.   VERS 121 AV. J.-C.

qu'ils pussent manger, boire, et se reposer des fatigues de leur voyage, car ils avaient ᵗsouffert beaucoup de choses ; ils avaient souffert de la faim, de la soif et de leurs fatigues.

17. Et * le lendemain le roi Limhi envoya une proclamation parmi tout son peuple l'invitant à s'assembler au ᵘtemple pour entendre ce qu'il allait lui dire.

18. Et * quand le peuple fut rassemblé, il lui parla en ces termes : O mon peuple, redresse la tête et sois consolé ; car voici, le temps est proche ou n'est pas très éloigné où nous ne serons plus assujettis à nos ennemis malgré nos luttes nombreuses, qui ont été vaines ; toutefois, j'aime à croire qu'il reste une lutte efficace à mener.

19. C'est pourquoi, redressez la tête, et réjouissez-vous, et mettez votre confiance en Dieu, en ce Dieu qui était le Dieu d'Abraham, d'Isaac et de Jacob, en ce Dieu qui a tiré les enfants d'Israël du pays d'Egypte, qui leur a fait traverser à pied sec la mer Rouge, qui les a nourris de manne pour qu'ils ne périssent point dans le désert, et qui a fait tant d'autres choses pour eux.

20. De plus, ce même Dieu a emmené nos pères de Jérusalem, et a jusqu'à ce jour gardé et préservé son peuple, et voici, c'est à cause de nos iniquités et de nos abominations qu'il nous a réduits en servitude.

21. Vous êtes tous témoins en ce jour, que ᵛZéniff, qui fut élu roi de ce peuple, à cause de son ʷzèle excessif à posséder la terre de ses pères, fut trompé par l'astuce et la ruse du roi Laman, qui conclut un traité avec le roi Zéniff et céda entre ses mains les possessions d'une partie du pays, à savoir la ville de ˣLéhi-Néphi et la ville de ʸShilom, ainsi que le pays environnant —

22. Et tout cela, il l'a fait dans le seul but de réduire ce peuple en sujétion ou en servitude. Et voici, nous payons à présent un tribut au roi des Lamanites, tribut qui s'élève à la moitié de notre maïs, de notre orge, et même de nos grains de toute espèce, la ᶻmoitié de l'accroissement de notre gros et de notre menu bétail ; et le roi des Lamanites exige de nous même la moitié de tout ce que nous avons ou possédons, sous peine de mort.

23. Et maintenant, cela n'est-il pas dur à supporter ? Et cette affliction, qui est la nôtre, n'est-elle pas grande ? Maintenant voici, combien grandes sont les raisons que nous avons de nous lamenter.

24. Oui, je vous dis que nous avons grand sujet de nous lamenter ; car, combien de nos frères ont été tués, et leur sang a coulé en vain ; et tout cela pour nos iniquités.

25. Car si ce peuple n'était pas tombé en transgression, le Seigneur n'aurait point souffert que ce grand malheur fondît sur lui. Mais voici, ils ne voulurent pas écouter ses paroles ; des contentions s'élevèrent parmi eux, au point qu'ils versèrent le sang parmi eux.

26. Et ils ont tué un ᶻᵃprophète du Seigneur ; oui, un homme choisi de Dieu, qui leur reprochait leurs iniquités et leurs abominations, et qui prophétisait beaucoup de choses qui doivent venir, oui, même l'avènement du Christ.

27. Et parce qu'il disait que le Christ était ᶻᵇle Dieu, le Père de toutes choses ; et parce qu'il disait

t, vers. 4.   u, voir h, 2 Né. 5.   v, Mos. 9 : 1.   w, Mos. 9 : 3.   x, voir b, 2 Né. 5.   y, voir f.   z, voir r.   2a, Mos. 17 : 12-20.   2b, 1 Né. 19 : 7, 10. 2 Né. 2 : 14, 15. 10 : 5. 25 : 12. 26 : 12. Mos. 3 : 5, 8. 15 : 1-5. 16 : 15. 27 : 30, 31. Al. 11 : 38, 39. 3 Né. 9 : 15. 11 : 14. Morm. 3 : 21. 9 : 11, 12. Éth. 4 : 7.

Vers 121 av. J.-C.

qu'il prendrait sur lui l'image de l'homme, et que ce serait l'image à laquelle l'homme fut [2c]créé au commencement ; ou, en d'autres termes, il disait que l'homme fut créé à l'image de Dieu, et que Dieu descendrait parmi les enfants des hommes, se [2d]revêtirait de chair et de sang et marcherait sur la surface de la terre —

28. Et parce qu'il disait cela, ils le mirent à [2e]mort ; et ils firent encore beaucoup de choses qui attirèrent sur eux la colère de Dieu. Qui s'étonnerait après cela de les voir dans la servitude, et frappés de dures afflictions ?

29. Car voici, le Seigneur a dit : Je ne secourrai point mon peuple au jour de sa transgression ; mais je lui barrerai la route pour qu'il ne prospère pas ; et ses actions seront comme une pierre d'achoppement devant lui.

30. Et il dit encore : Si mon peuple sème l'impureté, il en recueillera la paille dans le tourbillon ; et l'effet en est empoisonné.

31. Il dit encore : Si mon peuple sème l'impureté, il recueillera le [2f]vent d'est qui amène la destruction immédiate.

32. Et maintenant voici, la promesse du Seigneur est accomplie, et vous êtes frappés et affligés.

33. Mais si vous retournez au Seigneur de tout votre cœur, si vous mettez votre confiance en lui, si vous le servez avec toute la diligence de votre esprit : si vous faites cela, il vous délivrera de la servitude selon son bon plaisir.

CHAPITRE 8.

Ammon apprend la découverte de vingt-quatre plaques d'or avec des inscriptions. — Il suggère qu'elles soient soumises au roi Mosiah, prophète et voyant.

1. Et * lorsque le roi Limhi eut achevé de parler à son peuple, car il lui dit beaucoup de choses et je n'en ai écrit que quelques-unes dans ce livre, il raconta à son peuple tout ce qui concernait ses frères du [a]pays de Zarahemla.

2. Et il fit lever Ammon devant la multitude, et il lui fit répéter tout ce qui était arrivé à leurs frères, depuis le temps où [b]Zéniff était monté du pays, jusqu'à l'époque où [c]lui-même monta du pays.

3. Et il leur répéta également les [d]dernières paroles que le roi Benjamin leur avait enseignées et les expliqua au peuple du roi Limhi, pour qu'il pût comprendre toutes les paroles qu'il avait prononcées.

4. Et * après qu'il eut fait tout cela, le roi Limhi congédia la multitude, et fit rentrer chacun chez soi.

5. Et * il fit apporter devant Ammon, pour qu'il les lût, les [e]plaques qui contenaient les annales de son peuple depuis qu'il avait quitté le pays de [f]Zarahemla.

6. Et dès qu'Ammon eut lu les annales, le roi l'interrogea pour savoir s'il savait interpréter les langues. Et Ammon lui dit qu'il ne le pouvait pas.

7. Et le roi lui dit : Attristé des afflictions de mon peuple, j'envoyai [g]quarante-trois de mes hommes dans le désert, en vue de trouver le [h]pays de Zarahemla, afin que nous pussions faire appel à nos frères pour qu'ils nous délivrassent de l'esclavage.

8. Ils s'égarèrent dans le désert pendant de nombreux jours, et bien qu'ils fussent diligents, ils ne trouvèrent pas le pays de Zarahemla, mais retournèrent dans ce pays, ayant voyagé dans un pays parmi bien des [i]eaux, ayant découvert un

---

2c, Al. 18 : 34. Eth. 3 : 15, 16.   *2d*, voir *b*, Mos. 3.   *2e*, voir *2a*.   *2f*, Mos. 12 : 6.   CHAP. 8 : *a*, Om. 13.   *b*, voir *p*, Mos. 7.   *c*, Mos. 7 : 3.   *d*, Mos. chaps. 3-5.   *e*, voir les Annales de Zéniff, Mos. 9.   *f*, Om. 13.   *g*, Mos. 21 : 25. *h*, Om. 13.   *i*, Al. 50 : 29. Héla. 3 : 3, 4. Morm. 6 : 4.   VERS 121 AV. J.-C.

pays couvert ʲd'ossements d'hommes et d'animaux, couvert aussi de ruines de bâtiments de toute espèce ayant découvert un pays qui avait été occupé par un peuple aussi nombreux que les armées d'Israël.

9. Et comme témoignage de la véracité de ce qu'ils disaient, ils ont rapporté ᵏvingt-quatre plaques couvertes d'inscriptions ; et elles sont d'or pur.

10. Et voici ils ont rapporté aussi des ˡplastrons de cuirasse de grande taille ; ils sont en ᵐairain et en cuivre, et sont parfaitement conservés.

11. Et ils ont encore rapporté des épées dont la poignée a péri et dont la lame était rongée par la rouille ; et il n'est personne dans le pays, qui puisse interpréter la langue ou les inscriptions des plaques. C'est pour cela que je t'ai demandé : Peux-tu traduire ?

12. Et je te dis de nouveau : Connais-tu quelqu'un qui peut traduire ? Car je désire que ces annales soient traduites dans notre langue ; et peut-être nous feront-elles connaître s'il existe un reste de ce peuple qui a été détruit et d'où proviennent ces annales ; ou peut-être nous feront-elles connaître quel est ce peuple qui a été détruit ; et je désire savoir la cause de sa destruction.

13. Et Ammon lui dit : Je puis assurément te dire, ô roi, qu'il y a un homme qui peut traduire les annales, car il possède les instruments à l'aide desquels il peut regarder et traduire toutes les annales de date reculée ; et c'est un don de Dieu. Ces instruments s'appellent ⁿinterprètes, et nul ne peut y regarder à moins qu'il ne le lui soit commandé, de peur qu'il ne cherche ce qu'il ne doit pas, et ne périsse. Et celui à qui il est commandé de s'en servir, on l'appelle voyant.

14. Et voici, le roi du peuple qui habite le pays de Zarahemla est ᵒl'homme à qui il est ordonné de faire ces choses, et qui tient de Dieu ce grand don.

15. Et le roi dit qu'un voyant est ᵖplus grand qu'un prophète.

16. Et Ammon dit qu'un voyant est aussi un révélateur et un prophète ; et nul ne peut avoir de don plus grand à moins de posséder la puissance de Dieu, ce qui n'est possible à nul homme ; pourtant, un homme peut recevoir de grands pouvoirs de Dieu.

17. Mais un voyant peut connaître les choses qui sont passées et aussi les choses qui sont à venir ; et par les interprètes tout sera révélé, ou plutôt, les choses secrètes seront manifestées, et les choses cachées seront mises au jour et les choses qui ne sont pas connues seront dévoilées par ces instruments et certaines choses aussi seront révélées par eux qui autrement ne pourraient pas être connues.

18. Ainsi, Dieu a fourni un moyen pour permettre à l'homme d'opérer de puissants miracles par la foi ; par là, il devient un grand bienfait pour ses semblables.

19. Et quand Ammon eut cessé de parler, le roi ressentit une joie extrême et rendit grâces à Dieu, disant : Sans nul doute un ᵠgrand mystère est caché dans ces plaques ; et ces interprètes ont certainement été préparés pour dévoiler tous les mystères de ce genre aux enfants des hommes.

20. O, qu'elles sont merveilleuses, les œuvres du Seigneur, et que sa patience envers son peuple

j, Mos. 21 : 26, 27. Héla. 3 : 3-12. Voir le Livre d'Ether.   k, Mos. 21 : 27. 28 : 11. Al. 37 : 21-31. Héla. 6 : 26. Eth. 1 : 1-5. 15 : 33.   l, Eth. 15 : 15, 24. m, Eth. 10 : 23.   n, vers. 14-19. Om. 20-22. Mos. 21 : 27, 28. 28 : 11-19. Al. 10 : 2. 37 : 21-26. Eth. 3 : 23, 28. 4 : 5. D. et A. 17 : 1.   o, Mos. 21 : 28. 28 : 17.   p, vers. 16-19. D. et A. 21 : 1.   q, 2 Né. 27 : 7, 8, 10, 11. Eth. 3 : 21-28. 4 : 1-8. 5 : 1.

est grande ; oui et combien aveugle et impénétrable est la compréhension des enfants des hommes ; car ils ne veulent pas rechercher la sagesse, et ne désirent pas être gouvernés par elle !

21. Oui, ils ressemblent à un troupeau effaré, qui fuit le berger, se disperse, est poursuivi et dévoré par les bêtes de la forêt.

LES ANNALES DE ZÉNIFF. — *Histoire de son peuple, depuis le moment où ils quittèrent le pays de Zarahemla, jusqu'à celui où ils furent délivrés des mains des Lamanites.*

Comprenant les chapitres 9 à 22, inclusivement.

CHAPITRE 9.

Zéniff va prendre possession du pays de Léhi-Néphi. — Espion parmi les Lamanites. — La ruse du roi Laman.

1. Moi, Zéniff, ayant été instruit dans toute la langue des Néphites, ayant connu le ᵃpays de Néphi, qui était le pays du premier héritage de nos pères, †je fus envoyé comme espion parmi les Lamanites pour découvrir les forces qu'ils avaient, afin que notre armée pût tomber sur eux et les détruire. Mais quand je vis ce qu'il y avait de bon parmi eux, je désirai qu'ils ne fussent point détruits.

2. C'est pourquoi, je me disputai avec mes frères dans le désert, car je voulais que notre chef conclût un traité avec eux. Mais comme il était un homme dur et sanguinaire, il ordonna qu'on me fît mourir. Cependant, je fus sauvé au milieu d'une grande effusion de sang, car père se battit contre père, et frère contre frère, au point que la plus ᵇgrande partie de notre armée fut détruite dans le désert ; et ceux de

nous qui avaient été épargnés, revinrent au pays de Zarahemla, pour raconter ces faits à leurs femmes et à leurs enfants.

3. Malgré tout, étant animé d'un ᶜzèle extrême de posséder le pays de nos pères, je rassemblai tous ceux qui avaient le désir de monter posséder le pays, et nous reprîmes notre voyage à travers le désert pour monter au pays ; mais nous fûmes frappés de famine et de graves afflictions ; car nous étions lents à nous souvenir du Seigneur notre Dieu.

4. Cependant, après avoir erré dans le désert pendant de nombreux jours, nous dressâmes nos tentes au lieu où nos frères avaient été ᵈtués, qui était près du ᵉpays de nos pères.

5. * J'entrai de nouveau dans la ville avec quatre de mes hommes, et je me présentai au roi pour savoir comment il était disposé et savoir si je pourrais entrer avec mon peuple et posséder le pays en paix.

6. J'allai donc au roi, et il fit alliance avec moi, que je pourrais posséder le pays de ᶠLéhi-Néphi, ainsi que le pays de ᵍShilom.

7. Il ordonna aussi à son peuple de quitter le pays, et moi et mon peuple entrâmes dans le pays pour le posséder.

8. Et nous commençâmes à construire des bâtiments, et à réparer les murailles de la ville, oui, même les murailles de la ville de Léhi-Néphi et de la ville de Shilom.

9. Et nous commençâmes à cultiver le sol, oui, même avec toutes ʰsortes de semences, des semences de maïs, de blé, d'orge, de néas et de shéum, et avec des semences de toutes sortes de fruits. Et nous commençâmes à multiplier et à prospérer dans le pays.

---

a, voir *b*, 2 Né. 5.   *b*, Om. 28.   *c*, Mos. 7 : 21. Om. 29.   *d*, vers. 2. Om. 28.
e, voir *b*, 2 Né. 5.   *f*, voir *b*, 2 Né. 5.   *g*, voir *f*, Mos. 7.   *h*, 1 Né. 8 : 1. 18 : 24.
Enos 21.   † VERS 200 AV. J.-C.

10. Or, c'était par *ruse et stratagème, pour réduire mon peuple en servitude, que le roi Laman avait cédé le pays pour que nous pussions le posséder.

11. C'est pourquoi, * lorsque nous eûmes habité le pays pendant †douze ans, le roi Laman se mit à se sentir mal à l'aise, craignant que mon peuple ne devînt fort dans le pays et qu'on ne pût le ʲvaincre et le réduire en servitude.

12. Or, les Lamanites étaient un peuple ᵐparesseux et idolâtre ; c'est pourquoi, ils désiraient nous réduire en ⁿservitude pour se gorger des travaux de nos mains, et se repaître des troupeaux de nos champs.

13. C'est pourquoi, * le roi Laman commença à pousser son peuple à se quereller avec mon peuple, et il s'ensuivit des guerres et des contentions dans le pays.

14. Et dans la ‖ treizième année de mon règne dans le pays de Néphi, lorsque mon peuple, habitant au loin vers le sud du pays de ᵒShilom, était occupé à abreuver et à paître ses troupeaux, et à cultiver ses terres, une armée nombreuse de Lamanites l'assaillit, se mit à le massacrer, et à s'emparer de ses troupeaux et du grain de ses champs.

15. Et * tous ceux qui ne furent point rattrapés, se sauvèrent jusqu'à la ᵖville de Néphi, où ils implorèrent ma protection.

16. Alors * je les armai d'arcs, de flèches, de sabres, de cimeterres, de massues, de frondes, et de tout ce qu'il fut possible d'inventer en guise d'armes, et moi et mon peuple, nous sortîmes contre les Lamanites pour leur livrer bataille.

17. Oui, et c'est avec la puissance du Seigneur que nous sortîmes livrer bataille aux Lamanites ;

car moi et mon peuple, nous priâmes avec ardeur le Seigneur de nous délivrer des mains de nos ennemis, car nous nous étions éveillés au souvenir de la délivrance de nos pères.

18. Et Dieu entendit nos cris, et répondit à nos prières ; et nous marchâmes dans sa puissance ; oui, nous allâmes contre les Lamanites, et en un jour et une nuit, nous en tuâmes trois mille quarante-trois ; et nous les tuâmes jusqu'à ce que nous les eûmes chassés de notre pays.

19. Et j'aidai moi-même de mes propres mains à ensevelir leurs morts. Et voici, à notre grande douleur et à notre grand chagrin, deux cent soixante-dix-neuf de nos frères avaient été tués.

CHAPITRE 10.

Le roi Laman meurt. — Zéniff et son peuple triomphent de leurs oppresseurs.

1. Et * nous recommençâmes à établir le royaume et nous recommençâmes à posséder le pays en paix. Et je fis faire des armes de guerre de tous genres, afin d'avoir des armes pour mon peuple pour le temps où les Lamanites viendraient encore attaquer mon peuple.

2. Je plaçai des gardes tout à l'entour du pays, pour que les Lamanites ne pussent pas tomber sur nous à l'improviste, et nous détruire ; et ainsi, je gardai mon peuple et mes troupeaux et je les empêchai de tomber entre les mains de nos ennemis.

3. Et * nous possédâmes le ᵃpays de nos pères pendant de nombreuses années, oui, même pendant §vingt-deux ans.

4. J'encourageai les hommes à cultiver la terre et à l'ensemencer de toutes sortes de ᵇgrains, et de fruits de toute espèce.

---

k, vers. 11, 12. Mos. 7 : 22. 10 : 18. 19 : 26, 28. 21 : 3, 13.   *l*, voir *k*.   *m*, Enos 20.   *n*, voir *k*.   *o*, voir *f*, Mos. 7.   *p*, voir *b*, 2 Né. 5.   CHAP. 10 : *a*, voir *b*, 2 Né. 5.   *b*, voir *h*, Mos. 9.

† VERS 188 AV. J.-C.   ‖ VERS 187 AV. J.-C.   § VERS 178 AV. J.-C.

5. Et les femmes, à filer, à peiner, à travailler, et à fabriquer des ᶜtoiles fines de toutes sortes, ainsi que des draps de tout genre pour couvrir notre nudité ; et nous prospérâmes ainsi dans le pays — ainsi nous jouîmes d'une paix continuelle dans le pays pendant vingt-deux ans.

6. Et il arriva que le roi Laman mourut et son fils commença à régner à sa place. Et il commença à exciter son peuple à la révolte contre mon peuple ; et ils commencèrent à se préparer à la guerre et à venir livrer bataille à mon peuple.

7. Mais j'avais envoyé des espions aux alentours du pays de ᵃShemlon pour découvrir leurs préparatifs et me garder contre eux, afin qu'ils ne vinssent pas surprendre mon peuple et le détruire.

8. * Ils arrivèrent au nord du pays de ᶜShilom avec leurs nombreuses armées composées d'hommes ᶠayant des arcs et des flèches, des épées, des cimeterres, des pierres et des frondes. Ils s'étaient rasé la tête, de sorte qu'ils étaient nus ; et ils avaient les reins entourés d'une ceinture de cuir.

9. * Je fis cacher les femmes et les enfants de mon peuple dans le désert et je fis rassembler tous mes hommes âgés qui pouvaient porter les armes et tous mes hommes jeunes qui pouvaient porter les armes, pour marcher contre les Lamanites ; et je les mis en ligne, chacun selon leur âge.

10. Et * nous marchâmes au combat contre les Lamanites ; et moi, même moi, à mon âge avancé, j'allai livrer bataille aux Lamanites. Et * nous allâmes au combat dans la force du Seigneur.

11. Or, les Lamanites ne savaient rien du Seigneur ni de la force du Seigneur, c'est pourquoi, ils comptaient sur leur propre force. Ils étaient pourtant un peuple puissant, selon la puissance des hommes.

12. C'était un peuple sauvage, féroce, et sanguinaire, croyant en la ᵍtradition de leurs pères, qui est celle-ci — ils croyaient qu'ils avaient été chassés du pays de Jérusalem à cause des iniquités de leurs pères ; qu'ils avaient été lésés par leurs frères alors qu'ils voyageaient dans le désert et qu'ils avaient aussi été lésés tandis qu'ils traversaient la mer ;

13. Et qu'ils avaient encore été lésés lorsqu'après avoir traversé la mer, ils habitaient la terre de leur ʰpremier héritage ; et tout cela parce que Néphi, étant plus fidèle qu'eux à garder les commandements du Seigneur, était favorisé du Seigneur, car le Seigneur entendait ses prières et les exauçait et Néphi avait pris la ⁱdirection de leur voyage à travers le désert.

14. Et ses frères furent irrités contre lui, parce qu'ils ne comprenaient point les voies du Seigneur ; ils s'irritèrent aussi contre lui sur les eaux, parce qu'ils s'endurcissaient le cœur contre le Seigneur.

15. Ils furent encore irrités contre lui, quand ils arrivèrent sur la terre promise, parce qu'ils disaient qu'il leur avait ravi des mains le ʲgouvernement du peuple ; et ils cherchèrent à le tuer.

16. Enfin, ils furent irrités contre lui parce qu'il partait pour le désert comme le Seigneur le lui avait commandé et parce qu'il emportait les ᵏannales gravées sur les plaques d'airain, car ils disaient qu'il les avait dépouillés.

17. Et ainsi, ils ont enseigné à leurs enfants à les haïr, à les tuer,

c, Al. 1 : 29. Héla. 6 : 13.   d, Mos. 11 : 12. 19 : 6. 20 : 1. 24 : 1. Al. 23 : 12.
e, voir f, Mos. 7.   ·f, Enos 20. Al. 3 : 4, 5. 17 : 14, 15. 43 : 18-21.   g, voir n,
Jacob 7.   h, 1 Né. 18 : 23.   i, 2 Né. 5 : 5-9.   j, 2 Né. 5 : 1-4.   k, 2 Né. 5 : 12.
VERS 178 AV. J.-C

à les voler, à les piller et à tout faire pour les détruire ; et c'est ainsi qu'ils ont conçu une ᶠhaine éternelle contre les enfants de Néphi.

18. Pour ce même motif, le roi Laman, par sa ᵐruse astucieuse et mensongère, et par ses belles promesses, m'a trompé en me faisant amener mon peuple dans ce pays, pour pouvoir le détruire ; oui, et nous y avons souffert toutes ces années dans le pays.

19. Et maintenant, moi, Zéniff, après avoir raconté toutes ces choses à mon peuple concernant les Lamanites, je le stimulai à aller au combat avec énergie, mettant sa confiance dans le Seigneur ; c'est pourquoi, nous luttâmes face à face avec eux.

20. Et * nous les chassâmes de nouveau de notre pays ; et nous les tuâmes en un grand massacre, si grand même que nous ne les comptâmes pas.

21. Et * nous revinmes dans notre propre pays, et mon peuple ⁿrecommença à paître ses troupeaux et à cultiver la terre.

22. Et moi, étant vieux, †je laissai le royaume à un de mes fils. Je cesse donc de parler. Et puisse le Seigneur bénir mon peuple. Amen.

CHAPITRE 11.

Le méchant roi Noé et ses prêtres. — Le prophète Abinadi dénonce l'iniquité qui règne partout. — Le roi Noé cherche à le tuer.

1. Et * Zéniff laissa le royaume à Noé, un de ses fils ; et Noé se mit à régner à sa place. Mais il ne marcha point dans les voies de son père.

2. Il ne garda pas les commandements de Dieu, mais il suivit les désirs de son propre cœur. Il eut un grand ᵃnombre de femmes et de concubines ; et il fit pécher son peuple, et lui fit faire ce qui était abominable aux yeux du Seigneur. Oui, ils se livrèrent à la ᵇluxure et commirent toutes sortes d'iniquités.

3. Et il mit un impôt d'un cinquième sur tout ce qu'ils possédaient, un cinquième sur leur or, leur argent, leur ziff, leur cuivre, leur airain et leur fer ; et un cinquième sur leur bétail ; et aussi un cinquième sur tout leur grain.

4. Et il prélevait tout cela pour se soutenir, lui, ses femmes, ses concubines, ainsi que ses prêtres avec leurs ᵈfemmes et leurs concubines ; et de la sorte, il avait changé les affaires du royaume.

5. Il fit se démettre de leurs fonctions tous les ᵉprêtres qui avaient été consacrés par son père, et en consacra des ᶠnouveaux à leur place, des gens qui étaient enflés dans l'orgueil de leur cœur.

6. C'est ainsi qu'ils étaient nourris dans leur paresse, dans leur idolâtrie et leur luxure, par les ᵍimpôts que le roi Noé avait mis sur son peuple ; et le peuple travaillait avec excès pour entretenir l'iniquité.

7. Et il tomba lui-même dans l'idolâtrie, car il était trompé par les paroles vaines et flatteuses du roi et des ʰprêtres ; car ils lui disaient des choses flatteuses.

8. Et * le roi Noé fit construire de nombreux édifices élégants et spacieux ; et il les ornementa de superbes ouvrages en bois, et de toutes sortes de choses précieuses, telles que l'or, l'argent, le fer, l'airain, le ziff et le cuivre ;

9. Et il se fit aussi construire un palais spacieux, avec un trône au centre, le tout en bois rare, et ornementé d'or, d'argent, et de choses précieuses.

---

l, voir *n*, Jacob 7.   *m*, voir *k*, Mos. 9.   *n*, Mos. 9 : 9, 14.   CHAP. 11 : *a*, voir *n*, Jacob 2.   *b*, voir *i*, 2 Né. 28.   *d*, voir *n*, Jacob 2.   *e*, voir *c*, Mos. 6.   *f*, vers. 7, 11, 14. Mos. 12 : 17, 25. 13 : 1. 17 : 1, 6, 12-18. 19 : 21, 23. 20 : 3, 18, 23. 21 : 20, 23. 23 : 9, 12, 31-35, 39. 24 : 1-6, 8-11,   *g*, vers. 3.   *h*, voir *f*.

† PROBABLEMENT VERS 160 AV. J.-C.

10. Il occupa ses ouvriers à des travaux somptueux en bois fin, en cuivre, et en airain, pour décorer l'intérieur du ʲtemple ;

11. Et les sièges destinés aux ᵏgrands-prêtres, qui étaient plus élevés que tous les autres sièges, il les fit ornementer d'or pur ; et il fit dresser en avant une balustrade pour qu'ils pussent s'y reposer le corps et les bras tandis qu'ils diraient au peuple leurs paroles vaines et mensongères.

12. Et * il fit bâtir une ˡtour auprès du ᵐtemple ; oui, une tour très haute, si haute même, que, de son sommet, il dominait le pays de ⁿShilom, et aussi le pays de ᵒShemlon, que les Lamanites possédaient ; et sa vue s'étendait même sur toutes les terres environnantes.

13. Et * il fit construire de nombreux édifices dans le pays de Shilom, et il fit construire une ᵖgrande tour sur la colline au nord du pays de Shilom, qui avait été le refuge des enfants de Néphi, lorsqu'ils ᵠs'enfuirent du pays. Tel était l'usage qu'il faisait des richesses amassées avec les impôts prélevés sur son peuple.

14. * Il mit son cœur dans ses richesses, et passa ses jours dans la débauche avec ses ʳfemmes et ses concubines ; et ˢses prêtres passaient également leur temps avec des prostituées.

15. * Il planta des vignes un peu partout dans le pays ; il construisit des pressoirs et fit du vin en abondance ; et il devint ivrogne et son peuple aussi.

16. Et il arriva que les Lamanites commencèrent à faire des incursions contre son peuple, contre de petits groupes, à les tuer dans leurs champs, tandis qu'ils faisaient paître leurs troupeaux.

17. Le roi Noé envoya des gardes tout autour du pays pour les éloigner ; mais il n'envoya pas assez d'hommes, et les Lamanites les attaquèrent, les tuèrent, et emmenèrent beaucoup de leurs troupeaux hors du pays ; c'est ainsi que les Lamanites commencèrent à les détruire et à satisfaire leur haine.

18. Et * le roi Noé envoya ses armées contre eux et ils furent repoussés, ou, ils les repoussèrent pendant quelque temps ; c'est pourquoi, ils retournèrent, se réjouissant de leur butin.

19. Et à cause de cette grande victoire, ils furent exaltés dans l'orgueil de leur cœur ; ils se vantèrent de leur force, disant que leurs cinquante pouvaient tenir tête à des milliers de Lamanites. Et ils se vantaient de la sorte, prenant plaisir dans le sang, et à verser le sang de leurs frères ; et ceci, à cause de la méchanceté de leur roi et de leurs ᵗprêtres.

20. Et * il y avait un homme parmi eux, nommé Abinadi, †et il alla parmi eux, et se mit à prophétiser, disant : Ainsi dit le Seigneur, et voici ce qu'il m'a commandé : Va, dis à ce peuple : Ainsi dit le Seigneur — Malheur à ce peuple, car j'ai vu ses abominations, sa méchanceté et sa luxure ; et à moins qu'il ne se repente, je le visiterai dans ma colère.

21. Et à moins qu'il ne se repente et ne revienne vers le Seigneur son Dieu, je le livrerai aux mains de ses ennemis, et il sera réduit en ᵘservitude ; et il sera affligé par les mains de ses ennemis.

22. Et * il saura que je suis le Seigneur son Dieu, et que je suis un Dieu jaloux, qui punis les iniquités de mon peuple.

23. Et * à moins que ce peuple

ʲ, voir h, 2 Né. 5.   ᵏ, voir ʲ.   ˡ, Mos 19 : 5, 6.   ᵐ, voir h, 2 Né. 5.   ⁿ, voir ʲ, Mos. 7.   ᵒ, voir d, Mos. 10.   ᵖ, Mos. 7 : 5.   ᵠ, Om, 12, 13.   ʳ, voir n, Jacob 2.   ˢ, voir ʲ.   ᵗ, voir ʲ.   ᵘ, vers. 23. Voir k, Mos. 9. 12 : 2.

† Vers 150 av. J.-C.

ne se repente et ne se tourne vers le Seigneur son Dieu, il sera réduit en ⱽservitude ; et nul ne le délivrera, si ce n'est le Seigneur Dieu tout-puissant.

24. Et * lorsqu'il m'implorera, je serai ʷlent à entendre ses cris. Oui, je souffrirai qu'il soit frappé par ses ennemis.

25. Et à moins qu'il ne se repente, ne se couvre de sacs et de cendres, et n'implore avec ferveur le Seigneur son Dieu, je n'entendrai point ses prières, je ne le délivrerai point de ses afflictions ; ainsi dit le Seigneur, et c'est là ce qu'il m'a commandé.

26. * Quand Abinadi leur eut ainsi parlé, ils s'irritèrent contre lui, et cherchèrent à lui ôter la vie. Mais le Seigneur le délivra de leurs mains.

27. Quand on eut rapporté au roi Noé les paroles qu'Abinadi avait dites au peuple, il s'irrita aussi, et il dit : Qui est Abinadi, pour que moi et mon peuple soyons jugés par lui ? Qui est le Seigneur qui doit frapper mon peuple de si grandes afflictions ?

28. Je vous ordonne de m'amener ici Abinadi pour que je le tue ; car il a dit ces choses afin de pousser mon peuple à la colère l'un contre l'autre, et pour susciter des contentions parmi mon peuple ; c'est pourquoi, je veux le tuer.

29. Or, les yeux du peuple étaient aveuglés ; c'est pourquoi il s'endurcit le cœur contre les paroles d'Abinadi et chercha dès lors à se saisir de lui. Et le roi Noé s'endurcit le cœur contre la parole du Seigneur, et il ne se repentit point de ses mauvaises actions.

CHAPITRE 12.

Abinadi est jeté en prison pour avoir dénoncé les méchants. — Les faux

prêtres siègent en jugement sur lui. — Ils sont confondus.

1. * Au bout de †deux ans, Abinadi vint parmi eux, déguisé de manière à ne pas être reconnu. Il commença à prophétiser parmi eux, disant : Le Seigneur m'a donné ce commandement — Abinadi, va, prophétise parmi ce peuple, car il s'est endurci le cœur contre ma parole. Il ne s'est point repenti de ses crimes, c'est pourquoi je le châtierai dans ma colère ; oui, dans ma colère furieuse je le châtierai dans ses iniquités et ses abominations.

2. Oui, malheur à cette génération ! Et le Seigneur m'a dit : Étends la main et prophétise, disant : Ainsi dit le Seigneur : Il arrivera que cette génération, à cause de ses iniquités, sera réduite en ᵃservitude et sera frappée ᵇaux joues ; elle sera chassée par les ᶜhommes, et sera tuée ; et les vautours des airs, les chiens et les bêtes sauvages dévoreront sa chair.

3. Et * la vie du roi Noé sera estimée comme un ᵈvêtement dans une fournaise ardente ; car il saura que je suis le Seigneur.

4. Et * je frapperai ce peuple, qui est le mien, de dures afflictions, de famine et de peste ; et je le ferai ᵉhurler tout le jour.

5. Et je ferai en sorte que de lourds fardeaux leur soient ᶠattachés sur le dos, et ils seront menés comme des ânes muets.

6. Et * je leur enverrai la grêle, et elle les frappera ; ils seront aussi frappés par le vent ᵍd'est ; et des insectes infesteront leurs terres et dévoreront leurs grains.

7. Et ils seront atteints par une grande peste — et je ferai tout cela à cause de leurs iniquités et de leurs abominations.

8. Et * s'ils ne se repentent

ᵛ, voir *u*. ʷ, vers. 25. Mos. 21 : 14, 15. 21 : 3. ᶜ, vers. 5. Mos. 21 : 3, 4, 13. ᶠ, Mos. 21 : 3. ᵍ, Mos. 7 : 31.

CHAP. 12 : ᵃ, voir *u*, Mos. 11. ᵇ, Mos. ᵈ, Mos. 19 : 20. ᵉ, Mos. 21 : 1-15. † VERS 148 AV. J.-C.

point, je les exterminerai [h]entièrement de la surface de la terre. Toutefois, ils laisseront leurs [i]annales, que je conserverai pour [j]d'autres nations qui posséderont le pays ; et je ferai cela pour dévoiler les abominations de ce peuple à d'autres nations. Et Abinadi prophétisa beaucoup de choses contre ce peuple.

9. Et * ils furent en colère contre lui ; et ils s'emparèrent de lui et le conduisirent, lié, devant le roi, et dirent au roi : Voici, nous t'avons amené un homme qui a prophétisé des maux contre ton peuple et qui a dit que le Seigneur le détruira.

10. Il prophétise aussi du mal sur ta vie ; il dit que ta vie sera comme un [k]vêtement dans une fournaise ardente.

11. Et en outre, il dit que tu seras comme une tige, même comme une tige sèche du champ, qui est renversée par les bêtes et foulée aux pieds.

12. Et il dit encore que tu seras comme les fleurs du chardon qui, quand elles sont mûres, et si le vent souffle, sont chassées sur le surface du pays. Et il prétend que le Seigneur l'a dit. Et il dit que tout ceci t'arrivera, à moins que tu ne te repentes ; et cela à cause de tes iniquités.

13. Et maintenant, ô roi, quel grand mal as-tu donc fait ou quels grands péchés ton peuple a-t-il donc commis, pour que nous soyons condamnés de Dieu ou jugés par cet homme ?

14. Et maintenant, ô roi, voici, nous sommes innocents ; et, toi, ô roi, tu n'as point péché ; c'est pourquoi, cet homme a menti sur toi, et il a prophétisé en vain.

15. Et voici, nous sommes forts,

nous ne serons pas réduits en servitude ni emmenés en captivité par nos ennemis ; et tu as prospéré dans le pays, et tu prospéreras également.

16. Voici l'homme, nous le livrons entre tes mains ; tu peux faire de lui ce qu'il te semble bon.

17. Et * le roi Noé fit jeter Abinadi en prison. Puis il ordonna aux [l]prêtres de se réunir pour qu'il pût délibérer avec eux sur ce qu'il devait faire de lui.

18. Et * ils dirent au roi : Amène-le ici, que nous l'interrogions. Et le roi ordonna qu'il leur fût amené.

19. Et ils commencèrent à le questionner en vue de le faire tomber dans des contradictions, afin d'avoir de quoi l'accuser ; mais il leur répondit hardiment, et tint tête à toutes leurs questions, oui, à leur grand étonnement ; car il leur tenait tête dans toutes leurs questions, et il les confondit dans toutes leurs paroles.

20. Et * l'un d'entre eux lui dit : Que signifient les paroles qui sont écrites, et que nos pères ont enseignées, savoir :

21. [m]Qu'ils sont beaux sur les montagnes, les pieds de celui qui apporte de joyeuses nouvelles, qui proclame la paix, qui annonce la bonne nouvelle du bien, qui publie le salut, qui dit à Sion : Ton Dieu règne.

22. Tes sentinelles élèveront la voix ; ils chanteront d'une voix unanime, car ils verront d'œil à œil, quand le Seigneur ramènera Sion.

23. Eclatez en joie ; chantez ensemble, places vides de Jérusalem, car le Seigneur a consolé son peuple, il a racheté Jérusalem.

24. Le Seigneur a mis à nu son

bras saint aux yeux de toutes les nations, et tous les bouts de la terre verront le salut de notre Dieu.

25. Alors Abinadi leur répondit : Vous êtes "prêtres, vous prétendez enseigner le peuple et comprendre l'esprit de prophétie, et cependant vous désirez connaître de moi ce que signifient ces choses ?

26. Je vous le dis, malheur à vous, pour avoir perverti les voies du Seigneur ! Car si vous comprenez ces choses, vous ne les avez point enseignées ; vous avez donc perverti les voies du Seigneur.

27. Vous ne vous êtes point appliqué le cœur à comprendre, c'est pourquoi, vous n'avez pas eu de sagesse. Qu'enseignez-vous donc à ce peuple ?

28. Et ils répondirent : Nous enseignons la loi de Moïse.

29. Et il leur dit encore : Si vous enseignez la °loi de Moïse, pourquoi ne l'observez-vous pas ? Pourquoi mettez-vous votre cœur dans les richesses ? Pourquoi vous souillez-vous de "luxure, et épuisez-vous vos forces avec des prostituées ? Pourquoi faites-vous pécher ce peuple au point de me Seigneur est obligé de m'envoyer prophétiser contre ce peuple, oui, même de grands maux contre ce peuple ?

30. Ne savez-vous pas que je dis la vérité ? Oui, vous savez que je dis la vérité ; et vous devriez trembler devant Dieu.

31. * Vous serez châtiés pour vos iniquités, car vous avez dit que vous enseignez la loi de Moïse. Et que savez-vous de la loi de Moïse ? La loi de Moïse donne-t-elle le salut ? Que dites-vous ?

32. Et ils répondirent et ils dirent que le salut venait de la °loi de Moïse.

33. Mais Abinadi leur dit : Je sais que si vous gardez les commandements de Dieu, vous serez sauvés ; oui, si vous gardez les commandements que Dieu a donnés à Moïse sur le mont Sinaï, lui disant :

34. 'Je suis le Seigneur ton Dieu, qui t'a fait sortir du pays d'Egypte, de la maison de servitude.

35. Tu n'auras point d'autre Dieu devant moi.

36. Tu ne te feras point d'image taillée, ni de représentation quelconque des choses qui sont en haut dans les cieux, ou qui sont en bas sur la terre.

37. Puis, Abinadi leur dit : Avez-vous fait tout ceci ? Je vous dis que non : vous ne l'avez pas fait. Avez-vous enseigné au peuple à faire tout cela ? Je vous dis que non : vous ne l'avez pas fait.

CHAPITRE 13.

Abinadi, le prophète, protégé par le pouvoir de Dieu, fait face aux prêtres et leur cite la loi et l'évangile.

1. Quand le roi eut entendu ces paroles, il dit à ses "prêtres : Emmenez cet individu et tuez-le ; car qu'avons-nous à faire avec lui, c'est un insensé.

2. Et ils s'avancèrent et tentèrent de poser les mains sur lui ; mais il leur résista et leur dit :

3. Ne me touchez pas, car Dieu vous frappera si vous mettez les mains sur moi, car je n'ai pas remis le message que Dieu m'a envoyé remettre ; et je ne vous ai pas dit non plus ce que ᵇvous m'avez demandé de dire ; c'est pourquoi Dieu ne souffrira pas que je sois détruit en ce moment.

4. Il faut que j'accomplisse les commandements que Dieu m'a donnés ; et parce que je vous ai dit la

---

n, voir *j*, Mos. 11.   *o*, voir *o*, 2 Né. 25.   *p*, voir *i*, 2 Né. 28.   *q*, voir *o*, 2 Né. 25.   *r*, Ex. 20 : 2-4.   CHAP. 13 : *a*, voir *j*, Mos. 11.   *b*, Mos. 12 : 20-24.

vérité, vous êtes irrités contre moi ; et parce que je vous ai annoncé la parole de Dieu, vous m'avez jugé [e]insensé.

5. Et * quand Abinadi eut prononcé ces paroles, le peuple du roi Noé n'osa pas mettre la main sur lui, car l'Esprit du Seigneur était sur lui et son visage brillait d'un éclat extraordinaire, comme celui de [d]Moïse, lorsqu'il était sur le mont Sinaï et qu'il parlait avec le Seigneur.

6. Et il parlait avec un pouvoir et une autorité qui venaient de Dieu ; et il continua en disant :

7. Vous voyez que vous n'avez pas le pouvoir de me tuer ; je vais donc finir mon message. Je m'aperçois qu'il vous perce le cœur, parce que je vous dis la vérité au sujet de vos iniquités.

8. Et mes paroles vous remplissent d'étonnement et de stupeur, ainsi que de colère.

9. Mais je termine mon message ; et alors ce que je deviendrai importe peu, si j'obtiens le salut.

10. Mais je vous déclare que ce que vous faites de moi après ceci, sera comme un [e]type et un symbole de choses qui doivent venir.

11. Et maintenant je vous lis le reste des commandements de Dieu, car je m'aperçois qu'ils ne sont point écrits dans votre cœur ; je m'aperçois que vous avez étudié et enseigné l'iniquité pendant la plus grande partie de votre vie.

12. Vous vous souvenez que je vous ai [f]dit : Tu ne te feras point d'image taillée, ni de représentation quelconque des choses qui sont en haut dans les cieux, ou en bas sur la terre, et qui sont dans les eaux plus bas que la terre.

13. En outre : Tu ne te [g]prosterneras point devant elles, et tu ne les serviras point ; car moi, le Seigneur

ton Dieu, je suis un Dieu jaloux, qui punis l'iniquité des pères sur les enfants, jusqu'à la troisième et à la quatrième génération de ceux qui me haïssent ;

14. Et qui fais miséricorde à des milliers de ceux qui m'aiment et qui gardent mes commandements.

15. Tu ne prendras point le nom du Seigneur, ton Dieu, en vain ; car le Seigneur ne tiendra pas pour innocent celui qui prendra son nom en vain.

16. Souviens-toi du jour du sabbat pour le sanctifier.

17. Tu travailleras six jours et tu feras tout ton ouvrage ;

18. Mais le septième jour, le sabbat du Seigneur ton Dieu, tu ne feras aucun travail, ni toi, ni ton fils, ni ta fille, ni ton serviteur, ni ta servante, ni ton bétail, ni l'étranger qui est dans tes portes ;

19. Car en six jours, le Seigneur a fait les cieux, la terre, et la mer, et tout ce qui y est contenu ; c'est pourquoi le Seigneur a béni le jour du sabbat et l'a sanctifié.

20. Honore ton père et ta mère pour que tes jours se prolongent dans le pays que le Seigneur ton Dieu te donne.

21. Tu ne tueras point.

22. Tu ne commettras point d'adultère. Tu ne déroberas point.

23. Tu ne porteras point de faux témoignage contre ton prochain.

24. Tu ne convoiteras point la maison de ton prochain, tu ne convoiteras point la femme de ton prochain, ni son serviteur, ni sa servante, ni son bœuf, ni son âne, ni aucune chose qui appartienne à ton prochain.

25. Et * lorsqu'Abinadi leur eut dit ces paroles, il leur dit : Avez-vous enseigné à ce peuple qu'il devait faire tout cela pour observer ces commandements ?

c, vers. 1.   d, Ex. 34 : 29-35.   e, Mos. 17 : 13-19.   19 : 20.   Al. 25 : 7-12.
f, Mos. 12 : 36.   g, Ex. 20 : 5-17.   VERS 148 AV. J.-C.

26. Je vous dis que non ; car si vous l'aviez fait, le Seigneur ne m'aurait point envoyé pour prophétiser du mal concernant ce peuple.

27. Et maintenant, vous avez dit que le salut vient de la loi de Moïse. Je vous dis qu'il est expédient, pour le moment, que vous observiez la loi de [h]Moïse ; mais je vous dis que le temps viendra où il ne sera plus [i]expédient d'observer la loi de Moïse.

28. Et de plus, je vous dis que le salut ne vient pas de la loi seule ; et sans [j]l'expiation que Dieu lui-même fera pour les péchés et les iniquités de son peuple, ce peuple périrait inévitablement, malgré la loi de Moïse.

29. Et maintenant, je vous dis qu'il était expédient qu'une loi, même une loi très stricte, fût donnée aux enfants d'Israël ; car ils étaient un peuple obstiné, prompt à l'iniquité, mais lent à se rappeler le Seigneur son Dieu ;

30. C'est pourquoi une loi leur fut donnée, une [k]loi de rites et d'ordonnances, une loi qu'ils devaient observer strictement, jour par jour, pour les obliger à se souvenir de leur Dieu et de leur devoir envers lui.

31. Mais voici, je vous dis que toutes ces choses étaient des figures de choses à venir.

32. Et maintenant, ont-ils compris la loi ? Je vous dis que non : ils n'ont pas tous compris la loi ; et cela à cause de la dureté de leur cœur ; ils ne comprenaient pas que nul homme ne peut être sauvé que par la rédemption de Dieu.

33. Moïse ne leur a-t-il pas prophétisé que le Messie viendrait, et que Dieu rachèterait son peuple ? Oui, et même, tous les prophètes qui ont prophétisé depuis le commencement du monde — n'ont-ils pas parlé plus ou moins de ces choses ?

34. N'ont-ils pas dit que 'Dieu lui-même descendrait parmi les enfants des hommes, qu'il prendrait la forme d'un homme et marcherait en grande puissance sur la surface de la terre ?

35. Oui, et n'ont-ils pas dit aussi qu'il réaliserait la [m]résurrection des morts et qu'il serait, lui-même, opprimé et affligé ?

CHAPITRE 14.

Abinadi cite Esaïe aux prêtres du roi Noé. — Comparer Esaïe 53.

1. Oui, Esaïe ne dit-il pas : Qui a cru ce que nous avons rapporté, et à qui le bras du Seigneur s'est-il révélé ?

2. Car il croîtra devant lui comme une tendre plante, et comme une racine hors d'une terre desséchée ; il n'a ni forme ni beauté ; et quand nous le verrons, nous ne trouverons rien en lui qui puisse nous porter à le désirer.

3. Il est rejeté et méprisé des hommes ; il est homme de douleurs, et il connaît les souffrances ; et nous avons, pour ainsi dire, détourné notre visage de lui ; il était méprisé, et nous n'avons eu, pour lui, aucune estime.

4. Il a assurément porté nos souffrances, et il s'est chargé de nos douleurs ; pourtant nous avons pensé qu'il était frappé, battu de Dieu et affligé.

5. Mais il fut blessé pour nos transgressions, meurtri pour nos iniquités ; et le châtiment qui devait nous donner la paix est tombé sur lui ; et nous sommes guéris par ses meurtrissures.

6. Nous nous sommes tous égarés comme des brebis ; nous avons marché, chacun selon sa propre

h, voir *o*, 2 Né. 25.   *i*, 3 Né. 9 : 19, 20. 15 : 2-10.   *j*, voir *f*, 2 Né. 2.   *k*, voir *o*, 2 Né. 25.   *l*, voir *b*, Mos. 3.   *m*, voir *d*, 2 Né. 2.   VERS 148 AV. J.-C.

voie ; et le Seigneur l'a chargé des iniquités de nous tous.

7. Il a été opprimé, il a été affligé, et cependant il n'a pas ouvert la bouche ; il est comme un agneau à la boucherie et de même qu'une brebis devant ses tondeurs est muette, de même il n'a pas ouvert la bouche.

8. Il a été pris de la prison et du jugement ; et qui déclarera sa génération ? Car il a été retranché de la terre des vivants ; et pour les transgressions de mon peuple, il a été frappé.

9. Il a fait son sépulcre avec les pécheurs et avec les riches dans sa mort, parce qu'il n'avait fait aucun mal, et que nulle déception n'était dans sa bouche.

10. Cependant il a plu à l'Eternel de le meurtrir ; il l'a abreuvé de douleurs ; quand tu feras de son âme une offrande pour le péché, il verra sa postérité, il prolongera ses jours et le plaisir du Seigneur prospérera dans sa main.

11. Il verra les afflictions de son âme et sera satisfait ; par sa connaissance, mon serviteur juste en justifiera beaucoup ; car il portera leurs iniquités.

12. C'est pourquoi je lui donnerai sa part avec les grands, et il partagera le butin avec les puissants, parce qu'il a versé son âme jusqu'à la mort ; il a été compté parmi les transgresseurs, il a porté sur lui les péchés d'un grand nombre, et il a intercédé pour les transgresseurs.

CHAPITRE 15.

La prophétie d'Abinadi. — Dieu lui-même descendra racheter son peuple. — Pourquoi Jésus-Christ est appelé le Père et le Fils.

1. Alors, Abinadi leur dit : Je voudrais que vous compreniez que ⁿDieu lui-même descendra au milieu des enfants des hommes, et qu'il rachètera son peuple.

2. Et parce qu'il ᵇrevêtira la chair, il sera appelé le Fils de Dieu ; et ayant assujetti la chair à la volonté du Père, il est le Père et le Fils —

3. Le Père, parce qu'il fut ᶜconçu par le pouvoir de Dieu ; le Fils, ᵈà cause de la chair ; il devient ainsi le Père et le Fils ;

4. Et ils sont ᵉun seul Dieu, oui, le ᶠPère éternel même du ciel et de la terre.

5. De la sorte, la chair devenant ᵍsujette à l'Esprit, ou le Fils au Père, étant un seul ʰDieu, subit la ⁱtentation et ne succombe pas à la tentation, mais se laisse bafouer, fouetter, rejeter et désavouer par son peuple.

6. Et après tout cela, après avoir fait de nombreux ʲgrands miracles parmi les enfants des hommes, il sera mené, ainsi que le dit Esaïe, et comme une ᵏbrebis devant son tondeur est muette, de même il n'a pas ouvert la bouche.

7. Oui, de même, il sera conduit, ˡcrucifié et tué, la chair devenant ᵐsujette à la mort ; la volonté du Fils étant absorbée dans la volonté du Père.

8. Et c'est ainsi que Dieu rompt les ⁿliens de la mort, ayant remporté la victoire sur la mort, donnant au Fils le pouvoir ᵒd'intercéder pour les enfants des hommes —

9. Etant monté au ciel, ayant les entrailles de la miséricorde, étant rempli de compassion pour les enfants des hommes ; se tenant entre eux et la justice ; ayant rompu les ᵖliens de la mort ; pris sur ᵠlui leur

a, voir 2*b*, Mos. 7.   *b*, voir *b*, Mos. 3. 7 : 10. 19 : 13. 3 Né. 1 : 14. Morm. 9 : 12.   *c*, 1 Né. 11 : 13-21. Mos. 3 : 8, 9. Al. *f*, voir *a*, Mos. 3.   *g*, vers. 2.   *h*, vers *k*,   *d*, voir *b*, Mos. 3.   *e*, voir *k*, 2 Né. 31. *c*, Mos. 3.   *k*, Mos. 14 : 7. Es. 53 : 7.   Mos. 3.   *i*, voir *s*, 2 Né. 9.   *j*, voir *n*, voir *g* et *j*, 2 Né. 9.   *o*, voir *e*, 2 Né. 2.   *l*, voir *g*, Mos. 3.   *m*, vers. 2, 5. 14 : 5-8, 11, 12.   *p*, voir *g* et *j*, 2 Né. 9.   *q*, Mos.

VERS 148 AV. J.-C.

iniquité et leurs transgressions ; les ayant rachetés et satisfait aux exigences de la justice.

10. Et maintenant, je vous le dis, qui 'déclarera sa génération ? Voici, je vous dis que quand son âme aura été 'donnée en offrande pour le péché, alors il verra sa postérité. Or qu'en dites-vous ? Qui sera 'sa postérité ?

11. Voici, je vous dis que quiconque a entendu les paroles des prophètes, oui, de tous les saints prophètes qui ont prophétisé sur l'avènement du Seigneur — je vous dis que tous ceux qui ont été attentifs à leurs paroles, qui ont cru que le Seigneur rachètera son peuple, qui attendent ce jour pour la rémission de leurs péchés, je vous dis que ceux-là sont sa postérité ou les héritiers du royaume de Dieu.

12. Car ce sont ceux dont il a "porté les péchés, ce sont ceux pour qui il est mort afin de les racheter de leurs transgressions. Alors, ne sont-ils pas sa postérité ?

13. Oui, et tous les prophètes, chacun de ceux qui ont ouvert la bouche pour prophétiser et qui ne sont pas tombés dans la transgression ; je veux dire tous les saints prophètes depuis le commencement du monde, ne le sont-ils pas aussi ? Je vous dis qu'ils sont sa postérité.

14. Et ce sont "ceux qui ont proclamé la paix, ils ont apporté la bonne nouvelle du bien, qui ont publié le salut, et dit à Sion : Ton Dieu règne !

15. O combien leurs pieds étaient beaux sur les montagnes !

16. Et combien sont beaux sur les montagnes les pieds de ceux qui proclament encore la paix !

17. Et combien sont beaux aussi sur les montagnes, les pieds de ceux qui, à l'avenir, proclameront la paix, oui, dès ce moment et à jamais !

18. Et voici, je vous le dis, ce n'est pas là tout : O combien sont beaux sur les montagnes les pieds de celui qui apporte la bonne nouvelle, qui est le fondateur de la paix, oui, même le Seigneur, qui a racheté son peuple ; oui, lui qui a accordé le salut à son peuple ;

19. Car sans la rédemption qu'il a consommée pour son peuple, laquelle était préparée depuis le "commencement du monde, je vous le dis, sans elle, "toute l'humanité aurait péri.

20. Mais les liens de la mort "seront rompus, et le Fils règne et a pouvoir sur les morts ; c'est pourquoi, il opère la "résurrection des morts.

21. Et il y aura une résurrection, même une "première résurrection, une résurrection de ceux qui ont été, qui sont et qui seront, jusqu'à la résurrection du Christ — car c'est ainsi qu'il sera appelé.

22. Et maintenant, la résurrection de tous les prophètes et de tous ceux qui ont cru en leurs paroles ou de tous ceux qui ont observé les commandements de Dieu, se produira lors de la première résurrection ; c'est pourquoi, ils sont la première résurrection.

23. Ils sont ressuscités pour demeurer avec Dieu qui les a rachetés. Ainsi ils ont la vie éternelle par le Christ qui a rompu les liens de la mort.

24. Et ce sont ceux-là qui prennent part à la première résurrection ; et ce sont ceux qui sont morts "dans leur ignorance avant la venue du Christ, le salut ne leur ayant pas été déclaré. Et c'est ainsi que le Seigneur réalise leur restau-

r, Mos. 14 : 8.   s, Mos. 14 : 10.   t, vers. 11-13.   u, Mos. 14 : 12.   v, Mos. 12 : 21-24. Es. 52 : 7-10.   w, voir d. Mos. 4.   x, voir e et g, 2 Né. 9.   y, voir g et j, 2 Né. 9.   z, voir d, 2 Né. 2.   2a, voir g, Jacob 4.   2b, voir j, Mos. 3.

ration ; et ils participent à la première résurrection, ou ont la vie
éternelle, étant rachetés par le Seigneur.

25. Et les petits enfants ont
aussi *c*la vie éternelle.

26. Mais pour vous, craignez et
tremblez devant Dieu, car vous devriez trembler, car le Seigneur ne
rachète point ceux qui lui sont rebelles, et meurent dans leurs péchés ; oui, même tous ceux qui,
depuis le commencement du
monde, sont morts dans leurs péchés. qui se sont *d*volontairement
révoltés contre Dieu, qui ont connu
les commandements de Dieu, et
ne les ont point observés ; ce sont
ceux qui n'ont point *e*de part à la
première résurrection.

27. Ne devriez-vous donc pas
trembler ? Car, pour ceux-là, il n'y
a point de salut, car le Seigneur ne
les a point rachetés ; oui, le Seigneur ne saurait les racheter, car
il ne peut se désavouer, il ne peut
*f*nier la justice quand elle a ses
droits.

28. Et maintenant, je vous dis
que le temps viendra où le salut du
Seigneur sera proclamé à toutes
nations, familles, langues et peuples.

29. Oui, Seigneur, tes *g*sentinelles élèveront la voix ; et elles
chanteront d'une voix unanime, car
elles verront œil à œil, quand le
Seigneur ramènera Sion.

30. Eclatez de joie, chantez
ensemble, places vides de Jérusalem ; car le Seigneur a consolé
son peuple, il a racheté Jérusalem.

31. Le Seigneur a mis à nu son
bras saint aux yeux de toutes les
nations ; et toutes les extrémités de
la terre verront le salut de notre
Dieu.

CHAPITRE 16.

*Suite de la prophétie d'Abinadi. — Le
Christ est le seul rédempteur. — La
résurrection et le jugement.*

1. Lorsque Abinadi eut prononcé ces paroles, il étendit la
main et dit : Le temps viendra où
tous verront le salut du Seigneur ;
où *a*chaque nation, famille, langue
et peuple verra œil à œil et confessera devant Dieu que ses jugements sont justes.

2. Alors, les méchants seront
rejetés, et ils auront sujet de
*b*hurler, de pleurer, de gémir et de
grincer des dents ; et cela, pour
n'avoir point écouté la voix du
Seigneur. C'est pour cela que le
Seigneur ne les rachète pas.

3. Car ils sont charnels et diaboliques et le diable *c*a tout pouvoir sur eux ; oui, ce *d*vieux serpent
même qui trompa nos premiers
parents, qui fut la cause de leur
chute ; qui fut la cause que toute
l'humanité devint charnelle, sen-
suelle et diabolique, distinguant le
bien du mal, et s'assujettissant au
diable.

4. Ainsi, *e*toute l'humanité fut
perdue ; et voici, elle aurait été
perdue à jamais si Dieu n'avait
racheté son peuple de son état de
déchéance et de perdition.

5. Mais souvenez-vous que celui
qui persiste dans sa nature charnelle et qui continue dans les voies
du péché et de la révolte contre
Dieu, reste dans son état de déchéance, et le diable a *f*tout pouvoir
sur lui ; c'est pourquoi, il est
comme si aucune rédemption
n'avait été faite, étant ennemi de
Dieu ; et de même, le diable est
un ennemi de Dieu.

6. Et maintenant, si le Christ
n'était pas venu au monde — je
parle des choses à venir comme si

2c, voir m, Mos. 3.   2d, voir k, Jacob 6.   2e, vers. 24.   2f, Al. 42 : 1-26.
2g, Es. 52 : 8-10. Mos. 12 : 22-24.   CHAP. 16 : a, Mos. 3 : 20, 21. 15 : 28, 31.
b, voir k, 1 Né. 15. Matt. 13 : 42.   c, voir i, 2 Né. 9.   d, voir i, 2 Né. 2.
e, voir e et g, 2 Né. 9. · f, voir i, 2 Né. 9.   VERS 148 AV. J.-C.

elles étaient déjà venues — il n'aurait pas pu y avoir de rédemption.

7. Et si le Christ n'était pas ressuscité d'entre les morts, s'il n'avait point rompu *ᵖ*les liens de la mort, pour que le sépulcre ne remportât point la *ʰ*victoire, et que la mort n'eût point *ᵍ*d'aiguillon, il n'aurait pu y avoir de résurrection.

8. Mais il y a une *ʲ*résurrection, et le sépulcre n'est point *ᵏ*victorieux, et *ˡ*l'aiguillon de la mort est englouti dans le Christ.

9. Il est la *ᵐ*lumière et la vie du monde ; une lumière qui est infinie, qui ne pourra jamais être obscurcie, et une vie qui est infinie, de sorte qu'il ne peut plus y avoir de mort.

10. Même *ⁿ*cette mortalité revêtira l'immortalité, et cette corruption revêtira l'incorruptibilité ; et ils comparaîtront devant la barre de Dieu pour être jugés par lui selon leurs œuvres, selon qu'elles seront bonnes ou mauvaises —

11. Si elles sont bonnes, à la résurrection de la vie et du bonheur sans fin, si elles sont mauvaises, à la résurrection de la damnation éternelle, étant livrés au *ᵒ*diable, qui les a assujettis, ce qui est la damnation —

12. Etant allés selon leur propre volonté et leurs propres désirs charnels, n'ayant jamais imploré le Seigneur alors que les bras de la miséricorde leur étaient tendus, car les bras de la miséricorde leur étaient tendus, mais ils n'en voulaient pas, ayant été avertis de leurs iniquités, mais ils ne voulaient pas y renoncer, et il leur fut commandé de se repentir ; et pourtant ils ne voulaient pas se repentir.

13. Et maintenant, ne devriez-vous pas trembler, vous repentir de vos péchés, et vous souvenir que ce n'est que dans le Christ et par le Christ que vous pouvez être sauvés ?

14. C'est pourquoi, si vous enseignez la *ᵖ*loi de Moïse, enseignez aussi qu'elle est une ombre de ces choses qui sont à venir —

15. Enseignez-leur que la rédemption vient par le Christ, le Seigneur qui est le *ᵍ*Père éternel même. Amen.

CHAPITRE 17.

Martyre d'Abinadi. — Tandis qu'il subit la mort par le feu, il prédit la punition de ses assassins. — Conversion d'Alma.

1. Et * quand Abinadi eut cessé de parler, le roi ordonna aux *ᵃ*prêtres de l'emmener pour le faire mettre à mort.

2. Mais il y en avait un parmi eux qui s'appelait Alma, qui descendait aussi de Néphi. C'était un jeune homme et il crut aux paroles d'Abinadi, car il connaissait l'iniquité dont Abinadi avait rendu témoignage contre eux. C'est pourquoi il commença à intercéder auprès du roi, le priant de ne pas être en colère contre Abinadi, mais de le laisser partir en paix.

3. Mais le roi n'en devint que plus irrité, il fit chasser Alma de parmi eux et envoya ses serviteurs à sa poursuite pour le faire mourir.

4. Mais celui-ci prit la fuite devant eux et se cacha de sorte qu'ils ne le trouvèrent pas. Caché pendant de nombreux jours, il écrivit toutes les paroles qu'Abinadi avait dites.

5. Et * le roi fit entourer et prendre Abinadi par ses gardes ;

g, voir *g* et *n*, Mos. 15.   *h*, Mos. 15 : 8, 20. Al. 22 : 14. 27 : 28.   *i*, vers. 8. Al. 22 : 14. 24 : 23. Morm. 7 : 5.   *j*, voir *d*, 2 Né. 2.   *k*, vers. 7.   *l*, vers. 7. *m*, Al. 38 : 9. 3 Né. 9 : 18. 15 : 9. 18 : 16, 24. Eth. 3 : 14. 4 : 12. Moro. 7 : 18. Jean 8 : 12. 9 : 5. 14 : 6. D. et A. 84 : 45. 88 : 7-13.   *n*, voir *d*, 2 Né. 2. Aussi *j* et *m* 2 Né. 9.   *o*, voir *i*, 2 Né. 9.   *p*, voir *o*, 2 Né. 25.   *q*, voir *a*, Mos. 3. CHAP. 17 : *a*, voir *f*, Mos. 11.   VERS 148 AV. J.-C.

et ils le lièrent et le jetèrent en prison.

6. Et au bout de trois jours, après s'être réuni en conseil avec ses [b]prêtres, il le fit à nouveau amener devant lui.

7. Et il lui dit : Abinadi, nous avons trouvé une accusation contre toi, et tu mérites la mort.

8. Car tu as dit que [c]Dieu, lui-même, descendrait au milieu des enfants des hommes ; et pour cela tu seras mis à mort, à moins que tu ne rétractes tout ce que tu as dit de mal de moi et de mon peuple.

9. Et Abinadi lui dit : Je te dis que je ne rétracterai pas les paroles que je t'ai dites sur ce peuple, car elles sont vraies ; et pour que tu saches qu'elles sont vraies, j'ai accepté de tomber entre tes mains.

10. Oui, et je souffrirai même jusqu'à la mort, et je ne rétracterai point mes paroles, et elles resteront comme un témoignage contre toi. Et si tu me tues, tu verseras du sang innocent, et cela restera aussi en témoignage contre toi, au dernier jour.

11. Et le roi Noé était sur le point de le délivrer, car il craignait sa parole ; car il craignait que les jugements de Dieu ne vinssent sur lui.

12. Mais les [d]prêtres élevèrent la voix contre lui, et commencèrent à l'accuser, disant : Il a outragé le roi. C'est pourquoi, le roi fut poussé à la colère contre lui et le livra pour être mis à mort.

13. Et * ils se saisirent de lui et le lièrent, et lui flagellèrent la peau avec des brandons, oui, jusqu'à la [e]mort.

14. Et quand les flammes commencèrent à le brûler, il leur cria :

15. Voici, de même que vous me l'avez fait, de même * [f]votre postérité en fera souffrir beaucoup, même la torture de la mort par le feu ; et cela parce qu'ils auront cru au salut du Seigneur, leur Dieu.

16. Et * à cause de vos iniquités vous serez affligés de toutes sortes de maladies.

17. Et de tous côtés, vous serez frappés, vous serez chassés, dispersés çà et là, comme un troupeau effaré lorsqu'il est poursuivi par les bêtes sauvages et féroces.

18. Et en ce jour, vous serez [g]poursuivis, vous serez pris par vos ennemis, et alors vous souffrirez ce que je souffre, la torture de la mort par le feu.

19. Ainsi Dieu exécute sa vengeance sur ceux qui détruisent son peuple. O Dieu, reçois mon âme.

20. Et [†]quand Abinadi eut dit ces paroles, il tomba, ayant souffert la [h]mort par le feu ; oui, ayant été mis à mort parce qu'il ne voulait point nier les commandements de Dieu, ayant scellé la vérité de ses paroles par sa mort.

CHAPITRE 18.

Les eaux de Mormon. — Alma baptise Hélam et d'autres. — L'Eglise du Christ. — Le roi Noé envoie une armée pour détruire Alma et ses disciples.

1. Et il arriva qu'Alma, qui s'était enfui des serviteurs du roi Noé, se repentit de ses péchés et de ses iniquités et alla secrètement parmi le peuple, et commença à enseigner les paroles d'Abinadi —

2. Oui, concernant ce qui devait arriver, et aussi concernant la [a]résurrection des morts, et la rédemption du peuple, qui devait s'accomplir par le pouvoir, les souffrances

b, voir *f*, Mos. 11.   *c*, Mos. 7 : 27. 13 : 34.   *d*, voir *f*, Mos. 11.   *e*, vers. 18-20. Mos. 7 : 28.   *f*, Mos. 13 : 10. Al. 25 : 7-12.   *g*, Al. 25 : 8, 9.   *h*, voir *e*. CHAP. 18 : *a*, voir *d*, 2 Né. 2.   † VERS 148 AV. J.-C.

et la mort du Christ, sa résurrection et son ascension au ciel.

3. Et il enseigna tous ceux qui voulaient écouter sa parole. Et il les enseigna en secret afin que cela n'arrivât point à la connaissance du roi. Et beaucoup crurent ses paroles.

4. Et * tous ceux qui le croyaient se rendaient en un endroit appelé *Mormon, qui avait reçu son nom du roi et était situé aux frontières du pays ; il avait été infesté, à certains moments et en certaines saisons, de bêtes sauvages.

5. Il y avait à *Mormon une source d'eau pure, et Alma s'y réfugiait, parce qu'il y avait près de l'eau un bosquet de petits arbres où, pendant le jour, il se tenait caché pour se dérober aux poursuites du roi.

6. Et * ceux qui le croyaient y allaient pour entendre ses paroles.

7. Et il arriva †qu'après de nombreux jours, un bon nombre de personnes se rassembla à Mormon pour entendre les paroles d'Alma. Oui, tous ceux qui croyaient aux paroles d'Alma s'étaient rassemblés pour l'entendre. Et il les enseigna et leur prêcha le repentir, la rédemption et la foi dans le Seigneur.

8. Et * il leur dit : Voici les *eaux de Mormon (car elles étaient ainsi nommées), et puisque vous désirez entrer dans la bergerie de Dieu, être appelés son peuple, et que vous êtes disposés à porter les fardeaux les uns des autres, pour qu'ils soient légers ;

9. Oui, et êtes prêts à pleurer avec ceux qui pleurent, à consoler ceux qui ont besoin de consolation, et à être les témoins de Dieu, en tout temps, en toutes choses et en

tous lieux où vous serez, même jusqu'à la mort, afin d'être rachetés de Dieu, et de pouvoir être comptés au nombre de ceux de la *première résurrection, pour avoir la vie éternelle —

10. Or, je vous dis que si c'est là le désir de votre cœur, qu'avez-vous qui vous empêche d'être *baptisés au nom du Seigneur, en témoignage devant lui que vous avez fait alliance avec lui de le servir et de garder ses commandements pour qu'il puisse déverser plus abondamment son Esprit sur vous ?

11. Quand le peuple eut entendu ces paroles, il battit des mains de joie, et s'écria : C'est là le désir de notre cœur.

12. Alors * Alma prit Hélam, l'un des premiers, s'avança, se tint dans l'eau et cria, disant : O Seigneur déverse ton Esprit sur ton serviteur, afin qu'il fasse cette œuvre avec sainteté de cœur.

13. Et lorsqu'il eut prononcé ces mots, l'Esprit du Seigneur fut sur lui, et il dit : Hélam, je te baptise, ayant *l'autorité du Dieu tout-puissant, en témoignage que tu as fait alliance de servir jusqu'à la mort du corps mortel ; que l'Esprit de Dieu se répande sur toi, et qu'il t'accorde la vie éternelle par la rédemption du Christ, qu'il a préparé depuis la *fondation du monde.

14. Et lorsque Alma eut dit ces paroles, Alma et Hélam furent ensevelis tous deux dans l'eau, et ils se levèrent et sortirent de l'eau pleins d'allégresse, étant remplis de l'Esprit.

15. Et Alma en prit un autre, et entra une seconde fois dans l'eau, et le baptisa de la même manière qu'il l'avait fait pour le premier ;

---

b, vers. 5, 8, 16, 30. Al. 5 : 3. 3 Né. 5 : 12. Morm. 1 : 5.   *c*, vers. 4.   *d*, vers. 5.
e, voir *g*, Jacob 4.   *f*, voir *u*, 2 Né. 9.   *g*, Al. 5 : 3. 3 Né. 11 : 25.   *h*, voir *d*,
Mos. 4.   † Vers 147 av. J.-C.

seulement, il ne s'ensevelit pas lui-même dans l'eau.

16. Et il baptisa ainsi tous ceux qui étaient venus 'à Mormon, et ils étaient deux cent quatre personnes ; et ils furent baptisés dans les 'eaux de Mormon, et remplis de la grâce de Dieu.

17. Et désormais ils furent appelés l'Eglise de Dieu ou l'Eglise du Christ. Et * quiconque était baptisé par le *pouvoir et l'autorité de Dieu était ajouté à son Eglise.

18. Et * Alma, ayant l'autorité de Dieu, 'ordonna des prêtres, un prêtre pour cinquante membres, afin de leur prêcher et leur enseigner les choses du royaume de Dieu.

19. Et il leur commanda de n'enseigner que ce qu'il avait enseigné, et ce qui avait été dit de la bouche des saints prophètes.

20. Oui, il leur commanda même de ne prêcher rien d'autre que le repentir et la foi au Seigneur, qui avait racheté son peuple.

21. Il leur commanda de ne point avoir de contentions entre eux, mais d'attendre dans la même espérance, n'ayant qu'une seule foi et un seul baptême, leurs cœurs liés dans l'unité et dans l'amour de l'un pour l'autre.

22. Et c'est de la sorte qu'il leur ordonnait de prêcher. Et c'est ainsi qu'ils devinrent les enfants de Dieu.

23. Il leur commanda d'observer le jour du "sabbat, de le sanctifier et de rendre chaque jour des actions de grâces au Seigneur leur Dieu.

24. Il leur ordonna aussi que les "prêtres, qu'il avait consacrés, travaillassent de leurs °propres mains pour leur subsistance.

25. Et un °jour de la semaine fut choisi où ils devaient se réunir pour enseigner le peuple et pour adorer le Seigneur leur Dieu, et aussi pour tenir des assemblées aussi souvent que cela leur serait possible.

26. Les prêtres ne devaient point compter sur le peuple pour °les entretenir ; mais pour fruit de leur travail, ils devaient recevoir la grâce de Dieu, pour qu'ils fussent fortifiés par l'Esprit, et qu'ayant la connaissance de Dieu, ils pussent enseigner par la puissance et l'autorité de Dieu.

27. Alma ordonna également aux membres de l'Eglise de donner de leurs biens, 'chacun selon ce qu'il avait ; s'il avait en plus grande abondance, il devait donner en plus grande abondance ; et de celui qui avait peu, il ne fallait demander que peu ; et à celui qui n'avait pas, il fallait donner.

28. Et ils devaient ainsi donner de leurs biens, de plein gré et suivant leurs bons désirs envers Dieu, et aux prêtres qui étaient dans le besoin, oui, et à toutes les âmes nécessiteuses et nues.

29. Et il leur disait ceci, car il en avait reçu le commandement de Dieu ; et ils marchaient en droiture devant Dieu, donnant les uns aux autres, temporellement et spirituellement, selon leurs nécessités et leurs besoins.

30. Et * tout ceci se passait à 'Mormon, près des 'eaux de Mormon, dans la "forêt située près des eaux de Mormon. Oui, le lieu de Mormon, les eaux de Mormon, et la forêt de Mormon, combien ils sont beaux aux yeux de ceux qui y sont venus à la connaissance de leur Rédempteur ; et combien ils sont bénis, car ils chanteront ses louanges à tout jamais.

i, voir *b*. *j*, vers. 5, 8. *k*, voir *u*, 2 Né. 9. *l*, voir *c*, Mos. 6. *m*, Mos. 13 : 16-19. Marc 2 : 27, 28. D. et A. 59 : 9, 10. 68 : 29. *n*, voir *c*, Mos. 18. *o*, vers. 26, 28. *p*, Al. 32 : 11. *q*, vers. 24. *r*, voir *j*, Jacob 2. *s*, voir *b*, Mos. 18. *t*, vers. 5, 8. Mos. 26 : 15. *u*, vers. 5. VERS 147 AV. J.-C.

31. Et ces choses se passaient aux ᵛfrontières du pays pour qu'elles ne vinssent point à la connaissance du roi.

32. Mais * le roi, ayant découvert un mouvement parmi le peuple, envoya ses serviteurs pour le surveiller. Et le jour où ils se rassemblèrent pour entendre la parole du Seigneur, ils furent découverts au roi.

33. Et le roi dit qu'Alma excitait le peuple à la révolte contre lui ; c'est pourquoi il envoya son armée pour les détruire.

34. Et * Alma et le peuple du Seigneur ʷapprirent l'approche de l'armée du roi ; c'est pourquoi, ils prirent leurs tentes et leurs familles, et partirent pour le désert.

35. Ils étaient au nombre d'environ quatre cent cinquante âmes.

CHAPITRE 19.

Recherche vaine. — Insurrection de Gidéon. — Invasion lamanite. — Le roi Noé subit la mort par le feu. — Son fils Limhi devient monarque tributaire.

1. Et * ᵃl'armée du roi s'en retourna, après avoir vainement cherché le peuple du Seigneur.

2. Et voici, les forces du roi étaient médiocres, du fait qu'elles avaient été réduites, et une division commença à se produire parmi le restant du peuple.

3. Et la partie la moins nombreuse se mit à proférer des menaces contre le roi, et une grande contention commença parmi eux.

4. Or, il y avait parmi eux un homme appelé Gidéon, et comme c'était un homme fort et un ennemi du roi, il tira son épée et jura, dans sa colère, qu'il tuerait le roi.

5. Et * il combattit le roi ; et quand le roi vit qu'il allait le vaincre, il prit la fuite, courut et

monta sur la ᵇtour, qui était auprès du ᶜtemple.

6. Et Gidéon le poursuivit et était sur le point de monter sur la tour pour tuer le roi, et le roi jeta les yeux à l'entour, du côté du pays de ᵈShemlon, et voici, l'armée des Lamanites était à l'intérieur des frontières du pays.

7. Alors le roi s'écria dans l'angoisse de son âme, disant : Gidéon, épargne-moi, car les Lamanites sont sur nous et ils vont nous détruire ; oui, ils vont détruire mon peuple.

8. Or, le roi ne se souciait pas autant de son peuple que de sa propre vie ; néanmoins Gidéon lui épargna la vie.

9. Et le roi ordonna au peuple de fuir devant les Lamanites, et lui-même marchait devant eux, et ils se sauvèrent dans le désert avec leurs femmes et leurs enfants.

10. Et * les Lamanites les poursuivirent, les rattrapèrent et commencèrent à les massacrer.

11. Alors * le roi ordonna à tous les hommes ᵉd'abandonner leurs femmes et leurs enfants et de fuir devant les Lamanites.

12. Or, il y en eut beaucoup qui ne voulurent pas les quitter, préférant rester et mourir avec eux. Les autres laissèrent leurs femmes et leurs enfants, et prirent la fuite.

13. Et * ceux qui étaient restés avec leurs femmes et leurs enfants, firent avancer leurs filles, qui étaient jolies et les firent supplier les Lamanites de ne pas les tuer.

14. Et * les Lamanites eurent compassion d'eux, car ils étaient charmés de la ᶠbeauté de leurs femmes.

15. C'est pourquoi les Lamanites leur épargnèrent la vie, les firent captifs et les ramenèrent au ʰpays de Néphi, leur laissant la posses-

sion du pays à condition de livrer le roi Noé aux mains des Lamanites et de remettre leurs biens, même la ⁱmoitié de tout ce qu'ils possédaient, la moitié de leur or, de leur argent, de toutes leurs choses précieuses ; et c'est là le tribut qu'ils devaient payer, tous les ans, au roi des Lamanites.

16. Et il y avait, parmi ceux qui avaient été faits captifs, un des fils du roi, nommé ʲLimhi.

17. Et Limhi souhaitait fort que son père ne fût point tué ; néanmoins, Limhi n'ignorait pas les iniquités de son père car il était lui-même un homme juste.

18. Et * Gédéon envoya secrètement dans le désert des hommes à la recherche du roi et de ceux qui étaient avec lui. Et * ils rencontrèrent tout le peuple dans le désert, excepté le roi et ses ᵏprêtres.

19. Ils avaient juré dans leur cœur qu'ils retourneraient au pays de Néphi ; et que si leurs femmes et leurs enfants avaient été ⁱtués, ainsi que ᵐceux qui étaient restés avec eux, ils s'en vengeraient et périraient aussi avec eux.

20. Et le roi leur ordonna de ne point retourner ; et ils furent furieux contre le roi, et lui firent subir la mort par le ⁿfeu.

21. Et ils étaient sur le point de s'emparer également des ᵒprêtres pour les mettre à mort, mais ceux-ci se sauvèrent.

22. Et * ils étaient sur le point de retourner au pays de Néphi, et ils rencontrèrent les hommes de Gédéon. Et les hommes de Gédéon leur dirent tout ce qui était ᵖarrivé à leurs femmes et à leurs enfants, et leur apprirent que les Lamanites leur avaient accordé de posséder le pays en payant un tribut aux La-

manites, qui était ᵟla moitié de tout ce qu'ils possédaient.

23. Et le peuple dit aux hommes de Gédéon qu'il avait ʳtué le roi, et que ses ˢprêtres s'étaient enfuis plus loin dans le désert.

24. Et * lorsqu'ils eurent terminé la cérémonie, ils retournèrent au pays de Néphi, se réjouissant de ce que ᵗleurs femmes et leurs enfants n'étaient pas tués ; et ils dirent à Gédéon ce qu'ils ᵘavaient fait au roi.

25. Et * le roi des Lamanites leur jura par serment que son peuple ne les tuerait pas.

26. Et Limhi, le fils du roi, à qui la royauté avait été conférée par le peuple, jura au roi des Lamanites que son peuple lui paierait tribut de la ᵛmoitié de tout ce qu'il possédait.

27. Et * Limhi commença à établir le royaume et à rétablir la paix parmi son peuple.

28. Et le roi des Lamanites plaça des ʷgardes tout à l'entour du pays pour qu'il pût garder le peuple de Limhi dans le pays et pour l'empêcher de partir dans le désert. Il payait ses gardes avec le ˣtribut qu'il recevait des Néphites.

29. Et le roi Limhi eut une paix continuelle dans son royaume pendant deux ans pendant lesquels les Lamanites ne les molestèrent point, ni ne cherchèrent à les détruire.

CHAPITRE 20.

Les prêtres du roi enlèvent des filles des Lamanites. — Les Lamanites veulent se venger sur le roi Limhi et son peuple. — Ils sont repoussés et pacifiés.

1. Or, il y avait à ᵃShemlon un endroit où les filles des Lamanites se rassemblaient pour chanter, danser et s'amuser.

i, voir *k*, Mos. 9.   *j*, voir *h*, Mos. 7.   *k*, voir *f*, Mos. 11.   *l*, vers. 11, 12. *m*, vers. 12.   *n*, Mos. 12 : 3, 10-12.   *o*, voir *f*, Mos. 11.   *p*, vers. 14, 15. *q*, voir *k*, Mos. 9.   *r*, vers. 20.   *s*, voir *f*, Mos. 11.   *t*, vers. 14, 15, 19, 22. *u*, vers. 20, 23.   *v*, voir *k*, Mos. 9.   *w*, Mos. 21 : 5. 22 : 6-10.   *x*, voir *k*, Mos. 9. CHAP. 20 : *a*, voir *d*, Mos. 10.   ENTRE 145 et 123 av. J.-C.

2. Il arriva qu'un jour un petit nombre d'entre elles était réuni pour chanter et pour danser.

3. Et les *b*prêtres du roi Noé, honteux de retourner à la *c*ville de Néphi, et craignant d'être *d*tués par le peuple n'osaient pas revenir auprès de leurs femmes et de leurs enfants.

4. Etant restés dans le désert, et ayant découvert les filles des Lamanites, ils se cachèrent et les guettèrent ;

5. Et quand il n'y en eut que quelques-unes de réunies pour danser, ils sortirent de leurs lieux secrets, se saisirent d'elles et les emmenèrent au désert ; oui, ils emmenèrent *e*vingt-quatre filles des Lamanites dans le désert.

6. Et * quand les Lamanites découvrirent que leurs filles étaient manquantes, ils furent très irrités contre le peuple de Limhi, car ils s'imaginaient que c'était le peuple de Néphi.

7. C'est pourquoi, ils envoyèrent leurs armées ; oui, le roi lui-même marcha devant son peuple ; et ils montèrent au pays de Néphi, pour détruire le peuple de Limhi.

8. Or, Limhi les avait découverts du haut de la *f*tour ; il découvrit même tous leurs préparatifs de guerre. Il rassembla tout son peuple, et fit tendre des embuscades dans les champs et dans les forêts.

9. Et * quand les Lamanites furent montés, le peuple de Limhi sortit de ses embuscades, fondit sur eux et commença à les tuer.

10. Et * la bataille devint extrêmement furieuse, car ils se battaient comme des lions pour leur proie.

11. Et il advint que le peuple de Limhi commença à chasser les Lamanites devant lui ; pourtant, ils n'étaient pas de moitié aussi nombreux que les Lamanites. Mais ils combattaient pour leur vie, pour leurs femmes et pour leurs enfants, aussi déployèrent-ils toutes leurs forces, et luttèrent comme des dragons.

12. * Le roi des Lamanites fut trouvé parmi les morts ; cependant, il n'était pas mort, ayant été blessé et laissé sur le sol, si rapide fut la fuite de son peuple.

13. Et ils le prirent, pansèrent ses blessures, et le menèrent au roi Limhi, et dirent : Voici le roi des Lamanites ; ayant reçu une blessure, il est tombé parmi leurs morts, et ils l'ont abandonné ; et voici, nous l'avons amené devant toi ; et maintenant tuons-le.

14. Mais Limhi leur dit : Vous ne le tuerez pas, mais l'amènerez ici que je le voie. Et ils l'amenèrent. Et Limhi lui dit : Quel motif t'a donc porté à faire la guerre à mon peuple ? Voici, mon peuple n'a pas rompu le *g*serment que je t'ai fait, pourquoi donc as-tu rompu le serment que tu as fait à mon peuple ?

15. Alors, le roi dit : J'ai rompu mon serment parce que ton peuple a *h*enlevé les filles de mon peuple ; c'est pourquoi, dans ma colère, j'ai mené mon peuple à la guerre contre ton peuple.

16. Or, Limhi n'avait rien entendu de cette affaire ; c'est pourquoi il dit : Je m'enquerrai parmi mon peuple, et quiconque a fait cela périra. C'est pourquoi, il fit faire une enquête parmi son peuple.

17. Quand Gédéon eut appris cela, étant le capitaine du roi, il alla auprès du roi et lui dit : Garde-toi, je te prie, de faire une enquête parmi ce peuple et ne lui impute pas ceci.

18. Ne te souviens-tu pas des

---

b, voir *f*, Mos. 11.   *c*, voir *b*, 2 Né. 5.   *d*, Mos. 19 : 21.   *e*, vers. 6, 7, 15, 23. Mos. 23 : 30-35.   *f*, Mos. 11 : 12.   *g*, Mos. 19 : 25, 26.   *h*, vers. 1-6.

ENTRE 145 et 123 av. J.-C.

'prêtres de ton père, que ce peuple chercha à détruire ? Ne sont-ils pas dans le désert ? N'est-ce pas eux qui ont ʲvolé les filles des Lamanites ?

19. Et maintenant, voici, dis ceci au roi afin qu'il le dise à son peuple, pour qu'il soit pacifié envers nous ; car voici, ils se préparent déjà à revenir sur nous, et nous ne sommes que fort peu nombreux.

20. Et voici, ils viennent avec leurs nombreuses armées ; et si le roi ne les pacifie pas envers nous, nous périrons.

21. Car les paroles qu'Abinadi a prophétisées contre nous ne sont-elles pas ᵏaccomplies — et tout cela, parce que nous ne voulions pas écouter les paroles du Seigneur et nous détourner de nos iniquités.

22. Et maintenant, pacifions le roi, et tenons le ˡserment que nous lui avons fait ; car il vaut mieux être en esclavage que perdre la vie ; c'est pourquoi, arrêtons l'effusion de tant de sang.

23. Alors Limhi raconta au roi tout ce qui concernait son père et les ᵐprêtres qui s'étaient enfuis dans le désert, et leur attribua l'enlèvement des ⁿfilles lamanites.

24. Et * le roi fut pacifié envers son peuple, et il leur dit : Allons sans armes à la rencontre de mon peuple, et je vous jure avec serment que mon peuple ne tuera point votre peuple.

25. Et * ils suivirent le roi et sortirent sans armes à la rencontre des Lamanites. Et * ils rencontrèrent les Lamanites : et le roi des Lamanites s'inclina devant eux et parla en faveur du peuple de Limhi.

26. Et quand les Lamanites virent que le peuple de Limhi était sans armes, ils en eurent compassion, et furent pacifiés envers eux et retournèrent paisiblement dans leur propre pays avec leur roi.

CHAPITRE 21.

La prophétie d'Abinadi continue à s'accomplir. — Les Néphites en esclavage endurent de grandes afflictions. — Le Seigneur adoucit le cœur de leurs ennemis. — Autres détails sur les vingt-quatre plaques.

1. Et * Limhi et son peuple revinrent à la ville de Néphi, et recommencèrent à habiter en paix dans le pays.

2. * Après de nombreux jours les Lamanites recommencèrent à s'irriter contre les Néphites, et ils commencèrent à s'introduire dans les frontières du pays, à l'entour.

3. Or, ils n'osaient pas les tuer à cause du ᵃserment que leur roi avait fait à Limhi ; mais ils les frappaient au ᵇvisage et exerçaient de l'autorité sur eux ; et commençaient à leur mettre de ᶜlourds fardeaux sur le dos, les ᵈmenant comme on mène un âne muet —

4. Oui, tout cela se fit pour que la parole du Seigneur fût ᵉaccomplie.

5. Les afflictions des Néphites étaient grandes, et ils n'avaient aucun moyen de se délivrer des mains de leurs oppresseurs, car les Lamanites les ᶠenveloppaient de tous côtés.

6. Et * le peuple se mit à murmurer auprès du roi à cause de ses afflictions ; et il commença à avoir le désir d'aller se battre contre eux. Et il affligea profondément le roi de ses plaintes, c'est pourquoi, il lui permit de faire ce qu'il voulait.

7. Et le peuple se rassembla de nouveau, se couvrit de ses armures

---

i, voir *f*, Mos. 11.　*j*, vers. 5.　*k*, Mos. 12 : 1-8.　*l*, Mos. 19 : 26.　*m*, voir *f*, Mos. 11.　*n*, vers. 5.　CHAP. 21 : *a*, Mos. 19 : 25.　*b*, Mos. 12 : 2.　*c*, vers. 13. Mos. 12 : 5 : *d*, vers. 13. Mos. 12 : 5.　*e*, Mos. 12 : 2-7. 20 : 21.　*f*, voir *w*, Mos. 19.

et alla contre les Lamanites afin de les chasser de son pays.

8. Et * les Lamanites le battirent, le repoussèrent et en tuèrent un grand nombre.

9. Et il y eut un grand deuil et de grandes lamentations parmi le peuple de Limhi ; la veuve pleurant son mari, le fils et la fille pleurant leur père, et les frères leurs frères.

10. Or, il y avait un grand nombre de veuves dans le pays, et elles se lamentaient beaucoup d'un jour à l'autre, car une grande peur des Lamanites les avait saisies.

11. Et · * leurs cris incessants excitèrent le reste du peuple de Limhi à la colère contre les Lamanites ; et il livra une nouvelle bataille, mais il fut encore mis en déroute, avec de grandes pertes.

12. Oui, ils recommencèrent même une troisième fois, et subirent le même sort ; et ceux qui n'avaient pas été tués retournèrent à la ville de Néphi.

13. Et ils s'humilièrent, même jusqu'à la poussière, s'assujettissant au *g*joug de la servitude, acceptant d'être frappés et menés çà et là, chargés de fardeaux, au gré de leurs ennemis.

14. Et ils s'humilièrent, même dans les profondeurs de l'humilité ; et ils imploraient Dieu à grands cris ; oui, ils imploraient leur Dieu tout le jour, pour qu'il voulût bien les délivrer de leurs afflictions.

15. Mais le Seigneur était *h*lent à écouter leur cri à cause de leurs iniquités. Toutefois, le Seigneur entendit leurs cris, et commença à adoucir le cœur des Lamanites, de sorte qu'ils commencèrent à alléger leurs fardeaux, pourtant le Seigneur ne jugea pas qu'il fût convenable de les délivrer de la servitude.

16. Et * ils commencèrent à prospérer par degrés dans le pays, et commencèrent à cultiver des grains en plus grande abondance et à élever des troupeaux, de sorte qu'ils ne souffrirent plus la faim.

17. Il y avait alors un plus *i*grand nombre de femmes que d'hommes ; c'est pourquoi le roi Limhi ordonna que *j*tout homme donnât pour l'entretien des veuves et de leurs enfants, afin qu'ils ne périssent pas de faim ; et ils le firent à cause du nombre considérable d'hommes qui avaient été tués.

18. Et le peuple de Limhi resta groupé autant qu'il était possible et protégea son grain et ses troupeaux ;

19. Le roi lui-même ne risquait pas sa personne en dehors des murs de la ville, sans prendre ses *k*gardes, de crainte de tomber, d'une manière ou d'une autre, entre les mains des Lamanites.

20. Et il fit surveiller. les alentours du pays par son peuple, pour s'emparer, d'une manière ou d'une autre, des *l*prêtres qui s'étaient enfuis dans le désert, qui avaient volé les *m*filles des Lamanites, et avaient été la cause de cette grande destruction qui s'était abattue sur eux.

21. Ils souhaitaient se saisir d'eux pour les *n*punir ; car ils étaient venus la nuit, dans le pays de Néphi, et avaient emporté leurs grains et quantité de leurs choses précieuses ; c'est pourquoi, ils leur tendirent des embuscades.

22. Et * il n'y eut plus aucun démêlé entre les Lamanites et le peuple de Limhi, †jusqu'au *o*temps où Ammon et ses frères arrivèrent dans le pays.

23. Et le roi, étant sorti des portes de la ville avec sa garde,

g, Mos. 12 : 2-8.   h, Mos. 11 : 24, 25.   i, vers. 10, 11.   j, voir j, Jacob 2. k, Mos. 7 : 7, 10.   l, voir f, Mos. 11.   m, Mos. 20 : 5.   n, vers. 23. Mos. 7 : 7-11. o, Mos. 7 : 6-13.   † VERS 122 AV. J.-C.

découvrit Ammon et ses frères ; et supposant qu'ils étaient prêtres de Noé, il les fit saisir, lier et jeter en prison. Et s'ils avaient été les prêtres du roi Noé, il les aurait fait mettre à mort.

24. Mais quand il découvrit qu'ils n'en étaient pas, mais qu'ils étaient ses frères, et qu'ils étaient venus du pays de [p]Zarahemla, il fut rempli d'une [q]joie extrême.

25. Déjà, avant l'arrivée d'Ammon, le roi Limhi avait envoyé un petit [r]nombre d'hommes à la recherche du pays de Zarahemla ; mais ils ne purent le trouver, et [s]s'égarèrent dans le désert.

26. Toutefois, ils découvrirent un pays qui avait été peuplé ; oui, un pays qui était [t]couvert d'ossements desséchés ; oui, un pays qui avait été peuplé et qui avait été détruit ; [u]supposant que c'était là le pays de Zarahemla, ils revinrent au pays de Néphi, et arrivèrent sur le territoire du pays peu de jours avant [v]l'arrivée d'Ammon.

27. Et ils apportèrent des [w]annales, celles même du peuple dont ils avaient trouvé les ossements ; elles étaient gravées sur des plaques de métal.

28. Et maintenant, Limhi était de nouveau pénétré de joie en apprenant, de la bouche d'Ammon, que le roi Mosiah possédait un [x]don de Dieu, par lequel il pouvait interpréter ces inscriptions ; et Ammon s'en réjouissait aussi.

29. Cependant Ammon et ses frères étaient remplis de chagrin de ce qu'un si grand nombre de leurs frères avaient été tués ;

30. Et aussi de ce que le roi Noé et ses [y]prêtres avaient porté le peuple à commettre tant de péchés et tant d'iniquités contre Dieu ; et ils se lamentèrent aussi de la [z]mort d'Abinadi et du [2a]départ d'Alma et de ceux qui l'avaient suivi, et qui avaient formé une Eglise de Dieu par la vertu et la puissance de Dieu, et la foi aux paroles d'Abinadi.

31. Oui, ils se lamentèrent de leur départ, car ils ne savaient pas où ils s'étaient enfuis. Or, ils se seraient joints à eux avec joie, car ils avaient fait eux-mêmes alliance avec Dieu de le servir et d'observer ses commandements.

32. Et depuis l'arrivée d'Ammon, le roi Limhi et beaucoup parmi son peuple avaient aussi fait alliance avec Dieu de le servir et de garder ses commandements.

33. Et il arriva que le roi Limhi et beaucoup parmi son peuple désirèrent être baptisés, mais il n'y avait personne dans le pays qui eût [2b]l'autorité de Dieu. Et Ammon déclina l'invitation à le faire, étant donné qu'il se considérait comme un serviteur indigne.

34. C'est pourquoi, ils ne s'établirent pas en une église à ce moment-là, [2c]attendant l'Esprit du Seigneur. Or, ils avaient le désir de devenir comme Alma et ses frères, qui avaient fui dans le désert.

35. Ils avaient le désir d'être [2d]baptisés pour témoigner et prouver leur volonté de servir Dieu de tout leur cœur ; néanmoins, ils remirent le moment à plus tard ; et le récit de leur baptême sera [2e]donné ci-après.

36. Pour le moment, toute la préoccupation d'Ammon et de son [2f]peuple, et du roi Limhi et de son peuple, était de se délivrer des mains des Lamanites et de [2g]la servitude.

p, Om. 13. *q*, Mos. 7 : 14. *r*, Mos. 8 : 7. *s*, Mos. 8 : 8. *t*, Mos. 8 : 7-11. *u*, Mos. 8 : 7, 8. *v*, Mos. 7 : 6-11. *w*, voir *k*, Mos. 8. *x*, voir *n*, Mos. 8. *y*, voir *f*, Mos. 11. *z*, Mos. 17 : 12-20. *2a*, Mos. 18 : 34, 35. *2b*, Mos. 18 : 13, 17. 3 Né. 11 : 25. Ex. 28 : 1. Héb. 5 : 4. *2c*, vers. 35. *2d*, voir *u*, 2 Né. 9. *2e*, Mos. 25 : 17, 18. *2f*, Mos. 7 : 2, 3. *2g*, Mos. 21 : 13.

VERS 122 AV. J.-C.

CHAPITRE 22.

Plan pour secouer le joug des Lamanites. — Proposition de Gidéon. — Les Lamanites sont enivrés. — Le peuple captif s'échappe et retourne à Zarahemla. — Fin des annales de Zéniff.

1. * Ammon et le roi Limhi commencèrent à tenir conseil avec le peuple en vue de sortir de la servitude. Dans ce but, ils firent même rassembler tout le peuple, et ils firent cela pour avoir la voix du peuple à ce sujet.

2. Mais * ils ne trouvèrent aucun moyen de se délivrer de la servitude, si ce n'est de prendre leurs femmes et leurs enfants, leurs troupeaux et leurs tentes, et de partir pour le désert ; car les Lamanites étaient si nombreux qu'il était impossible au peuple de Limhi de se battre avec eux avec l'idée de se libérer de la servitude par l'épée.

3. Alors * ᵃGidéon s'avança, se tint devant le roi, et lui dit : O roi, tu as jusqu'à présent écouté, de nombreuses fois, mes paroles, lorsque nous étions à combattre nos frères, les Lamanites.

4. Et maintenant, ô roi, si tu ne m'as pas trouvé un serviteur inutile, ou si, jusqu'à présent, tu as accordé quelque confiance à mes paroles, et qu'elles aient pu te rendre ᵇservice, alors je souhaite que tu veuilles bien écouter mes paroles aujourd'hui, et je serai ton serviteur et je délivrerai ce peuple de la servitude.

5. Et le roi lui permit de parler. Et Gidéon lui dit :

6. Vois le ᶜpassage de derrière, à travers la muraille de derrière, à l'arrière de la ville. Les Lamanites, ou les gardes des Lamanites, sont ivres la nuit ; envoyons donc une proclamation parmi tout ce peuple de rassembler ses troupeaux pour partir la nuit dans le désert.

7. Et j'irai, selon ton ordre, payer le dernier ᵈtribut de vin aux Lamanites. Ils ᵉs'enivreront, et nous passerons par le ᶠpassage secret à la gauche du camp, pendant qu'ils seront ivres et endormis.

8. De la sorte, nous gagnerons le désert avec nos femmes, nos enfants et nos troupeaux ; et nous contournerons le pays de ᵍShilom.

9. Et * le roi écouta les paroles de Gidéon.

10. Et le roi Limhi ordonna à son peuple de rassembler ses troupeaux ; et il envoya le ʰtribut de vin aux Lamanites, et leur en envoya encore davantage comme cadeau ; et ils burent ⁱcopieusement du vin que le roi Limhi leur avait envoyé.

11. Et * la nuit venue, le peuple du roi Limhi partit pour le désert avec ses troupeaux ; il ʲcontourna le pays de Shilom dans le désert et dirigea ses pas vers le pays de ᵏZarahemla, guidé par Ammon et ses ˡfrères.

12. Ils avaient pris tout ce qu'ils avaient pu emporter dans le désert, leur or, leur argent, et leurs choses précieuses, ainsi que leurs provisions ; et ils poursuivirent leur voyage.

13. Et après avoir été de nombreux jours dans le désert, ils arrivèrent au ᵐpays de Zarahemla, se joignirent au peuple de Mosiah et devinrent ses sujets.

14. Et * Mosiah les reçut avec joie ; il reçut aussi leurs ⁿannales et ᵒcelles qui avaient été trouvées par le peuple de Limhi.

15. Et * quand les Lamanites s'aperçurent que le peuple de Limhi avait quitté le pays pendant la nuit, ils envoyèrent dans le désert une ᵖarmée à leur poursuite ;

a, Mos. 20 : 17. Al. 1 : 8, 9.   *b*, Mos. 20 : 17-22.   *c*, vers. 7.   *d*, Mos. 19 : 26. *e*, vers. 6-10.   *f*, vers. 6.   *g*, vers. 11. Voir *f*, Mos. 7.   *h*, vers. 7.   *i*, vers. 6, 7. *j*, vers. 8. Voir *f*, Mos. 7.   *k*, Om. 13.   *l*, Mos. 7 : 2, 3.   *m*, Om. 13. *n*, Annales de Zéniff, Mos. 9.   *o*, voir *k*, Mos. 8.   *p*, Mos. 23 : 30-39.

16. Et lorsqu'ils les eurent poursuivis pendant deux jours, ils ne purent plus suivre leurs traces ; et ils se *q*perdirent dans le désert.

Histoire d'Alma et du peuple du Seigneur chassé dans le désert par le peuple du roi Noé.
Elle comprend les chapitres 23 et 24.

CHAPITRE 23.

Alma refuse d'être roi. — Le pays d'Hélam est conquis par les Lamanites. — Amulon, chef des méchants prêtres du roi Noé, règne en vassal du monarque lamanite.

1. Alma, *a*prévenu par le Seigneur de ce que les *b*armées du roi Noé allaient les attaquer, le fit savoir à son peuple ; et ayant rassemblé leurs troupeaux, et pris leurs grains, ils partirent dans le désert pour échapper aux armées du roi Noé.

2. Et le Seigneur les fortifia, de sorte que le peuple du roi Noé ne put les atteindre pour les détruire.

3. Et ils fuirent pendant huit jours dans le désert.

4. Et ils arrivèrent dans un pays oui, même un pays très beau et très agréable, un pays d'eau pure.

5. Et ils dressèrent leurs tentes, et commencèrent à cultiver la terre et commencèrent à bâtir des maisons ; oui, ils étaient industrieux et travaillaient avec ardeur.

6. Et le peuple souhaita qu'Alma fût son roi, car il était fort aimé de son peuple.

7. Mais il lui dit : Voici, il n'est pas expédient que nous ayons un roi ; car ainsi dit le Seigneur : *d*Vous n'estimerez pas une chair plus qu'une autre, ou, un homme ne se croira pas plus qu'un autre ; c'est pourquoi je vous dis qu'il

n'est pas expédient que vous ayez un roi.

8. Cependant, s'il était possible que vous eussiez toujours des hommes justes pour rois, il serait bien alors d'avoir un roi.

9. Mais rappelez-vous *f*l'iniquité du roi Noé et de ses prêtres. Et moi-même, je suis tombé dans le *f*piège, et j'ai fait beaucoup de choses qui étaient abominables aux yeux du Seigneur, lesquelles m'ont causé un *g*vif repentir ;

10. Néanmoins, après bien des tribulations, le Seigneur a entendu mes cris et a exaucé mes prières, et a fait de moi un instrument entre ses mains pour en amener *h*tant de vous à la connaissance de sa vérité.

11. Néanmoins, en tout ceci, je ne me glorifie point, car je suis indigne de me glorifier de moi-même.

12. Et maintenant, je vous le dis, vous avez été opprimés par le roi Noé et vous avez été *i*asservis à lui et à ses prêtres ; et par eux vous avez été entraînés dans l'iniquité ; c'est pourquoi vous étiez liés par les liens de l'iniquité.

13. Et comme vous avez été délivrés de ces liens par la puissance de Dieu ; oui, même des *j*mains du roi Noé et de son peuple et aussi des liens de l'iniquité, je désire que vous vous teniez fermes dans cette liberté qui vous a rendus libres, et que vous ne *k*confériez à personne le droit d'être votre roi.

14. Et ne confiez à *l*personne le droit d'être votre instructeur ou votre ministre, à moins que ce ne soit un homme de Dieu, marchant dans ses voies et gardant ses commandements.

15. C'est ainsi qu'Alma ensei-

---

q, Mos. 23 : 30. 36, 37.   Chap. 23 : a, Mos. 18 : 34, 35.   b, Mos. 18 : 33, 34.
19 : 1.   d, vers. 8-15. Mos. 18 : 21-29. 27 : 3-5. Voir j, Jacob 2.   e, Mos. 11 : 1-15.
f, Mos. 17 : 1-4. 24 : 8-12.   g, Mos. 18 : 1.   h, Mos. 18 : 35.   i, Mos. 11 : 2-15.
j, vers. 1-3. Mos. 18 : 34, 35.   k, vers. 6-9. Mos. 29 : 5-36.   l, Mos. 18 : 18-29.
Entre 145 et 123 av. J.-C.

gnait à son peuple que chacun devait aimer son prochain comme ᵐˡui-même, et qu'il ne devait pas y avoir de contentions parmi eux.

16. Et Alma était leur ⁿgrand-prêtre, le fondateur de leur église.

17. Et * nul ne recevait l'autorité de prêcher ou d'enseigner, si ce n'était par lui de la part de Dieu. C'est pourquoi, il consacra tous leurs prêtres, et tous leurs instructeurs ; et nul n'était consacré si ce n'est des hommes justes.

18. C'est pourquoi, ils veillèrent sur leur peuple et le nourrirent des choses qui se rapportaient à la justice.

19. * Ils commencèrent à beaucoup prospérer dans le pays ; et ils appelèrent le pays °Hélam.

20. Et * ils se multiplièrent et prospérèrent extrêmement dans le pays d'Hélam ; et ils construisirent une ville qu'ils nommèrent la ville d'Hélam.

21. Toutefois, le Seigneur juge convenable de châtier son peuple ; il l'éprouve dans sa patience et dans sa foi.

22. Néanmoins — quiconque met sa confiance en lui, il ᴾl'élèvera au dernier jour. Il en fut ainsi avec ce peuple.

23. Car je vous montrerai qu'il fut asservi, et que personne ne pouvait le délivrer, si ce n'est le Seigneur son Dieu, oui, le Dieu d'Abraham, d'Isaac et de Jacob.

24. Et * il le délivra, il lui manifesta sa toute-puissance, et grande fut sa joie.

25. Car voici, il advint que pendant qu'ils étaient dans le pays d'Hélam, oui, dans la ᵠville d'Hélam, qu'ils en cultivaient la terre aux alentours, une armée de La-manites était à l'intérieur des frontières du pays.

26. Alors * les frères d'Alma s'enfuirent de leurs champs et s'assemblèrent dans la ville d'Hélam. Ils étaient extrêmement épouvantés de l'apparition des Lamanites.

27. Mais Alma sortit, se tint au milieu d'eux, les exhorta à ne point s'effrayer, mais à se souvenir du Seigneur leur Dieu, et il les délivrerait.

28. Ils firent donc taire leurs craintes et se mirent à prier le Seigneur d'adoucir le cœur des Lamanites, afin qu'ils les épargnassent, ainsi que leurs femmes et leurs enfants.

29. Et * le Seigneur adoucit le cœur des Lamanites. Et Alma et ses frères sortirent et se livrèrent entre leurs mains ; et les Lamanites prirent possession du ʳpays d'Hélam.

30. Or, les armées des Lamanites, qui avaient poursuivi le peuple du roi Limhi, s'étaient ˢégarées dans le désert pendant de nombreux jours.

31. Et voici, elles avaient trouvé ces ᵗprêtres du roi Noé dans un lieu appelé ᵘAmulon ; et ils avaient déjà commencé à posséder le pays d'Amulon et avaient commencé à cultiver le sol.

32. Et Amulon était le nom du chef de ces prêtres.

33. Et * Amulon implora les Lamanites ; et il envoya aussi leurs femmes, qui étaient les ᵛfilles des Lamanites, pour implorer leurs frères de ne point tuer leurs époux.

34. Et les Lamanites eurent compassion d'Amulon et de ses frères et ils ne les tuèrent point à cause de ᵂleurs femmes.

---

m, Mos. 18 : 21. 3 Né. 14 : 12. *n*, Mos. 18 : 18. Voir *c*, Mos. 6. *o*, vers. 20, 25, 26, 29, 35, 38, 39. 27 : 16. Al. 24 : 1. *p*, 1 Né. 13 : 37. 16 : 2. Al. 26 : 7. 36 : 28. 38 : 5. 3 Né. 15 : 1. 27 : 14, 15, 22. Morm. 2 : 19. Eth. 4 : 19. Jean ·12 : 32. *q*, voir *o*. *r*, voir *o*. *s*, Mos. 22 : 16. *t*, voir *f*, Mos. 11. *u*, vers. 32, 35, 39. Mos. 24 : 1, 4, 5, 8-11. 25 : 12. Al. 21 : 2-4. 23 : 14. 24 : 1, 28-30. 25 : 4-12. 43 : 13, 14. *v*, Mos. 20 : 5, 6, 18. *w*, vers. 33. ENTRE 145 et 123 AV. J.-C.

35. Et Amulon et ses frères se joignirent aux Lamanites ; et ils voyageaient dans le désert à la recherche du pays de Néphi, quand ils découvrirent le pays *d'Hélam, que possédaient Alma et ses frères.

36. Et * les Lamanites promirent à Alma et à ses frères que s'ils leur montraient le chemin qui menait au *pays de Néphi, ils leur accorderaient la vie et la liberté.

37. Mais lorsque Alma leur eut montré le chemin qui menait au pays de Néphi, les Lamanites ne tinrent pas leur promesse ; ils placèrent des *gardes autour du pays d'Hélam pour surveiller Alma et ses frères.

38. Et le reste de l'armée retourna au pays de Néphi ; et une partie d'entre eux revint au pays d'Hélam et ils amenèrent aussi les femmes et les enfants des gardes qui avaient été laissés dans le pays.

39. Et le roi des Lamanites avait établi *ᵃAmulon roi et gouverneur de son peuple, qui était dans le pays d'Hélam ; néanmoins, il n'aurait pas le pouvoir de faire quoi que ce soit de contraire à la volonté du roi des Lamanites.

CHAPITRE 24 .

Amulon persécute Alma et ses disciples. — Le Seigneur allège leurs fardeaux et les délivre de l'esclavage. — Ils retournent à Zarahemla.

1. * Amulon trouva grâce aux yeux du roi des Lamanites ; c'est pourquoi, le roi des Lamanites lui accorda, ainsi qu'à ses frères, les fonctions ᵃd'instructeurs de son peuple, oui, du peuple qui habitait le pays de ᵇShemlon, et le pays de ᶜShilom et le pays ᵈd'Amulon.

2. Car les Lamanites avaient pris possession de tous ces pays ; c'est pourquoi, le roi des Lamanites

avait nommé des rois dans tous ces pays.

3. Et le roi des Lamanites s'appelait ᵉLaman, du nom de son père : c'est pourquoi, on l'appelait le roi Laman. Et il était roi d'un peuple nombreux.

4. Et il nomma des ᶠinstructeurs de parmi les frères d'Amulon dans tous les pays que son peuple possédait ; et c'est ainsi que la langue de Néphi commença à être enseignée partout parmi les peuples lamanites.

5. Et ces peuples étaient amicaux les uns envers les autres. Cependant, ils ne reconnaissaient pas Dieu. Et les frères ʰd'Amulon ne leur enseignèrent rien touchant le Seigneur leur Dieu, ni la loi de Moïse ; et ils ne leur enseignèrent pas non plus les paroles d'Abinadi.

6. Mais ils leur enseignèrent à conserver leurs annales et à apprendre à s'écrire les uns aux autres.

7. C'est ainsi que les Lamanites commencèrent à croître en richesses et commencèrent à trafiquer entre eux, et à s'agrandir et commencèrent à être un peuple adroit et sage selon la sagesse du monde, oui, un peuple très astucieux qui prenait plaisir à toutes sortes de méchancetés et de pillages, sauf qu'ils ne les exerçaient point envers leurs propres frères.

8. Il arriva *qu'Amulon commença à exercer de l'autorité sur Alma et sur ses frères et se mit à les persécuter et à faire persécuter leurs enfants par ses enfants.

9. Car Amulon connaissait Alma pour avoir été ᶦun des prêtres du roi. Il savait que c'était lui qui avait cru aux paroles d'Abinadi, et que le roi l'avait chassé de sa présence. En conséquence, il était irrité contre lui ; et bien qu'il fût lui-même sujet du roi Laman, il

---

x, voir o.   y, voir b, 2 Né. 5.   z, vers. 38.   2a, voir u.   CHAP. 24 ‡ a, vers 4-6. b, voir d, Mos. 10.   c, voir f, Mos. 7. 10 : 6.   f, vers. 1.   h, voir f, Mos. 11.   d, voir u, Mos. 23.   e, Mos. 9 : 10, 11. k, Mos. 23 : 32.   l, Mos. 17 : 2-4.
ENTRE 145 et 123 AV. J.-C.

exerçait son autorité sur eux, leur imposant des tâches et leur donnant des chefs de corvées.

10. * Leur affliction était si grande qu'ils commencèrent à implorer Dieu avec ferveur.

11. Et Amulon leur ordonna de cesser leurs supplications ; et il plaça des gardes sur eux pour les surveiller pour que quiconque était découvert en train de prier Dieu, fût mis à mort.

12. Et Alma et son peuple n'élevèrent plus la voix au Seigneur leur Dieu ; mais, ils lui déversèrent leur cœur, et il connut les pensées de leur cœur.

13. Et il arriva que la voix du Seigneur vint à eux, au milieu de leurs afflictions et leur dit : Levez la tête et prenez courage, car je connais l'alliance que vous avez faite avec moi ; et je ferai alliance avec mon peuple, et je le délivrerai de la servitude.

14. ᵐJ'allégerai les fardeaux qui pèsent sur vos épaules, au point même que vous ne les sentirez point sur votre dos, et cela même durant votre servitude ; et je le ferai pour que vous me soyez des témoins à l'avenir et pour que vous sachiez avec certitude que moi, le Seigneur Dieu, je visite mon peuple dans ses afflictions.

15. Et * les fardeaux qui étaient imposés à Alma et à ses frères leur devinrent ⁿlégers à porter ; oui, le Seigneur les fortifia tellement qu'ils purent porter leurs fardeaux avec aise ; et ils se soumirent gaiement et patiemment à toutes les volontés du Seigneur.

16. * Leur foi et leur patience étaient si grandes, que la voix du Seigneur se fit encore entendre à eux, disant : Ayez courage, car demain je vous délivrerai de la servitude.

17. Et il dit à Alma : Tu iras devant ce peuple, et j'irai avec toi, et je délivrerai ce peuple de ᵒla servitude.

18. Alors * Alma et son peuple réunirent leurs troupeaux et ramassèrent leurs grains pendant la nuit ; oui, ils passèrent toute la nuit à rassembler leurs troupeaux.

19. Et le matin, le Seigneur envoya un sommeil ᵖprofond sur les Lamanites, oui, et tous leurs chefs de corvées furent dans un profond sommeil.

20. Et Alma et son peuple partirent pour le désert ; et après avoir voyagé toute la journée, ils dressèrent leurs tentes dans une vallée et ils appelèrent la vallée Alma, parce qu'il leur montrait la route dans le désert.

21. Et dans la vallée d'Alma, ils rendirent grâces au Seigneur de leur avoir été miséricordieux, d'avoir allégé leurs fardeaux et de les avoir délivrés de ᑫla servitude ; car ils étaient dans la servitude et personne ne pouvait les délivrer si ce n'est le Seigneur leur Dieu.

22. Et ils remercièrent Dieu, oui, tous leurs hommes et toutes leurs femmes et tous ceux de leurs enfants qui pouvaient parler, levèrent la voix en louanges à leur Dieu.

23. Alors le Seigneur dit à Alma : Hâte-toi d'emmener ce peuple avec toi hors de ce pays, car les Lamanites sont ʳéveillés, et ils vous poursuivent ; c'est pourquoi, sortez de ce pays, et j'arrêterai les Lamanites dans ˢcette vallée, pour qu'ils n'aillent pas plus avant à la poursuite de ce peuple.

24. * Ils quittèrent la vallée et voyagèrent dans le désert.

25. Et lorsqu'ils eurent passé ᵗdouze jours dans le désert, ils †arrivèrent au pays de Zarahemla. Et le roi Mosiah les ᵘreçut aussi avec joie.

---

m, vers. 9, 15.　n, vers. 9, 14.　o, vers. 13, 21. Mos. 25 : 10. 27 : 16. Al. 5 : 5, 6. 29 : 11, 12. 36 : 2, 29.　p, vers. 23.　q, voir o.　r, vers. 19.　s, vers. 20, 21. t, voir c, Mos. 23.　u, Om. 13.　v, Mos. 22 : 14.　　† VERS 122 AV. J.-C.

CHAPITRE 25.

Zarahemla, descendant de Mulek. —
Les annales de Zéniff et l'histoire d'Alma
sont lues au peuple. — Alma est autorisé
à établir l'Eglise du Christ dans tout le
pays.

1. Et le roi Mosiah fit rassembler tout son peuple.

2. Or, il n'y avait pas autant d'enfants de Néphi ou autant de descendants de Néphi, qu'il y en avait du peuple de Zarahemla, qui °était un descendant de Mulek, et de ceux qui l'avaient accompagné dans le désert.

3. Et il n'y avait pas autant du peuple de Néphi, et du peuple de Zarahemla que de celui des Lamanites ; oui, ils n'étaient pas de moitié aussi nombreux.

4. Et maintenant, tout le peuple de Néphi était assemblé, et aussi tout le peuple de Zarahemla, et ᵇils étaient assemblés en deux corps.

5. Et * Mosiah lut et fit lire à son peuple ᶜles annales de Zéniff ; oui, il lut les annales du peuple de Zéniff, depuis le temps où il ᵈquitta le pays de Zarahemla jusqu'à son ᵉretour.

6. Et il lut aussi l'histoire d'Alma et de ses frères, et de toutes leurs afflictions depuis le moment où ils ᶠquittèrent le pays de Zarahemla jusqu'au moment de leur ᵍretour.

7. Et quand Mosiah eut achevé sa lecture des annales, son peuple, qui n'avait pas quitté le pays, fut frappé d'étonnement et de stupeur.

8. Car il ne savait que penser. En voyant ceux qui avaient été délivrés de ʰla servitude, il était rempli d'une joie extrême.

9. Et cependant en pensant à ceux de ses frères qui avaient été tués par les Lamanites, il était pé-nétré de douleur, et versa même beaucoup de larmes de chagrin.

10. D'autre part, en pensant à la bonté immédiate de Dieu et à la puissance qu'il avait manifestée dans la ⁱdélivrance d'Alma et de ses frères des mains des Lamanites et de leur servitude, il élevait la voix et rendait grâces à Dieu.

11. Enfin, en songeant aux Lamanites, qui étaient ses frères, à leur état de péché et de souillure, il était rempli de douleur et d'angoisse pour le bien-être de leur âme.

12. Et * ceux qui étaient les ʲenfants d'Amulon et de ses frères, lesquels avaient pris pour femmes les ᵏfemmes des Lamanites, furent offensés de la conduite de leurs pères et ne voulurent plus porter les noms de leurs pères ; c'est pourquoi, ils prirent sur eux le nom de Néphi, afin d'être appelés les enfants de Néphi, et être comptés au nombre de ceux que l'on appelait Néphites.

13. Et ˡtout le peuple de Zarahemla fut compté au nombre des Néphites ; et cela parce que le royaume n'avait jamais été conféré qu'aux descendants de Néphi.

14. * Quand Mosiah eut cessé de parler et de ᵐlire au peuple, il désira qu'Alma parlât aussi au peuple.

15. Et Alma lui parla, quand il fut assemblé en grands groupes, et il alla d'un groupe à l'autre, prêchant au peuple le repentir et la foi au Seigneur.

16. Et il exhorta le peuple de Limhi et ses frères, tous ceux qui avaient été ⁿdélivrés de la servitude, à se rappeler que c'était le Seigneur qui les avait délivrés.

17. Et * lorsque Alma eut enseigné beaucoup de choses au peuple,

---

a, Om. 14.   *b*, vers. 13.   *c*, voir le titre de Mos. 9.   *d*, Mos. 9 : 3. 4.
e, Mos. 22 : 13.   *f*, Mos. 9 : 3, 4.   *g*, Mos. 24, 25.   *h*, Mos. 22 : 11-13.
i, Mos. 24 : 16-25.   *j*, Mos. 20 : 3-5.   *k*, Mos. 20 : 5. 23 : 33.   *l*, Om. 19.
m, vers. 5-7.   *n*, Mos. 22 : 11-13. 24 : 16-25.   **VERS 122 AV. J.-C.**

et eut cessé de lui parler, le roi Limhi désira être baptisé ; et son peuple désira être baptisé également.

18. C'est pourquoi, Alma descendit dans l'eau et les [o]baptisa ; oui, il les baptisa de la manière qu'il avait baptisé ses frères dans les eaux de Mormon ; oui, et tous ceux qu'il [p]baptisait appartenaient à l'Eglise de Dieu ; et cela, par leur croyance aux paroles d'Alma.

19. Et * le roi Mosiah accorda à Alma le droit d'établir des églises dans tout le pays de Zarahemla ; et lui donna le pouvoir [q]d'ordonner des prêtres et des instructeurs sur chaque église.

20. Ceci se fit parce que le peuple était si nombreux qu'il ne pouvait pas être gouverné entièrement par un seul instructeur ; et tout le monde ne pouvait entendre la parole de Dieu dans une seule assemblée ;

21. C'est pourquoi, il s'assembla en différents groupes, appelés églises ; chaque église ayant ses prêtres et ses instructeurs, et chaque prêtre prêchant la parole, telle qu'il la recevait de la bouche d'Alma.

22. Et ainsi, bien qu'il y eût beaucoup d'églises, elles étaient toutes une seule église, oui, même l'église de Dieu ; car il n'était prêché, dans toutes les églises, que le repentir et la foi en Dieu.

23. Et il y avait sept églises dans le pays de Zarahemla. Et * tous ceux qui étaient désireux de prendre sur eux le [r]nom du Christ ou de Dieu, s'unissaient aux églises de Dieu ;

24. Et ils furent appelés le peuple de Dieu. Et le Seigneur déversa son esprit sur eux ; et ils furent bénis et prospérèrent dans le pays.

CHAPITRE 26.

Au sujet des incroyants et des malfaiteurs. — Le Seigneur dit à Alma comment il faut agir avec eux.

1. Il arriva qu'il y en avait un grand nombre parmi la jeune génération qui ne pouvaient pas comprendre les [a]paroles du roi Benjamin, parce qu'ils étaient de petits enfants au moment où il parla à son peuple ; et ils ne croyaient point à la tradition de leurs pères.

2. Ils ne croyaient point ce qui avait été dit touchant [b]la résurrection des morts, et ils ne croyaient pas non plus ce qui touchait la venue du Christ.

3. Et à cause de leur incroyance, ils ne pouvaient pas comprendre la parole de Dieu ; et leur cœur était endurci.

4. Et ils ne voulaient point être [c]baptisés, et ne voulaient pas non plus [d]s'unir à l'Eglise. Et ils étaient un peuple à part, quant à leur foi ; et le restèrent toujours, oui, même dans leur état charnel et pécheur ; car ils ne voulaient pas invoquer le Seigneur leur Dieu.

5. Sous le règne de Mosiah, ils n'étaient pas de moitié si nombreux que le peuple de Dieu ; mais à cause des dissensions parmi les frères, ils devinrent plus nombreux.

6. Car il arriva qu'ils séduisirent beaucoup de ceux qui étaient dans l'église par leurs paroles flatteuses et leur firent [e]commettre de nombreux péchés ; c'est pourquoi il devint nécessaire que ceux qui étaient dans l'Eglise et qui commettaient le péché fussent avertis par l'Eglise.

7. * Ils furent amenés devant les [f]prêtres et livrés aux prêtres par les instructeurs, et les prêtres les

o, voir *u*, 2 Né. 9. Mos. 21 : 32-35. *p*, Mos. 18 : 8-17. *q*, voir *c*, Mos. 6. *r*, voir *e*, Mos. 5. Chap. 26 : *a*, Mos. chaps 2-5. *b*, voir *d*, 2 Né. 2. *c*, voir *u*, 2 Né. 9. *d*, Mos. 18 : 17. 25 : 18-23. Al. 4 : 4, 5. 3 Né. 26 : 21. *e*, vers. 7-13, 19, 25-36. Al. 5 : 57, 58. 6 : 3. *f*, voir *c*, Mos. 6. Vers 122 av. J.-C.

amenèrent devant Alma, qui était le ⁱgrand-prêtre.

8. Or, le roi Mosiah avait donné à Alma l'autorité sur l'Eglise.

9. Et * Alma ne connaissait rien à leur sujet ; mais il y avait beaucoup de témoins contre eux ; oui, le peuple se leva et témoigna abondamment de leur iniquité.

10. Pareille chose n'était jamais arrivée dans l'Eglise. C'est pourquoi Alma eut l'esprit troublé, et les fit amener devant le roi.

11. Et il dit au roi : Voici, nous en avons amené beaucoup devant toi, qui sont accusés par leurs frères ; oui, et ils ont été surpris commettant diverses iniquités. Et ils ne se repentent point de leurs iniquités ; c'est pourquoi, nous les avons amenés devant toi, pour que tu les juges selon leurs crimes.

12. Mais le roi Mosiah répondit à Alma : Voici, je ne les juge pas, c'est pourquoi, je les livre entre tes mains pour être jugés.

13. Et l'esprit d'Alma fut de nouveau troublé ; et il alla demander au Seigneur ce qu'il avait à faire à ce sujet, car il redoutait de faire mal aux yeux de Dieu.

14. Et * lorsqu'il eut déversé toute son âme à Dieu, la voix du Seigneur lui vint, disant :

15. Tu es béni, Alma ; et bénis sont ceux qui furent ʰbaptisés dans les ⁱeaux de Mormon. Tu es béni à cause de ta foi extrême aux seules paroles de mon serviteur Abinadi.

16. Et ils sont bénis à cause de leur foi extrême aux seules paroles que tu leur as dites.

17. Et tu es béni parce que tu as établi une ʲéglise parmi ce peuple ; et il sera affermi et il sera mon peuple.

18. Oui, béni est ce peuple qui veut porter ᵏmon nom ; car il sera

appelé de mon nom, et il m'appartient.

19. Et, parce que tu m'as consulté au sujet du transgresseur, tu es béni.

20. Tu es mon serviteur ; et je fais alliance avec toi de te donner la vie éternelle ; tu me serviras, tu iras en mon nom et tu rassembleras mes brebis.

21. Et celui qui écoutera ma voix sera ma brebis ; et tu le recevras dans l'Eglise, et je le recevrai aussi.

22. Car voici, c'est là ᵐmon Eglise ; quiconque est ⁿbaptisé, sera baptisé au repentir ; celui que tu recevras, croira en mon nom, et je lui pardonnerai sans réserves.

23. Car c'est moi qui me charge des péchés du monde ; c'est moi qui ai °créé les hommes ; et c'est moi qui accorde une place à ma droite à celui qui croit jusqu'à la fin.

24. Car voici, ils sont appelés de ᵖmon nom ; et s'ils me connaissent, ils ressusciteront et auront éternellement une place à ma droite.

25. Et * quand sonnera la seconde trompette, ceux qui ne m'auront jamais connu ressusciteront, et se tiendront devant moi.

26. Ils sauront alors que je suis le Seigneur leur Dieu, que je suis leur Rédempteur ; mais ils n'auront pas voulu être rachetés.

27. Et je leur confesserai alors que je ne les ai jamais connus ; et ils iront dans un feu ᵠsans fin, préparé pour le diable et ses anges.

28. C'est pourquoi, je te dis que celui qui ne veut pas écouter ma voix, celui-là tu ne le ʳrecevras pas dans mon Eglise, car je ne le recevrai pas au dernier jour.

29. C'est pourquoi je te dis : Va ; et celui qui ʳtransgresse contre moi,

g, Mos. 23 : 16. 29 : 42. Al. 4 : 4, 18, 20. 5 : 3, 44, 49. 6 : 8. 8 : 11, 23. 13 : 1-20, 16 : 5. 30 : 21, 22, 23, 29. 43 : 2. 46 : 6, 38. 49 : 30. Héla. 3 : 25.   h, voir u, 2 Né. 9. i, voir t, Mos. 18.   j, Mos. 25 : 19-24.   k, voir e, Mos. 5.   l, voir e.   m, voir d. n, voir u, 2 Né. 9.   o, voir l, Mos. 5.   p, voir e, Mos. 5.   q, voir k, 1 Né. 15. r, voir d.   s, voir e.   PROBABLEMENT ENTRE 120 et 100 AV. J.-C.

tu le jugeras selon les péchés qu'il a commis ; et s'il confesse ses péchés devant toi et moi, et se repent dans la sincérité de son cœur, tu lui pardonneras, et je lui pardonnerai aussi.

30. Oui, et toutes les fois que mon peuple se repentira, je lui pardonnerai ses offenses envers moi.

31. Et vous vous pardonnerez aussi vos offenses les 'uns aux autres ; car, en vérité, je vous le dis, celui qui ne pardonne point les offenses de son prochain quand il déclare qu'il se repent, celui-là s'est attiré la condamnation.

32. Maintenant, je te dis : Va ; et quiconque ne voudra point se repentir de ses péchés, ne sera pas "compté parmi mon peuple ; et ceci sera observé dorénavant.

33. * Lorsque Alma eut entendu ces paroles, il les écrivit afin de les avoir et de juger le peuple de cette église selon les 'commandements de Dieu.

34. Et * Alma alla juger, selon la parole du Seigneur, ceux qui avaient été pris dans l'iniquité.

35. Et ceux qui se repentirent de leurs péchés et les "confessèrent, il les compta parmi le peuple de l'Eglise ;

36. Et ceux qui ne voulurent pas confesser leurs péchés, ni se repentir de leur iniquité, ceux-là ne furent 'pas comptés parmi le peuple de l'Eglise, et leurs noms furent rayés.

37. Et * Alma mit en ordre toutes les affaires de l'Eglise ; et ils recommencèrent à avoir la paix et à prospérer extrêmement dans les affaires de l'Eglise, marchant avec circonspection devant Dieu, recevant et "baptisant beaucoup de monde.

38. Et Alma et ses compagnons de travail qui dirigeaient l'Eglise firent tout cela, marchant en toute diligence, enseignant la parole de Dieu en toutes choses, endurant toutes sortes d'afflictions, persécutés par tous ceux qui n'appartenaient point à l'Eglise de Dieu.

39. Et ils avertirent leurs frères ; et ils furent également avertis, chacun, par la parole de Dieu, selon ses péchés ou les péchés qu'il avait commis, recevant l'ordre de Dieu de "prier sans cesse et de rendre grâce en toutes choses.

CHAPITRE 27.

Les persécutions sont interdites et l'égalité proclamée. — Alma, le jeune, et les quatre fils de Mosiah sont parmi les incroyants. — Leur conversion miraculeuse. — Ils deviennent des prédicateurs de justice.

1. Il arriva que les persécutions infligées à l'Eglise par les incroyants devinrent si grandes, que l'Eglise commença à en murmurer et à s'en plaindre à ses dirigeants ; et ils se plaignirent à Alma. Et Alma porta l'affaire devant leur roi, Mosiah. Et Mosiah consulta ses prêtres.

2. Et * le roi Mosiah envoya une proclamation dans tout le pays interdisant à tout infidèle de persécuter aucun de ceux qui appartenaient à l'Eglise de Dieu.

3. Et le commandement strict fut donné à toutes les églises de ne permettre aucune persécution parmi elles, de faire régner "l'égalité parmi tous les hommes ;

4. De ne point permettre que l'orgueil et l'arrogance vinssent troubler leur paix ; il fut commandé à chacun d'estimer son prochain comme 'lui-même et de travailler de ses mains pour son entretien.

t, 3 Né. 13 : 14, 15.   *u*, vers. 34-36. Al. 1 : 24.   *v*, vers. 28-32.   *w*, vers. 29, 30.   *x*, vers. 32.   *y*, voir *u*, 2 Né. 9.   *z*, voir *e*, 2 Né. 32.   CHAP. 27 : *a*, voir *j*, Jacob 2. Mos. 29 : 32. Al. 30 : 11.   *b*, voir *l*, Mos. 4. Voir aussi *m*, Mos. 23.
PROBABLEMENT ENTRE 120 et 100 AV. J.-C.

5. Il fut commandé à tous leurs ^cprêtres et à tous leurs instructeurs de travailler de leurs ^dmains pour leur entretien, dans tous les cas autres que la maladie ou l'indigence ; et en faisant ces choses, ils abondèrent dans la grâce de Dieu.

6. Et la paix commença à être de nouveau grande dans le pays. Le peuple commença à devenir très nombreux et commença à se répandre au loin sur la surface de la terre, oui, au nord et au sud, à l'est et à l'ouest, construisant de grandes villes et des villages dans toutes les parties du pays.

7. Et le Seigneur le visita et le rendit prospère, et il devint un peuple riche et florissant.

8. Or, les ^efils de Mosiah étaient au nombre des incrédules ; et un des fils d'Alma était également au nombre des incrédules ; il s'appelait Alma, du nom de son père ; néanmoins il devint très méchant et tomba dans l'idolâtrie. Et c'était un homme qui savait parler, et il disait beaucoup de flatteries au peuple ; c'est pourquoi il entraîna un grand nombre parmi le peuple à imiter ses propres iniquités.

9. Et il devint un grand obstacle à la prospérité de l'Eglise de Dieu, séduisant le cœur du peuple, causant beaucoup de dissensions parmi le peuple et donnant occasion à l'ennemi de Dieu d'exercer son pouvoir sur eux.

10. Et * comme il allait çà et là pour détruire l'Eglise de Dieu, car c'était là ce qu'il faisait en secret avec les fils de Mosiah, ^fcherchant à détruire l'Eglise et à égarer le peuple du Seigneur, contrairement aux commandements de Dieu, et même du roi —

11. Et, dis-je, comme ils allaient partout se révoltant contre Dieu, voici, l'ange du Seigneur leur ^gapparut ; et il descendit comme dans une nuée ; et il parla comme avec une voix de tonnerre qui fit ^htrembler la terre sur laquelle ils se tenaient.

12. Et si grand fut leur étonnement qu'ils tombèrent à terre sans pouvoir comprendre les paroles qu'il leur disait.

13. Cependant, il cria encore, disant : Alma, lève-toi et avance. Pourquoi persécutes-tu l'Eglise de Dieu ? Car le Seigneur a dit : C'est mon ⁱEglise, et je l'établirai ; et rien ne la renversera, si ce n'est la transgression de mon peuple.

14. Et l'ange dit encore : Le Seigneur a entendu les prières de son peuple et aussi les prières de son serviteur, Alma, qui est ton père ; car il a prié pour toi avec beaucoup de foi, pour que tu sois amené à la connaissance de la vérité ; c'est pourquoi, je suis venu pour te convaincre de la puissance et de l'autorité de Dieu, afin que les prières de ses serviteurs puissent être exaucées selon leur foi.

15. Or maintenant, peux-tu nier le pouvoir de Dieu ? Car ma voix ne fait-elle pas ^jtrembler la terre ? Et ne me ^kvois-tu pas devant toi ? Je suis envoyé de Dieu.

16. Maintenant, je te dis : Va et souviens-toi de la captivité de tes pères dans le pays ^ld'Hélam et dans le ^mpays de Néphi ; et souviens-toi des grandes choses qu'il a faites pour eux ; car ils étaient dans la servitude, et il les a ⁿdélivrés. Et maintenant, je te dis, Alma, va et ne cherche plus à détruire l'Eglise, afin que la prière de tes pères soit exaucée, et ceci, même si tu veux être rejeté toi-même.

17. * Ce furent là les dernières

c, voir c, Mos. 6. d, Mos. 18 : 24, Al. 26 : 17. 18. 36 : 6, 9. 11. 38 : 7. h, vers. 15, 18. Al. 36 : 7. 38 : 7. i, l, voir o, Mos. 23. m, voir b, 2 Né. 5.

e, vers. 10, 34. f, Mos. 28 : 3, 4. g, vers. 15, 18. Al. 36 : 5-11. 38 : 7. Mos. 26 : 22. j, voir h. k, voir g. n, Mos. 18 : 34. 23 : 1-4. 24 : 17-21.

PROBABLEMENT ENTRE 100 et 92 av. J.-C.

paroles de l'ange à Alma, et il partit.

18. Et Alma et ceux qui étaient avec lui tombèrent °de nouveau sur le sol, car leur étonnement était grand ; car ils avaient ᵖvu, de leurs yeux, un ange du Seigneur ; et sa voix était comme le tonnerre et ᵠsecoua la terre ; et ils savaient qu'il n'y avait que le pouvoir de Dieu qui pouvait secouer la terre et la faire trembler comme si elle allait se fendre.

19. L'étonnement d'Alma fut si grand qu'il en devint ʳmuet, de sorte qu'il ne pouvait ouvrir la bouche ; oui, et il devint faible au point qu'il ne pouvait remuer les mains ; c'est pourquoi, il fut pris par ceux qui étaient avec lui et porté, impuissant, jusqu'à ce qu'il fût déposé devant son père.

20. Ils racontèrent à son père tout ce qui leur était arrivé. Et son père se réjouit, car il savait que c'était le pouvoir de Dieu.

21. Et il fit assembler une multitude de personnes pour être témoins de ce que le Seigneur avait fait pour son fils et pour ceux qui étaient avec lui.

22. Il fit assembler les ˢprêtres ; et ils se mirent à ᵗjeûner et à implorer le Seigneur leur Dieu pour qu'il ᵘouvrît la bouche d'Alma, et aussi pour que ses ᵛmembres reçussent leur force — et que les yeux du peuple fussent ouverts pour voir et connaître la bonté et la gloire de Dieu.

23. Et * quand ils eurent ʷjeûné et prié pendant deux jours et deux nuits, les membres d'Alma reçurent leurs forces et il se leva et commença à leur parler, les exhortant à prendre courage :

24. Car, dit-il, je me suis repenti de mes péchés, et j'ai été racheté par le Seigneur ; voici, je suis ˣné de l'Esprit.

25. Le Seigneur m'a dit : Ne t'étonne point que toute l'humanité, hommes, femmes, toutes nations, familles, langues et peuples doivent ʸnaître de nouveau ; oui, naître de Dieu, changés de leur état charnel et déchu, à un état de justice, étant rachetés par Dieu, devenant ses fils et ses filles.

26. Et ainsi ils deviennent de nouvelles créatures ; et s'ils ne font pas cela, ils ne peuvent nullement hériter du royaume de Dieu.

27. Je te le dis, à moins que ce ne soit le cas, ils seront rejetés. Et je le sais, parce que j'étais, moi-même, près d'être rejeté.

28. Cependant, après avoir erré en traversant beaucoup de tribulations, m'être repenti presque jusqu'à la mort, le Seigneur, dans sa miséricorde, a jugé convenable de m'arracher à un feu ᶻéternel, et je suis né de Dieu.

29. Mon âme a été rachetée du fiel de l'amertume et des liens de l'iniquité. J'étais dans l'abîme le plus sombre ; mais maintenant, je vois la lumière merveilleuse de Dieu. Mon âme était torturée d'un ²ᵃtourment éternel, mais j'en suis arraché, et elle n'est plus affligée.

30. J'avais rejeté mon Rédempteur et nié ce qui avait été dit par nos pères ; mais maintenant, pour qu'on puisse prévoir qu'il viendra et qu'il se souvient de toutes les créatures de sa création, il se manifestera à tous.

31. Oui, ²ᵇtout genou fléchira, et toute langue confessera devant lui. Oui, même au dernier jour, quand tous les hommes seront debout pour être jugés de lui, alors ils

o, vers. 12. p, voir g. q, voir h. r, vers. 22. s, voir c, Mos. 6. t, vers 23. Al. 5 : 46. 6 : 6. 8 : 26. 10 : 7. 17 : 3, 9. 28 : 6. 30 : 2. Héla. 3 : 35. 3 Né. 13 : 16-18. 27 : 1. 4 Né. 12. Moro. 6 : 5. u, vers. 19, 23. v, vers. 19, 23. w, vers. 22. Voir t. x, voir c, Mos. 5. y, voir c, Mos. 5. z, voir k, 1 Né. 15. 2a, voir m, Jacob 6. 2b, Mos. 16 : 1, 2. D. et A. 88 : 104.

PROBABLEMENT ENTRE 100 et 92 AV. J.-C.

confesseront qu'il est Dieu ; alors ceux qui vivent sans Dieu dans le monde, confesseront que leur condamnation à un ²ᶜchâtiment éternel est juste ; ils frémiront, trembleront, et reculeront sous le regard de son œil qui ²ᵈpénètre tout.

32. Et * à partir de ce jour, Alma et ceux qui l'accompagnaient quand l'ange leur apparut, commencèrent à enseigner le peuple, parcourant tout le pays, publiant à tout le peuple ce qu'ils avaient vu et entendu, prêchant la parole de Dieu au milieu des tribulations, étant violemment persécutés par les incrédules, et frappés par un grand nombre d'entre eux.

33. Mais malgré tout cela, ils apportèrent une grande consolation à l'Eglise, en affermissant sa foi et en exhortant avec patience et beaucoup de peines, à garder les commandements de Dieu.

34. ²ᵉQuatre d'entre eux étaient les fils de Mosiah ; ils s'appelaient Ammon, Aaron, Omner et Himni, c'étaient là les noms des fils de Mosiah.

35. Ils parcoururent tout le ²ᶠpays de Zarahemla, visitant tout le peuple qui vivait sous le règne du roi Mosiah, s'efforçant avec zèle de réparer tous les maux qu'ils avaient causés à l'Eglise, confessant tous leurs péchés, rendant public tout ²ᵍce qu'ils avaient vu, expliquant les prophéties et les Ecritures à tous ceux qui désiraient les entendre.

36. Et ils étaient ainsi des instruments entre les mains de Dieu pour en amener beaucoup à la connaissance de la vérité, oui, à la connaissance de leur Rédempteur.

37. Et combien ils sont bénis ! car ils ²ʰpubliaient la paix ; ils déclaraient au peuple que le Seigneur règne.

CHAPITRE 28.

Mosiah permet à ses fils de prêcher parmi les Lamanites. — Les vingt-quatre plaques sont traduites. — Alma, le jeune, devient gardien des annales.

1. * Les ᵃfils de Mosiah, après avoir fait ces choses, †prirent avec eux un petit nombre d'hommes, et retournèrent vers leur père, le roi, et lui demandèrent de leur permettre de monter, avec ceux qu'ils avaient choisi, au ᵇpays de Néphi, pour y prêcher les choses qu'ils avaient entendues, et pour porter la parole de Dieu à leurs frères, les Lamanites.

2. Dans l'espoir qu'ils pourraient peut-être les amener à la connaissance du Seigneur leur Dieu et les convaincre de l'iniquité de leurs pères ; et qu'ils pourraient peut-être les guérir de la ᶜhaine qu'ils avaient pour les Néphites, afin qu'ils fussent aussi amenés à se réjouir dans le Seigneur leur Dieu, qu'ils devinssent amicaux les uns envers les autres, et qu'il n'y eût plus de contentions dans tout le pays que le Seigneur leur Dieu leur avait donné.

3. Or, ils désiraient que le salut fût annoncé à toute créature, car ils ne pouvaient supporter qu'aucune âme humaine pérît : la seule pensée qu'une âme dût souffrir un ᵈtourment sans fin les faisait frémir et trembler.

4. C'est ainsi que l'Esprit du Seigneur agissait en eux, car ils avaient été les ᵉplus vils des pécheurs. Le Seigneur dans sa miséricorde infinie, jugea convenable de les épargner ; néanmoins ils souffrirent de grandes angoisses d'âme à cause de leurs iniquités ; souffrant beaucoup et craignant d'être rejetés à jamais.

5. Et * ils implorèrent leur père,

pendant de nombreux jours, de les laisser monter au ʰpays de Néphi.

6. Et le roi Mosiah alla demander au Seigneur s'il devait permettre à ses fils de monter parmi les Lamanites pour prêcher la parole.

7. Et le Seigneur dit à Mosiah : Laisse-les monter, car beaucoup croiront en leurs paroles et ils auront la vie éternelle ; et je ᵍdélivrerai tes fils des mains des Lamanites.

8. Et * Mosiah leur permit de partir et de faire ce qu'ils lui demandaient.

9. Et ils voyagèrent dans le désert pour monter prêcher la parole parmi les Lamanites ; et je donnerai plus tard le ʰrécit de leurs actes.

10. Or, le roi Mosiah n'avait personne à qui conférer le royaume, car aucun de ses fils n'avait voulu accepter la royauté.

11. C'est pourquoi, il prit les annales gravées sur les ⁱplaques d'airain, et aussi les plaques de ʲNéphi, et tout ce qu'il avait gardé et conservé d'après les commandements de Dieu, après avoir traduit et fait écrire les annales qui étaient sur les ᵏplaques d'or, qui avaient été trouvées par le peuple de Limhi, et qui lui avaient été remises de la main de Limhi ;

12. Et il avait fait cela à cause de la grande anxiété de son peuple ; car celui-ci avait un désir extrême de connaître ce qui concernait ce peuple ˡqui avait été détruit.

13. Il les avait traduites au moyen de ces ᵐdeux pierres qui étaient fixées aux deux montures d'un arc.

14. Et ces objets furent préparés dès le commencement, et furent transmis de génération en généra-

tion, pour l'interprétation des langues.

15. Et ils ont été gardés et conservés par la main du Seigneur, afin de faire connaître à toute créature qui posséderait le pays, les iniquités et les abominations de son peuple ;

16. On appelle ⁿvoyant, à la manière des temps anciens, quiconque est possesseur de ces objets.

17. Lorsque Mosiah eut fini la traduction de ces annales, voici, elles donnaient l'histoire du peuple ᵒqui fut détruit, de l'époque où il fut détruit en remontant jusqu'à l'époque de la construction de la ᵖgrande tour, au moment où le Seigneur confondit la langue du peuple, et que celui-ci fut dispersé au loin sur toute la ᵠsurface de la terre, oui, et même de cette époque en remontant jusqu'à la ʳcréation d'Adam.

18. Ce récit causa au peuple de Mosiah une extrême tristesse ; oui, il fut rempli de douleur ; néanmoins, il lui donna beaucoup de connaissance, et cela le réjouit.

19. Et ce récit sera ˢécrit ci-après ; car voici, il est expédient que tous les hommes connaissent les choses qui sont écrites dans ce récit.

20. Et maintenant, comme je vous l'ai dit, lorsque le roi Mosiah eut fait ces choses, il prit les ᵗplaques d'airain et tout ce qu'il avait gardé et les conféra à Alma, qui était le fils d'Alma ; oui, toutes les ᵘannales et les ᵛinterprètes, et les lui conféra et lui commanda de les garder et de les conserver ; et aussi d'écrire une histoire du peuple, et de les transmettre d'une génération à l'autre, tout comme ils avaient été transmis depuis le temps où Léhi quitta Jérusalem.

f, voir *b*, 2 Né. 5.   *g*, Al. 17 : 35. 19 : 22, 23.   *h*, Al. Chap. 17-28.   *i*, voir *a*, 1 Né. 3.   *j*, voir *f*, 1 Né. 1.   *k*, voir *k*, Mos. 8.   *l*, voir *j*, Mos. 8.   *m*, voir *n*, Mos. 8.   *n*, Mos. 8 : 13-18.   *o*, voir *n*, Mos. 8.   *p*, la Tour de Babel, Om. 20-22. Eth. 1 : 1-5.   *q*, Eth. 1 : 33.   *r*, voir *m*, Mos. 2.   *s*, Livre d'Ether.   *t*, voir *a*, 1 Né. 3.   *u*, vers. 11. Voir aussi *k*, *l*, *m*, et *n*, Mos. 8.   *v*, voir *n*, Mos. 8.

CHAPITRE 29.

Le roi Mosiah fait un discours sur l'art de régner. — Il recommande un gouvernement représentatif. — Des juges sont élus. — Mort d'Alma, l'ancien. — La mort de Mosiah met fin au règne des rois néphites.

1. Lorsque Mosiah eut fait ceci, il envoya dans tout le pays, parmi tout le peuple, pour connaître sa volonté touchant celui qui serait leur roi.

2. Et il arriva que la voix du peuple s'exprima, disant : Nous désirons qu'Aaron, ton fils, soit notre roi et notre gouverneur.

3. Or, Aaron était monté au ªpays de Néphi, c'est pourquoi, le roi ne pouvait pas lui conférer le royaume ; et Aaron ne voulait pas non plus accepter le royaume ; et aucun des ᵇfils de Mosiah n'était disposé à accepter le royaume.

4. C'est pourquoi le roi Mosiah envoya de nouveau au peuple ; oui, il envoya même une parole écrite parmi le peuple. Et voici les paroles qui furent écrites :

5. O mon peuple, ou mes frères, car je vous estime comme tels, je désire que vous preniez en considération l'affaire que vous êtes appelés à méditer — car vous désirez avoir un roi.

6. Or, je vous déclare que celui à qui le royaume appartient de ᶜdroit, a décliné d'accepter le royaume.

7. Et maintenant, si un autre que lui était établi à sa place, je crains qu'il ne s'élève des contentions parmi vous. Et qui sait si mon fils, à qui le royaume ᵈappartient, ne se mettrait pas en colère et n'entraînerait pas une partie du peuple derrière lui, ce qui causerait des guerres et des contentions parmi vous qui provoqueraient l'effusion de beaucoup de sang et la perversion des voies du Seigneur et détruirait l'âme d'un grand nombre.

8. Je vous dis donc : Soyons prudents, et examinons ces choses, car nous n'avons pas le droit de détruire mon fils, pas plus que nous n'aurions le droit d'en détruire un autre s'il était établi à sa place.

9. Et si mon fils retournait à son orgueil et aux choses vaines, il révoquerait les choses qu'il avait dites et réclamerait son droit à la royauté, ce qui le porterait, ainsi que ce peuple, à commettre de nombreux péchés.

10. Soyons donc prudents, prévoyons ces choses et faisons ce qui procurera la paix à ce peuple.

11. Je continuerai d'être votre roi durant le reste de mes jours ; néanmoins, ᵉnommons des juges qui jugeront ce peuple selon notre loi ; et nous arrangerons les affaires de ce peuple d'une manière nouvelle, car nous établirons pour juges des hommes sages, qui jugeront ce peuple selon les commandements de Dieu.

12. Il vaut mieux que l'homme soit jugé par Dieu que par l'homme, car les jugements de Dieu sont toujours justes, mais les jugements de l'homme ne sont pas toujours justes.

13. C'est pourquoi, s'il vous était possible d'avoir pour rois des hommes justes, qui établiraient les lois de Dieu, et jugeraient ce peuple selon ses commandements, si vous pouviez avoir pour rois des hommes qui feraient pour ce peuple ce qu'a fait mon père ᶠBenjamin — je vous le dis, si ceci pouvait toujours être le cas, il serait bien alors que vous ayez toujours des rois pour vous gouverner.

---

a, voir *b*, 2 Né. 5.   *b*, Mos. 27 : 34.   *c*, vers. 2, 3, 7, 9.   *d*, vers. 2, 3, 6, 9. *e*, vers. 25-27, 34, 38, 39, 41. Al. 2 : 3-7. 4 : 16, 17. 50 : 39. Héla. 1 : 3-5, 13. 2 : 2. 3 : 37. 5 : 1, 2, 4, 6 : 15, 19, 39. 7 : 4. 8 : 27, 28. Chap. 9. 3 Né. 1 : 1. 3 : 1. 6 : 19, 21-30. 7 : 1-3.   *f*, Om. 23-25. P. de Morm. 3, 10-18. Mos. chap. 1-6.

14. Moi-même, j'ai travaillé de tout le pouvoir et de toutes les facultés que je possédais, à vous enseigner les commandements de Dieu et à établir la paix dans tout le pays, afin qu'il n'y eût ni guerres, ni contentions, ni vol, ni pillage, ni meurtre, ni aucune espèce d'iniquité ;

15. Et quiconque a commis l'iniquité, je l'ai puni selon la loi qui nous a été donnée par nos pères.

16. Aussi, je vous le dis, comme tous les hommes ne sont pas justes, il n'est pas expédient que vous ayez un roi ou des rois pour vous gouverner.

17. Car voici, combien un seul mauvais roi ne fait-il pas commettre d'iniquités ? Oui, et quelle destruction !

18. Souvenez-vous du *g*roi Noé, de sa méchanceté, de ses abominations, et aussi de la méchanceté et des abominations de son peuple. Voyez quelle grande destruction s'abattit sur eux ; et à cause de leurs iniquités ils furent *h*asservis.

19. Et s'il n'y avait pas eu l'intervention de leur très sage Créateur, et ceci à cause de leur sincère repentir, ils seraient infailliblement restés dans la servitude jusqu'à ce jour.

20. Mais voici, il les délivra parce qu'ils *i*s'humilièrent devant lui ; et parce qu'ils l'implorèrent ardemment, il les délivra de la servitude. Et c'est ainsi que le Seigneur exerce son pouvoir, en toutes circonstances, parmi les enfants des hommes, étendant le bras de sa miséricorde vers ceux qui mettent leur confiance en lui.

21. Et voici, maintenant je vous le dis encore, vous ne pouvez pas détrôner un roi inique si ce n'est par beaucoup de contention et une grande effusion de sang.

22. Car voici, il a ses amis dans l'iniquité, et il conserve ses gardes autour de lui ; et il met en pièces les lois de ceux qui ont régné en justice avant lui ; et il foule aux pieds les commandements de Dieu ;

23. Il décrète des lois, et les envoie parmi son peuple, oui, des lois conformes à sa propre méchanceté ; et quiconque n'obéit pas à ses lois, il le fait détruire ; et quiconque se révolte contre lui, il lui envoie ses armées pour lui faire la guerre, et s'il le peut, il le détruit ; c'est ainsi qu'un roi injuste pervertit les voies de toute justice.

24. Et maintenant voici, je vous le dis, il n'est pas expédient que de telles abominations s'accomplissent chez vous.

25. C'est pourquoi choisissez-vous des juges par la *j*voix de ce peuple, afin que vous puissiez être jugés selon les lois qui vous ont été données par nos pères, lois qui sont correctes, et qui leur furent données par la main du Seigneur.

26. Il n'arrive pas souvent que la voix du peuple désire quelque chose de contraire à ce qui est juste ; mais il arrive souvent que la minorité du peuple désire ce qui n'est pas juste. C'est pourquoi, vous observerez ceci, et vous en ferez votre loi — faire vos affaires par la voix du peuple.

27. Et si le moment vient où la voix du peuple, *k*choisit l'iniquité, c'est à ce moment-là que les jugements de Dieu viendront sur vous ; oui, c'est à ce moment-là qu'il vous visitera par de terribles destructions, de même qu'il a déjà, jusqu'ici, visité ce pays.

28. Et maintenant, si vous avez des juges, et s'ils ne vous jugent pas selon la loi qui a été donnée, vous pouvez les faire juger par un juge supérieur.

---

g, Mos. 11 : 1-15. 12 : 17-19. ·17 : 1-20. *h*, Mos. 12 : 2-8. *i*, Mos. 21 : 14. 22 : 5-14. *j*, voir *e*. *k*, Al. 2 : 3-7, 10 : 19. Héla. 5 : 2, 6 : 38-40.

29. Si vos juges supérieurs ne rendent pas des jugements justes, vous ferez réunir un petit nombre de vos juges inférieurs, et ils jugeront vos juges supérieurs selon la [l]voix du peuple.

30. Et je vous ordonne de faire cela dans la crainte du Seigneur ; et je vous commande de le faire et de ne pas avoir de roi, afin que, si ce peuple commet des péchés et des iniquités, il en réponde sur sa propre tête.

31. Car voici, je vous le dis, les péchés d'un grand nombre de peuples ont été causés par les iniquités de leurs rois ; c'est pourquoi, leurs iniquités retombent sur la tête de leurs rois.

32. Et maintenant, je désire que cette inégalité n'existe plus dans ce pays, particulièrement parmi ce peuple qui est le mien ; mais je désire que ce pays soit un [m]pays de liberté ; et que chaque homme jouisse également de ses droits et de ses privilèges aussi longtemps que le Seigneur juge convenable de nous laisser vivre, et hériter le pays ; oui, aussi longtemps que quelqu'un de notre postérité restera sur la surface du pays.

33. Et le roi Mosiah leur découvrit beaucoup d'autres choses, leur dévoilant toutes les épreuves et les tourments d'un roi juste, oui, tout le travail d'âme pour son peuple, ainsi que tous les murmures du peuple à son roi ; et il leur expliqua tout cela.

34. Et il leur dit que ces choses ne devaient point être ; mais que les fardeaux devaient peser sur le [n]peuple entier, afin que chacun supportât sa part.

35. Et il leur dévoila aussi tous les désavantages dont ils souffriraient en laissant un roi injuste les gouverner ;

36. Oui, toutes ses iniquités et toutes ses abominations, et toutes les guerres et les contentions, l'effusion de sang, le vol, le pillage, la luxure, et toutes sortes d'iniquités qui ne peuvent être énumérées — leur disant que ces choses ne devaient point être, qu'elles étaient expressément contraires aux commandements de Dieu.

37. Et * lorsque le roi Mosiah eut fait envoyer ces choses parmi le peuple, celui-ci fut convaincu de la véracité de ses paroles.

38. C'est pourquoi, ils abandonnèrent leur désir d'avoir un roi, et ils devinrent extrêmement soucieux de donner à tout homme une [o]chance égale dans tout le pays. Et chacun manifesta sa volonté de répondre de ses propres péchés.

39. C'est pourquoi, * ils se réunirent en groupes partout dans le pays pour donner leurs voix concernant ceux qui seraient leurs juges, pour les juger selon la loi qui leur avait été donnée. Et ils étaient fort joyeux de la [p]liberté qui leur avait été accordée.

40. Et leur amour pour Mosiah grandissait ; oui et ils l'estimaient plus que tout autre homme, car ils ne le regardaient pas comme un tyran qui cherchait le gain, oui, ce lucre qui corrompt l'âme ; car il ne leur avait pas extorqué de la richesse, et il ne s'était pas plu dans l'effusion du sang ; mais il avait établi la paix dans le pays, et il avait accordé à son peuple la délivrance de toute espèce de servitude; aussi ils l'estimaient, oui, extrêmement, au-delà de toute mesure.

41. Et * ils [q]établirent des juges pour les gouverner ou pour les juger selon la loi ; et ils le firent dans tout le pays.

42. * Alma fut nommé le premier grand-juge. Il était aussi

l, voir *e*. *m*, 2 Né. 1 : 7. Al. 46 : 10-28, 34-36. *n*, voir *e*. *o*, voir *e*. *p*, voir *m*. *q*, voir *e*.

ʳgrand-prêtre, son père lui ayant conféré cet office et lui ayant donné le soin de toutes les affaires de l'Eglise.

43. * Alma marcha dans les voies du Seigneur, et garda ses commandements ; et il rendit des jugements justes, et il y eut une paix constante dans le pays.

44. Et ainsi †commença le ˢrègne des juges dans tout le pays de ᵗZarahemla, parmi tous les peuples qui portaient le nom de Néphites ; et Alma fut le premier grand-juge.

45. Et alors * son père mourut, à l'âge de quatre-vingt-deux ans, après avoir vécu pour accomplir les commandements de Dieu.

46. Et * Mosiah mourut aussi dans la trente-troisième année de son règne, à l'âge de ᵘsoixante-trois ans ; ce qui faisait, en tout, cinq cent neuf ans depuis que Léhi avait quitté Jérusalem.

47. Ainsi finit le ᵛrègne des rois sur le peuple de Néphi ; et ainsi ʷfinirent les jours d'Alma, fondateur de leur église.

LE LIVRE D'ALMA

LE FILS D'ALMA

Le récit d'Alma, qui était le fils d'Alma, premier grand-juge du peuple de Néphi et grand-prêtre de l'Eglise. Une histoire du règne des juges ; des guerres et des contentions parmi le peuple. Le récit d'une guerre entre les Néphites et les Lamanites, d'après les annales d'Alma, le premier grand-juge.

CHAPITRE 1.

Néhor, ennemi de l'Eglise, tue Gidéon, est passé en jugement et exécuté. — Intrigues de prêtres et persécutions. — La situation s'améliore. — Les prêtres et le peuple sont égaux.

1. *Dans la première année du règne des juges sur le peuple de Néphi, en comptant à partir de ce moment, le roi Mosiah ayant ᵃsuivi la voie de toute la terre, ayant combattu le bon combat, marché dans la justice de Dieu, ne laissant personne pour régner à sa place ; ayant néanmoins établi ses lois, et elles furent reconnues par le peuple ; — c'est pourquoi, celui-ci fut obligé de suivre ᵇles lois qu'il avait faites —

2. Or donc, * dans la première année du règne d'Alma au siège du jugement, on amena devant lui, pour être jugé, ᶜun homme de haute taille et renommé pour sa grande force.

3. Et il était allé çà et là parmi le peuple, lui prêchant ce qu'il appelait la parole de Dieu, faisant du tort à l'Eglise ; déclarant au peuple que tout prêtre et instructeur devait devenir populaire ; qu'il ne devait point travailler ᵈde ses mains, mais que le peuple lui devait son soutien.

4. Et il témoignait aussi au peuple que ᵉtoute l'humanité serait sauvée au dernier jour, qu'il n'y avait point lieu de craindre ni de trembler, mais qu'il fallait lever la tête et se réjouir ; car le Seigneur avait créé tous les hommes et avait aussi racheté tous les hommes, et qu'à la fin, tous les hommes auraient la vie éternelle.

5. * Il enseigna tant ces choses, que beaucoup crurent ses paroles,

---

ʳ, voir g. Mos. 26.   ˢ, voir e.   ᵗ, Om. 13.   ᵘ, Mos. 6 : 4.   ᵛ, vers. 41, 42. ʷ, vers. 45.   CHAP. 1 : a, Mos. 29 : 46.   b, vers. 14, 18.   c, vers. 15.   d, Mos. 18 : 24, 26. 27 : 3-5.   e, Al. 15 : 15. 21 : 6.   † 91 AV. J.-C.

tellement même qu'on commença à le soutenir et à lui donner de l'argent.

6. Et il commença à s'exalter dans l'orgueil de son cœur et à porter des vêtements somptueux, oui, et il commença même à établir une église conforme à sa prédication.

7. Et il arriva que, comme il allait prêcher ceux qui croyaient à sa parole, il rencontra un homme qui appartenait à l'Eglise de Dieu, oui, même un des instructeurs de l'Eglise ; et il commença à discuter âprement avec lui en vue d'égarer le peuple de l'Eglise ; mais l'homme lui résista, le reprenant par les paroles de Dieu.

8. Le nom de cet homme était Gidéon, celui-là même dont Dieu s'était servi comme d'un instrument pour délivrer le peuple de Limhi de ^{f}la servitude.

9. Comme Gidéon lui résistait par la parole de Dieu, il fut en colère contre Gidéon ; il tira son épée et se mit à l'en frapper. Gidéon étant accablé d'un grand nombre d'années, n'était pas à même de résister·à ses coups ; aussi fut-il tué par l'épée.

10. Et l'homme qui le tua fut saisi par le peuple de l'Eglise et conduit devant Alma pour être jugé pour les crimes qu'il avait commis.

11. * Il se tint devant Alma et se défendit avec beaucoup d'assurance.

12. Mais Alma lui dit : C'est la première fois qu'une intrigue de prêtre s'est introduite parmi ce peuple. Et tu n'es pas seulement coupable de te livrer à des intrigues de prêtre, mais tu t'es efforcé de l'imposer par l'épée ; et si les intrigues de prêtres étaient imposées parmi ce peuple, elles seraient cause de son entière destruction.

13. Tu as versé le sang d'un ^{g}homme juste, oui, d'un homme qui a fait beaucoup de bien parmi ce peuple ; et si nous t'épargnions, son sang crierait vengeance contre nous.

14. C'est pourquoi tu es ^{h}condamné à mourir, suivant la loi qui nous a été donnée par Mosiah, notre dernier roi ; et elle a été reconnue par ce peuple ; c'est pourquoi, ce peuple doit respecter la loi.

15. Et * l'on s'empara de lui ; il s'appelait ^{i}Néhor. On le conduisit au sommet de la colline de Manti, où il fut obligé de reconnaître, ou plutôt reconnut entre le ciel et la terre, que ce qu'il avait enseigné au peuple était contraire à la parole de Dieu ; et là, il subit une mort ignominieuse.

16. Cependant, cela ne mit pas fin à l'expansion des ^{j}intrigues de prêtres dans tout le pays ; car il y en avait beaucoup qui aimaient les choses vaines du monde et ils allaient, prêchant de fausses doctrines ; et ils faisaient cela ^{k}par amour de la richesse et des honneurs.

17. Toutefois, ils n'osaient pas mentir de peur que cela ne se sût ; et cela par crainte de la loi, car les menteurs étaient punis ; c'est pourquoi, ils faisaient semblant de prêcher selon leur propre croyance ; or, la loi n'avait aucun pouvoir sur un homme pour ^{l}sa croyance.

18. Et ils ^{m}n'osaient point voler, par crainte de la loi, car les voleurs étaient punis ; et ils n'osaient pas non plus piller ni tuer car celui qui tuait était puni de mort.

19. Mais il arriva que tous ceux qui n'appartenaient point à l'Eglise de Dieu se mirent à persécuter ceux qui appartenaient à l'Eglise de Dieu, et qui avaient pris sur eux le ^{n}nom du Christ.

---

f, Mos. 22 : 3-16.   g, vers. 9.   h, vers. 1, 18.   i, Al. 2 : 1, 20. 16 : 11. 24 : 28-30.
j, vers. 5, 6, 12.   k, vers. 5, 6.   l, Al. 30 : 7-12.   m, Al. 30 : 10.   n, voir e,
Mos. 5.

VERS 91 AV. J.-C.

20. Oui, ils les persécutaient, et ils les affligeaient par toutes sortes de paroles, et ceci à cause de leur humilité ; parce qu'ils ne s'enorgueillissaient pas à leurs propres yeux, parce qu'ils se dispensaient la parole de Dieu les uns aux autres, sans argent et sans prix.

21. Or il existait une loi très sévère parmi le peuple de l'Eglise, qui défendait à tout homme qui appartenait à l'Eglise de se lever et de °persécuter ceux qui n'appartenaient pas à l'Eglise ; elle défendait aussi de se persécuter l'un l'autre.

22. Néanmoins, il y en avait beaucoup parmi eux qui commençaient à devenir orgueilleux, et ils commencèrent à disputer chaudement avec leurs adversaires, même jusqu'aux coups, oui, ils se frappaient du poing.

23. Cela se passait dans la † deuxième année du règne d'Alma, et causait beaucoup d'affliction à l'Eglise ; oui, c'était une source de grandes épreuves pour l'Eglise.

24. Car beaucoup s'étaient endurci le cœur, et leurs noms furent ᵠrayés, de sorte qu'on ne s'en souvint plus parmi le peuple de Dieu. Il y en eut aussi beaucoup qui se retirèrent d'eux-mêmes.

25. C'était là une grande épreuve pour ceux qui restaient fermes dans la foi. Néanmoins, ils furent inébranlables et immuables à garder les commandements de Dieu, et ils souffrirent avec patience les persécutions qu'on accumulait sur eux.

26. Quand les ʳprêtres quittaient leurs ˢtravaux pour prêcher la parole de Dieu au peuple, le peuple quittait aussi ses travaux pour écouter la parole de Dieu. Et quand le prêtre lui avait prêché la parole, tous retournaient diligemment à leur travail. Le prêtre ne s'estimait point au-dessus de ses auditeurs ; car le prédicateur n'était pas meilleur que l'auditeur, et le maître n'était pas meilleur que l'élève ; et ainsi, ils étaient tous égaux, et ils travaillaient tous, chacun selon ses forces.

27. Ils donnaient de leurs biens aux pauvres, aux nécessiteux, aux malades et aux affligés dans ᵗla mesure de ce qu'ils possédaient. Ils ne se couvraient point de vêtements somptueux, cependant ils étaient propres et gracieux.

28. Et c'est ainsi qu'ils établirent les affaires de l'Eglise, et c'est ainsi qu'ils recommencèrent à avoir une paix continuelle malgré toutes leurs persécutions.

29. Et grâce à la fermeté de l'Eglise, ils commencèrent à être extrêmement riches, ayant en abondance tout ce dont ils avaient besoin — une abondance de troupeaux, de bêtes grasses de toutes espèces ; une abondance de grains, d'or, d'argent, de choses précieuses, de ᵘsoie, de lin fin, et de bons draps de ménage de toutes sortes.

30. Et dans leur prospérité, ils ne renvoyaient personne qui fût ᵛnu, qui eût faim, qui fût malade, ou qui eût souffert de privations ; et ils ne mettaient point leur cœur dans la richesse ; c'est pourquoi, ils donnaient libéralement à tous, jeunes ou vieux, esclaves ou libres, hommes ou femmes, qu'ils fussent ou non de l'Eglise, ne faisant point acception de personne parmi les nécessiteux.

31. Et c'est ainsi qu'ils prospérèrent et devinrent de loin plus riches que ceux qui n'appartenaient point à l'Eglise.

32. Car ceux qui n'appartenaient point à leur église s'adonnaient à la sorcellerie et à l'idolâtrie ou à

o, vers. 22-25.   *p*, vers. 21, 23.   *q*, Mos. 26 : 32, 36.   *r*, voir *c*, Mos. 6.
s, Mos. 18 : 24, 26. 27 : 4, 5.   *t*, voir *j*, Jacob 2.   *u*, Mos. 10 : 5. Al. 4 : 6.
Héla. 6 : 13.   *v*, voir *j*, Jacob 2.   † VERS 90 AV. J.-C.

la paresse, aux babillages, à l'envie
et aux querelles ; portant des vêtements somptueux ; exaltés dans
l'orgueil de leurs propres yeux ;
mentant, volant, pillant, s'adonnant
à la luxure, assassinant, commettant toutes sortes de crimes. Toutefois, autant que possible, la ^wloi
était appliquée contre tous ceux qui
la transgressaient.

33. Et * par l'application de la
loi contre eux, chacun souffrant
selon ce qu'il avait fait, ils devinrent plus paisibles, et n'osèrent plus
commettre d'iniquité ouvertement ;
c'est pourquoi, il y eut beaucoup
de paix parmi le peuple de Néphi
jusqu'à la cinquième année du règne des juges.

CHAPITRE 2.

*Amlici cherche à devenir roi. — Il est
rejeté par la majorité, mais il est fait
roi. — Il est vaincu à la bataille. —
Il se joint aux Lamanites. — Alma tue
Amlici et met ses forces en déroute.*

1. * Au commencement de la
† cinquième année de leur règne,
une dissension s'éleva parmi le peuple ; car un homme, du nom d'Amlici, homme très rusé, oui, un sage
selon la sagesse du monde, un
homme du même ordre que
^bl'homme qui tua ^bGidéon par
l'épée, et qui avait été exécuté selon
la loi —

2. Cet Amlici avait, par sa ruse,
entraîné beaucoup de monde derrière lui ; tant de monde même,
qu'ils commencèrent à être très
puissants ; et ils commencèrent à
s'efforcer d'établir Amlici roi du
peuple.

3. Or c'était là quelque chose
d'alarmant pour le peuple de
l'Eglise, et pour tous ceux qui ne
s'étaient point laissés entraîner par
les arguments persuasifs d'Amlici ;

car ils savaient que, selon la loi,
de telles choses devaient être établies par la ^avoix du peuple.

4. C'est pourquoi, s'il était possible à Amlici d'acquérir la voix
du peuple, étant donné que c'était
un méchant homme, il les priverait
des droits et des privilèges de
l'Eglise ; car il avait l'intention de
détruire l'Eglise de Dieu.

5. Il arriva donc que le peuple
se rassembla, en corps séparés, partout dans le pays, chacun selon son
opinion, pour ou contre Amlici, se
disputant et se querellant entre eux
d'une manière incroyable.

6. Et c'est ainsi qu'ils se rassemblèrent pour donner leurs voix
sur la question et elles furent placées devant les juges.

7. Et * la ^cvoix du peuple fut
contraire à Amlici, en sorte qu'il
ne fut point fait roi du peuple.

8. Cela causa une joie extrême
dans le cœur de ceux qui étaient
contre lui, mais Amlici excita ceux
qui étaient en sa faveur à la colère
contre ceux qui n'étaient pas en sa
faveur.

9. Et * ils se rassemblèrent et
consacrèrent Amlici roi.

10. Quand Amlici eut été proclamé leur roi, il leur ordonna de
prendre les armes contre leurs
frères, et il le fit pour se les assujettir.

11. Le peuple d'Amlici se distin-
gua par le nom d'Amlici, et s'appela Amlicites ; et le reste s'appela
Néphites, ou le peuple de Dieu.

12. C'est pourquoi, le peuple des
Néphites fut conscient des intentions des Amlicites, et se prépara à
leur tenir tête. Il ^fs'arma d'épées,
de cimeterres, d'arcs et de flèches,
de pierres et de frondes, et de
toutes sortes d'armes de guerre.

13. Il était ainsi tout préparé à

---

w, vers. 14, 17, 18, 33. Mos. 29 : 15, 41.   Chap. 2 : a, Al. 1 : 15.   b, Al. 1 : 8.
c, Al. 1 : 15.   d, voir e, Mos. 29.   e, voir e, Mos. 29 : 25-27.   f, 2 Né. 5 : 14.
Enos 20. Jar. 8. Mos. 10 : 8. Al. 3 : 5. 43 : 18-20. Héla. 1 : 14. 3 Né. 3 : 26.
Morm. 6 : 9.   † 87 av. J.-C.

combattre les Amlicites, dès qu'ils approcheraient. Et il nomma des capitaines, des hauts-capitaines et des capitaines en chef,' selon leurs nombres.

14. Et * Amlici arma ses hommes de toutes sortes d'armes de guerre ; et il désigna aussi des gouverneurs et des dirigeants sur son peuple, pour le conduire au combat contre ses frères.

15. Et * les Amlicites montèrent sur la colline d'Amnihu, à l'est de la [g]rivière Sidon, qui coulait le long du [h]pays de Zarahemla, et là ils commencèrent à faire la guerre aux Néphites.

16. Alors Alma, [i]grand-juge et gouverneur du peuple de Néphi, monta avec son peuple, oui, avec ses [j]capitaines et ses capitaines en chef, oui, à la tête de ses armées pour combattre les Amlicites.

17. Et ils commencèrent à massacrer les Amlicites sur la [k]colline à l'est de [l]Sidon. Et les Amlicites luttèrent contre les Néphites avec beaucoup de puissance, de sorte que beaucoup de Néphites tombèrent devant les Amlicites.

18. Néanmoins, le Seigneur fortifia la main des Néphites, et ils firent un si grand carnage des Amlicites, que ceux-ci commencèrent à fuir devant eux.

19. Et * les Néphites poursuivirent les Amlicites pendant tout le jour et en firent un tel massacre que douze mille cinq cent trente-deux âmes furent tuées parmi les Amlicites, et parmi les Néphites, il y eut six mille cinq cent soixante-deux âmes de tuées.

20. Et * quand Alma ne put poursuivre les Amlicites davantage, il fit camper son peuple dans la [m]vallée de Gidéon, ainsi appelée du nom de ce Gidéon qui avait été tué par l'épée de la main de [n]Néhor ; et dans cette vallée, les Néphites dressèrent leurs tentes pour la nuit.

21. Et Alma envoya des espions pour suivre le reste des Amlicites, afin de connaître leurs plans et leurs complots, ce qui lui permettrait de se protéger contre eux, et de sauver son peuple de la destruction.

22. Ceux qu'il avait envoyés observer le camp des Amlicites s'appelaient Zéram, Amnor, Manti et Limher ; ce sont ceux-là et leurs hommes qui allèrent observer le camp des Amlicites.

23. Et * le lendemain ils revinrent en grande hâte au camp des Néphites, remplis d'étonnement et frappés d'une grande crainte, disant :

24. Voici, nous avons suivi le camp des Amlicites et, à notre grand étonnement, dans le pays de [o]Minon, au-dessus du [p]pays de Zarahemla, dans la direction du [q]pays de Néphi, nous avons vu une grande armée de Lamanites ; et voici, les Amlicites se sont joints à eux ;

25. Et ils attaquent nos frères dans ce pays-là ; et ceux-ci se sauvent devant eux avec leurs troupeaux, leurs femmes et leurs enfants, vers notre [r]ville ; et si nous ne nous hâtons pas, les Amlicites s'empareront de notre ville ; et nos pères, nos femmes et nos enfants seront tués.

26. Et * le peuple de Néphi leva ses tentes, et quitta la [s]vallée de Gidéon pour marcher vers sa ville, qui était la ville de Zarahemla.

27. Et tandis qu'ils passaient la [t]rivière Sidon, les Lamanites et les

g, vers. 17, 27, 34. 35. Al. 3 : 3. 4 : 4. 6 : 7. 8 : 3. 16 : 6, 7. 22 : 27. 43 : 22, 27, 32, 35, 39-41, 50-53. 44 : 22. 49 : 16. 50 : 11. 56 : 25. Morm. 1 : 10. *h*, Om. 13. *i*, Mos. 29 : 42. *j*, vers. 13, 14. *k*, vers. 15. *l*, voir *g*. *m*, vers. 26. Mos. 22 : 3-16. Al. 1 : 8, 9. 6 : 7. 8 : 1. *n*, voir *i*, Al. 1. *o*, vers. 1, 11. 3 : 4, 13-18. *p*, Om. 13. *q*, voir *b*, 2 Né. 5. *r*, Zarahemla. *s*, voir *m*. *t*, voir *g*.

87 AV. J.-C.

Amlicites, aussi nombreux, pour ainsi dire, que les sables de la mer, fondirent sur eux pour les massacrer.

28. Mais les Néphites étaient fortifiés par la main du Seigneur, car ils l'avaient imploré avec ferveur de les délivrer des mains de leurs ennemis, c'est pourquoi le Seigneur entendit leurs cris et les fortifia, et les Lamanites et les Amlicites tombèrent sous leurs coups.

29. Et il arriva qu'Alma lutta corps à corps avec l'épée contre Amlici ; et le combat fut très acharné de part et d'autre.

30. Mais * Alma, qui était homme de Dieu et plein de foi, s'écria : O Seigneur, aie pitié et épargne-moi la vie, afin que je sois entre tes mains un instrument pour sauver et préserver ce peuple.

31. Et lorsque Alma eut prononcé ces paroles, il combattit encore Amlici, et il fut tellement fortifié qu'il tua Amlici de son épée.

32. Et il combattit aussi le roi des Lamanites ; mais le roi des Lamanites s'enfuit devant Alma et il envoya ses gardes pour combattre Alma.

33. Mais Alma, avec ses gardes, se battit contre les gardes du roi des Lamanites jusqu'à ce qu'il eût tués et repoussés.

34. Et ainsi il nettoya le terrain ou plutôt la rive à l'ouest de la ᵘrivière Sidon, jetant les corps des Lamanites qui avaient été tués, dans les eaux de Sidon, pour que son peuple eût de la place pour traverser et combattre les Lamanites et les Amlicites, sur la rive ouest de la rivière Sidon.

35. Et * lorsqu'ils eurent tous traversé la rivière Sidon, les Lamanites et les Amlicites commencèrent à fuir devant eux, quoique leur nombre fût si considérable qu'on ne pouvait les compter.

36. Et ils fuirent devant les Néphites vers le désert qui se trouvait à l'ouest et au nord, bien au-delà des frontières du pays ; et les Néphites les poursuivirent avec vigueur et les tuèrent.

37. Oui, ils furent pris de toutes parts, tués et chassés jusqu'à ce qu'ils fussent dispersés à l'ouest et au nord, jusqu'à ce qu'ils eussent atteint le désert appelé Hermounts; et c'était cette partie du désert qui était infestée de bêtes sauvages et rapaces.

38. Et * beaucoup moururent de leurs blessures dans le désert, et furent dévorés par des bêtes et par les vautours des airs ; et leurs ossements ont été retrouvés, et ont été entassés sur la terre.

CHAPITRE 3.

Le signe des Amlicites et la malédiction des Lamanites. — Une nouvelle victoire néphite.

1. Et * les Néphites qui n'avaient pas succombé aux armes de guerre, ensevelirent ceux qui avaient été tués — et l'on ne comptait point ceux qui avaient été tués, tant ils étaient nombreux — et lorsqu'ils eurent fini d'enterrer leurs morts, ils retournèrent à leurs champs, à leurs maisons, vers leurs femmes et leurs enfants.

2. Beaucoup de femmes et d'enfants avaient péri par l'épée, et aussi beaucoup de leurs troupeaux; et beaucoup de leurs champs ensemencés étaient détruits, foulés aux pieds des armées d'hommes.

3. Et tous les Lamanites et tous les Amlicites tués sur les ᵃbords de la rivière Sidon, furent jetés dans les ᵇeaux de Sidon ; leurs os sont au fond de la ᶜmer, et ils sont nombreux.

u, voir *g*. Chap. 3 : *a*, Al. 2 : 34. *b*, voir *g*, Al. 2. *c*, Al. 44 : 22.

87 av. J.-C.

4. Et les Amlicites s'étaient distingués des Néphites en se mettant du ^drouge sur le front à la manière des Lamanites ; mais ils ne s'étaient point ^erasé la tête comme les Lamanites.

5. Les Lamanites avaient la tête rasée ; et ils étaient ^fnus, à part la peau dont ils se ceignaient les reins, et leurs ^garmes dont ils s'entouraient, leurs arcs et leurs flèches, leurs pierres et leurs frondes, et ainsi de suite.

6. Et la peau des Lamanites était ^hsombre, selon la marque qui fut placée sur leurs pères, malédiction placée sur eux à cause de leur transgression et de leur révolte contre leurs frères, Néphi, Jacob, Joseph et Sam, hommes justes et saints.

7. Et leurs frères cherchèrent à les tuer, c'est pourquoi, ils furent maudits ; et le Seigneur Dieu mit une ⁱmarque sur eux, oui, sur Laman et Lémuel, et aussi sur les fils d'Ismaël, et sur les femmes ismaélites.

8. Et cela se fit, afin que leur postérité pût être distinguée de la postérité de leurs frères, et afin que le Seigneur pût, par ce moyen, conserver son peuple, l'empêcher de se mélanger, et de croire à des traditions incorrectes qui entraîneraient sa destruction.

9. Et il arriva que quiconque mélangeait sa postérité avec celle des Lamanites attirait la même malédiction sur sa postérité.

10. C'est pourquoi celui qui se laissait emmener par les Lamanites portait leur nom, et un signe était mis sur lui.

11. Et il arriva que tous ceux qui ne croyaient point aux traditions des Lamanites, mais qui croyaient à ces annales qui furent apportées du pays de Jérusalem et

à la tradition de leurs pères, qui étaient correctes, et qui croyaient aux commandements de Dieu, et les gardaient, furent dès lors appelés Néphites, ou peuple de Néphi —

12. Et ce sont ceux qui ont conservé les vraies ^jannales de leur peuple, et aussi celles du peuple des Lamanites.

13. Nous reviendrons maintenant aux Amlicites, car une marque fut mise sur eux ; oui, ils se mirent la ^kmarque sur eux-mêmes, oui, même une marque rouge sur le front.

14. Ainsi la parole de Dieu s'est accomplie, car voici les paroles qu'il dit à Néphi : Voici, j'ai maudit les Lamanites, et je mettrai une marque sur eux afin qu'eux et toute leur postérité soient séparés de toi et de ta postérité, dorénavant et pour toujours, à moins qu'ils ne se repentent de leur iniquité et qu'ils ne reviennent à moi pour que je leur fasse miséricorde.

15. Et de plus : Je mettrai une marque sur celui qui mêle sa postérité à tes frères, pour qu'elle soit maudite aussi.

16. Et de plus : Je mettrai une ^lmarque sur celui qui combat contre toi et ta postérité.

17. Et de plus, je dis que celui qui se séparera de toi ne sera plus appelé ta postérité ; et je te bénirai, toi et tous ceux qui seront appelés ta postérité, dorénavant et pour toujours. Telles étaient les promesses du Seigneur à Néphi et à sa postérité.

18. Or les Amlicites ne savaient pas qu'ils accomplissaient les paroles de Dieu quand ils commencèrent à se ^mmarquer le front ; néanmoins, ils étaient entrés en rébellion ouverte contre Dieu ; c'est pourquoi, il fallait que la malédiction tombât sur eux.

d, vers. 13, 15, 16, 18, 19.   e, vers. 5. Enos 20.   f, Enos 20. Al. 43 : 20.
g, voir f, Al. 2.   h, voir d, 1 Né. 2.   i, voir d, 1 Né. 2.   j, voir f, 1 Né. 1.
k, voir d.   l, voir d.   m, vers. 4.
87 av. J.-C.

19. Maintenant, je voudrais que vous voyiez qu'ils se sont attiré la malédiction ; et de même, tout homme qui est maudit s'attire sa propre condamnation.

20. Et il arriva que, peu de temps après le combat livré par les Lamanites et les Amlicites, dans le pays de Zarahemla, une autre armée de Lamanites vint contre le peuple de Néphi, au "même endroit que celui où la première armée avait rencontré les Amlicites.

21. Et * une armée fut envoyée pour les chasser du pays.

22. Alma, étant lui-même affligé d'une blessure, n'alla point, cette fois, combattre les Lamanites ;

23. Mais il envoya contre eux une armée considérable ; et elle monta et tua un grand nombre de Lamanites et chassa le reste hors des frontières du pays.

24. Après quoi, ils retournèrent de nouveau et commencèrent à établir la paix dans le pays, n'étant plus troublés pendant quelque temps par leurs ennemis.

25. Et † tout cela se passa, oui, toutes ces guerres et toutes ces dissensions commencèrent et finirent dans la cinquième année du règne des juges.

26. Et en un an, des milliers et des dizaines de milliers d'âmes furent envoyées dans le monde éternel, pour recueillir leur récompense selon leurs œuvres, bonnes ou mauvaises, pour récolter le bonheur éternel ou le "malheur éternel, selon "l'esprit auquel elles avaient voulu obéir, bon ou mauvais.

27. Car tout homme reçoit des gages de celui auquel il veut obéir, selon les paroles de l'esprit de prophétie ; c'est pourquoi, qu'il en soit

selon la vérité. Et ainsi finit la cinquième année du règne des juges.

CHAPITRE 4.

L'Eglise s'accroît. — Prospérité, orgueil et iniquité. — Néphihah devient grand-juge.

1. * Dans la ‡‡sixième année du règne des juges sur le peuple de Néphi, il n'y eut ni dissensions ni guerres dans le "pays de Zarahemla ;

2. Mais le peuple était affligé, oui, profondément affligé de la ᵇperte de ses frères, et aussi de la perte de ses ᶜtroupeaux, et aussi de la perte de ses champs de grains, foulés aux pieds et détruits par les Lamanites.

3. Et leurs afflictions étaient si grandes que chaque âme avait des raisons de se lamenter ; et ils croyaient que c'étaient les jugements de Dieu qui leur étaient envoyés à cause de leur iniquité et de leurs abominations ; c'est pourquoi ils étaient portés à se souvenir de leurs devoirs.

4. Et ils commencèrent à établir l'Eglise plus complètement ; oui, et beaucoup furent ᵈbaptisés dans les eaux de "Sidon, et ᶠréunis à l'Eglise de Dieu ; oui, ils furent baptisés de la main d'Alma, qui avait été consacré ᵍgrand-prêtre du peuple de l'Eglise par la main de son père Alma.

5. Et * dans la §septième année du règne des juges, il y eut environ trois mille cinq cents âmes qui s'unirent à l'Eglise de Dieu, et furent ʰbaptisées. Et ainsi finit la septième année du règne des juges sur le peuple de Néphi, et il y eut une paix continuelle pendant tout ce temps-là.

n, Al. 2 : 24. *o*, voir *m*. Jacob 6. *p*, voir *q*. Mos. 2. CHAP. 4 : *a*, Om. 13. *b*, Al. 2 : 19. 3 : 1, 26. *c*, Al. 3 : 2. *d*, voir *u*, 2 Né. 9. *e*, voir *g*, Al. 2. *f*, voir *d*, Mos. 26. *g*, voir *g*, Mos. 26. *h*, voir *u*, 2 Né. 9.
† 87 AV. J.-C. ‡‡ 86 AV. J.-C. § 85 AV. J.-C.

6. Et dans la † huitième année du règne des juges, il arriva que le peuple de l'Eglise commença à devenir orgueilleux, à cause de ses grandes richesses, de [i]ses belles soieries, de son lin fin, et à cause de ses troupeaux nombreux, de son or, de son argent, et de toutes les choses précieuses en tout genre qu'il avait obtenues par son industrie ; et il s'était enflé d'orgueil à ses propres yeux dans toutes ces choses, car il commençait à se vêtir d'habits somptueux.

7. Ceci causait beaucoup d'affliction à Alma, oui, et à un grand nombre de fidèles qu'Alma avait [j]consacrés instructeurs, prêtres et anciens de l'Eglise ; oui, beaucoup d'entre eux étaient profondément chagrinés des iniquités qui, ils le voyaient, avaient commencé parmi leur peuple.

8. Car ils voyaient et observaient avec une grande douleur que le peuple de l'Eglise commençait à s'exalter dans l'orgueil de ses yeux, et qu'il [k]mettait son cœur dans les richesses et les choses vaines du monde, et qu'on commençait à se mépriser les uns les autres, et à persécuter ceux qui ne croyaient point selon son bon plaisir.

9. C'est ainsi que, dans cette huitième année du règne des juges, de grandes contentions commencèrent à s'élever parmi le peuple de l'Eglise ; oui, il y eut de l'envie, des querelles, de la malice, des persécutions, et de [l]l'orgueil, même au point de dépasser l'orgueil de ceux qui n'appartenaient point à l'Eglise de Dieu.

10. Et ainsi finit la huitième année du règne des juges ; et la méchanceté de l'Eglise était une grande pierre d'achoppement pour ceux qui n'appartenaient point à l'Eglise ; et l'Eglise commença à faiblir dans ses progrès.

11. Et * vers le commencement de la ‡ neuvième année, Alma vit la [m]perversité de l'Eglise, et il vit aussi que l'exemple de l'Eglise commençait à entraîner les incrédules d'une iniquité dans une autre, amenant ainsi la destruction du peuple.

12. Oui, il vit une grande inégalité parmi le peuple, les uns s'exaltant dans leur orgueil, méprisant les autres, tournant [n]le dos aux indigents, à ceux qui étaient nus, à ceux qui avaient faim, à ceux qui avaient soif, aux malades et aux affligés.

13. Et c'était là une grande cause de lamentations parmi le peuple, alors que d'autres se montraient humbles, secourant ceux qui avaient besoin de leur secours, par exemple, en donnant leurs [o]biens aux pauvres et aux nécessiteux, en nourrissant les affamés et en souffrant toutes sortes d'afflictions pour l'amour du Christ qui devait venir, selon l'esprit de prophétie ;

14. Attendant ce jour, conservant ainsi la rémission de leurs péchés ; remplis d'une grande joie à cause de la [p]résurrection des morts, selon la volonté, le pouvoir et la délivrance de Jésus-Christ des [q]liens de la mort.

15. Or, * Alma, ayant vu l'affliction des humbles disciples de Dieu, et les persécutions dont le reste de son peuple les accablait, et voyant [r]toute leur inégalité, commença à être très attristé ; néanmoins, l'Esprit du Seigneur ne l'abandonna point.

16. Il choisit un homme sage, qui était du nombre des [s]anciens de l'Eglise, et il lui donna du pouvoir, selon la [t]voix du peuple, afin

i, voir *u*, Al. 1. *j*, voir *c*, Mos. 6. *k*, vers. 6, 9-12. *l*, voir *k*. *m*, voir *k*. *n*, voir *j*, Jacob 2. *o*, voir *j*, Jacob 2. *p*, voir *d*, 2 Né. 2. *q*, voir *g* et *j*, 2 Né. 9. *r*, vers. 6-12. *s*, vers. 7. *t*, voir *e*, Mos. 29.

† 84 AV. J.-C. ‡ 83 AV. J.-C.

qu'il eût le pouvoir de décréter des lois selon les "lois qui avaient été données et de les mettre en vigueur selon l'iniquité et les crimes du peuple.

17. Cet homme s'appelait Néphihah ; il fut établi grand-juge et il prit place au siège du jugement pour juger et gouverner le peuple.

18. Mais Alma ne lui conféra point l'office de "grand-prêtre de l'Eglise et garda l'office de grand-prêtre pour lui-même, mais il donna le siège du jugement à Néphihah.

19. Et il fit cela afin de pouvoir aller lui-même parmi son peuple, ou parmi le peuple de Néphi, lui prêcher la parole de Dieu, le rappeler au souvenir de ses devoirs, abattre par la parole de Dieu, tout l'orgueil, toutes les ruses et toutes les contentions qui existaient parmi son peuple, car il ne voyait point d'autre moyen de le réformer que de rendre contre lui un témoignage pur.

20. C'est ainsi qu'au commencement de la neuvième année du règne des juges sur le peuple de Néphi, Alma remit le siège du jugement à "Néphihah, et se consacra entièrement à la "haute-prêtrise du saint ordre de Dieu, au témoignage de la parole, selon l'esprit de révélation et de prophétie.

CHAPITRE 5.

Paroles qu'Alma, le grand-prêtre, selon le saint ordre de Dieu, prononça au peuple dans les villes et les villages de tout le pays.

Il rappelle l'expérience de l'Eglise. — Dénonce l'iniquité. — Appelle le peuple au repentir.

1. * † Alma commença à annoncer la parole de Dieu au peuple, d'abord dans le pays de "Zarahemla, et ensuite dans tout le pays.

2. Et voici, d'après son propre écrit, les paroles qu'il déclara au peuple de l'église établie dans la ville de Zarahemla, disant :

3. Moi, Alma, ayant été consacré "grand-prêtre de l'Eglise de Dieu par mon père Alma, qui avait le "pouvoir et l'autorité de Dieu de faire ces choses, voici, je vous dis qu'il commença à établir une église dans le pays qui se trouvait sur les confins de Néphi ; oui, le pays qu'on appelait le "pays de Mormon ; oui, et il "baptisa ses frères dans les eaux de Mormon.

4. Et voici, je vous le dis, ils furent "délivrés des mains du peuple du roi Noé par la grâce et la puissance de Dieu.

5. Et voici, après cela, ils furent réduits en servitude par les Lamanites, dans le "désert ; oui, je vous le dis, ils étaient en captivité, et Dieu les "délivra encore de la servitude par la puissance de sa parole ; et nous fûmes amenés dans ce pays et nous commençâmes à établir l'Eglise de Dieu dans tout "ce pays aussi.

6. Et maintenant, voici, je vous le dis, mes frères, vous qui appartenez à cette Eglise, avez-vous conservé suffisamment le souvenir de la "captivité de vos pères ? Avez-vous suffisamment conservé le souvenir de la miséricorde de Dieu et de sa longanimité envers eux ? Et, de plus, avez-vous suffisamment conservé le souvenir de ce qu'il a délivré leur âme de "l'enfer ?

7. Il leur changea le cœur, il les tira d'un sommeil profond et ils s'éveillèrent à Dieu. Voici, ils étaient au milieu des ténèbres ;

u, Al. 1 : 1, 14, 18. v, voir g. Mos. 26. w, vers. 17, 18. Al. 8 : 12. x, voir g. Mos. 26. CHAP. 5 : a, Om. 13. b, voir g, Mos. 26. c, voir g, Mos. 18. d, voir b, Mos. 18. e, voir u, 2 Né. 9. f, Mos. 23 : 1-3. g, Mos. 23 : 37-39. 24 : 8-15. h, Mos. 24 : 17-25. i, vers. 1. j, voir f et g. k, voir k, 1 Né. 15. † VERS 83 AV. J.-C.

néanmoins leur âme fut éclairée par la lumière de la parole éternelle ; oui, ils étaient enfermés dans les ¹liens de la mort et dans les ᵐchaînes de l'enfer, et une destruction éternelle les attendait.

8. Et maintenant, je vous le demande, mes frères, furent-ils détruits ? Je vous dis que non, ils ne le furent point.

9. Et je vous le demande encore, les ⁿliens de la mort furent-ils rompus, et les °chaînes de l'enfer, qui les enfermaient, furent-elles détachées ? Je vous dis que oui, elles furent détachées, et leur âme s'épanouit, et ils chantèrent l'amour rédempteur. Et je vous dis qu'ils sont sauvés.

10. Et maintenant, je vous le demande, à quelles conditions sont-ils sauvés ? Oui, quelles raisons avaient-ils d'espérer le salut ? Quelle est la cause de leur délivrance des ᵖliens de la mort et des ᵠchaînes de l'enfer ?

11. Voici, je puis vous le dire : Mon père Alma n'a-t-il pas cru aux paroles qui furent déclarées par la ʳbouche d'Abinadi ? Et n'était-il pas un saint prophète ? N'a-t-il pas annoncé la parole de Dieu ? Et mon père Alma n'y a-t-il pas ajouté foi ?

12. Et selon sa foi, un grand changement s'est opéré dans son cœur. Or, je vous dis que tout cela est vrai.

13. Et voici, il a prêché la parole à vos ˢpères, et il s'est également opéré un grand changement dans leur cœur, et ils se sont humiliés et ils ont mis leur confiance dans le Dieu vrai et vivant. Et ils sont restés fidèles ᵗjusqu'à la fin ; c'est pourquoi, ils ont été sauvés.

14. Et maintenant, mes frères de l'Eglise, dites-moi : êtes-vous ᵘnés spirituellement de Dieu ? Votre aspect est-il empreint de son image ? Avez-vous éprouvé ce grand changement dans votre cœur ?

15. Avez-vous foi dans la rédemption de celui qui vous a ᵛcréés ? Espérez-vous voir, avec les yeux de la foi, ce corps mortel ressuscité à l'immortalité, et cette corruption ʷressuscitée à l'incorruptibilité, pour paraître devant Dieu et être jugés selon les œuvres faites dans le corps mortel ?

16. Je vous le dis, pouvez-vous imaginer entendre la voix du Seigneur, vous disant, en ce jour : Vous qui êtes bénis, venez à moi, car voici, vos œuvres ont été les œuvres de la justice sur la face de la terre ?

17. Ou vous imaginez-vous pouvoir mentir au Seigneur, en ce jour-là, et dire — Seigneur, nos œuvres ont été des œuvres justes sur la face de la terre — et qu'il vous sauvera ?

18. Ou, autrement, pouvez-vous vous imaginer étant amenés devant le tribunal de Dieu, l'âme remplie de culpabilité et de remords, ayant le ˣsouvenir de toute votre culpabilité, oui, le souvenir parfait de toute votre méchanceté, oui, le souvenir que vous avez défié les commandements de Dieu ?

19. Je vous le dis, pourrez-vous, en ce jour-là, lever les yeux vers Dieu, le cœur pur et les mains nettes ? Je vous le dis, pourrez-vous lever les yeux, ayant l'image de Dieu gravée sur le visage ?

20. Je vous le dis, pouvez-vous penser être sauvés, vous qui avez cédé et êtes devenus les ʸsujets du diable ?

21. Je vous le dis, vous saurez en ce jour-là que vous ne pourrez

l, voir g et j, 2 Né. 9.   m, voir p, 2 Né. 28.   n, voir g et j, 2 Né. 9.   o, voir p, 2 Né. 28.   p, voir g et j, 2 Né. 9.   q, voir p, 2 Né. 28.   r, Mos. 17 : 2-4. s, Mos. 18 : 1-31.   t, 2 Né. 31 : 15.   u, voir c, Mos. 5.   v, voir l, Mos. 5. w, voir d, 2 Né. 2. Aussi j et m, 2 Né. 9.   x, voir n, 2 Né. 9.   y, voir q, Mos. 2.
VERS 83 AV. J.-C.

pas être sauvés, car nul ne peut être sauvé s'il n'a les vêtements blanchis ; oui, il faut que ses vêtements soient purifiés, jusqu'à n'avoir plus aucune tache, par le *sang de celui dont nos pères ont parlé, qui doit venir racheter son peuple de ses péchés.

22. Et maintenant, mes frères, je vous le demande, comment vous sentirez-vous si vous vous tenez devant la barre de Dieu, les vêtements tachés de sang et de toutes sortes d'impuretés ? Que témoigneront ces choses contre vous ?

23. N'attesteront-elles point que vous êtes des meurtriers, oui, et aussi que vous êtes coupables de toutes sortes de crimes ?

24. Voici, mes frères, supposez-vous qu'un tel homme puisse avoir une place pour s'asseoir dans le royaume de Dieu avec Abraham, avec Isaac et avec Jacob, avec tous les saints prophètes, dont les vêtements sont purifiés, et sont sans tache, purs et blancs ?

25. Je vous le dis, non ; à moins que vous ne fassiez de notre Créateur un menteur depuis le commencement ou que vous ne supposiez qu'il est menteur depuis le commencement, vous ne pouvez pas supposer qu'un tel homme puisse avoir une place dans le royaume des cieux ; mais il sera jeté dehors, car il est *ªl'enfant du diable.

26. Et maintenant voici, je vous le dis, mes frères, si vous avez éprouvé un changement dans votre cœur, et si vous avez ressenti le désir de chanter le cantique de l'amour rédempteur, dites-moi, pouvez-vous le sentir en ce moment ?

27. Avez-vous marché en restant innocents devant Dieu ? Si vous étiez appelés à mourir à l'instant, pourriez-vous dire en vous-mêmes, que vous avez été suffisamment humbles ? Que vos vêtements ont été purifiés et blanchis par le *ᵇsang du Christ qui viendra racheter son peuple de ses péchés ?

28. Voici, êtes-vous dépouillés de votre orgueil ? Je vous le dis, si vous ne l'êtes point, vous n'êtes point préparés à rencontrer Dieu. Voici, vous devez vous préparer rapidement ; car le royaume des cieux est proche, et de pareils hommes n'ont pas la vie éternelle.

29. Voici, dis-je, en est-il un parmi vous qui n'est pas dépouillé de l'envie ? Je vous dis que pareil homme n'est point préparé ; et je voudrais qu'il se préparât promptement, car l'heure est proche, et il ne sait pas quand le temps viendra, car un tel homme n'est pas tenu pour innocent.

30. Et je vous le dis encore, y en a-t-il un parmi vous qui se moque de son frère, et qui l'accable de persécutions ?

31. Malheur à lui, car il n'est pas préparé, et le temps est proche où il faut qu'il se repente, ou il ne peut pas être sauvé !

32. Oui, même, malheur à vous tous qui commettez l'iniquité : repentez-vous, repentez-vous, car le Seigneur Dieu l'a dit !

33. Voici, il envoie une invitation à tous les hommes, car les bras de la miséricorde sont étendus vers eux, et il dit : Repentez-vous, et je vous recevrai.

34. Oui, il dit : Venez à moi, et vous prendrez du *ᶜfruit de l'arbre de vie ; oui, et vous mangerez et boirez librement du pain et des eaux de la vie ;

35. Oui, venez à moi, et produisez des œuvres de justice, et vous ne serez point coupés et *ᵈjetés au feu —

36. Car voici, le temps est proche où quiconque ne produit pas

de bons fruits, où quiconque ne fait pas les œuvres de justice, aura lieu de gémir et de se lamenter.

37. O vous, qui commettez l'iniquité, vous, qui êtes enflés des choses vaines du monde, vous, qui avez fait profession de connaître les voies de la justice, et qui, néanmoins, semblables à des brebis sans berger, vous êtes égarés, malgré qu'un berger vous a appelés, et vous appelle encore, mais vous ne voulez pas écouter sa voix !

38. Voici, je vous dis que le bon *f*berger vous appelle ; il vous appelle en son nom, qui est le nom du Christ ; et si vous ne voulez point écouter la voix du bon berger, ni entendre le nom par lequel vous êtes appelés, voici, vous n'êtes point les brebis du bon berger.

39. Et si vous n'êtes point les brebis du *f*bon berger, de quelle bergerie êtes-vous ? Voici, je vous dis que le diable est votre berger, et que vous êtes de sa bergerie ; et qui peut le nier ? Voici, je vous le dis, quiconque nie cela, est menteur et *g*enfant du diable.

40. Car je vous dis *h*que tout ce qui est bon vient de Dieu, et tout ce qui est mal vient du diable.

41. C'est pourquoi, si un homme produit de *i*bonnes œuvres, il écoute la voix du *j*bon berger, et le suit ; mais quiconque produit des œuvres *k*d'iniquité, devient *l*l'enfant du diable, car il écoute sa voix et le suit.

42. Et celui qui fait cela, doit recevoir son salaire de lui ; c'est pourquoi, il reçoit la mort pour salaire quant aux *m*choses qui ont rapport à la justice, étant mort à toutes bonnes œuvres.

43. Et maintenant, mes frères, je voudrais que vous m'écoutiez,

car je parle dans l'énergie de mon âme ; car voici, je vous ai parlé clairement pour que vous ne puissiez pas errer, autrement dit, j'ai parlé selon les commandements de Dieu.

44. Car je suis appelé à parler de la sorte, d'après *n*l'ordre saint de Dieu, qui est en Jésus-Christ ; oui, il m'est ordonné de me lever et de témoigner à ce peuple des choses qui ont été dites par nos pères concernant les choses qui doivent venir.

45. Et ce n'est pas tout. Croyez-vous que je ne connaisse pas ces choses moi-même ? Voici, je vous atteste que je sais que ces choses dont j'ai parlé sont vraies. Et comment supposez-vous que je sais qu'elles sont vraies ?

46. Voici, je vous le dis, elles me sont révélées par l'Esprit Saint de Dieu. Voici, j'ai *o*jeûné et prié de nombreux jours pour connaître ces choses par moi-même. Et maintenant, je sais, par moi-même, qu'elles sont vraies ; car le Seigneur Dieu me les a manifestées par son Esprit Saint ; et c'est l'esprit de révélation qui est en moi.

47. Et de plus, je vous dis qu'il m'a été ainsi révélé que les paroles qui ont été prononcées par nos pères sont vraies, de la même façon, par l'esprit de prophétie qui est en moi, qui est aussi par la manifestation de l'Esprit de Dieu.

48. Je vous dis que je sais par moi-même que tout ce que je vous dirai sur ce qui doit venir est vrai ; et je vous dis que je sais que Jésus-Christ viendra, oui, le Fils unique du Père, plein de grâce, de miséricorde et de vérité. Et c'est lui qui vient pour *p*ôter les péchés du monde, oui, les péchés de quiconque croit fermement à son nom.

2e, vers. 39, 41, 57, 59, 60. Héla. 7 : 18. 3 Né. 15 : 24. 16 : 1-5. 18 : 31.   *2f*, voir
2e.   *2g*, voir *i*, 2 Né. 9.   *2h*, Om. 25. Eth. 4 : 12. Moro. 7 : 12-19. 10 : 6.
2i, 3 Né. 14 : 16-20.   *2j*, voir *2e*.   *2k*, 3 Né. 14 : 16-20.   *2l*, voir *i*, 2 Né. 9.
2m, voir *c*, 2 Né. 2.   *2n*, voir *g*, Mos. 26.   *2o*, voir *t*, Mos. 27.   *2p*, voir *j*,
2 Né. 2.   VERS 83 AV. J.-C.

49. Et maintenant, je vous dis que c'est là [2q]l'ordre d'après lequel je suis appelé, oui, pour prêcher à mes frères bien-aimés, oui, et à tous ceux qui habitent dans le pays ; oui, pour prêcher à tous, jeunes et vieux, esclaves ou libres ; oui, je vous le dis, aux vieillards, aux hommes mûrs, et à la génération montante ; oui, pour leur crier de se repentir et de [2r]naître de nouveau.

50. Oui, ainsi dit l'Esprit : Repentez-vous, tous les bouts de la terre, car le royaume des cieux est proche ; oui, le Fils de Dieu vient dans sa gloire, sa puissance, sa majesté, son pouvoir et sa domination. Oui, mes frères bien-aimés, je vous dis que l'Esprit dit : Voici, la gloire du Roi de toute la terre ; et le Roi du ciel brillera bientôt aussi parmi tous les enfants des hommes.

51. Et l'Esprit me dit, me crie d'une voix puissante : Va et dis à ce peuple : Repentez-vous, car si vous ne vous repentez, vous ne pouvez, en aucune façon, hériter du royaume des cieux.

52. Et de plus, je vous le déclare, l'Esprit dit : La cognée est mise à la racine de l'arbre, et tout arbre qui ne donnera pas de bons fruits sera [2s]coupé et jeté au feu, oui, dans un feu qui ne se consume point, même un feu inextinguible. Voici, et souvenez-vous-en, le Très-Saint l'a dit.

53. Et maintenant, mes frères bien-aimés, je vous le dis, pouvez-vous résister à ces paroles ; oui, pouvez-vous mettre ces choses de côté, et fouler le Très-Saint aux pieds ; oui, pouvez-vous rester dans l'orgueil de votre cœur ; oui, persisterez-vous encore à vous couvrir de [2t]vêtements somptueux, et à mettre votre cœur dans les choses vaines du monde et dans vos richesses ?

54. Oui, continuerez-vous à croire que vous valez mieux les uns que les autres ; oui, continuerez-vous à persécuter vos frères qui s'humilient, qui marchent d'après le saint ordre de Dieu, en vertu duquel ils ont été amenés dans cette église, ayant été sanctifiés par le Saint-Esprit, et qui produisent des œuvres de repentir —

55. Oui, et continuerez-vous à tourner le dos aux pauvres et à ceux qui sont dans le [2u]besoin, et à leur refuser vos biens ?

56. Et finalement, vous tous qui persisterez dans votre méchanceté, je vous dis que vous êtes ceux qui seront abattus et [2v]jetés au feu, à moins qu'ils ne se repentent promptement.

57. Et maintenant, je vous le dis, vous tous qui êtes désireux de suivre la voix du [2w]bon berger, sortez du milieu des méchants, séparez-vous-en et ne touchez pas leurs choses impures ; et voici, leurs noms seront [2x]rayés, afin que les noms des méchants ne soient pas comptés parmi les noms des justes, et pour que soit accompli la parole de Dieu qui dit Les noms des méchants ne seront pas mêlés aux noms de mon peuple ;

58. Car le nom des justes sera inscrit dans le livre de vie, et je leur donnerai un héritage à ma droite. Et maintenant, mes frères, qu'avez-vous à dire contre cela ? Je vous le dis, peu importe que vous parliez contre cela, car il faut que la parole de Dieu s'accomplisse.

59. Quel est parmi vous le berger qui, ayant beaucoup de brebis, ne veille pas sur elles pour que le

---

2q. voir g, Mos. 26.   2r, voir c, Mos. 5.   2s, vers. 35, 56. Jacob 6 : 7. 3 Né. 27 : 11, 12.   2t, 2 Né. 28 : 11-14. Morm. 8 : 36-39.   2u, voir j, Jacob 2.   2v, 2s.   2w, voir 2e.   2x, Mos. 26 : 32-36.

loup n'entre pas dévorer son troupeau ? Et voici, si un loup entre dans son troupeau, ne le chasse-t-il pas ? Oui, et pour finir, s'il le peut, il le détruira.

60. Et maintenant, je vous dis que le bon *ᵗʸberger vous appelle, et si vous voulez écouter sa voix, il vous mènera dans sa bergerie et vous deviendrez ses brebis ; et il vous ordonne de ne point permettre qu'aucun loup vorace ne pénètre parmi vous, afin que vous ne soyez point détruits.

61. Et moi, Alma, je vous commande, dans la langue de celui qui m'a commandé, d'observer ce que je vous ai dit.

62. Je vous parle sous forme de commandement, à vous qui appartenez à l'Eglise ; et à ceux qui n'appartiennent point à l'Eglise, je leur parle par voie d'invitation, disant : Venez, et soyez *ᶻᶻbaptisés au repentir, afin que vous aussi vous preniez le fruit de *ᵃl'arbre de vie.

CHAPITRE 6.

Le mouvement de réforme, entrepris à Zarahemla, s'étend à la ville de Gidéon.

1. Et * lorsque Alma eut achevé de parler au peuple de l'église qui était établie dans la ville de Zarahemla, il ᵃordonna des prêtres et des anciens, en leur imposant les mains selon l'ordre de Dieu, pour qu'ils président et surveillent l'Eglise.

2. Et * tous ceux qui n'appartenaient point à l'Eglise, mais qui se repentirent de leurs péchés, furent ᵇbaptisés au repentir et furent reçus dans l'Eglise.

3. Et * ceux qui appartenaient à l'Eglise, mais qui ne se repentirent pas de leur méchanceté et ne s'humilièrent pas devant Dieu — je veux dire ceux qui étaient exaltés dans l'orgueil de leur cœur — ceux-là furent rejetés et leurs noms furent ᶜeffacés, pour qu'ils ne fussent point comptés avec ceux des justes.

4. Et c'est ainsi qu'on commença à établir l'ordre de l'Eglise dans la ville de ᵈZarahemla.

5. Et maintenant, je voudrais que vous compreniez que la parole de Dieu était accessible à tous ; et que personne n'était privé du privilège de s'assembler pour entendre la parole de Dieu.

6. Néanmoins, il était ordonné aux enfants de Dieu de s'assembler souvent et de se réunir pour ᵉjeûner et prier avec ferveur, pour le bien des âmes de ceux qui ne connaissaient pas Dieu.

7. Et il arriva qu'après avoir fait ces règlements, Alma les quitta ; oui, il quitta l'église qui se trouvait dans la ville de Zarahemla, et s'en alla à l'est de la ᶠrivière Sidon, dans la ᵍvallée de Gidéon, étant donné qu'une ville avait été bâtie, qui s'appelait la ville de Gidéon, laquelle se trouvait dans la vallée appelée Gidéon, du nom de l'homme qui avait été ʰtué par l'épée, de la main de ⁱNéhor.

8. Et Alma s'y rendit et commença à annoncer la parole de Dieu à l'église qui était établie dans ʲla vallée de Gidéon, selon la révélation de la véracité de la parole qui avait été proclamée par ses pères, selon l'esprit de prophétie qui était en lui, selon le témoignage de Jésus-Christ, le Fils de Dieu, qui devait venir racheter son peuple de ses péchés et selon le ᵏsaint ordre par lequel il était appelé. Et c'est ce qui est écrit. Amen.

2y, voir *2e*. *2z*, voir *u*, 2 Né. 9. *3a*, voir *b*, 1 Né. 8. **CHAP.** 6 : *a*, voir *c*, Mos. 6. *b*, voir *u*, 2 Né. 9. *c*, Mos. 26 : 32-36. Al. 5 : 57, 58. *d*, Om. 13. Al. 2 : 26. *e*, voir *t*, Mos. 27. *f*, voir *g*, Al. 2. *g*, voir *m*, Al. 2. *h*, Al. 1 : 9, 15. *i*, Al. 1 : 15. *j*, voir *m*, Al. 2. *k*, voir *g*, Mos. 26. VERS 83 AV. J.-C.

CHAPITRE 7.

Paroles d'Alma au peuple de Gidéon selon ses propres annales.

—————

Son témoignage du Rédempteur. — Il loue le peuple pour sa droiture.

1. Voici, mes frères bien-aimés, étant donné qu'il m'a été accordé de venir à vous, je vais donc entreprendre de m'adresser à vous dans mon langage ; oui, de ma propre bouche, puisque c'est la première fois que je vous parle de ma propre bouche, étant donné que j'ai été ^aentièrement retenu au siège du jugement et si occupé que je n'ai pas pu venir parmi vous.

2. Et je n'aurais même pas pu venir aujourd'hui parmi vous, si le siège du jugement n'avait pas été ^bdonné à un autre pour régner à ma place ; et le Seigneur, dans sa grande miséricorde, a permis que je vienne à vous.

3. Et je suis venu avec le grand espoir et le vif désir de découvrir que vous vous êtes humiliés devant Dieu et que vous n'avez point cessé d'implorer sa grâce, de découvrir que vous êtes innocents devant lui, de découvrir que vous n'êtes point dans l'affreux dilemme où étaient nos frères à Zarahemla.

4. Mais béni soit le nom de Dieu qui m'a fait connaître, oui, qui m'a donné la joie immense d'apprendre qu'ils sont rétablis dans le chemin de sa justice.

5. Et j'espère bien, selon l'Esprit de Dieu qui est en moi, avoir aussi de la joie en vous ; néanmoins, je ne désire pas que ma joie en vous passe par ce qui m'a causé tant d'affliction et de douleur pour les frères de ^cZarahemla, car voici, ma joie en eux est venue après avoir traversé beaucoup d'affliction et de douleur.

6. Mais voici, j'espère bien que vous n'êtes pas dans ce triste état d'incrédulité où étaient plongés vos frères ; j'espère bien que vous n'êtes pas exaltés dans l'orgueil de votre cœur ; oui, j'espère bien que vous n'avez point mis votre cœur dans la ^drichesse et dans les choses vaines du monde ; oui, j'espère bien que vous n'adorez point les idoles, mais que vous adorez le Dieu vrai et vivant ; et que, pleins d'une foi éternelle, vous êtes dans l'attente de la rémission de vos péchés qui doit venir.

7. Car je vous dis : Beaucoup de choses doivent arriver ; et il y a une chose qui est plus importante que toutes les autres — c'est que le temps n'est pas éloigné où le Rédempteur viendra et vivra au milieu de son peuple.

8. Je ne dis pas qu'il viendra parmi nous au temps où il sera revêtu de son tabernacle mortel, car l'Esprit ne m'a pas dit qu'il en serait ainsi. Je ne le sais donc pas ; mais ce que je sais, c'est que le Seigneur Dieu a le pouvoir d'accomplir tout ce qui est selon sa parole.

9. Voici ce que l'Esprit m'a dit : Crie à ce peuple, et dis-lui — Repens-toi ; prépare la voie du Seigneur, et marche dans ses sentiers, qui sont droits ; car le royaume des cieux est proche, et le Fils de Dieu vient sur la face de la terre.

10. Et voici, il ^enaîtra de Marie, à Jérusalem, pays de nos ancêtres ; elle sera ^fvierge, vase de prix et de choix ; elle sera couverte de l'ombre du Saint-Esprit, et concevra par son pouvoir, et elle enfantera un fils, oui, même le Fils de Dieu ;

11. Il viendra endurer des douleurs, des afflictions, et des tenta-

---

a, Mos. 29 : 42.   *b*, Al. 4 : 16-18.   *c*, Om. 13.   *d*, voir 2t, Al. 5.   *e*, Mos. 3 : 8.
f, 1 Né. 11 : 13-21. Mos. 3 : 8.   VERS 83 AV. J.-C.

tions de toutes sortes ; et cela, pour que soit accompli la parole qui dit : Il se *chargera des peines et des misères de son peuple.

12. Il prendra sur lui la mort pour rompre les *liens de la mort qui entravent son peuple ; il prendra ses infirmités, afin que ses entrailles soient remplies de miséricorde selon la chair, et pour connaître, d'après la chair, comment secourir son peuple dans ses infirmités.

13. Or, l'Esprit *connaît toutes choses, cependant le Fils de Dieu souffre selon la chair, afin de *prendre sur lui les péchés de son peuple, afin d'effacer ses transgressions par le pouvoir de sa délivrance ; et maintenant voici, c'est là le témoignage qui est en moi.

14. Et je vous dis maintenant que vous devez vous repentir et *naître de nouveau ; car l'Esprit dit : Si vous ne naissez pas de nouveau, vous ne pouvez hériter du royaume des cieux. C'est pourquoi venez et soyez *baptisés au repentir, afin que vous soyez lavés de vos péchés, que vous ayez foi en l'Agneau de Dieu, qui *ôte les péchés du monde, qui est puissant à sauver et à laver de toute iniquité.

15. Oui, je vous le dis, venez et ne craignez point, délaissez tout péché, qui vous obsède aisément et vous entraîne à la destruction ; oui, venez montrer à votre Dieu que vous êtes disposés à vous repentir de vos péchés, et à faire alliance avec lui de garder ses commandements, et de le lui témoigner aujourd'hui, en entrant dans les eaux du *baptême.

16. Et quiconque fait cela et

garde désormais les commandements de Dieu, se souviendra que je lui dis, oui, il se souviendra que je lui ai dit qu'il aura la vie éternelle, selon le témoignage du Saint-Esprit qui témoigne en moi.

17. Et maintenant, mes frères bien-aimés, croyez-vous cela ? Voici, je vous dis que oui, je sais que vous le croyez, et c'est par la manifestation de l'Esprit qui est en moi que je sais que vous y croyez. Et parce que votre foi est grande à ce sujet, oui, au sujet de ce que j'ai dit, ma joie est grande.

18. Car, comme je vous l'ai dit dès le commencement, que j'avais le grand désir que vous ne fussiez pas dans le même *dilemme que vos frères, de même ai-je trouvé que mes désirs ont été satisfaits.

19. Car je m'aperçois que vous êtes dans les sentiers de la justice ; je m'aperçois que vous êtes dans le sentier qui mène au royaume de Dieu ; oui, je m'aperçois que vous aplanissez ses *sentiers.

20. Je m'aperçois qu'il vous a été révélé, par le témoignage de sa parole, qu'il ne peut marcher dans des chemins tortueux ; et il ne dévie pas non plus de ce qu'il a dit ; pas plus qu'il ne révèle la moindre tendance à tourner de droite à gauche, ou de ce qui est juste à ce qui est injuste ; c'est pourquoi, sa carrière est une *ronde éternelle.

21. Et il n'habite point dans des *temples profanes ; et la souillure ou tout ce qui est impur ne peut pas non plus être reçu dans le royaume de Dieu ; aussi je vous dis que le temps viendra, oui, et ce sera au dernier jour, où celui qui est impur *restera dans son impureté.

g, Mos. 14 : 3-5.   h, voir g et j, 2 Né. 9.   i, voir r, 2 Né. 9.   j, Mos. 14 : 5, 8, 12. 15 : 12.   k, voir c, Mos. 5.   l, voir u, 2 Né. 9.   m, voir f, 2 Né. 2. n, voir u, 2 Né. 9.   o, vers. 3-6.   p, voir 2a, 2 Né. 9.   q, voir 1 Né. 10 : 19. Al. 37 : 12.   r, Mos. 2 : 37. Al. 34 : 36. Héla. 4 : 24   s, voir o, 2 Né. 9.

Vers 83 av. J.-C.

22. Or, mes frères bien-aimés, je vous ai dit ces choses pour vous éveiller au sentiment de votre devoir envers Dieu, afin que vous marchiez innocents devant lui, et que vous marchiez selon le saint ordre de Dieu, d'après lequel vous avez été reçus.

23. C'est pourquoi, je voudrais que vous soyez humbles, et que vous soyez soumis et doux, faciles à supplier, remplis de patience et de longanimité, tempérants en toutes choses, diligents à garder en tout temps les commandements de Dieu, priant pour tous vos besoins, tant spirituels que temporels, rendant sans cesse grâces à Dieu pour tout ce que vous recevez.

24. Et veillez à ᵘavoir la foi, l'espérance et la charité ; alors vous abonderez toujours en bonnes œuvres.

25. Et puisse le Seigneur vous bénir, et garder vos vêtements sans tache, afin que, avec Abraham, Isaac, Jacob, et les saints prophètes depuis le commencement du monde, vous puissiez vous asseoir dans le royaume des cieux, pour n'en plus sortir, ayant vos vêtements sans tache comme ils ont leurs vêtements sans tache.

26. Je vous ai dit ces choses, mes frères bien-aimés, d'après l'Esprit qui témoigne en moi ; et mon âme se réjouit extrêmement de la diligence et de l'attention que vous avez mises à m'écouter.

27. Et maintenant, que la paix de Dieu repose sur vous, sur vos maisons, sur vos terres, vos troupeaux et sur tout ce que vous possédez, vos femmes et vos enfants, selon votre foi et vos œuvres, désormais et pour toujours. Et j'ai dit. Amen.

CHAPITRE 8.

Succès d'Alma à Mélek. — Le peuple d'Ammonihah le chasse. — Réconforté par un ange, il y retourne. — Amulek se joint à lui dans le ministère. — Un grand pouvoir leur est donné.

1. * Alma revint du pays de Gidéon, après avoir enseigné au peuple de ᵃGidéon beaucoup de choses qui ne peuvent pas être écrites, ayant établi l'ordre de l'Eglise, ainsi qu'il l'avait fait auparavant au ᵇpays de Zarahemla, oui, il revint chez lui à Zarahemla, se reposer de ses travaux.

2. Ainsi finit la neuvième année du règne des juges sur le peuple de Néphi.

3. * Au commencement de la †dixième année du règne des juges sur le peuple de Néphi, Alma partit de nouveau pour aller au ᶜpays de Mélek, à l'ouest de la rivière ᵈSidon, à l'ouest près des frontières du désert.

4. Il commença à instruire le peuple dans le pays de Mélek, selon le ᵉsaint ordre de Dieu, par lequel il avait été appelé ; et il commença à enseigner le peuple dans tout ᶠle pays de Mélek.

5. Et il arriva que les gens vinrent à lui de toutes les frontières du pays qui se trouvait sur le côté du désert. Et ils furent ᵍbaptisés à travers tout le pays ;

6. Et lorsqu'il eut fini son œuvre à ʰMélek, il partit de là et voyagea pendant trois jours vers le nord du pays de Mélek ; et il arriva à une ville appelée ᶦAmmonihah.

7. Or le peuple de Néphi avait coutume d'appeler ses contrées, ses villes et ses villages, oui, même tous ses petits villages, du nom de leur premier propriétaire ; et il en était ainsi du pays d'ʲAmmonihah.

t, voir *e*, 2 Né. 32.   *u*, Al. 13 : 29. Eth. 12 : 31-34. Moro. 7.   CHAP. 8 : *a*, voir *m*, Al. 2.   *b*, Om. 13.   *c*, vers. 4, 5, 6. Al. 31 : 6. 35 : 13. 45 : 18.   *d*, voir *g*. Al. 2.   *e*, voir *g*, Mos. 26.   *f*, voir *c*.   *g*, voir *u*, 2 Né. 9.   *h*, voir *c*.   *i*, vers. 7-9, 14, 16, 18, 19. Al. 9 : 1. 14 : 23. 15 : 1, 15, 16. 16 : 2, 3, 9, 11. 25 : 2. 49 : 1, 3, 10, 11, 14, 15. Héla. 5 : 10.   *j*, voir *i*.   † VERS 82 AV. J.-C.

8. * Arrivé dans la ville d'Ammonihah, Alma commença à prêcher au peuple la parole de Dieu.

9. Or, Satan avait obtenu un grand empire sur le cœur du peuple d'Ammonihah ; c'est pourquoi, ils ne voulurent point écouter les paroles d'Alma.

10. Néanmoins, Alma fit de gros efforts en esprit, luttant avec Dieu en [k]d'ardentes prières pour qu'il déversât son Esprit sur le peuple de la ville ; afin qu'il lui accordât de le [l]baptiser au repentir.

11. Mais ils s'endurcissaient le cœur, lui disant : Voici, nous savons que tu es Alma ; nous savons aussi que tu es le [m]grand-prêtre de l'Eglise que tu as établie, selon ta tradition, dans de nombreuses parties du pays. Mais nous ne sommes point de ton Eglise, et ne croyons pas en tes folles traditions.

12. Et nous savons que, comme nous ne sommes pas de ton Eglise, tu n'as aucun pouvoir sur nous ; et tu as livré le siège du [n]jugement à Néphihah ; c'est pourquoi, tu n'es pas notre grand-juge.

13. Alors, lorsque le peuple eut dit cela, et qu'il eut repoussé les paroles d'Alma, et l'eut insulté, et eut craché sur lui, et l'eut fait chasser de sa ville, il partit pour la ville appelée Aaron.

14. Et * pendant qu'il s'y rendait, tout accablé de chagrin, traversant une grande tribulation et l'âme remplie d'une grande angoisse à cause de la méchanceté du peuple de la ville [o]d'Ammonihah, * pendant qu'Alma était ainsi accablé de chagrin, voici, un ange du Seigneur lui apparut et lui dit :

15. Tu es béni, Alma ; c'est pourquoi, lève la tête et réjouis-toi, car tu as grand sujet de te réjouir ; tu as été fidèle à garder les commandements de Dieu, depuis le jour où tu as reçu ton premier message de lui. Voici, je suis celui qui te l'as [p]remis.

16. Et voici, je suis envoyé pour t'ordonner de retourner à la ville d'Ammonihah et de prêcher de nouveau au peuple de cette ville ; oui, prêche-lui. Oui, dis-lui qu'à moins qu'il ne se repente, le Seigneur Dieu [q]l'exterminera.

17. Car, en ce moment même, il cherche à détruire la liberté de ton peuple (car ainsi dit le Seigneur), ce qui est contraire aux statuts, aux jugements et aux commandements qu'il a donnés à son peuple.

18. * Alma, ayant reçu ce message de l'ange du Seigneur, retourna promptement au pays d'Ammonihah. Et il entra dans la ville par un autre chemin, oui, par le chemin qui est au sud de la [r]ville d'Ammonihah.

19. Et comme il entrait dans la ville, étant affamé, il dit à un homme : Veux-tu donner à un humble serviteur de Dieu quelque chose à manger ?

20. Et l'homme lui dit : Je suis Néphite, et je sais que tu es un saint prophète de Dieu, car tu es l'homme au sujet duquel un ange m'a dit, en vision : Tu le recevras. C'est pourquoi, entre avec moi dans ma maison, et je te donnerai de ma nourriture ; et je sais que tu me seras une [t]bénédiction, pour moi et ma maison.

21. * L'homme le reçut dans sa maison ; et l'homme s'appelait Amulek ; il apporta du pain et de la viande, qu'il plaça devant Alma.

22. * Alma mangea du pain et fut rassasié ; et il bénit Amulek et sa maison, et rendit grâces à Dieu.

k, voir *e*, 2 Né. 32. *l*, voir *u*, 2 Né. 9. *m*, voir *g*, Mos. 26. *n*, Al. 4 : 16, 17. *o*, voir *i*. *p*, Mos. 27 : 11-16. *q*, vers. 29. Al. 9 : 4, 12, 18, 24. 10 : 19, 23, 27. 16 : 2, 3, 9-11. *r*, voir *i*. *s*, Al. 10 : 7-9. *t*, vers. 22, 26. Al. 10 : 7, 11.

VERS 82 AV. J.-C.

23. Et lorsqu'il eut mangé et fut rassasié, il dit à Amulek : Je suis Alma et je suis le "grand-prêtre de l'Eglise de tout ce pays.

24. J'ai été appelé à prêcher la parole de Dieu parmi tout ce peuple, selon l'esprit de révélation et de prophétie ; et je suis déjà venu dans ce pays et on n'a pas voulu me recevoir, mais on m'a "chassé et j'étais prêt à tourner le dos à ce pays pour toujours.

25. Mais voici, il m'a été ordonné de revenir lui "prophétiser, oui, et de témoigner contre lui concernant ses iniquités.

26. Et maintenant, Amulek, parce que tu m'as nourri et que tu m'as fait entrer, tu es "béni ; car j'étais affamé, car j'avais "jeûné de nombreux jours.

27. Et Alma resta de nombreux jours avec Amulek avant de commencer à prêcher le peuple.

28. Et * le peuple devenait de plus en plus grossier dans ses iniquités.

29. Alors la parole vint à Alma, disant : Va, et dis aussi à mon serviteur Amulek, va, prophétise à ce peuple, disant : Repentez-vous ; car ainsi dit le Seigneur, à moins que vous ne vous repentiez, je visiterai ce peuple dans ma colère ; oui, et je ne détournerai pas l'ardeur de ma colère.

30. Et Alma alla, ainsi qu'Amulek, parmi le peuple, pour lui déclarer les paroles de Dieu ; et ils étaient remplis du Saint-Esprit.

31. Et du pouvoir leur fut donné, de sorte qu'on ne pouvait les enfermer dans des cachots ; et il n'était pas possible non plus à qui que ce fût de les tuer ; cependant, ce pouvoir, ils ne l'exerçaient que quand ils étaient "entravés de liens et jetés en prison. Et cela se faisait pour

que le Seigneur pût montrer sa puissance en eux.

32. Et * ils sortirent et commencèrent à prêcher et à prophétiser au peuple, selon l'esprit et le pouvoir que le Seigneur leur avait donnés.

Paroles d'Alma et aussi paroles d'Amulek qui furent déclarées au peuple qui se trouvait au pays d'Ammonihah. Ils sont jetés en prison et délivrés par le pouvoir miraculeux de Dieu qui était en eux, d'après le récit d'Alma.

Chapitres 9 à 14 inclusivement.

CHAPITRE 9.

Alma prêche au peuple d'Ammonihah et l'appelle à la repentance. — Son témoignage est rejeté.

1. Or, moi Alma, ayant reçu de Dieu l'ordre d'emmener "Amulek et d'aller prêcher de nouveau à ce peuple, ou au peuple qui se trouvait dans la ville "d'Ammonihah, il arriva que lorsque je commençai à leur prêcher, ils se mirent à disputer avec moi, disant :

2. Qui es-tu ? Penses-tu que nous croirons au témoignage d'un seul homme, lors même qu'il nous annoncerait que la terre va passer ?

3. Et ils ne comprenaient pas ce qu'ils disaient, car ils ignoraient que la terre va passer.

4. Et ils disaient aussi : Nous ne croirons pas en tes paroles, dussent-elles prophétiser que cette grande ville sera détruite en "un jour.

5. Ils ne savaient pas que Dieu peut faire des choses aussi miraculeuses, car ils étaient un peuple au cœur dur et au cou raide.

6. Et ils disaient : Qui est Dieu qui n'envoie pas plus d'autorité qu'un seul homme parmi ce peuple pour lui déclarer la vérité de choses si grandes et si miraculeuses ?

---

u, voir *g*, Mos. 26. *v*. vers. 13. *w*, vers. 16. *x*, voir *t*. *y*, voir *t*, Mos. 27. *z*, voir *q*. 2a, Al. 14 : 17-29. CHAP. 9 : *a*, Al. 8 : 29. *b*, voir *i*, Al. 8. *c*. Al. 16 : 9, 10.

7. Et ils s'avancèrent pour mettre les mains sur moi ; mais ils ne le firent pas. Et je me tins avec assurance pour leur déclarer, oui, je leur témoignai hardiment, disant :

8. Voici, ô génération méchante et perverse, comment avez-vous oublié la tradition de vos pères ? Oui, comme vous avez oublié promptement les commandements de Dieu.

9. Ne vous souvenez-vous plus que notre père Léhi a été emmené de Jérusalem par la main de Dieu ? Ne vous souvenez-vous pas qu'ils ont tous été conduits par lui à travers le désert ?

10. Avez-vous si tôt oublié combien de fois il a délivré nos pères des mains de leurs ennemis, et les a préservés de la destruction des mains mêmes de leurs propres frères ?

11. Oui, et s'il n'y avait eu l'incomparable puissance de Dieu, sa miséricorde et sa longanimité envers vous, nous aurions été inévitablement retranchés de la surface de la terre, et ce longtemps avant notre époque, et peut-être consignés à un état de douleur et de [d]misère sans fin.

12. Et maintenant, je vous dis qu'il vous commande de vous repentir ; et à moins de vous repentir, il n'est pour vous aucun moyen d'hériter du royaume de Dieu. Mais ce n'est pas tout — il vous ordonne de vous repentir, sinon il vous [e]exterminera de la surface de la terre ; oui, il vous visitera dans sa colère, et dans [f]l'ardeur de sa colère, il ne se détournera pas.

13. Voici, ne vous souvenez-vous pas qu'il a dit à Léhi : Tant que vous garderez mes [g]commandements, vous prospérerez dans le pays ? Et il est encore dit : Si vous ne gardez pas mes commandements,

vous serez retranchés de la présence du Seigneur.

14. Maintenant, je voudrais que vous vous rappeliez que, comme les Lamanites n'ont point gardé les commandements de Dieu, ils ont été retranchés de la présence du Seigneur. Par là nous voyons que la parole du Seigneur s'est vérifiée en ceci, et que les [h]Lamanites ont été retranchés de sa présence, dès le début de leurs transgressions dans le pays.

15. Cependant, je vous dis que le jour du jugement leur sera plus tolérable qu'à vous si vous persistez dans vos péchés ; oui, même plus tolérable dans cette vie pour eux que pour vous, à moins que vous ne vous repentiez.

16. Car beaucoup de promesses sont faites aux Lamanites ; car s'ils sont restés dans leur état d'ignorance, c'est à cause des [i]traditions de leurs pères ; et pour cela, le Seigneur leur fera miséricorde et [j]prolongera leur existence dans le pays.

17. Et un jour viendra où ils seront amenés à croire en sa parole. Ils connaîtront alors la fausseté des traditions de leurs pères ; et beaucoup d'entre eux seront sauvés, car le Seigneur sera miséricordieux envers tous ceux qui invoquent son nom.

18. Mais voici, je vous dis que si vous persistez dans votre iniquité, vos jours ne seront point prolongés dans le pays, car les Lamanites seront envoyés contre vous ; et si vous ne vous repentez pas, ils viendront au moment où vous ne vous y attendrez pas et vous serez frappés [k]d'extermination totale et ce sera avec [l]l'ardeur de la colère du Seigneur ;

19. Car il ne permettra pas que vous viviez dans vos iniquités, pour

d, voir [m], Jacob 6.   e, voir [q], Al. 8.   f, Al. 8 : 29.   g, 2 Né. 1 : 9. 4 : 4.
Voir b, 1 Né. 2.   h, voir b. 1 Né. 2.   i, Mos. 10 : 11-17.   j, Énos 13. Voir c,
2 Né. 27. Héla. 15 : 10-16.   k, Al. 16 : 2, 3, 9-11.   l, Al. 8 : 29. 9 : 12.

détruire son peuple. Je vous dis que non ; il aimerait mieux permettre aux Lamanites de détruire ^mtout son peuple, qui est appelé le peuple de Néphi, s'il était possible qu'il tombât dans le péché et la transgression après avoir reçu du Seigneur son Dieu tant de lumière et tant de connaissance.

20. Oui, après avoir été un peuple si hautement favorisé du Seigneur ; oui, après avoir été favorisé plus que toute autre nation, famille, langue ou peuple ; après avoir reçu la connaissance de toutes choses, selon ses désirs, sa foi et ses prières, de ce qui a été, de ce qui est et de ce qui sera ;

21. Ayant été visité de l'Esprit de Dieu ; ayant conversé avec les anges et entendu la voix du Seigneur lui parler ; ayant l'esprit de prophétie, l'esprit de révélation, et aussi de nombreux dons, le don de parler en langues, le don de prédication, le don du Saint-Esprit, et le don de ⁿtraduction ;

22. Après avoir été délivré du pays de Jérusalem par la main du Seigneur ; après avoir été sauvé de la famine, de la maladie et de toutes sortes d'infirmités ; fortifié dans les combats pour ne pas être détruit ; et ^otiré chaque fois de la servitude ; ayant été gardé et préservé jusqu'à ce jour, et ayant prospéré au point de devenir riche en toutes choses —

23. Et maintenant je vous dis que si ce peuple, qui a reçu tant de bénédictions de la main du Seigneur, transgresse à l'encontre de la lumière et de la connaissance qu'il a, je vous dis que si c'était le cas, que s'il tombait en transgression, ce serait de loin plus tolérable pour les Lamanites que pour lui.

24. Car voici, les promesses du Seigneur ont été ^paccordées aux Lamanites, mais elles ne sont pas pour vous si vous transgressez ; car le Seigneur n'a-t-il pas expressément promis et fermement décrété que, si vous vous révoltez contre lui, vous serez détruits ^qentièrement de la surface de la terre ?

25. Et maintenant, pour que vous ne soyez pas détruits, le Seigneur a envoyé son ange pour visiter beaucoup d'hommes de son peuple, leur déclarant qu'ils devaient aller et crier puissamment à ce peuple, disant : Repentez-vous, car le royaume des cieux est proche ;

26. Et il ne se passera pas beaucoup de jours que le Fils de Dieu ne vienne dans sa gloire et sa gloire sera la gloire du Fils unique du Père, plein de grâce, de justice et de vérité, plein de patience, de miséricorde et de longanimité ; prompt à entendre les cris de son peuple et à exaucer ses prières.

27. Et voici, il vient pour racheter ceux qui, par leur foi en son nom, seront ^rbaptisés au repentir.

28. C'est pourquoi, préparez la voie du Seigneur, car le temps est proche où tous les hommes récolteront la récompense de leurs œuvres, selon ce qu'elles ont été ; si elles ont été justes, ils récolteront le salut de leur âme par la puissance et la délivrance de Jésus-Christ ; et si elles ont été injustes, ils récolteront la damnation de leur âme, par la ^spuissance et la captivité du démon.

29. Et c'est la voix de l'ange qui crie au peuple.

30. Et maintenant, mes frères bien-aimés, car vous êtes mes frères, et vous devriez être bien-aimés, vous devriez produire des œuvres dignes de repentance, vous dont le cœur a été grossièrement endurci contre la parole de Dieu,

---

vous qui êtes un peuple 'perdu et déchu.

31. * Quand moi, Alma, j'eus dit ces paroles, voici, le peuple fut en colère contre moi, parce que je lui avais dit qu'il était "un peuple au cœur dur et au cou raide.

32. Et aussi parce que je lui avait dit qu'il était un peuple ᵖperdu et déchu, il fut en colère contre moi, et il essaya de mettre les mains sur moi pour me jeter en prison.

33. Mais * le Seigneur ne permit pas qu'ils s'emparassent de moi à ce moment-là et me jetassent en prison.

34. Et * Amulek s'avança devant eux et commença aussi à leur prêcher. Les paroles d'Amulek ne sont pas toutes écrites, néanmoins une partie de ses paroles est écrite dans ce livre.

CHAPITRE 10.

Lignage d'Amulek. — Léhi est un descendant de Joseph par Manassé. — Amulek raconte sa conversion. — Son témoignage. — Il dénonce les juges et les docteurs de la loi retors et pervers. — Zeezrom.

1. Voici, maintenant, les paroles qu'Amulek prêcha au peuple qui se trouvait dans le ᵃpays d'Ammonihah ;

2. Je suis Amulek ; je suis le fils de Giddonah, fils d'Ismaël, descendant d'Aminadi ; ce même Aminadi qui interpréta l'écriture qui se trouvait sur le mur du temple, qui fut écrite par le doigt de Dieu.

3. Et Aminadi descendait de Néphi, fils de Léhi, qui sortit du pays de Jérusalem et qui descendait de Manassé, fils ᶻde Joseph vendu en Egypte par les mains de ses frères.

4. Et voici, je suis aussi un homme dont la réputation n'est pas

peu grande parmi tous ceux qui me connaissent ; oui, et voici, j'ai ᵇnombre de parents et d'amis et j'ai aussi acquis beaucoup de richesses par la main de mon industrie.

5. Néanmoins, malgré tout cela, je n'ai jamais beaucoup été au courant des voies du Seigneur, ni de ses mystères, ni de sa puissance merveilleuse. J'ai dit que je n'ai jamais beaucoup été au courant de cela ; mais voici, je me trompe, car j'ai vu beaucoup de ses mystères et de sa puissance merveilleuse ; oui, même dans la conservation de la vie de ce peuple.

6. Cependant je m'endurcis le cœur, car je fus appelé de nombreuses fois et je ne voulus pas écouter ; c'est pourquoi, j'étais au courant de ces choses, et je refusai de le reconnaître. Aussi continuai-je, dans la perversité de mon cœur, à me rebeller contre Dieu jusqu'au quatrième jour de ce septième mois qui se trouve dans la dixième année du règne des juges.

7. Comme je voyageais pour voir un très proche parent, voici, un ange du Seigneur ᵉm'apparut, et dit : Amulek, retourne chez toi, car tu nourriras un prophète du Seigneur, un saint homme, choisi de Dieu. Il a ᵈjeûné de nombreux jours à cause des péchés de ce peuple et il est affamé. Tu le recevras chez toi et tu le nourriras ; et il te bénira, ᵉtoi et ta maison ; et la bénédiction du Seigneur demeurera sur toi et sur ta maison.

8. * J'obéis à la ᶠvoix de l'ange, et je retournai chez moi. Et comme j'y allais, je rencontrai ᵍl'homme au sujet duquel l'ange m'avait dit : Tu le recevras dans ta maison. Et c'était celui-là même qui vient de vous parler touchant les choses de Dieu.

---

t, vers. 32. Al. 12 : 22.   *u,* vers. 5. 2 Né. 25 : 28. Mos. 3 : 14.   *v,* vers. 30.
CHAP. 10 : *a,* voir *i,* Al. 8.   *z,* 1 Né. 5 : 14.   *b,* vers. 11. Al. 15 : 16.   *c,* vers. 8.
9. Al. 8 : 20.   *d,* voir *t,* Mos. 27.   *e,* voir *t,* Al. 8.   *f,* Al. 8 : 20.   *g,* Al. 8 : 20.
VERS 82 AV. J.-C.

9. L'ange m'avait dit : C'est un [h]saint homme. Je sais donc que c'est un saint homme, car un ange de Dieu l'a dit.

10. De plus, je sais que les choses dont il a témoigné sont vraies, car, je vous le dis, aussi vrai que le Seigneur vit, il m'a envoyé son ange pour me manifester ces choses ; et il l'a fait, alors même qu'Alma, dont je vous parle, [i]était chez moi ;

11. Car il a [j]béni ma maison, il m'a béni, moi, mes femmes, mes enfants, mon père et mes parents, oui, il a même béni toute ma famille ; et la bénédiction du Seigneur est demeurée sur nous, selon ses paroles.

12. Quand Amulek eut ainsi parlé, le peuple commença à être tout étonné, car il voyait qu'il y avait [k]plus d'un témoin qui attestait les choses dont il était accusé et aussi les choses qui devaient arriver, d'après l'esprit de prophétie qui était en eux.

13. Mais il y en avait quelques-uns qui voulaient les interroger, pensant, par des artifices subtils, les prendre au piège dans leurs paroles, et trouver ainsi un témoignage contre eux, afin de les livrer aux juges pour qu'ils fussent jugés selon la loi, mis à mort ou jetés en prison, selon le crime qu'ils pouvaient faire apparaître ou dont ils pourraient témoigner contre eux.

14. Et ces hommes qui cherchaient à les détruire étaient des [l]docteurs de la loi qui étaient loués ou nommés par le peuple pour appliquer la loi pendant leurs périodes de jugements ou au jugement des crimes du peuple devant les juges.

15. Ces docteurs de la loi étaient instruits dans tous les arts et dans toutes les ruses du peuple ; ceci dans le but de les rendre capables d'être habiles dans leur profession.

16. * Ils se mirent à questionner Amulek, cherchant par là à le surprendre dans ses paroles, ou à se contredire dans les paroles qu'il prononçait.

17. Mais ils ignoraient qu'Amulek pût connaître leurs desseins. * Quand ils eurent commencé à le questionner, il découvrit leurs pensées, et il leur dit : Malheur à vous, génération méchante et perverse, [m]docteurs de la loi hypocrites ; car vous posez les fondations du diable ; car vous dressez des trappes et des pièges pour y faire tomber les saints de Dieu ;

18. Vous tramez les complots pour pervertir les voies des justes, et vous attirez la colère de Dieu sur votre tête, même jusqu'à l'entière extermination de ce peuple.

19. Oui, Mosiah qui fut notre dernier roi, a bien dit, quand il était sur le point de remettre le royaume, n'ayant personne à qui le conférer et qu'il arrêta que ce peuple serait gouverné par sa propre voix — oui, il a bien dit que si le temps arrivait où [n]la voix de ce peuple choisirait l'iniquité, c'est-à-dire que si le temps venait où ce peuple tomberait en transgression, il serait mûr pour la destruction.

20. Et maintenant, je vous dis que le Seigneur juge bien vos iniquités ; il crie bien à ce peuple, par la voix de ses anges : Repentez-vous, repentez-vous, car le royaume des cieux est proche.

21. Oui, il crie bien par la voix de ses anges : Je descendrai parmi mon peuple, l'équité et la justice dans les mains.

22. Oui, et je vous dis que sans les prières des justes qui sont maintenant dans le pays, vous seriez à l'instant même visités par une entière destruction ; et ce ne serait pas

par un déluge, comme ce le fut pour le peuple au temps de Noé, mais ce serait par la famine, la peste et l'épée.

23. Et c'est aux °prières des justes que vous devez d'être épargnés ; or, si vous chassez les justes de parmi vous, le Seigneur alors ne retiendra plus sa main ; mais, dans sa °colère ardente, il sortira contre vous, et vous serez frappés par la famine, par la peste et par l'épée ; et le temps est proche, à moins que vous ne vous repentiez.

24. Et * le peuple s'irrita encore plus contre Amulek, et il criait, disant : Cet homme insulte nos lois qui sont justes, et nos savants °docteurs de la loi que nous avons choisis.

25. Mais Amulek, étendit la main et leur cria encore plus fort : O génération méchante et perverse, pourquoi Satan a-t-il une si grande emprise sur votre cœur ? Pourquoi voulez-vous vous céder à lui pour qu'il ait pouvoir sur vous de vous aveugler les yeux de sorte que vous ne voulez pas comprendre les paroles qui sont dites, selon leur vérité ?

26. Car voici, ai-je témoigné contre votre loi ? Vous ne comprenez pas ; vous dites que j'ai parlé contre votre loi, je n'en ai rien fait, mais j'ai parlé en faveur de votre loi, pour votre condamnation.

27. Et maintenant, je vous déclare que le fondement de la °destruction de ce peuple commence à être posé par l'injustice de vos °docteurs de la loi et de vos juges.

28. Et * quand Amulek eut dit ces choses, le peuple cria contre lui, disant : Nous savons maintenant que cet homme est un enfant du diable, car il nous a menti ; car il a parlé contre notre loi. Et main-

tenant, il dit qu'il n'a pas parlé contre elle.

29. De plus il a outragé nos docteurs de la loi et nos juges.

30. Et * les docteurs de la loi mirent au cœur du peuple la pensée de se rappeler ces choses pour s'en servir contre lui.

31. Il y en avait un parmi eux, nommé Zeezrom. Il était le premier à accuser Amulek et Alma, étant un des plus experts d'entre eux et ayant beaucoup d'affaires parmi le peuple.

32. Le but de ces docteurs de la loi était le °gain, et plus ils avaient d'affaires, plus ils °gagnaient.

CHAPITRE 11.

Les juges et leur salaire. — Monnaie et mesures néphites. — Zeezrom est confondu par Amulek.

1. Il était inscrit dans la loi de Mosiah que tout homme qui était juge de la loi, ou ceux qui étaient nommés juges recevraient des salaires en raison du °temps qu'ils mettaient à juger ceux qui étaient amenés devant eux pour être jugés.

2. Maintenant, si un homme était débiteur d'un autre homme et se refusait à payer ce qu'il devait, plainte en était portée devant le juge ; et le juge, muni de l'autorité, envoyait des officiers pour que l'homme fût amené devant lui ; et il jugeait l'homme selon la loi, selon les preuves qui étaient apportées contre lui ; et l'homme était ainsi contraint de payer ce qu'il devait, ou était dépouillé, ou chassé d'entre le peuple comme voleur et brigand.

3. Et le juge recevait son salaire selon l'emploi de son °temps — une °sénine d'or par jour, ou un °sénum d'argent, qui est équivalent

o. voir e. 2 Né. 32.   p. voir q. Al. 8.   q. voir g. Al. 8.   r. voir g. Al. 8.   s. voir l.
t. Al. 11 : 20.   u. Al. 11 : 3. 20.   Chap. 11 : a. vers. 3. 20. Al. 10 : 31, 32.
b. vers. 20. Al. 10 : 31, 32.   c. vers. 5, 7, 8. Al. 30 : 33. 3 Né. 12 : 26.   d. vers. 6,
7. 11. 12. 15.   Vers 82 av. J.-C.

à une sénine d'or ; c'était ce qui était fixé par la loi.

4. Voici les noms des différentes pièces de leur or et de leur argent, selon leur valeur. Et les noms sont donnés par les Néphites, car ils ne comptaient pas à la manière des Juifs qui étaient à Jérusalem ; ils ne mesuraient pas non plus comme les Juifs ; mais ils changeaient leur calcul et leurs mesures suivant la volonté du peuple, selon les circonstances, dans chaque génération jusqu'au règne des juges où ils furent établis par le *roi Mosiah.

5. Le calcul fut ainsi fixé : Une 'sénine d'or, un séon d'or, un shum d'or, et un limnah d'or.

6. Un sénum *d'argent, un amnor d'argent, un ezrom d'argent, et un onti d'argent.

7. Un sénum d'argent *équivalait à une sénine d'or, ainsi qu'à une mesure d'orge ou une mesure de toute espèce de grains.

8. La valeur d'un séon d'or était deux fois la valeur d'une sénine.

9. Et un shum d'or était deux fois la valeur d'un séon.

10. Un limnah d'or représentait la valeur de tous les autres.

11. Un amnor d'argent était aussi grand que deux sénums.

12. Et un ezrom d'argent était aussi grand que quatre sénums.

13. Enfin un 'onti représentait l'ensemble de tous les autres.

14. Voici maintenant la valeur des plus petits nombres de leur calcul :

15. Un shiblon est la moitié d'un sénum, donc un shiblon vaut la moitié d'une mesure d'orge ;

16. Et un shiblum est la moitié d'un shiblon ;

17. Et un léah est la moitié d'un shiblum.

18. Telle était leur manière de compter.

19. Un antion d'or équivaut à trois shiblons.

20. Or c'était dans le seul but de gagner de l'argent, parce qu'ils recevaient leur salaire selon leur emploi, c'est pourquoi ils excitaient le peuple à des émeutes, à toute espèce de troubles et d'iniquités, pour en avoir plus d'occupation, afin d'obtenir plus d'argent, selon les procès qui étaient portés devant eux. C'est pour cela qu'ils excitèrent le peuple contre Alma et Amulek.

21. Et ce Zeezrom commença à questionner Amulek, disant : Veux-tu me répondre à quelques questions que je vais te poser ? Or, Zeezrom était très versé dans les artifices du diable en vue de détruire le bien. C'est pourquoi il dit à Amulek : Veux-tu répondre aux questions que je vais te poser ?

22. Et Amulek lui répondit : Oui, si c'est selon l'Esprit du Seigneur qui est en moi, car je ne dirai rien de contraire à l'Esprit du Seigneur. Et Zeezrom lui dit : Voici six *ontis d'argent, je te les donnerai si tu nies l'existence d'un Etre suprême.

23. Amulek dit : O enfant de l'enfer, pourquoi me tentes-tu ? Sais-tu que le juste ne succombe jamais à de telles tentations ?

24. Crois-tu qu'il n'y a point de Dieu ? Je te le dis, non, tu sais qu'il y a un Dieu ; mais tu aimes le lucre plus que lui.

25. Tu m'as donc menti devant Dieu. Tu m'as dit — Voici 'six ontis, qui ont une valeur considérable ; je te les donnerai — alors que dans ton cœur, tu as l'intention de me les refuser ; ton seul désir était de me faire nier le Dieu vrai et vivant, pour avoir l'occasion de me détruire. Et maintenant voici, pour ce grand mal, tu auras ta récompense.

---

e, Mos. 29.   f, voir c.   g, voir d.   h, vers. 3.   i, vers. 6, 22, 25.   j, vers. 1, 3. Al. 10 : 32.   k, voir i.   l, voir i.   VERS 82 AV. J.-C.

26. Et Zeezrom lui dit : Tu dis qu'il y a un Dieu vrai et vivant ?

27. Et Amulek dit : Oui, il y a un Dieu vrai et vivant.

28. Alors Zeezrom dit : Y a-t-il plus d'un Dieu ?

29. Et il répondit : Non.

30. Et Zeezrom lui dit encore : Comment sais-tu ces choses ?

31. Et il dit : *m*Un ange me les a fait connaître.

32. Et Zeezrom dit encore : Quel est celui qui viendra ? Est-ce le Fils de Dieu ?

33. Et il lui dit : Oui.

34. Zeezrom dit encore : Sauvera-t-il son peuple *n*dans ses péchés ? Et Amulek répondit et lui dit : Je te déclare qu'il ne le fera point, car il lui est impossible de renier sa parole.

35. Alors Zeezrom s'adressa au peuple : Veillez à vous souvenir de ceci ; car il dit qu'il n'y a qu'un Dieu ; cependant il dit que le Fils de Dieu viendra, mais qu'il ne sauvera pas son peuple — comme s'il avait *o*l'autorité de commander à Dieu.

36. Amulek lui dit de nouveau : Voici, tu as menti, car tu as dit que j'ai parlé comme si j'avais l'autorité de commander à Dieu, parce que j'ai dit qu'il ne sauvera pas son peuple dans ses péchés.

37. Et je te dis encore qu'il ne peut le sauver dans ses péchés ; car je ne puis nier sa parole, et il a dit que rien d'impur n'héritera du royaume des cieux. Donc, comment pouvez-vous être sauvés, si vous n'héritez point du royaume des cieux ? C'est pourquoi vous ne pouvez être sauvés dans vos péchés.

38. Alors, Zeezrom lui dit encore : Le Fils de Dieu est-il le *p*Père éternel même ?

39. Et Amulek lui dit : Oui, il est le *z*Père éternel même du ciel et de la terre, et de toutes les choses qui y existent ; il est le commencement et la fin, le premier et le dernier ;

40. Et il viendra dans le monde racheter son peuple ; il prendra sur lui les *q*transgressions de ceux qui croient en son nom, et ce sont ceux qui auront la vie éternelle ; et il n'y aura de salut pour aucun autre.

41. C'est pourquoi, les méchants restent comme si *r*aucune rédemption n'avait été faite, si ce *r*n'est que les liens de la mort seront détachés ; car voici, le jour viendra où tous ressusciteront de la mort, se tiendront devant Dieu et seront jugés selon leurs œuvres.

42. Maintenant, il y a une mort qui est appelée mort temporelle ; et la mort du Christ *s*dénouera les liens de cette mort temporelle, pour que tous soient ressuscités de cette mort temporelle.

43. L'esprit et le corps seront réunis de nouveau dans leurs formes parfaites ; membres *t*et jointures seront rendus à leurs formes propres, exactement comme nous le sommes en ce moment ; et nous serons conduits devant Dieu, connaissant comme nous connaissons en ce moment et nous aurons un *u*souvenir vif de toute notre culpabilité.

44. Cette *v*restauration sera pour tous les hommes, jeunes et vieux, esclaves et libres, hommes et femmes, méchants et justes ; et pas même un seul cheveu de leur tête ne sera perdu ; mais toutes choses seront rendues à leurs formes parfaites, comme elles le sont maintenant dans le corps ; et ils seront cités et amenés à la barre du Christ, le Fils, de Dieu le Père et du Saint-Esprit, qui sont un seul *w*Dieu éternel, pour être jugés selon leurs œuvres, bonnes ou mauvaises

---

m, Al. 10 : 10.   *n*, vers. 36, 37. Héla. 5 : 10, 11.   *o*, vers. 36.   *p*, vers. 39. Voir *a*, Mos. 3.   *z*. Mos. 15 : 4.   *q*, Mos. 14 : 5, 8.   *y*, Al. 12 : 18.   *r*, voir *g* et *j*. 2 Né. 9.   *s*, voir *g* et *j*, 2 Né. 9.   *t*. voir *d*, 2 Né. 2.   *u*, voir *n*, 2 Né. 9. *v*, voir *d*, 2 Né. 2.   *w*, voir *k*. 2 Né. 31.

45. **Maintenant,** voici, je vous ai parlé touchant la mort du corps mortel, et aussi touchant la résurrection du corps mortel. Je vous dis que ce corps mortel ᶻest ressuscité en un corps immortel, c'est-à-dire de la mort, même de la première mort, à la vie, de sorte qu'il ne puisse plus ʸmourir ; l'esprit s'unissant au corps pour ne plus jamais être désuni ; le tout devenant ainsi spirituel et immortel, afin qu'il ne puisse plus voir la corruption.

46. Quand Amulek eut achevé de parler, le peuple recommença à être étonné, et Zeezrom commença aussi à trembler. Et là se terminent les paroles d'Amulek, ou, c'est tout ce que j'ai écrit.

CHAPITRE 12.

Le témoignage d'Amulek est confirmé par Alma. — La doctrine de l'arbre de vie. — Exposé du plan de rédemption.

1. Maintenant, Alma, voyant que les paroles d'Amulek avaient réduit Zeezrom au silence, car il voyait qu'Amulek l'avait surpris à ᵃmentir et à tromper pour le détruire, et voyant qu'il commençait à ᵇtrembler sous la prise de conscience de sa culpabilité, il ouvrit la bouche, et commença à lui parler, et à confirmer les paroles d'Amulek, et à expliquer les choses, ou à dévoiler les Écritures plus profondément qu'Amulek ne l'avait fait.

2. Et ce que dit Alma à Zeezrom fut entendu du peuple tout autour ; car la multitude était grande, et il s'exprima ainsi :

3. Zeezrom, tu as été pris dans tes mensonges et dans ta ruse, car tu n'as pas seulement menti aux hommes, mais tu as menti à Dieu, car il connaît ᶜtoutes tes pensées, et tu vois que tes pensées nous sont révélées par son Esprit ;

4. Et tu vois que nous savons que ton plan était un plan très ᵈsubtil, selon la subtilité du diable, qui visait à mentir et à tromper ce peuple afin de le tourner contre nous, pour qu'il nous outrage et nous chasse —

5. C'était là le plan de ton adversaire, et il a exercé son pouvoir en toi. Maintenant, je voudrais que tu te souviennes que ce que j'ai à te dire, je le dis à tous.

6. Et voici, je vous le dis à tous, c'était un piège de l'adversaire qu'il a tendu pour saisir ce peuple, pour vous assujettir à lui, pour vous entourer de ses ᵉchaînes et vous enchaîner à la destruction ᶠéternelle, selon le pouvoir de sa captivité.

7. Quand Alma eut dit ces paroles, Zeezrom commença à trembler davantage, car il était de plus en plus convaincu de la puissance de Dieu ; et il était aussi convaincu qu'Alma et Amulek le connaissaient, car il était convaincu qu'ils ᵍconnaissaient les pensées et les intentions de son cœur ; car du pouvoir leur était donné pour qu'ils pussent savoir ces choses selon l'esprit de prophétie.

8. Et Zeezrom se prit à les interroger avec empressement, afin de s'instruire davantage du royaume de Dieu. Et il dit à Alma : Que signifie ce qu'Amulek a dit touchant la ʰrésurrection des morts, que tous ressusciteront d'entre les morts, les justes et les injustes, et qu'ils seront amenés devant Dieu pour être jugés selon leurs œuvres ?

9. Alors Alma commença à lui expliquer ces choses, disant : Il est donné à beaucoup de connaître ⁱles mystères de Dieu ; cependant, ce leur est un ordre strict de ne dévoiler que la ʲportion de sa parole

qu'il donne aux enfants des hommes, selon l'attention et la diligence qu'ils lui apportent.

10. Par conséquent, celui qui s'endurcit le cœur reçoit la plus ʲpetite part de la parole ; quant à celui qui ne s'endurcit point le cœur, il lui est donné la ᵏplus grande part de la parole, jusqu'à ce qu'il lui soit donné de connaître les mystères de Dieu dans leur plénitude.

11. Et ceux qui s'endurcissent le cœur, la plus petite part de la parole leur est donnée jusqu'à ce qu'ils ne sachent rien de ses mystères ; alors ils sont emmenés ˡcaptifs par le diable et conduits, selon sa volonté, à la perdition. Voilà ce que l'on entend par les ᵐchaînes de l'enfer.

12. Et Amulek a parlé clairement sur ce qui ⁿconcerne la mort, et la ºrésurrection de cet état de mortalité à celui d'immortalité, et l'appel à la barre de Dieu pour être jugés selon nos œuvres.

13. Alors, si notre cœur a été endurci, oui, si nous nous sommes endurci le cœur contre la parole, de manière qu'elle ne soit point trouvée en nous, alors notre état sera horrible, car nous serons condamnés.

14. Car nos paroles nous condamneront ; oui, toutes nos œuvres nous condamneront ; nous ne serons point sans tache, et nos pensées nous condamneront aussi. Dans cet épouvantable état, nous n'aurons pas la hardiesse de lever nos yeux vers Dieu, mais nous serions heureux de pouvoir commander aux rochers et aux montagnes de tomber sur nous, pour nous cacher de sa présence.

15. Mais cela ne peut être. Il faut que nous ressuscitions, et que

nous nous tenions devant lui, dans sa gloire, dans sa puissance, sa majesté et sa domination et avouer, à notre honte éternelle, que tous ses jugements sont justes ; qu'il est juste en toutes ses œuvres ; qu'il est miséricordieux envers les enfants des hommes, qu'il a tout pouvoir de sauver quiconque croit en son nom, et produit le fruit du repentir.

16. Et maintenant, je vous le dis, c'est alors que vient une mort, une seconde mort, qui est la mort ᵖspirituelle ; c'est alors le moment où quiconque meurt dans ses péchés, quant à la mort temporelle, mourra aussi de la mort spirituelle ; oui, il ᵠmourra à tout ce qui tient à la justice.

17. C'est alors le temps où leurs tourments seront un ʳlac de feu et de soufre, dont la flamme monte pour toujours et à jamais ; et c'est alors le temps où ils seront ˢenchaînés à une destruction éternelle, selon le pouvoir et la captivité de Satan, qui les a assujettis à sa volonté.

18. Alors, je vous le dis, ils seront comme s'il n'y avait point eu de rédemption, car ils ne peuvent être rachetés selon la justice de Dieu, et ils ne ᵗpeuvent mourir, car il n'y a plus de corruption.

19. Or, il arriva que lorsque Alma eut fini de parler, le peuple se mit à s'étonner davantage ;

20. Mais un certain Antionah, un des gouverneurs principaux du peuple, s'avança et lui dit : Que signifie ce que tu as dit : que ᵘl'homme ressuscitera d'entre les morts ; qu'il sera changé de l'état mortel à l'état d'immortalité ; et que l'âme ne peut jamais mourir ?

21. Que signifie l'Ecriture qui dit que ᵛDieu plaça des chérubins

j, voir i.   k, voir i.   l, voir i, 2 Né. 9.   m, voir p, 2 Né. 28.   n, Al. 11 : 41-45.
o, voir d. 2 Né. 2.   p, vers. 32. Al. 13 : 30. Voir o, 2 Né. 9. Voir aussi k, 1 Né. 15.
Jacob 3 : 11.   q, vers. 32. 1 Né. 15 : 33. Al. 40 : 26. Héla. 14 : 18.   r, voir l,
Jacob 6.   s. voir p, 2 Né. 28.   t, vers. 20. Al. 11 : 45.   u, vers. 12-18.

et une épée flamboyante, à l'est du jardin d'Eden, afin que nos premiers parents ne pussent y entrer pour prendre du fruit de l'arbre de vie et vivre à toujours ? Nous voyons, par là, qu'il était absolument impossible qu'ils vécussent pour toujours.

22. Alors, Alma lui dit : C'était là ce que j'allais expliquer. Nous savons qu'Adam est tombé pour avoir pris du fruit défendu, selon la parole de Dieu, et nous voyons ainsi, que par sa chute, toute l'humanité est devenue un peuple "perdu et déchu.

23. Et maintenant voici, je vous dis que s'il avait alors été "possible à Adam de prendre du fruit de l'arbre de vie, il n'y aurait point eu de mort et la parole aurait été vaine, faisant de Dieu un menteur, car il avait dit : "Si tu en manges, tu mourras sûrement.

24. Et nous voyons que la mort vient sur toute l'humanité, oui, la mort dont Amulek a "parlé, qui est la mort temporelle. Toutefois, un délai fut accordé à l'homme pour qu'il pût se repentir ; c'est pourquoi cette vie devint un "état probatoire, un temps pour se préparer à rencontrer Dieu ; un temps pour se préparer à cet état qui n'a point de fin, dont nous avons parlé, qui arrivera après la "résurrection des morts.

25. Maintenant, s'il n'y avait point eu le plan de rédemption, préparé dès la fondation du monde, il n'aurait pas pu y voir de résurrection des morts. Mais un plan de rédemption a été arrêté et il effectuera la "résurrection des morts, dont nous avons parlé.

26. Et maintenant, voici, s'il avait été "possible à nos premiers parents de prendre du fruit de l'arbre de vie, ils auraient été misérables pour toujours, n'ayant point d'état préparatoire ; de la sorte, le plan de la rédemption aurait avorté, et la parole de Dieu aurait été nulle et sans effet.

27. Mais il n'en fut pas ainsi ; mais il fut décrété que l'homme mourrait ; qu'après sa mort, il viendrait au jugement, à ce jugement même dont nous avons aussi parlé, lequel est la fin.

28. Et quand Dieu eut arrêté que ces choses arriveraient à l'homme, il vit qu'il était expédient que l'homme eût connaissance de ce qu'il avait arrêté ;

29. C'est pourquoi il envoya des anges "converser avec lui, et lui manifester sa gloire.

30. Et les hommes, dès lors, commencèrent à implorer son nom ; c'est pourquoi Dieu "parla avec les hommes et leur révéla le plan de la rédemption préparé "depuis la fondation du monde ; et il le leur révélait selon leur foi, leur repentir et leurs saintes œuvres.

31. C'est pourquoi, il donna des commandements aux hommes, car ils avaient transgressé les "premiers commandements touchant les choses temporelles, étant devenus comme les Dieux, connaissant le bien et le mal, se plaçant dans un état à agir ou étant placés dans un état à agir selon "leur bon plaisir, que ce fût pour faire le mal ou pour faire le bien —

32. C'est pourquoi, Dieu leur donna des commandements, après leur avoir fait "connaître le plan de la rédemption, pour qu'ils ne fissent point le mal, le châtiment en étant une "seconde mort, qui était une mort éternelle quant aux

v, Gen. 3 : 24.   w, Al. 9 : 30, 32. Voir e et g, 2 Né. 9.   x, vers. 26. Al. 42 : 2-9. y, Gen. 2 : 17.   z, Al. 11 : 41-45.   2a, Al. 34 : 32-35. 42 : 4, 13.   2b, voir d, 2 Né. 2.   2c, vers. 23. Al. 42 : 2-9.   2d, vers. 23. Al. 42 : 2-9.   2e, P. de G. P., Moïse 5 : 6.   2f, P. de G. P., Moïse 5 : 4, 5.   2g, voir d, Mos. 4.   2h, 2 Né. 2 : 18, 19. Gen. 2 : 16, 17.   2i, 2 Né. 2 : 16.   2j, P. de G. P., Moïse 5 : 4-9.   2k, vers. 16, 36. Jacob 3 : 11. Al. 13 : 30. Voir o, 2 Né. 9. Voir k, 1 Né. 15.   VERS 82 AV. J.-C.

²¹choses appartenant à la justice ; car, sur ceux-là, le plan de la rédemption ne pourrait avoir aucun pouvoir, car les œuvres de la ²ᵐjustice ne peuvent être détruites, selon la suprême bonté de Dieu.

33. Mais Dieu appela les hommes au nom de son Fils (ceci étant le plan de la rédemption qui fut arrêté), disant : ²ⁿSi vous vous repentez, si vous ne vous endurcissez point le cœur, je vous ferai miséricorde par mon Fils unique.

34. C'est pourquoi, quiconque se repent et ne s'endurcit point le cœur aura droit à la miséricorde par mon Fils unique, pour la rémission de ses péchés ; ceux-là entreront dans mon repos.

35. Et quiconque ²⁰s'endurcit le cœur et commet l'iniquité, voici je jure dans ma colère qu'il n'entrera point dans mon repos.

36. Et maintenant, mes frères, voici, je vous dis que si vous vous endurcissez le cœur, vous n'entrerez point dans le repos du Seigneur ; et votre iniquité le provoque à envoyer sa colère sur vous comme au temps de la ²ᵖpremière provocation ; oui, selon sa parole, dans la ²⁹dernière provocation comme dans la première, pour la ²ʳdestruction éternelle de votre âme ; oui, selon sa parole, dans la ²ˢdernière mort comme dans la ²ᵗpremière.

37. Maintenant, mes frères, que nous connaissons ces choses et que nous savons qu'elles sont vraies, repentons-nous et ne nous endurcissons point le cœur de crainte de provoquer le Seigneur notre Dieu à faire tomber sur nous sa colère dans les ²ᵘseconds commandements qu'il nous a donnés ; mais entrons dans le ²ᵛrepos que Dieu a préparé, selon sa parole.

CHAPITRE 13.

Suite du discours ·d'Alma. — Le saint ordre du Fils de Dieu. — Grands-prêtres. — Pourquoi ils sont ordonnés. — Melchisédek et Abraham.

1. De plus, mes frères, je voudrais vous reporter au temps où le Seigneur Dieu a donné ces commandements à ses enfants ; et je voudrais que vous vous souveniez que le Seigneur Dieu a ordonné des ᵃprêtres, selon son saint ordre, c'est-à-dire selon l'ordre de son Fils, pour enseigner ces choses au peuple.

2. Et ces prêtres étaient ordonnés d'après ᵇl'ordre de son Fils, afin que, par là, le peuple sût de quelle manière attendre son Fils pour avoir la rédemption.

3. Et voici de quelle manière ils étaient ordonnés — appelés et préparés dès la fondation du monde selon la prescience de Dieu, à cause de leur foi extrême et de leurs bonnes œuvres ; laissés libres avant tout de choisir le bien ou le mal ; et ayant choisi le bien et fait preuve d'une foi extrêmement grande, ils sont appelés d'un saint appel, oui, de ce saint appel qui a été préparé avec et selon une rédemption préparatoire pour ceux-là.

4. Et c'est par leur foi qu'ils ont été appelés à ce ᶠsaint appel, quand d'autres rejetaient l'Esprit de Dieu à cause de la dureté de leur cœur et de l'aveuglement de leur esprit ; lesquels, sans cela, auraient joui du même privilège que leurs frères.

5. Car après tout ils étaient, au commencement, sur le même pied que leurs frères ; ce saint appel était ainsi préparé dès la ᵍfondation du monde, pour tous ceux qui

---

2l, voir q.   2m, Mos. 15 : 27. Al. 34 : 15, 16. 42 : 13-25.   2n, P. de G. P., Moïse 5 : 8.   2o, P. de G. P., Moïse 5 : 15.   2p, vers. 31.   2q, vers. 35. 2r, voir 2k.   2s, voir 2k.   2t, vers. 23.   2u, P. de G. P., Moïse. Chap. 4-7. 2v, vers. 34, 35. Al. 13 : 6, 12, 13, 16, 29. 16 : 17.   CHAP. 13 : a, P. de G. P., Moïse 6 : 7. 8 : 19. D. et A. 84 : 6-28, 107.   b, voir a.   c, voir d, Mos. 4. d, vers. 7.   e, 2 Né. 2 : 16. Al. 12 : 31.   f, voir a.   g, voir d, Mos. 4.

ne s'endurciraient pas le cœur ;
elle était dans l'expiation et par
*ᵃl'expiation du Fils unique, qui
était préparé —

6. C'est de la sorte qu'ils sont
appelés par ce saint appel, et ordonnés à la ᵍhaute-prêtrise du saint
ordre de Dieu pour enseigner ses
commandements aux enfants des
hommes, afin qu'eux aussi, ils
puissent entrer dans son ʲrepos —

7. ᵏHaute-prêtrise qui était selon
l'ordre ᶦde son Fils, ordre qui existait ᵐdepuis la fondation du monde ; en d'autres termes, qui est sans
commencement de jours ou sans
fin d'années, préparé ⁿd'éternité à
toute éternité selon sa ᵒprescience
de toutes choses —

8. C'est donc ainsi qu'ils étaient
ordonnés — appelés d'un saint
appel, ordonnés d'une sainte ordination et prenant sur eux la ᵖhaute-
prêtrise du saint ordre ; appel, ordination et haute-prêtrise qui sont
ᵠsans commencement ni fin —

9. Ils deviennent ainsi ʳgrands-
prêtres à toute éternité, d'après
l'ordre du Fils, le Fils unique du
Père, qui est ˢsans commencement
de jours ni fin d'années, plein de
grâce, d'équité et de vérité. Et
ainsi en est-il. Amen.

10. Maintenant, comme je le
disais touchant le saint ordre de
cette ᵗhaute-prêtrise, il y en eut un
grand nombre qui furent ordonnés
et devinrent ᵘgrands-prêtres de Dieu ;
c'était à cause de leur foi vive, de
leur repentir et de leur droiture
devant Dieu, car ils choisirent de
se repentir et de faire ce qui est
juste plutôt que de périr ;

11. C'est pourquoi, ils étaient
appelés selon ce saint ordre, et
étaient sanctifiés, et leurs vêtements

étaient blanchis par le ᵛsang de
l'Agneau.

12. Ainsi sanctifiés par le Saint-
Esprit, leurs vêtements ainsi blanchis, et purs et sans tache devant
Dieu, ils ne pouvaient considérer
le péché qu'avec une aversion
extrême ; et il y en avait un nombre considérable, un nombre extrêmement considérable qui étaient
purifiés et entraient dans le ʷrepos
du Seigneur leur Dieu.

13. Et maintenant, mes frères,
je voudrais que vous, vous humiliiez
devant Dieu, et que vous produisiez des fruits propres au repentir,
afin que vous aussi, vous puissiez
entrer dans ce repos —

14. Oui, humiliez-vous tout comme le peuple aux jours de ˣMel-
chisédek, qui, lui aussi, fut un
grand-prêtre de ce même ordre
dont j'ai parlé ; qui, lui aussi, se
revêtit de la haute-prêtrise pour
ʸtoujours.

15. C'était ce même Melchisédek
à qui Abraham paya la dîme ; oui,
même notre père Abraham paya
des dîmes d'un ᶻdixième de tout ce
qu'il possédait.

16. Or, ces ordonnances se faisaient ainsi pour que le peuple pût
être dans l'attente du Fils de Dieu,
étant donné que c'était un modèle
de son ordre, ou que c'était son
ordre, et cela pour qu'il l'attendît
pour avoir la rémission de ses
péchés, pour qu'il entrât dans le
²ᵃrepos du Seigneur.

17. Melchisédek était roi du
pays de Salem. Son peuple s'était
enraciné dans l'iniquité et dans
les abominations ; oui, ils s'étaient
tous égarés ; ils étaient remplis de
toute sorte de méchanceté ;

18. Mais Melchisédek ayant manifesté une grande foi et reçu

h, voir j. 2 Né. 2.   i, voir g, Mos. 26.   j, voir 2v, Al. 12.   k, voir g, Mos. 26.
l, voir d. Mos. 4.   m, P. de G. P., Abraham 1 : 2-4.   n, voir a, Mos. 3.
o, vers. 3. Voir r, 2 Né. 9.   p, voir g, Mos. 26.   q, voir a, Mos. 3.   r, voir g,
Mos. 26.   s, voir a, Mos. 3.   t, voir g, Mos. 26.   u, D. et A. 107 : 40-55.
84 : 6-22.   v, voir f, 2 Né. 2.   w, voir 2v, Al. 12.   x, vers. 15-18.   y, vers. 7-9.
Voir m.   z, Gen. 14 : 20.   2a, voir 2v, Al. 12.   VERS 82 AV. J.-C.

l'office de la ^{2b}haute-prêtrise, selon le saint ordre de Dieu, prêcha le repentir à son peuple. Et voici, il se repentit ; et Melchisédek établit la paix dans le pays, de son vivant ; c'est pourquoi, il fut appelé le prince de la paix, car il était le roi de Salem ; et il régna sous son père.

19. Il y en eut beaucoup ^{2c}avant lui et il y en eut aussi ^{2d}beaucoup après lui, mais aucun ne fut plus grand, c'est pour cela qu'on a parlé davantage de lui.

20. Je n'ai donc pas besoin de répéter le sujet ; ce que j'ai dit suffit. Voici, les ^{2e}Ecritures sont devant vous ; si vous voulez en fausser le sens, ce sera pour votre propre destruction.

21. * Alma, après avoir dit ces paroles, étendit la main vers le peuple, et lui cria d'une voix forte : Le temps du repentir est venu, car le jour du salut approche ;

22. Et la voix du Seigneur, par la ^{2f}bouche de ses anges, le déclare à toutes les nations ; oui, le déclare afin qu'elles aient de bonnes nouvelles d'une grande joie. Oui, il fait retentir cette bonne nouvelle parmi tout son peuple, à tous ceux qui sont répandus sur la surface de la terre ; c'est pourquoi elle nous est venue.

23. Et elle nous est annoncée en termes clairs, pour que nous comprenions, et que nous ne nous ^{2g}égarions pas ; et cela parce que nous sommes errants sur une terre étrangère ; c'est pourquoi, nous sommes ainsi hautement favorisés, car cette bonne nouvelle nous est déclarée dans toutes les parties de notre vigne.

24. Car voici, des anges les annoncent, en ce temps-ci, à beaucoup de gens dans notre pays ; et ceci a pour but de préparer le cœur des enfants des hommes à recevoir sa parole, au temps de son avènement dans sa gloire.

25. Et maintenant, nous attendons seulement de nous entendre déclarer la joyeuse nouvelle de sa venue de la bouche des anges, car le temps vient, nous ne savons pas combien rapidement. Plût à Dieu que ce fût de mes jours. Mais que ce soit plus tôt ou plus tard, je m'en réjouirai.

26. Et elle sera révélée à des hommes justes et saints, par la ^{2h}bouche d'anges, au moment de sa venue, pour que les paroles de nos pères s'accomplissent, selon ce qu'ils ont dit à son sujet, qui était selon l'esprit de prophétie, qui était en eux.

27. Et maintenant, mes frères, je souhaite du plus profond de mon cœur, oui, avec une grande anxiété, qui va jusqu'à la souffrance, que vous prêtiez attention à mes paroles, délaissiez vos péchés et ne différiez point le jour de votre repentir.

28. Mais que vous vous humiliiez devant le Seigneur, invoquiez son saint nom, veilliez et ²ⁱpriiez sans cesse, pour ne pas être tentés au-delà de ce que vous pouvez supporter et ainsi être conduits par le Saint-Esprit, devenant humbles, doux, soumis, patients, pleins d'amour et de longanimité ;

29. ^{2j}Ayant foi au Seigneur, ayant l'espoir de recevoir la vie éternelle ; ayant toujours l'amour de Dieu dans le cœur afin d'être ^{2k}exaltés au dernier jour, et d'entrer dans son ^{2l}repos.

30. Et puisse le Seigneur vous accorder le repentir, afin que vous ne vous attiriez pas sa colère, que vous ne soyez point liés par les ^{2m}chaînes de l'enfer, et que vous

2b, voir g. Mos. 26.   2c, D. et A. 107 : 40-55.   2d, D. et A. 84 : 6-22.   2e, Al. 14 : 1, 8, 14.   2f, vers. 24. Mos. 3 : 2-27. Al. 8 : 14-17, 20. 10 : 7-10, 20. 11 : 31. 2g, voir b, 2 Né. 25.   2h, Héla. 13 : 7. 14 : 26, 28. 3 Né. 7 : 18.   2i, voir e, 2 Né. 32.   2j, voir u, Al. 7.   2k, voir p, Mos. 23.   2l, voir 2v, Al. 12. 2m, voir p, 2 Né. 28.

VERS 82 AV. J.-C.

ne subissiez pas *ᵐ*la seconde mort.

31. Et Alma dit encore beaucoup d'autres choses au peuple qui ne sont point rapportées dans ce livre.

CHAPITRE 14.

Alma et Amulek sont emprisonnés. — Leurs adhérents sont persécutés. — Exécutions par le feu. — Zeezrom, maintenant repentant, plaide leur cause et est chassé. — Les prophètes sont délivrés et leurs ennemis tués.

1. * Lorsqu'il eut cessé de parler au peuple, un grand nombre crurent en ses paroles, commencèrent à se repentir et à examiner les *ᵃ*Ecritures.

2. Mais la plus grande partie voulait la mort d'Alma et d'Amulek ; car ils étaient furieux contre Alma à cause de la *ᵇ*clarté de ses paroles à Zeezrom. Ils disaient aussi *ᶜ*qu'Amulek leur avait menti, qu'il avait insulté leur loi, et aussi les docteurs de leur loi et leurs juges.

3. Ils étaient aussi furieux contre Alma que contre Amulek ; et parce qu'ils avaient témoigné si clairement contre leur méchanceté, ils cherchaient à s'en défaire secrètement.

4. * Ils ne le firent pas, mais ils les prirent, les lièrent de fortes cordes et les conduisirent devant le grand-juge du pays.

5. Et le peuple alla et *ᵈ*témoigna contre eux — attestant qu'ils avaient insulté la loi, les docteurs de la loi, les juges, ainsi que tous les habitants du pays ; et témoigna aussi qu'ils avaient dit qu'il n'y avait qu'un Dieu, et qu'il enverrait son Fils parmi le peuple, mais qu'il ne le *ᵉ*sauverait pas ; et le peuple témoigna de beaucoup de choses de ce genre contre Alma

et Amulek. Et cela se passait devant le grand-juge du pays.

6. Et il arriva que Zeezrom fut fort étonné des paroles qui avaient été dites ; et il était également au courant de l'aveuglement d'esprit qu'il avait causé parmi le peuple par ses *ᶠ*paroles mensongères ; et son âme commença à être tourmentée sous la conscience de sa propre culpabilité ; oui, il commença à être entouré des souffrances de l'enfer.

7. Et * il commença à crier au peuple, disant : Voici, je suis coupable et ces hommes sont sans tache devant Dieu. Et dès lors il se mit à parler en leur faveur. Mais on l'outragea, disant : Es-tu donc aussi possédé du démon ? Et on cracha sur lui, et on le *ᵍ*chassa, de même que tous ceux qui croyaient aux paroles d'Alma et d'Amulek ; et on les chassa et on envoya des hommes pour les lapider.

8. Et on réunit leurs femmes et leurs enfants, et tous ceux qui croyaient ou qui avaient appris à croire à la parole de Dieu, on les fit *ʰ*jeter dans le feu, et on sortit également leurs archives, qui contenaient les *ⁱ*saintes Ecritures, et on les jeta également au feu, pour qu'ils fussent brûlés et détruits par le feu.

9. Et * on se saisit d'Alma et d'Amulek et on les conduisit au lieu du martyre, afin qu'ils fussent témoins de la destruction de ceux qui *ʲ*étaient consumés par le feu.

10. Et quand Amulek vit les souffrances des femmes et des enfants qui se consumaient dans le feu, il fut peiné, lui aussi ; et il dit à Alma : Comment pouvons-nous être témoins de cette affreuse scène ? Etendons les mains et mon-

---

2n, voir *p,* Al. 12.   CHAP. 14 : *a,* vers. 8, 14. Al. 13 : 20.   *b,* Al. 12 : 3-7. *c,* Al. 10 : 24-32.   *d,* vers. 2.   *e,* Al. 11 : 33-37.   *f,* Al. 10 : 31. 11 : 21-38. *g.* Al. 15 : 1.   *h,* vers. 9-15. Al. 15 : 2.   *i,* vers. 1, 14. Al. 13 : 20.   *j,* voir *h.*

trons le ^kpouvoir de Dieu qui est en nous, et sauvons-les des flammes.

11. Mais Alma lui dit : L'Esprit me contraint à ne point étendre la main ; car le Seigneur les reçoit à lui-même, en gloire ; et il permet que l'on fasse ceci, ou que le peuple leur fasse ceci, selon la dureté de son cœur, afin que les ^ljugements qu'il rendra contre eux dans sa colère soient justes ; et le sang de l'innocent restera comme un témoignage contre eux, oui, et criera avec force contre eux, au dernier jour.

12. Alors Amulek dit à Alma : Peut-être nous brûleront-ils aussi.

13. Et Alma dit : Qu'il en soit fait selon la volonté du Seigneur. Mais voici, notre œuvre n'est point achevée ; c'est pourquoi, ils ne nous brûlent point.

14. * Quand les corps de ceux qui avaient été jetés au feu eurent été ^mconsumés, ainsi que les ⁿannales, qui y avaient été jetées avec eux, le grand-juge du pays vint se placer devant Alma et Amulek, qui étaient liés ; il les frappa de la main sur les ^ojoues et leur dit : Après ce que vous avez vu, prêcherez-vous encore à ce peuple qu'il sera jeté dans un ^plac de feu et de soufre ?

15. Vous voyez bien que vous n'aviez pas le pouvoir de sauver ceux qui étaient jetés au feu ; Dieu ne les a pas sauvés non plus, parce qu'ils étaient de votre foi. Et le juge les frappa encore ^qsur les joues, et demanda : Qu'avez-vous à répondre à cela ?

16. Or ce juge était de l'ordre et de la foi de ^rNéhor, celui qui avait ^stué Gidéon.

17. * Alma et Amulek ne lui répondirent point ; et il les ^tfrappa

encore et les livra aux officiers pour être jetés en prison.

18. Et après trois jours de prison, de nombreux hommes de loi, des juges, des prêtres et des instructeurs qui étaient de la foi de ^uNéhor vinrent les voir dans la prison et les interroger sur beaucoup de choses ; mais ils ne répondirent rien.

19. Et * le juge se tint devant eux et dit : Pourquoi ne répondez-vous point aux paroles de ce peuple ? Ne savez-vous pas que j'ai le pouvoir de vous livrer aux flammes ? Et il leur ordonna de parler, mais ils ne répondirent point.

20. * Ils partirent et passèrent leur chemin, mais ils revinrent le lendemain. Le juge les frappa encore aux joues. Et beaucoup d'hommes venaient et les ^vfrappaient, disant : Vous aviserez-vous encore de juger ce peuple et de condamner ^wnotre loi ? Si vous avez une si grande puissance, pourquoi ne vous ^xdélivrez-vous pas ?

21. Et ils leur dirent beaucoup d'autres choses de ce genre, grinçant des dents, crachant sur eux, et disant : Quelles mines aurons-nous quand nous serons damnés ?

22. Et ils leur dirent beaucoup de choses de ce genre, oui, toutes sortes de choses de ce genre ; et c'est ainsi qu'ils se moquèrent d'eux pendant de nombreux jours. Et ils les privèrent de nourriture pour qu'ils eussent faim ; d'eau, pour qu'ils eussent soif. Ils leur enlevèrent les vêtements, en sorte qu'ils étaient nus ; et ils furent ainsi liés de ^yfortes cordes et enfermés en prison.

23. * Lorsqu'ils eurent souffert pendant de nombreux jours (on était au douzième jour du dixième

---

k, vers. 26-29. Al. 8 : 30, 31. l, vers. 26-29. Al. 16 : 2, 3, 9-11. m, voir h. n, voir i. o, vers. 15, 17, 20, 24, 25. p, Al. 12 : 17. q, voir o. r, Al. 1 : 15. s, Al. 1 : 7-14. 2 : 20. t, voir o. u, Al. 1 : 15. v, voir o. w, vers. 2, 5. x, vers. 24. y, vers. 4, 23, 26. Al. 8 : 31.   VERS 82 AV. J.-C.

mois †de la dixième année du règne des juges sur le peuple de Néphi), le grand-juge du pays d'Ammonihah entra, avec un grand nombre d'instructeurs et de docteurs de la loi dans la prison où Alma et Amulek étaient liés de cordes.

24. Le grand-juge se tint devant eux, les frappa de nouveau, et leur dit : Si vous avez le pouvoir de Dieu, ᶻdélivrez-vous de ces liens, et nous croirons alors que le Seigneur détruira ce peuple selon vos paroles.

25. Et * tous s'avancèrent et les frappèrent, disant les mêmes paroles jusqu'au dernier. Et quand le dernier leur eut parlé, le ²ᵃpouvoir de Dieu fut sur Alma et Amulek. Ils se levèrent sur leurs pieds, et se tinrent debout.

26. Et Alma s'écria : O Seigneur, combien de temps souffrirons-nous ces grandes afflictions ? O Seigneur, accorde-nous la force de nous délivrer, selon notre foi au Christ. Et ils brisèrent les ᶻᵇcordes qui les liaient ; et quand le peuple vit cela, il commença à s'enfuir, car la ²ᶜcrainte de la destruction était venue sur lui.

27. Et * leur crainte fut si grande, qu'ils tombèrent et ne purent gagner la porte de sortie de la prison. La terre s'ébranla fortement, les murs de la prison se fendirent et s'écroulèrent ; et le ²ᵈgrand-juge, les docteurs de la loi, les prêtres et les instructeurs, qui avaient frappé Alma et Amulek, furent tués par l'écroulement.

28. Et Alma et Amulek sortirent de la prison et ils n'étaient pas blessés ; car le Seigneur leur avait accordé de la puissance selon leur foi au Christ. Et ils sortirent directement de la prison et ils furent

²ᵉlibérés de leurs liens ; et la prison s'était ²ᶠécroulée et ceux qui étaient dans ses murs périrent ²ᵍtous, à l'exception d'Alma et d'Amulek qui entrèrent aussitôt dans la ville.

29. Or, le peuple, qui avait entendu un grand bruit, accourut en foule pour en connaître la cause ; et quand il vit Alma et Amulek sortir de la prison et que ses murs s'étaient ²ʰécroulés, il fut saisi d'une grande crainte, et s'enfuit de la présence d'Alma et d'Amulek, de même qu'une chèvre se sauve, avec ses petits, devant deux lions ; et c'est ainsi qu'il se sauva devant Alma et Amulek.

CHAPITRE 15.

Zeezrom, miraculeusement guéri, se joint à l'Eglise et prêche. — Beaucoup sont baptisés. — Alma et Amulek retournent à Zarahemla.

1. Il arriva qu'Alma et Amulek reçurent l'ordre de quitter la ville ; et ils partirent, et allèrent au pays de ᵃSidom ; et voici, ils y trouvèrent tous ceux qui avaient quitté le pays d'Ammonihah, qui avaient été ᵇchassés et lapidés, parce qu'ils croyaient aux paroles d'Alma.

2. Ils leur racontèrent tout ce qui était advenu à leurs ᶜfemmes et à leurs enfants, ainsi qu'à eux-mêmes ; ils leur racontèrent également ce qui les concernait et parlèrent du ᵈpouvoir qui les avait délivrés.

3. Zeezrom était aussi à Sidom, au lit, malade d'une fièvre ardente, causée par les grandes tribulations de son esprit, à la suite de sa ᵉméchanceté ; car il pensait qu'Alma et Amulek n'étaient plus ; et il pensait qu'ils avaient été tués à cause de son iniquité. Et ce grand péché, et ses autres nombreux péchés lui

tourmentaient l'esprit jusqu'à ce que celui-ci devînt extrêmement douloureux, étant sans délivrance ; c'est pourquoi, il commença à brûler d'une chaleur ardente.

4. Mais, quand il apprit qu'Alma et Amulek étaient dans le ⁱpays de Sidom, son cœur commença à prendre courage ; et il leur envoya de suite un message, les implorant de venir à lui.

5. Et * obéissant au message qu'il leur avait envoyé, ils partirent immédiatement ; ils entrèrent dans la maison près de Zeezrom et le trouvèrent dans son lit, malade, ᵍtrès bas, pris d'une fièvre brûlante ; son esprit était ʰextrêmement douloureux à cause de ses iniquités, et lorsqu'il les vit, il étendit la main et les pria de le guérir.

6. Et * Alma, le prenant par la main, lui dit : Crois-tu au pouvoir du Christ de donner le salut ?

7. Et il répondit : Oui, je crois en toutes les paroles que tu as enseignées.

8. Et Alma reprit : Si tu crois en la rédemption du Christ, tu peux être guéri.

9. Il répondit : Oui, je crois en tes paroles.

10. Alors Alma implora Dieu, disant : O Seigneur notre Dieu, aie pitié de cet homme, et guéris-le, selon sa foi au Christ.

11. Et quand Alma eut prononcé ces paroles, Zeezrom sauta sur ses pieds et commença à marcher ; et cela se fit au grand étonnement du peuple. Et la nouvelle s'en répandit partout dans le ⁱpays de Sidom.

12. Et Alma ʲbaptisa Zeezrom dans le Seigneur ; et il commença dès lors à prêcher au peuple.

13. Alma établit une église dans le ᵏpays de Sidom, et consacra des ⁱprêtres et des instructeurs dans le pays pour baptiser dans le Seigneur quiconque avait le désir d'être baptisé.

14. * Leur nombre fut très considérable ; ils vinrent en foule des alentours de Sidom et furent ᵐbaptisés.

15. Quant au peuple qui était au ⁿpays d'Ammonihah, il restait toujours dur et obstiné, ne se repentant point de ses péchés, attribuant tout le ᵒpouvoir d'Alma et d'Amulek au diable ; car ils étaient de la foi de ᵖNéhor, et ne croyaient point au repentir de leurs péchés.

16. Et * Alma et Amulek, Amulek ayant ᵍabandonné tout son or, son argent, et ses choses précieuses qui se trouvaient au pays d'Ammonihah, pour la parole de Dieu, étant rejeté de ceux qui avaient été ʳjadis ses amis et aussi de son père et de sa famille.

17. C'est pourquoi, lorsqu'Alma eut établi l'église de ˢSidom, voyant un grand arrêt, oui voyant que le peuple était arrêté quant à l'orgueil de son cœur, et commençait à s'humilier devant Dieu, et commençait à s'assembler à ses ᵗsanctuaires pour adorer Dieu devant l'autel, veillant et priant sans cesse pour être délivré de Satan, de la mort et de la destruction —

18. Or, comme je l'ai dit, Alma ayant vu tout cela, prit Amulek et alla au ᵘpays de Zarahemla, le prit dans sa propre maison, le consola de ses tribulations, et le fortifia dans le Seigneur.

19. Et ainsi finit la dixième année du règne des juges sur le peuple de Néphi.

ʲ. voir a.   ᵍ. vers. 3.   ʰ. vers. 3. Al. 14 : 6.   ⁱ. voir a.   ʲ. voir u, 2 Né. 9.
ᵏ. voir a.   ⁱ. voir c, Mos. 6.   ᵐ. voir u, 2 Né. 9.   ⁿ. voir i. Al. 8.   ᵒ. Al.
14 : 26-29.   ᵖ. Al. 1 : 2-15. 2 : 20.   ᵍ. Al. 10 : 4.   ʳ. Al. 10 : 4, 11.   ˢ. voir a
∴. Al. 16 : 13. 21 : 6. 22 : 7. 23 : 2. Héla. 3 : 9. 14.   ᵘ. Om. 13.

VERS 82 AV. J.-C.

CHAPITRE 16.

Cri de guerre. — La méchante ville d'Ammonihah est détruite par les Lamanites. — Zoram et ses fils mettent l'ennemi en déroute. — La désolation des Néhors. — L'Eglise s'établit et se répand.

1. Et * dans †la onzième année du règne des juges sur le peuple de Néphi, le cinquième jour du second mois, la paix ayant régné dans le pays de [a]Zarahemla, ni guerres ni contentions ne s'étaient produites pendant un certain nombre d'années, même jusqu'au cinquième jour du second mois de la onzième année, un cri de guerre se fit entendre dans tout le pays.

2. Les armées des Lamanites avaient pénétré par le côté du désert, dans les frontières du pays, jusqu'à la [b]ville d'Ammonihah et commencèrent à massacrer les habitants et à détruire la ville.

3. Et * avant que les Néphites ne pussent lever une armée suffisante pour les chasser du pays, ils avaient [c]détruit le peuple de la ville d'Ammonihah ainsi qu'un petit nombre de gens autour des frontières de [d]Noé ; et emmenés d'autres comme captifs dans le désert.

4. Il arriva alors que les Néphites désirèrent délivrer ceux qui avaient été emmenés captifs dans le désert.

5. Celui qui avait été nommé capitaine en chef des armées néphites (et son nom était Zoram, et il avait deux fils, Léhi et Aha) — Zoram et ses deux fils, qui savaient qu'Alma était [e]grand-prêtre de l'Eglise, et qui avaient appris qu'il avait l'esprit de prophétie, se rendirent auprès de lui pour savoir si le Seigneur permettrait qu'ils allassent dans le désert à la recherche de leurs frères, emmenés [f]captifs par les Lamanites.

6. Et * Alma interrogea le Seigneur à ce sujet. Et Alma revint et leur dit : Voici, les Lamanites vont traverser la [g]rivière Sidon dans le désert du sud, au-delà des frontières du [h]pays de Manti. Et voici, vous les y rencontrerez, à l'est de la [i]rivière Sidon, et là le Seigneur vous livrera vos frères, qui ont été emmenés [j]captifs par les Lamanites.

7. * [k]Zoram et ses fils traversèrent la [l]rivière Sidon avec leurs armées, et marchèrent au-delà des frontières de [m]Manti, dans le désert du sud, qui se trouvait à l'est de la rivière Sidon.

8. Ils fondirent sur les armées lamanites et les Lamanites furent dispersés et chassés dans le désert ; et ils prirent leurs frères, qui avaient été faits captifs des Lamanites ; et pas un des [n]captifs ne fut perdu. Et ils furent ramenés par leurs frères pour posséder [o]leurs propres terres.

9. Ainsi finit la onzième année des juges ; les Lamanites ayant été chassés du pays, et le peuple [p]d'Ammonihah détruit ; oui, chaque âme vivante d'entre les Ammonihahites fut détruite, ainsi que leur grande ville que Dieu, disaient-ils, ne pourrait [q]pas détruire, tant elle était grande.

10. Mais en un jour, elle fut désolée ; et les carcasses furent déchirées par les chiens et les bêtes sauvages du désert.

11. Cependant, après de nombreux jours, leurs corps morts furent entassés sur la surface de la terre, et couverts légèrement. Et la puanteur était si forte, que pendant de nombreuses années, le peuple n'entra pas pour posséder le pays d'Ammonihah ; et il fut appelé la

a, Om. 13. *b*, voir *i*, Al. 8. *c*, vers. 9-11. Al. 9 : 18. 25 : 2. *d*, Al. 49 : 12-15. *e*, voir *g*, Mos. 26. *f*, vers. 3, 4. *g*, voir *g*, Al. 2. *h*, vers. 7. Al. 17 : 1. 22 : 27. 43 : 22, 24, 25, 42. 56 : 14. 57 : 22. 58 : 1, 13, 25-28, 39. 59 : 6. *i*, voir *g*, Al. 2. *j*, vers. 3, 4. *k*, vers. 5. *l*, voir *g*, Al. 2. *m*, voir *h*. *n*, vers. 3-6. *o*, vers. 3. *p*, vers. 2, 3. Al. 9 : 18. *q*, Al. 9 : 4, 5. † 81 AV. J.-C.

Désolation des 'Néhors ; car ceux qui furent tués étaient de la croyance de Néhor. Et leurs terres restèrent désolées.

12. Les Lamanites ne revinrent plus combattre les Néphites †que dans la quatorzième année du règne des juges sur le peuple de Néphi. Ainsi les Néphites jouirent d'une paix permanente pendant trois ans, dans tout le pays.

13. Et Alma et Amulek allèrent, prêchant le repentir au peuple, dans les ˢtemples, dans les ᵗsanctuaires, et aussi dans les ᵘsynagogues qui étaient bâties à la ᵛmanière des Juifs.

14. Et ils prêchaient continuellement la parole de Dieu, à tous ceux qui voulaient l'entendre, sans distinction de personnes.

15. Et c'est ainsi qu'Alma et Amulek allèrent, ainsi que beaucoup d'autres qui avaient été choisis pour l'œuvre, pour prêcher la parole dans toutes les parties du pays. Et l'établissement de l'Eglise devint général dans tout le pays, dans toute la région à l'entour parmi tous les peuples des Néphites.

16. Et il n'y avait pas ᵂd'inégalité parmi eux ; le Seigneur répandit son Esprit abondamment sur toute la surface du pays, afin de préparer l'esprit des enfants des hommes ou pour leur préparer le cœur à recevoir la parole qui leur serait enseignée au temps de son avènement —

17. Afin qu'ils ne fussent point endurcis contre la parole, qu'ils ne fussent point incrédules, qu'ils ne marchassent point à la destruction, mais qu'ils pussent recevoir la parole avec joie ; et que, comme une branche est greffée sur la vraie vigne, ils entrassent dans le ˣrepos du Seigneur leur Dieu.

18. Maintenant, ces ʸprêtres, qui circulaient parmi le peuple, prêchaient ᶻcontre les mensonges, la fraude, l'envie, les querelles, les haines, les injures, le vol, le brigandage, le pillage, le meurtre, l'adultère, et contre les lascivités de toutes sortes, annonçant que ces choses ne devaient point exister —

19. Prédisant des événements qui devaient bientôt arriver ; oui, annonçant la venue du Fils de Dieu, ses souffrances, sa mort, et la ²ᵃrésurrection des morts.

20. Et beaucoup demandèrent où serait le lieu où le Fils de Dieu viendrait. Et il leur était enseigné qu'il leur ²ᵇapparaîtrait après sa résurrection. Et le peuple apprit ceci avec une grande joie et une grande allégresse.

21. Lorsque l'Eglise eut été établie dans tout le pays — ayant remporté la victoire sur le diable, la parole de Dieu étant prêchée dans sa pureté dans tout le pays, et le Seigneur déversant ses bénédictions sur le peuple — ainsi finit la quatorzième année du règne des juges sur le peuple de Néphi.

_____

Histoire des fils de Mosiah qui rejetèrent leurs droits au royaume pour la parole de Dieu, et montèrent au pays de Néphi pour prêcher aux Lamanites. Leurs souffrances et leur délivrance — d'après le récit d'Alma.

Chapitres 17 à 26, inclusivement.

CHAPITRE 17.

Ammon au pays d'Ismaël. — Il devient serviteur du roi Lamoni. — Sa défense héroïque des troupeaux du roi.

1. * Comme Alma voyageait du ᵃpays de Gidéon, vers le sud, pour

r, Al. 1 : 2-15.   s, voir h, 2 Né. 5.   t, voir t, Al. 15.   u, Al. 21 : 4, 5, 11, 16, 20. 23 : 2, 4. 26 : 29. 31 : 12, 13. 32 : 1, 2. 5, 9-12. 33 : 2. Héla. 3 : 9, 14. 3 Né. 13 : 2, 5.   v, 2 Né. 5 : 16.   w, Mos. 18 : 19-29. 23 : 15. 27 : 4. 4 Né. 3.   x, voir 2v, Al. 12.   y, voir c, Mos. 6. Voir g, Mos. 26.   z, 3 Né. 30.   2a, voir d, 2 Né. 2.   2b, voir b, 1 Né. 12.   CHAP. 17 : a, voir m, Al. 2.   † VERS 78 AV. J.-C.

aller au pays de *b*Manti, voici, il rencontra, à son grand étonnement, les *c*fils de Mosiah, cheminant vers le *d*pays de Zarahemla.

2. Ces fils de Mosiah étaient avec Alma lorsque l'ange lui apparut la *e*première fois ; c'est pourquoi, il se réjouit extrêmement de revoir ses frères, et ce qui augmentait sa joie, c'est qu'ils étaient toujours ses frères dans le Seigneur ; oui, et ils étaient devenus puissants dans la connaissance de la vérité ; car ils étaient des hommes d'une saine intelligence, et ils avaient scruté diligemment les *f*Ecritures, pour connaître la parole de Dieu.

3. Mais ce n'est pas là tout : Ils s'étaient beaucoup livrés à la *g*prière et au jeûne ; c'est pourquoi, ils avaient l'esprit de prophétie et l'esprit de révélation, et quand ils enseignaient, ils enseignaient avec le pouvoir et l'autorité de Dieu.

4. Ils avaient, pendant †quatorze ans, prêché la parole de Dieu aux Lamanites, avec beaucoup de succès, et en avaient amené un grand nombre à la connaissance de la vérité ; oui, par la puissance de leurs paroles, un grand nombre avaient été amenés devant l'autel de Dieu à invoquer son nom et à confesser leurs péchés devant lui.

5. Voici maintenant le récit et les circonstances de leurs voyages, car ils eurent beaucoup d'afflictions ; ils souffrirent beaucoup, tant du corps que de l'esprit ; de la faim, de la soif, des fatigues, et toutes sortes de tourments d'esprit.

6. Voici maintenant leurs voyages : Ayant pris congé de leur *h*père Mosiah dans la première année des juges, après avoir *i*refusé le royaume que leur père désirait leur con-

férer, ce qui était aussi l'idée du peuple ;

7. Néanmoins, ils quittèrent le *j*pays de Zarahemla, munis de leurs épées, de leurs lances, de leurs arcs, et de flèches et de frondes ; ce qu'ils firent afin de pourvoir, dans le désert, à leur nourriture.

8. Et ainsi ils partirent dans le désert avec les hommes qu'ils avaient *k*choisis pour monter au *l*pays de Néphi prêcher la parole de Dieu aux Lamanites.

9. * Ils voyagèrent de nombreux jours dans le désert, *m*jeûnant et priant beaucoup, afin que le Seigneur leur accordât qu'une portion de son Esprit les accompagnât et restât avec eux afin qu'ils pussent être des instruments dans les mains de Dieu pour amener, si cela était possible, leurs frères, les Lamanites, à la connaissance de la vérité, et à connaître aussi la *n*bassesse des traditions de leurs pères, qui n'étaient pas correctes.

10. * Le Seigneur les visita de son Esprit, et leur dit : *o*Soyez fortifiés. Et ils furent fortifiés.

11. Et le Seigneur leur dit encore : *p*Allez parmi les Lamanites, vos frères, et établissez ma parole. Toutefois, soyez patients dans vos longues souffrances et dans vos afflictions, afin de leur être un bon exemple en moi ; et vous serez entre mes mains un instrument de salut pour beaucoup d'âmes.

12. Et * le cœur des fils de Mosiah et de ceux qui les accompagnaient prit courage pour aller au milieu des Lamanites, leur annoncer la parole de Dieu.

13. * Arrivés sur les confins du pays des Lamanites, ils se séparèrent et se quittèrent, se confiant au Seigneur pour qu'il leur fût donné de se rencontrer à la fin de leur

b, voir *h*, Al. 16.   *c*, Mos. 27 : 34.   *d*, Om. 13.   *e*, Mos. 27 : 11-17.   *f*, Jacob 7 : 23. Al. 63 : 12.   *g*, voir *e*, 2 Né. 32.   Voir *t*, Mos. 27.   *h*, Mos. 28 : 1, 5-9.   29 : 41-44.   *i*. Mos. 29 : 3.   *j*, Om. 13.   *k*, vers. 12. Al. 26 : 27.   *l*, voir *b*, 2 Né. 5.   *m*, voir *t*, Mos. 27.   *n*, voir *n*, Jacob 7.   *o*, vers. 12. Al. 26 : 27.   *p*, Al. 26 : 27.
† DE 91 à 77 AV. J.-C. environ.

moisson ; car ils croyaient que l'œuvre qu'ils avaient entreprise était ⁷grande.

14. Et assurément, elle était grande, car ils avaient entrepris de prêcher la parole de Dieu à un peuple ʳendurci, sauvage et féroce, à un peuple qui se plaisait à massacrer les Néphites, à les voler et à les piller ; qui mettait son cœur dans les richesses, dans l'or et dans l'argent, et dans les pierres précieuses ; qui cherchait à obtenir ces choses par le meurtre, par le pillage, afin de ne pas devoir travailler de ses propres mains pour les obtenir.

15. Aussi, était-il très indolent. Un grand nombre adoraient des idoles ; et la ˢmalédiction de Dieu était tombée sur eux à cause des traditions de leurs pères ; toutefois, les promesses du Seigneur leur étaient ᵗoffertes à condition qu'ils se repentissent.

16. C'est la raison pour laquelle les fils de Mosiah entreprirent leur ᵘœuvre, dans l'espoir qu'ils les amèneraient peut-être au repentir, et à la connaissance du plan de la rédemption.

17. Ils se ʳséparèrent donc, et se rendirent isolément parmi eux, avec la parole et la puissance que chacun d'eux tenait de Dieu.

18. Ammon était leur chef, ou plutôt il les enseignait. Il se sépara d'eux, après les avoir bénis, selon leurs différents grades, leur ayant, avant le départ, donné la parole de Dieu et la règle de leur conduite. C'est ainsi qu'ils entreprirent leurs voyages respectifs dans tout le pays.

19. Ammon alla au pays ᵂd'Ismaël, pays ainsi appelé du nom des ˣfils d'Ismaël qui devinrent aussi des Lamanites.

20. Et comme Ammon entrait dans le pays d'Ismaël, les Lamanites se saisirent de lui, le lièrent, selon leur coutume de lier les Néphites qui leur tombaient entre les mains, pour les conduire devant le roi. Et il était laissé au bon plaisir du roi de les faire mourir ou de les garder captifs, ou de les jeter en prison, ou de les chasser du pays, à son gré.

21. Ammon fut donc amené devant le roi du ᵞpays d'Ismaël, qui se nommait Lamoni et était descendant ᶻd'Ismaël.

22. Alors le roi demanda à Ammon s'il souhaitait demeurer dans le pays parmi les Lamanites, son peuple.

23. Ammon lui dit : Oui, je désire rester au milieu de ce peuple, pendant un certain temps ; et peut-être jusqu'à ma mort.

24. Et * il arriva qu'Ammon plut beaucoup au roi Lamoni et ce dernier fit détacher ses ²ᵃliens ; et il voulut qu'Ammon prît une de ses filles pour femme.

25. Mais Ammon lui dit : Non, mais je serai ton serviteur. C'est pourquoi, Ammon devint serviteur du roi Lamoni. Et * il fut mis parmi d'autres serviteurs pour surveiller les troupeaux de Lamoni, suivant la coutume des Lamanites.

26. Et lorsqu'il eut été trois jours au service du roi, comme il allait avec les serviteurs lamanites avec leurs troupeaux au point d'eau que l'on appelait ²ᵇl'eau de Sébus, et tous les Lamanites y conduisaient leurs troupeaux pour les abreuver —

27. Donc, comme Ammon et les serviteurs du roi menaient leurs troupeaux à ce point d'eau, un certain nombre de Lamanites, qui y étaient aussi avec leurs troupeaux,

q, vers. 14-16.   r, voir n. Jacob 7.   s, voir d, 1 Né. 2.   t, voir j, Al. 9. u, voir q.   v, vers. 13.   w, vers. 20, 21. Al. 20 : 14, 15. 21 : 18, 20. 22 : 1, 4. 23 : 9. 24 : 5. 25 : 13.   x, voir c, 1 Né. 7.   y, voir w.   z, voir c, 1 Né. 7.   2a, vers. 20. 2b, vers. 34. Al. 18 : 7. 19 : 20, 21.

dispersèrent les troupeaux d'Ammon et des serviteurs du roi, et ils les *cdispersèrent tellement qu'ils s'enfuirent de toutes parts.

28. Les serviteurs du roi commencèrent à murmurer, disant : Le roi nous fera mourir, comme il l'a fait pour *dnos frères, parce que leurs troupeaux avaient été dispersés par la méchanceté de ces hommes. Et ils commencèrent à pleurer amèrement, disant : Nos troupeaux sont déjà dispersés.

29. Et ils pleuraient par peur d'être mis à mort. Quand Ammon vit cela, son cœur se gonfla de joie ; car, se disait-il, je montrerai mon pouvoir aux serviteurs, mes compagnons, ou le pouvoir qui est en moi, de restituer ces troupeaux au roi ; et je gagnerai le cœur de ces serviteurs, mes compagnons, et je les amènerai à croire en mes paroles.

30. Telles étaient les pensées d'Ammon, en voyant l'affliction de ceux qu'il appelait ses frères.

31. Et * il les flatta par ses paroles, disant : Mes frères rassurez-vous, et allons à la recherche des troupeaux ; nous les *erassemblerons et nous les ramènerons au point d'eau ; et de la sorte, nous conserverons au roi ses troupeaux, et il ne nous fera pas mourir.

32. * Ils allèrent à la recherche des troupeaux, et ils suivirent Ammon, et ils coururent à toute vitesse et ils atteignirent les troupeaux du roi et les rassemblèrent de nouveau au point d'eau.

33. Et les mêmes *fhommes revinrent pour disperser leurs troupeaux. Mais Ammon dit à ses frères : Entourez les troupeaux pour qu'ils ne s'enfuient pas ; et moi, j'irai combattre ces hommes qui dispersent nos troupeaux.

34. Et ils firent ce qu'Ammon leur ordonna, et il alla et se mit à combattre ceux qui se tenaient auprès des *geaux de Sébus, et ils n'étaient pas peu nombreux.

35. C'est pourquoi, ils ne redoutaient point Ammon, car ils s'imaginaient que, s'ils le voulaient, un de leurs hommes pourrait le tuer, ignorant que le Seigneur avait promis à Mosiah qu'il *hdélivrerait ses fils de leurs mains ; ils ne savaient rien non plus du Seigneur ; c'est pourquoi, ils prenaient plaisir à détruire leurs frères ; c'est *ipour cela qu'ils dispersaient les troupeaux du roi.

36. Mais Ammon s'avança et commença à leur lancer des pierres avec sa fronde ; oui, de toutes ses forces, il leur lança des pierres, et il en tua un *jcertain nombre au point qu'ils commencèrent à s'étonner de sa puissance ; néanmoins ils furent furieux de la mort de leurs frères ; et ils étaient déterminés à l'abattre ; et voyant qu'ils ne pouvaient l'atteindre de leurs pierres, ils vinrent à lui avec des bâtons pour le tuer.

37. Mais chaque fois qu'un homme levait son bâton pour le frapper, Ammon lui tranchait le bras de son épée, car il se *kdéfendait de leurs coups en leur frappant le bras avec le tranchant de son épée, en sorte qu'ils commencèrent à s'étonner et à fuir devant lui ; oui, et ils n'étaient pas peu nombreux ; et il les fit fuir par la force de son bras.

38. Il en avait tué six par la fronde, mais de son épée il ne tua que leur chef ; et il coupa tous ceux de leurs bras qui se levaient contre lui, et ils *ln'étaient pas peu nombreux.

39. Après les avoir chassés au

2c, vers. 29, 31-33, 35, 39. Al. 18 : 3. 19 : 20, 21. 2d, Al. 18 : 4-7. 19 : 20.
2e, vers. 32. 2f, vers. 27, 35. 2g, voir 2b. 2h, Mos. 28 : 7. Al. 19 : 23.
2i, vers. 27, 33. 2j, vers. 38. Al. 18 : 16, 20. 2k, vers. 38, 39. Al. 18 : 16, 20.
2l, vers. 34, 38. VERS 90 av. J.-C.

loin, il retourna et ils abreuvèrent leurs troupeaux et les ramenèrent dans les pâturages du roi. Alors ils entrèrent chez le roi, ²ᵐportant les bras, qui avaient été coupés par l'épée d'Ammon, de ceux qui avaient cherché à le tuer ; et ils furent apportés au roi, en témoignage de ce qu'ils avaient fait.

CHAPITRE 18.

Le roi Lamoni prend Ammon pour le Grand-Esprit. — Le vrai Dieu lui est enseigné. — Il est accablé par l'Esprit du Seigneur.

1. * Le roi Lamoni fit approcher ses serviteurs pour qu'ils témoignassent ᵃde toutes les choses qu'ils avaient vues dans l'affaire.

2. Et quand ils eurent tous témoigné de ce qu'ils avaient vu, et quand il eut appris la fidélité d'Ammon à lui conserver ses troupeaux, et la grande puissance qu'il avait montrée en combattant ceux qui voulaient le tuer, il en fut extrêmement étonné, et il s'écria : Assurément, celui-ci est plus qu'un homme. Ne serait-ce pas le ᵇGrand-Esprit qui envoie ces grands châtiments à ce peuple, à cause des meurtres qu'ils ont commis ?

3. Et ils répondirent au roi : S'il est le Grand-Esprit, ou un homme, nous ne le savons : mais ce que nous savons, c'est qu'il ne peut être ᶜtué par les ennemis du roi ; et ils ne peuvent pas non plus disperser les troupeaux du roi, lorsqu'il est avec nous, à cause de son adresse et de sa grande force ; c'est pourquoi nous savons qu'il est ami du roi. Et maintenant, ô roi, nous ne croyons pas qu'un homme ait un si grand pouvoir, car nous savons qu'il ne peut être tué.

4. Quand le roi entendit ces pa-

roles, il leur dit : Maintenant, je sais que c'est le ᵈGrand-Esprit ; il est venu à ce moment-ci pour vous conserver la vie, pour que je ne vous tue pas comme je l'ai fait pour ᵉvos frères. C'est le Grand-Esprit dont nos pères ont parlé.

5. C'était là la tradition de Lamoni qu'il avait reçue de son père, qu'il y avait un Grand-Esprit. Bien qu'ils crussent en un ᶠGrand-Esprit, ils pensaient que tout ce qu'ils faisaient était juste. Toutefois, Lamoni commençait à craindre excessivement d'avoir mal fait en tuant ses serviteurs ;

6. Car il en avait ᵍtué un grand nombre parce que leurs frères avaient dispersé leurs troupeaux au point d'eau ; et ainsi, parce qu'ils avaient laissé disperser leurs troupeaux, ils avaient été tués.

7. Or les Lamanites avaient l'habitude de se tenir près des ʰeaux de Sébus pour disperser les troupeaux du peuple, afin d'emporter dans leur propre pays ceux qui étaient dispersés ; c'était une manière de piller parmi eux.

8. Et * le roi Lamoni demanda à ses serviteurs : Où est cet homme qui a une si grande puissance ?

9. Et ils lui dirent : Voici, il soigne tes ⁱchevaux. Or, avant que le temps fût venu d'aller abreuver les troupeaux, le roi avait ordonné à ses serviteurs de préparer ses chevaux et ses chariots pour le conduire au ʲpays de Néphi ; car une ᵏgrande fête avait été déclarée dans le pays de Néphi par le père de Lamoni, qui était le roi de tout le pays.

10. Quand le roi Lamoni apprit qu'Ammon préparait ses chevaux et ses ˡchariots, il fut encore plus étonné de la fidélité d'Ammon et il dit : Parmi mes serviteurs il n'y en

---

2m, vers. 37, 38. Al. 18 : 16, 20.   CHAP. 18 : a, Al. 17 : 31-38.   b, vers. 3-5, 11, 18, 26-28. Al. 22 : 9-11.   c, Al. 17 : 34-38.   d, voir b.   e, vers. 5, 6. Al. 17 : 28, 31.   f, voir b.   g, voir e.   h, voir 2b, Al. 17.   i, vers. 10. Voir m, 1 Né. 18. j, voir b, 2 Né. 5.   k, Al. 20 : 9, 12.   l, vers. 9, 12. Al. 20 : 6. 3 Né. 3-22.

VERS 90 AV. J.-C.

a jamais eu un qui ait été aussi fidèle que cet homme ; il se souvient de tous mes ᵐordres, et il les exécute.

11. A présent, je sais positivement que c'est le ⁿGrand-Esprit, et je souhaiterais qu'il vînt à moi, mais je n'ose.

12. Et * lorsque Ammon eut préparé les ᵒchevaux et les ᵖchariots pour le roi et ses serviteurs, il entra chez le roi, et il vit que le visage du roi avait changé ; c'est pourquoi, il était sur le point de se retirer de sa présence.

13. Mais un des serviteurs du roi lui dit : Rabbanah, ce qui, interprété, signifie : puissant ou grand roi, considérant leurs rois comme puissants ; il lui dit donc : Rabbanah, le roi souhaite que tu restes.

14. Alors, Ammon se tourna vers le roi et lui dit : Que veux-tu que je fasse pour toi, ô roi ? Et le roi fut plus d'une ᵍheure sans lui répondre, selon leur temps, car il ne savait qu'il devait lui dire.

15. * Ammon, lui demanda de nouveau : Que désires-tu de moi ? Mais le roi ne lui répondit point.

16. * Ammon, rempli de l'Esprit de Dieu, pénétrait les pensées du roi. Il lui dit : Est-ce parce que tu as appris que j'ai ʳdéfendu tes serviteurs et tes troupeaux et tué de la fronde et de l'épée sept de leurs frères, et tranché le bras à quelques autres pour défendre tes troupeaux et les serviteurs ? Voici, est-ce cela qui cause ton étonnement ?

17. Je te le dis, qu'est-ce qui cause ton étonnement ? Voici, je suis un homme, et suis ton serviteur ; c'est pourquoi, tout ce que tu demanderas de juste, je le ferai.

18. Quand le roi eut entendu ces paroles, il s'étonna de nouveau, car il voyait qu'Ammon pouvait discerner ses pensées. Quoi qu'il en

soit, le roi Lamoni ouvrit la bouche et lui dit : Qui es-tu ? Es-tu ce ˢGrand-Esprit qui sait toutes choses ?

19. Ammon répondit et lui dit : Je ne le suis pas.

20. Alors le roi dit : Comment connais-tu les pensées de mon cœur ? Tu peux parler hardiment et m'expliquer ces choses. Dis-moi aussi par ᵗquel pouvoir tu as tué et tranché le bras de mes frères, qui dispersaient mes troupeaux.

21. Et maintenant si tu me parles de ces choses, je te donnerai tout ce que tu souhaiteras ; et s'il était nécessaire, je te ferais garder par mes armées ; mais je sais que tu es plus puissant qu'elles toutes : néanmoins, tout ce que tu désireras, je te l'accorderai.

22. Alors, Ammon, qui était sage et cependant inoffensif, dit à Lamoni : Ecouteras-tu mes paroles, si je te dis par quel pouvoir je fais ces choses ? C'est là ce que je désire de toi.

23. Le roi lui répondit et dit : Oui, je croirai à toutes tes paroles. Et de la sorte il fut pris par finesse.

24. Et Ammon commença à lui parler avec hardiesse, et il lui dit : Crois-tu qu'il y a un Dieu ?

25. Et il répondit, et lui dit : Je ne sais pas ce que cela signifie.

26. Et alors, Ammon dit : Crois-tu qu'il y a un Grand-Esprit ?

27. Il répondit : Oui.

28. Et Ammon dit : C'est Dieu. Et Ammon lui dit de nouveau : Crois-tu que ce Grand-Esprit, qui est Dieu, a créé toutes choses, dans le ciel et sur la terre ?

29. Et il dit : Oui, je crois qu'il a créé toutes les choses de la terre, mais je n'ai pas connaissance du ciel.

---

m, vers. 9. *n*, voir *b*. *o*, voir *m*, 1 Né. 18. *p*, voir *l*. *q*, 3 Né. 8 : 19.
r, Al. 17 : 31-38. *s*, voir *b*. *t*, Al. 17 : 31-38.

30. Et Ammon lui dit : Le ciel est un lieu où Dieu demeure avec tous ses saints anges.

31. Et le roi Lamoni dit : Est-ce au-dessus de la terre ?

32. Et Ammon dit : Oui, et il regarde d'en haut sur tous les enfants des hommes ; et il connaît toutes les pensées, toutes les intentions du cœur ; car, par sa main, ils ont tous été créés dès le commencement.

33. Et le roi Lamoni dit : Je crois toutes les choses que tu as dites. Es-tu envoyé de Dieu ?

34. Ammon lui dit : Je suis un homme ; et l'homme, au ᵘcommencement, fut créé à l'image de Dieu ; et par son Saint-Esprit, je suis appelé à enseigner ces choses à ce peuple, afin qu'il soit amené à la connaissance de ce qui est juste et vrai.

35. Une portion de cet Esprit demeure en moi, laquelle me donne de la connaissance et du pouvoir, suivant ma foi et mes désirs à l'égard de Dieu.

36. Quand Ammon eut dit ces paroles, il commença à la création du monde, et à la ᵛcréation d'Adam ; et lui dit tout ce qui concernait la chute de l'homme ; il répéta et lui exposa les Ecritures et les ʷannales du peuple, annoncées par les prophètes jusqu'au temps où leur père, Léhi, quitta Jérusalem.

37. Et il leur raconta aussi (car il s'adressait au roi et à ses serviteurs) tous les ˣvoyages de leurs pères dans le désert, leurs souffrances par la faim et la soif, et leurs nombreuses pérégrinations, et ainsi de suite.

38. Il leur rapporta également les rébellions de Laman, de Lémuel, et des fils d'Ismaël, oui, il leur relata toutes leurs rébellions ; et il leur expliqua toutes les ʸannales et toutes les Ecritures, à partir du temps où Léhi quitta Jérusalem jusqu'à ce moment.

39. Mais ce n'est pas là tout : car il leur dévoila le plan de rédemption, préparé dès la ᶻfondation du monde ; et il leur donna connaissance de la venue du Christ, et il leur révéla toutes les œuvres du Seigneur.

40. Et * quand il eut dit toutes ces choses, et les eut exposées au roi, celui-ci ²ᵃcrut en toutes les paroles d'Ammon.

41. Et il commença à invoquer le Seigneur, disant : O Seigneur, aie pitié ; répands sur moi et sur mon peuple l'abondante miséricorde que tu as eue pour le peuple de Néphi.

42. Et ayant dit ces paroles, il tomba à ²ᵇterre comme s'il était mort.

43. * ²ᶜSes serviteurs le prirent et le portèrent chez sa femme et le couchèrent sur un lit, où il resta comme mort ²ᵈpendant deux jours et deux nuits. Et sa femme, ses fils et ses filles le pleurèrent selon la coutume parmi les Lamanites, se lamentant très fort de sa perte.

CHAPITRE 19.

Conversion merveilleuse. — Abish, la femme lamanite. — Le roi et la reine des Lamanites épousent la foi. — Ammon établit l'Eglise en Ismaël.

1. * ᵃAprès deux jours et deux nuits, ils étaient sur le point de prendre son corps et de le déposer dans le sépulcre, qu'ils avaient préparé pour y ensevelir leurs morts.

2. Or, la reine qui avait entendu parler de la renommée d'Ammon, le fit prier de venir auprès d'elle.

3. * Ammon fit ce qu'il lui était commandé et entra chez la reine,

u, vers. 32. Mos. 7 : 27. Eth. 3 : 13-16. 1 Né. 3. Al. 63 : 12.   *x*, voir le Premier Livre de Néphi.   *d*, Mos. 4.   *2a*, vers. 23.   *2b*, vers. 43. Al. 19 : 1, 5.   **Chap.** 19 : *a*, vers. 5. Al. 18 : 43.

v, vers. 34. Voir *m*, Mos. 2.   *w*, voir *a*, 1 Né. 3. Al. 63 : 12.   *y*, 1 Né. 9 : 2.   *z*, voir *2c*, Al. 19 : 1, 5-12.   *2c*, Al. 19 : 4, 9.

VERS 90 AV. J.-C.

pour savoir ce qu'elle voulait qu'il fît.

4. Elle lui dit : Les ᵇserviteurs de mon mari m'ont appris que tu es un prophète d'un saint Dieu, et que tu as le pouvoir de faire beaucoup de grandes œuvres en son nom ;

5. S'il en est ainsi, je désire que tu entres voir mon mari, qui est étendu sur son lit ᶜdepuis deux jours et deux nuits ; les uns disent qu'il n'est pas mort, d'autres disent qu'il est mort, qu'il sent et qu'il devrait être mis au ᵈsépulcre. Mais pour moi il ne sent pas.

6. C'est là précisément ce que Ammon désirait, car il savait que le roi Lamoni était sous l'influence du pouvoir de Dieu ; il savait que le voile ténébreux de l'incrédulité était enlevé de son esprit, et que la lumière qui éclairait son esprit, qui était la lumière de la gloire de Dieu, la merveilleuse illumination de sa bonté — oui, que cette lumière avait répandu la joie dans son âme, le nuage de ténèbres ayant été dissipé, et que la lumière de la vie éternelle était allumée dans son âme, oui, il savait que ceci avait accablé son corps ᵉnaturel et l'avait ravi en Dieu —

7. C'est pourquoi, ce que la reine attendait de lui, c'était son unique désir. Il entra donc voir le roi selon le désir de la reine ; et il vit le roi, et sut qu'il n'était pas mort.

8. Et il dit à la reine : Il n'est pas mort, mais il dort en Dieu ; et demain il se ᶠlèvera. Qu'il ne soit point enterré.

9. Et Ammon lui dit : Crois-tu cela ? Et elle lui dit : Je n'ai d'autre témoignage que ta parole, et la parole de nos serviteurs. Néanmoins, je crois qu'il en sera selon ce que tu as dit.

10. Et Ammon lui dit : Tu es bénie à cause de ta grande foi. Je te le dis, femme, il n'y a pas eu de plus grande foi parmi tout le peuple des Néphites.

11. Et * elle veilla auprès du lit de son époux depuis ce moment jusqu'à l'heure du lendemain, fixée par Ammon, heure à laquelle il devait se lever.

12. Et * il se leva ᵍselon les paroles d'Ammon. Et en se levant, il tendit la main vers la femme, lui disant : Béni soit le nom de Dieu ; et tu es bénie.

13. Car, aussi sûrement que tu vis, j'ai vu mon Rédempteur ; et il viendra : il naîtra d'une ʰfemme, et il rachètera tous les hommes qui croiront en son nom. Quand il eut dit ces paroles, son cœur se gonfla, et de nouveau il tomba de joie ; et la reine tomba aussi, accablée par l'Esprit.

14. Ammon, voyant l'Esprit du Seigneur répandu selon ses prières sur les Lamanites, ses frères, qui avaient causé tant de deuil parmi les Néphites ou parmi tout le peuple de Dieu à cause de leurs iniquités et de leurs traditions, tomba à genoux et commença à épancher son âme en prières et en actions de grâces à Dieu, pour ce qu'il avait fait pour ses frères ; et il fut aussi inondé de joie ; et ainsi ils étaient tous trois tombés sur le sol.

15. Et quand les serviteurs du roi les virent à terre, ils commencèrent à implorer Dieu, car la crainte du Seigneur les avait également pénétrés ; c'étaient ceux-là ⁱmêmes qui étaient venus au roi rendre témoignage de la grande puissance d'Ammon.

16. Et * ils invoquèrent le nom du Seigneur en grande ferveur, jusqu'à ce qu'ils fussent tous tombés

b, vers. 9. Al. 18 : 43.　　c, vers. 1. Al. 18 : 43.　　d, vers. 1.　　e, Al. 18 : 42.
f, vers. 11, 12.　　g, vers. 8.　　h, voir d, 1 Né. 11.　　i, Al. 18 : 1, 2.
Vers 90 av. J.-C.

sur le sol à l'exception [j]d'une des femmes lamanites, nommée Abish, convertie au Seigneur depuis de nombreuses années, par une vision extraordinaire qu'avait eue son père —

17. Ainsi, ayant été convertie au Seigneur et ne l'ayant jamais révélé, quand elle vit que tous les serviteurs de Lamoni étaient tombés sur le sol et que sa maîtresse la reine, le roi, et Ammon étaient étendus sur le sol, elle sut que c'était la puissance de Dieu ; et pensant que c'était là l'occasion de faire connaître au peuple ce qui était arrivé dans son sein, afin qu'en voyant cette scène, il pût croire à la puissance de Dieu, elle courut de maison en maison, le révélant au peuple.

18. Et le peuple commença à se rassembler dans la maison du roi. Il vint en foule, et son étonnement fut extrême en voyant le roi, la reine, et leurs serviteurs étendus sur le sol, et ils étaient tous couchés comme s'ils étaient morts ; et ils virent aussi Ammon, et voici, c'était un Néphite.

19. Et le peuple se prit à murmurer ; les uns disaient que c'était un grand malheur survenu à eux-mêmes, ou au roi et à sa maison, parce qu'il avait permis au Néphite de [k]rester au pays.

20. Mais d'autres les reprenaient, disant : Le roi a attiré ce malheur sur sa maison parce qu'il a [l]tué ses serviteurs qui avaient laissé disperser leurs troupeaux aux [m]eaux de Sébus.

21. Et ils étaient aussi repris par ces hommes qui s'étaient tenus aux eaux de Sébus et avaient dispersé les troupeaux qui appartenaient au roi ; [n]ils étaient furieux contre Ammon à cause du nombre de leurs frères qu'il avait tués aux eaux de Sébus, en défendant les troupeaux du roi.

22. Or, l'un d'eux, dont le frère avait été tué par [o]l'épée d'Ammon, étant extrêmement irrité contre Ammon, tira son épée et s'avança pour la laisser tomber sur Ammon, afin de le tuer ; et comme il levait son épée pour le frapper, voici, il tomba mort.

23. Nous voyons par là qu'Ammon ne pouvait pas être tué, car le Seigneur avait dit à Mosiah, [p]son père : Je l'épargnerai, et il lui sera fait selon ta foi — c'est pourquoi, Mosiah le confia au Seigneur.

24. Et * quand la multitude vit que l'homme, qui avait levé son épée pour tuer Ammon, était [q]tombé mort, ils furent tous saisis de crainte ; et pas un seul n'osa étendre la main pour toucher ni Ammon ni aucun de ceux qui étaient tombés par terre. Et ils commencèrent à s'étonner de nouveau entre eux de ce qui pouvait être la cause de ce grand pouvoir et de ce que tout cela pouvait signifier.

25. * Beaucoup disaient qu'Ammon était [r]le Grand-Esprit, d'autres disaient qu'il était un envoyé du Grand-Esprit.

26. Mais d'autres les reprenaient tous, disant que c'était un monstre, envoyé par les Néphites pour les tourmenter.

27. D'autres encore disaient que Ammon leur avait été envoyé par le Grand-Esprit pour les affliger, à cause de leurs iniquités ; que c'était le Grand-Esprit qui avait toujours assisté les Néphites et qui les avait toujours délivrés de leurs mains ; et ils disaient que c'était ce Grand-Esprit qui avait détruit tant de leurs frères, les Lamanites.

28. La querelle commençait à devenir très vive parmi eux. Et

j. vers. 17, 28, 29. k, Al. 17 : 22, 23. l, voir 2d, Al. 17. m, voir 2b, Al. 17.
n. Al. 17 : 27. 18 : 7. o, Al. 17 : 38. p, Mos. 28 : 7. Al. 17 : 35. q, vers. 22.
r, voir b, Al. 18.

tandis qu'ils se querellaient ainsi, la 'servante qui avait rassemblé la multitude arriva, et quand elle vit les querelles qui se produisaient dans la multitude, elle fut extrêmement chagrinée, jusqu'aux larmes.

29. Et elle * alla prendre la reine par la main, dans l'espoir de la lever de terre ; et aussitôt qu'elle toucha sa main, celle-ci se leva et se tint debout sur ses pieds, s'écriant à haute voix : O Jésus béni, qui m'as sauvée d'un 'épouvantable enfer ! O Dieu béni, aie pitié de ce peuple !

30. Et quand elle eut dit cela, elle joignit les mains, ravie de joie ; et elle prononça beaucoup de paroles qui ne furent pas comprises ; et quand elle eut fait cela, elle prit le roi Lamoni par la main, et il se leva et se tint debout.

31. Et lui, voyant immédiatement la dissension parmi son peuple, s'avança et commença à les reprendre, et à leur 'enseigner les paroles qu'il avait entendues de la bouche d'Ammon ; et tous ceux qui l'entendirent crurent et furent convertis au Seigneur.

32. Mais il y en eut beaucoup parmi eux qui ne voulurent point entendre ses paroles ; c'est pourquoi, ils s'en allèrent.

33. Et * quand Ammon se leva, il les enseigna également. Les serviteurs de Lamoni en firent autant ; et tous, ils annoncèrent au peuple les mêmes choses : que leur cœur était changé ; qu'ils n'avaient plus le désir de faire le mal.

34. Et voici, beaucoup déclarèrent au peuple qu'ils avaient vu des anges et avaient conversé avec eux ; et qu'ils leur avaient déclaré des choses touchant Dieu et sa justice.

35. Et * un grand nombre crurent en leurs paroles, et tous ceux qui crurent furent "baptisés ; et ils devinrent un peuple juste et établirent une église parmi eux.

36. Et ainsi l'œuvre du Seigneur commença parmi les Lamanites ; et c'est ainsi que le Seigneur commença à répandre son Esprit sur eux. Nous voyons que son bras est étendu vers tout peuple qui veut se repentir et croire en son nom.

CHAPITRE 20.

Ammon et le roi Lamoni se mettent en route pour Middoni. — Ils rencontrent le père de Lamoni qui est roi de tout le pays. — D'abord hostile, il s'adoucit et accorde de grandes faveurs.

1. * Quand ils eurent établi une église dans ce pays, le roi Lamoni désira d'Ammon qu'il vînt avec lui au "pays de Néphi, afin de le présenter à son père.

2. Et la voix du Seigneur vint à Ammon disant : Tu ne monteras pas au pays de Néphi, car le roi cherchera à t'ôter la vie ; mais tu iras au "pays de Middoni ; car voici, ton frère Aaron, ainsi que Muloki et Ammah 'sont en prison.

3. * Lorsque Ammon eut entendu ceci, il dit à Lamoni : Voici, mon frère et mes frères 'sont en prison à Middoni, et j'y vais pour les délivrer.

4. Lamoni dit à Ammon : Je sais que tu peux toutes choses par la puissance du Seigneur. Mais voici, je t'accompagnerai au 'pays de Middoni : car le roi du pays de Middoni dont le nom est Antiomno est mon ami ; j'irai donc au pays de Middoni afin de flatter le roi du pays et il délivrera tes frères de la 'prison. Puis, Lamoni lui dit : Qui t'a dit que tes frères sont en prison ?

---

s, vers. 16, 17, 29.   t, voir k, 1 Né. 15.   u, Al. 18 : 36-39.   v, voir u, 2 Né. 9.
CHAP. 20 : a, voir b, 2 Né. 5.   b, vers. 3-7, 14, 15, 28, 30. Al. 21 : 12, 13, 18. 22 : 1, 3. 23 : 10.   c, vers. 3-7, 13, 15, 22, 24, 26-30. Al. 21 : 13-15. 22 : 2.   d, voir c.
e, voir b.   f, voir c.   VERS 90 AV. J.-C.

5. Et Ammon lui dit : Nul ne me l'a dit sinon Dieu ; et il m'a dit : *"Va délivrer tes frères qui sont en prison dans le pays de Middoni.

6. Quand Lamoni eut entendu cela, il fit apprêter *ses chevaux et *ses chariots par ses serviteurs.

7. Et il dit à Ammon : Viens, je descendrai avec toi au *pays de Middoni, je parlerai au roi, afin qu'il délivre tes frères de prison.

8. Et * comme Ammon et Lamoni étaient en route, ils rencontrèrent le père de Lamoni, *roi de tout le pays.

9. Et voici, le père de Lamoni lui dit : Pourquoi n'es-tu pas venu à la *fête en ce grand jour où j'ai fêté mes fils et mon peuple ?

10. Et il dit aussi : Où vas-tu avec ce Néphite, qui est un des enfants d'un menteur ?

11. * Lamoni lui expliqua alors où il allait, car il craignait de l'offenser.

12. Il lui expliqua aussi le motif qui l'avait retenu en son royaume, et ce qui l'avait empêché de se rendre vers son père à la *fête qu'il avait préparée.

13. Et quand Lamoni lui eut raconté ces choses, voici, à son grand étonnement, son père devint furieux contre lui et dit : Lamoni, tu vas *délivrer ces Néphites, qui sont les fils d'un menteur. Voici, il a volé nos pères ; et maintenant, ses enfants sont aussi venus parmi nous pour nous *tromper par leurs ruses et leurs mensonges et nous dérober encore nos biens.

14. Alors, le père de Lamoni lui commanda de tuer Ammon par l'épée. Et il lui commanda aussi de ne point aller au *pays de Middoni, mais de venir avec lui au *pays d'Ismaël.

15. Mais Lamoni lui répondit :

Je ne tuerai point Ammon, et je ne retournerai pas au pays d'Ismaël. Je vais au pays de Middoni, pour *délivrer des frères d'Ammon, car je sais qu'ils sont des hommes justes et de saints prophètes du vrai Dieu.

16. Quand son père entendit ces paroles, il fut irrité contre lui, et, tirant son épée, il voulut l'abattre à ses pieds.

17. Mais Ammon s'avança et lui dit : Tu ne tueras pas ton fils. Pourtant il vaudrait mieux qu'il tombât que toi, car il s'est repenti de ses péchés ; mais si tu tombais en ce moment, dans la colère où tu es, ton âme ne pourrait pas être sauvée.

18. Et de plus, il est expédient que tu retiennes ta main, car si tu tuais ton fils, qui est un homme innocent, son sang crierait de la terre au Seigneur son Dieu, pour que la vengeance retombe sur toi ; et peut-être perdrais-tu ton âme.

19. Quand Ammon lui eut ainsi parlé, il répondit, disant : Je sais que si je tuais mon fils, je répandrais un sang innocent, car c'est toi qui as cherché à le détruire.

20. Et il étendit le bras pour tuer Ammon. Mais Ammon se défendit de ses coups, et il lui frappa aussi le bras de sorte qu'il ne put s'en servir.

21. Quand le roi vit qu'Ammon pouvait le tuer, il commença à supplier Ammon de lui épargner la vie.

22. Mais Ammon leva son épée, et lui dit : Je te frapperai, à moins que tu ne m'accordes la *délivrance de mes frères.

23. Et le roi, craignant pour sa vie, dit : Si tu m'épargnes, je t'accorderai tout ce que tu me demanderas, même la moitié de mon royaume.

---

g, vers. 2.   *h*, voir *m*, 1 Né. 18.   *i*, voir *l*, Al. 18.   *j*, voir *b*.   *k*, Al. 22 : 1.
l, voir *k*, Al. 18.   *m*, voir *k*, Al. 18.   *n*, vers. 4, 7.   *o*, voir *n*, Jacob 7.
p, voir *b*.   *q*, voir *w*, Al. 17.   *r*, voir *n*.   *s*, vers. 24, 26, 27.

24. Quand Ammon vit qu'il avait influencé le vieux roi selon son désir, il lui dit : Si tu m'accordes la *délivrance de mes frères, si Lamoni conserve son royaume, si tu n'es point mécontent de lui, mais que tu le "laisses agir en toutes choses selon ses propres désirs, alors je t'épargnerai ; autrement je t'abattrai à mes pieds.

25. Quand Ammon eut dit cela, le roi commença à se réjouir d'avoir la vie sauve.

26. Et quand il vit qu'Ammon n'avait pas le désir de le détruire, et quand il vit aussi la grande affection qu'il avait pour son fils Lamoni, il en fut fort étonné et dit : Parce que c'est là tout ce que tu m'as demandé, de 'mettre tes frères en liberté, et de laisser à mon fils Lamoni son royaume ; voici, je t'accorde de laisser à mon fils son royaume désormais et pour toujours ; et je "cesse de le gouverner.

27. Et je t'accorde aussi la *délivrance de tes frères de leur prison ; et toi et tes frères, pouvez venir me voir dans mon royaume ; car je désirerais vivement te voir. Car le roi était fort étonné des paroles qu'il avait dites, et aussi des paroles qui avaient été dites par son fils Lamoni, c'est pourquoi, il était désireux de les apprendre.

28. * Ammon et Lamoni poursuivirent leur route au *pays de Middoni. Et Lamoni trouva grâce aux yeux du roi du pays ; c'est pourquoi, les frères d'Ammon furent *sortis de prison.

29. Quand Ammon les rencontra, il fut extrêmement attristé, car voici, ils étaient nus, leur peau avait été écorchée par les grosses *acordes dont ils avaient été liés. Ils avaient aussi *bsouffert de la faim, de la soif, et de toutes sortes

d'afflictions ; néanmoins, ils avaient été patients dans toutes leurs souffrances.

30. Il était arrivé que le sort les avait fait tomber entre les mains d'un peuple plus endurci et plus obstiné ; c'est pourquoi, il n'avait pas voulu écouter leurs paroles et les avait expulsés, les avait battus et les avait chassés de maison en maison, et d'un endroit à l'autre jusqu'au moment où ils étaient arrivés au *cpays de Middoni. Là, on les avait pris et mis en prison, liés de *dfortes cordes, et retenus en prison pendant de nombreux jours et ils furent délivrés par Lamoni et Ammon.

Récit de la prédication d'Aaron, de Muloki et de leurs frères aux Lamanites.

Chapitres 21 à 26 inclusivement.

CHAPITRE 21.

Rejetés par les Amalékites, Aaron et Muloki vont à Middoni. — Ils sont emprisonnés. — Leur mise en liberté et leurs travaux missionnaires. — Nouveau succès d'Ammon. — Des synagogues sont bâties.

1. Quand Ammon et ses frères se *aséparèrent aux frontières du pays des Lamanites, Aaron se dirigea vers le pays appelé *bJérusalem par les Lamanites, ainsi nommé d'après le pays de naissance de leurs ancêtres ; et il se trouvait au loin, touchant les *cfrontières de Mormon.

2. Les Lamanites, les Amalékites, ainsi que le *dpeuple d'Amulon y avaient construit une grande ville qui s'appelait *eJérusalem.

3. Les Lamanites par eux-mêmes étaient un peuple assez endurci, mais les Amalékites et les *fAmulo-

---

nites étaient encore plus durs ; c'est pourquoi, ils furent la cause que les Lamanites s'endurcirent encore plus le cœur et qu'ils s'enracinèrent dans la méchanceté et dans leurs abominations.

4. * Aaron alla à la ville de °Jérusalem et commença par prêcher aux Amalékites. Et il commença à leur prêcher dans leurs ʰsynagogues, car ils avaient construit des synagogues selon ʲl'ordre des Néhors ; car beaucoup d'Amalékites et d'Amulonites appartenaient à l'ordre des Néhors.

5. Comme Aaron entrait dans une des ʲsynagogues pour y prêcher au peuple, et comme il lui parlait, un Amalékite se leva et commença à discuter avec lui, disant : Qu'attestes-tu là ? As-tu vu un ᵏange ? Pourquoi les anges ne se montrent-ils pas à nous ? Est-ce que ce peuple n'est pas aussi bon que ton peuple ?

6. Tu dis encore qu'à moins de nous repentir, nous périrons. Comment connais-tu la pensée et l'intention de notre cœur ? Comment sais-tu que nous avons des raisons de nous repentir ? Comment sais-tu que nous ne sommes pas un peuple juste ? Nous avons bâti des ʲsanctuaires, et nous nous assemblons pour adorer Dieu. Nous croyons que Dieu sauvera ᵐtous les hommes.

7. Alors Aaron lui dit : Crois-tu que le Fils de Dieu viendra pour racheter l'humanité de ses péchés ?

8. L'homme lui dit : Nous ne croyons pas que tu saches quoi que ce soit de tel. Nous ne croyons pas à ces folles traditions. Nous ne croyons pas que tu connaisses les choses à venir ; et nous ne croyons pas non plus que tes pères, ainsi que nos pères connaissaient ce dont

ils parlaient concernant ce qui doit venir.

9. Alors, Aaron commença à leur dévoiler les Ecritures touchant l'avènement du Christ et la ⁿrésurrection des morts ; il leur déclara qu'il ne pourrait y avoir de rachat du genre humain que par la mort, les souffrances du Christ et °l'expiation de son sang.

10. Et * comme il commençait à leur exposer ces choses, ils s'irritèrent contre lui et commencèrent à se moquer de lui ; et ils ne voulurent point écouter ses paroles.

11. C'est pourquoi, quand il vit qu'ils refusaient de l'écouter, il quitta leur ᵖsynagogue et passa dans un village appelé Ani-Anti ; il y ᵠtrouva Muloki qui leur prêchait la parole ainsi qu'Ammah et ses frères. Et ils discutèrent sur la parole avec beaucoup d'entre eux.

12. Et * ils virent que le peuple voulait s'endurcir le cœur, c'est pourquoi, ils partirent et passèrent dans le ʳpays de Middoni. Et ils prêchèrent la parole à un grand nombre, mais peu crurent à ce qu'ils enseignaient.

13. A ce moment, Aaron et plusieurs de ses frères furent pris et ˢjetés en prison ; le reste se sauva du pays de Middoni, dans les régions avoisinantes.

14. Et ceux qui furent mis en prison souffrirent beaucoup, et ils furent délivrés de la main de Lamoni et d'Ammon et ils furent nourris et vêtus.

15. Et ils allèrent de nouveau déclarer la parole, et c'est ainsi qu'ils furent sortis de prison pour la première fois ; et c'est ainsi qu'ils avaient souffert.

16. Ils allaient partout où l'Esprit du Seigneur les conduisait,

---

g, vers. 1, 2. h, voir u, Al. 16. i, Al. 1 : 2-15. j, voir u, Al. 16. k, Mos. 27 : 10-16, 34. l, voir t, Al. 15. m, Al. 1 : 4. 15 : 15. n, voir d, 2 Né. 2. o, voir f, 2 Né. 2. p, voir u, Al. 16. q, vers. 13, 14. Al. 20 : 2, 3, 28-30. r, voir b. Al. 20. s, vers. 14, 15. Al. 20 : 26-30.   VERS 90 AV. J.-C.

prêchant la parole de Dieu dans toutes les 'synagogues des Amalékites ou dans toutes les assemblées des Lamanites, où il leur était possible d'être admis.

17. * Le Seigneur commença à les bénir, au point qu'ils en amenèrent beaucoup à la connaissance de la vérité ; oui, ils en convainquirent beaucoup de leurs péchés et de la "fausseté des traditions de leurs pères.

18. Il arriva qu'Ammon et Lamoni retournèrent du "pays de Middoni au "pays d'Ismaël, terre de leur héritage.

19. Et le roi Lamoni ne voulut pas "souffrir qu'Ammon le servît ou fût son serviteur.

20. Mais il fit bâtir des ˣsynagogues dans le pays d'Ismaël, et il y fit rassembler son peuple, celui qu'il gouvernait.

21. Et il se réjouit en eux, et leur enseigna beaucoup de choses. Il leur déclara qu'ils étaient un peuple qui était sous lui et qu'ils étaient un peuple libre ; qu'ils étaient ᶻdélivrés de l'oppression du roi son père ; car son père lui avait accordé de régner sur le peuple qui se trouvait dans le pays d'Ismaël, et dans tout le pays à l'entour.

22. Il leur annonça aussi qu'ils avaient la liberté d'adorer le Seigneur leur Dieu, selon leur désir, en quelque lieu qu'ils fussent, si c'était dans le pays qui était sous le règne du roi Lamoni.

23. Et Ammon prêcha au peuple du roi Lamoni ; et il lui enseigna tout ce qui se rapporte aux choses de la justice. Et il les exhorta chaque jour en toute diligence ; et ils furent attentifs à sa parole, et

zélés à garder les commandements de Dieu.

CHAPITRE 22.

Aaron au pays de Néphi. — Le roi et toute sa maison sont convertis. — Le pays est réparti entre les Néphites et les Lamanites.

1. Ainsi donc, puisque Ammon enseignait continuellement le peuple de Lamoni, revenons au récit d'Aaron et de ses frères. Après son départ du ᵃpays de Middoni, il fut conduit par l'Esprit au ᵇpays de Néphi, à la maison même du roi qui gouvernait ᶜtout le pays, à l'exception de celui ᵈd'Ismaël ; c'était le ᵉpère de Lamoni.

2. Il alla le trouver dans le palais du roi, accompagné de ses frères, s'inclina devant le roi, et lui dit : O roi, nous sommes les frères d'Ammon, que tu as ᶠdélivrés de prison.

3. Si tu nous épargnes la vie, ô roi, nous serons tes serviteurs. Et le roi leur dit : Levez-vous, je vous accorde la vie ; et je ne souffrirai pas que vous soyez mes serviteurs, mais j'insiste pour que vous m'enseigniez, car j'ai été quelque peu ému dans mon esprit de la ᵍgénérosité ainsi que de la grandeur des paroles de votre frère Ammon ; et je désire savoir la cause pour laquelle il n'est pas monté de ʰMiddoni avec vous.

4. Et Aaron dit au roi : L'Esprit du Seigneur l'a appelé ailleurs ; il est allé au ⁱpays d'Ismaël enseigner le peuple de Lamoni.

5. Alors, le roi leur dit : Qu'avez-vous dit là à propos de ʲl'Esprit du Seigneur ? C'est là ce qui me trouble.

6. Et que signifie aussi ce qu'a dit Ammon : ᵏSi vous voulez vous

repentir, vous serez sauvés ; et si vous ne voulez pas vous repentir, vous serez rejetés au dernier jour ?

7. Et Aaron lui répondit et lui dit : Crois-tu qu'il y a un Dieu ? Et le roi dit : Je sais que les Amalékites disent qu'il y a un Dieu, et je leur ai permis de bâtir des *sanctuaires pour qu'ils puissent s'assembler pour l'adorer. Et si tu dis maintenant qu'il y a un Dieu, je le croirai.

8. Quand Aaron entendit ceci, son cœur commença à se réjouir et il dit : En vérité, comme tu vis, ô roi, il y a un Dieu.

9. Et le roi dit : Dieu est-il ce *ᵐGrand-Esprit qui a amené nos pères du pays de Jérusalem ?

10. Et Aaron lui dit : Oui, il est ce Grand-Esprit et il a créé toutes choses au ciel et sur la terre. Crois-tu cela ?

11. Et il dit : Oui, je crois que le Grand-Esprit a créé toutes choses et je désire que tu me parles de toutes ces choses, et je croirai à tes paroles.

12. * Quand Aaron vit que le roi était disposé à croire à ses paroles, il commença depuis la *ⁿcréation d'Adam en lisant *ᵒles Ecritures au roi : Comment Dieu créa l'homme à son image ; que Dieu lui donna des commandements, et que, pour les avoir transgressés, l'homme était tombé.

13. Et Aaron lui expliqua les Ecritures, à partir de la création d'Adam, lui présenta la chute de l'homme, son état charnel, ainsi que le plan de la rédemption préparé dès la *ᵖfondation du monde, par le Christ, pour tous ceux qui croiraient en son nom.

14. Comme l'homme était déchu, il ne pouvait rien mériter de lui-même ; mais les souffrances et la

mort du Christ *ᵍexpient les péchés par la foi, la repentance et ainsi de suite ; et il *ʳrompt les liens de la mort, pour que le sépulcre n'ait *point la victoire et que *ˢl'aiguillon de la mort soit absorbé dans l'espérance de la gloire ; et Aaron expliqua tout cela au roi.

15. * Lorsque Aaron lui eut exposé ces choses, le roi dit : Que dois-je faire pour obtenir cette vie éternelle dont tu as parlé ? Oui, que ferai-je pour *ᵗnaître de Dieu, ayant déraciné ce *ᵘmauvais esprit de mon sein, et recevoir son Esprit, pour que je sois rempli de joie, pour que je ne sois pas rejeté au dernier jour ? Voici, dit-il, j'abandonnerai tout ce que je possède, oui, j'abandonnerai mon royaume, pour recevoir cette grande joie.

16. Mais Aaron lui dit : Si tu désires cela, si tu *ᵛt'inclines devant Dieu, oui, si tu te repens de tous tes péchés et t'inclines devant Dieu et *ˣinvoques son nom avec foi, croyant que tu recevras, alors tu recevras l'espérance que tu désires.

17. * Quand Aaron eut dit ces paroles, le roi s'inclina devant le Seigneur, à genoux, il se *ʸprosterna même à terre et *ᶻcria d'une voix forte :

18. O Dieu, Aaron m'a dit qu'il y a un Dieu ; s'il y a un Dieu, et si tu es Dieu, fais-toi connaître à moi, et je délaisserai tous mes péchés pour te connaître, pour ressusciter des morts et pour être sauvé au dernier jour. Et dès que le roi eut dit ces paroles, *²ᵃil fut comme frappé de mort.

19. * Ses serviteurs coururent dire à la reine tout ce qui était arrivé au roi. Et elle vint auprès du roi ; et quand elle le vit étendu comme mort, et qu'elle vit là Aaron

l, voir *t*, Al. 15.   *m*, voir *b*, Al. 18. 1 Né. 3. Al. 63 : 12.   *p*, voir *d*, Mos. 4. 2 Né. 5.   *s*, voir *h*, Mos. 16.   *t*, voir *i*, Mos. 16. Mos. 2.   *w*, vers. 17, 18.   *x*, voir *e*, 2 Né. 32. 2*a*, vers. 19.

n, vers. 13. Voir *m*, Mos. 2.   *o*, voir *a*, *q*, voir *f*, 2 Né. 2.   *r*, voir *g* et *j*, *u*, voir *c*, Mos. 5.   *v*, voir *q*, *y*, vers. 16.   *z*, voir *e*, 2 Né. 32.

et ses frères qui semblaient être [2b]la cause de sa chute, elle fut irritée contre eux, et ordonna à ses serviteurs ou aux serviteurs du roi de se saisir d'eux et de les mettre à mort.

20. Or, les serviteurs avaient été témoins de la cause de la chute du roi, c'est pourquoi, ils n'osaient pas porter les mains sur Aaron ni sur ses frères ; et ils implorèrent la reine, disant : Pourquoi nous ordonner de tuer ces hommes, quand voici : un d'entre eux est plus fort que nous tous ? Nous tomberons devant eux.

21. Quand la reine vit la peur de ses serviteurs, elle commença à avoir une crainte extrême que quelque mal ne lui advînt. Et elle ordonna à ses serviteurs d'aller [2c]appeler le peuple pour lui faire tuer Aaron et ses frères.

22. Quand Aaron vit la détermination de la reine, connaissant la dureté de cœur du peuple, il craignit que la multitude ne s'assemblât et qu'il n'y eût une grande contention et des troubles parmi eux ; c'est pourquoi il étendit la main, et releva le roi de terre, lui disant : Lève-toi. Et il se tint sur ses pieds, recevant sa force.

23. Et cela se fit en présence de la reine et de beaucoup d'entre les serviteurs. Et quand ils virent cela, ils en furent étonnés et commencèrent à avoir peur. Et le roi s'avança et commença à les instruire. Et il les enseigna de telle sorte que [2d]toute sa maison se convertit au Seigneur.

24. Or, une [2e]multitude s'était rassemblée à cause du commandement de la reine, et de grands murmures commencèrent à s'élever parmi eux au sujet d'Aaron et de ses frères.

25. Mais le roi parut au milieu d'eux et les enseigna. Et ils furent apaisés envers Aaron et ceux qui l'accompagnaient.

26. Et * lorsque le roi vit que le peuple était apaisé, il fit venir Aaron et ses frères au milieu de la foule pour qu'ils prêchassent la parole au peuple.

27. * Le roi envoya une [2f]proclamation dans tout le pays, parmi tout son peuple qui se trouvait dans tout le pays et dans toutes les régions environnantes, pays qui touchait même la mer, à l'est et à l'ouest, et qui était séparé du [2g]pays de Zarahemla par une bande étroite de désert, s'étendant de la mer de l'est à la mer de l'ouest, et à l'entour des bords de la mer et des bords du désert qui se trouvait au nord, auprès du pays de Zarahemla, traversant les [2h]frontières de Manti, près de la source de la [2i]rivière Sidon, en allant de l'est à l'ouest — c'est ainsi que les Lamanites et les Néphites étaient séparés.

28. La partie la plus indolente des Lamanites vivait dans le désert, habitant des tentes ; et elle était dispersée dans le désert de l'ouest dans le [2j]pays de Néphi ; et également à l'ouest du pays de Zarahemla, sur les limites, au bord de la mer, de même que dans l'ouest du pays de Néphi, à l'endroit du premier héritage de leurs pères, qui longeait ainsi le bord de la mer.

29. Il y avait encore beaucoup de Lamanites à l'est, sur les bords de la mer, à l'endroit où les Néphites les avaient chassés. Ainsi les Néphites étaient presque entourés de Lamanites. Toutefois, les Néphites s'étaient emparés de toutes les parties du nord du pays qui borde le désert près de la source de la rivière Sidon, de l'est à l'ouest à l'entour du côté du désert, et au

2b, vers. 18.   2c, vers. 24.   2d, Al. 28 : 3.   2e, vers. 21.   2f, Al. 23 : 1-4.
2g, Om. 13.   2h, voir h, Al. 16.   2i, voir g, Al. 2.   2j, voir b, 2 Né. 5.

nord jusqu'au pays qu'ils appelaient [2k]Abondance.

30. Ce pays, situé sur les confins du pays qu'ils appelaient [2l]Désolation, était tellement étendu au nord qu'il touchait au pays qui avait été [2m]peuplé, puis détruit, dont nous avons fait mention en parlant des [2n]ossements découverts par le [2o]peuple de Zarahemla ; ce pays était celui de leur [2p]premier débarquement.

31. Et de là, ils étaient montés au désert du [2q]sud. Ainsi on appelait [2r]Désolation le pays du nord, et [2s]Abondance le pays du sud. C'était là la partie du désert qui était remplie de toutes sortes d'animaux sauvages [2t]venus du pays du nord, pour la plupart, afin d'y trouver leur pâture.

32. Il ne fallait qu'un jour et demi de [2u]voyage à un Néphite, le long de la ligne frontière entre le pays d'Abondance et le pays de Désolation, pour aller de la mer de l'est à la mer de l'ouest ; et ainsi le pays de Néphi et le pays de Zarahemla étaient presque entourés d'eau ; il n'y avait qu'une [2v]langue étroite de terre entre le pays du nord et celui du sud.

33. Et * les Néphites habitaient le pays d'Abondance, depuis la mer de l'est jusqu'à la mer de l'ouest ; et ainsi, dans leur sagesse, les Néphites avaient, avec leurs gardes et leurs armées, cerné les Lamanites au sud pour qu'ils n'envahissent pas le pays du nord.

34. C'est pourquoi, les Lamanites ne pouvaient obtenir davantage de possessions si ce n'est dans le pays de Néphi et dans le désert, à l'entour. Et c'était là la sagesse de la part des Néphites ; car, comme les Lamanites étaient leurs ennemis, ils tâchaient de se garantir, de tous côtés, de leurs attaques et d'avoir un pays où ils pussent se réfugier au besoin.

35. Après avoir dit ceci, je reviens au récit d'Ammon, Aaron, Omner, Himni et leurs frères.

CHAPITRE 23.

La liberté religieuse est proclamée. — Beaucoup de Lamanites sont convertis. — Amalékites et Amulonites rejettent la vérité. — Les Anti-Néphi-Léhis.

1. Il arriva que le roi des Lamanites envoya à tout son peuple une [a]proclamation, pour qu'ils ne missent point les mains sur Ammon, Aaron, Omner ou Himni, ni sur aucun de leurs frères qui iraient prêcher la parole de Dieu, partout où ils se trouveraient dans le pays.

2. Oui, il envoya un décret parmi eux défendant de mettre les mains sur eux pour les lier ou les mettre en prison ; de cracher sur eux, de les frapper et de les chasser de leurs [b]synagogues, de les fouetter ou de les lapider ; mais ils devaient les laisser libres d'entrer dans leurs maisons et aussi dans leurs [c]temples, et leurs [d]sanctuaires.

3. Et ainsi ils pourraient aller prêcher la parole selon leur volonté ; car le roi et [e]toute sa maison avaient été convertis au Seigneur ; c'est pourquoi, il envoya sa [f]proclamation à son peuple, partout dans le pays, afin que la parole de Dieu ne rencontrât point d'obstacles, mais qu'elle pût aller dans

2k, vers. 31-33. Al. 50 : 32. 51 : 28, 30, 32. 52 : 9, 15, 17, 18, 27, 39. 53 : 3, 4. 55 : 26. 63 : 5. Héla. 1 : 23, 28, 29. 4 : 5, 6. 5 : 14. 3 Né. 3 : 23. 11 : 1. 2l, vers. 31, 32. Al. 46 : 17. 50 : 34. 63 : 5. 3 Né. 3 : 23. Morm. 3 : 5. 7. 4 : 1-3, 8, 13, 19. 2m, Livre d'Ether. 2n, Mos. 8 : 7-12. 21 : 25-28. 28 : 11-19. Livre d'Ether. 2o, Om. 20-22. 2p, vers. 31. 32. Om. 14-22. Héla. 6 : 10. 8 : 21, 22. 2q, Héla. 6 : 10. 2r, voir 2l, aussi Héla. 3 : 5, 6. 2s, voir 2k. 2t, voir m, 1 Né. 18. 2u, Héla. 4 : 7. 2v, Al. 50 : 34. 52 : 9. 63 : 5. Héla. 4 : 7. Morm. 2 : 29. 3 : 5. CHAP. 23 : a, vers. 2-4. Al. 22 : 27. b, voir u, Al. 16. c, voir h, 2 Né. 5. d, voir t, Al. 15. e, Al. 22 : 23. f, voir a.   ENTRE 90 et 77 AV. J.-C.

tout le pays pour que son peuple fût convaincu de la perversité des *traditions de ses pères, et qu'il fût convaincu qu'ils étaient tous frères, et qu'ils ne devaient ni tuer, ni piller, ni voler, ni commettre d'adultère, ni aucune sorte de méchanceté.

4. Et * quand le roi eut envoyé cette ʰproclamation, Aaron et ses frères allèrent de ville en ville, d'une ʲmaison de culte à une autre, établissant des églises, consacrant des ʲprêtres et des instructeurs dans tout le pays des Lamanites, afin de leur prêcher et de leur enseigner la parole de Dieu. Et ils commencèrent à avoir un grand succès.

5. Et des milliers furent amenés à connaître le Seigneur, oui, des milliers furent amenés à croire aux traditions des Néphites. On les instruisit dans les ᵏannales et les prophéties qui avaient été transmises jusqu'au temps présent.

6. Et aussi vrai que le Seigneur vit, tous ceux qui crurent, ou tous ceux qui furent amenés à connaître la vérité par la prédication d'Ammon et de ses frères, suivant l'esprit de révélation et de prophétie et suivant le pouvoir de Dieu qui faisait des miracles en eux ; oui, je vous dis, aussi vrai que le Seigneur vit, tous les Lamanites qui crurent à leurs prédications et qui se convertirent au Seigneur, ᶦn'apostasièrent jamais.

7. Ils devinrent un peuple juste ; ils déposèrent les armes de leur rébellion, pour ne plus se battre ni contre Dieu ni contre aucun de leurs frères.

8. Voici maintenant ceux qui furent convertis au Seigneur :

9. Le peuple des Lamanites qui se trouvait dans le ᵐpays d'Ismaël ;

10. Une partie du peuple des Lamanites qui se trouvait dans le ⁿpays de Middoni ;

11. Une partie du peuple des Lamanites qui se trouvait dans la ᵒville de Néphi ;

12. Une partie du peuple des Lamanites qui se trouvait dans le ᵖpays de Shilom, le ᵠpays de Shemlon, la ville de Lémuel, la ville de Shimnilom.

13. Et tels sont les noms des villes lamanites qui se convertirent au Seigneur ; et tels sont ceux qui déposèrent les armes de leur rébellion, oui, toutes leurs armes de guerre ; et ils étaient tous Lamanites.

14. Et les Amalékites ne se convertirent point, si ce n'est un seul, ni aucun des ʳAmulonites non plus. Mais ils s'endurcirent le cœur, ainsi que celui des Lamanites qui étaient dans toutes les parties du pays qu'ils habitaient, dans tous leurs villages et dans toutes leurs villes.

15. Nous avons ainsi nommé toutes les villes lamanites où ils se repentirent, vinrent à connaître la vérité, et furent convertis.

16. Il arriva alors que le roi et ceux qui avaient été convertis désirèrent porter un nom qui les distinguât de leurs frères. C'est pourquoi, le roi consulta Aaron et beaucoup de leurs ˢprêtres, pour savoir le nom qu'ils prendraient pour se distinguer d'eux.

17. Et * ils prirent le nom ᵗd'Anti-Néphi-Léhis. Ils furent donc ainsi appelés, et ne portèrent plus celui de Lamanites.

18. Ils commencèrent à devenir un peuple très industrieux ; oui, et ils furent en bons termes avec les Néphites ; c'est pourquoi, ils entrèrent en relations avec eux, et la

g, voir n, Jacob 7.   h, voir a.   i, voir u, Al. 16. Voir h, 2 Né. 5. Voir t, Al. 15. j, voir c, Mos. 6.   k, voir a, 1 Né. 3. Al. 63 : 12.   l, Al. 27 : 27. Héla. 15 : 6-16. m, voir w, Al. 17.   n, voir b, Al. 20.   o, voir b, 2 Né. 5.   p, voir f, Mos. 7. q, voir d, Mos. 10.   r, voir u, Mos. 23. 25 : 1, 13. 27 : 2, 21, 25.-43 : 11.   s, voir c, Mos. 6.   t, Al. 24 : 1-3, 5, 20.
ENTRE 90 et 77 AV. J.-C.

"malédiction de Dieu ne pesa plus sur eux.

CHAPITRE 24.

Les Lamanites s'avancent contre le peuple de Dieu. — Les Lamanites convertis refusent de prendre les armes. — Afflux de conversions.

1. * Les Amalékites, les ^aAmulonites, ainsi que les Lamanites du pays d'Amulon, du pays ^bd'Hélam et du pays de ^cJérusalem, et de tout le pays environnant, qui ne s'étaient point convertis et n'avaient point pris sur eux le nom ^dd'Anti-Néphi-Léhi, furent excités par les Amalékites et les Amulonites à la colère contre leurs frères.

2. Et leur haine devint tellement forte contre eux qu'ils commencèrent à se révolter contre leur roi et ne le voulurent plus pour roi. C'est pourquoi, ils prirent les armes contre le peuple d'Anti-Néphi-Léhi.

3. Le roi conféra le royaume à son fils et il lui donna le nom d'Anti-Néphi-Léhi.

4. Le roi mourut en cette année même où les Lamanites commençaient à faire des préparatifs de guerre contre le peuple de Dieu.

5. Quand Ammon et ses frères, et tous ceux qui l'avaient suivi, virent les préparatifs que faisaient les Lamanites pour détruire leurs frères, ils passèrent au pays de Midian, où Ammon rencontra tous ses frères ; et de là, ils allèrent au pays ^ed'Ismaël afin d'y tenir conseil avec Lamoni et son frère ^fAnti-Néphi-Léhi, pour savoir ce qu'ils devaient faire pour se défendre contre les Lamanites.

6. Or, il n'y avait pas une seule âme, parmi tous ceux qui avaient été convertis au Seigneur, qui voulût prendre les armes contre ses

frères ; ils ne voulaient même pas faire des préparatifs pour la guerre ; oui, et leur roi leur ordonna aussi de n'en point faire.

7. Voici les paroles qu'il dit au peuple à ce propos : Je rends grâces à Dieu, mon peuple bien-aimé, de ce que notre grand Dieu, dans sa bonté, nous a envoyé ces hommes, nos frères les Néphites, pour nous prêcher et pour nous détromper sur les ^gtraditions de nos méchants pères.

8. Oui, je rends grâces à mon grand Dieu de nous avoir accordé une portion de son Esprit pour nous adoucir le cœur et nous amener à nouer des ^hrelations avec ces frères, les Néphites.

9. Je rends encore grâces à mon Dieu de ce que ces relations nous ont convaincus de nos péchés et du grand nombre de meurtres que nous avons commis.

10. Je rends grâce à mon Dieu, à mon grand Dieu, de nous avoir accordé le repentir de ces choses et de nous avoir pardonné ce grand nombre de péchés et de meurtres que nous avons commis, et d'en avoir enlevé la culpabilité de notre cœur par les mérites de son Fils.

11. Et maintenant, mes frères, puisque cela a été tout ce que nous ayons pu faire (étant donné que nous étions les plus corrompus de tout le genre humain), nous repentir de tous nos péchés et des nombreux meurtres que nous avons commis, et obtenir de Dieu qu'il nous les enlevât du cœur ; car c'était tout ce que nous pouvions faire pour nous repentir suffisamment devant Dieu avant qu'il nous lavât de nos taches —

12. Or, mes très aimés frères, puisque Dieu nous a lavés de nos taches, et que nos épées sont deve-

nues brillantes, ne [f]tachons plus nos épées du sang de nos frères.

13. Voici, je vous le dis, ne tirons plus nos épées, pour ne pas les tacher du sang de nos frères ; car si nous tachions de nouveau nos épées, elles ne pourraient peut-être plus être purifiées par le sang du Fils de notre grand Dieu, qui sera versé pour [j]l'expiation de nos péchés.

14. Le grand Dieu nous a fait miséricorde ; il nous a fait connaître ces choses pour que nous ne périssions pas ; oui, et il nous les a fait connaître à l'avance, parce qu'il aime notre âme, aussi bien qu'il aime nos enfants. C'est pourquoi, dans sa miséricorde, il nous visite par ses anges, afin que le plan du salut nous soit connu, ainsi qu'aux générations futures.

15. O combien notre Dieu est miséricordieux ! Et voici, puisque c'est là tout ce que nous pouvions faire pour obtenir la purification de nos [k]taches, et que nos épées sont brillantes, cachons-les pour les garder sans [l]tache, comme un témoignage à notre Dieu, au dernier jour, au jour où nous serons amenés devant lui pour être jugés, que nous n'avons point souillé nos épées du sang de nos frères, depuis qu'il nous a communiqué sa parole et nous a purifiés par elle.

16. Et maintenant, mes frères, si nos frères cherchent à nous détruire ; voici, nous cacherons nos épées, nous les enterrerons même [m]profondément dans la terre, afin de les conserver sans tache, comme un témoignage, au dernier jour, que nous n'en avons jamais fait usage. Et si nos frères nous tuent, voici, nous irons à notre Dieu et nous serons sauvés.

17. * Quand le roi cessa de parler, et comme tout le peuple

était rassemblé, ils prirent leurs épées et toutes leurs armes faites pour répandre le sang de l'homme, et ils les enterrèrent profondément dans la terre.

18. Et ils le firent parce que c'était à leurs yeux un témoignage à Dieu et aux hommes que jamais plus ils ne se serviraient d'armes pour verser le sang de l'homme ; et ils le firent, avec serment et alliance devant Dieu que plutôt que de verser le sang de leurs frères, ils [n]donneraient leur propre vie, et que plutôt que de prendre d'un frère, ils lui donneraient, et que plutôt que de passer leurs jours dans l'oisiveté, ils travailleraient abondamment de leurs mains.

19. Nous voyons par là que, quand les Lamanites étaient amenés à croire et à connaître la vérité, ils étaient fermes, disposés à [o]subir la mort plutôt que de commettre le péché. Et nous voyons qu'ils enterrèrent leurs armes de paix, ou ils enterrèrent les armes de guerre en vue de la paix.

20. Et * les Lamanites, leurs frères, se préparèrent à la guerre et montèrent au pays de Néphi avec le dessein de tuer le roi et d'en établir un autre à sa place ; et aussi d'exterminer le peuple [p]d'Anti-Néphi-Léhi du pays.

21. Quand le peuple les vit venir contre lui, il alla à leur rencontre ; et se prosterna devant eux, et commença à implorer le nom du Seigneur. Il était dans cette posture, quand les Lamanites fondirent sur lui ; et ils commencèrent à le tuer avec l'épée.

22. Ils en tuèrent mille cinq, sans rencontrer la moindre résistance. Et nous savons qu'ils sont bénis, car ils sont allés habiter avec leur Dieu.

i, vers. 6, 13, 15-19.   j, voir f, 2 Né. 2. 26 : 32. 53 : 10, 11. 56 : 6-8.   k, voir i.   l, vers. 17-19. Al. 25 : 14.   n, vers. 16, 21 : 27.   o, voir n. p, voir t, Al. 23.   ENTRE 90 et 77 av. J.-C

23. Quand les Lamanites virent que leurs frères ne prenaient point la fuite devant l'épée, qu'ils ne se tournaient ni à droite ni à gauche, mais qu'ils se couchaient pour périr, et louaient Dieu au moment même où ils périssaient sous l'épée —

24. Quand les Lamanites virent cela, ils cessèrent de les tuer. Et il y en eut un grand nombre dont le cœur se gonflait pour ceux de leurs frères qui tombaient sous l'épée ; et ils se repentirent des choses qu'ils avaient faites.

25. Et ils jetèrent leurs armes de guerre et ne voulurent pas les reprendre, bourrelés de remords pour les meurtres qu'ils avaient commis ; et ils se prosternèrent tout comme leurs frères, se confiant en la pitié de ceux dont le bras était levé pour les tuer.

26. Et il y eut, en ce jour-là, plus de monde qui s'unit au peuple de Dieu, qu'il n'y en eut de tués. Et ceux qui furent tués, étaient des hommes justes, c'est pourquoi nous ne devons point douter qu'ils ne soient sauvés.

27. Pas un seul méchant ne fut tué, mais il y en eut plus de mille qui furent amenés à la connaissance de la vérité. Nous voyons par là que le Seigneur travaille de nombreuses manières au salut de son peuple.

28. La plupart de ceux des Lamanites qui tuèrent tant de leurs frères étaient des Amalékites et des Amulonites dont la majorité étaient de [q]l'ordre des Néhors.

29. Et parmi ceux qui s'unirent au peuple du Seigneur, pas un n'était Amalékite, ni [r]Amulonite, ni de [s]l'ordre de Néhor. Ils étaient de vrais descendants de Laman et de Lémuel.

30. Nous pouvons voir par là, que lorsqu'un peuple a été une fois éclairé par l'Esprit de Dieu et qu'il a eu une grande connaissance des choses de la justice et qu'après cela il est tombé dans le péché et dans la transgression, il n'en est que plus endurci ; et son état est [t]pire que s'il n'eût jamais connu ces choses.

CHAPITRE 25.

Agressions lamanites. — Vengeance exercée par les Amulonites. — Martyres. Les prophéties d'Abinadi continuent à s'accomplir.

1. Et voici, * ces Lamanites furent plus furieux parce qu'ils avaient tué leurs frères, et ils jurèrent de se venger sur les Néphites. Et en ce temps-là, ils ne cherchèrent plus à attaquer le peuple [a]d'Anti-Néphi-Léhi.

2. Mais ils réunirent leurs armées, pénétrèrent dans le pays de Zarahemla, fondirent sur le peuple du [b]pays d'Ammonihah et [c]l'exterminèrent.

3. Après quoi, ils eurent de nombreuses batailles avec les Néphites, dans lesquelles ils furent repoussés et massacrés.

4. Et parmi les Lamanites qui furent tués, se trouvait presque toute la [d]postérité d'Amulon et de ses frères, prêtres de Noé, et ils furent tués des mains des Néphites ;

5. Et le reste s'étant enfui dans le désert de l'est et ayant usurpé le pouvoir et l'autorité sur les Lamanites, ils firent [e]périr beaucoup de Lamanites par le feu, à cause de leur croyance —

6. Car beaucoup d'entre eux, après avoir subi de grandes pertes et tant d'afflictions commençaient à se rappeler les [f]paroles qu'Aaron et ses frères leur avaient prêchées

q, Al. 1 : 2-15. *r*, voir *u*, Mos. 23. *s*, Al. 1 : 2-15. *t*, vers. 1, 28, 29. Voir *h*, 2 Né. 31. Al. 21 : 3-11. 23 : 14. 32 : 19. 47 : 36. Chap. 25 : *a*, voir *t*, Al. 23. *b*, voir *i*, Al. 8. *c*, Al. 16 : 2, 3, 9-11. *d*, voir *u*, Mos. 23. *e*, voir *f*, Mos. 17. *f*, Al. 21 : 5-12.

Entre 90 et 77 av. J.-C.

dans leur pays ; c'est pourquoi, ils commencèrent à mettre en doute les [g]traditions de leurs pères et à croire au Seigneur et au grand pouvoir que les Néphites tenaient de lui. Et nombre d'entre eux se convertirent ainsi dans le désert.

7. Et il arriva que ces gouverneurs, qui étaient le reste des [h]enfants d'Amulon, firent [i]mettre à mort tous ceux qui croyaient en ces choses.

8. Ce martyre excita la colère d'un grand nombre de leurs frères ; et il commença à y avoir des dissensions dans le désert ; et les Lamanites se mirent à poursuivre la [j]postérité d'Amulon et de ses frères et à les tuer ; et ils s'enfuirent dans le désert de l'est.

9. Et jusqu'à ce jour ils sont traqués par les Lamanites. Ainsi [k]s'accomplirent les paroles d'Abinadi touchant la postérité des prêtres qui le firent mourir par le feu.

10. Car il leur avait dit : [l]Ce que vous me ferez, sera le type des choses à venir.

11. Or, Abinadi avait été le premier à subir la [m]mort par le feu, pour sa croyance en Dieu ; et c'est ce qu'il a voulu dire : Qu'un grand nombre souffriraient la mort par le feu, [n]comme il l'avait soufferte.

12. Et il dit aux prêtres de Noé que leur postérité ferait mourir un grand nombre d'hommes de la même manière que lui ; qu'ils seraient poursuivis, dispersés et tués, de même qu'une brebis sans berger est chassée et tuée par les bêtes sauvages ; et maintenant, ces paroles étaient vérifiées, car ils étaient [o]chassés par les Lamanites, ils étaient poursuivis et abattus.

13. Et il arriva que quand les Lamanites virent qu'ils ne pouvaient pas vaincre les Néphites, ils retournèrent dans leur propre pays. Mais beaucoup d'entre eux vinrent habiter le [p]pays d'Ismaël et le pays de [q]Néphi et s'unirent au peuple de Dieu qui était le peuple [r]d'Anti-Néphi-Léhi.

14. Et eux aussi, ils [s]enterrèrent leurs armes de guerre, comme l'avaient fait leurs frères et commencèrent à devenir un peuple juste. Ils marchèrent dans les voies du Seigneur, observant ses commandements et ses statuts.

15. Oui, et ils gardèrent la [t]loi de Moïse, car il était expédient qu'ils gardassent encore la loi de Moïse, car elle n'était pas toute accomplie. Mais, tout en suivant la loi de Moïse, ils étaient dans l'attente de l'avènement du Christ, regardant la loi de Moïse comme une figure de son avènement, et croyant à l'observance de ces œuvres extérieures, jusqu'au temps où il leur serait révélé.

16. Ils ne pensaient pas que le salut vînt de la loi de Moïse ; mais la loi de Moïse servait à fortifier leur foi en Christ ; et ainsi, ils conservaient l'espérance du salut éternel par la foi, s'appuyant sur l'esprit de prophétie qui annonçait ces choses à venir.

17. Et voici, Ammon, Aaron, Omner, Himni et leurs frères se réjouirent extrêmement du succès qu'ils avaient obtenu parmi les Lamanites, voyant que le Seigneur leur avait accordé ce qu'ils avaient demandé dans leurs [u]prières, et qu'en tous points il avait confirmé sa parole.

CHAPITRE 26.

Ammon se glorifie dans le Seigneur. — Il se vante de la justice. — Il rappelle

g, voir *n*, Jacob 7. *h*, voir *u*, Mos. 23. *i*, voir *f*, Mos. 17. *j*, voir *u*, Mos. 23. *k*, Mos. 17 : 15-20. *l*, Mos. 13 : 10. *m*, Mos. 17 : 13-20. *n*, vers. 5-7. *o*, vers. 8, 9. Mos. 17 : 18. *p*, voir *w*, Al. 17. *q*, voir *b*, 2 Né. 5. *r*, voir *t*, Al. 23. *s*, voir *l*, Al. 24. *t*, voir *o*, 2 Né. 25. *u*, voir *e*, 2 Né. 32.

Entre 90 et 77 av. J.-C.

*les bénédictions versées sur lui-même et
sur ses frères.*

1. Et maintenant, voici les paroles d'Ammon à ses frères : Mes frères, voici, je vous le dis, combien n'avons-nous pas lieu de nous réjouir ! Pouvions-nous supposer, en *quittant le pays de *Zarahemla, que Dieu nous accorderait d'aussi grandes bénédictions ?

2. Et je vous le demande, quelles sont les grandes bénédictions qu'il nous a accordées ? Sauriez-vous le dire ?

3. Je répondrai pour vous. Les Lamanites, nos frères, étaient dans les ténèbres, oui, même dans l'abîme le plus noir ; mais voici, *combien est grand le nombre de ceux qui sont amenés à voir la lumière merveilleuse de Dieu ! C'est là la bénédiction qu'il nous a donnée, d'avoir été dans sa main des instruments pour accomplir cette grande œuvre.

4. Des *milliers d'entre eux sont dans la joie pour avoir été introduits dans la bergerie de Dieu.

5. Voici, le champ était mûr, et vous êtes bénis, car vous y avez mis la faucille et vous avez moissonné de toutes vos forces, oui, vous avez travaillé toute la journée ; et voyez le nombre de vos gerbes ! Elles sont entassées dans les greniers pour qu'elles ne soient pas perdues.

6. Oui, elles ne seront point abattues par *l'orage, au dernier jour ; elles ne seront point non plus tourmentées par les tourbillons. Mais, quand viendra l'orage, elles seront rassemblées à leur place, afin que l'orage ne les atteigne pas. Elles ne seront point emportées par la violence des vents dans les lieux où l'ennemi voudrait les *emporter.

7. Mais elles sont entre les mains

du Seigneur de la moisson et elles sont à lui ; et il les *élèvera au dernier jour.

8. Béni soit le nom de notre Dieu ; chantons ses louanges, rendons grâces à son saint nom, car il pratique la justice pour toujours.

9. Mais si nous n'étions pas montés du *pays de Zarahemla, ceux-ci, nos frères bien-aimés, qui nous ont tant aimés, seraient encore *torturés par leur haine pour nous ; ils seraient encore étrangers à Dieu.

10. * Lorsque Ammon eut ainsi parlé, son frère Aaron le réprimanda, en disant : Ammon, je crains que la joie ne t'emporte au point de te vanter.

11. Mais Ammon lui répondit : Je ne me vante point de ma propre force ni de ma propre sagesse. Mais ma joie est comble, mon cœur déborde de joie ; et je veux me réjouir en mon Dieu.

12. Oui, je sais que je ne suis rien ; que, quant à ma force, je ne suis que faiblesse ; c'est pourquoi je ne me vanterai point de moi-même, mais je me vanterai de mon Dieu, car, en sa force, je peux tout faire ; oui, voici, nous avons fait beaucoup de grands miracles dans ce pays, et nous en louerons son nom à jamais.

13. Combien de milliers de nos frères n'a-t-il pas délivrés des *douleurs de l'enfer pour les amener à chanter l'amour rédempteur ; et cela à cause du pouvoir de sa parole, qui est en nous ; c'est pourquoi, n'avons-nous pas grand sujet de nous réjouir ?

14. Oui, nous avons toute raison de le glorifier à jamais, car il est le Dieu très haut, qui a délivré nos frères des *chaînes de l'enfer.

15. Oui, ils étaient environnés de

a, Mos. 28 : 9. Al. 17 : 6-9. *b*, Om. 13. *c*, Al. 23 : 8-13. *d*, Al. 23 : 5.
e, Héla. 5 : 12. 3 Né. 14 : 25, 27. *f*, voir *i*, 2 Né. 9. *g*, voir *p*, Mos. 23.
h, Om. 13. *i*, voir *n*, Jacob 7. *j*, voir *p*, 2 Né. 28. *k*, voir *p*, 2 Né. 28.
ENTRE 90 et 77 AV. J.-C.

ténèbres et d'une destruction éternelles ; mais voici, il les a amenés à sa lumière éternelle, oui, au salut éternel ; et ils sont entourés de la bonté sans pareille de son amour ; oui, nous avons été, dans ses mains, des instruments pour faire cette œuvre grande et merveilleuse.

16. C'est pourquoi, glorifions-nous ; oui, nous nous glorifierons du Seigneur ; oui, nous nous réjouirons, car notre joie est pleine ; oui, nous louerons notre Dieu à jamais. Et qui peut trop se glorifier du Seigneur ? Qui peut trop parler de sa grande puissance, de sa miséricorde et de sa longanimité pour les enfants des hommes ? Voici, je vous le dis, je ne peux pas exprimer la moindre partie de ce que je ressens.

17. Qui aurait pu supposer que notre Dieu aurait eu assez de miséricorde pour nous arracher de notre horrible état de péché et de pollution ?

18. Nous sortions, pleins de fureur, la menace terrible à la bouche pour [l]détruire son Eglise.

19. Pourquoi ne nous a-t-il pas condamnés dès lors à une terrible destruction, pourquoi n'a-t-il pas permis que l'épée de sa justice tombât sur nous et ne nous a-t-il pas condamnés à un [m]désespoir sans fin ?

20. O, mon âme prend la fuite, pour ainsi dire, à cette pensée. Voici, il n'a point exercé sa justice envers nous ; mais, dans sa grande miséricorde, il nous a menés à l'autre côté de ce [n]gouffre éternel de mort et de misère, même jusqu'à sauver notre âme.

21. Et maintenant, mes frères, quel est l'homme naturel qui connaisse ces choses ? Je vous le dis, il n'en est point qui connaisse ces choses si ce n'est le pénitent.

22. Oui, celui qui se repent, fait preuve de foi, produit de bonnes œuvres et [o]prie sans cesse — à celui-là, il est donné de connaître les mystères de Dieu ; à celui-là, il est donné de révéler des choses qui n'ont jamais été révélées ; oui, à celui-là, il sera donné d'amener des milliers d'âmes au repentir, tout comme il nous a été donné d'amener au repentir ceux-ci qui sont nos frères.

23. Vous souvenez-vous, mes frères, que nous avons dit à nos frères du pays de Zarahemla : Nous montons au pays de Néphi, prêcher à nos frères les Lamanites ; et ils se sont moqués de nous avec mépris ?

24. Car ils nous dirent : Vous imaginez-vous pouvoir amener les Lamanites à la connaissance de la vérité ? Vous imaginez-vous pouvoir convaincre les Lamanites de la [p]fausseté des traditions de leurs pères, obstinés comme ils le sont, eux dont le cœur se plaît dans l'effusion de sang, dont les jours se sont écoulés dans la plus grossière iniquité, dont les voies, depuis le commencement, ont été celles du transgresseur ? Vous vous souvenez, mes frères, que c'était là leur langage.

25. Ils disaient de plus : Prenons les armes contre eux et exterminons-les du pays, eux et leurs iniquités, de crainte qu'ils ne nous envahissent et ne nous détruisent.

26. Mais, voici, mes frères bien-aimés, nous sommes venus dans le désert, non pas dans l'intention de tuer nos frères, mais dans l'intention de sauver si possible, quelques-unes de leurs âmes.

27. Et lorsque notre cœur était [q]abattu, que nous étions sur le point de retourner, le Seigneur nous a rassurés et nous a dit : Allez parmi vos frères les Lamanites, et suppor-

l, Mos. 27 : 10, 34. *m*, voir *m*, Jacob 6. *n*, voir *i*, 1 Né. 15. *o*, voir *e*, 2 Né. 32. *p*, voir *n*, Jacob 7. *q*, Al. 17 : 9-12.

tez 'patiemment vos afflictions, et je vous donnerai du succès.

28. Et nous sommes venus, nous sommes allés au milieu d'eux, nous avons été 'patients dans nos souffrances, nous avons subi toutes les privations ; nous avons passé de maison en maison, nous confiant dans la miséricorde du monde — non pas dans la miséricorde du monde seul, mais dans la miséricorde de Dieu.

29. Nous sommes entrés dans leurs maisons et nous les avons instruits ; nous les avons enseignés dans leurs rues ; oui, et nous les avons enseignés sur leurs collines ; nous sommes aussi entrés dans leurs 'temples et leurs "synagogues et nous les avons enseignés. Nous avons été "rejetés et tournés en dérision ; on a craché sur nous, on nous a frappé sur les joues et nous avons été lapidés, pris et liés de "fortes cordes et jetés en prison ; et par la puissance et la sagesse de Dieu, nous avons été délivrés encore.

30. Nous avons souffert toutes sortes d'afflictions et tout cela dans l'espoir que, peut-être, il nous serait donné de sauver quelque âme. Et nous supposions que notre joie serait comble, si nous pouvions en *sauver quelques-unes.

31. Et maintenant nous pouvons étendre nos regards et voir les fruits de nos travaux ; et sont-ils en petit nombre ? Je vous dis que non, ils sont 'nombreux ; oui, et nous pouvons témoigner de leur sincérité par leur amour envers leurs frères et envers nous.

32. Car ils ont préféré *sacrifier leur vie plutôt que d'ôter celle de leur ennemi ; et ils ont *ᵃenterré leurs armes de guerre dans les profondeurs de la terre, par amour pour leurs frères.

33. Je vous le dis, y a-t-il eu dans tout le pays, un aussi grand amour ? Voici, je vous dis qu'il n'y en a pas eu, même parmi les Néphites.

34. Car voici, ils auraient pris les armes contre leurs frères ; ils ne souffriraient pas qu'on les tuât. Mais voici, *ᵇcombien de ceux-ci n'ont-ils pas donné leur vie ? Et nous savons qu'ils sont allés à leur Dieu, à cause de leur amour et de leur haine pour le péché.

35. N'avons-nous donc pas raison de nous réjouir ? Oui, je vous le dis, nul homme, depuis le commencement du monde, n'a eu, autant que nous, d'aussi grandes raisons de se réjouir. Oui, ma joie est exaltée au point même de me vanter de mon Dieu, car il a tout pouvoir, toute sagesse et toute intelligence. Il comprend²ᶜ toutes choses, et il est un Etre miséricordieux, même jusqu'à donner le salut à ceux qui se repentent et croient en son nom.

36. Si c'est là se ·vanter, alors je veux me vanter ; car c'est là ma vie et ma lumière, ma joie et mon salut, et ma rédemption d'une misère sans fin. Oui, béni est le nom de mon Dieu, qui s'est souvenu de ce peuple, une *ᵈbranche de l'arbre d'Israël, perdue de son tronc, dans un pays *ᵉétranger ; oui, je le dis, béni soit le nom de mon Dieu, qui s'est souvenu de nous, *ᶠerrants dans un pays étranger.

37. Nous voyons donc, mes frères, que Dieu se souvient de tout peuple, en quelque pays qu'il soit, oui, il dénombre son peuple, et ses entrailles de miséricorde sont sur toute la terre. C'est cela, ma joie et mes grandes actions de grâce ; et je rendrai grâces à mon Dieu, à toujours. Amen.

---

r, vers. 28. Al. 17 : 11.   s, voir r.   t, voir h, 2 Né. 5.   u, voir u, Al. 16. v, Al. 20 : 29, 30. 21 : 11.   w, Al. 20 : 29, 30.   x, vers. 26.   y, Al. 23 : 8-13. Al. 26 : 4.   z, Al. 24 : 20-24.   2a, voir l, Al. 24.   2b, Al. 24 : 22.   2c, voir r, 2 Né. 9. D. et A. 88 : 41.   2d, voir b, Jacob 5.   2e, Jacob 5 : 25, 40, 43-45. 2f, Jacob 7 : 26.

Entre 90 et 77 av. J.-C.

CHAPITRE 27.

Le peuple d'Anti-Néphi-Léhi cherche refuge à Zarahemla. — Il prend le nom de peuple d'Ammon. — Le pays de Jershon lui est donné.

1. * Quand ces Lamanites, qui étaient partis en guerre contre les Néphites, découvrirent, après leurs ᵃnombreux efforts pour les détruire, qu'il était vain de chercher leur destruction, ils revinrent au ᵇpays de Néphi.

2. Et * les Amalékites étaient extrêmement furieux d'avoir subi tant de pertes. Et quand ils virent qu'ils ne pouvaient se venger sur les Néphites, ils se mirent à exciter la colère du peuple contre leurs frères, le peuple ᶜd'Anti-Néphi-Léhi ; et ils recommencèrent à les détruire.

3. Mais ce peuple refusa encore de prendre ses armes, préférant se laisser tuer au gré de ses ennemis.

4. Quand Ammon et ses frères virent cette œuvre d'extermination parmi ceux qu'ils aimaient tant, et parmi ceux qui les avaient tant aimés — car ils étaient traités comme s'ils étaient des anges envoyés par Dieu pour les sauver de la destruction éternelle — c'est pourquoi, quand Ammon et ses frères virent cette grande œuvre de destruction, ils furent touchés de compassion, et dirent au roi :

5. Rassemblons ce peuple du Seigneur et descendons au ᵈpays de Zarahemla, chez nos frères les Néphites ; sauvons-nous des mains de nos ennemis, afin de ne pas être exterminés.

6. Mais le roi leur dit : Voici, les Néphites nous détruiront à cause des nombreux meurtres et des nombreux péchés que nous avons commis envers eux.

7. Ammon dit : Je vais interroger le Seigneur, et s'il nous dit,

descendez chez vos frères, irez-vous ?

8. Et le roi lui dit : Oui, si le Seigneur nous dit : Allez, nous descendrons chez nos frères, et nous seront leurs esclaves jusqu'à ce que nous ayons réparé les nombreux meurtres et les péchés que nous avons commis contre eux.

9. Mais Ammon lui dit : La loi de nos frères, qui fut établie par mon père, défend qu'il y ait des ᵉesclaves parmi eux ; c'est pourquoi, descendons et fions-nous à la miséricorde de nos frères.

10. Mais le roi lui dit : ᶠDemande au Seigneur ; et s'il nous dit d'aller, nous irons ; autrement, nous périrons dans le pays.

11. * Ammon alla demander au Seigneur, et le Seigneur lui dit :

12. Emmène ce peuple de ce pays pour qu'il ne périsse pas ; car Satan a une grande emprise sur le cœur des Amalékites qui sont à ᵍexciter les Lamanites à la colère contre leurs frères, afin qu'ils les tuent ; c'est pourquoi, sortez de ce pays ; et ce peuple est béni dans cette génération, car je le préserverai.

13. * Ammon retourna au roi, auquel il apporta tout ce que le Seigneur lui avait ʰdit.

14. Et ils rassemblèrent tout leur peuple, oui, tout le peuple du Seigneur, rassemblèrent tous leurs troupeaux, quittèrent le pays, entrèrent dans le désert qui sépare le pays de Néphi du pays de Zarahemla, et arrivèrent sur les frontières du pays.

15. * Alors, Ammon leur dit : Mes frères et moi, nous entrerons dans le pays de Zarahemla, et vous resterez ici jusqu'à notre retour ; et nous sonderons le cœur de nos frères, pour savoir s'ils veulent que vous entriez dans leur pays.

16. Et * comme Ammon péné-

---

a, Al. 25 : 2, 3.   *b*, voir *b*, 2 Né. 5.   *c*, voir *t*, Al. 23.   *d*, Om. 13.
e, Mos. 29 : 32, 38, 40.   *f*, vers. 11.   *g*, vers. 2, 3.   *h*, vers. 12.

trait dans le pays, lui et ses frères rencontrèrent Alma, au ͥlieu dont il a été parlé, et voici, ce fut une joyeuse rencontre.

17. Et la joie d'Ammon fut si grande, qu'il en fut rempli ; oui, il fut ravi dans la joie de son Dieu, au point même de perdre toute force ; et il tomba de nouveau par terre.

18. N'était-ce pas là une joie extrême ? Voici, c'est la joie que personne ne reçoit si ce n'est le vrai pénitent et celui qui cherche humblement le bonheur.

19. La joie d'Alma, en revoyant ses frères, fut vraiment grande, de même que la joie d'Aaron, d'Omner et d'Himni, mais voici, leur joie n'était pas grande au point de dépasser leur force.

20. Et * Alma ramena ses frères au ᵏpays de Zarahemla ; il les reçut dans sa propre ͥmaison. Ils allèrent au ᵐjuge en chef et lui racontèrent tout ce qui leur était arrivé dans le ⁿpays de Néphi, parmi leurs frères, les Lamanites.

21. * Alors le grand-juge envoya une proclamation dans tout le pays, demandant la °voix du peuple touchant l'admission de ses frères, le peuple ᵖd'Anti-Néphi-Léhi.

22. Et * la voix du peuple vint, disant : Voici, nous abandonnerons le ᑫpays de Jershon, à l'est près de la mer, touchant le pays ʳd'Abondance, au sud du pays d'Abondance ; et ce pays de Jershon est le pays que nous donnerons en héritage à nos frères.

23. Et voici, nous placerons nos armées entre le pays de Jershon et le pays de Néphi, afin de protéger nos frères dans le pays de Jershon ; et cela nous le faisons pour nos frères à cause de leur crainte de prendre les armes contre leurs frè-res, de peur de commettre un péché ; et cette grande peur qui est la leur vint de leur profond repentir pour leurs nombreux meurtres et leur terrible méchanceté.

24. Et voici, nous ferons cela pour nos frères, afin qu'ils puissent hériter du pays de Jershon ; et nous les protégerons de leurs ennemis avec nos armées, à ˢcondition qu'ils nous donnent une partie de leurs biens pour nous aider à maintenir nos armées.

25. * Lorsque Ammon eut entendu ces choses, il retourna auprès du peuple ͭd'Anti-Néphi-Léhi, avec Alma, dans le désert, où ils avaient planté leurs tentes, et leur communiqua toutes ces choses. Et Alma leur raconta sa ᵘconversion, ainsi que celle d'Ammon, d'Aaron et de ses frères.

26. Et * cela provoqua une grande joie parmi eux. Et ils descendirent au ᵛpays de Jershon, et prirent possession du pays de Jershon ; et les Néphites les appelèrent le peuple d'Ammon, nom par lequel ils furent désormais distingués.

27. Et ils étaient parmi le peuple de Néphi et furent aussi comptés au nombre de ceux qui étaient de l'Église de Dieu. Et ils se distinguèrent aussi par leur zèle envers Dieu et envers les hommes ; car ils étaient parfaitement honnêtes et justes en toutes choses ; et ils étaient fermes, dans la foi du Christ, même ᵂjusqu'à la fin.

28. Ils avaient horreur de verser le sang de leurs frères, et jamais on ne put les persuader de prendre les armes contre eux. Jamais ils ne regardèrent la mort avec terreur, tant ils avaient d'espérance et de foi dans le Christ et de la ˣrésurrection ; c'est pourquoi, pour eux, la

i, Al. 17 : 1-4.   j, Al. 19 : 14, 17.   k, Om. 13.   l, Al. 15 : 18.   m, Al. 4 : 16-18. n, voir b, 2 Né. 5.   o, voir e, Mos. 29.   p, voir r, Al. 23.   q, vers. 23, 24, 26. Al. 28 : 1, 8. 30 : 1, 19. 31 : 3. 35 : 1, 2, 6, 8, 13, 14. 43 : 4, 15, 18, 22, 25. r, voir 2k, Al. 22.   s, Al. 43 : 13.   t, voir t, Al. 23.   u, Mos. 27 : 10-17. v, voir q.   w, voir l, Al. 23.   x, voir d, 2 Né. 11.   ENTRE 90 et 77 AV. J.-C.

mort était absorbée par la ^vvictoire du Christ sur elle.

29. C'est pourquoi, ils étaient disposés à souffrir la ^zmort la plus pénible et la plus affreuse qui pût leur être infligée par leurs frères, plutôt que de prendre l'épée ou le cimeterre pour les frapper.

30. C'est ainsi qu'ils étaient un peuple zélé et bien-aimé, et hautement favorisé de Dieu.

CHAPITRE 28.

Les Lamanites font la guerre aux Néphites. — Furieuse bataille. — Les Lamanites sont vaincus. — Grand deuil.

1. Et * lorsque le ^apeuple d'Ammon se fut établi au ^bpays de Jershon, qu'une église se fut aussi établie dans le pays de Jershon, et que les armées des Néphites furent placées à l'entour du pays de Jershon et sur toutes les frontières du ^cpays de Zarahemla ; voici, les armées des Lamanites avaient suivi leurs frères dans le désert.

2. Il y eut une bataille épouvantable, telle qu'on n'en avait jamais connu de pareille parmi tout le peuple du pays depuis le temps où Léhi quitta ^dJérusalem ; oui, et des dizaines de milliers de Lamanites furent tués et dispersés.

3. Oui, et il y eut aussi un terrible massacre parmi le peuple de Néphi ; toutefois les Lamanites furent chassés et dispersés et le peuple de Néphi retourna dans son pays.

4. Et ce fut un temps où de grands cris et de grandes lamentations se firent entendre dans tout le pays parmi tout le peuple de Néphi.

5. Oui, le cri de veuves pleurant leurs maris, de pères pleurant leurs fils, la fille le frère, le frère le père ; et ainsi le cri de deuil se faisait entendre parmi tous, pleurant pour leurs parents morts.

6. Ce fut sûrement un jour douloureux ; oui, un temps solennel, et un temps de nombreux ^ejeûnes et de nombreuses prières.

7. Ainsi finit la quinzième année du règne des juges sur le peuple de Néphi ;

8. Et tel est le récit d'Ammon et de ses frères ; tels furent leurs voyages dans le pays de Néphi, leurs souffrances dans le pays, leurs peines, leurs afflictions, leur ^fjoie inexprimable, la réception et la sécurité des frères dans le ^gpays de Jershon. Et maintenant, puisse le Seigneur, le Rédempteur du genre humain, bénir leur âme à jamais.

9. Tel est le récit des guerres et des dissensions parmi les Néphites et aussi des guerres entre les Néphites et les Lamanites ; et ainsi finit la †quinzième année du règne des juges.

10. Et ^hde la première année à la quinzième, elles ont vu la destruction de nombreux milliers de vies ; il se passa des scènes affreuses d'effusion de sang.

11. Et les corps de nombreux milliers sont ensevelis dans la terre, pendant que les corps de milliers d'autres ⁱtombent en poussière par monceaux sur la surface de la terre ; oui, et de nombreux milliers pleurent la perte de leurs parents, parce qu'ils ont lieu de craindre, selon les promesses du Seigneur, qu'ils ne soient réduits à un état de misère sans fin.

12. Bien que des milliers d'autres pleurent vraiment la perte de leurs parents, cependant ils se réjouissent, et exultent dans l'espoir, et savent même, selon les promesses du Seigneur, qu'ils sont exaltés pour demeurer à la droite de Dieu, dans un état de bonheur éternel.

13. Nous voyons ainsi, combien

---

y, voir *h*, Mos. 16.　*z*, Al. 24 : 20-23. 27 : 3.　CHAP. 28 : *a*, Al. 27 : 26. *b*, voir *q*, Al. 27.　*c*, Om. 13.　*d*, 1 Né. 2 : 2, 3.　*e*, voir *t*, Mos. 27.　*f*, Al. 26. 27 : 16-19.　*g*, voir *q*, Al. 27.　*h*, Al. chaps. 1-28.　*i*, Al. 16 : 11.

† 76 AV. J.-C.

est grande l'inégalité des hommes, à cause du péché, de la transgression, et du pouvoir du diable que celui-ci acquiert grâce aux plans subtils qu'il a inventés pour prendre au piège le cœur des hommes.

14. Et nous voyons ainsi le grand appel à la diligence qui a été donné aux hommes de ʲtravailler à la vigne du Seigneur ; et nous voyons ainsi la grande raison de la douleur et aussi de la joie — la douleur, à cause de la mort et de la destruction parmi les hommes, et la joie, à cause de la lumière du Christ qui donne la vie.

CHAPITRE 29.

Alma éprouve le désir ardent de proclamer la repentance à tous. — La parole de Dieu est répartie avec sagesse. — Alma se réjouit du succès de ses frères.

1. O, que je voudrais être un ange et satisfaire le souhait de mon cœur, d'aller et de parler avec la trompette de Dieu, avec une voix à faire trembler la terre, et crier repentance à tous les peuples !

2. Oui, je déclarerais à toute âme, comme avec une voix de tonnerre, le repentir et le plan de la rédemption, pour qu'elle se repentît et vînt à notre Dieu, pour qu'il n'y eût plus de douleur sur toute la surface de la terre.

3. Mais voici, je suis un homme, et je pèche dans mon désir même, car je devrais me contenter des choses que le Seigneur m'a assignées.

4. Je ne devrais point tourmenter dans mes désirs le ferme décret d'un Dieu juste, car je sais qu'il accorde aux hommes, selon ce qu'ils désirent, soit ce qui conduit à la mort, soit ce qui conduit à la vie ; oui, je sais qu'il accorde aux hommes, selon leur volonté, le salut ou la destruction.

5. Oui, je sais que le bien et le mal se sont présentés à tous les hommes ; celui qui ne distingue ᵃpoint le bien du mal est innocent ; mais celui qui ᵇconnaît le bien et le mal, à celui-là il est donné, selon ce qu'il désire, selon qu'il désire le bien ou le mal, la vie ou la mort, la joie ou les remords de conscience.

6. Puisque je sais ces choses, pourquoi désirerais-je plus que d'accomplir l'œuvre à laquelle j'ai été appelé ?

7. Pourquoi ᶜdésirerais-je être un ange pour pouvoir parler à tous les bouts de la terre ?

8. Car voici, le Seigneur accorde à toutes les nations des hommes de la même nation et de la même langue pour enseigner sa parole, oui, en sagesse, ᵈtout ce qu'il estime convenable qu'elles aient ; c'est pourquoi, nous voyons que le Seigneur conseille en sagesse, selon ce qui est juste et vrai.

9. Je sais ce que le Seigneur m'a commandé, et je m'en glorifie. Je ne me glorifie pas de ᵉmoi-même, mais je me glorifie de ce que le Seigneur m'a commandé ; oui, et voici ma gloire, que je serai peut-être dans les mains de Dieu un instrument pour amener quelque âme au repentir ; c'est là ma joie.

10. Et voici, quand je vois beaucoup de mes frères vraiment pénitents, venant au Seigneur, leur Dieu, mon âme alors est remplie de joie ; alors je me souviens de ce que le Seigneur a fait ᶠpour moi, oui, qu'il a exaucé ma prière ; oui, alors je me souviens du bras miséricordieux qu'il m'a tendu.

11. Oui, et je me souviens aussi de la captivité de mes pères ; car je sais avec certitude que le Seigneur les a délivrés de la servitude, et que par là il a établi son Eglise ; oui, le Seigneur Dieu, le Dieu d'Abraham, le Dieu d'Isaac, et le

ʲ, Jacob 5. **Chap.** 29 : *a*, voir *j*, Mos. 3. *b*, voir *l*, 2 Né. 2. *c*, vers. 1. *d*. Al. 12 : 9-11. *e*, Al. 26 : 12. *f*, Mos. 27 : 11-31.   **Vers 76 av. J.-C.**

Dieu de Jacob les a tirés de la servitude.

12. Oui, je me suis toujours souvenu de la captivité de mes pères, et ce même Dieu qui les a délivrés des mains des Egyptiens, les a délivrés de ᵍla servitude.

13. Oui, et ce même Dieu a établi son Eglise parmi eux ; oui, et ce même Dieu m'a appelé d'un ʰsaint appel pour prêcher la parole à ce peuple et m'a donné beaucoup de succès ; en quoi ma joie est complète.

14. Mais je ne me réjouis pas seulement de mon propre succès, mais ma joie est plus complète à cause du succès de mes ⁱfrères qui sont montés au ʲpays de Néphi.

15. Ils ont beaucoup travaillé, ils ont recueilli de nombreux fruits, et combien grande sera leur récompense !

16. Quand je pense au succès de mes frères, mon âme en est ravie au point de se séparer de mon corps, pour ainsi dire, si grande est ma joie.

17. Maintenant, puisse Dieu accorder à mes frères de s'asseoir dans le royaume de Dieu ; oui, et aussi tous ceux qui sont le fruit de leurs travaux, pour n'en plus sortir, et le louer à toujours. Et puisse Dieu accorder qu'il en soit ainsi selon mes paroles, comme je l'ai dit. Amen.

CHAPITRE 30.

Korihor, l'Antéchrist. — Expulsé de Jershon et arrêté à Gidéon. — Il est traduit devant le grand-juge à Zarahemla. — Il demande un signe et devient muet. — Il meurt misérablement.

1. * Lorsque le ᵃpeuple d'Ammon se fut établi dans le ᵇpays de Jershon, et lorsque les Lamanites eurent été ᶜchassés du pays, et que leurs morts eurent été enterrés par le peuple du pays —

2. Et leurs morts étaient ᵈsi nombreux qu'on ne les compta pas ; et l'on ne compta pas non plus les morts des Néphites — * Lorsqu'ils eurent enterré leurs morts, après avoir passé les jours de ᵉjeûne, de deuil et de prière (c'était dans la seizième année du règne des juges sur le peuple de Néphi), on commença à jouir d'une paix continuelle dans tout le pays.

3. Le peuple gardait les commandements du Seigneur ; il observait strictement les ordonnances de Dieu suivant la ᶠloi de Moïse, car il lui était enseigné de garder la loi de Moïse jusqu'à ce qu'elle fût accomplie.

4. Le peuple, ainsi, n'eut aucun trouble pendant toute la seizième année du règne des juges sur le peuple de Néphi.

5. * La dix-septième année du règne des juges fut aussi une année de paix continuelle.

6. Mais * vers la fin de la †dix-septième année, un homme vint au pays de Zarahemla ; il était Antéchrist, car il commença à prêcher au peuple contre les prophéties qui avaient été faites par les prophètes sur la venue du Christ.

7. Il n'y avait point de ᵍloi contre la croyance d'un homme ; car il était expressément contraire aux commandements de Dieu qu'il y eût une loi qui mît les hommes sur un pied d'inégalité.

8. Car ainsi dit l'Ecriture : ʰchoisissez aujourd'hui qui vous voulez servir.

9. Maintenant si quelqu'un désirait servir Dieu, il en avait le privilège ; ou plutôt s'il croyait en Dieu, il avait le privilège de le servir ;

g. Mos. 24 : 16-22. *h,* Al. 5 : 3. *i,* Al. 17 : 1-8. *j,* voir *b,* 2 Né. 5.
CHAP. 30 : *a,* Al. 27 : 26. *b,* voir *q,* Al. 27. *c,* Al. 28 : 2, 3. *d,* voir *c,*
e, voir *t,* Mos. 27. *f,* voir *o,* 2 Né. 25. *g,* vers. 9, 11. Al. 1 : 17. *h,* Josué
24 : 15.   † 74 AV. J.-C.

mais s'il ne croyait point en lui, il n'y avait point de loi pour le punir.

10. Mais s'il tuait, il était puni de mort ; s'il dérobait, il en était puni ; s'il pillait, il était également puni ; s'il était adultère, on le punissait ; tous ces crimes étaient punis.

11. Car il y avait une loi qui voulait que les hommes fussent jugés selon leurs crimes. Néanmoins, il n'y avait point de [i]loi contre la croyance d'un homme, et les hommes n'étaient punis que selon les crimes qu'ils avaient commis ; c'est pourquoi tous les hommes étaient sur un [j]pied d'égalité.

12. Cet Antéchrist, qui se nommait Korihor (et la loi ne pouvait avoir de prise sur lui), commença à prêcher au peuple qu'il n'y aurait point de Christ. Et il prêchait de cette manière, disant :

13. O vous, qui êtes enchaînés à de vaines et ridicules espérances, pourquoi vous soumettre à de telles folies ? Pourquoi attendez-vous un Christ ? Car nul ne peut connaître les choses à venir.

14. Voici, ces choses que vous appelez des prophéties, que vous dites être transmises par de saints prophètes, je vous dis que ce sont de folles traditions de vos pères.

15. Comment savez-vous qu'elles sont vraies ? Voici, vous ne pouvez pas connaître ce que vous ne voyez pas. Vous ne pouvez donc pas savoir s'il y aura un Christ.

16. Vous jetez les regards dans l'avenir et vous dites y voir la rémission de vos péchés. Mais ceci est l'effet d'un esprit en délire ; et ce dérangement d'esprit vous vient des traditions de vos pères qui vous ont conduits à croire des choses qui ne sont pas.

17. Et il leur dit beaucoup d'autres choses de ce genre, leur déclarant qu'il ne pouvait y avoir

d'expiation pour les péchés des hommes, mais que chacun se comportait dans cette vie selon la façon dont il avait été créé ; c'est pourquoi, chacun prospérait selon son génie et chacun conquérait selon ses forces, et tout ce qu'un homme faisait n'était pas criminel.

18. Il leur prêchait ainsi, détournant le cœur d'un grand nombre, les faisant lever la tête dans leur méchanceté, oui, entraînant beaucoup de femmes et aussi beaucoup d'hommes à commettre l'impudicité — leur disant que quand on était mort, tout était fini.

19. Cet homme passa aussi au pays de [k]Jershon pour y prêcher ces choses au [l]peuple d'Ammon, qui avait jadis été lamanite.

20. Mais ils furent plus sages que n'avaient été beaucoup de Néphites, car ils se saisirent de lui, le lièrent et le menèrent devant Ammon, qui était le [m]grand-prêtre de ce peuple.

21. Et * il le fit emporter hors du pays. Alors il passa au [n]pays de Gidéon et se mit à leur prêcher également. Mais il n'y eut pas grand succès, car il fut pris, lié et conduit devant le [o]grand-prêtre et le grand-juge du pays.

22. Et * le grand-prêtre lui dit : Pourquoi vas-tu partout pervertir les voies du Seigneur ? Pourquoi enseignes-tu à ce peuple qu'il n'y aura pas de Christ, pour interrompre ses réjouissances ? Pourquoi parles-tu contre toutes les prophéties des saints prophètes ?

23. Ce grand-prêtre s'appelait Giddonah et Korihor lui dit : C'est parce que je n'enseigne pas les folles traditions de vos pères et que je n'enseigne pas à ce peuple à se laisser entraver par les folles ordonnances et par les rites qui furent établis par d'anciens prêtres pour usurper le pouvoir et l'autorité, pour les maintenir dans l'igno-

---

rance, afin qu'ils ne puissent pas lever la tête, mais qu'ils soient abaissés selon tes paroles.

24. Vous dites que ce peuple est un peuple libre. Moi je dis qu'il est dans la servitude. Vous dites que ces anciennes prophéties sont vraies. Moi je dis que vous ne savez pas si elles sont vraies.

25. Vous dites que ce peuple est un peuple pécheur et déchu, à cause de la transgression d'un parent. Moi je dis qu'un enfant n'est pas coupable des actes de ses parents.

26. Vous dites encore que le Christ viendra et moi je vous dis que vous ne savez pas s'il y aura un Christ. Et vous dites qu'il sera mis à mort pour les péchés du monde—

27. Et vous entraînez ainsi ce peuple dans les folles traditions de vos pères, pour satisfaire vos propres désirs ; vous les tenez, pour ainsi dire, en état de servitude, pour vous assouvir des travaux de leurs mains, de sorte qu'ils n'osent pas lever les yeux avec hardiesse, n'osant pas non plus jouir de leurs droits et privilèges.

28. Oui, ils n'osent pas user de ce qui leur appartient de crainte d'offenser leurs prêtres, qui les asservissent à leur volonté et les ont amenés à croire, par leurs traditions, leurs songes, leurs lubies, leurs visions et leurs prétendus mystères que, s'ils ne suivaient pas ce qu'ils disent, ils offenseraient quelque être inconnu qu'ils appellent Dieu — un être qui n'a jamais été vu ni connu, qui n'a jamais été et qui ne sera jamais.

29. Quand le grand-prêtre et le grand-juge virent l'endurcissement de son cœur, oui, quand ils virent qu'il insulterait même Dieu, ils ne voulurent point répondre à ses paroles ; mais ils le firent lier, le

livrèrent aux mains des officiers, et l'envoyèrent au ᵖpays de Zarahemla, pour être traduit devant Alma et le grand-juge gouverneur de tout le pays.

30. Et * lorsqu'il fut amené devant Alma et le grand-juge, il se comporta de la ᵠmême manière qu'au pays de Gidéon, oui, il continua à blasphémer.

31. Et il s'éleva en grandes paroles boursouflées devant Alma, et insulta les ʳprêtres et les instructeurs, et les accusa d'entraîner le peuple dans les traditions ridicules de leurs pères, en vue de se gorger des travaux du peuple.

32. Alors Alma lui dit : Tu sais que nous ne nous gorgeons point des travaux du peuple, car depuis le commencement du règne des juges jusqu'à ce jour, j'ai travaillé de ˢmes propres mains pour mon soutien, malgré mes nombreux voyages dans le pays pour annoncer la parole de Dieu à mon peuple.

33. Et nonobstant les nombreux travaux que j'ai accomplis dans l'Eglise, je n'ai jamais rien reçu, pas même une ᵗsénine pour mon travail, pas plus qu'aucun de mes frères, ᵘsi ce n'est pour le siège du jugement ; et là, nous avons été payés uniquement pour notre temps selon la loi.

34. Et si nous ne recevons rien pour nos travaux dans l'Eglise, à quoi cela nous sert-il de travailler dans l'Eglise si ce n'est de déclarer la vérité afin de nous réjouir de la joie de nos frères ?

35. Alors pourquoi dis-tu que nous prêchons à ce peuple par ᵛintérêt, quand tu sais toi-même que nous ne recevons aucun gain ? Et crois-tu que nous trompons le peuple en lui annonçant ce qui lui met tant de joie au cœur ?

36. Et Korihor lui répondit: Oui.

37. Alors Alma lui dit : Crois-tu qu'il y a un Dieu ?

38. Et il répondit : *ʷ*Non.

39. Alors Alma lui dit : Nieras-tu encore qu'il y ait un Dieu, et nieras-tu le Christ aussi ? Car voici, je te le dis, je sais qu'il y a un Dieu, et que le Christ viendra.

40. Quelle preuve as-tu donc qu'il n'y a point de Dieu ou que le Christ ne viendra pas ? Je te dis que tu n'en as aucune, si ce n'est *ˣ*ta parole seule.

41. Mais j'ai tout pour témoigner que cela est vrai ; et tu as aussi tout pour témoigner que cela est vrai ; le nieras-tu ? Crois-tu que c'est vrai ?

42. Je sais que tu crois, mais tu es possédé par l'esprit du mensonge et tu as repoussé l'Esprit de Dieu, de sorte qu'il ne trouve point de place en toi ; le diable a pouvoir sur toi et il t'emporte çà et là, faisant toutes sortes d'inventions pour détruire les enfants de Dieu.

43. Alors Korihor dit à Alma : Si tu veux me montrer un *ʸ*signe pour que je sois convaincu qu'il y a un Dieu, oui, montre-moi qu'il a du pouvoir, et alors je serai convaincu de la véracité de tes paroles.

44. Mais Alma lui dit : Tu as eu assez de signes ; veux-tu tenter ton Dieu ? Diras-tu : Montre-moi un signe, quand tu as le témoignage de tous ceux-ci, tes frères, et celui de tous les saints prophètes ? *ᶻ*Les Écritures sont devant toi, oui, et tout démontre qu'il y a un Dieu ; oui, même la terre, et toutes les choses qui sont à sa surface, et *²ᵃ*son mouvement, et toutes les planètes qui se meuvent dans leur forme régulière témoignent qu'il y a un Créateur suprême.

45. Et malgré cela, tu t'en vas çà et là, séduisant le cœur de ce peuple, lui attestant qu'il n'y a

pas de Dieu. Nieras-tu encore tous ces témoignages ? Et il dit : Oui, je nierai, à moins que tu ne me montres un *²ᵇ*signe.

46. Et * Alma lui dit : Je suis affligé de l'endurcissement de ton cœur, oui, de ce que tu résistes encore à l'esprit de la vérité pour que ton âme soit détruite.

47. Mais voici, il vaut mieux que ton âme soit perdue, que de te laisser être l'instrument qui conduira beaucoup d'âmes à la destruction, par tes paroles mensongères et flatteuses ; c'est pourquoi, si tu nies encore, Dieu te frappera de telle façon que tu deviendras *²ᶜ*muet, que tu n'ouvriras plus jamais la bouche et que tu ne tromperas plus ce peuple.

48. Alors Korihor lui dit : Je ne nie pas l'existence d'un Dieu, mais je ne crois pas qu'il y ait un Dieu ; et je dis aussi que vous ne savez pas s'il y a un Dieu ; et si vous ne me *²ᵈ*montrez un signe, je ne croirai point.

49. Et Alma lui dit : Voici le signe que je te donne ; c'est que tu deviendras muet à ma parole. Et je dis qu'au nom de Dieu tu seras muet, de sorte que tu n'auras *²ᵉ*plus l'usage de ta parole.

50. Quand Alma eut prononcé ces paroles, Korihor devint muet, de sorte qu'il n'eut plus l'usage de la parole selon ce qu'Alma avait dit.

51. Et quand le grand-juge vit cela, il avança la main et écrivit ces mots à Korihor : Es-tu convaincu de la puissance de Dieu ? En qui voulais-tu qu'Alma montrât son signe ? Voulais-tu qu'il affligeât d'autres personnes pour te montrer un signe ? Voici qu'il t'a montré un signe ; disputeras-tu davantage ?

52. Korihor étendit la main et écrivit ces mots : Je sais que je

---

w, vers. 28, 29, 48.   *x*, vers. 28.   *y*, vers. 45, 48, 49, 50.   *z*, voir *a*, 1 Né. 3.
Al. 63 : 12.   *2a*, Héla. 12 : 11-15.   *2b*, voir *y*.   *2c*, vers. 49, 50, 52.   *2d*, voir *y*.
2e, vers. 47, 50.

VERS 74 AV. J.-C.

suis muet, car je ne puis parler. Je sais qu'il n'y avait que la puissance de Dieu qui pût ainsi m'affliger ; oui, et je [27]savais aussi qu'il y a un Dieu.

53. Mais le diable m'a trompé ; car il m'est [29]apparu sous la forme d'un ange, et il m'a dit : Va, et réforme ce peuple car il s'est égaré en suivant un Dieu inconnu. Et il me dit : Il n'y a point de Dieu ; et il m'enseigna ce que j'aurais à dire. Et j'ai enseigné ses paroles, et je les ai enseignées parce qu'elles plaisaient à l'esprit charnel ; et je les enseignai jusqu'à ce que j'eusse beaucoup de succès, au point que je crus réellement qu'elles étaient vraies ; et c'est pour cela que j'ai résisté à la vérité, jusqu'à m'attirer cette grande malédiction.

54. Après avoir dit cela, il implora Alma de prier Dieu pour que cette [2h]malédiction lui fût ôtée.

55. Mais Alma lui dit : Si cette malédiction t'était ôtée, tu séduirais de nouveau le cœur de ce peuple ; c'est pourquoi, il t'en sera fait selon la volonté du Seigneur.

56. Et * la malédiction ne fut pas enlevée de Korihor ; mais il fut rejeté, et il alla de maison en maison [2i]mendier sa nourriture.

57. On publia immédiatement partout dans le pays ce qui était arrivé à Korihor ; oui, la proclamation fut envoyée par le grand-juge au peuple, déclarant à ceux qui avaient cru aux paroles de Korihor de se repentir au plus tôt, de crainte que les mêmes jugements ne tombassent sur eux.

58. Et * tous furent convaincus de la perversité de Korihor ; c'est pourquoi, ils se convertirent à nouveau tous au Seigneur, et cela mit fin à l'iniquité selon Korihor. Et Korihor alla de maison en maison

mendiant de la nourriture pour vivre.

59. Et il arriva que comme il allait parmi le peuple, oui, parmi un peuple qui s'était séparé des Néphites et qui avait pris le nom de [2j]Zoramites, étant conduit par un homme appelé Zoram — et, comme il allait au milieu d'eux, voici, il fut renversé et foulé aux pieds, jusqu'à ce qu'il mourût.

60. Ainsi nous voyons comment finit celui qui pervertit les voies du Seigneur ; et nous voyons ainsi que le diable ne soutiendra pas ses enfants au dernier jour mais qu'il les entraîne rapidement en [2k]enfer.

CHAPITRE 31.

Alma conduit une mission pour réformer les Zoramites apostats. — Le Raméumptom ou chaire sacrée. — La forme de culte des Zoramites.

1. Il arriva qu'après la fin de Korihor, Alma apprit que les [a]Zoramites pervertissaient les voies du Seigneur, et que Zoram, leur chef, détournait le cœur du peuple, lui faisant adorer des idoles muettes, et l'entraînant à toutes sortes d'autres choses vaines. Et son cœur recommença à se soulever à cause de l'iniquité du peuple.

2. Car c'était une cause de grand chagrin pour Alma que d'apprendre qu'il y avait de l'iniquité parmi son peuple ; c'est pourquoi il fut extrêmement attristé de voir les Zoramites séparés des Néphites.

3. Les Zoramites s'étaient rassemblés dans un pays qu'ils appelèrent [b]Antionum, situé à l'est du pays de [c]Zarahemla, peu éloigné des bords de la mer, au sud du [d]pays de Jershon, bordant aussi le désert du sud, qui était plein de Lamanites.

4. Les Néphites craignaient

2j, vers. 41, 42.   2g, 2 Né. 9 : 9.   2h, vers. 56.   2i, vers. 58.   2j, Al. 31 : 1-4, 7-12.   35 : 2, 3, 7-11, 13, 14.   38 : 3.   39 : 2, 11.   43 : 4-6, 13, 20, 44.   52 : 20, 33. 2k, voir k, 1 Né. 15.   CHAP. 31 : a, voir 2j, Al. 30.   b, Al. 43 : 5, 15, 22. c, Om. 13.   d, voir q, Al. 27.   **VERS 74 AV. J.-C.**

beaucoup de voir les °Zoramites entrer en relations avec les Lamanites ; ce qui pouvait constituer une grande perte pour les Néphites.

5. Et comme la prédication de la parole avait grande tendance à conduire le peuple à la justice — oui, elle avait eu un effet plus puissant sur l'esprit du peuple que l'épée ou quoi que ce fût d'autre — Alma pensa qu'il était expédient d'essayer la vertu de la parole de Dieu.

6. C'est pourquoi il prit avec lui Ammon, Aaron et Omner, laissant Himni à l'église de ᶠZarahemla ; mais il prit les trois premiers ainsi qu'Amulek et Zeezrom, qui étaient à ᵍMélek ; il prit aussi deux de ses fils.

7. Or, il n'emmena pas l'aîné de ses fils, dont le nom était Hélaman ; mais les noms de ceux qu'il emmena avec lui étaient ʰShiblon et ᶦCorianton ; et ce sont là les noms de ceux qui se rendirent avec lui chez les ʲZoramites, pour leur prêcher la parole.

8. Les Zoramites étaient des dissidents des Néphites. La parole de Dieu leur avait donc été prêchée.

9. Mais ils étaient tombés dans de graves erreurs ; ils ne voulaient point garder les commandements de Dieu, ni ses statuts, selon la ᵏloi de Moïse.

10. Ils ne voulaient point non plus observer les rites de l'Eglise, être exacts à ᶦprier et à supplier Dieu chaque jour, afin de ne point succomber à la tentation.

11. Enfin, ils pervertissaient les voies du Seigneur en beaucoup de choses. C'est pour cela qu'Alma et ses frères allèrent dans le pays leur prêcher la parole.

12. Or, quand ils furent arrivés dans le pays, voici, à leur grande surprise, ils découvrirent que les Zoramites avaient construit des ᵐsynagogues, et qu'ils s'y rassemblaient un jour de la semaine, qu'ils appelaient le jour du Seigneur ; et ils pratiquaient leur culte d'une manière que ni Alma ni ses frères n'avaient jamais vue ;

13. Ils avaient élevé un endroit au centre de leurs synagogues, un ⁿendroit pour se tenir debout, qui dominait de beaucoup la tête et dont le sommet ne pouvait recevoir qu'une seule personne.

14. Et quiconque voulait adorer, devait aller se tenir sur le sommet, les mains vers le ciel, et crier d'une voix forte, disant :

15. Saint, saint Dieu, nous croyons que tu es Dieu, et nous croyons que tu es saint, que tu étais un esprit, que tu es un esprit, et que tu seras un esprit à tout jamais.

16. Saint Dieu, nous croyons que tu nous as séparés de nos frères ; et nous ne croyons pas aux traditions de nos frères, qu'ils tiennent de la puérilité de leurs pères, mais nous croyons que tu nous a élus pour être tes saints enfants ; et aussi, tu nous a fait connaître qu'il n'y aura point de Christ.

17. Mais que tu es le même, hier, aujourd'hui et à jamais ; et tu nous as élus pour être sauvés, tandis que tous ceux qui nous entourent sont élus pour être jetés par ta colère en enfer ; et nous te remercions, ô Dieu, pour cette sainteté ; nous te remercions de nous avoir élus pour que nous ne nous égarions point dans les folles traditions de nos frères, qui les enchaînent à croire au Christ et portent leur cœur à s'éloigner de toi, notre Dieu.

18. Et de plus, nous te remercions, ô Dieu, de nous avoir faits un peuple choisi et saint. Amen.

19. Quand Alma, ses frères et ses fils eurent entendu ces prières,

e, voir 2j, Al. 30.   f, Om. 13.   g, voir c, Al. 8.   h, Al. 38.   i, Al. 39-42.
j, voir 2j, Al. 30.   k, voir o, 2 Né. 25.   l, voir e, 2 Né. 32.   m, voir u, Al. 16.
n, vers. 21, 23.   VERS 74 AV. J.-C.

ils en furent étonnés au-delà de toute mesure.

20. Car chaque homme montait et offrait les mêmes prières.

21. Cet endroit était appelé par eux Raméumptom, ce qui, interprété, signifiait la sainte chaire.

22. C'est de cette chaire qu'ils offraient, chacun, exactement la même prière à Dieu, remerciant leur Dieu d'avoir été [o]choisis par lui, de ce qu'il ne les avait pas égarés selon les [p]traditions de leurs frères, et du fait que leurs cœurs n'avaient pas été séduits à croire à des choses à venir dont ils ne savaient rien.

23. Et lorsque le peuple avait ainsi offert des remerciements, il s'en retournait chez lui, ne parlant plus du tout de son Dieu, jusqu'au moment où il se rassemblait de nouveau à la [q]sainte chaire, pour offrir des remerciements à sa manière.

24. Quand Alma vit cela, son cœur fut attristé ; car il vit que c'était un peuple méchant et pervers ; oui, il vit que son cœur était placé dans l'or, dans l'argent, et dans toutes sortes de choses précieuses.

25. Oui, et il vit aussi que son cœur, dans son orgueil, était exalté au point de se vanter très fort.

26. Et il éleva la voix vers le ciel et cria, disant : O Seigneur, combien de temps souffriras-tu que tes serviteurs demeurent ici-bas dans la chair pour y voir de si grossières iniquités parmi les enfants des hommes ?

27. Voici, ô Dieu, ils t'invoquent, et pourtant leur cœur est englouti dans leur orgueil. Voici, ô Dieu, ils t'invoquent de la bouche tandis qu'ils sont boursouflés, même démesurément, des choses vaines du monde.

28. Vois, ô mon Dieu, leurs vêtements somptueux, leurs anneaux, leurs bracelets, leurs ornements d'or, toutes les choses précieuses dont ils se parent ; et voici, leur cœur y prend plaisir, et pourtant, ils t'invoquent et disent : Nous te [r]rendons grâces, ô Dieu, de ce que nous te sommes un peuple choisi, tandis que les autres périront.

29. Oui, et ils disent que tu leur as [s]fait savoir qu'il n'y aurait point de Christ.

30. O Seigneur Dieu, combien de temps souffriras-tu qu'une telle méchanceté et de telles iniquités continuent au milieu de ce peuple ? O Seigneur, accorde-moi la force de supporter mes infirmités, car je suis infirme, et une pareille méchanceté parmi ce peuple me peine l'âme.

31. O Seigneur, mon cœur est extrêmement attristé ; veuille consoler mon âme dans le Christ. O Seigneur, accorde-moi d'avoir de la force afin de pouvoir endurer patiemment ces afflictions qui vont m'assaillir à cause de l'iniquité de ce peuple.

32. O Seigneur, console mon âme, et donne-moi du succès ainsi qu'à mes compagnons de travail qui sont avec moi — oui, Ammon, Aaron, Omner, Amulek, Zeezrom, ainsi que mes [t]deux fils — oui, veuille consoler tous ceux-ci, ô Seigneur. Oui, veuille consoler leur âme dans le Christ.

33. Accorde-leur d'avoir de la force afin qu'ils puissent endurer les afflictions qui vont les assaillir à cause des iniquités de ce peuple.

34. O Seigneur, accorde-nous de réussir à les ramener à toi, dans le Christ.

35. Voici, ô Seigneur, leurs âmes sont précieuses et beaucoup d'entre eux sont nos frères ; c'est pourquoi, donne-nous, ô Seigneur, du pouvoir et de la sagesse pour que nous

o, vers. 16, 17. *p*, vers. 16. *q*, vers. 13, 21. *r*, vers. 18. *s*, vers. 16. *t*, vers. 7.

VERS 74 AV. J.-C.

puissions te ramener ces hommes, qui sont nos frères.

36. Il arriva qu'après avoir dit ces paroles, Alma ⁿimposa les mains sur tous ceux qui l'accompagnaient. Et voici, comme il leur imposait les mains, ils furent remplis du Saint-Esprit.

37. Puis, ils se séparèrent, sans ᵛpenser à eux-mêmes, sans se soucier de ce qu'ils allaient manger, ou de ce qu'ils allaient boire, ou de ce dont ils allaient se vêtir.

38. Et le Seigneur subvint à leurs besoins de sorte qu'ils ne souffrirent ni de la faim, ni de la soif ; oui, et il leur donna aussi de la force, pour qu'ils ne souffrissent aucune espèce d'affliction ʷsans qu'elle ne fût absorbée dans la joie du Christ. Et cela se fit selon la prière d'Alma ; et cela, parce qu'il avait ˣprié avec foi.

CHAPITRE 32.

Les pauvres écoutent le message du salut. — Eloges et discours d'Alma. — La foi se développe par le désir de croire.

1. * Ils allèrent, et commencèrent à prêcher au peuple la parole de Dieu, entrant dans leurs ᵃsynagogues et dans leurs maisons ; oui, et ils prêchèrent la même parole dans leurs rues.

2. Et après de gros efforts parmi eux, ils commencèrent à avoir du succès dans la classe pauvre du peuple ; car voici, ceux-ci étaient chassés des synagogues à cause de la grossièreté de leurs vêtements.

3. C'est pourquoi, il ne leur était point permis d'entrer dans leurs synagogues pour adorer Dieu, étant regardés comme impurs, parce qu'ils étaient pauvres ; oui, ils étaient considérés par leurs frères comme du rebut ; ils étaient ᵇpauvres quant aux choses du monde ;

et ils étaient aussi pauvres de cœur.

4. Or, comme Alma enseignait et parlait au peuple sur la colline Onidah, une grande multitude vint à lui de ceux dont nous venons de parler, qui étaient pauvres de cœur, à cause de leur pauvreté quant aux choses du monde.

5. Et ils s'approchèrent d'Alma ; et celui qui était le premier parmi eux lui dit : Voici, que feront ceux-ci, mes frères, car ils sont méprisés de tous les hommes à cause de leur pauvreté et ils le sont plus particulièrement de nos prêtres ; car ils nous ont chassés de nos ᶜsynagogues, auxquelles nous avons beaucoup travaillé pour les bâtir de nos propres mains ; et ils nous ont chassés parce que nous sommes extrêmement ᵈpauvres ; et nous n'avons aucun lieu où nous puissions adorer notre Dieu. Voici, que ferons-nous ?

6. Quand Alma entendit cela, il se tourna et le regarda droit dans les yeux et il regarda avec une grande joie ; car il vit que leurs afflictions les avaient vraiment ᵉrendus humbles et qu'ils étaient prêts à entendre la parole.

7. Aussi ne parla-t-il plus à l'autre multitude ; mais il étendit la main, et cria à ceux qu'il voyait être vraiment pénitents et il leur dit :

8. Je vois que vous êtes humbles de cœur ; et s'il en est ainsi vous êtes bénis.

9. Votre frère a dit : ᶠQue devons-nous faire — car nous sommes chassés de nos synagogues, de sorteᵍ que nous ne pouvons pas adorer notre Dieu ?

10. Voici, je vous le dis, pensez-vous que vous ne pouvez adorer Dieu que dans vos ᵍsynagogues ?

11. Et de plus, je voudrais vous demander, pensez-vous qu'il ne

u, 3 Né. 18 : 37.   v, 3 Né. 13 : 25-34.   w, vers. 32.   x, vers. 26-35.   Chap. 32 :
a, voir u, Al. 16.   b, vers. 4, 5, 12. Al. 34 : 40.   c, voir u, Al. 16.   d, voir b.
e, vers. 12-16.   f, vers. 5.   g, voir u, Al. 16.   Vers 74 av. J.-C.

faille adorer Dieu qu'une seule fois par [h]semaine ?

12. Je vous le dis : C'est une bonne chose que vous soyez chassés de vos ‘synagogues, afin que vous soyez humbles et que vous puissiez apprendre la sagesse ; car il est nécessaire que vous appreniez la sagesse ; car c'est parce que vous êtes chassés, c'est parce que vous êtes méprisés de vos frères, à cause de votre [j]extrême pauvreté, que vous avez été conduits à l'humilité du cœur, car vous avez été forcément amenés à être humbles.

13. Et maintenant, parce que vous êtes [k]forcés d'être humbles, vous êtes bénis ; car parfois un homme, s'il est forcé d'être humble, cherche à se repentir ; et en toute vérité, quiconque se repent, trouvera miséricorde ; et celui qui trouve miséricorde, et qui [l]persévère jusqu'à la fin, sera sauvé.

14. Et maintenant, comme je vous le disais, parce que vous êtes [m]obligés d'être humbles vous êtes bénis ; ne pensez-vous pas que ceux qui s'humilient volontairement, à cause de la parole, sont encore plus bénis ?

15. Oui, celui qui s'humilie réellement, se repent de ses péchés, et [n]persévère jusqu'à la fin, celui-là sera béni — oui, beaucoup plus béni que ceux qui sont contraints à l'humilité à cause de leur pauvreté extrême.

16. C'est pourquoi, bénis sont ceux qui s'humilient sans être [o]obligés d'être humbles ; en d'autres termes, béni est celui qui croit en la parole de Dieu, qui est baptisé sans avoir le cœur obstiné, oui, sans avoir été amené à connaître la parole, ou même forcé de la connaître avant de vouloir croire.

17. Oui, il y en a beaucoup qui disent : Si tu nous montres un signe du ciel, alors nous saurons assurément ; alors nous croirons.

18. Maintenant, je vous le demande : Est-ce là de la foi ? Je vous dis que non ; car si un homme connaît une chose, il n'a pas lieu de croire, car il sait.

19. Or, combien [p]plus est maudit celui qui connaît la volonté de Dieu et ne la fait pas, que celui qui croit seulement ou a seulement lieu de croire et qui tombe en transgression ?

20. C'est là une chose dont il vous appartient de juger. Voici, je vous dis que c'est d'un côté comme de l'autre, et il en sera pour tout homme selon ses œuvres.

21. Et comme je le disais, touchant la foi : La foi, ce n'est pas avoir une connaissance [q]parfaite des choses ; c'est pourquoi, si vous avez la foi, vous espérez en des choses qui ne sont pas vues, qui sont vraies.

22. Voici, je vous le dis et je voudrais que vous vous en souveniez, que Dieu est plein de miséricorde pour tous ceux qui croient en son nom ; c'est pourquoi, il désire en premier lieu que vous croyiez, oui, même à sa parole.

23. Et maintenant, il envoie sa parole aux hommes par des anges, non pas seulement aux hommes, mais à des femmes aussi ; et ce n'est pas là tout, de petits enfants reçoivent souvent des paroles qui confondent les sages et les savants.

24. Et maintenant, mes frères bien-aimés, puisque vous avez désiré savoir de moi [r]ce que vous devez faire, parce que vous êtes affligés et rejetés — je ne désire pas que vous pensiez que j'ai l'intention de vous juger par autre chose que ce qui est la vérité —

25. Car je ne veux pas dire que,

---

h, Mos. 18 : 25.   *i*, voir *u*, Al. 16.   *j*, vers. 3-5.   *k*, vers. 12, 14-16.   *l*, voir *h*, 2 Né. 31.   *m*, voir *k*.   *n*, voir *h*, 2 Né. 31.   *o*, voir *k*.   *p*, D. et A. 41 : 1. *q*, vers. 17-19.   *r*, vers. 5.

tous, vous avez été 'contraints de vous humilier ; car je crois, en vérité, qu'il s'en trouve parmi vous qui s'humilieraient, quelles que soient les circonstances où ils soient placés.

26. Comme je vous le disais à propos de la foi — qu'elle n'est pas une connaissance parfaite — de même en est-il de mes paroles. Vous ne pouvez pas, dès l'abord, savoir à la perfection qu'elles sont sûres, pas plus que la foi n'est une connaissance parfaite.

27. Mais voici, si vous voulez vous éveiller et donner de l'essor à vos facultés, au point de faire l'expérience de mes paroles et de faire preuve d'un tout petit peu de foi — oui, même si vous ne pouvez faire plus que désirer croire, laissez ce désir agir en vous, même jusqu'à ce que vous croyiez de manière à pouvoir faire place à une partie de mes paroles —

28. Maintenant, nous comparerons la parole à une semence. Or donc, si vous faites de la place pour qu'une semence puisse être plantée dans votre cœur, voici, si c'est une vraie semence ou une bonne semence, si vous ne la chassez pas par votre incrédulité en résistant à l'Esprit du Seigneur, voici, elle commencera à germer dans votre sein ; et quand vous sentirez ces mouvements de croissance, vous commencerez à vous dire en vous-mêmes — Il faut que ce soit là une bonne semence ou que la parole soit bonne, car elle commence à m'épanouir l'âme ; elle commence à m'éclairer l'intelligence, oui, elle commence à m'être délicieuse.

29. Voici, cela n'augmenterait-il pas votre foi ? Je vous dis que oui ; néanmoins, elle n'a pas grandi jusqu'à être une connaissance parfaite.

30. Mais voici, comme la se-mence enfle, germe et commence à pousser, vous devez nécessairement dire que la semence est bonne car voici, elle enfle, germe et commence à pousser.

31. Et maintenant, voici. Etes-vous sûrs que c'est une bonne semence ? Je vous dis que oui ; car toute semence produit à sa propre ressemblance.

32. C'est pourquoi, si une semence pousse, elle est bonne, mais si elle ne pousse pas, voici, elle n'est pas bonne, c'est pourquoi on la jette.

33. Et maintenant, voici, parce que vous avez fait l'expérience et planté la semence, et qu'elle enfle, germe et commence à croître, vous devez nécessairement savoir que la semence est bonne.

34. Et maintenant, voici, votre connaissance est-elle parfaite ? Oui, votre connaissance est parfaite en ceci, et votre foi sommeille ; et cela parce que vous savez, car vous savez que la parole vous a gonflé l'âme, et vous savez aussi qu'elle a germé, que votre intelligence commence à s'éclairer et que votre esprit commence à s'épanouir.

35. O, cela n'est-il donc pas réel ? Je vous dis que oui, parce que c'est de la lumière ; et tout ce qui est lumière est bon, parce qu'on peut le discerner, c'est pourquoi, vous devez savoir qu'elle est bonne; et maintenant, voici, lorsque vous avez goûté cette lumière, votre connaissance est-elle parfaite ?

36. Voici, je vous dis que non ; et vous ne devez point non plus mettre de côté votre foi, car vous n'avez exercé votre foi que pour planter la semence afin de tenter l'expérience pour savoir si la semence était bonne.

37. Et voici, comme l'arbre commence à croître, vous direz : Nourrissons-le avec grand soin, afin qu'il prenne racine, qu'il croisse et nous

s, voir *k*.

donne du fruit. Et maintenant, voici, si vous le nourrissez avec grand soin, il prendra racine, croîtra et donnera du fruit.

38. Mais si vous négligez l'arbre, et ne pensez pas à le nourrir, voici, il ne prendra pas racine ; et quand la chaleur du soleil vient et le brûle, comme il n'a point de racines, il dépérit ; vous l'arrachez et le rejetez.

39. Or cela ne vient pas de ce que la semence n'était pas bonne, ni de ce que le fruit n'en serait pas désirable ; mais c'est parce que votre terrain est aride, et que vous ne voulez pas nourrir l'arbre, c'est pourquoi vous ne pouvez pas en recueillir le fruit.

40. Si donc vous ne voulez pas nourrir la parole, attendant, avec l'œil de la foi, d'en avoir le fruit, vous ne pourrez jamais cueillir de fruit de l'arbre de vie.

41. Mais si vous nourrissez la parole, oui, si vous nourrissez l'arbre dès qu'il commence à croître, par votre foi, avec grande diligence et avec patience, espérant en recevoir du fruit, il prendra racine ; et il deviendra un arbre croissant à la vie éternelle.

42. Et par votre diligence, votre foi et votre patience à nourrir la parole pour qu'elle prenne racine en vous, voici, en temps voulu, vous en cueillerez le fruit, qui est extrêmement *précieux, qui est doux par-dessus tout ce qui est doux, blanc par-dessus tout ce qui est blanc, et pur par-dessus tout ce qui est pur ; et vous vous régalerez de ce fruit, même jusqu'à satiété, à n'en avoir plus ni faim ni soif.

43. Alors, mes frères, vous récolterez les récompenses de votre foi, de votre diligence, de votre patience, et de votre longanimité

dans l'attente que l'arbre vous apporte du fruit.

CHAPITRE 33.

Suite du discours d'Alma. — Le véritable culte ne se limite pas aux sanctuaires. — Les prophètes Zénos et Zénock sont de nouveau cités.

1. Lorsque Alma eut prononcé ces paroles, ils lui envoyèrent quelqu'un, désirant savoir s'ils devaient croire en un seul Dieu pour obtenir ce fruit dont il avait parlé ou comment ils devaient planter la semence ou la parole dont il avait parlé et qu'il avait dit devoir être plantée dans leur cœur ; ou comment ils devaient commencer à exercer leur foi.

2. Et Alma leur dit : Voici, vous avez dit que vous ne pouviez pas *adorer votre Dieu parce que vous êtes chassés de vos *synagogues. Mais voici, je vous le dis, si vous supposez ne pouvoir adorer Dieu, vous vous trompez grandement, et vous devriez sonder les *Ecritures ; si vous supposez qu'elles vous ont enseigné cela, vous ne les comprenez pas.

3. Vous souvenez-vous d'avoir lu ce que dit *Zénos, le prophète d'autrefois, touchant la *prière ou le culte ?

4. Il dit : Tu es plein de miséricorde, ô Dieu, car tu as entendu ma prière, même quand j'étais dans le désert ; oui, tu as été miséricordieux quand j'ai prié pour ceux qui étaient mes ennemis, et tu les as tournés vers moi.

5. Oui, ô Dieu, tu m'as été miséricordieux, quand je t'ai imploré dans mon champ ; et quand je t'implorais dans ma prière, tu m'as entendu.

6. Et encore, ô Dieu, quand je revenais chez moi tu m'as entendu dans ma prière.

---

t, voir *b*, 1 Né. 8. CHAP. 33 : *a*, Al. 32 : 5. *b*, voir *u*, Al. 16. *c*, voir *a*, 1 Né. 3. Al. 63 : 12. *d*, voir *h*, 1 Né. 19. *e*, voir *e*, 2 Né. 32.

7. Et quand je me suis retiré dans ma chambre, ô Seigneur, et que je t'ai prié, tu m'as entendu.

8. Oui, tu es miséricordieux envers tes enfants, lorsqu'ils t'implorent pour être entendus de toi et non des hommes, et tu les entendras.

9. Oui, ô Dieu, tu m'as été miséricordieux et tu as entendu mes cris au milieu de tes assemblées.

10. Oui, tu m'as aussi entendu quand j'ai été rejeté et méprisé de mes ennemis ; oui, tu as entendu mes cris ; tu as été irrité contre mes ennemis, et dans ta colère, tu les a visités d'une rapide destruction.

11. Tu m'as entendu à cause de mes afflictions et de ma sincérité ; et c'est à cause de ton Fils que tu m'as été si miséricordieux. Aussi, t'implorerai-je dans toutes mes afflictions, car en toi je mets ma joie ; car tu as détourné de moi tes jugements à cause de ton Fils.

12. Ensuite Alma leur dit : Croyez-vous ces *f*Ecritures qui ont été écrites par les anciens ?

13. Voici, si vous y croyez, vous devez croire ce que disait *g*Zénos ; car voici, il dit : Tu as détourné tes jugements à cause de ton Fils.

14. Maintenant, voici, mes frères, je vous demanderai si vous avez *h*lu les Ecritures ? Si vous les avez lues, comment pouvez-vous ne pas croire au Fils de Dieu ?

15. Car il n'est pas écrit que *i*Zénos seul ait parlé de ces choses. *j*Zénock en a aussi parlé —

16. Car voici, il a dit : Tu es irrité contre ce peuple, ô Seigneur, parce qu'il ne veut pas comprendre les grâces que tu lui as accordées, à cause de ton Fils.

17. Et maintenant, mes frères, vous voyez qu'un second prophète d'autrefois a témoigné du Fils de Dieu ; et comme le peuple ne voulait point comprendre ses paroles, il le lapida à mort.

18. Mais ce n'est pas là tout : Ils ne sont pas les seuls qui aient parlé du Fils de Dieu.

19. Il en a été parlé par Moïse ; oui, et voici, un symbole fut *k*élevé dans le désert, afin que tous ceux qui le regardaient pussent vivre. Beaucoup regardèrent et vécurent.

20. Mais peu comprirent la signification de ces choses, et cela à cause de la dureté de leur cœur. Mais il y en eut beaucoup qui étaient si endurcis qu'ils ne voulurent point regarder, c'est pourquoi, ils périrent. Or, la raison pour laquelle ils ne voulurent pas regarder, c'est qu'ils ne croyaient point que cela les guérirait.

21. O mes frères, si vous pouviez être guéris rien qu'en levant les yeux afin d'être guéris, ne vous empresseriez-vous pas de regarder, ou préféreriez-vous vous endurcir le cœur dans l'incrédulité et être indolents au point de ne pas lever les yeux de sorte que vous péririez ?

22. S'il en est ainsi, le malheur vous assaillira. Mais s'il en est autrement, alors levez les yeux et commencez à croire au Fils de Dieu, à croire qu'il viendra racheter son peuple, qu'il souffrira et mourra pour *l*expier leurs péchés ; et qu'il *m*ressuscitera des morts, ce qui introduira la résurrection ; que tous les hommes se tiendront devant lui pour être jugés selon leurs œuvres, au dernier jour, qui sera le jour du jugement.

23. Et maintenant, mes frères, je souhaite que vous plantiez cette parole dans votre cœur. Et lorsqu'elle commencera à gonfler, nourrissez-la de votre foi. Et elle

---

f, voir *c*. *g*, voir *h*, 1 Né. 19. *h*, voir *c*. *i*. voir *h*, 1 Né. 19. *j*, voir *g*, 1 Né. 19. *k*, Nom. 21 : 9. Jean 3 : 14. *l*, voir *f*, 2 Né. 2. *m*, voir *d*, 2 Né. 2.

deviendra un arbre croissant en vous jusque dans la vie éternelle. Et alors, puisse Dieu vous accorder que vos fardeaux soient légers par la joie en son Fils. Et tout cela, vous pouvez le faire, si vous le voulez. Amen.

CHAPITRE 34.

Témoignage d'Amulek. — Le grand et dernier sacrifice. — Comment la miséricorde satisfait la justice. — La repentance ne doit pas être remise à demain.

1. * Lorsque Alma leur eut dit ces paroles, il s'assit sur le sol et Amulek se leva et commença à les enseigner, disant :

2. Je pense, mes frères, qu'il est impossible que vous ignoriez les choses qui ont été dites sur la venue du Christ, que nous enseignons être le Fils de Dieu ; oui, je sais qu'elles vous ont été abondamment enseignées, avant que vous ne vous soyez séparés de nous.

3. Et comme vous avez désiré de mon frère bien-aimé qu'il vous révèle ᵃce que vous deviez faire, à cause de vos afflictions, il vous a parlé quelque peu pour vous préparer l'esprit ; oui, il vous a exhortés à la foi et à la patience —

4. Il vous a exhortés à avoir assez de foi pour ᵇplanter la parole dans votre cœur, afin que vous tentiez l'expérience de savoir si elle est bonne.

5. Et nous avons vu que la grande question qui vous agite l'esprit c'est de savoir s'il vous faut croire que la parole est dans le Fils de Dieu ou ᶜs'il n'y aura pas de Christ.

6. Et vous avez aussi vu que mon frère vous a prouvé, par beaucoup d'exemples, que la parole est dans le Christ pour le salut.

7. Mon frère vous a cité les paroles de ᵈZénos qui disent que la rédemption se fait par l'intermédiaire du Fils de Dieu ; il vous a aussi cité les paroles de ᵉZénock ; il a également fait appel à ᶠMoïse, pour vous prouver que ces choses sont vraies.

8. Et maintenant, voici, je veux vous témoigner de moi-même que cela est vrai. Voici, je vous déclare que je sais que le Christ viendra parmi les enfants des hommes pour prendre sur lui les transgressions de son peuple, et qu'il ᵉexpiera les péchés du monde ; car le Seigneur Dieu l'a dit.

9. Car il est expédient qu'une expiation soit faite ; car suivant le grand plan du Dieu éternel, il faut qu'une expiation soit faite, sans quoi tout le ʰgenre humain périrait infailliblement ; oui, tous sont endurcis ; oui, tous sont tombés et perdus, et doivent périr, s'il n'y a ⁱl'expiation qui doit être accomplie.

10. Car il est expédient qu'il y ait un grand et dernier sacrifice ; oui, pas un sacrifice d'homme, ni d'animal, ni d'aucune sorte d'oiseau ; car ce ne sera pas un sacrifice humain ; mais ce doit être un sacrifice infini et éternel.

11. Or, il n'est pas un seul homme qui puisse sacrifier son propre sang pour expier les péchés d'un autre. Or, si un homme commet un meurtre, notre loi, qui est juste, prendra-t-elle la vie à son frère ? Je vous dis que non.

12. Mais la loi demande la vie de celui qui a commis le meurtre ; c'est pourquoi, rien moins ʲqu'une expiation infinie ne suffira pour les péchés du monde.

13. Il est expédient qu'il y ait un grand et ᵏdernier sacrifice, et alors il y aura, ou il faut qu'il y ait une ˡfin à l'effusion du sang ; alors la

---

a, Al. 32 : 5.   *b*, Al. 33 : 23.   *c*, Al. 31 : 16.   *d*, Al. 33 : 3. Voir *h*, 1 Né. 19. *e*, Al. 33 : 15. Voir *g*, 1 Né. 19.   *f*, Al. 33 : 19.   *g*, voir *f*, 2 Né. 2.   *h*, voir *e* et *g*, 2 Né. 9.   *i*, voir *f*, 2 Né. 2.   *j*, vers. 10, 14.   *k*, vers. 14, 15.   *l*, 3 Né. 9 : 19.

loi de Moïse sera accomplie ; oui, elle sera totalement accomplie, chaque iota, chaque trait de lettre, et rien n'aura passé.

14. C'est là toute la signification de la loi ; tout y indique ce grand et *dernier sacrifice ; et ce grand et dernier sacrifice sera le Fils de Dieu, oui, °infini et éternel.

15. Et ainsi il apportera le salut à tous ceux qui croiront en son nom ; car c'est là le but de ce *dernier sacrifice, réaliser les entrailles de miséricorde, qui dominent la justice, et fournissent aux hommes les moyens d'obtenir la foi qui produit le repentir.

16. Ainsi, la miséricorde peut *satisfaire aux exigences de la justice ; elle les encercle dans les bras de la sécurité, tandis que celui qui ne manifeste pas cette foi qui produit le repentir restera exposé à toute la loi des exigences de la justice. Aussi, le grand et éternel plan de la rédemption n'aura-t-il d'effet que pour celui qui a la foi qui produit le repentir.

17. C'est pourquoi, que Dieu vous accorde la grâce, mes frères, de commencer à manifester la foi qui produit le repentir, de commencer à implorer son saint nom pour qu'il soit miséricordieux envers vous.

18. Oui, invoquez-le pour avoir la miséricorde ; car il a la puissance de sauver.

19. Oui, humiliez-vous, priez-le *sans cesse.

20. Invoquez-le quand vous êtes dans vos champs ; oui, pour tous vos troupeaux.

21. Invoquez-le dans vos maisons ; oui, pour votre famille, le matin, à midi, le soir.

22. Oui, invoquez-le contre le pouvoir de vos ennemis.

23. Oui, invoquez-le contre le diable, l'ennemi de toute justice.

24. Invoquez-le pour les récoltes de vos champs, afin qu'elles vous donnent la prospérité.

25. Invoquez-le pour les troupeaux de vos champs, afin qu'ils croissent.

26. Mais ce n'est pas là tout : Vous devez épancher votre âme dans vos chambres, dans vos lieux secrets et dans votre désert.

27. Oui, et quand vous n'invoquez pas Dieu, que votre cœur soit continuellement rempli, ouvert à la prière, pour votre bien-être et pour le bien-être de ceux qui sont autour de vous.

28. Et maintenant, voici, mes frères bien-aimés, je vous le dis, ne pensez pas que ce soit là tout ; car, lorsque vous avez fait tout cela, si vous *renvoyez les indigents et ceux qui sont nus ; si vous ne visitez pas les malades et les affligés ; si vous ne donnez de vos biens, si vous en avez, à ceux qui sont dans le besoin — je vous le dis, si vous ne faites aucune de ces choses, voici, votre prière est *vaine et ne vous sert de rien, et vous êtes comme des hypocrites qui nient la foi.

29. C'est pourquoi, si vous ne vous souvenez pas d'être charitables, vous êtes comme le rebut que les raffineurs rejettent (étant sans valeur) pour être foulé aux pieds des hommes.

30. Et maintenant, mes frères, je voudrais qu'après avoir reçu tant de témoignages, voyant que les *Saintes Ecritures attestent ces choses, vous vous avanciez et produisiez les fruits du repentir.

31. Oui, je voudrais que vous vous avanciez et ne vous endurcissiez pas davantage le cœur ; car voici, le moment et le jour de votre salut, c'est maintenant, et c'est

---

m, voir *o*, 2 Né. 25.   *n*, vers. 13, 15.   *o*, vers. 10.   *p*, vers. 13, 14.   *q*, voir *2m*, Al. 12.   *r*, voir *e*, 2 Né. 32.   *s*, voir *l*, Mos. 4.   *t*, Moro. 7 : 6-8.   *u*, voir *a*, 1 Né. 3. Al. 63 : 12.

pourquoi, si vous voulez vous repentir et ne point vous endurcir le cœur, le grand plan de la rédemption sera immédiatement accompli pour vous.

32. Car voici, cette vie est le moment où les ʷhommes doivent se préparer à rencontrer Dieu ; oui, voici, le jour de cette vie est le jour où les hommes doivent accomplir leurs œuvres.

33. Et maintenant, comme je vous l'ai déjà dit, étant donné que vous avez eu tant de témoignages, pour cette raison, je vous supplie de ne pas différer le jour de votre repentance jusqu'à la fin ; car, après ce jour de vie, qui nous est donné pour nous préparer à l'éternité, voici, si nous ne nous améliorons pas tandis que nous sommes dans cette vie, alors vient la nuit de ténèbres pendant laquelle nul travail ne peut être fait.

34. Vous ne pourrez pas dire, quand vous en arriverez à cette crise terrible : Je veux me repentir, je veux retourner à mon Dieu. Non, vous ne pourrez pas le dire ; car ce même esprit qui possède votre corps au moment où vous quittez cette vie, ce même esprit aura le pouvoir de posséder votre corps dans le monde éternel.

35. Car voici, si vous avez différé le jour de votre repentance, même jusqu'à la mort, voici, vous vous êtes assujettis à l'esprit du diable, et il vous scelle à lui comme siens ; c'est pourquoi, l'Esprit du Seigneur s'est retiré de vous, et n'a aucune place en vous, et le diable a ˣtout pouvoir sur vous ; et c'est là l'état final du méchant.

36. Et cela, je le sais, parce que le Seigneur a dit qu'il n'habite point des ᶻtemples profanes, mais il habite dans le cœur des justes ; oui, et il a dit aussi que les justes seront assis dans son royaume pour

n'en plus sortir ; et leurs vêtements seront blanchis par le sang de l'Agneau.

37. Et maintenant, mes frères bien-aimés, je désire que vous vous souveniez de ces choses, que vous travailliez à votre salut avec crainte devant Dieu, et que vous ne niiez plus la venue du Christ ;

38. Que vous ne luttiez plus contre le Saint-Esprit, mais que vous le receviez et preniez sur vous le ʸnom du Christ ; que vous vous humiliiez même jusqu'à la poussière ; que vous adoriez Dieu en quelque lieu que ce soit, en esprit et en vérité ; que vous viviez en rendant grâces, chaque jour, pour les miséricordes et les bénédictions nombreuses qu'il vous accorde.

39. Oui, et je vous exhorte aussi, mes frères, à être vigilants à ᶻprier sans cesse, afin de ne pas être entraînés par les tentations du diable, pour ne pas être dominés par lui, et ne pas devenir ses sujets au dernier jour ; car il ne vous donnera en récompense rien de bon.

40. Et maintenant, mes frères bien-aimés, je voudrais vous exhorter à avoir de la patience et à supporter toutes les afflictions ; à ne point injurier ceux qui vous chassent à cause de votre ᶻᵃextrême pauvreté, de peur de devenir pécheurs comme eux ;

41. Mais d'avoir patience et de supporter ces afflictions, dans le ferme espoir que vous vous reposerez un jour de toutes vos afflictions.

CHAPITRE 35.

Les missionnaires néphites se retirent dans le pays de Jershon. — Leurs convertis zoramites, expulsés de leur propre pays, vont les rejoindre.

1. * Quand Amulek eut fini de parler, ils s'éloignèrent de la multi-

tude et passèrent au [a]pays de Jershon.

2. Oui, et le reste des frères, lorsqu'ils eurent prêché la parole aux [b]Zoramites, passèrent aussi au pays de Jershon.

3. Et il arriva que lorsque la partie la plus populaire des Zoramites se fut consultée au sujet des paroles qui leur avaient été prêchées, ils furent irrités à cause de la parole, car elle détruisait leurs artifices ; c'est pourquoi, ils ne voulurent point écouter la parole.

4. Et ils envoyèrent des messagers et rassemblèrent tout le peuple de tout le pays, et se concertèrent avec lui sur les paroles qui avaient été dites.

5. Or, leurs gouverneurs, leurs prêtres et leurs instructeurs ne mirent pas le peuple au courant de leurs désirs ; ainsi ils découvrirent secrètement l'opinion de tout le peuple.

6. Et * quand ils eurent ainsi découvert l'opinion du peuple, ils chassèrent du pays tous ceux qui étaient favorables aux paroles d'Alma et de ses frères ; et leur nombre était grand ; et ils passèrent aussi au [c]pays de Jershon ;

7. Et * Alma et ses frères les enseignèrent.

8. Alors les Zoramites devinrent furieux contre le [d]peuple d'Ammon qui était à Jershon ; et le gouverneur en chef des [e]Zoramites, un très méchant homme, envoya un messager au peuple d'Ammon désirant qu'il chasse de son [f]pays tous ceux qui étaient venus de chez eux dans son pays.

9. Et il proféra beaucoup de menaces contre eux. Mais le [g]peuple d'Ammon n'avait pas peur de ses paroles ; c'est pourquoi, il ne les chassa point, mais accueillit tous les pauvres des Zoramites qui vinrent à lui. Il les [h]nourrit, les habilla et leur donna des terres pour leur héritage ; et il les secourut selon leurs besoins.

10. Cela excita les Zoramites à la colère contre le peuple d'Ammon ; et ils commencèrent à se mêler aux Lamanites et à les exciter aussi à la colère contre lui.

11. Et les [i]Zoramites et les Lamanites commencèrent à faire des préparatifs de guerre contre le peuple d'Ammon et aussi contre les Néphites.

12. C'est ainsi que finit † la dix-septième année du règne des juges sur le peuple de Néphi.

13. Et le [j]peuple d'Ammon quitta le [k]pays de Jershon et passa au [l]pays de Mélek, laissant la place au pays de Jershon aux armées des Néphites pour qu'elles pussent se battre contre les armées des Lamanites et les armées des Zoramites ; et ainsi commença une guerre entre les Lamanites et les Néphites dans la dix-huitième année du règne des juges ; et un récit de leurs guerres sera donné [m]ci-après.

14. Alors Alma, Ammon, leurs frères et les [n]deux fils d'Alma retournèrent au [o]pays de Zarahemla, après avoir été, dans les mains de Dieu, des instruments dont il s'était servi pour amener au repentir un grand nombre de [p]Zoramites ; et tous ceux qui furent amenés au repentir furent [q]chassés de leur pays ; mais ils ont des terres pour leur héritage dans le [r]pays de Jershon, et ils ont pris les armes pour se défendre, eux, leurs femmes, leurs enfants et leurs terres.

15. Et Alma étant attristé des

a, voir *q*, Al. 27. *b*, voir *2j*, Al. 30. *c*, voir *q*, Al. 27. *d*, Al. 27 : 26. *e*, voir *2j*, Al. 30. *f*, vers. 6. *g*, Al. 27 : 26. *h*, voir *l*, Mos. 4. *i*, voir *2j*, Al. 30. *j*, Al. 27 : 26. *k*, voir *q*, Al. 27. *l*, voir *c*, Al. 8. *m*, Al. chaps 43, 44. *n*, Al. 31 : 7. *o*, Om. 13. *p*, voir *2j*, Al. 30. *q*, vers. 6. *r*, voir *q*, Al. 27.

† 74 AV. J.-C.

iniquités de son peuple, oui, des guerres, des effusions de sang, et des dissensions qui régnaient parmi eux ; et ayant été déclarer la parole ou envoyé déclarer la parole, parmi tout le peuple dans toutes les villes ; et voyant que le cœur du peuple commençait à s'endurcir et qu'il commençait à être offensé à cause de la rigueur de la parole, son cœur fut extrêmement peiné.

16. C'est pourquoi, il fit réunir ses fils pour donner à chacun séparément ses devoirs touchant les choses relatives à la justice. Et nous avons un récit des commandements qu'il leur donna selon ses propres annales.

Commandements d'Alma à son fils Hélaman.

(Comprenant les chapitres 36 et 37.)

CHAPITRE 36.

Alma raconte son passé pécheur, sa conversion miraculeuse, et le zèle qu'il a mis ensuite dans le ministère.

1. Mon fils, prête l'oreille à mes paroles ; car je te jure que *a*tant que tu garderas les commandements de Dieu, tu prospéreras dans le pays.

2. Je voudrais que tu fasses ce que j'ai fait, en te souvenant de la *b*captivité de nos pères ; car ils étaient dans la servitude, et nul ne pouvait les délivrer, si ce n'est le Dieu d'Abraham, le Dieu d'Isaac et le Dieu de Jacob ; et assurément il les a délivrés de leurs afflictions.

3. Et maintenant, ô mon fils Hélaman, voici, tu es dans ta jeunesse, c'est pourquoi je te supplie d'entendre mes paroles et d'apprendre de moi ; car je sais que quiconque place sa confiance en Dieu, sera

fortifié dans ses épreuves, dans ses ennuis et dans ses afflictions, et sera *c*exalté au dernier jour.

4. Et cela, je ne voudrais pas que tu penses que je le sais de moi-même — non par le temporel mais par le spirituel, non par l'esprit charnel, mais par Dieu.

5. Voici, je te le dis, si je n'étais pas *d*né de Dieu, je n'aurais pas su ces choses ; mais le Seigneur me les a révélées par la *e*bouche de son saint ange, et non par mon propre mérite.

6. Car j'allais partout avec les *f*fils de Mosiah, cherchant à détruire l'Eglise de Dieu ; mais voici, Dieu envoya son *g*saint ange pour nous arrêter en chemin.

7. Et voici, il nous parla comme d'une *h*voix de tonnerre ; et la terre toute entière trembla sous nos pieds, et nous tombâmes tous à terre, car la crainte du Seigneur était sur nous.

8. Mais voici, la voix me dit : Lève-toi. Je me *i*levai, me tins debout et vis l'ange.

9. Et il me dit : Si tu veux toi-même être *j*détruit, ne cherche plus à détruire l'Eglise de Dieu.

10. Et * je *k*tombai sur le sol ; et pendant *l*trois jours et trois nuits, je ne pus ouvrir la bouche ni faire usage de mes membres.

11. Et l'ange me dit encore d'autres choses qui furent entendues de mes frères, mais que je n'entendis pas, car lorsque j'entendis les paroles — Si tu veux être *m*détruit, ne cherche plus à détruire l'Eglise de Dieu — je fus frappé d'une telle crainte et d'un tel étonnement, redoutant d'être peut-être détruit, que je tombai par terre, et je n'entendis plus rien.

12. Mais j'étais torturé d'un *n*tourment éternel, car mon âme

---

a, voir *h*, 2 Né. 1.   *b*, Mos. 23 : 23. 24 : 17-21.   *c*, voir *p*, Mos. 23.   *d*, voir *c*, Mos. 5.   *e*, Mos. 27 : 11-17.   *f*, Mos. 27 : 13, 15.   *g*, voir *e*.   *h*, Mos. 27 : 11.
i, Mos. 27 : 13, 15.   *j*, Mos. 27 : 16.   *k*, Mos. 27 : 18.   *l*, vers. 16. Mos. 27 : 19-23.
m, Mos. 27 : 16.   *n*, voir *m*, Jacob 6.   VERS 73 AV. J.-C.

était déchirée au plus haut degré et torturée par tous mes péchés.

13. Oui, je me rappelais tous mes péchés, toutes mes iniquités, et j'en subissais les peines de l'enfer ; je voyais que j'avais été rebelle à mon Dieu, et que je n'avais pas gardé ses saints commandements.

14. J'avais tué un grand nombre de ses enfants, ou plutôt je les avais conduits à la destruction ; oui, et enfin mes iniquités avaient été si grandes que la seule pensée d'entrer en présence de mon Dieu torturait mon âme d'une horreur inexprimable.

15. O, pensais-je, que ne puis-je être banni et anéanti corps et âme, afin de n'être point amené en présence de mon Dieu pour être jugé de mes œuvres.

16. Ainsi, pendant °trois jours et trois nuits je fus torturé des tourments d'une âme damnée.

17. Et * comme j'étais ainsi torturé par le tourment, tandis que j'étais déchiré du souvenir de mes nombreux péchés, voici, je me rappelai aussi avoir entendu mon père prophétiser au peuple la venue d'un certain Jésus-Christ, un Fils de Dieu, pour ᵖexpier les péchés du monde.

18. Lorsque mon esprit se saisit de cette pensée, je m'écriai dans mon cœur ; O Jésus, Fils de Dieu, aie pitié de moi, qui suis dans le fiel de l'amertume, qui suis environné des ᵠchaînes éternelles de la mort.

19. Et maintenant, voici, lorsque j'eus pensé ceci, je ne pus plus me souvenir de mes peines ; oui, je ne fus plus torturé du souvenir de mes péchés.

20. Et ô, quelle joie, quelle lumière merveilleuse je vis ; oui, mon âme était remplie d'une joie aussi extrême que l'avait été ma souffrance !

21. Oui, je te le dis, mon fils, qu'il ne pourrait y avoir rien d'aussi raffiné et d'aussi cruel que mes peines. Oui, et je te le dis encore, mon fils, que d'un autre côté il ne peut rien y avoir d'aussi exquis et d'aussi doux que ma joie.

22. Je crus voir, ainsi que l'a vu notre ʳpère Léhi, Dieu assis sur son trône au milieu d'un concours innombrable d'anges, qui semblaient chanter et glorifier leur Dieu ; oui, et mon âme aspirait à s'y trouver.

23. Mais voici, mes ˢmembres reprirent leurs forces. Je me mis sur mes pieds et je témoignai au peuple que j'étais ᵗné de Dieu.

24. Et dès lors, jusqu'à ce jour même, j'ai travaillé sans cesse afin d'amener des âmes au repentir, afin de les amener à goûter à la ᵘjoie extrême à laquelle j'avais goûté ; afin qu'elles ᵛnaquissent aussi de Dieu, et fussent ʷremplies du Saint-Esprit.

25. Oui, et maintenant voici, ô mon fils, le Seigneur me donne une joie extrêmement grande dans le fruit de mes travaux ;

26. Car à cause de la parole qu'il m'a communiquée, voici, beaucoup sont ˣnés de Dieu et ont goûté comme j'ai goûté, et ont vu œil à œil comme j'ai vu ; aussi connaissent-ils, comme je les connais, les choses dont j'ai parlé ; et la connaissance que j'ai est de Dieu.

27. Et j'ai été soutenu dans des épreuves et des ennuis de toutes sortes, oui, et dans toutes sortes d'afflictions ; oui, Dieu m'a ʸdélivré de prison, des liens et de la mort ; oui, et je mets ma confiance en lui, et il me délivrera encore.

o, vers. 10. Mos. 27 : 19-23.   *p*, voir *f*, 2 Né. 2.   *q*, voir *p*, 2 Né. 28.   *r*, 1 Né. 1 : 8.   *s*, Mos. 27 : 23.   *t*, voir *c*, Mos. 5.   *u*, vers. 20-22.   *v*, voir *c*, Mos. 5. *w*, 1 Né. 10 : 17-19. 2 Né. 31 : 13, 14, 17, 18. 32 : 2, 5. Al. 31 : 36. 34 : 38. Héla. 5 : 45. 3 Né. 9 : 20. 11 : 35, 36. 12 : 1, 2. 18 : 37. 19 : 13, 14. Chap. 30. 4 Né. 1. *x*, voir *c*, Mos. 5.   *y*, Al. 14 : 26-29.   VERS 73 AV. J.-C.

28. Je sais qu'il me ᶻressuscitera au dernier jour pour demeurer en gloire avec lui ; oui, et je le louerai à jamais, car il a tiré nos pères d'Égypte, et il a englouti les Égyptiens dans la mer Rouge ; et il les a conduits par son pouvoir, dans la terre promise ; oui, et il les a, de temps en temps, délivrés de la servitude et de la captivité.

29. Oui, et il a aussi emmené nos pères du pays de Jérusalem ; et par sa puissance éternelle, il les a, de temps en temps, délivrés de la servitude et de la captivité, même jusqu'à ce jour ; et j'ai toujours gardé le souvenir de leur captivité ; oui, et toi aussi, tu devrais garder le souvenir de leur captivité, comme je l'ai fait.

30. Mais voici, mon fils, ceci n'est pas tout, tu dois savoir comme je le sais, ᶻᵃque tant que tu garderas les commandements de Dieu, tu prospéreras dans le pays ; et tu devrais savoir aussi, que si tu ne gardes pas les commandements de Dieu, tu seras retranché de sa présence. Et ceci est conforme à sa parole.

CHAPITRE 37.

Les annales et les autres reliques sacrées sont confiées à Hélaman. — Gazélem. — Le Liahona est un symbole de la parole du Christ.

1. Maintenant, mon fils Hélaman, je te commande de prendre les annales qui m'ont été ᵃconfiées ;

2. Et je te commande aussi d'écrire l'histoire de ce peuple, comme je l'ai fait, sur les ᵇplaques de Néphi, et de garder sacrées toutes ces choses que j'ai gardées, de même que je les ai gardées. Car c'est pour un ᶜbut sage qu'elles sont gardées.

3. Et ces plaques ᵈd'airain qui contiennent ces inscriptions, qui contiennent les textes des Écritures Saintes, qui ont la ᵉgénéalogie de nos ancêtres depuis le commencement —

4. Voici, il a été prophétisé par nos pères qu'elles seraient gardées et ᶠtransmises d'une génération à l'autre, et gardées et conservées par la main du Seigneur, jusqu'à ce qu'elles parvinssent à toutes nations, familles, langues et peuples, afin qu'ils connussent les mystères qu'elles contiennent.

5. Or, si elles sont gardées, il faut qu'elles retiennent leur ᵍéclat, oui, et elles retiendront leur éclat ; de même que toutes les plaques qui contiennent ce qui est Écriture Sainte.

6. Peut-être t'imagines-tu que cela est folie de ma part. Mais voici, je te le dis, par des choses petites et simples de grandes choses sont réalisées ; et dans de nombreux cas, de petits moyens confondent les sages.

7. Et le Seigneur Dieu fait usage de moyens, pour accomplir ses grands et éternels desseins ; et par de ʰtrès petits moyens, le Seigneur confond les sages et réalise le salut d'un grand nombre d'âmes.

8. Or donc, il a été jusqu'ici dans la sagesse de Dieu que ces choses fussent conservées ; car voici, elles ont ⁱaccru la mémoire de ce peuple, oui, et en ont convaincu beaucoup de l'erreur de leurs voies et les ont conduits à la connaissance de Dieu pour le salut de leur âme.

9. Oui, je te le dis, sans les choses que ces annales contiennent, qui sont sur ces plaques, il eût été impossible à Ammon et à ses ʲfrères de persuader tant de milliers de Lamanites de la fausseté de la tradition de leurs pères ; oui, ces

---

ᶻ, voir p, Mos. 23. 2a, voir h, 2 Né. 1.   CHAP. 37 : a, Mos. 28 : 20.   b, voir f, 1 Né. 1.   c, vers. 12, 14, 18. Enos 13-18. P. de Morm. 6-11.   d, voir a, 1 Né. 3. e, voir d, 1 Né. 5.   f, 1 Né. 5 : 16-19.   g, 1 Né. 5 : 19.   h, D. et A. 64 : 33. i, Mos. 1 : 3-5.   j, Al. 18 : 36. 22 : 12.   VERS 73 AV. J.-C.

annales et leurs paroles les amenèrent au repentir ; c'est-à-dire, elles les conduisirent à connaître le Seigneur leur Dieu et à se réjouir en Jésus-Christ, leur Rédempteur.

10. Et qui sait si elles ne seront pas le moyen par lequel des milliers d'entre eux et des milliers de Néphites, nos frères obstinés qui s'endurcissent maintenant le cœur dans le péché et dans l'iniquité, seront amenés à connaître leur Rédempteur ?

11. Mais ces mystères ne me sont pas pleinement connus, aussi m'abstiendrai-je.

12. Et il me suffira de dire seulement qu'elles sont conservées pour un [k]sage dessein, dessein qui est connu de Dieu ; car il avise avec sagesse dans toutes ses œuvres, et ses sentiers [l]sont droits, et sa course [m]une ronde éternelle.

13. O souviens-toi, souviens-toi, mon fils Hélaman, combien sont stricts les commandements de Dieu. Il a dit : [n]Si vous gardez mes commandements, vous prospérerez dans le pays — mais si vous ne gardez pas ses commandements, vous serez retranchés de sa présence.

14. Maintenant, souviens-toi, mon fils, que Dieu t'a confié ces choses qui sont sacrées, qu'il a gardées sacrées, qu'il gardera et [o]conservera dans un sage dessein, qui est en lui, afin de montrer sa puissance aux générations futures.

15. Et maintenant, voici, je te déclare par l'esprit de prophétie, que si tu transgresses les commandements de Dieu, voici, ces choses qui sont sacrées te seront enlevées par le pouvoir de Dieu, et tu seras livré à Satan, pour qu'il te crible comme de la paille au vent.

16. Mais si tu gardes les commandements de Dieu, et fais de ces choses sacrées ce que le Seigneur t'ordonne (car tu dois faire appel au Seigneur pour savoir, en toutes choses, ce que tu dois faire avec elles), voici, nul pouvoir de la terre, ou de l'enfer ne pourra te les ravir, car Dieu a le pouvoir d'accomplir toutes ses paroles.

17. Il remplira toutes les promesses qu'il te fera, car il a accompli les promesses qu'il a faites à nos pères.

18. Il leur a promis de réserver ces choses dans un but sage, qui est en lui, afin de manifester son pouvoir aux [p]générations futures.

19. Et voici, il a accompli un but, le retour de [q]milliers de Lamanites à la connaissance de la vérité ; et il a montré son pouvoir en elles, et il montrera aussi son pouvoir en elles aux [r]générations futures ; voilà pourquoi elles seront conservées.

20. Aussi je t'ordonne, mon fils Hélaman, d'être diligent à accomplir toutes mes paroles et d'être diligent à garder les commandements de Dieu, tels qu'ils sont écrits.

21. Et maintenant, je vais te parler de ces [s]vingt-quatre plaques. Garde-les, afin que les mystères et les œuvres de ténèbres, et leurs œuvres secrètes ou les [t]œuvres secrètes de ce peuple qui a été détruit, puissent être manifestées à ce peuple ; oui, que tous leurs meurtres, leurs vols, leurs pillages, toute leur méchanceté et toutes leurs abominations soient manifestées à ce peuple ; oui, et conserve aussi ces [u]interprètes.

22. Voici, le Seigneur vit que son peuple commençait à travailler dans les ténèbres, oui, à commettre des [v]meurtres et des abominations secrètes ; c'est pourquoi, le Seigneur

k, voir *c*. *l*, voir *2a*, 2 Né. 9. *m*, 1 Né. 10 : 19. Al. 7 : 20. *n*, voir *h*, 2 Né. 1. *o*, vers. 2, 12, 18. Voir *c*. *p*, vers. 19. *q*, Al. 23 : 5-13. *r*, vers. 18. *s*, voir *k*, Mos. 8. *t*, voir *i*, 2 Né. 10. *u*, vers. 23-26. Voir *n*, Mos. 8. *v*, voir *i*, 2 Né. 10.

VERS 73 AV. J.-C.

dit que s'ils ne se repentaient pas, ils seraient ʷ⁾détruits de la surface de la terre.

23. Et le Seigneur dit : Je préparerai, pour mon serviteur Gazélem, une ˣ⁾pierre qui luira dans l'obscurité comme une lumière, afin que je puisse découvrir à mon peuple qui me sert, que je puisse lui découvrir les œuvres de ses frères, oui, leurs ʸ⁾œuvres secrètes, leurs œuvres de ténèbres, leur méchanceté et leurs abominations.

24. Et maintenant, mon fils, ces ᶻ⁾interprètes furent préparés, afin que la parole de Dieu s'accomplît, qui dit :

25. Je ferai sortir, des ténèbres à la lumière, toutes leurs ²ᵃ⁾œuvres secrètes, toutes leurs abominations. Et à moins qu'ils ne se repentent, je les ²ᵇ⁾détruirai de la surface de la terre ; et je mettrai à jour tous leurs secrets et toutes leurs abominations, pour tout peuple qui possédera désormais ce pays.

26. Et maintenant, mon fils, nous voyons qu'ils ne se sont point repentis ; c'est pourquoi ils ont été ²ᶜ⁾détruits, et jusqu'ici la parole de Dieu s'est accomplie ; oui, leurs abominations secrètes ont été sorties des ténèbres, et ²ᵈ⁾nous ont été révélées.

27. Et maintenant, mon fils, je te commande de tenir cachés tous leurs serments, leurs alliances, les conventions de leurs secrètes abominations ; oui, tu tiendras cachés de ce peuple tous leurs signes et tous leurs prodiges, pour qu'il ne les connaisse pas, de crainte que, peut-être, lui aussi, ne tombe dans les ténèbres, et ne soit exterminé.

28. Car, voici, il y a sur tout ce pays, une malédiction selon laquelle la destruction s'abattra, par le pou-

voir de Dieu, sur tous ceux-là qui travaillent dans les ténèbres, quand ils seront tout à fait mûrs ; c'est pourquoi, je désire vivement que ce peuple ne soit pas détruit.

29. C'est pourquoi, ces plans secrets de leurs serments et de leurs alliances, tu les cacheras à ce peuple, et tu ne lui feras connaître que leur méchanceté, leurs meurtres et leurs abominations ; et tu lui enseigneras à détester pareille méchanceté, pareilles abominations et pareils meurtres ; et tu lui enseigneras aussi que ces peuples ont été exterminés à cause de leur méchanceté, de leurs abominations et de leurs meurtres.

30. Car voici, ils ont assassiné tous les prophètes du Seigneur qui sont venus parmi eux pour leur reprocher leurs iniquités ; et le sang de ceux qu'ils ont assassinés a crié au Seigneur leur Dieu pour appeler la vengeance sur ceux qui ont été leurs meurtriers ; et ainsi les jugements de Dieu sont tombés sur ceux-là qui ont travaillé dans les ténèbres et dans les combinaisons secrètes.

31. Et ²ᵉ⁾maudit soit le pays, pour toujours et à jamais, pour ceux-là qui travaillent dans les ténèbres et dans les combinaisons secrètes, même jusqu'à la destruction, à moins qu'ils ne se repentent avant d'être pleinement mûrs.

32. Maintenant, mon fils, souviens-toi des paroles que je t'ai dites ; ne confie pas ces plans secrets à ce peuple, mais enseigne-lui une haine éternelle du péché et de l'iniquité.

33. Prêche-lui le repentir et la foi au Seigneur Jésus-Christ ; enseigne-lui à se faire humble et à être doux et humble de cœur ; enseigne-lui à résister à toutes les

---

w, voir *j*, Mos. 8.   *x*, voir *n*, Mos. 8. *2a*, voir *i*, 2 Né. 10.   *2b*, voir *j*; Mos. 8. *2e*, vers. 28. Al. 45 : 16.

y, voir *i*, 2 Né. 10.   *z*, voir *n*, Mos. 8. *2c*, voir *j*, Mos. 8.   *2d*, voir *i*, 2 Né. 10. VERS 73 AV. J.-C.

tentations du diable, en ayant foi au Seigneur Jésus-Christ.

34. Enseigne-lui à ne jamais se fatiguer de faire le bien, mais à être doux et humble de cœur, car ce sont ceux-là qui retrouveront le repos de l'âme.

35. O, souviens-toi, mon fils, d'apprendre la sagesse pendant que tu es jeune ; oui, apprends dans ta jeunesse à garder les commandements de Dieu.

36. Oui, et [2f]invoque Dieu pour tout ce dont tu as besoin ; oui, que toutes tes actions soient au Seigneur ; et en quelque lieu que tu ailles, que ce soit dans le Seigneur ; oui, que tes pensées soient dirigées vers le Seigneur ; oui, que les affections de ton cœur soient pour toujours placées sur le Seigneur.

37. Consulte le Seigneur dans toutes tes actions, et il te dirigera dans le bien ; oui, quand tu te couches le soir, couche-toi dans le Seigneur, afin qu'il te garde dans ton sommeil ; et quand tu te lèves le matin, que ton cœur soit plein de remerciements envers Dieu ; et si tu fais cela, tu seras [2g]exalté au dernier jour.

38. Et maintenant, mon fils, je dois parler quelque peu de l'objet que nos pères appellent [2h]boule ou directeur — ou nos pères l'appelaient Liahona, qui signifie, par interprétation, un compas ; et le Seigneur l'a préparé.

39. Et voici, il n'est pas d'homme qui puisse exécuter un ouvrage aussi curieux. Et voici, elle fut préparée pour montrer à nos pères le chemin qu'ils devaient suivre dans le désert.

40. Et elle fonctionnait pour eux selon leur foi en Dieu ; c'est pourquoi, s'ils avaient la foi pour croire que Dieu pouvait faire que ces aiguilles désignassent la route qu'ils devaient suivre, voici, cela se faisait ; ainsi donc, ce miracle et aussi beaucoup d'autres miracles étaient opérés par eux, d'un jour à l'autre, par le pouvoir de Dieu.

41. Néanmoins, parce que ces miracles se faisaient par de petits moyens, cela leur montra des œuvres merveilleuses. Ils étaient paresseux et oubliaient d'exercer leur foi et leur diligence et alors ces œuvres cessaient et ils ne progressaient pas dans leur voyage ;

42. C'est pourquoi, ils s'attardaient dans le désert où ils ne suivaient point un chemin direct et étaient affligés par la faim et la soif à cause de leurs transgressions.

43. Et maintenant, mon fils, je voudrais que tu comprennes que ces choses ne laissent pas d'avoir un sens symbolique ; car lorsque nos pères étaient paresseux à faire attention à ce compas (or ces choses étaient temporelles) ils ne prospéraient pas ; il en va de même des choses spirituelles.

44. Car voici, il est aussi facile de faire attention à la parole du Christ qui t'indiquera le [2i]chemin direct du bonheur éternel, qu'il l'était pour nos pères de faire attention à ce compas qui leur indiquerait ce chemin direct vers la terre promise.

45. Et maintenant, je le dis, n'y a-t-il pas là un symbole ? Car, aussi certainement que ce [2j]directeur a conduit nos pères, qui suivaient sa direction, à la terre [2k]promise, aussi certainement les paroles du Christ, si nous suivons leur direction, nous conduiront au-delà de cette vallée de larmes, dans une terre de promission bien meilleure.

46. O mon fils, ne soyons pas paresseux à cause de la facilité du chemin ; car il en fut ainsi de nos pères ; car il était préparé pour eux

---

2f, voir *e,* 2 Né. 32.   *2g,* voir *p.* Mos. 23.   *2h,* voir *d,* 1 Né. 16.   *2i,* voir *2a,* 2 Né. 9.   *2j,* vers. 38. Voir *d,* 1 Né. 16.   *2k,* voir *a,* 1 Né. 2.

de telle sorte que, s'ils voulaient regarder, ils vivraient ; il en est de même pour nous. La voie est préparée, et si nous voulons regarder, nous pouvons vivre à toute éternité.

47. Et maintenant, mon fils, veille à prendre soin de ces choses sacrées, oui, veille à regarder vers Dieu, et à vivre. Va à ce peuple déclarer la parole, et sois prudent. Mon fils, adieu.

CHAPITRE 38.

Commandements d'Alma à son fils Shiblon.

Shiblon est loué pour sa fidélité. — Il lui est recommandé d'être humble et toujours maître de lui-même.

1. Mon fils, prête l'oreille à mes paroles, car je te le dis, comme je l'ai dit à Hélaman, pour ^aautant que tu garderas les commandements de Dieu, tu prospéreras dans le pays ; et si tu ne gardes pas les commandements de Dieu, tu seras retranché de sa présence.

2. Et maintenant, mon fils, j'aime à croire que j'aurai beaucoup de joie de toi à cause de ta constance et de ta fidélité à Dieu ; car, comme tu as commencé dès ta jeunesse à te tourner vers le Seigneur ton Dieu, de même, j'espère que tu continueras à garder ses commandements ; car béni est celui qui ^bpersévère jusqu'à la fin.

3. Je te dis, mon fils, que j'ai déjà eu beaucoup de joie à cause de ta fidélité, de ta diligence, de ta patience, et de ta longanimité parmi le peuple des ^cZoramites.

4. Et je sais que tu as été dans les chaînes ; oui, et je sais aussi que tu as été lapidé pour l'amour de la parole ; et tu as supporté toutes ces choses avec patience, parce que le Seigneur était avec toi ; et tu sais que le Seigneur t'a délivré.

5. Et maintenant, mon fils Shi-

blon, je voudrais que tu te souviennes que dans la mesure où tu te confieras en Dieu, dans cette même mesure tu seras délivré de tes épreuves, de tes troubles et de tes afflictions ; et tu seras ^dexalté au dernier jour.

6. Mon fils, je ne voudrais pas que tu penses que je sais ces choses de moi-même, mais c'est l'Esprit de Dieu, qui est en moi, qui me fait connaître ces choses ; car si je n'étais pas ^ené de Dieu, je n'aurais pas connu ces choses.

7. Mais, voici, le Seigneur, dans sa grande miséricorde, envoya son ange pour me déclarer que je devais cesser mon œuvre de destruction parmi son peuple ; oui, j'ai ^fvu un ange face à face ; il m'a parlé ; sa voix était comme le tonnerre, et elle secoua la terre tout entière.

8. * Je suis resté ^gtrois jours et trois nuits l'âme remplie des peines et des angoisses les plus cruelles ; et je n'ai reçu la rémission de mes péchés qu'après avoir imploré la miséricorde du Seigneur Jésus-Christ. Mais voici, je l'ai imploré et j'ai trouvé la paix de mon âme.

9. Et maintenant, mon fils, je t'ai dit ceci pour que tu apprennes la sagesse, pour que tu apprennes de moi qu'il n'est point ^hd'autre chemin, ni d'autre moyen d'être sauvé, que dans et par le Christ seul. Il est ⁱla vie et la lumière du monde. Il est la parole de vérité et de justice.

10. Etant donné que tu as commencé à enseigner la parole, je souhaiterais donc que tu continues à l'enseigner ; et je voudrais que tu sois diligent et modéré en toutes choses.

11. Veille à ne pas t'exalter dans l'orgueil ; oui, veille à ne pas te vanter de ta propre sagesse ni de ta grande force.

a, voir *h*, 2 Né. 1.   *b*, voir *h*, 2 Né. 31.   *c*, voir *2j*, Al. 30.   *d*, voir *p*, Mos. 23.
e, voir *c*, Mos. 5. *f*, Mos. 27 : 11-17. *g*, Mos. 27 : 19-23. Al. 36 : 10, 16.
h, voir *d*, Mos. 5. *i*, voir *m*, Mos. 16.   VERS 73 AV. J.-C.

12. Fais preuve de hardiesse mais pas d'arrogance ; veille aussi à brider toutes tes passions, pour que tu puisses être rempli d'amour ; veille à t'abstenir de la paresse.

13. Ne prie point comme les [j]Zoramites, car tu as vu qu'ils prient pour être entendus des hommes, et pour être loués pour leur sagesse.

14. Ne dis pas : O Dieu, je te remercie de ce que nous sommes meilleurs que nos frères ; mais dis plutôt : O Seigneur, pardonne mon indignité, et souviens-toi de mes frères avec miséricorde — oui, reconnais en tout temps ton indignité devant Dieu.

15. Et que le Seigneur bénisse ton âme et te reçoive au dernier jour dans son royaume, pour t'y asseoir en paix. Maintenant, va, mon fils, enseigne la parole à ce peuple. Sois prudent. Mon fils, adieu.

Commandements d'Alma à son fils Corianton.

(Chapitres 39 à 42, inclusivement.)

CHAPITRE 39.

Corianton est réprimandé pour son libertinage. — Sa conduite pécheresse a affecté la foi des Zoramites. — La rédemption du Christ est rétroactive.

1. Et maintenant, mon fils, j'ai quelque chose de plus à te dire que ce que j'ai dit à ton frère ; car voici, n'as-tu pas observé la constance de ton frère, sa fidélité et sa diligence à garder les commandements de Dieu ? Voici, ne t'a-t-il pas montré le bon exemple ?

2. Car tu n'as pas prêté autant d'attention que ton frère à mes paroles, parmi le peuple des [a]Zoramites. Voici donc ce que j'ai contre toi ; tu as continué à te vanter de ta force et de ta sagesse.

3. Et ce n'est pas tout, mon fils. Tu as fait ce qui était affligeant pour moi ; car tu as abandonné le ministère et tu es passé dans le pays de Siron, dans les frontières des Lamanites, après la prostituée Isabelle.

4. Oui, elle a séduit le cœur d'un grand nombre ; mais ce n'était point là une excuse pour toi, mon fils. Tu aurais dû t'occuper du ministère qui t'était confié.

5. Ne sais-tu pas, mon fils, que ces choses sont une abomination aux yeux du Seigneur ; oui, le plus [b]abominable des péchés, après celui de verser le sang innocent, ou celui de nier le Saint-Esprit ?

6. Car voici, si tu nies le Saint-Esprit, une fois qu'il a eu place en toi, et que tu saches que tu le nies, voici c'est un péché [c]impardonnable ; oui, et quiconque commet un meurtre [d]contre la lumière et la connaissance de Dieu, il ne lui est pas facile d'obtenir le pardon ; oui, je te le dis, mon fils, qu'il ne lui est pas facile d'obtenir le pardon.

7. Et plût à Dieu, mon fils, que tu n'eusses point été coupable d'un aussi grand crime. Je ne m'appesantirais point sur tes crimes, pour te déchirer l'âme, si ce n'était pas pour ton bien

8. Mais voici, tu ne peux pas cacher tes crimes à Dieu ; et si tu ne te repens, ils resteront en témoignage contre toi au dernier jour.

9. Maintenant, mon fils, je voudrais que tu te repentes, que tu abandonnes tes péchés et que tu ne marches plus selon les convoitises de tes yeux, mais que tu te [e]crucifies dans toutes ces choses ; car si tu ne fais pas cela, tu ne pourras absolument pas hériter du royaume de Dieu. O, souviens-toi et prends sur toi de te crucifier dans ces choses.

10. Et je te commande de prendre sur toi de demander conseil à

---

j, voir 2j, Al. 30.   CHAP. 39 : a, voir 2j, Al. 30.   b, vers. 7, 11. Voir i, 2 Né. 28. c, Moro. 8 : 28.   d, vers. 5.   e, 3 Né. 12 : 30.   VERS 73 AV. J.-C.

tes frères aînés pour tout ce que tu entreprendras ; car voici, tu es dans ta jeunesse et tu as besoin d'être nourri par tes frères. Sois donc attentif à leurs conseils.

11. Ne te laisse pas entraîner par une chose vaine ou insensée quelconque ; ne permets pas au diable de détourner ton cœur vers ces prostituées *perverses. Voici, ô mon fils, combien est grande l'iniquité que tu as attirée sur les Zoramites ; car lorsqu'ils ont vu ta conduite, ils n'ont pas voulu croire mes paroles.

12. Et maintenant, l'Esprit du Seigneur me dit : Ordonne à tes enfants de faire le bien, de peur qu'ils n'entraînent le cœur d'un grand nombre à la destruction ; c'est pourquoi, je t'ordonne, mon fils, dans la crainte de Dieu, de t'abstenir de tes iniquités ;

13. De te tourner vers le Seigneur de tout ton esprit, de tout ton pouvoir, et de toutes tes forces ; et de ne plus entraîner le cœur de qui que ce soit à la méchanceté ; mais de retourner plutôt vers eux et de reconnaître tes fautes et le mal que tu as fait.

14. Ne cherche ni les richesses ni les choses vaines de ce monde ; car voici, tu ne peux les emporter avec toi.

15. Maintenant, mon fils, je voudrais te parler quelque peu de la venue du Christ. Voici, je te dis que c'est lui qui viendra sûrement ôter les péchés du monde ; oui, il vient déclarer la bonne nouvelle du salut à son peuple.

16. Or, mon fils, c'était là le ministère auquel tu étais appelé, celui de déclarer cette bonne nouvelle à ce peuple, et de lui préparer l'esprit ; ou plutôt, afin qu'ils reçoivent le salut, pour qu'ils préparent l'esprit de leurs enfants à écouter la parole au moment de sa venue.

17. Et maintenant, je vais t'apaiser quelque peu l'esprit à ce sujet. Voici, tu t'étonnes de ce que ces choses sont connues si longtemps à l'avance. Voici, je te le dis, une âme en ce temps-ci n'est-elle pas aussi précieuse à Dieu que le sera une âme à l'époque de sa venue ?

18. N'est-il pas tout aussi nécessaire que le plan de la rédemption soit révélé à ce peuple aussi bien qu'à ses enfants ?

19. N'est-il pas aussi facile au Seigneur d'envoyer, en ce temps-ci, son ange nous *déclarer cette bonne nouvelle que de le faire à nos enfants, ou après le temps de sa venue ?

CHAPITRE 40.

Suite des recommandations d'Alma à Corianton. — La résurrection est universelle. — États séparés des justes et des méchants entre la mort et la résurrection. — Une restauration littérale.

1. Maintenant, mon fils, il y a encore quelque chose que je voudrais te dire ; car je vois que tu as l'esprit tourmenté touchant la *résurrection des morts.

2. Voici, je te dis qu'il n'y a de résurrection — ou, en d'autres termes, que ce *mortel ne revêt l'immortalité, que cette corruption ne revêt l'incorruptibilité, qu'après la venue du Christ.

3. Voici, il réalise la résurrection des morts. Mais voici, mon fils, la résurrection n'est pas encore là. Maintenant, je te dévoile un mystère ; néanmoins, il y a beaucoup de mystères qui sont gardés, de sorte que nul ne les connaît si ce n'est Dieu lui-même. Mais je te montre une chose que j'ai demandé diligemment à Dieu de connaître — elle concerne la résurrection.

f, vers. 3. 7-9.   *g*. Mos. 3 : 2-27. 27 : 11-17. Al. 11 : 31. 13 : 24.   CHAP. 40 : *a*. voir *d*, 2 Né. 2.   *b*. Mos. 16 : 10. Voir *d*, 2 Né. 2. Aussi *j* et *m*, 2 Né. 9.
VERS 73 AV. J.-C.

4. Voici, il y a un temps fixé où tous ressusciteront d'entre les morts. Quand ce temps viendra, nul ne le sait ; mais Dieu connaît le moment qui est fixé.

5. Qu'il y ait un temps, un deuxième temps ou un troisième temps où les hommes ressusciteront d'entre les morts, cela importe peu ; car Dieu connaît toutes choses ; et il me suffit de savoir que cela est — qu'il y a un temps fixé où tous ressusciteront d'entre les morts.

6. Or, il doit nécessairement y avoir un intervalle entre le moment de la mort et le moment de la résurrection.

7. Et maintenant, je demanderai : Que deviennent les âmes des hommes entre ce moment de la mort et le moment fixé pour la résurrection ?

8. Qu'il y ait plus d'un moment fixé pour la résurrection des hommes, cela n'a pas d'importance ; car tous ne meurent point à la fois, et cela n'a pas d'importance ; tout est comme un seul jour pour Dieu, et le temps n'est mesuré que pour l'homme.

9. C'est pourquoi il y a un temps arrêté où les hommes ressusciteront d'entre les morts ; et il y a un intervalle entre le temps de la mort et la résurrection. Et maintenant, à propos de cet intervalle, ce qu'il advient des âmes des hommes c'est ce que j'ai diligemment désiré savoir du Seigneur ; et voici ce que je sais.

10. Lorsque le temps sera venu où tous les hommes ressusciteront, ils sauront alors que Dieu connaît tous les temps fixés pour l'homme.

11. Maintenant, en ce qui concerne l'état de l'âme entre la mort et la résurrection, voici, il m'a été appris par un ange que les esprits de tous les hommes, dès qu'ils ont quitté ce corps mortel, oui, les esprits de ᶜtous les hommes, qu'ils soient bons ou mauvais, retournent à ce Dieu qui leur a donné la vie.

12. Alors il arrivera que les esprits de ceux qui sont justes seront reçus dans un état de félicité, appelé ᵈparadis, un état de repos, un état de paix où ils se reposeront de tout souci et de toute peine.

13. Et il arrivera que les esprits des méchants ou des pécheurs — car ils n'ont ni part ni portion dans l'Esprit du Seigneur ; car voici, ils ont choisi les œuvres du mal au lieu de celles du bien ; c'est pourquoi, l'esprit du diable est ᵉentré en eux et a pris possession de leur maison — et ceux-ci seront rejetés dans les ténèbres du dehors. Il y aura là des pleurs, des ᶠgémissements et des grincements de dents, et cela à cause de leur propre iniquité, parce qu'ils sont emmenés captifs à la volonté du diable.

14. C'est là l'état des âmes des méchants ; oui, dans les ᵍténèbres et dans un état d'attente terrible et épouvantable de l'indignation ardente de la colère de Dieu contre eux ; ils demeurent ainsi dans cet état, comme les justes dans le ʰparadis, jusqu'au jour de leur résurrection.

15. Il y en a qui ont compris que cet état de bonheur et cet état de misère de l'âme, avant la résurrection, était une première résurrection. Oui, j'admets qu'on puisse appeler résurrection, la ᶦrésurrection de l'esprit ou de l'âme et son attribution à un état de bonheur ou de misère, selon les paroles qui ont été dites.

16. Et voici, il a été dit encore qu'il y a une ʲpremière résurrection, une résurrection de tous ceux qui ont été, qui sont ou qui seront

c, vers. 15. 17. Eccl. 12 : 7.   d, voir l, 2 Né. 9.   e, voir i, 2 Né. 9.   f, Mos. 16 : 2. Voir k, 1 Né. 15.   g, vers. 13.   h, voir l, 2 Né. 9.   i, voir c.   j, voir g, Jacob 4.

jusqu'à la résurrection du Christ d'entre les morts.

17. Mais nous ne supposons pas que cette première résurrection dont il est ainsi parlé, puisse être la résurrection des *âmes et leur attribution à la félicité ou à la misère. Tu ne peux pas supposer que c'est là ce que cela signifie.

18. En vérité, je te dis que non ; mais cela signifie la 'réunion de l'âme au corps de ceux qui sont morts, depuis les jours ᵐd'Adam jusqu'à la résurrection du Christ.

19. Si, oui ou non, les âmes et les corps de ceux dont il a été parlé seront réunis tous à la fois, les pécheurs aussi bien que les justes, je ne le dis pas ; il me suffit de dire qu'ils ressusciteront tous ; en d'autres termes, leur résurrection se produit ⁿavant la résurrection de ceux qui meurent après la résurrection du Christ.

20. Maintenant, mon fils, je ne dis pas que leur résurrection se produit au moment de la résurrection du Christ ; mais voici, je donne mon opinion que les âmes et les corps des justes seront °réunis à la résurrection du Christ et à son ascension au ciel.

21. Mais si c'est à sa résurrection ou après, je ne le dis pas, je ne dis que ceci : Il y a un ᵖintervalle entre la mort et la résurrection du corps et un état de l'âme, dans la félicité ou dans la misère, jusqu'au temps, fixé par Dieu, où les morts ressusciteront âme et corps réunis, pour être menés devant Dieu et jugés selon leurs œuvres.

22. Oui, ceci réalise la restauration de ces choses dont il a été parlé par la bouche des prophètes.

23. �q L'âme sera restituée au corps, et le corps à l'âme ; oui, et chaque membre, chaque jointure

sera restituée à son corps ; oui, pas même un cheveu de la tête ne sera perdu, mais toutes choses seront restaurées dans leur forme propre et parfaite.

24. Telle est, mon fils, la restauration dont il a été parlé par la bouche des prophètes —

25. Et alors les justes brilleront dans le royaume de Dieu.

26. Mais voici, une 'mort terrible s'abat sur les méchants car ils meurent quant aux choses de la justice ; car ils sont impurs, et 'rien d'impur ne peut hériter du royaume de Dieu ; mais ils sont rejetés et condamnés à recevoir le fruit de leurs travaux ou de leurs œuvres, qui ont été perverses ; et ils boiront la lie d'une coupe d'amertume.

CHAPITRE 41.

Suite des recommandations d'Alma à Corianton. — Ce que signifie la restauration. — Les hommes seront jugés selon leurs actions et leurs désirs. — Ils se jugeront eux-mêmes.

1. Maintenant, mon fils, j'ai à t'entretenir touchant la restauration dont il a été parlé ; car voici, certains ont faussé les Ecritures et se sont bien égarés à cause de cela. Je vois que ton esprit s'en est aussi tourmenté. Mais je vais t'en donner l'explication.

2. Je te dis, mon fils, que le plan de la restauration a exigé que la justice de Dieu ; car il est requis que toutes choses soient remises dans leur ordre propre. Voici, il est requis et juste, selon le pouvoir et la résurrection du Christ que ᵃl'âme de l'homme soit restituée à son corps, et que chaque partie du corps lui soit restituée.

3. Et il est requis par la justice de Dieu que les hommes soient jugés selon leurs œuvres ; et ᵇsi

leurs œuvres ont été bonnes durant cette vie, et si les désirs de leur cœur ont été justes, qu'au dernier jour ils soient aussi rendus à ce qui est bon.

4. Et °si leurs œuvres sont mauvaises, elles leur seront rendues pour le mal. Ainsi, toutes choses seront remises dans leur ordre propre, chaque chose dans sa forme naturelle — la mortalité ᵈressuscitée à l'immortalité, la corruption à l'incorruptibilité — ressuscitées à une félicité sans fin pour hériter du royaume de Dieu, ou à une °misère sans fin pour hériter du royaume du diable, l'un d'un côté, l'autre de l'autre —

5. L'un ressuscité au ᶠbonheur selon ses désirs de bonheur ou au bien selon ses désirs du bien ; et l'autre au ᵍmal, selon ses désirs du mal ; car, comme il a désiré faire le mal tout le jour, de même il aura sa récompense du mal quand viendra la nuit.

6. Ainsi en est-il de l'autre côté. S'il s'est repenti de ses péchés, et s'il a désiré la ʰjustice jusqu'à la fin de ses jours, il sera récompensé de même par la justice.

7. Ce sont ceux qui sont rachetés du Seigneur ; oui, ce sont ceux qui sont emmenés, qui sont délivrés de cette nuit de ténèbres sans ⁱfin ; et ainsi ils résistent ou tombent ; car voici, ils sont leurs propres juges que ce soit pour faire le bien ou pour faire le mal.

8. Or, les décrets de Dieu sont ʲinaltérables ; c'est pourquoi, la voie est préparée afin que quiconque le voudra, puisse la suivre et être sauvé.

9. Et maintenant, voici, mon fils, ne risque plus d'offenser ton Dieu sur ces points de doctrine, dans lesquels tu as jusqu'à présent risqué de commettre le péché.

10. Ne suppose pas, parce qu'il a été parlé de la restauration, que tu seras rendu du péché au bonheur. Voici, je te le déclare, l'iniquité n'a ᵏjamais été le bonheur.

11. Or, mon fils, tous les hommes qui sont dans un état naturel, je dirai mieux, dans un état charnel, sont dans le fiel de l'amertume, et dans les liens de l'iniquité ; ils sont sans Dieu dans le monde ; et ils sont allés à l'opposé de la nature de Dieu ; c'est pourquoi, ils sont dans un état ˡcontraire à la nature du bonheur.

12. Et maintenant voici, le mot restauration signifie-t-il prendre une chose d'un état naturel pour la placer dans un état contre nature ou pour la placer dans un état opposé à sa nature ?

13. O mon fils, ceci n'est pas le cas ; mais le mot ᵐrestauration signifie restaurer le mal au mal, le charnel au charnel, le diabolique au diabolique — ⁿle bien à ce qui est bien, le saint à ce qui est saint, le juste à ce qui est juste, le miséricordieux à ce qui est miséricordieux.

14. C'est pourquoi, mon fils, veille à être miséricordieux envers tes frères ; agis avec justice, juge avec droiture, et fais constamment le bien ; et si tu fais toutes ces choses, alors tu recevras ta récompense ; oui, la miséricorde te sera rendue ; la justice te sera rendue ; un jugement juste te sera rendu ; le bien te sera rendu.

15. Car ce que tu envoies au dehors te reviendra et te sera rendu. En sorte que le mot restauration °condamne le pécheur plus complètement et ne le justifie point du tout.

---

c, vers. 10-13, 15.   d, Mos. 16 : 10. Voir d, 2 Né. 2.   e, voir m, Jacob 6. f, voir b.   g, voir c.   h, voir b.   i, voir m, Jacob 6.   j, Morm. 9 : 19.   k, vers. 11, 12.   l, vers. 10, 12.   m, voir c.   n, voir b.   o, Al. 42 : 28.

Vers 73 av. J.-C.

CHAPITRE 42.

Fin des recommandations d'Alma à Corianton. — La justice et la miséricorde exposées. — L'arbre de vie. — La mortalité est un temps d'épreuve. — La mort temporelle et spirituelle. — La repentance, l'expiation, la loi, le châtiment sont tous nécessaires.

1. Et maintenant, mon fils, je vois qu'il y a encore quelque chose qui te trouble l'esprit, que tu ne peux pas comprendre — qui concerne la justice de Dieu dans la punition du pécheur ; car tu essayes de supposer que c'est une injustice que de condamner le pécheur à un état de misère.

2. Or, voici, mon fils, je vais t'en donner l'explication. Et voici, lorsque le Seigneur Dieu eut chassé nos premiers parents du jardin d'Eden pour cultiver la terre *a*dont ils avaient été pris — oui, il chassa l'homme, il plaça à l'est du jardin d'Eden des chérubins et une épée flamboyante qui tournait de tous côtés pour garder l'arbre de vie —

3. Nous voyons que l'homme était devenu comme Dieu, connaissant le bien et le mal ; et de crainte qu'il n'étendît la main pour prendre aussi du fruit de l'arbre de vie pour en manger et vivre à jamais, le Seigneur Dieu plaça des chérubins et l'épée flamboyante, afin qu'il ne prît pas du fruit —

4. Nous voyons ainsi qu'un temps fut donné à l'homme pour se repentir, oui, un temps *b*d'épreuve, un temps pour se repentir et servir Dieu.

5. Car voici, si Adam avait immédiatement avancé la main et pris du fruit de l'arbre de vie, il aurait vécu à *c*jamais selon la parole de Dieu, n'ayant aucun intervalle pour se repentir ; oui, et la parole de Dieu aurait aussi été *d*sans effet et le grand plan du salut aurait avorté.

6. Mais voici, il était arrêté que l'homme mourrait — c'est pourquoi, comme ils étaient retranchés de l'arbre de vie, ils devaient être retranchés de la surface de la terre et l'homme devint perdu à *e*jamais, oui, il devint l'homme déchu.

7. Et maintenant, tu vois par là que nos premiers parents furent retranchés de la présence du Seigneur, *f*temporellement et *g*spirituellement ; et ainsi nous voyons qu'ils devinrent libres de suivre leur *h*propre volonté.

8. Or, voici, il n'était pas expédient que l'homme fût *i*racheté de cette mort temporelle, car cela aurait détruit le grand plan du bonheur.

9. C'est pourquoi, comme l'âme ne pouvait *j*jamais mourir, et comme la chute avait amené une *k*mort spirituelle aussi bien qu'une mort *l*temporelle sur toute l'humanité, c'est-à-dire qu'elle était retranchée de la présence du Seigneur, il était expédient que l'humanité fût rachetée de cette mort spirituelle.

10. Et comme les hommes étaient devenus charnels, sensuels et diaboliques par nature, cet état *m*d'épreuve devint pour eux un état pour se préparer, il devint un état préparatoire.

11. Et maintenant, souviens-toi, mon fils, sans le plan de rédemption (en le mettant de côté), leur *n*âme, dès qu'ils seraient *o*morts, aurait été misérable, étant retranchée de la présence du Seigneur.

12. Il n'y avait aucun moyen de racheter les hommes de cet état de déchéance que l'homme s'était attiré par sa propre désobéissance ;

13. C'est pourquoi, selon la jus-

a, voir *m*, Mos. 2.   *b*, voir *2a*, Al. 12.   *c*, vers. 3.   *d*, vers. 6, 8. Al. 12 : 23, 26.   *e*, voir *w*, Al. 12.   *f*, voir *b*, 2 Né. 2.   *g*, voir *c*, 2 Né. 2.   *h*, voir *l*, 2 Né. 2.   *i*, voir *d*.   *j*, vers. 11.   *k*, voir *c*, 2 Né. 2.   *l*, voir *b*, 2 Né. 2.   *m*, voir *2a*, Al. 12.   *n*, voir *l*.   *o*, voir *k*.

tice, le plan de la rédemption ne pouvait être accompli qu'à la seule condition que les hommes se repentissent dans cet état *p*probatoire ; car, sans cette condition, la miséricorde ne pouvait pas produire son effet *q*sans détruire l'œuvre de la justice. Or, l'œuvre de la justice ne pouvait point être détruite ; s'il en était ainsi, Dieu *r*cesserait d'être Dieu.

14. Nous voyons ainsi que *s*tout le genre humain était déchu et se trouvait entre les mains de la justice ; oui, la justice de Dieu qui les condamnait à être retranchés à *t*jamais de sa présence.

15. Or, le plan de la miséricorde ne pouvait s'accomplir sans une *u*expiation ; c'est pour cela que Dieu lui-même expie les péchés du monde pour réaliser le plan de miséricorde, pour *v*apaiser les exigences de la justice, pour que Dieu puisse être un Dieu parfait, juste et miséricordieux à la fois.

16. Le repentir ne pouvait être donné aux hommes, s'il n'y avait point une punition qui fût aussi *w*éternelle que la *x*vie de l'âme devait l'être, punition apposée comme contraste au plan de bonheur, qui était également aussi éternel que la vie de l'âme.

17. Et comment un homme pourrait-il se repentir s'il ne péchait point ? Comment pourrait-il pécher s'il n'y avait point de loi ? Comment pourrait-il y avoir une loi, s'il n'y avait une punition ?

18. Or une punition fut fixée et une loi juste fut donnée, qui provoquèrent le remord dans la conscience de l'homme.

19. S'il n'y avait pas une loi qui dit — si un homme tue, il mourra — craindrait-il de mourir s'il tuait ?

20. De même, s'il n'y avait point de loi qui défendît le péché, les hommes ne craindraient point de pécher.

21. Et s'il n'y avait point de loi donnée, si *y*les hommes péchaient, que pourraient faire la justice et la miséricorde, car elles n'auraient aucun droit sur la créature ?

22. Mais il y a une loi donnée, et une punition y est attachée, et le repentir est accordé ; et la miséricorde réclame le repentir, autrement la *z*justice réclame la créature et exécute la loi, et la loi inflige la punition. Si cela n'était pas, les œuvres de la justice seraient détruites, et Dieu *2a*cesserait d'être Dieu.

23. Mais Dieu ne cesse pas d'être Dieu, et la miséricorde réclame le pénitent, et la miséricorde vient par *2b*l'expiation ; et l'expiation opère la *2c*résurrection des morts ; et la résurrection des morts ramène les hommes dans la présence de Dieu ; et ainsi ils sont *2d*rendus à sa présence pour être jugés selon leurs œuvres, suivant la loi et la justice.

24. Car voici, la justice impose toutes ses exigences et la miséricorde réclame tout ce qui lui appartient ; et ainsi, nul n'est sauvé si ce n'est le vrai pénitent.

25. Quoi ! supposes-tu que la miséricorde puisse dérober la justice ? Je te le dis, non ; pas un iota. Si cela était, Dieu *2e*cesserait d'être Dieu.

26. C'est ainsi que Dieu accomplit ses grands et éternels desseins, arrêtés *2f*dès la fondation du monde. C'est ainsi qu'arrivent le salut et la rédemption des hommes, et aussi leur destruction et leur misère.

27. C'est pourquoi, ô mon fils,

---

p, voir *2a*, Al. 12.   *q*, voir *2m*, Al. 12.   *r*, voir *f*, 2 Né. 11.   *s*, voir *e* et *g*, 2 Né. 9.   *t*, voir *w*, Al. 12.   *u*, voir *f*, 2 Né. 2.   *v*, voir *2m*, Al. 12.   *w*, voir *m*, Jacob 6.   *x*, vers. 8, 9. Voir *e* et *g*, 2 Né. 9.   *y*, voir *j*, Mos. 3.   *z*, voir *2m*, Al. 12.   *2a*, voir *r*, aussi *f*, 2 Né. 11.   *2b*, voir *f*, 2 Né. 2.   *2c*, voir *d*, 2 Né. 2.   *2d*, Al. 40 : 21-26.   *2e*, voir *f*, 2 Né. 11.   *2f*, voir *d*, Mos. 4.

quiconque veut venir peut venir et prendre part librement aux eaux de la vie ; et quiconque ne veut point venir, il n'est point contraint à venir : mais, au dernier jour, il lui sera [2g]rendu selon ses œuvres.

28. S'il a désiré faire le mal et qu'il ne s'en soit point repenti durant sa vie, voici, le [2h]mal lui sera rendu selon la restauration de Dieu.

29. Maintenant, mon fils, je souhaite que tu ne te laisses plus tourmenter par ces choses, et que tu ne permettes qu'à tes péchés de te tourmenter de ce tourment qui te mènera au repentir.

30. O mon fils, je désire [2i]que tu ne nies plus la justice de Dieu. Ne tente pas de t'excuser, si peu que ce soit, de tes péchés, en niant la justice de Dieu ; mais fais que la justice de Dieu, sa miséricorde et sa longanimité aient plein pouvoir sur ton cœur ; et que cela t'abaisse dans la poussière, dans l'humilité.

31. Et maintenant, ô mon fils, tu es appelé de Dieu à prêcher la parole à ce peuple. Maintenant, mon fils, va ton chemin, déclare la parole avec vérité et sagesse, afin d'attirer des âmes au repentir, et que le grand plan de la miséricorde puisse exercer ses droits sur elles. Et que Dieu t'accorde tout selon mes paroles. Amen.

CHAPITRE 43.

Nouvelle invasion lamanite. — Les armées de Moroni et de Léhi encerclent l'ennemi et le vainquent.

1. * Les fils d'Alma allèrent parmi le peuple pour lui déclarer la parole. Et Alma lui-même ne put rester en repos, et il alla également.

2. Nous ne parlerons plus de leurs prédications, si ce n'est qu'ils prêchaient la parole et la vérité suivant l'esprit de prophétie et de révélation ; et ils prêchaient selon le [e]saint ordre de Dieu, par lequel ils étaient appelés.

3. Je reviens maintenant au récit des guerres des Néphites avec les Lamanites, dans † la dix-huitième année du règne des juges.

4. * Les [b]Zoramites devinrent Lamanites ; et, au commencement de la dix-huitième année, le peuple des Néphites vit que les Lamanites marchaient sur lui ; c'est pourquoi, il fit des préparatifs de guerre ; oui, il rassembla ses armées dans le [c]pays de Jershon.

5. Et * les Lamanites vinrent avec leurs milliers ; et ils vinrent dans le [d]pays d'Antionum, qui est le [e]pays des Zoramites ; et un homme du nom de Zérahemnah était leur chef.

6. Et comme les Amalékites avaient en eux-mêmes des dispositions plus perverses et plus meurtrières que les Lamanites, Zérahemnah nomma des capitaines en chef pour les Lamanites et ils étaient tous Amalékites et [f]Zoramites.

7. Or, il fit ceci pour entretenir leur [g]haine contre les Néphites, afin de se les assujettir pour accomplir ses desseins.

8. Car voici, ses desseins étaient d'exciter les Lamanites à la colère contre les Néphites ; il fit cela pour usurper un grand pouvoir sur eux et aussi pour acquérir du pouvoir sur les Néphites en les réduisant en servitude.

9. Le dessein des Néphites était de défendre leurs terres, leurs maisons, leurs femmes et leurs enfants, pour les préserver des mains de leurs ennemis ; et aussi pour pré-

---

2g, Al. 41 : 15. 2h, voir d, Al. 41. 2i, vers. 1. CHAP. 43 : a, voir g, Mos. 26.
b, voir 2j, Al. 30. c, voir q, Al. 27. d, voir b, Al. 31. e, Al. 31 : 3. f, voir
2j, Al. 30. g, voir n, Jacob 7. † VERS 74 AV. J.-C.

server leurs droits et leurs privilèges, oui, et aussi leur [h]liberté pour pouvoir adorer Dieu selon leurs désirs.

10. Car ils savaient que s'ils tombaient entre les mains des Lamanites, quiconque adorerait Dieu en esprit et en vérité, le Dieu vrai et vivant, serait mis à mort par les Lamanites.

11. Oui, et ils connaissaient la haine [c]extrême des Lamanites pour leurs frères, le peuple [j]d'Anti-Néphi-Léhi, appelé le [k]peuple d'Ammon — et il ne voulait point prendre les armes, oui, il avait fait [l]une alliance et il ne voulait pas la violer — c'est pourquoi, s'il tombait entre les mains des Lamanites, il serait détruit.

12. Et les Néphites ne voulaient pas [m]permettre qu'il fût détruit, c'est pourquoi ils lui donnèrent des terres pour son héritage.

13. Et le peuple d'Ammon donnait aux Néphites une [o]grande partie de sa subsistance pour l'entretien de leurs armées. Ainsi les Néphites étaient obligés, eux seuls, de tenir tête aux Lamanites, qui étaient un composé de Laman, de Lémuel, des fils d'Ismaël, et de tous les dissidents des Néphites, qui étaient Amalékites, [p]Zoramites et descendants des [q]prêtres de Noé.

14. Or, ces descendants étaient presque aussi nombreux que les Néphites. C'est ainsi que les Néphites étaient contraints de se battre contre leurs frères, même jusqu'à l'effusion du sang.

15. Et il arriva que, comme les armées lamanites étaient rassemblées au [r]pays d'Antionum, les armées des Néphites se préparèrent à leur livrer bataille dans le [s]pays de Jershon.

16. Or, le chef des Néphites ou l'homme qui avait été choisi pour être le capitaine en chef des Néphites — donc, le capitaine en chef prit le commandement de toutes les armées des Néphites — et son nom était Moroni ;

17. Et Moroni prit le commandement suprême, et la direction de leurs guerres. Et il n'avait que vingt-cinq ans lorsqu'il fut nommé capitaine en chef des armées néphites.

18. * Il rencontra les Lamanites sur les [t]confins du pays de Jershon. Son peuple était armé [u]d'épées, de cimeterres et d'armes de guerre de toute espèce.

19. Quand les armées des Lamanites virent que le peuple de Néphi, ou que Moroni avait ainsi préparé son peuple avec des cuirasses et des boucliers au bras et aussi des boucliers pour défendre la tête, et qu'ils étaient couverts d'épais vêtements —

20. Or, l'armée de Zérahemnah n'était pas du tout préparée de cette façon ; ils n'avaient que leurs épées, leurs cimeterres, leurs arcs et leurs flèches, leurs pierres et leurs frondes ; ils étaient nus, simplement couverts d'une peau qui leur ceignait les reins ; oui, ils étaient tous nus, [v]à l'exception des Zoramites et des Amalékites ;

21. Mais ils n'étaient pas armés de cuirasses ni de boucliers — c'est pourquoi ils eurent une peur extrême des armées des Néphites, à cause de leur armement, en dépit du fait que leur nombre fût tellement plus grand que celui des Néphites.

22. Voici, * ils n'osèrent pas attaquer les Néphites sur les [w]confins de Jershon ; c'est pourquoi, ils quittèrent le [x]pays d'Antionum, entrèrent dans le désert et firent un

h, voir m, Mos. 29.   i, Al. 27 : 2.   j, voir t, Al. 23.   k, Al. 27 : 26.   l, Al. 24 : 16-19.   m, Al. 27 : 23, 24.   n, Al. 27 : 22.   o, Al. 27 : 24.   p, voir 2i, Al. 30. q, voir f, Mos. 11.   r, voir b, Al. 31.   s, voir q, Al. 27.   t, voir q, Al. 27. u, voir f. Al. 2.   v, vers. 37. Enos 20. Al. 3 : 4, 5.   w, voir q, Al. 27.   x, voir b, Al. 31.

VERS 74 AV. J.-C.

mouvement tournant, dans le désert, par la source de la [y]rivière Sidon, afin de pénétrer dans le [z]pays de Manti et prendre possession du pays car ils ne pensaient pas que les armées de Moroni sauraient où ils étaient allés.

23. Mais * dès qu'ils furent partis pour le désert, Moroni envoya des espions dans le désert pour surveiller leur camp ; et en outre, Moroni, étant au courant des prophéties d'Alma, lui dépêcha certains hommes, afin qu'il s'enquît auprès du Seigneur du lieu où les armées des Néphites devaient aller pour se défendre des Lamanites.

24. Et * la parole du Seigneur vint à Alma, et Alma informa les messagers de Moroni que les armées des Lamanites faisaient un mouvement tournant dans le désert pour passer dans le [2a]pays de Manti afin de lancer une attaque contre la partie la plus faible du peuple. Et ces messagers allèrent remettre le message à Moroni.

25. Alors Moroni, laissant une partie de son armée au [2b]pays de Jershon, dans la crainte qu'une partie des Lamanites ne vînt dans ce pays et ne prît possession de la ville, prit le reste de son armée et se dirigea vers le [2c]pays de Manti.

26. Et il fit rassembler tout le peuple de cette partie du pays pour combattre les Lamanites, afin de défendre ses terres, sa patrie, ses droits et sa liberté ; c'est pourquoi ils étaient préparés pour le moment où les Lamanites arriveraient.

27. Et * Moroni fit cacher son armée dans la vallée qui se trouvait près de la berge de la [2d]rivière Sidon à l'ouest de la rivière Sidon dans le désert.

28. Et Moroni plaça des espions à l'entour afin de connaître le mo-

ment où le camp des Lamanites viendrait.

29. Et comme Moroni connaissait l'intention des Lamanites, comme il savait qu'ils avaient [2e]l'intention de détruire leurs frères, ou de les assujettir et de les réduire en servitude, pour établir leur domination sur tout le pays ;

30. Et comme il savait aussi que les Néphites n'avaient qu'un [2f]seul désir, celui de conserver leurs terres, leur liberté et leur église, il ne pensait pas pécher en les défendant par stratagème ; c'est pourquoi il découvrit, à l'aide de ses [2g]espions, la route qu'allaient prendre les Lamanites.

31. Alors il divisa son armée ; il en mena une partie dans la vallée et la cacha à l'est, et au sud du [2h]mont Riplah ;

32. Et il cacha le reste dans la vallée de l'ouest, à l'ouest de la [2i]rivière Sidon et les fit descendre sur les [2j]confins du pays de Manti.

33. Ayant ainsi disposé son armée à son gré, il se trouva tout prêt à les recevoir.

34. Et * les Lamanites passèrent au nord du [2k]mont où une partie de l'armée de Moroni était cachée.

35. Lorsque les Lamanites eurent dépassé le [2l]mont Riplah, et descendirent dans la vallée, et commencèrent à traverser la [2m]rivière Sidon, l'armée, qui était cachée au sud du mont, commandée par un homme du nom de Léhi, sortit de son embuscade et encercla les Lamanites, à l'est, sur leurs arrières.

36. * Quand les Lamanites virent les Néphites les attaquer par derrière, ils se retournèrent et commencèrent à livrer bataille à l'armée de Léhi.

37. Et l'œuvre de mort commença des deux côtés, mais elle fut

---

y, voir g, Al. 2.   z, voir h, Al. 16.   2a, voir h, Al. 16.   2b, voir q, Al. 27.
2c, voir h. Al. 16.   2d, voir g, Al. 2.   2e, vers. 8, 10.   2f, vers. 9, 45, 48, 49.
Voir m, Mos. 29. Al. 44 : 5. 46 : 12-20. 48 : 10-16.   2g, vers. 23, 28.   2h, vers. 34,
35.   2i, voir g, Al. 2.   2j, voir h, Al. 16.   2k, vers. 31, 35.   2l, vers. 31, 34.
2m, voir g, Al. 2.   VERS 74 AV. J.-C.

plus terrible du côté des Lamanites, car leur [2n]nudité était exposée aux coups puissants des Néphites qui, [2o]avec leurs épées et leurs cimeterres, donnaient la mort presque à chaque coup.

38. Tandis que, d'autre part, chez les Néphites, de temps en temps un homme tombait par l'épée et par la perte de sang, étant donné qu'ils étaient protégés des parties les plus vitales du corps, ou que les parties les plus vitales du corps étaient protégées contre les coups des Lamanites, [2p]par leurs cuirasses, leurs boucliers au bras et leurs casques ; ainsi les Néphites exécutèrent l'œuvre de mort parmi les Lamanites.

39. Il arriva que les Lamanites prirent peur, à cause de la grande destruction qui s'opérait parmi eux, au point même qu'ils commencèrent à fuir vers la [2q]rivière Sidon.

40. Et ils furent poursuivis par Léhi et ses hommes ; et ils furent culbutés par Léhi dans les eaux de Sidon, et ils traversèrent les eaux de Sidon. Et Léhi retint son armée sur la [2r]rive de la rivière Sidon, l'empêchant de passer.

41. Et * Moroni et son armée rencontrèrent les Lamanites dans la [2s]vallée, sur [2t]l'autre bord de la rivière Sidon, et ils commencèrent à fondre sur eux et à les tuer.

42. Et les Lamanites s'enfuirent de nouveau devant eux vers le [2u]pays de Manti, et ils rencontrèrent à nouveau les armées de Moroni.

43. Cette fois, les Lamanites se battirent avec fureur ; oui, jamais on n'avait vu les Lamanites se battre avec une force et un courage aussi extraordinaires, non, pas même depuis le commencement.

44. Et ils étaient inspirés par les [2v]Zoramites et les Amalékites, qui

étaient leurs capitaines en chef et leurs dirigeants principaux, et par Zérahemnah, qui était leur capitaine en chef, ou leur dirigeant et leur commandant en chef ; oui, ils se battirent comme des dragons et nombre de Néphites furent abattus de leurs mains, oui, car ils fendirent en deux [2w]beaucoup de leurs casques, percèrent beaucoup de leurs cuirasses, et tranchèrent beaucoup de bras ; c'est ainsi que les Lamanites frappaient dans leur fureur ardente.

45. Cependant, les Néphites étaient inspirés par une meilleure cause, car ils ne se battaient pas pour la monarchie, ni pour le pouvoir ; mais ils se battaient pour leurs [2x]foyers, leur liberté, leurs femmes, leurs enfants, et pour tout ce qu'ils possédaient ; oui, pour leur culte et leur église.

46. Et ils faisaient ce qu'ils sentaient être leur devoir envers leur Dieu ; car le Seigneur leur avait dit, ainsi qu'à leurs pères : [2y]Tant que vous ne serez pas coupables de la première offense ni de la seconde, vous ne vous laisserez pas tuer des mains de vos ennemis.

47. Et le Seigneur a dit encore : Vous défendrez vos familles jusqu'à l'effusion du sang. C'est pour ces motifs que les Néphites se battaient contre les Lamanites, pour se [2z]défendre, eux, leurs familles, leurs terres, leur patrie, leurs droits et leur religion.

48. Et il arriva que lorsque les hommes de Moroni virent la [3a]férocité et la fureur des Lamanites, ils étaient tout prêts à fléchir et à prendre la fuite. Mais Moroni, s'apercevant de leurs intentions, envoya des messagers et leur inspira le cœur de ces pensées —

2n, vers. 20. Voir v.   2o, vers. 18.   2p, vers. 19, 21, 44. Al. 44 : 9. 46 : 13. 49 : 6, 24. Héla. 1 : 14. Morm. 6 : 9.   2q, voir g, Al. 2.   2r, vers. 27.   2s, vers. 32. 2t, vers. 32.   2u, vers. 32. Voir h, Al. 16.   2v, vers. 6.   2w, voir 2p, 2x, vers. 30, 47. Al. 44 : 5.   2y, D. et A. 98 : 23-48. Al. 48 : 14-16.   2z, voir 2f. 3a, vers. 44.

VERS 74 AV. J.-C.

oui la [3b]pensée de leurs terres, et de leur liberté, oui, de leur liberté de la servitude.

49. Alors * ils se retournèrent contre les Lamanites, invoquant d'une voix unanime le Seigneur leur Dieu, [3c]pour leur liberté et leur délivrance de la servitude.

50. Et ils commencèrent à résister aux Lamanites avec puissance ; et à l'heure même où ils invoquaient le Seigneur pour leur liberté, les Lamanites commencèrent à fuir devant eux ; et ils fuirent même jusqu'aux [3d]eaux de Sidon.

51. Or, les Lamanites étaient plus nombreux, oui, de plus du double que les Néphites ; néanmoins, ils furent culbutés à tel point, qu'ils furent rassemblés en un seul corps dans la [3e]vallée sur la [3f]berge de la rivière Sidon.

52. Mais là, les armées de Moroni les encerclèrent, oui, même des deux côtés de la rivière, car voici, à l'est se trouvaient les hommes de Léhi.

53. Aussi, quand Zérahemnah vit les hommes de Léhi à l'est de la rivière Sidon et les armées de Moroni à l'ouest de la rivière Sidon, quand ils virent qu'ils étaient enveloppés de toutes parts par les Néphites, ils furent frappés de terreur.

54. Alors Moroni, voyant leur frayeur, ordonna à ses hommes de cesser l'effusion du sang.

CHAPITRE 44.

Magnanimité de Moroni. — Zérahemnah rejette ses offres de paix, mais se trouve finalement dans l'obligation d'accepter ses termes. — Les Lamanites font un traité de paix. — Fin des annales d'Alma.

1. * Ils s'arrêtèrent et se retirèrent à quelques pas d'eux. Et

Moroni dit à Zérahemnah : Tu vois, Zérahemnah, que nous ne voulons pas être des hommes de sang. Tu sais que vous êtes entre nos mains et pourtant nous ne voulons pas vous tuer.

2. Voici, nous ne sommes pas venus nous battre contre vous afin de verser votre sang pour obtenir du pouvoir ; nous ne voulons pas non plus amener qui que ce soit sous le joug de la servitude. Or, c'est là la [a]cause même pour laquelle vous êtes venus contre nous, oui, et vous êtes irrités contre nous à cause de notre religion.

3. Mais à présent, vous voyez que Dieu est avec nous ; et vous voyez qu'il vous a livrés entre nos mains. Je voudrais que vous compreniez que ceci nous est fait [b]à cause de notre religion et de notre foi au Christ. Et maintenant, vous voyez que vous ne pouvez pas détruire cette foi qui est la nôtre.

4. Vous voyez maintenant que c'est la véritable foi de Dieu ; oui, vous voyez que Dieu nous soutiendra, nous gardera, et nous conservera aussi longtemps que nous lui serons fidèles, à lui, à notre foi, et à notre religion ; et le Seigneur ne [c]souffrira jamais que nous soyons détruits à moins que nous ne tombions dans la transgression et ne niions notre foi.

5. Et maintenant, Zérahemnah, je te commande, au nom de ce Dieu tout-puissant, qui nous a fortifié le bras de sorte que nous l'avons emporté sur vous, [d]par notre foi, par notre religion, par notre culte, par notre Eglise, par le soutien sacré que nous devons à nos femmes et à nos enfants, par cette liberté qui nous attache à nos terres et à notre patrie ; oui, et aussi par le respect constant de la parole sacrée de Dieu, à laquelle

---

3b, voir 2f.   3c, voir 2f.   3d, voir g, Al. 2.   3e, vers. 32.   3f, vers. 32.
CHAP. 44 : a, Al. 43 : 8.   b, Al. 43 : 49, 50.   c, voir h, 2 Né. 1.   d, voir 2f,
Al. 43.   VERS 74 AV. J.-C.

nous devons tout notre bonheur ; et par tout ce qui nous est le plus cher —

6. Oui, et ce n'est pas tout ; je vous commande, par le désir que vous avez de vivre, de nous livrer vos armes de guerre ; et nous ne chercherons pas à verser votre sang. mais nous vous épargnerons la vie, si vous partez et ne revenez plus nous faire la guerre.

7. Et si vous ne le faites pas, voici, vous êtes en nos mains, et je commanderai à mes hommes de tomber sur vous, et d'infliger les blessures de la mort à votre corps, pour que vous soyez exterminés. Alors nous verrons qui gouvernera ce peuple ; oui, nous verrons qui tombera dans la servitude.

8. * Quand Zérahemnah eut entendu ces paroles, il s'avança et ᶜlivra son épée, son cimeterre et son arc entre les mains de Moroni, et lui dit : Voici nos armes de guerre ; nous vous les remettrons mais nous ne nous permettrons pas de vous ᶠfaire un serment que nous savons que nous allons violer, ainsi que nos enfants. Prenez nos armes de guerre et laissez-nous partir au désert ; autrement nous gardons nos épées, et nous périrons ou nous vaincrons.

9. Voici, nous ne sommes point de votre foi ; nous ne croyons point que c'est Dieu qui nous a livrés entre vos mains ; nous croyons que ce sont vos artifices qui vous ont garantis de nos épées. ᵍCe sont vos cuirasses et vos boucliers qui vous ont préservés.

10. Lorsque Zérahemnah eut fini de parler, Moroni rendit à Zérahemnah son épée et ses armes de guerre qu'il avait reçues, et lui dit : Eh bien ! nous finirons la lutte.

11. Je ne puis retirer les paroles que j'ai dites, c'est pourquoi, aussi vrai que le Seigneur vit, vous ne partirez point ʰsans faire le serment de ne plus revenir nous combattre. Et comme vous êtes entre nos mains, nous répandrons votre sang sur le sol, ou vous vous soumettrez aux conditions que j'ai proposées.

12. Quand Moroni eut dit ces paroles, Zérahemnah garda son épée et fut irrité contre Moroni et s'élança pour tuer Moroni ; mais comme il levait son épée, voici, un des soldats de Moroni la frappa et la fit tomber sur le sol et elle se brisa à la poignée ; et il frappa aussi Zérahemnah, de manière à lui enlever la ᶜchevelure, qui tomba à terre. Et Zérahemnah se retira de devant eux au milieu de ses soldats.

13. Et * alors, le soldat qui se tenait tout près et avait enlevé la chevelure de Zérahemnah, ramassa la chevelure du sol, la mit sur la pointe de son épée, et la tendit vers eux, disant d'une voix forte :

14. ᶦDe même que cette chevelure, qui est la chevelure de votre chef, est tombée à terre, de même vous tomberez à terre, à moins que vous ne livriez vos armes de guerre et ne partiez, après avoir ᵏfait alliance de garder la paix.

15. Et il y en eut beaucoup qui, lorsqu'ils entendirent ces paroles et virent la ᶦchevelure fixée au bout de l'épée, furent saisis de frayeur ; et beaucoup s'avancèrent, jetèrent bas leurs armes de guerre aux pieds de Moroni, et contractèrent une alliance de paix avec lui. Et tous ceux qui firent ᵐalliance, ils leur permirent de s'en aller au désert.

16. * Zérahemnah fut extrêmement irrité et excita le reste de ses

e, Al. 43 : 20.   f, vers. 6, 11, 15, 19, 20.   g, voir 2p, Al. 43.   h, voir f. i, vers. 13-15.   j, vers. 18.   k, voir f.   l, voir i.   m, voir f.

soldats à se battre plus furieuse-
ment contre les Néphites.

17. Et Moroni fut irrité de
l'obstination des Lamanites ; c'est
pourquoi il ordonna à ses hommes
de se jeter sur eux et de les exterminer. Et * ils se mirent à les
tuer ; oui, et les Lamanites se battirent avec leurs épées et de toutes
leurs forces.

18. Mais leur peau ⁿnue et leur
tête découverte les exposaient aux
épées tranchantes des Néphites ;
oui, voici, ils furent percés et frappés, et tombèrent très rapidement
sous l'épée des Néphites ; et ils
commencèrent à être moissonnés,
ainsi que l'avait prophétisé le °sol-
dat de Moroni.

19. Quand Zérahemnah vit qu'ils
étaient sur le point d'être tous
exterminés, il cria fortement à
Moroni, promettant qu'ils feraient,
lui et son peuple, alliance avec eux
de ne plus ᵖjamais revenir leur
faire la guerre, s'ils laissaient la vie
sauve au reste d'entre eux.

20. * Moroni fit alors cesser de
nouveau l'œuvre de mort parmi le
peuple. Et il enleva les armes de
guerre des Lamanites ; et ᑫlorsqu'ils
eurent fait une alliance de paix
avec lui, il leur fut permis de s'en
aller au désert.

21. Et on ne compta point leurs
morts, tant ils étaient nombreux ;
oui, le nombre des morts fut extrêmement considérable, à la fois chez
les Néphites et les Lamanites.

22. Et * ils jetèrent leurs morts
dans les ʳeaux de Sidon, et ils sont
partis et sont ensevelis dans les
profondeurs de la mer.

23. Et les armées des Néphites
ou de Moroni se retirèrent dans
leurs foyers et sur leurs terres.

24. C'est ainsi † que finit la dix-
huitième année du règne des juges
sur le peuple de Néphi. Et ainsi

finit le récit d'Alma, qui était sur
les ˢplaques de Néphi.

———

*Histoire du peuple de Néphi ;
ses guerres, ses dissensions du
temps d'Hélaman, d'après les annales d'Hélaman, qu'il tint pendant
sa vie.*

(Chapitres 45 à 62 inclusivement.)

CHAPITRE 45.

*L'extinction des Néphites est de nou-
veau prédite. — Le départ d'Alma est
comparé à celui de Moïse. — Dissensions dans l'Église.*

1. * Le peuple de Néphi se réjouit extrêmement de ce que le
Seigneur l'avait de nouveau délivré
des mains de ses ennemis ; c'est
pourquoi il rendit grâces au Seigneur son Dieu ; oui, et il ᵃjeûna
beaucoup et ᵇpria beaucoup, et il
adora Dieu avec une joie extrême.

2. Et * dans la dix-neuvième
année du règne des juges sur le
peuple de Néphi, Alma vint à son
fils Hélaman et lui dit : Crois-tu
aux paroles que je t'ai dites ᶜtouchant les annales qui ont été gardées ?

3. Et Hélaman lui dit : Oui, j'y
crois.

4. Alma dit encore : Crois-tu en
Jésus-Christ, qui viendra ?

5. Et il dit : Oui, je crois à toutes
les paroles que tu as dites.

6. Puis Alma lui dit : Garderas-
tu mes commandements ?

7. Et il dit : Oui, je garderai tes
commandements de tout mon cœur.

8. Alma lui dit alors : Tu es béni ; et le Seigneur te fera prospérer
dans ce pays.

9. J'ai quelque chose à te prophétiser ; mais ce que je te prophétise, tu ne le feras point connaître ;
oui, ce que je te prophétiserai ne

n, voir *v*, Al. 43.   *o*, vers. 14.   *p*, voir *f*.   *q*, voir *f*.   *r*, voir *g*, Al. 2.
s, voir *f*, 1 Né. 1.   **Chap. 45** : *a*, voir *t*, Mos. 27.   *b*, voir *e*, 2 Né. 32.   *c*, Al. 37.
† 73 av. J.-C.

sera révélé que lorsque la prophétie aura reçu son accomplissement ; c'est pourquoi, écris les paroles que je vais prononcer.

10. Et voici les paroles : Voici, je vois d'après l'esprit de révélation qui est en moi, que ce peuple même, les Néphites, *d*tombera dans l'incrédulité, *e*quatre cents ans après que Jésus-Christ se sera manifesté à lui.

11. Oui, et alors il verra des guerres, des pestes, oui, des famines, de grandes effusions de sang, même jusqu'à *f*l'extinction du peuple de Néphi —

12. Oui, et cela parce qu'il tombera dans l'incrédulité, dans les œuvres de ténèbres, dans la lasciveté, et dans toutes sortes d'iniquités ; oui, je te le dis, parce qu'il pèchera contre tant de lumière et tant de connaissance, oui, je te le dis, à partir de ce jour, *g*la quatrième génération ne passera pas entièrement que cette grande iniquité n'arrive.

13. Et quand ce grand jour sera venu, le temps sera proche où ceux qui sont maintenant, ou la postérité de ceux qui sont maintenant comptés parmi le peuple de Néphi, ne seront plus comptés parmi le peuple de Néphi.

14. Mais tous ceux qui resteront et ne seront pas détruits en ce grand et terrible jour seront *h*comptés parmi les Lamanites et deviendront semblables à eux, tous, excepté quelques-uns qui seront appelés les disciples du Seigneur. Et ceux-ci, les Lamanites les poursuivront *i*jusqu'à ce qu'ils les aient exterminés. Et maintenant, à cause de l'iniquité, cette prophétie sera accomplie.

15. Et * lorsque Alma eut dit ces choses à Hélaman, il le bénit ainsi que ses autres fils, et il bénit aussi la terre pour les justes.

16. Et il dit : Ainsi dit le Seigneur Dieu — *j*Maudit sera le pays, oui, ce pays, jusqu'à l'extermination de toute nation, famille, langue et peuple qui commettent l'iniquité, quand ils seront tout à fait mûrs ; et comme je l'ai dit, ainsi en sera-t-il, car c'est la malédiction ou la bénédiction de Dieu sur le pays, car le Seigneur ne peut pas considérer le péché avec le moindre degré d'indulgence.

17. Et lorsque Alma eut dit ces paroles, il bénit l'Eglise, oui, tous ceux qui resteraient désormais inébranlables dans la foi.

18. Et quand Alma eut fait cela, il partit du *k*pays de Zarahemla comme pour aller au *l*pays de Mélek. * Et l'on n'entendit plus jamais parler de lui ; nous ne savons rien de sa mort ni de sa sépulture.

19. Nous savons seulement qu'il était un homme juste. Le bruit se répandit dans l'Eglise qu'il avait été enlevé par l'Esprit ; ou que, comme Moïse, il avait été enseveli par la main du Seigneur ; mais voici, les Ecritures disent que le Seigneur prit Moïse à lui ; et nous pensons qu'il a aussi reçu Alma dans l'esprit, à lui ; c'est pour cela que nous ne savons rien de sa mort et de sa sépulture.

20. * Au † commencement de la dix-neuvième année du règne des juges sur le peuple de Néphi, Hélaman alla parmi le peuple pour lui déclarer la parole.

21. Car voici, à cause des guerres qu'il avait eues avec les Lamanites, et des nombreuses petites dissensions et des troubles qui s'étaient produits parmi le peuple, il devint expédient que la parole de Dieu lui fût déclarée, oui, et que l'ordre fût partout rétabli dans l'Eglise.

d, voir d, 1 Né. 12.   e, Moro. 9.   f, 2 Né. 26 : 10. Morm. 6.   g, voir d, 1 Né. 12.   h, 1 Né. 13 : 31. Moro. 9 : 24.   i, Moro. 1 : 1-3.   j, voir d, 2 Né. 1. k, Om. 13.   l, voir c, Al. 8.
† 73 av. J.-C.

22. C'est pourquoi, Hélaman et ses frères partirent pour réorganiser l'Eglise dans tout le pays, oui, dans chaque ville de tout le pays possédé par le peuple de Néphi. Et * ils nommèrent des ᵐprêtres et des instructeurs dans tout le pays sur toutes les églises.

23. Or, * lorsqu'Hélaman et ses frères eurent nommé des prêtres et des instructeurs sur les églises, une dissension s'éleva parmi elles et elles ne voulurent pas prêter attention aux paroles d'Hélaman et de ses frères ;

24. Mais elles devinrent fières, exaltées dans leur cœur à cause de leur extrême richesse ; c'est pourquoi, elles devinrent riches à leurs propres yeux et ne voulurent pas faire attention aux paroles d'Hélaman et de ses frères, ni marcher en droiture devant Dieu.

CHAPITRE 46.

Amalickiah conspire pour être roi. — Moroni et le titre de la liberté. — Sa protestation et son appel vibrant. — Le peuple fait alliance de maintenir la liberté. — Fuite d'Amalickiah.

1. Et il arriva que tous ceux qui ne voulaient pas écouter les paroles d'Hélaman et de ses frères, se réunirent contre leurs frères.

2. Et ils étaient tellement irrités qu'ils résolurent de les exterminer.

3. Le chef de ceux qui étaient irrités contre leurs frères était un homme grand et fort, nommé Amalickiah.

4. Et Amalickiah était désireux d'être roi ; et ces hommes qui étaient irrités le voulaient aussi pour leur roi ; la plupart étaient des juges inférieurs du pays qui recherchaient le pouvoir.

5. Ils avaient été amenés par les flatteries d'Amalickiah à croire que s'ils l'aidaient et l'établissaient comme leur roi, il les établirait gouverneurs du peuple.

6. Ainsi, ils furent entraînés par Amalickiah à des dissensions, malgré les prédications d'Hélaman et de ses frères, oui, malgré le soin extrême qu'ils prenaient de l'Eglise, car ils étaient les ᵃgrands-prêtres de l'Eglise.

7. Et il y en eut un grand nombre dans l'Eglise qui crurent aux paroles flatteuses d'Amalickiah et se séparèrent de l'Eglise. Ainsi, les affaires du peuple de Néphi devinrent très précaires et très dangereuses, en dépit de la ᵇgrande victoire qu'ils avaient remportée sur les Lamanites et des grandes joies qu'ils avaient éprouvées pour avoir été délivrés par la main du Seigneur.

8. Nous voyons par là combien les enfants des hommes sont prompts à oublier le Seigneur leur Dieu, oui, combien ils sont prompts à commettre l'iniquité et à se laisser égarer par le malin.

9. Oui, et nous voyons aussi la grande méchanceté qu'un seul homme très méchant peut produire parmi les enfants des hommes,

10. Oui, nous voyons qu'Amalickiah, parce qu'il était un homme rusé et un homme qui disait beaucoup de paroles flatteuses, entraîna le cœur de beaucoup d'hommes à faire le mal ; oui, et à chercher à détruire l'Eglise de Dieu et à détruire les ᶜfondements de la liberté que Dieu leur avait accordée ou la bénédiction que Dieu avait envoyée sur le pays, à cause des justes.

11. * Quand Moroni, qui était le ᵈcommandant en chef des armées néphites, apprit ces dissensions, il fut irrité contre Amalickiah.

12. * Il ᵉdéchira son vêtement, en prit un lambeau, et écrivit des-

sus — En 'souvenir de notre Dieu, de notre religion, de la liberté, de notre paix, de nos femmes et de nos enfants — et il l'attacha au bout d'une perche.

13. Et il se "revêtit de son casque, de sa cuirasse et de ses boucliers, et se ceignit les reins de ses armes ; et il prit la perche à l'extrémité de laquelle était son vêtement déchiré (qu'il appela ʰl'étendard de la liberté), il s'inclina jusqu'à terre et 'pria ardemment son Dieu pour que les bénédictions de la ʲliberté reposassent sur ses frères aussi longtemps qu'un groupe de ᵏchrétiens resterait pour posséder le pays —

14. Car c'est ainsi que tous les vrais croyants au Christ, qui appartenaient à l'Eglise de Dieu, étaient appelés par ceux qui n'appartenaient point à l'Eglise.

15. Et ceux qui appartenaient à l'Eglise étaient fidèles ; oui, tous ceux qui croyaient vraiment au Christ prirent avec joie le nom du Christ ou de chrétiens qu'on leur donnait à cause de leur foi au Christ qui devait venir.

16. Et c'est pour cela que Moroni, en ce moment, priait pour que la cause des chrétiens et de la 'liberté du pays fût favorisée.

17. Et * quand il eut "épanché son âme à Dieu, il appela tout le pays qui était au "sud du pays de °Désolation, oui, en résumé, tout le pays à la fois au ᵖnord et au sud — pays de choix, et ᑫpays de la liberté.

18. Et il dit : Dieu, assurément, ne permettra pas que nous, qui sommes méprisés parce que nous prenons sur nous le ʳnom du Christ, soyons foulés aux pieds et détruits, à moins que nous ne nous attirions par nos propres transgressions.

19. Et quand Moroni eut dit ces paroles, il alla parmi le peuple, agitant en l'air le ˢlambeau de son vêtement, pour que tous puissent voir ᵗl'inscription qu'il avait écrite sur le lambeau, criant d'une voix forte, disant :

20. Quiconque voudra garder cet étendard dans le pays, qu'il vienne, dans la force du Seigneur, faire alliance de "défendre ses droits et sa religion, afin que le Seigneur le bénisse.

21. Et * quand Moroni eut proclamé ces paroles, voici, le peuple accourut, les reins ceints de ses armes, ᵛdéchirant ses vêtements en signe ou comme une alliance qu'il n'abandonnerait pas le Seigneur son Dieu ; en d'autres termes, que s'il transgressait les commandements de Dieu, ou s'il tombait en transgression, et avait honte de prendre sur lui le ᵂnom du Christ, le Seigneur le déchirerait comme il avait ˣdéchiré ses vêtements.

22. Telle fut l'alliance qu'ils firent. Et ils jetèrent leurs vêtements aux pieds de Moroni, disant : Nous faisons alliance avec notre Dieu que nous serons détruits, comme l'ont été nos frères du ʸpays du nord, si nous tombons en transgression ; oui, il peut nous mettre aux pieds de nos ennemis, comme nous venons de mettre nos vêtements à tes pieds, pour être foulés sous leurs pieds, si nous tombons dans la transgression.

23. Moroni leur dit : Voici, nous sommes un reste de la postérité de Jacob ; oui, nous sommes un reste de la postérité de Joseph dont le ᶻvêtement fut déchiré par ses frères en de nombreux morceaux ; oui, et maintenant voici, souvenons-nous

ʲ, voir 2ʲ, Al. 43.   g, voir 2p, Al. 43. ʲ, voir 2ʲ, Al. 43.   k, vers. 14-16. Al. 48 : 10.   l, voir 2ʲ, Al. 43.   m, voir e, 2 Né. 32.   n, 2 Né. 3 : 24. Morm. 3 : 5.   o, voir 2l, Al. 22.   p, Al. 22 : 31. 63 : 4. q, voir 2ʲ, Al. 43.   r, voir e, Mos. 5.   s, voir e.   t, vers. 12.   u, voir 2ʲ, Al. 43. ᵛ, voir e.   w, voir e, Mos. 5.   x, voir v.   y, voir le Livre d'Ether.   z, Gen. 37 : 31-33.   73 av. J.-C.

de garder les commandements de Dieu, autrement nos vêtements seront déchirés par nos frères, et nous serons jetés en prison, ou vendus, ou tués.

24. Oui, conservons notre [2a]liberté, comme un reste de Joseph ; oui, rappelons-nous les paroles de Jacob, avant sa mort, car voici, il vit qu'une partie du reste du vêtement de Joseph était préservée et ne s'était pas décomposée. Et il dit — [2b]Comme ce reste du vêtement de mon fils a été conservé, de même un reste de la postérité de mon fils sera conservé par la main de Dieu, et pris à lui, tandis que le reste de la postérité de Joseph périra, tout comme le reste de son vêtement.

25. Or voici, ceci fait de la peine à mon âme ; toutefois, mon âme trouve sa joie en mon fils, à cause de cette partie de sa postérité qui sera prise à Dieu.

26. Tel fut le langage de Jacob.

27. Et maintenant, qui sait si la postérité de Joseph, qui périra comme son vêtement, ne sont pas ceux qui se sont détachés de nous ? Oui, et ce sera même nous, si nous ne nous tenons pas fermes dans la foi du Christ.

28. * Quand Moroni eut prononcé ces paroles, il alla, et il envoya des hommes dans toutes les parties du pays où il y avait des dissensions et fit rassembler tous ceux qui désiraient maintenir leur [2c]liberté, afin de tenir tête à Amalickiah et à ceux qui s'étaient détachés, qu'on appelait les Amalickiahites.

29. Et * quand Amalickiah vit que le peuple de Moroni était plus nombreux que les Amalickiahites — et quand il vit aussi que son peuple doutait de la justice de la cause dans laquelle il était engagé — craignant de ne point atteindre

son but, il prit ceux de son peuple qui voulurent le suivre et partit pour le [2d]pays de Néphi.

30. Or, Moroni pensait qu'il n'était pas expédient que les Lamanites eussent davantage de forces ; c'est pourquoi, il pensa couper la route au peuple d'Amalickiah ou de le prendre, de le ramener et de mettre Amalickiah à mort ; oui, car il savait qu'il exciterait les Lamanites à la colère contre eux et les ferait venir se battre contre eux ; il savait qu'Amalickiah ferait cela en vue d'atteindre son but.

31. C'est pourquoi, Moroni pensa qu'il était expédient qu'il prît ses armées, qui s'étaient rassemblées, avaient pris les armes et avaient fait alliance de maintenir la paix — et * il prit son armée et se mit en marche dans le désert pour couper la route d'Amalickiah dans le désert.

32. Et * il fit selon son désir, s'avança dans le désert et devança les armées d'Amalickiah.

33. Et * Amalickiah s'enfuit avec un petit nombre de ses hommes et le reste tomba entre les mains de Moroni et fut ramené au pays de Zarahemla.

34. Or Moroni, étant un homme qui était nommé par les grands-juges et par la [2e]voix du peuple, avait le pouvoir d'agir selon sa volonté envers les armées des Néphites, pour établir et pour exercer son autorité sur elles.

35. Et il arriva que quiconque parmi les Amalickiahites ne voulut pas faire alliance de soutenir la [2f]cause de la liberté, afin de maintenir un gouvernement libre, il le fit mettre à mort ; et il n'y en eut que peu qui refusèrent l'alliance de la liberté.

36. Et * il fit dresser [2g]l'étendard de la liberté sur toutes les tours du

2a, voir 2f, Al. 43.   2b, vers. 27. 3 Né. 5 : 23, 24. 10 : 17.   2c, voir 2f, Al. 43.
2d, voir b, 2 Né. 5.   2e, voir e, Mos. 29.   2f, voir 2f, Al. 43.   2g, vers. 12, 13.
73 av. J.-C.

pays possédé par les Néphites. Et c'est ainsi que Moroni planta l'étendard de la liberté parmi les Néphites.

37. Et ils recommencèrent à avoir la paix dans le pays ; et ainsi ils maintinrent la paix dans le pays jusque vers la † fin de la dix-neuvième année du règne des juges.

38. Et Hélaman et les ²ʰgrands-prêtres maintinrent aussi l'ordre dans l'Eglise ; oui, ils eurent même beaucoup de paix et de joie dans l'Eglise pendant l'espace de quatre ans.

39. Et * un grand nombre d'hommes moururent, croyant fermement que leur âme était rachetée par le Seigneur Jésus-Christ. Ainsi ils quittèrent le monde en se réjouissant.

40. Et il y en eut qui moururent des fièvres, qui étaient très fréquentes dans le pays à certaines saisons de l'année — mais ce n'était pas tellement des fièvres qu'on mourait, à cause des excellentes qualités des nombreuses plantes et racines que Dieu avait préparées pour supprimer la cause des maladies auxquelles les hommes étaient sujets par la nature du climat —

41. Mais il y en eut beaucoup qui moururent de vieillesse ; et ceux qui sont morts dans la foi du Christ sont heureux en lui, ainsi que nous devons le croire.

CHAPITRE 47

Amalickiah, par perfidie, devient roi des Lamanites. — Sa terrible méchanceté.

1. Revenons maintenant, dans notre récit, à Amalickiah et à ceux qui s'étaient ᵃenfuis avec lui dans le désert ; car voici, il avait emmené ceux qui étaient allés avec lui et monta au ᵇpays de Néphi, parmi les Lamanites et excita les Lamanites à la colère contre le peuple de Néphi au point que le roi des Lamanites envoya une proclamation, dans tout son pays, parmi tout son peuple, qu'il devait se réunir de nouveau pour aller se battre contre les Néphites.

2. * Quand la proclamation eut été envoyée parmi eux, ils furent extrêmement effrayés ; oui, ils craignaient de déplaire au roi, et ils craignaient aussi d'aller combattre les Néphites, par peur de perdre la vie. Et il arriva qu'ils ne voulurent pas ou la plupart d'entre eux ne voulut pas obéir aux ordres du roi.

3. * Le roi fut irrité de leur désobéissance ; c'est pourquoi il donna à Amalickiah le commandement de cette partie de son armée qui obéissait à ses ordres et lui commanda d'aller les forcer à prendre les armes.

4. Or voici, c'est là ce qu'Amalickiah désirait ; car, étant un homme très subtil à faire le mal, il conçut le plan, dans son cœur, de ᶜdétrôner le roi des Lamanites.

5. Et maintenant, il avait obtenu le commandement de cette partie des Lamanites qui était en faveur du roi ; et il chercha à gagner la faveur de ceux qui n'obéissaient pas ; c'est pourquoi, il se rendit à l'endroit que l'on appelait Onidah, car c'était là que tous les Lamanites s'étaient enfuis ; car ils avaient découvert la marche de l'armée et, supposant qu'elle venait pour les détruire, ils s'étaient sauvés à Onidah, la place d'armes.

6. Et ils avaient nommé un homme comme roi et gouverneur, et avaient pris la ferme résolution de ne pas se laisser obliger à combattre les Néphites.

7. * Ils s'étaient réunis sur la cime du mont que l'on appelait Antipas, pour se préparer à la bataille.

8. Or, Amalickiah n'avait pas

2h, vers. 6. Voir g, Mos. 26. CHAP. 47 : a, Al. 46 : 33. b, voir b, 2 Né. 5.
c, vers. 8, 16, 35.   † 72 AV. J.-C.

l'intention de leur livrer bataille conformément aux ordres du roi ; mais voici, il avait l'intention de gagner la faveur des armées des Lamanites, pour se mettre lui-même à lur tête, ᵈdétrôner le roi et prendre possession du royaume.

9. Et voici, * il fit dresser les tentes à son armée dans la vallée qui était proche du ᵉmont Antipas.

10. Et * quand la nuit fut venue, il envoya une ambassade secrète au mont Antipas, pour prier le chef de ceux qui se trouvaient sur le mont, dont le nom était Léhonti, de descendre au pied du mont, car il désirait lui parler.

11. * Quand Léhonti reçut le message, il n'osa pas descendre au pied du mont. * Amalickiah lui envoya un second message lui demandant de descendre. * Mais Léhonti ne voulut pas encore descendre ; et il lui en envoya encore un troisième une troisième fois.

12. * Quand Amalickiah vit qu'il ne pouvait engager Léhonti à descendre du mont, il monta lui-même sur le mont, presque jusqu'au camp de Léhonti ; et il envoya de nouveau son message à Léhonti, pour la quatrième fois, le priant de descendre accompagné de ses gardes.

13. Et lorsque Léhonti fut descendu vers Amalickiah avec ses gardes, Amalickiah lui proposa de descendre la nuit, avec son armée, entourer, dans leurs camps, les hommes dont le roi lui avait donné le commandement, et qu'il les lui livrerait entre les mains, s'il voulait faire de lui (Amalickiah) le chef en second de toute l'armée.

14. Et * Léhonti descendit avec ses hommes et entoura les hommes d'Amalickiah de sorte qu'avant qu'ils ne s'éveillassent à l'aube, ils étaient entourés par les armées de Léhonti.

15. * Quand ils virent qu'ils étaient encerclés, ils implorèrent Amalickiah de leur permettre de se joindre à leurs frères, afin qu'ils ne fussent pas détruits. C'était là même ce qu'Amalickiah souhaitait.

16. Et * il livra ses hommes ᶠcontrairement aux ordres du roi. Et c'était là ce qu'Amalickiah désirait pour accomplir son dessein de ᵍdétrôner le roi,

17. Or, c'était la coutume parmi les Lamanites quand leur commandant en chef était tué, de nommer le ʰchef en second à sa place.

18. Et * Amalickiah fit peu à peu administrer du poison par un de ses serviteurs à Léhonti, qui en mourut.

19. Et quand Léhonti fut mort, les Lamanites nommèrent Amalickiah leur conducteur et leur ⁱcommandant en chef.

20. Et * Amalickiah se mit en marche avec son armée (car il avait réussi dans ce qu'il désirait) vers le ʲpays de Néphi, vers la ville de Néphi, qui était la ville principale.

21. Le roi sortit à sa rencontre, accompagné de ses gardes, supposant qu'Amalickiah avait ᵏrempli ses ordres, et qu'Amalickiah avait réuni cette armée considérable pour aller combattre les Néphites.

22. Mais voici, comme le roi sortait à sa rencontre, Amalickiah envoya ses serviteurs au-devant du roi. Ils allèrent et se prosternèrent devant le roi comme pour lui témoigner du respect pour sa grandeur.

23. Et * le roi étendit la main pour les relever en signe de paix, comme c'était la coutume chez les Lamanites, ˡcoutume qu'ils avaient empruntée aux Néphites.

24. Et * lorsqu'il eut relevé le premier de terre, voici, celui-ci poignarda le roi au cœur, et le roi tomba par terre.

25. Les serviteurs du roi s'enfuirent ; et les serviteurs d'Amalickiah poussèrent un cri, disant :

26. Voici, les serviteurs du roi l'ont poignardé au cœur ; il est tombé, et ils se sont enfuis. Voici, venez voir.

27. Et * Amalickiah donna l'ordre à ses armées d'aller voir ce qui était arrivé au roi ; et lorsqu'ils furent arrivés à l'endroit et découvrirent le roi couché dans son sang, Amalickiah fit semblant d'être furieux et dit : Quiconque aimait le roi, qu'il coure à la poursuite de ses serviteurs pour les tuer.

28. Et * tous ceux qui aimaient le roi, quand ils entendirent ces paroles, se mirent à la poursuite des serviteurs du roi.

29. Et quand les serviteurs du roi virent une armée à leur poursuite, ils furent de nouveau effrayés et se sauvèrent dans le désert, passèrent au ᵐpays de Zarahemla, et s'unirent au ⁿpeuple d'Ammon.

30. Et l'armée qui les avait poursuivis revint après les avoir poursuivis en vain ; et ainsi, Amalickiah, par sa fourberie, gagna le cœur du peuple.

31. * Le lendemain, il entra dans la °ville de Néphi avec ses armées et prit possession de la ville.

32. Et * la reine, quand elle apprit que le roi avait été tué — car Amalickiah avait expédié une ambassade à la reine pour l'informer que le roi avait été assassiné par ses serviteurs, qu'il les avait poursuivis avec son armée, mais que cela avait été en vain, et qu'ils s'étaient échappés.

33. C'est pourquoi, quand la reine eut reçu ce message, elle envoya des messagers auprès d'Amalickiah, pour le prier d'épargner le peuple de la ville ; et elle le pria aussi de venir auprès d'elle ; et elle le pria aussi d'amener avec lui des témoins pour déposer sur la mort du roi.

34. Et * Amalickiah prit ce ᵖmême serviteur qui avait tué le roi et tous ᑫceux qui étaient avec lui et rentra chez la reine, à l'endroit où elle était assise ; et ils lui témoignèrent tous que le roi avait été tué par ses propres serviteurs ; et ils dirent aussi : Ils se sont enfuis ; cela ne témoigne-t-il pas contre eux ? Et ainsi, ils satisfirent la reine touchant la mort du roi.

35. * Amalickiah rechercha la faveur de la reine et la prit pour femme ; et ainsi, par sa fourberie et par l'assistance de ses rusés serviteurs, il ʳobtint le royaume ; oui, il fut reconnu roi dans tout le pays parmi tout le peuple des Lamanites qui se composait des Lamanites, des Lémuélites, des Ismaélites et de tous les dissidents des Néphites, à partir du règne de Néphi jusqu'à ce jour.

36. Ces dissidents, qui avaient eu la même instruction et la même éducation que les Néphites, oui, ayant été instruits dans la même connaissance du Seigneur, néanmoins, chose étrange à dire, ˢils devinrent, peu après leur dissidence, plus endurcis, plus impénitents, plus sauvages, plus méchants et plus féroces que les Lamanites — s'abreuvant des traditions des Lamanites ; cédant à l'indolence, à toutes sortes de lascivetés et oubliant complètement le Seigneur leur Dieu.

CHAPITRE 48.

Amalickiah incite les Lamanites contre les Néphites. — Moroni se prépare au conflit. — Un vrai patriote et un homme de Dieu puissant.

1. * Aussitôt qu'Amalickiah eut obtenu le royaume, il commença à inspirer le cœur des Lamanites contre le peuple de Néphi ; oui, il

désigna des hommes pour parler aux Lamanites, du haut de leurs tours, contre les Néphites.

2. Et ainsi il leur inspira le cœur contre les Néphites au point qu'à la † fin de la dix-neuvième année du règne des juges, ayant accompli ses desseins jusque-là, oui, ayant été fait roi des Lamanites, il chercha aussi à régner sur tout le pays, oui, et sur tout le peuple qui se trouvait dans le pays, les Néphites aussi bien que les Lamanites.

3. Il avait réalisé son dessein, car il avait endurci le cœur des Lamanites, leur avait aveuglé l'esprit et les avait excités à la colère au point qu'il avait rassemblé une armée considérable, pour aller au combat contre les Néphites.

4. Car il était déterminé, à cause de l'importance du nombre de son peuple, à vaincre les Néphites et à les réduire en servitude.

5. Et ainsi, il nomma des capitaines en chef parmi les "Zoramites, étant donné qu'ils étaient les plus familiarisés avec la force des Néphites, leurs places de refuge et les parties les plus faibles de leurs villes ; c'est pour cela qu'il les nomma capitaines en chef de ses armées.

6. * Ils prirent leur camp et s'avancèrent dans le désert, vers le *pays de Zarahemla.

7. Or, *pendant qu'Amalickiah s'emparait ainsi du pouvoir par fraude et par ruse, Moroni, de son côté, s'était occupé à préparer l'esprit du peuple à être fidèle au Seigneur son Dieu.

8. Oui, il s'était occupé à fortifier les armées des Néphites, et à construire de 'petits forts ou lieux de refuge ; élevant des bancs de terre à l'entour pour garantir ses armées, construisant aussi des murs de pierre pour les enfermer, tout autour de leurs villes et des frontières de leurs terres, oui, tout autour du pays.

9. Et dans les fortifications les plus faibles, il plaça le plus grand nombre d'hommes ; c'est ainsi qu'il fortifia et renforça le pays possédé par les Néphites ;

10. Et ainsi, il s'occupait à se préparer à *défendre leur liberté, leurs terres, leurs femmes, leurs enfants et leur paix et à pouvoir vivre dans le Seigneur, leur Dieu, et à protéger ce que leurs ennemis appelaient la cause des *chrétiens.

11. Moroni était un homme fort et puissant ; c'était un homme d'une intelligence parfaite ; oui, un homme qui ne se plaisait point à répandre le sang, un homme dont l'âme se réjouissait de la *liberté et de l'indépendance de son pays et de ses frères, de la servitude et de l'esclavage ;

12. Oui, un homme dont le cœur se gonflait d'actions de grâces pour son Dieu, pour les nombreux privilèges et les nombreuses bénédictions qu'il répandait sur son peuple ; un homme qui travaillait énormément au bien-être et à la sécurité de son peuple.

13. Oui, c'était un homme qui était ferme dans la foi du Christ ; il avait juré avec serment de *défendre son peuple, ses droits, sa patrie et sa religion, même s'il devait y perdre son sang.

14. Et il fut *enseigné aux Néphites à se défendre contre leurs ennemis, même jusqu'à répandre le sang s'il était nécessaire ; oui, et il leur fut aussi enseigné à ne jamais offenser personne, et à ne jamais tirer l'épée que contre l'ennemi, et uniquement pour se protéger la vie.

a, voir *2j,* Al. 30.   *b,* Om. 13.   *c,* Al. 49 : 13, 18-24. 50 : 1-6, 10. 51 : 23, 27. 52 : 1, 17. 53 : 3-7. 55 : 25, 26, 33. 56 : 15, 20, 21. 57 : 4. 58 : 23. 62 : 20-24. Héla. 1 : 20, 21, 22, 27. 4 : 7. 3 Né. 3 : 14. Morm. 2 : 4, 21. 3 : 6.   *d,* voir *2f,* Al. 43. *e,* voir *k,* Al. 46.   *f,* voir *2f,* Al. 43.   *g,* voir *2f,* Al. 43.   *h,* voir *2y,* Al. 43.
† 72 av. J.-C.

15. Et ils avaient la foi que, s'ils agissaient ainsi, Dieu les rendrait prospères dans le pays ; en d'autres termes que, s'ils étaient [f]fidèles à garder les commandements de Dieu, il les rendrait prospères dans le pays ; oui, les avertirait de fuir ou de se préparer à la guerre, suivant leur danger ;

16. Et que Dieu leur ferait connaître [j]où ils devraient aller se défendre contre leurs ennemis, et que, ce faisant, le Seigneur les délivrerait ; telle était la foi de Moroni, et son cœur se glorifiait de cela, non pas de verser le sang, mais de faire le bien, de préserver son peuple, oui, de garder les commandements de Dieu et de résister à l'iniquité.

17. Oui, en vérité, en vérité, je vous dis que si tous les hommes avaient été, étaient et devaient jamais être semblables à Moroni, voici, les puissances même de l'enfer auraient été ébranlées à jamais ; oui, le diable n'aurait [k]jamais pouvoir sur le cœur des enfants des hommes.

18. Voici, c'était un homme semblable à Ammon, le fils de Mosiah, oui, et même aux autres fils de Mosiah, oui, et aussi à Alma et à ses fils, car ils étaient tous des hommes de Dieu.

19. Et voici, Hélaman et ses frères n'étaient pas moins utiles au peuple que ne l'était Moroni ; car ils prêchaient la parole de Dieu et ils [l]baptisaient au repentir tous ceux qui voulaient écouter leurs paroles.

20. Et ainsi, ils allaient et le peuple s'humiliait à cause de leurs paroles, au point qu'il était grandement favorisé du Seigneur et ainsi il n'y eut ni guerres ni dissensions parmi le peuple, oui, même pendant l'espace de quatre ans.

21. Mais, comme je l'ai dit, [m]vers la fin de la dix-neuvième année, oui, en dépit de la paix qui existait parmi eux, ils furent obligés d'aller, quoique avec répugnance, se battre contre leurs frères, les Lamanites.

22. Bref, leurs guerres avec les Lamanites furent incessantes pendant de nombreuses années, en dépit de leur grande répugnance.

23. Et ils regrettaient de devoir prendre les armes contre les Lamanites, parce qu'ils n'aimaient pas répandre le sang ; oui, ce n'était pas là tout — ils regrettaient de servir d'instruments pour envoyer de ce monde à un monde éternel tant de leurs frères qui n'étaient pas préparés à rencontrer leur Dieu.

24. Toutefois, ils ne pouvaient pas faire l'abandon de leur vie, pour que leurs femmes et leurs enfants fussent massacrés par la cruauté barbare de ceux qui avaient été jadis leurs frères, oui, et qui s'étaient détachés de leur église, les avaient quittés et s'étaient proposé de les détruire en se joignant aux Lamanites.

25. Oui, ils ne pouvaient souffrir que leurs frères prissent plaisir à verser le sang des Néphites, tant qu'il y en aurait qui seraient fidèles aux commandements de Dieu, car le Seigneur avait promis que [n]s'ils gardaient ses commandements, ils prospéreraient dans le pays.

CHAPITRE 49.

Les envahisseurs lamanites déroutés et repoussés. — Rage d'Amalickiah devant son échec. — Prospérité de l'Église.

1. Et il arriva que, † dans le onzième mois de la dix-neuvième année, le dixième jour du mois, on vit les armées des Lamanites s'approcher du [a]pays d'Ammonihah.

2. Et voici, la ville avait été re-

---

i. voir *h,* 2 Né. 1.   *j,* Al. 16 : 5-8. 43 : 23, 24. 3 Né. 3 : 18-21.   *k,* 1 Né. 22 : 26.
l, voir *u,* 2 Né. 9.   *m.* vers. 2.   *n,* voir *h,* 2 Né. 1.   CHAP. 49 : *a,* voir *i* et *j,*
Al. 8.   † 72 AV. J.-C.

bâtie et Moroni avait stationné une armée près des frontières de la ville ; et ils avaient ^bentassé de la terre à l'entour pour se garantir des flèches et des pierres des Lamanites ; car voici, ils se battaient avec des pierres et avec des flèches.

3. Voici, j'ai dit que la ville d'Ammonihah avait été rebâtie. Je vous dis, qu'elle avait été rebâtie en partie ; et comme les Lamanites l'avaient déjà détruite une ^cfois, à cause de l'iniquité du peuple, ils pensaient qu'elle leur serait encore une proie facile.

4. Mais combien grande fut leur déception ; car voici, les Néphites avaient ^délevé, tout autour d'eux, un rempart de terre qui était si haut que les Lamanites ne pouvaient pas leur lancer leurs pierres et leurs flèches de manière qu'elles eussent de l'effet, et ils ne pouvaient pas non plus les attaquer, si ce n'était par l'endroit de l'entrée.

5. Cette fois, les capitaines en chef des Lamanites furent extrêmement étonnés de la sagesse des Néphites dans la préparation de leurs places de sûreté.

6. Les dirigeants des Lamanites avaient supposé, étant donné l'importance de leur nombre, oui, ils pensaient qu'ils auraient le privilège de les attaquer comme ils l'avaient fait jusqu'alors ; oui, et ils s'étaient préparés aussi en s'armant ^ede boucliers et de cuirasses ; ils s'étaient aussi préparés en se revêtant de vêtements de peaux, oui, de vêtements très épais qui couvraient leur nudité.

7. Etant ainsi préparés, ils pensaient pouvoir vaincre et soumettre facilement leurs frères au joug de la servitude, ou les tuer et les massacrer selon leur bon plaisir.

8. Mais voici, à leur extrême étonnement, ils étaient prêts à les recevoir d'une manière jusqu'alors inconnue des enfants de Léhi. Or, ils étaient prêts à recevoir les Lamanites ^fselon les instructions de Moroni.

9. Et * les Lamanites, ou les Amalickiahites, furent extrêmement étonnés de la façon dont ils s'étaient préparés à la guerre.

10. Si le roi Amalickiah était descendu du ^gpays de Néphi à la tête de son armée, il aurait peut-être commandé aux Lamanites d'attaquer les Néphites dans la ville ^hd'Ammonihah, car voici, il ne se souciait point du sang de son peuple.

11. Mais voici, Amalickiah ne descendit pas lui-même livrer bataille. Et ses capitaines en chef n'osèrent pas attaquer les Néphites à la ville d'Ammonihah car Moroni avait changé la direction des affaires parmi les Néphites, au point que les Lamanites furent déçus à cause de leurs lieux de refuge et ne purent les attaquer.

12. Alors ils se retirèrent dans le désert après avoir levé leurs tentes et marchèrent vers le ⁱpays de Noé. supposant que ce serait là le lieu le plus favorable pour attaquer les Néphites.

13. Car ils ne savaient pas que Moroni avait ^jfortifié, ou avait construit des forts de sûreté pour toutes les villes dans tout le pays à l'entour ; c'est pourquoi, ils marchèrent sur le pays de Noé, avec une ferme résolution ; oui, leurs capitaines en chef s'avancèrent et firent le serment de détruire le peuple de cette ville.

14. Mais voici, à leur étonnement, la ville de ^kNoé, qui jusqu'alors avait été une place faible était maintenant devenue, par les soins de Moroni, très forte, au point même de dépasser la force de la ^lville d'Ammonihah.

---

b, voir c, Al. 48.   c, Al. 16 : 2, 3, 9-11.   d, voir c, Al. 48.   e, voir 2p, Al. 43.
f, voir c, Al. 48.   g, voir b, 2 Né. 5.   h, voir i, Al. 8.   i, vers. 13-15. Al. 16 : 3.
j, voir c, Al. 48.   k. voir i.   l. voir l, Al. 8.   72 av. J.-C.

15. Et maintenant voici, c'était sagesse de la part de Moroni ; car il avait supposé qu'ils seraient effrayés à la ville d'Ammonihah ; et que comme la [m]ville de Noé avait été jusque-là la partie la plus faible du pays, ils s'y rendraient pour se battre ; et ainsi les choses se passaient selon ses désirs.

16. Et voici, Moroni avait nommé Léhi capitaine en chef des hommes de cette ville ; c'était ce [n]même Léhi qui s'était battu contre les Lamanites, dans la vallée, à l'est de la [o]rivière Sidon.

17. [*] Quand les Lamanites découvrirent que Léhi commandait la ville, ils furent à nouveau déçus, car ils craignaient extrêmement Léhi ; néanmoins leurs capitaines en chef avaient juré, avec [p]serment, d'attaquer la ville : c'est pourquoi, ils firent avancer leurs armées.

18. Or voici, les Lamanites n'avaient point d'autre moyen de pénétrer dans leurs forts de sûreté que par l'entrée, à cause de [q]la hauteur du banc qui avait été élevé, et la profondeur du fossé qui avait été creusé tout autour, à l'exception de l'entrée.

19. Et ainsi les Néphites étaient prêts à détruire tous ceux qui tenteraient de grimper pour pénétrer dans le fort par n'importe quel autre chemin, en leur lançant des pierres et des flèches par-dessus.

20. Ainsi ils étaient préparés, oui, un corps de leurs hommes les plus forts, avec leurs épées et leurs frondes, pour abattre tous ceux qui tenteraient de pénétrer dans leur lieu de refuge par le lieu [r]d'entrée ; et ainsi, ils étaient préparés à se défendre contre les Lamanites.

21. Il arriva donc que les capitaines des Lamanites amenèrent leurs armées devant le lieu [s]d'entrée et commencèrent à se battre avec les Néphites pour entrer dans leur lieu de sûreté ; mais voici, ils furent repoussés chaque fois, au point qu'ils furent tués dans un immense massacre.

22. Lorsqu'ils virent qu'ils ne pouvaient vaincre les Néphites du côté de la passe, ils se mirent à [t]saper leurs bancs de terre, afin de s'y faire un passage pour leurs armées et de combattre à chance égale ; mais voici, dans ces tentatives, ils furent balayés par les pierres et les flèches qui leur furent lancées ; et au lieu de remplir les fossés en faisant tomber les bancs de terre, ils les remplirent partiellement de leurs corps morts et blessés.

23. Ainsi les Néphites eurent tout pouvoir sur leurs ennemis ; et ainsi les Lamanites tentèrent de détruire les Néphites jusqu'à ce que leurs [u]capitaines en chef eurent tous été tués ; oui, et plus de mille Lamanites furent tués ; tandis que, d'autre part, pas une seule âme ne fut tuée parmi les Néphites.

24. Il y en eut environ cinquante qui furent blessés, qui avaient été exposés aux flèches des Lamanites dans la [v]passe, mais ils étaient [w]protégés par leurs boucliers, par leurs cuirasses et leurs casques de sorte que leurs blessures étaient aux jambes, et beaucoup étaient fort graves.

25. [*] Quand les Lamanites virent que leurs [x]capitaines en chef étaient tous tués, ils s'enfuirent dans le désert. Et ils retournèrent au [y]pays de Néphi, informer leur roi, Amalickiah, qui était Néphite de naissance, des grandes pertes qu'ils venaient d'éprouver.

26. Et [*] il fut extrêmement furieux contre son peuple parce qu'il n'avait pas obtenu son désir au sujet des Néphites ; ils ne les

---

m, voir *i*.   *n*, Al. 43 : 35.   *o*, voir *g*, Al. 2.   *p*, vers. 13.   *q*, voir *c*, Al. 48.
r, vers. 4, 18, 21, 24.   *s*, voir *r*.   *t*, voir *c*, Al. 48.   *u*, Al. 48 : 5.   *v*, voir *r*.
w, voir *2p*, Al. 43.   *x*, Al. 48 : 5.   *y*, voir *b*, 2 Né. 5.   72 av. J.-C.

avaient pas soumis au joug de la servitude.

27. Oui, il fut extrêmement irrité, il maudit Dieu et Moroni, jurant avec ᶻserment, de boire son sang ; et cela, parce que Moroni avait gardé les commandements de Dieu, en faisant les préparatifs nécessaires à la sûreté de son peuple.

28. * De l'autre côté, le peuple de Néphi rendit grâces au Seigneur son Dieu, pour son incomparable puissance à le délivrer des mains de ses ennemis.

29. Ainsi finit la dix-neuvième année du règne des juges sur le peuple de Néphi.

30. Et il y eut une paix continuelle parmi eux et une très grande prospérité dans l'Eglise à cause de la diligence qu'ils donnaient à la parole de Dieu, que leur déclaraient Hélaman, Shiblon, Corianton, Ammon et ses frères, oui, et tous ceux qui avaient été ordonnés par le ᶻᵃsaint ordre de Dieu, baptisés au repentir et envoyés pour prêcher parmi le peuple.

CHAPITRE 50.

Moroni fortifie la ligne entre le pays de Zarahemla et le pays de Néphi. — Morianton se propose d'occuper le pays du nord. — Il est tué par Téancum. — Pahoran succède à Néphihah.

1. * Moroni ne cessa point de faire des préparatifs de guerre pour défendre son peuple contre les Lamanites. Au † commencement de la vingtième année du règne des juges, il fit entreprendre, par ses armées, ᵃl'élévation de bancs de terre à l'entour de toutes les villes de tout le pays possédé par les Néphites.

2. Et sur le sommet de ces bancs de terre, il fit ériger des poutres de bois, oui, des ouvrages en bois de la hauteur d'un homme, tout autour des villes.

3. Et sur ces ouvrages en bois, il fit dresser une palissade de piquets reposant sur les poutres et ils étaient forts et élevés.

4. Et il fit ériger des tours qui dominaient ces ouvrages de piquets, et sur ces tours il fit construire des lieux de sûreté pour que les pierres et les flèches des Lamanites ne pussent les blesser.

5. Et elles furent préparées pour qu'on pût jeter des pierres de leur sommet, selon son bon plaisir et sa force et tuer quiconque tenterait de s'approcher des murailles de la ville.

6. C'est ainsi que Moroni prépara des fortifications pour le cas où leurs ennemis viendraient, tout autour de toutes les villes du pays tout entier.

7. Et * Moroni fit marcher ses armées dans le désert, à l'est ; oui, elles allèrent chasser tous les Lamanites qui se trouvaient dans le désert de l'est, dans leurs propres pays, qui étaient situés au sud du ᵇpays de Zarahemla.

8. Et ᶜle pays de Néphi s'étendait, en ligne droite, de la mer de l'est à la mer de l'ouest.

9. Et * quand Moroni eut chassé tous les Lamanites hors du désert de l'est, qui était au nord des terres de leurs possessions, il ordonna aux habitants, qui étaient dans le pays de Zarahemla et dans le pays à l'entour, d'aller dans le désert de l'est jusqu'aux frontières au bord de la mer, prendre possession du pays.

10. Et il plaça aussi des armées au sud, sur les frontières de leurs possessions ; il leur fit construire des ᵈfortifications afin de protéger leurs armées et leur peuple des mains de leurs ennemis.

11. C'est ainsi qu'il isola toutes les places fortes des Lamanites dans le désert de l'est, oui, et aussi à l'ouest, fortifiant la ᵉligne qui

---

z, Al. 51 : 9, 10. 2a, voir g, Mos. 26. CHAP. 50 : a, voir c, Al. 48. b, Om. 13.
c, voir b, 2 Né. 5. d, voir c, Al. 48. e, vers. 8. † 72 AV. J.-C.

était entre les Néphites et les Lamanites, entre le ʲpays de Zarahemla et le ᵍpays de Néphi, à partir de la mer de l'ouest, en passant par la source de la ʰrivière Sidon — les Néphites possédant à leur gré tout le ʲpays du nord, oui, même tout le pays qui était au nord du ʲpays d'Abondance.

12. Ainsi, Moroni, avec ses armées qui s'augmentaient de jour en jour à cause de la garantie de protection que leur donnaient ses ouvrages, chercha à couper la force et le pouvoir que les Lamanites avaient dans les terres de leurs possessions. afin qu'ils n'eussent plus aucun pouvoir sur les terres de leurs possessions.

13. Et * les Néphites entreprirent la fondation d'une ville et ils donnèrent à la ᵏville le nom de Moroni ; et elle était près de la mer de l'est ; et elle était au sud près des lignes des possessions des Lamanites.

14. Ils commencèrent aussi la fondation d'une autre ville, entre la ville de Moroni et la ville d'Aaron, reliant les frontières d'Aaron et de Moroni, et ils donnèrent à la ville, ou au pays, le nom de ʲNéphihah.

15. Et au cours de cette même année, ils commencèrent aussi à bâtir beaucoup de villes au nord ; une, qu'ils construisirent d'une manière particulière, et qu'ils appelèrent ᵐLéhi, était située près de la mer, au nord.

16. Ainsi finit la vingtième année.

17. Et c'est dans cet état de prospérité que le peuple de Néphi se trouvait au commencement de † la vingt et unième année du règne des juges sur le peuple de Néphi.

18. Et ils étaient très prospères et devinrent extrêmement riches ;

oui, et ils se multiplièrent et furent forts dans le pays.

19. Nous voyons ainsi combien justes et miséricordieuses sont toutes les voies du Seigneur dans l'accomplissement de toutes ses paroles aux enfants des hommes ; oui, nous pouvons voir aujourd'hui que les paroles qu'il a dites à Léhi se sont vérifiées :

20. Tu es ⁿbéni, toi et tes enfants ; et ils seront bénis, et, tant qu'ils garderont mes commandements, ils prospéreront dans le pays. Mais souviens-toi, s'ils ne veulent point garder mes commandements, ils seront retranchés de la présence du Seigneur.

21. Et nous voyons que ces promesses ont reçu leur accomplissement touchant le peuple de Néphi ; car ce sont leurs querelles, leurs divisions, leurs meurtres, leurs pillages, leur idolâtrie, leur luxure et leurs abominations qui leur ont valu leurs guerres et leurs destructions.

22. Ceux qui ont été fidèles à garder les commandements du Seigneur ont été délivrés en tout temps, tandis que des milliers de leurs frères coupables étaient réduits en servitude, ou périssaient par l'épée, ou tombaient dans l'incrédulité et se confondaient avec les Lamanites.

23. Mais voici, il n'y a jamais eu de période plus heureuse parmi le peuple de Néphi, qu'au temps de Moroni, oui, même maintenant, dans la vingt et unième année du règne des juges.

24. Et * la vingt-deuxième année du règne des juges se termina aussi dans la paix ; oui, et aussi la vingt-troisième année.

25. Et * au ††commencement de la vingt-quatrième année du règne des juges, il y aurait également eu

f, Om. 13.   g, voir b, 2 Né. 5.   h, voir g, Al. 2.   i, voir p, Al. 46.   j, voir 2k, Al. 22.   k, vers. 14. Al. 51 : 22-24. 59 : 5. 62 : 32-34. 3 Né. 8 : 9. 9 : 4.   l, Al. 51 : 24-26. 59 : 5, 7-11. 62 : 14, 18, 26, 30.   m, vers. 25-28, 36. Al. 51 : 1, 24, 26. 59 : 5. 62 : 30.   n, voir h, 2 Né. 1.   † 71 av. J.-C.   †† 68 av. J.-C.

de la paix parmi le peuple de Néphi, s'il ne s'était élevé une querelle à propos du °pays de Léhi et du ᵖpays de Morianton, qui touchaient aux frontières de Léhi ; et tous les deux se trouvaient au bord de la mer.

26. Car voici, le peuple qui possédait le ᵠpays de Morianton réclama une partie du ʳpays de Léhi ; c'est pourquoi, une vive querelle s'éleva parmi eux, au point que le peuple de Morianton prit les armes contre ses frères et il était résolu à les exterminer par l'épée.

27. Mais voici, le peuple qui possédait le ˢpays de Léhi se réfugia dans le camp de Moroni, et implora son aide ; car voici, il n'était pas en tort.

28. Et * quand le peuple de Morianton, qui était conduit par un homme nommé Morianton, vit que le peuple de Léhi avait fui dans le camp de Moroni, il craignit extrêmement que l'armée de Moroni ne vînt l'attaquer et le détruire.

29. C'est pourquoi, Morianton leur mit dans le cœur l'idée de fuir au ᵗpays du nord, qui était ᵘcouvert de grandes étendues d'eau, et de prendre possession du pays qui se trouvait au nord.

30. Et voici, ils auraient mis ce plan à exécution (ce qui aurait été fort regrettable), si Morianton, homme très irascible, ne s'était laissé emporter par la colère contre une de ses servantes, et ne s'était jeté sur elle, et ne l'avait cruellement battue.

31. Et * elle se sauva, passa au camp de Moroni et dit à Moroni tout ce qui concernait l'affaire et aussi ce qui concernait leur intention de fuir dans le pays du nord.

32. Or voici, le peuple qui se trouvait dans le pays d'Abondance, ou plutôt Moroni, redoutait qu'il

n'écoutât les paroles de Morianton, qu'il ne s'unît à son peuple et qu'ainsi il n'obtînt la possession de ces parties du pays ; ce qui serait à la base de graves conséquences parmi le peuple de Néphi, oui, de conséquences qui conduiraient à la ᵛdestruction de leur liberté.

33. C'est pourquoi, Moroni envoya une armée avec son camp pour devancer le peuple de Morianton et arrêter sa fuite dans le pays du nord.

34. Mais * elle ne put le devancer que lorsqu'il eut atteint les frontières du ʷpays de Désolation ; c'est là qu'elle le devança, auprès de la ˣpasse étroite qui mène, le long de la mer, au pays du nord, oui, le long de la mer, à l'ouest et à l'est.

35. * L'armée envoyée par Moroni, commandée par un homme du nom de Téancum, rencontra le peuple de Morianton ; et le peuple de Morianton était si obstiné (étant inspiré par la méchanceté et les paroles flatteuses de son chef), qu'une bataille s'engagea entre eux, dans laquelle Téancum tua Morianton, défit son armée, la fit prisonnière et retourna au camp de Moroni. Et ainsi finit la vingt-quatrième année du règne des juges sur le peuple de Néphi.

36. Et ainsi fut ramené le peuple de Morianton. Et ayant fait alliance de garder la paix, il fut remis en possession du ʸpays de Morianton, et une union se réalisa entre lui et le peuple de ᶻLéhi ; et ses terres lui furent rendues.

37. * Dans cette même année où la paix fut rendue au peuple de Néphi, Néphihah, le ²ᵃsecond grand-juge, mourut, ayant occupé le siège du jugement avec une parfaite rectitude devant Dieu.

38. Néanmoins, il avait refusé à

o, voir m.   p, vers. 26, 28, 36. 51 : 26. 55 : 33. 59 : 5.   q, voir p.   r, voir m.
s, voir m.   t, voir p, Al. 46.   u, Mos. 8 : 8. Héla. 3 : 4. Morm. 6 : 4.   v, voir m,
Mos. 29.   w, voir 2l, Al. 22.   x, voir 2v, Al. 22.   y, voir p.   z, voir m.
2a, Al. 4 : 16-18.

Alma de prendre possession des [b]annales et des choses qu'Alma et ses pères considéraient comme des plus sacrées ; c'est pourquoi, Alma les avait confiées à son fils Hélaman.

39. Voici, * le fils de Néphihah fut choisi pour occuper le siège du jugement à la place de son père ; oui, il fut nommé grand-juge et gouverneur du peuple, avec serment et ordonnance sacrée de juger avec droiture, de garder la [c]paix et la liberté du peuple, et de lui accorder le privilège sacré d'adorer le Seigneur son Dieu ; de soutenir et de maintenir la cause de Dieu durant toute sa vie et de traduire les criminels en justice selon leurs crimes.

40. Voici, son nom était Pahoran. Et Pahoran occupa le siège de son père et commença à régner sur le peuple de Néphi à la fin de la vingt-quatrième année.

CHAPITRE 51.

Les hommes-du-roi et les hommes-libres. — Pahoran, le grand-juge, est soutenu par les hommes-libres. — Les hommes-du-roi sont supprimés. — Invasion, défaite et mort d'Amalickiah.

1. Au commencement † de la vingt-cinquième année du règne des juges sur le peuple de Néphi, ils avaient établi la paix entre le peuple de [a]Léhi et le peuple de [b]Morianton relativement à leurs terres et commencé la vingt-cinquième année dans la paix ;

2. Néanmoins, ils ne conservèrent pas longtemps une paix totale dans le pays, car une querelle s'éleva parmi le peuple touchant le [c]grand-juge Pahoran ; car voici, une partie du peuple désirait que quelques points [d]particuliers de la loi fussent changés.

3. Mais voici, Pahoran ne vou-

lait ni changer la loi ni la laisser changer ; c'est pourquoi, il n'écouta pas ceux qui lui avaient envoyé leurs voix avec leur pétition concernant le changement de la loi.

4. C'est pourquoi, ceux qui désiraient que la loi fût changée furent irrités contre lui et ne le voulurent plus pour grand-juge du pays ; et une vive dispute s'éleva à ce propos, mais pas d'effusion de sang.

5. * Ceux qui souhaitaient que Pahoran fût détrôné du siège du jugement furent appelés les [e]hommes-du-roi, car ils étaient désireux que la loi fût changée de manière à renverser le gouvernement libre et à établir un roi sur le pays.

6. Et ceux qui désiraient que Pahoran restât le grand-juge du pays, prirent le nom [f]d'hommes-libres. Telle était la cause de leur division, car les hommes-libres avaient juré ou fait alliance de maintenir leurs droits et les privilèges de leur religion par un [g]gouvernement libre.

7. Et * ce sujet de leur querelle fut décidé par la voix du peuple. Et * la voix du peuple fut favorable aux [h]hommes-libres, et Pahoran conserva le siège du jugement, ce qui donna beaucoup de joie aux frères de Pahoran et à beaucoup d'entre le peuple de la [i]liberté, et celui-ci réduisit aussi les [j]hommes-du-roi au silence, de sorte qu'ils n'osèrent pas faire opposition, mais furent obligés de soutenir la [k]cause de la liberté.

8. Ceux qui étaient en faveur des rois étaient des hommes de haute naissance, qui cherchaient à être rois ; et ils étaient soutenus par ceux qui cherchaient le pouvoir et l'autorité sur le peuple.

9. Mais voici, de telles dissensions parmi les Néphites surve-

2b, Al. 37. 2c, voir m, Mos. 29. CHAP. 51 : a, voir m. Al. 50. b, voir p, Al. 50. c, Al. 50 : 40. d, vers. 3, 5. e, vers. 7, 8, 13, 17-21. f, vers. 7. g, voir m, Mos. 29. h, vers. 6. i, voir m, Mos. 29. j, voir e. k, voir m, Mos. 29.
† 67 AV. J.-C.

naient à une époque fort critique ;
car voici, Amalickiah avait encore
excité le cœur du peuple des
Lamanites contre le peuple des
Néphites et il était occupé à réunir
des soldats de toutes les parties de
son pays, à les armer et à les préparer en toute diligence à la guerre;
car il avait juré de *l*boire le sang
de Moroni.

10. Mais voici, nous verrons
que la promesse qu'il avait faite
était téméraire ; néanmoins, il se
préparait, lui et ses armées, à venir
combattre les Néphites.

11. Or, ses armées n'étaient plus
aussi nombreuses qu'elles l'avaient
été jusque-là, à cause des nombreuses myriades qui avaient été
tuées de la main des Néphites ;
mais en dépit de leur grande perte,
Amalickiah avait levé une armée
extrêmement considérable, au point
qu'il ne craignit pas de descendre
au pays de Zarahemlah.

12. Oui, Amalickiah, lui-même,
descendit à la tête des Lamanites.
Et c'était dans la vingt-cinquième
année du règne des juges ; et c'était
au moment même où ils avaient
commencé à régler leurs querelles
*m*touchant le grand-juge Pahoran.

13. * Quand ces hommes qu'on
appelait *n*hommes-du-roi apprirent
que les Lamanites descendaient se
battre contre eux, ils eurent le
cœur joyeux ; et ils refusèrent de
prendre les armes, car ils étaient
tellement furieux contre le grand-
juge et contre le *o*peuple de la
liberté, qu'ils ne voulurent pas
prendre les armes pour défendre
leur pays.

14. * Quand Moroni vit cela et
qu'il vit aussi que les Lamanites
arrivaient aux frontières du pays,
il fut extrêmement irrité de l'enté-
tement de ces gens, pour le salut
desquels il avait travaillé avec tant
de diligence ; oui, il fut extrême-

ment irrité ; son âme était remplie
de colère contre eux.

15. * Il envoya une pétition,
appuyée de la *p*voix du peuple, au
gouverneur du pays, le priant de la
lire, et de lui accorder, à lui,
Moroni, le pouvoir de contraindre
ces dissidents à défendre leur patrie
ou de les mettre à mort.

16. Car son premier souci était
de mettre fin à de telles contentions
et dissensions parmi le peuple ; car
voici, cela avait été jusqu'alors la
cause de toute leur destruction.
Et * cela fut accordé selon la voix
du peuple.

17. Alors * Moroni donna l'ordre à son armée d'aller combattre
ces *q*hommes-du-roi, pour abattre
leur orgueil et leur noblesse, les
humilier jusqu'à terre, ou de les
forcer à prendre les armes et soutenir la cause de la liberté.

18. * Les armées marchèrent
contre eux ; et ils abattirent leur
orgueil et leur noblesse au point
que, comme ils levaient leurs armes
de guerre pour se battre contre les
hommes de Moroni, ils furent moissonnés et foulés aux pieds.

19. Et * quatre mille de ces dissidents furent moissonnés par
l'épée ; et ceux de leurs chefs qui
n'avaient pas été tués au combat
furent pris et jetés en prison, car,
pour le moment, on n'avait pas le
temps de les juger.

20. Et le reste de ces dissidents,
plutôt que d'être abattus par l'épée,
cédèrent à l'étendard de la liberté
et furent contraints d'arborer le
*r*titre de la liberté sur leurs tours et
dans leurs villes, et de prendre les
armes pour la défense de leur
patrie.

21. C'est ainsi que Moroni mit
fin à ces hommes-du-roi, de sorte
qu'il n'y en eut plus qui fussent
appelés *s*hommes-du-roi ; c'est ainsi

qu'il mit fin à l'entêtement et à l'orgueil de ces gens, qui prétendaient avoir le sang de la noblesse ; mais ils furent contraints de devenir humbles comme leurs frères et de se battre vaillamment pour ne point *tomber en servitude.

22. Et * pendant que Moroni s'occupait de mettre fin aux guerres et aux querelles parmi son peuple, le soumettait à la paix et à la civilisation, et faisait des règlements pour se préparer à la guerre contre les Lamanites, voici, les Lamanites étaient entrés dans le "pays de Moroni, situé au bord de la mer.

23. * Les Néphites n'étaient pas suffisamment forts dans la ville de Moroni ; c'est pourquoi, Amalickiah les chassa et en tua beaucoup. Et * Amalickiah prit possession de la ville, oui, possession de toutes leurs fortifications.

24. Et ceux qui se sauvèrent de la "ville de Moroni, se réfugièrent dans la "ville de Néphihah ; et les habitants de la *ville de Léhi se rassemblèrent, firent des préparatifs et se tinrent prêts à recevoir les Lamanites pour les combattre.

25. Mais * Amalickiah ne permit pas aux Lamanites d'attaquer la *ville de Néphihah, mais ils les maintint en bas, près des bords de la mer, laissant des hommes dans chaque ville pour la garder et la défendre.

26. Et c'est ainsi qu'il avança, s'emparant de beaucoup de villes, la ville de *Néphihah, la ville de *ᵃLéhi, la ville de *ᵇMorianton, la ville d'Omner, la ville de *ᶜGid et la ville de *ᵈMulek, qui se trouvaient toutes sur les frontières de l'est, le long de la mer.

27. Et ainsi, les Lamanites avaient pris, par la ruse d'Ama-

lickiah et par leurs armées innombrables, tant de villes qui étaient toutes *ᵉfortifiées à la manière des fortifications de Moroni, et qui fournissaient toutes des forteresses aux Lamanites.

28. * *ᶠPuis ils marchèrent vers la frontière du pays d'Abondance, chassant les Néphites devant eux et en tuant un grand nombre.

29. Mais * ils rencontrèrent Téancum, qui avait tué *ᵍMorianton et avait devancé son peuple dans sa fuite.

30. * Il devança aussi Amalickiah, qui marchait avec sa nombreuse armée pour prendre possession du pays *ʰd'Abondance et aussi du pays du *ⁱnord.

31. Mais voici, il fut déçu d'être repoussé par Téancum et ses hommes, qui étaient de grands guerriers ; car chaque homme de Téancum surpassait les Lamanites en force et en dextérité à la guerre, au point qu'ils prirent de l'avantage sur les Lamanites.

32. Et * ils les harassèrent au point qu'ils les tuèrent jusqu'à la nuit. Et * Téancum et ses hommes plantèrent la tente sur les frontières du *ʲpays d'Abondance ; et Amalickiah planta ses tentes sur les frontières, sur la plage au bord de la mer. Voilà comment ils furent mis en déroute.

33. Et * quand la nuit fut venue, Téancum et son serviteur s'en allèrent à la dérobée, sortirent la nuit et entrèrent dans le camp d'Amalickiah ; et voici, le sommeil les avait envahis à cause de leur grande fatigue causée par la lutte et la chaleur du jour.

34. Et * Téancum entra secrètement dans la tente du roi et lui enfonça un javelot dans le cœur ;

t, voir *m,* Mos. 29.   *u,* voir *k,* Al. 50.   *v,* voir *k,* Al. 50.   *w,* voir *l,* Al. 50.
x, voir *m,* Al. 50.   *y,* voir *l,* Al. 50.   *z,* voir *l,* Al. 50.   *2a,* voir *m,* Al. 50.
2b, voir *p,* Al. 50.   *2c,* Al. 55 : 7, 16, 25, 26. Héla. 5 : 15.   *2d,* Al. 52 : 2, 16, 17,
19, 20, 22, 26, 28, 34. 53 : 2. 6.   *2e,* voir *c,* Al. 48.   *2f,* voir *2k,* Al. 22.   *2g,* Al.
50 : 35.   *2h,* voir *2k,* Al. 22.   *2i,* voir *p,* Al. 46.   *2j,* voir *2k,* Al. 22.

et il provoqua la mort immédiate du roi de sorte qu'il n'éveilla pas ses serviteurs.

35. Et il s'en retourna à la dérobée à son propre camp, et voici, ses hommes étaient endormis ; il les éveilla et leur dit tout ce qu'il venait de faire.

36. Et il ordonna à son armée de se tenir prête, de peur que les Lamanites ne se fussent réveillés et ne tombassent sur eux.

37. Et ainsi finit la vingt-cinquième année du règne des juges sur le peuple de Néphi ; et ainsi finirent les jours d'Amalickiah.

CHAPITRE 52.

Ammoron succède à Amalickiah. — Moroni, avec l'aide de Téancum et de Léhi, reprend la ville de Mulek et remporte une grande victoire. — Mort de Jacob, le général lamanite.

1. Et * dans la † vingt-sixième année du règne des juges sur le peuple de Néphi, voici, quand les Lamanites se réveillèrent le premier matin du premier mois, ils trouvèrent Amalickiah mort dans sa tente ; et ils virent aussi que Téancum était prêt à leur livrer bataille ce jour-là.

2. Et quand les Lamanites virent cela, ils furent effrayés ; et ils abandonnèrent leur projet de marcher au ªpays du nord, et se retirèrent avec toute leur armée dans la ᵇville de Mulek, et cherchèrent la protection de leurs ᶜfortifications.

3. Et * le frère d'Amalickiah fut nommé roi du peuple ; et son nom était Ammoron ; et c'est ainsi que le roi Ammoron, frère du roi Amalickiah, fut nommé roi pour régner à sa place.

4. * Il donna l'ordre à son peuple de défendre les villes qu'ils avaient conquises par l'effusion du sang ; car ils n'avaient pas pris

une seule ville sans perdre beaucoup de sang.

5. Et Téancum vit que les Lamanites étaient résolus à conserver les villes qu'ils avaient prises et les parties du pays dont ils avaient obtenu possession ; et voyant aussi l'immensité de leur nombre, Téancum pensa qu'il n'était pas expédient de tenter de les attaquer dans leurs forts.

6. Mais il garda ses hommes à l'entour, comme s'il faisait des préparatifs de guerre ; oui, et il se préparait vraiment à se défendre contre eux, en ᵈélevant des murailles à l'entour et en préparant des lieux de refuge.

7. Et * il continua ses préparatifs de guerre jusqu'à ce que Moroni lui eût envoyé un grand nombre d'hommes pour renforcer son armée.

8. Et Moroni lui envoya aussi l'ordre de garder tous les prisonniers qui lui tomberaient entre les mains, car, comme les Lamanites avaient fait beaucoup de prisonniers, il devait retenir tous les prisonniers lamanites en rançon pour ceux qu'avaient pris les Lamanites.

9. Et il lui envoya aussi l'ordre de fortifier le ᵉpays d'Abondance et de s'assurer la ᶠpasse étroite qui menait au ᵍpays du nord, de crainte que les Lamanites ne s'emparassent de ce point et n'eussent le pouvoir de les harasser de tous côtés.

10. Et Moroni lui fit aussi dire de défendre fidèlement cette partie du pays et de chercher autant que possible les occasions de harceler les Lamanites de ce côté ; que, peut-être, il parviendrait à reprendre par stratagème, ou autrement, les villes qui leur avaient été enlevées des mains ; et aussi de ʰfortifier et de renforcer les villes à

a, voir p, Al. 46.   b, voir 2d, Al. 51.   c, voir c, Al. 48.   d, voir c, Al. 48. e, voir 2k, Al. 22.   f, voir 2v, Al. 22.   g, voir p, Al. 46.   h, voir c, Al. 48.

† 66 av. J.-C.

l'entour, qui n'étaient pas tombées aux mains des Lamanites.

11. Et il lui dit aussi : Je viendrais à vous, mais voici, les Lamanites sont sur nous sur les frontières du pays près de la mer de l'ouest ; et voici, je vais contre eux, c'est pourquoi je ne puis venir à vous.

12. Le roi (Ammoron) était parti du 'pays de Zarahemla, avait appris à la reine la mort de son frère et avait rassemblé un grand nombre d'hommes et avait marché contre les Néphites sur les frontières le long de la mer de l'ouest.

13. Il s'efforçait ainsi de harasser les Néphites, d'attirer une partie de leurs forces dans cette partie du pays, quand, d'autre part, il donnait l'ordre à ceux qu'il avait laissés pour posséder les villes qu'il avait prises, de harceler aussi les Néphites sur les frontières le long de la mer de l'est et de prendre possession de leurs terres dans la mesure où c'était en leur pouvoir, selon la puissance de leurs armées.

14. Et ainsi les Néphites étaient dans cette situation dangereuse à la fin de la vingt-sixième année du règne des juges sur le peuple de Néphi.

15. Mais voici, † dans la vingt-septième année du règne des juges, Téancum, sur l'ordre de Moroni — qui avait établi des armées pour protéger les frontières sud et ouest du pays et avait entrepris sa marche vers le ʲpays d'Abondance, pour aider Téancum à reprendre les villes qu'ils avaient perdues —

16. * Téancum avait reçu l'ordre de lancer une attaque contre la ᵏville de Mulek et de la reprendre si possible.

17. * Et Téancum fit ses préparatifs pour lancer une attaque contre la ville de Mulek, et pour marcher avec son armée contre les Lamanites ; mais il vit qu'il lui serait impossible de les vaincre tant qu'ils resteraient dans leurs 'fortifications ; il abandonna donc son dessein, et revint à la ᵐville d'Abondance, pour y attendre l'arrivée de Moroni avec des renforts pour son armée.

18. Et * Moroni arriva avec son armée au pays d'Abondance vers la fin de la vingt-septième année du règne des juges sur le peuple de Néphi.

19. Au ‡‡commencement de la vingt-huitième année, Moroni, Téancum et un grand nombre des capitaines en chef tinrent un conseil de guerre sur ce qu'ils devaient faire pour obliger les Lamanites à sortir se battre avec eux ; ou pour les faire sortir de leurs fortifications en les flattant d'une manière ou de l'autre, afin de prendre l'avantage sur eux et de reprendre la ⁿville de Mulek.

20. * Ils envoyèrent des ambassades à l'armée des Lamanites, qui protégeait la ville de Mulek, à leur chef, qui s'appelait Jacob, l'invitant à sortir avec ses armées pour les rencontrer dans la plaine, entre les deux villes. Mais voici, Jacob, qui était un °Zoramite, se refusa à sortir avec son armée pour les rencontrer dans les plaines.

21. Et * Moroni, perdant tout espoir de pouvoir se mesurer avec eux à chances égales, imagina un plan pour leurrer les Lamanites et les faire sortir de leurs fortifications.

22. Il ordonna à Téancum de prendre un petit nombre d'hommes et de descendre près du bord de la mer ; et Moroni se dirigea la nuit, avec son armée, vers le désert à l'ouest de la ᵖville de Mulek. Et le lendemain, quand les gardes lamanites aperçurent Téancum, ils coururent avertir Jacob, leur chef.

i. Om. 13.   j, voir 2k, Al. 22.   k, voir 2d, Al. 51.   l, voir c, Al. 48.   m, voir 2k, Al. 22.   n. voir 2d, Al. 51.   o, voir 2j, Al. 30.   p, voir 2d, Al. 51.

† 65 av. J.-C.   ‡‡ 64 av. J.-C.

23. Et * les armées des Lamanites sortirent contre Téancum, pensant accabler Téancum sous leur nombre, à cause du nombre réduit de ses hommes. Et quand Téancum vit les armées des Lamanites sortir contre lui, il commença à se retirer le long de la mer, vers le nord.

24. Et * quand les Lamanites virent qu'il commençait à fuir, ils prirent courage et le poursuivirent vigoureusement. Et pendant que Téancum attirait ainsi les Lamanites qui les poursuivaient en vain, voici, Moroni donna l'ordre qu'une partie de l'armée qui était avec lui entrât dans la ville et en prît possession.

25. Et c'est ce qu'ils firent, tuant tous ceux qui étaient restés pour protéger la ville, oui, tous ceux qui ne voulurent point rendre leurs armes de guerre.

26. Et ainsi, Moroni reprit possession de la ^qville de Mulek avec une partie de son armée, tandis qu'avec le reste il marchait à la rencontre des Lamanites, pour les combattre à leur retour de la poursuite de Téancum.

27. Et * les Lamanites poursuivirent Téancum jusqu'auprès de la ^rville d'Abondance ; et là, ils rencontrèrent Léhi à la tête d'une petite armée, qui avait été laissée pour protéger la ville d'Abondance.

28. Et maintenant voici, quand les capitaines en chef des Lamanites virent Léhi et son armée venir contre eux, ils se sauvèrent en grande confusion, craignant que Léhi ne les atteignît avant qu'ils pussent parvenir à la ^sville de Mulek ; car ils étaient fatigués de leur marche, et les hommes de Léhi étaient frais.

29. Or, les Lamanites ne savaient pas que Moroni était derrière eux avec son armée ; et tout ce qu'ils craignaient, c'était Léhi et ses hommes.

30. Et Léhi ne désirait point les atteindre avant qu'ils ne rencontrassent Moroni et son armée.

31. Et * avant que les Lamanites ne se fussent retirés de beaucoup, ils furent enveloppés par les Néphites, d'un côté par les hommes de Moroni, de l'autre par les hommes de Léhi, qui étaient tous frais et pleins de force ; mais les Lamanites étaient harassés de leur longue marche.

32. Et Moroni donna l'ordre à ses hommes de fondre sur les Lamanites jusqu'à ce qu'ils eussent rendu leurs armes de guerre.

33. Mais * Jacob, qui était aussi 'Zoramite et homme d'esprit indomptable, mena les Lamanites au combat avec une furie extrême contre Moroni.

34. Et comme Moroni se trouvait sur leur chemin, Jacob résolut de les abattre pour se frayer un chemin jusqu'à la ^uville de Mulek. Mais voici, Moroni et ses hommes étaient plus forts ; c'est pourquoi, ils ne lâchèrent point pied devant les Lamanites.

35. Et * des deux côtés, on se battit avec acharnement et il y eut de part et d'autre un grand nombre de tués ; oui, Moroni fut blessé et Jacob tué.

36. Et Léhi les pressait sur l'arrière avec tant de fureur avec ses hommes vigoureux, que les Lamanites qui étaient en arrière rendirent leurs armes de guerre ; et les autres, dans une confusion extrême, ne savaient où aller ni où frapper.

37. Voyant leur confusion, Moroni leur dit : Si vous voulez apporter vos armes de guerre et les rendre, voici, nous nous abstiendrons de verser votre sang.

38. Et * quand les Lamanites eurent entendu ces paroles, leurs

capitaines en chef, tous ceux qui n'avaient point été tués, s'avancèrent et mirent bas les armes aux pieds de Moroni ; et ils ordonnèrent à leurs hommes d'en faire autant.

39. Mais voici, il y en eut beaucoup qui ne voulurent pas ; et ceux qui ne voulaient pas remettre leurs épées furent saisis et liés, et leurs armes de guerre leur furent prises, et on les força à marcher avec leurs frères dans le *pays d'Abondance.

40. Et le nombre de ces prisonniers dépassait le nombre de ceux qui avaient été tués, oui, dépassait ceux qui avaient été tués des deux côtés.

CHAPITRE 53.

La ville d'Abondance est fortifiée. — Les dissensions parmi les Néphites donnent l'avantage à l'ennemi. — Hélaman et ses deux mille jeunes guerriers.

1. * Des gardes furent placés sur les prisonniers lamanites, et les obligèrent à aller enterrer leurs morts, oui, et aussi les morts des Néphites qui avaient été tués ; et Moroni plaça des gardes sur eux pour les garder pendant qu'ils faisaient leur travail.

2. Et Moroni alla à la *ville de Mulek avec Léhi, prit le commandement de la ville et le donna à Léhi. Or voici, ce Léhi était un homme qui avait été avec Moroni dans la plus grande partie de toutes ses batailles ; et c'était un homme semblable à Moroni, et ils se réjouissaient de la sécurité l'un de l'autre ; oui, ils se chérissaient l'un l'autre, et étaient chéris aussi de tout le peuple de Néphi.

3. Et * quand les Lamanites eurent fini d'enterrer leurs morts et les morts des Néphites, ils furent ramenés au *pays d'Abon-

dance ; et Téancum, par ordre de Moroni, les fit commencer à travailler à ʿcreuser un fossé tout à l'entour du pays ou de la ville d'Abondance.

4. Et il leur fit construire un parapet de gros bois sur le bord intérieur du fossé ; et ils jetèrent de la terre du fossé contre le parapet de bois ; et ils firent travailler ainsi les Lamanites jusqu'à ce qu'ils eussent encerclé la *ville d'Abondance d'une muraille puissante de poutres de bois et de terre d'une très grande hauteur.

5. Et cette ville fut dès lors extrêmement forte ; et ce fut dans cette ville qu'ils gardèrent les prisonniers lamanites, oui, dans cette même muraille qu'ils leur avaient fait bâtir de leurs propres mains. Moroni était obligé de les faire travailler, car il était facile de les garder tandis qu'ils étaient au travail ; et il désirait avoir toutes ses forces quand il attaquerait les Lamanites.

6. * Moroni avait ainsi remporté la victoire sur une des plus grandes armées lamanites, et avait obtenu possession de la ʿville de Mulek, une des places les plus fortes des Lamanites dans le pays des Néphites ; et il avait aussi fait bâtir un fort pour garder ses prisonniers.

7. Et * il ne tenta plus de livrer bataille aux Lamanites cette année-là, mais il employa ses hommes à faire des préparatifs de guerre, oui, à construire des ʄfortifications pour se préserver des Lamanites, ainsi qu'à garantir leurs femmes et leurs enfants de la famine et des afflictions, et à fournir de la nourriture à leurs armées.

8. Et il arriva que les armées des Lamanites, sur la mer de l'ouest, au sud, tandis que Moroni était absent à cause d'une certaine intrigue parmi les Néphites, qui

v, voir *2k*, Al. 22. CHAP. 53 : *a*, voir *2d*, Al. 51.   *b*, voir *2k*, Al. 22.   *c*, voir *c*, Al. 48.   *d*, voir *2k*, Al. 22.   *e*, voir *2d*, Al. 51.   *f*, voir *c*, Al. 48.

VERS 64 AV. J.-C.

causait des dissensions parmi eux, avaient gagné un peu de terrain sur les Néphites, oui, au point qu'elles avaient obtenu possession d'un certain nombre de leurs villes dans cette partie du pays.

9. Ainsi, à cause de l'iniquité qui existait parmi eux, oui, à cause des dissensions et des intrigues qui se produisaient parmi eux, ils furent placés dans la plus dangereuse des situations.

10. Et maintenant voici, je dois dire quelque chose touchant le *peuple d'Ammon qui, au commencement, était lamanite ; mais qui, par Ammon et ses frères, ou plutôt par la puissance et la parole de Dieu, s'était *converti au Seigneur ; et il avait été emmené dans le *pays de Zarahemla, et était depuis lors sous la protection des Néphites.

11. Et à cause de son *serment, il ne pouvait plus prendre les armes contre ses frères ; car il avait fait serment de ne plus jamais verser le sang ; et selon son serment, il aurait péri ; oui, il aurait supporté d'être tombé aux mains de ses frères, sans la pitié et l'amour extrême qu'Ammon et ses frères avaient eus pour lui.

12. C'est pour cela qu'il avait été amené au pays de Zarahemla ; et il avait toujours été protégé par les Néphites.

13. Mais * quand il vit le danger et les nombreuses afflictions et tribulations que les Néphites enduraient pour lui, il fut touché d'une vive compassion, et voulut reprendre les armes pour la défense de sa patrie.

14. Mais voici, comme il était sur le point de prendre ses armes de guerre, il en fut détourné par les persuasions d'Hélaman et de ses frères, car il était prêt à *rompre le serment qu'il avait fait.

15. Et Hélaman craignait qu'en

le faisant il ne perdît son âme ; c'est pourquoi tous ceux qui avaient contracté cette alliance furent obligés de regarder leurs frères traverser leurs afflictions dans la dangereuse situation où ils se trouvaient en ce moment.

16. Mais voici, ils avaient beaucoup de fils qui n'avaient point fait alliance de ne plus prendre les armes pour se défendre contre leurs ennemis ; c'est pourquoi, ils se réunirent à ce moment-là, tous ceux qui étaient capables de porter les armes, et prirent le nom de Néphites.

17. Et ils firent alliance de se battre pour la *liberté des Néphites, oui, de défendre la patrie, même au sacrifice de leur vie ; oui, ils firent même alliance de ne jamais renoncer à leur liberté, et de se battre en toutes circonstances pour protéger les Néphites, et se protéger eux-mêmes de la servitude.

18. Or voici, il y eut deux mille de ces jeunes hommes qui contractèrent cette alliance et qui prirent leurs armes de guerre pour défendre leur patrie.

19. Et maintenant voici, jusqu'à présent, ils n'avaient jamais été un désavantage pour les Néphites et en ce moment ils devenaient un grand soutien ; car ils prirent leurs armes de guerre et voulurent qu'Hélaman fût leur chef.

20. Ils étaient tous de jeunes hommes, et ils étaient extrêmement vaillants dans leur courage, et aussi dans leur force, et leur activité ; mais voici, ce n'était pas tout — c'étaient des hommes qui étaient fidèles en tout temps en tout ce qui leur était confié.

21. Oui, c'étaient des hommes francs et sérieux, car on leur avait appris à garder les commandements de Dieu et à marcher en droiture devant lui.

22. * Hélaman marcha à la tête de ses deux mille jeunes soldats pour défendre son peuple, vers les frontières sud du pays, le long de la mer de l'ouest.

23. Et ainsi finit la vingt-huitième année du règne des juges sur le peuple de Néphi.

CHAPITRE 54.

Ammoron demande un échange de prisonniers. — Moroni fait droit à sa requête sous certaines conditions. — Le roi des Lamanites répond avec colère.

1. * Dans la † vingt-neuvième année des juges, Ammoron envoya un message à Moroni, désirant qu'il échangeât des prisonniers.

2. Et Moroni se sentit plein d'une grande joie à cette demande, car il désirait que les provisions destinées aux prisonniers lamanites fussent affectées au soutien de son propre peuple ; et il désirait aussi son peuple pour renforcer son armée.

3. Les Lamanites avaient pris beaucoup de femmes et d'enfants, et il n'y avait pas une seule femme ni un seul enfant parmi tous les prisonniers que Moroni avait faits ; c'est pourquoi, Moroni décida d'user de stratagème pour obtenir des Lamanites autant de prisonniers Néphites que possible.

4. Il écrivit une épître qu'il envoya par le serviteur d'Ammoron, celui-là même qui avait apporté une épître à Moroni. Et voici les paroles qu'il écrivit à Ammoron :

5. Voici, Ammoron, je t'ai écrit quelque peu touchant cette guerre que tu as faite à mon peuple, ou plutôt que ton frère lui a faite et que tu es toujours résolu de continuer après sa mort.

6. Voici, je te dirais quelques mots touchant la justice de Dieu et l'épée de son courroux tout-puissant qui est suspendue au-dessus de toi, à moins que tu ne te repentes

et ne retires tes armées dans ton propre pays, ou le pays de tes possessions, qui est le ᵃpays de Néphi.

7. Oui, je te dirais ces choses, si tu étais capable de les écouter ; oui, je te parlerais de cet ᵇhorrible enfer qui est prêt à recevoir des ᶜmeurtriers tels que toi et ton frère l'avez été, à moins que tu ne te repentes et ne renonces à tes projets meurtriers, et que tu ne retournes avec tes armées dans tes propres terres.

8. Mais comme tu as rejeté ces choses, et que tu as combattu contre le peuple du Seigneur, je puis de même m'attendre à ce que tu le fasses de nouveau.

9. Et maintenant voici, nous sommes prêts à te recevoir ; et si tu ne renonces à tes projets, voici, tu feras descendre sur toi la colère de ce Dieu que tu as rejeté, même jusqu'à ton entière destruction.

10. Mais, comme le Seigneur vit, si tu ne te retires, nos armées fondront sur toi, et tu seras bientôt visité par la mort, car nous garderons nos villes et nos terres ; oui, et nous défendrons notre religion et la cause de notre Dieu.

11. Mais voici, je suppose que je te parle de ces choses en vain ; ou encore je suppose que tu es un enfant de l'enfer ; c'est pourquoi, je finis mon épître en te déclarant que je n'échangerai de prisonniers qu'à condition que tu ᵈdélivres un homme, sa femme et ses enfants pour un prisonnier ; si tu veux faire cela, je ferai l'échange.

12. Et voici, si tu ne fais pas ceci, j'irai contre toi avec mes armées ; j'armerai même mes femmes et mes enfants, j'irai contre toi et je te suivrai jusque dans ton propre pays, qui est le pays de notre ᵉpremier héritage ; oui, et ce sera sang pour sang, oui, vie pour vie ; et je te combattrai jusqu'à ce que tu sois balayé de la surface de la terre.

a, voir *b*, 2 Né. 5.   *b*, voir *k*, 1 Né. 15.   *c*, Al. 47 : 18, 22-34.   *d*, vers. 3.
e, voir *b*, 2 Né. 5.
† 63 ᴀᴠ. J.-C.

13. Voici, je suis plein de colère et mon peuple aussi ; tu as cherché à nous assassiner et nous n'avons cherché qu'à nous défendre. Mais voici, si tu cherches à nous détruire davantage, nous chercherons à te détruire ; oui, et nous chercherons notre 'pays, le pays de notre premier héritage.

14. Maintenant je finis mon épître. Je suis Moroni, je suis un chef du peuple des Néphites.

15. * Lorsque Ammoron eut reçu cette épître, il devint furieux, et il écrivit une autre épître à Moroni, et voici les paroles qu'il écrivit :

16. Je suis Ammoron, roi des Lamanites ; je suis frère d'Amalickiah, que tu as *assassiné. Je vengerai son sang sur toi, oui, et j'irai contre toi avec mes armées, car je ne crains point tes menaces.

17. Car voici, vos pères ont fait tort à leurs frères, au point qu'ils les dépouillèrent de leur ʰdroit au gouvernement alors qu'il leur appartenait en toute justice.

18. Et maintenant voici, si vous mettez bas les armes et vous soumettez au gouvernement de ceux à qui le gouvernement appartient de droit, alors je ferai déposer les armes à mon peuple ; et il ne sera plus en guerre.

19. Voici, tu as proféré bien des menaces contre moi et mon peuple, mais voici, nous n'avons pas peur de tes menaces.

20. Cependant, c'est avec joie que je t'accorderai ta demande d'échanger les prisonniers pour conserver mes vivres pour mes hommes de guerre. Et nous ferons une guerre qui sera éternelle, soit pour la soumission des Néphites à notre autorité ou pour leur extinction éternelle.

21. Quant à ce Dieu que nous avons ʲrejeté, dis-tu, voici, nous ne connaissons point un tel être ; et vous non plus ; mais si pareille chose existe, nous ne savons qu'une chose, c'est qu'il nous a faits aussi bien que vous.

22. Et s'il y a un diable et un enfer, ne t'enverra-t-il pas l'habiter avec mon ʲfrère que tu as assassiné, lui que tu insinues être allé en un tel lieu ? Mais voici, ces choses n'ont pas d'importance.

23. Je suis Ammoron, descendant de ᵏZoram, que vos pères ont forcé à quitter Jérusalem.

24. Et voici, maintenant, je suis un fier Lamanite ; voici, cette guerre a été menée pour venger leurs torts et pour défendre leurs ˡdroits au gouvernement ; et je finis mon épître à Moroni.

CHAPITRE 55.

Moroni, enflammé à la lecture des fausses assertions d'Ammoron, refuse d'échanger les prisonniers. — La stratégie assure le relâchement des Néphites capturés. — La ville de Gid est prise sans effusion de sang.

1. * Quand Moroni eut reçu cette épître, il en fut encore plus irrité, parce qu'il savait qu'Ammoron avait une parfaite connaissance de sa fourberie ; oui, il savait qu'Ammoron savait que ce n'était pas une juste cause qui l'avait poussé à faire la guerre au peuple de Néphi.

2. Et il dit : Voici, je ne ferai d'échange de prisonniers avec Ammoron que s'il ᵐrenonce à son projet, comme je l'ai déclaré dans mon épître ; car je ne veux pas lui accorder plus de forces qu'il n'en a.

3. Voici, je connais l'endroit où les Lamanites gardent ceux de mon peuple qu'ils ont fait prisonniers ; et puisque Ammoron n'a pas voulu m'accorder ce que je demande dans mon épître, voici, je lui donnerai selon ma parole ; oui, je

---

f, voir *b*, 2 Né. 5. *g*, Al. 51 : 34. *h*, 2 Né. 5 : 1-4. Voir *n*, Jacob 7. *i*, vers. 9. *j*, Al. 51 : 34. 52 : 3. *k*, 1 Né. 4 : 35. *l*, voir *h*. CHAP. 55 : *a*, Al. 54 : 6, 13. VERS 63 AV. J.-C.

répandrai la mort parmi les siens, jusqu'à ce qu'ils sollicitent la paix.

4. Et * quand Moroni eut dit ces paroles, il fit faire une enquête parmi ses hommes, dans l'espoir de trouver parmi eux un homme qui descendît de Laman.

5. Et * on en trouva un qui se nommait Laman ; c'était ᵇun des serviteurs du roi assassiné par Amalickiah.

6. Moroni envoya Laman, avec un petit nombre de ses hommes, vers ceux qui gardaient les Néphites.

7. Or, les Néphites étaient gardés dans la ᶜville de Gid ; c'est pourquoi, Moroni choisit Laman et le fit accompagner d'un petit nombre d'hommes.

8. Et quand le soir fut venu, Laman alla à ceux qui gardaient les Néphites, et voici, ils le virent arriver et le hélèrent ; mais il leur dit : Ne craignez rien ; voici, je suis Lamanite. Nous nous sommes échappés de chez les Néphites, qui dorment ; et voici, nous nous sommes emparés de leur vin, et nous l'avons emporté avec nous.

9. Quand les Lamanites entendirent ces paroles, ils le reçurent avec joie ; et ils lui dirent : Donne-nous de ton vin, que nous en buvions. Nous sommes bien aises que vous ayez apporté ce vin, car nous sommes fatigués.

10. Mais Laman leur dit : Gardons notre vin pour le moment où nous irons combattre les Néphites. Mais ces paroles ne firent que les rendre plus désireux de boire du vin ;

11. Car, disaient-ils, nous sommes fatigués ; prenons donc du vin. Nous recevrons tantôt le vin de nos rations, et il nous fortifiera pour aller contre les Néphites.

12. Et Laman leur dit : Faites selon vos désirs.

13. * Ils burent le vin libérale-ment ; et il fut agréable à leur goût, c'est pourquoi ils en prirent encore plus libéralement, et il était fort, ayant été préparé pour cela.

14. * Ils burent et furent joyeux et ils furent bientôt tous ivres.

15. Et quand Laman et ses hommes les virent tous ivres et plongés dans un sommeil profond, ils retournèrent à Moroni et lui rapportèrent ce qui était arrivé.

16. C'était là le dessein de Moroni. Et Moroni avait muni ses hommes d'armes de guerre ; et pendant que les Lamanites étaient dans le sommeil profond et dans l'ivresse, il envoya à la ᵈville de Gid et fit jeter des armes de guerre aux prisonniers, de sorte que tous furent armés.

17. Oui, même leurs femmes et tous ceux de leurs enfants qui étaient en état de manier les armes. Ainsi Moroni arma tous ces prisonniers. Toutes ces choses furent faites dans un profond silence.

18. Mais s'ils avaient éveillé les Lamanites, voici, ceux-ci étaient ivres et les Néphites auraient pu les tuer.

19. Mais voici, ce n'était pas ce que Moroni voulait. Il ne se plaisait point dans le meurtre ni dans l'effusion du sang, mais il trouvait sa joie à sauver son peuple de la destruction. Et pour ne pas se couvrir d'injustice, il n'aurait pas voulu tomber sur les Lamanites et les exterminer dans leur ivresse.

20. Il avait atteint son but ; car il avait armé ces Néphites prisonniers qui étaient dans les murs de la ville et leur avait fourni les moyens de s'emparer de cette partie de la ville qui était dans les murs.

21. Il fit alors retirer un peu les hommes qui l'accompagnaient, et il leur fit envelopper les armées des Lamanites.

22. Tout ceci se fit pendant la

nuit, de sorte que quand les Lamanites s'éveillèrent le matin, ils virent qu'ils étaient entourés par les Néphites au-dehors, et que leurs prisonniers étaient armés au-dedans.

23. Ainsi, ils virent que les Néphites avaient tout pouvoir sur eux, et qu'il n'était pas expédient, dans ces circonstances, de combattre les Néphites ; c'est pourquoi, les capitaines en chef demandèrent leurs armes de guerre et ils les apportèrent et les jetèrent aux pieds des Néphites, implorant leur miséricorde.

24. C'était là ce que Moroni voulait. Il les fit prisonniers de guerre, prit possession de la ville, délivra tous les prisonniers néphites, et ils se joignirent à l'armée de Moroni, et furent une grande force pour son armée.

25. Et * il fit employer les Lamanites qu'il avait faits prisonniers à entreprendre un travail de renforcement des *fortifications de la ville de Gid.

26. Et * lorsqu'il eut fortifié la ʲville de Gid comme il le voulait, il fit mener ses prisonniers à la ᵍville d'Abondance et il fit aussi garder cette ville par des forces très considérables.

27. Et * ˙malgré toutes les intrigues des Lamanites, les Néphites surent conserver et protéger tous les prisonniers qu'ils avaient faits et maintenir tout le terrain et tout l'avantage qu'ils avaient repris.

28. * Et les Néphites recommencèrent à être victorieux, et à ressaisir leurs droits et leurs privilèges.

29. Maintes fois les Lamanites cherchèrent à les encercler pendant la nuit, mais dans ces tentatives, ils laissèrent beaucoup de prisonniers.

30. Maintes fois, ils tentèrent de faire boire leur vin aux Néphites, en vue de les tuer par le poison ou pendant leur ivresse ;

31. Mais voici, les Néphites n'étaient pas lents à se souvenir du Seigneur leur Dieu en ces jours d'affliction. Ils ne tombèrent pas dans leurs pièges ; ils ne prirent point de leur vin avant de commencer par en donner à quelques prisonniers lamanites.

32. C'est ainsi qu'ils prenaient leurs précautions pour qu'aucun poison ne fût administré parmi eux ; car si leur vin empoisonnait un Lamanite, il empoisonnerait également un Néphite ; c'est ainsi qu'ils éprouvaient toutes leurs boissons alcoolisées.

33. Alors, il arriva qu'il devint expédient pour Moroni de se préparer à attaquer la ʰville de Morianton ; car voici, les Lamanites, par leurs travaux, l'avaient tellement bien ⁱfortifiée qu'elle était devenue une place extrêmement forte.

34. Et ils amenaient continuellement de nouvelles forces dans cette ville et aussi de nouveaux approvisionnements.

35. Ainsi finit la vingt-neuvième année du règne des juges sur le peuple de Néphi.

CHAPITRE 56.

Épître d'Hélaman à Moroni. — Foi et vaillance merveilleuses des jeunes guerriers ammonites. — Nouvelle grande bataille. — Les Néphites sont victorieux.

1. Au * † commencement de la trentième année du règne des juges. le deuxième jour du premier mois, Moroni reçut une épître d'Hélaman exposant les affaires du peuple dans ᵃcette partie du pays.

2. Voici les paroles qu'il écrivit : Mon frère tendrement aimé, Moroni, aussi bien dans le Seigneur que dans les tribulations de notre guerre ; voici, mon frère bien-aimé, j'ai quelque chose à te dire tou-

e, voir *c*. Al. 48.   *f*, voir *2c*, Al. 51.   *g*, voir *2k*, Al. 22.   *h*, voir *p*, Al. 50.
i, voir *c*, Al. 48.   Chap. 56 : *a*, Al. 53 : 8, 22.

Vers 63 av. J.-C.   † 62 av. J.-C.

chant notre guerre dans cette partie du pays.

3. Voici, *b*deux mille des fils de ces hommes qu'Ammon ramena du *c*pays de Néphi — tu sais qu'ils étaient des descendants de Laman, le fils aîné de notre père Léhi ;

4. Et je n'ai pas besoin de te répéter leurs *d*traditions ou leur incrédulité, car tu connais tout cela —

5. Il me suffira donc de te dire que *e*deux mille de ces jeunes hommes ont pris leurs armes de guerre et ont voulu que je fusse leur chef ; et nous sommes allés défendre notre patrie.

6. Tu connais aussi l'alliance qu'ont faite leurs pères de ne point prendre leurs armes de guerre contre leurs frères pour verser le sang.

7. Mais dans la vingt-sixième année, quand ils virent les afflictions et les tribulations que nous endurions pour eux, ils étaient prêts à *f*rompre l'alliance qu'ils avaient faite et à prendre les armes pour notre défense.

8. Mais je ne voulus point souffrir qu'ils rompissent cette alliance qu'ils avaient faite, pensant que Dieu nous fortifierait au point que nous ne souffririons pas plus à cause du respect du serment qu'ils avaient fait.

9. Or, voici une chose dont nous pouvons retirer une grande joie. Car voici, dans la † vingt-sixième année, j'ai, Hélaman, je marchai, à la tête de ces *g*deux mille jeunes hommes, sur la *h*ville de Judéa, au secours d'Antipus, que tu avais nommé gouverneur du peuple de cette partie du pays.

10. Et je joignis mes *i*deux mille fils (car ils sont dignes d'être appelés fils) à l'armée d'Antipus, renforts qui comblèrent Antipus de joie ; car son armée avait été réduite par les Lamanites parce que leurs forces avaient tué un grand nombre de nos hommes, ce qui nous est un sujet de chagrin.

11. Nous pouvons néanmoins nous consoler à ce sujet, en pensant qu'ils sont morts pour la cause de leur patrie et de leur Dieu ; oui, et ils sont heureux.

12. Et les Lamanites gardèrent aussi beaucoup de prisonniers, tous des capitaines en chef, car ils n'ont épargné la vie d'aucun autre. Et nous pensons qu'en ce moment ils sont au *j*pays de Néphi, s'ils n'ont point été tués.

13. Voici maintenant les villes dont les Lamanites ont pris possession par l'effusion du sang de tant de nos hommes vaillants :

14. Le *k*pays de Manti ou la ville de Manti, la ville de Zeezrom, la *l*ville de Cuméni et la *m*ville d'Antiparah.

15. Ce sont là les villes qu'ils possédaient quand j'arrivai à la *n*ville de Judéa ; et je trouvai Antipus et ses hommes travaillant, de toutes leurs forces, à *o*fortifier la ville.

16. Oui, et ils étaient déprimés de corps et d'esprit, car ils s'étaient battus vaillamment le jour et peinaient la nuit pour conserver leurs villes ; et ainsi, ils avaient souffert de grandes afflictions de toutes sortes.

17. Et maintenant ils étaient résolus de vaincre en ce lieu ou de mourir ; aussi, tu penses bien si cette force que j'amenais avec moi, ces *p*fils que j'appelle miens, leur donnèrent de grands espoirs et beaucoup de joie.

18. Et * quand les Lamanites virent qu'Antipus avait reçu des renforts, ils furent contraints, par les ordres d'Ammoron, de ne pas

b, vers. 5, 10. Al. 53 : 22.   *c*, voir *b*, 2 Né. 5.   *d*, voir *n*, Jacob 7.   *e*, voir *b*. *f*, Al. 24 : 17-19. 53 : 13-15.   *g*, Al. 53 : 22.   *h*, vers. 15, 18, 57. Al. 57 : 11. *i*, voir *b*.   *j*, voir *b*, 2 Né. 5.   *k*, voir *h*, Al. 16.   *l*, Al. 57 : 7, 8, 12, 23, 31, 34. *m*, vers. 31, 33, 34. Al. 57 : 1-4.   *n*, voir *h*.   *o*, voir *c*, Al. 48.   *p*, vers. 10.
† 66 av. J.-C.

engager la bataille contre la ᵍville de Judéa ou contre nous.

19. Et nous fûmes ainsi favorisés du Seigneur ; car s'ils nous avaient attaqués dans cette faiblesse qui est la nôtre, ils auraient peut-être détruit notre petite armée, mais nous fûmes ainsi préservés.

20. Il leur fut ordonné par Ammoron de conserver ces villes qu'ils avaient prises. Et ainsi finit la vingt-sixième année. Au † commencement de la vingt-septième année, nous nous étions préparés, notre ville et nous, à la défense.

21. Nous désirions que les Lamanites nous attaquassent ; car nous n'avions pas le désir de les attaquer dans leurs places fortes.

22. Et * nous conservâmes des espions tout à l'entour, afin de surveiller les mouvements des Lamanites et les empêcher de passer, soit pendant le jour, soit pendant la nuit, pour attaquer nos autres villes du nord.

23. Car nous savions que les habitants de ces villes n'étaient pas assez forts pour leur résister ; c'est pourquoi nous désirions, s'ils venaient à nous contourner, tomber sur leurs arrières et ainsi leur fermer la marche au moment même où ils seraient attaqués de front. Nous supposions que nous pourrions les vaincre ; mais voici, nous fûmes déçus dans notre désir.

24. Ils n'osèrent pas nous contourner, ni avec toute leur armée ni avec une partie, craignant de n'être pas assez forts et de succomber.

25. Ils n'osèrent pas non plus marcher sur la ᵍville de Zarahemla ni traverser la source de la rivière ᵍSidon pour aller contre la ville de Néphihah.

26. Et ainsi ils étaient résolus à défendre, à l'aide de leurs forces, ces villes qu'ils avaient prises.

27. * Dans le second mois de cette année, une grande quantité d'approvisionnements nous fut apportée par les ᵘpères de mes ᵛdeux mille fils.

28. Et il nous fut envoyé deux mille hommes du ʷpays de Zarahemla. Et ainsi nous étions préparés avec dix mille hommes, et des provisions pour eux et aussi pour leurs femmes et leurs enfants.

29. Et les Lamanites, en voyant nos forces s'augmenter journellement et des provisions nous arriver, commencèrent à éprouver des craintes et à faire quelques sorties, en vue de mettre fin, si possible, à l'arrivée de provisions et de renforts.

30. Quand nous vîmes que les Lamanites commençaient à être mal à l'aise de la sorte, nous éprouvâmes le désir de mettre un stratagème en œuvre sur eux. C'est pourquoi Antipus me donna l'ordre de sortir avec mes jeunes fils et de nous diriger vers une ville voisine, comme si nous y apportions des approvisionnements.

31. Et nous devions passer près de la ˣville d'Antiparah, comme si nous allions vers la ville qui se trouvait au-delà, sur les bords de la mer.

32. Et * nous nous mîmes en marche vers cette ville, comme si nous étions avec nos provisions.

33. Et * Antipus sortit avec une partie de ses troupes, laissant le reste à la défense de la ville. Mais il ne sortit que quand je fus parti avec ma petite armée et arrivé près de la ville d'Antiparah.

34. Or, dans la ˣville d'Antiparah était stationnée l'armée la plus forte des Lamanites ; oui, la plus nombreuse.

35. Et * quand ils eurent été mis au courant par leurs espions, ils

---

q, voir h.   r, Om. 13.   s, voir g, Al. 2.   u, Al. 27 : 26.   v, vers. 3, 5, 10, 46.
w, Om. 13.   x, voir m.   y, voir m.   † 65 av. J.-C.

sortirent avec leurs armées et marchèrent contre nous.

36. Mais * nous prîmes la fuite vers le nord. Et de cette manière, nous emmenâmes la plus puissante armée des Lamanites ;

37. Oui, même sur une distance considérable, au point que quand ils virent l'armée d'Antipus les poursuivre de toutes ses forces, ils ne tournèrent ni à droite ni à gauche, mais ils continuèrent leur poursuite contre nous en ligne droite ; et, comme nous le pensions, ils avaient l'intention de nous défaire avant qu'Antipus ne les rattrapât afin de ne pas être cernés par notre peuple.

38. Antipus, voyant notre danger, pressa la marche de son armée. Mais voici, la nuit tomba ; c'est pourquoi, ils ne nous rattrapèrent pas et Antipus ne les rattrapa point non plus ; et nous campâmes pour la nuit.

39. Et * avant le point du jour, les Lamanites étaient déjà à notre poursuite. Nous n'étions pas assez forts pour lutter avec eux ; oui, je ne voulus pas souffrir que nos jeunes fils leur tombassent entre les mains ; c'est pourquoi nous continuâmes notre marche et nous prîmes la route du désert.

40. Et ils n'osaient tourner ni à droite ni à gauche, de peur d'être encerclés ; et je ne voulais pas non plus tourner ni à droite ni à gauche, dans la crainte d'être rattrapé, de ne pouvoir leur résister, mais d'être abattu, et de leur permettre de s'échapper ; et ainsi nous fûmes tout ce jour-là dans le désert, même jusqu'à ce qu'il fît nuit.

41. * Et de nouveau, au point du jour, nous vîmes que les Lamanites étaient sur nous et nous fuîmes devant eux.

42. Mais * ils ne tardèrent pas à s'arrêter dans leur poursuite ; et

c'était le matin du troisième jour du septième mois.

43. Et nous ignorions s'ils étaient rattrapés par Antipus, mais je dis à mes hommes : Voici, nous ne savons pas s'ils ne se sont pas arrêtés pour que nous marchions sur eux, afin qu'ils nous prennent dans leur piège.

44. Aussi, qu'en pensez-vous, mes fils, voulez-vous aller les combattre ?

45. Et maintenant, je te dis, mon frère Moroni bien-aimé, que jamais je n'avais vu autant de courage, non, pas parmi tous les Néphites.

46. De même que je les appelais toujours mes ᶻfils (car ils étaient tous très jeunes), de même ils me dirent : Père, voici, notre Dieu est avec nous et il ne permettra pas que nous succombions ; aussi, allons ; nous ne tuerions pas nos frères s'ils voulaient nous laisser tranquilles ; c'est pourquoi, allons, de crainte qu'ils ne défassent l'armée d'Antipus.

47. Or, ils ne s'étaient jamais battus, cependant, ils ne craignaient point la mort ; et ils pensaient plus à la liberté de ²ᵃleurs pères, qu'à leur propre vie ; oui, ils avaient appris de leurs mères que s'ils ne ²ᵇdoutaient point, Dieu les délivrerait.

48. Et ils me répétèrent les paroles de leurs mères, disant : Nous ne doutons pas que nos mères le savaient.

49. Et * je me retournai avec mes deux mille contre ces Lamanites qui nous avaient poursuivis. Et voici, les armées d'Antipus les avaient rattrapés et une bataille terrible avait commencé.

50. L'armée d'Antipus, fatiguée d'une si longue marche en si peu de temps, était sur le point de tomber entre les mains des Lamanites ; et si je n'étais pas retourné avec

z, vers. 10, 17, 27, 30, 39.   2a, Al. 27 : 26.   2b, Al. 57 : 21.

VERS 64 AV. J.-C.

mes deux mille, ils auraient atteint leur but.

51. Car Antipus était tombé sous l'épée ainsi qu'un grand nombre de ses chefs, à cause de la fatigue causée par la rapidité de leur marche — aussi, les hommes d'Antipus, mis dans la confusion à cause de la mort de leurs chefs, commençaient-ils à céder du terrain devant les Lamanites.

52. Et * les Lamanites prirent courage et se mirent à les poursuivre ; et les Lamanites les poursuivaient ainsi avec ardeur quand Hélaman tomba sur leurs arrières avec ses ²ᶜdeux mille, et commença à en faire un grand carnage ; alors l'armée des Lamanites fit halte et se retourna contre Hélaman.

53. Or, lorsque le peuple d'Antipus vit que les Lamanites se retournaient, ils rassemblèrent leurs hommes et fondirent sur l'arrière des Lamanites.

54. Alors il arriva que nous, le peuple de Néphi, le peuple d'Antipus et moi, avec mes deux mille, nous enveloppâmes les Lamanites et les tuâmes au point qu'ils furent forcés de donner leurs armes de guerre, et de se rendre prisonniers de guerre.

55. Et * lorsqu'ils se furent rendus à nous, voici, je comptai les jeunes hommes qui avaient combattu avec moi, craignant qu'il n'y en eût beaucoup de tués.

56. Mais voici, à ma grande joie, pas ²ᵈune âme parmi eux n'était tombée ; oui, et ils s'étaient battus, comme s'ils avaient été armés de la puissance de Dieu ; oui, et jamais on n'avait vu hommes se battre avec une force si miraculeuse. Ils tombèrent avec tant de puissance sur les Lamanites, qu'ils les terrifièrent ; et c'est pour cela que les Lamanites se rendirent prisonniers de guerre.

57. Et comme nous n'avions point de place pour nos prisonniers, pour les écarter des armées lamanites, nous les renvoyâmes au ²ᵉpays de Zarahemla, et avec eux, une partie de l'armée d'Antipus qui n'avait pas été tuée. Et les autres, je les réunis à mes jeunes ²ᶠAmmonites, et nous revînmes à la ²ᵍville de Judéa.

CHAPITRE 57.

Suite de l'épître d'Hélaman. — Antiparah est reprise. — La ville de Cuméni se rend. — Les Lamanites sont chassés à Manti. — Protection miraculeuse. — Fuite de prisonniers lamanites.

1. Et il arriva que je reçus une épître d'Ammoron, le roi, disant que si je délivrais les prisonniers de guerre que nous avions faits, il nous livrerait la ᵃville d'Antiparah.

2. Mais j'envoyai une épître au roi, disant que nous étions sûrs que nos forces étaient suffisantes pour prendre la ville d'Antiparah par force ; et qu'en délivrant les prisonniers en échange de cette ville, nous nous considérerions comme peu sages et que nous ne délivrerions nos prisonniers que par échange.

3. Et Ammoron refusa mon épître, car il ne voulait point faire l'échange des prisonniers ; c'est pourquoi, nous commençâmes à faire des préparatifs pour marcher contre la ville d'Antiparah.

4. Mais le peuple ᵇd'Antiparah quitta la ville et se réfugia dans les autres villes dont ils avaient la possession, pour les ᶜfortifier ; et ainsi, la ville d'Antiparah tomba entre nos mains.

5. Ainsi finit la vingt-huitième année du règne des juges.

6. * Au † commencement de la vingt-neuvième année, nous reçû-

---

2c, voir b.   2d, Al. 57 : 25.   2e, Om. 13.   2f, Al. 27 : 26.   2g, voir h.
CHAP. 57 : a, voir m, Al. 56.   b, voir m, Al. 56.   c, voir c, Al. 48.

† 63 av. J.-C.

mes du *pays de Zarahemla et des pays environnants un ravitaillement de provisions ainsi qu'un renfort pour notre armée, d'environ six mille hommes en plus de soixante des fils des *Ammonites, qui étaient venus se joindre à leurs frères, mon petit groupe de deux mille. Et voici, nous étions forts, oui, et nous avions des vivres en abondance.

7. * Nous désirâmes livrer bataille à l'armée qui protégeait la *ville de Cuméni.

8. Et maintenant, voici, je vais te montrer que nous réalisâmes bientôt notre désir ; oui, avec nos grandes forces, ou avec une partie de nos grandes forces, nous encerclâmes la *ville de Cuméni pendant la nuit, un peu avant que ses habitants dussent recevoir des approvisionnements.

9. * Nous campâmes à l'entour de la ville pendant de nombreuses nuits ; mais nous dormîmes sur nos épées et nous postâmes des gardes, afin que les Lamanites ne vinssent point nous attaquer pendant la nuit et nous tuer, ce qu'ils tentèrent de nombreuses fois ; mais toutes les fois qu'ils le tentaient, leur sang était versé.

10. Enfin leurs provisions arrivèrent et étaient sur le point de pénétrer de nuit dans la ville. Mais nous, au lieu d'être Lamanites, nous étions Néphites ; c'est pourquoi, nous les prîmes, eux et leurs provisions.

11. Et bien que privés de leurs provisions de cette manière, les Lamanites étaient toujours décidés à conserver la ville ; c'est pourquoi, il nous devint nécessaire de prendre ces provisions et de les envoyer à *Judéa et nos prisonniers au *pays de Zarahemla.

12. Et * il ne se passa pas beaucoup de temps avant que les Lama-

nites ne commençassent à perdre tout espoir de recevoir du secours ; c'est pourquoi, ils nous remirent la ville entre les mains. Et ainsi nous avions réalisé notre projet de prendre la *ville de Cuméni.

13. Mais * les prisonniers que nous avions faits étaient si nombreux que, en dépit de notre grand nombre, nous fûmes obligés d'employer toutes nos forces à les garder ou de les mettre à mort.

14. Car voici, ils se soulevaient en masse, se battant avec des pierres, des bâtons et tout ce qui leur tombait entre les mains, de sorte que nous en tuâmes plus de deux mille qui s'étaient rendus prisonniers de guerre.

15. C'est pourquoi il devint expédient pour nous de mettre fin à leur vie ou de les garder, l'épée à la main, jusqu'au *pays de Zarahemla ; il y a plus, nos provisions étaient à peine suffisantes pour les nôtres, malgré ce que nous avions pris aux Lamanites.

16. Dans ces circonstances critiques, c'était donc une grave affaire de prendre un parti sur ces prisonniers de guerre ; néanmoins, nous résolûmes de les envoyer au pays de Zarahemla ; et pour cela, nous choisîmes une partie de nos hommes et nous les chargeâmes de descendre avec nos prisonniers au pays de Zarahemla.

17. Mais * ils revinrent le lendemain. Et voici, nous ne les questionnâmes pas sur les prisonniers ; car voici, les Lamanites étaient sur nous, et ils revenaient à temps pour nous empêcher⁴ de tomber entre leurs mains ; car voici, Ammoron, pour leur venir en aide, leur avait envoyé un nouveau secours de provisions, ainsi qu'une nombreuse armée d'hommes.

18. Et *ces hommes que nous avions envoyés avec les prisonniers

d, Om. 13.   e, Al. 27 : 26.   f, voir l, Al. 56.   g, voir l, Al. 56.   h, voir h, Al. 56.   i, Om. 13.   j, voir l.   k, Om. 13.   l, vers. 16.   VERS 63 AV. J.-C.

arrivaient à propos pour les tenir en échec, au moment où ils étaient prêts à nous vaincre.

19. Mais voici, mon petit corps de ^mdeux mille soixante combattit avec acharnement ; oui, ils tinrent ferme devant les Lamanites et donnèrent la mort à ceux qui s'opposaient à eux.

20. Et comme le reste de notre armée était sur le point de lâcher pied devant les Lamanites, voici, ces deux mille soixante déployèrent un courage indomptable.

21. Ils se montrèrent exacts à obéir à chaque ordre et à veiller à l'accomplir. Et en ceci il leur fut fait selon leur foi et je me souvins de ce qu'ils me disaient que leurs ⁿmères leur avaient enseigné.

22. Et maintenant voici, c'est à mes fils et à ces hommes qui avaient été ^ochoisis pour emmener les prisonniers que nous devons cette grande victoire ; car ce furent eux qui battirent les Lamanites et les refoulèrent à la ^pville de Manti.

23. Et nous conservâmes la ^qville de Cuméni, et nous ne fûmes pas tous détruits par l'épée ; néanmoins, nous avions éprouvé de grandes pertes.

24. * Après que les Lamanites se furent enfuis, je donnai immédiatement l'ordre de retirer d'entre les morts ceux de mes hommes qui avaient été blessés et je fis panser leurs blessures.

25. Et * de mes deux mille soixante, deux cents s'étaient évanouis à cause de la perte de leur sang ; toutefois, selon la bonté de Dieu, et à notre grand étonnement, ainsi qu'à celui des ennemis de toute notre armée, ^rpas une seule âme d'entre eux n'avait péri ; oui, et il n'y avait pas non plus une seule âme parmi eux qui n'eût reçu de nombreuses blessures.

26. Aussi, leur conservation étonnait-elle toute notre armée, oui, qu'ils fussent épargnés quand un millier de nos frères avaient péri. Et nous l'attribuons avec raison, au pouvoir miraculeux de Dieu, à cause de leur foi extrême en ce qu'il leur avait été enseigné de croire — qu'il y avait un Dieu juste, et que quiconque ne doutait pas serait ^spréservé par son pouvoir merveilleux.

27. Telle était la foi de ceux dont j'ai parlé ; ils sont jeunes, ils ont l'esprit ferme et ils mettent continuellement leur confiance en Dieu.

28. * Après avoir pansé nos blessés et enterré nos morts aussi bien que les morts des Lamanites, qui étaient nombreux, voici, nous nous informâmes auprès de Gid, touchant les ^tprisonniers avec lesquels ils s'étaient mis en route pour descendre au pays de Zarahemla.

29. Gid était le capitaine en chef de la compagnie qui avait été choisie pour les garder jusqu'au pays.

30. Et voici ce que Gid me rapporta : Voici, nous nous mîmes en route pour descendre au ^upays de Zarahemla avec nos prisonniers. Et * nous rencontrâmes les espions de nos armées, qui avaient été envoyés pour surveiller le camp des Lamanites.

31. Et ils nous crièrent : Voici, les armées des Lamanites sont en marche pour la ^vville de Cuméni ; et voici, elles vont fondre dessus, oui, et détruire notre peuple.

32. Et * nos prisonniers entendirent leurs cris, ce qui leur fit prendre courage ; et ils se révoltèrent contre nous.

33. Et * à cause de leur révolte, nous fîmes tomber nos épées sur eux. Et * ils se jetèrent en bloc sur nos épées ; dans cet assaut, la plu-

m, vers. 6. Voir b, Al. 56.   n, vers. 26. Al. 56 : 47, 48.   o, vers. 16, 18. p, voir h, Al. 16.   q, voir l, Al. 56.   r, Al. 56 : 56.   s, voir n.   t, vers. 16. u, Om. 13.   v, voir l, Al. 56.   VERS 63 AV. J.-C.

part d'entre eux furent tués ; et le reste se fraya un passage et se sauva.

34. Et voici, quand ils se furent enfuis et qu'il ne nous fut pas possible de les rattraper, nous marchâmes en toute hâte vers la ville de ᵂCuméni ; et voici, nous arrivâmes à temps pour secourir nos frères et préserver la ville.

35. Et nous voilà délivrés de nouveau des mains de nos ennemis. Béni est le nom de notre Dieu, car c'est lui qui nous a délivrés ; oui, qui a fait cette grande chose pour nous.

36. Et * quand moi, Hélaman, j'eus entendu ces paroles de Gid, je fus pénétré d'une joie extrême à cause de la bonté que Dieu avait eue de nous préserver, afin que nous ne périssions pas tous ; oui, et je crois fermement que les âmes qui ont péri sont entrées dans le repos de leur Dieu.

CHAPITRE 58

Fin de l'épître d'Hélaman. — Opérations néphites devant Manti. — Sortie lamanite. — Gid et Téomner s'emparent de la ville. — L'ennemi se retire.

1. Et voici, * notre objectif suivant était de prendre possession de la ᵃville de Manti ; mais voici, il n'y avait pas moyen de les faire sortir de la ville à l'aide de nos petites compagnies. Car voici, ils se souvenaient de ce que nous avions fait jusqu'alors ; c'est pourquoi, nous ne pûmes pas les attirer hors de leurs places fortes.

2. Et ils étaient tellement plus nombreux que notre armée, que nous n'osions pas aller les attaquer dans leurs fortifications.

3. Oui, et il devint expédient d'employer nos hommes à maintenir ces parties du pays que nous avions reconquises ; c'est pourquoi,

il devint expédient pour nous d'attendre que nous eussions reçu de nouveaux renforts du ᵇpays de Zarahemla, ainsi que des approvisionnements.

4. Et * j'envoyai une ambassade au gouverneur de notre pays pour le mettre au courant des affaires de notre peuple. Et * nous attendîmes de recevoir des provisions et des renforts du pays de Zarahemla.

5. Mais voici, ceci ne nous servit pas à grand-chose ; car les Lamanites recevaient aussi, de jour en jour, de grands renforts et aussi beaucoup de provisions ; telle était notre situation à cette époque.

6. Et les Lamanites faisaient de temps à autre des sorties contre nous, résolus de nous détruire par stratagème ; néanmoins nous ne pouvions parvenir à leur livrer bataille, à cause de leurs retraites et de leurs places fortes.

7. Et *nous attendîmes dans cette situation difficile pendant de nombreux mois, même jusqu'à la veille de périr par le manque de nourriture.

8. Mais * nous reçûmes des vivres, qui étaient gardés par un corps de deux mille hommes envoyés à notre secours ; et ce fut là toute l'assistance que nous reçûmes pour nous empêcher, nous et la patrie, de tomber entre les mains de nos ennemis et pour tenir tête à un ennemi innombrable.

9. Or, la cause de cet embarras qui était le nôtre, ou la raison pour laquelle on ne nous envoyait pas davantage de renforts, nous ne la connaissions pas ; c'est pourquoi nous étions attristés et remplis de la crainte que les jugements de Dieu ne tombassent sur notre pays pour nous renverser et nous détruire entièrement.

10. C'est pourquoi, nous épanchâmes nos cœurs en ᶜprières à

Dieu, afin qu'il nous fortifiât et nous délivrât des mains de nos ennemis, oui, et nous donnât la force de garder nos villes, nos terres, et nos possessions, pour l'entretien de notre peuple.

11. Et * le Seigneur notre Dieu nous donna l'assurance qu'il nous délivrerait ; oui, au point que ses paroles donnèrent la paix à notre âme et nous donnèrent une grande foi, et nous firent espérer d'être délivrés en lui.

12. Nous prîmes courage avec le petit renfort que nous avions reçu, fermement ᵈrésolus à vaincre nos ennemis, à défendre nos terres, nos possessions, nos femmes et nos enfants, et la cause de notre liberté.

13. Et ainsi nous allâmes de toutes nos forces contre les Lamanites de la ᵉville de Manti ; et nous dressâmes nos tentes du côté du désert qui était près de la ville.

14. Et * le lendemain, lorsque les Lamanites virent que nous étions aux confins du désert, près de la ville, ils envoyèrent des espions tout à l'entour de nous, pour découvrir le nombre et la force de notre armée.

15. Et * quand ils virent que nous n'étions pas forts quant au nombre, craignant que nous ne coupions l'arrivée des secours qu'ils attendaient, à moins de sortir pour nous livrer bataille et nous tuer, et pensant pouvoir nous détruire aisément avec leurs armées nombreuses, ils commencèrent leurs préparatifs de bataille contre nous.

16. Et quand nous vîmes qu'ils se préparaient à sortir contre nous, voici, je commandai à Gid de se cacher dans le désert avec un petit nombre d'hommes et à Téomner de se cacher aussi dans le désert avec un petit nombre d'hommes.

17. Gid et ses hommes étaient à droite, et les autres à gauche ; et quand ils se furent ainsi cachés,

voici, je demeurai avec le reste de mon armée dans ce même lieu où nous avions dressé la tente jusqu'au moment où les Lamanites sortiraient pour livrer bataille.

18. Et * les Lamanites sortirent contre nous avec leur nombreuse armée. Et quand ils furent arrivés et furent sur le point de fondre sur nous avec l'épée, je fis retirer mes hommes, ceux qui étaient avec moi, dans le désert.

19. Et * les Lamanites se mirent à notre poursuite à toute allure, car ils désiraient extrêmement nous rattraper pour nous exterminer ; c'est pourquoi, ils nous suivirent dans le désert ; et nous passâmes ᶠentre Gid et Téomner, de sorte qu'ils ne furent point découverts par les Lamanites.

20. Et * quand les Lamanites furent passés, ou quand l'armée fut passée, Gid et Téomner se levèrent de leur embuscade et empêchèrent les espions lamanites de retourner à la ville.

21. Et * quand ils leur eurent coupé la route, ils coururent vers la ville, tombèrent sur les hommes laissés à sa garde, les tuèrent et prirent possession de la ville.

22. Or cela se fit parce que les Lamanites avaient permis à toute leur armée, à l'exception d'un petit nombre de gardes, de se laisser entraîner dans le désert.

23. Et * Gid et Téomner s'emparèrent par ce moyen de leurs fortifications. Et nous, après une longue marche dans le désert, nous nous dirigeâmes vers le ᵍpays de Zarahemla.

24. Et quand les Lamanites virent qu'ils marchaient vers le pays de Zarahemla, ils craignirent extrêmement qu'un plan n'eût été préparé pour les mener à la destruction ; c'est pourquoi, ils commencèrent à se retirer de nouveau dans

d, voir m, Mos. 29.   e, voir h, Al. 16.   f, vers. 16, 17, 20, 23.   g, Om. 13.
VERS 63 AV. J.-C.

le désert, oui, par le même chemin qu'ils étaient venus.

25. A la tombée de la nuit, ils dressèrent leurs tentes. Car les capitaines en chef des Lamanites pensaient que les Néphites étaient fatigués de leur marche ; et de plus, pensant qu'ils avaient chassé leur armée tout entière, ils n'avaient aucune inquiétude sur la *h*ville de Manti.

26. Or, * quand la nuit fut venue, j'empêchai mes hommes de dormir, et les fis avancer par un autre chemin vers le pays de Manti.

27. Et par cette marche de nuit, voici, nous étions, le lendemain, au-delà des Lamanites, et ainsi nous atteignîmes avant eux la ville de Manti.

28. Et * par ce stratagème, nous prîmes possession de la *i*ville de Manti sans effusion de sang.

29. Et * quand les armées des Lamanites arrivèrent près de la ville et virent que nous étions prêts à leur livrer bataille, elles furent saisies d'étonnement et frappées d'une telle crainte, qu'elles se sauvèrent dans le désert.

30. Oui, et * les armées des Lamanites s'enfuirent de toute cette partie du pays. Mais voici, elles ont emmené beaucoup de femmes et d'enfants hors du pays.

31. Et les villes qui avaient été prises par les Lamanites sont maintenant toutes en notre possession. Nos pères, nos femmes et nos enfants retournent tous à leurs foyers, excepté ceux qui ont été faits prisonniers et emmenés par les Lamanites.

32. Mais voici, nos armées sont trop petites pour pouvoir maintenir tant de villes et de possessions.

33. Mais voici, nous avons confiance en notre Dieu qui nous a donné la victoire sur ces terres, de sorte que nous avons obtenu ces villes et ces terres qui nous appartenaient.

34. Or, nous ne savons pas pour quelle raison le gouvernement ne nous accorde pas plus de renforts ; et *j*ces hommes qui nous sont venus, ne savent pas non plus pourquoi nous ne recevons pas de renforts.

35. Voici, nous ne savons pas si tu n'as pas échoué et détourné les forces dans cette partie du pays ; s'il en est ainsi, nous ne désirons point murmurer.

36. Et si cela n'est pas, nous craignons que cela ne soit une *k*faction dans le gouvernement qui s'oppose à l'envoi d'autres hommes pour nous secourir ; car nous savons qu'ils sont plus nombreux que ceux qui nous ont été envoyés.

37. Mais voici, cela n'a pas d'importance — nous avons la certitude que Dieu nous délivrera malgré la faiblesse de nos armées, oui, et nous délivrera des mains de nos ennemis.

38. Nous voici vers la fin de la vingt-neuvième année, et nous sommes en possession de nos terres, et les Lamanites se sont réfugiés dans le *l*pays de Néphi.

39. Et ces fils du *m*peuple d'Ammon, dont j'ai si favorablement parlé, sont avec moi dans la *n*ville de Manti ; et le Seigneur les a soutenus ; oui, il a empêché qu'ils ne tombent par l'épée, au point que *o*pas une âme n'a péri.

40. Mais voici, ils ont reçu de nombreuses blessures. Néanmoins, ils sont fermement ancrés dans cette liberté par laquelle Dieu les a rendus libres ; et ils sont exacts à se souvenir du Seigneur leur Dieu, de jour en jour ; oui, ils veillent à observer continuellement ses statuts, ses jugements et ses com-

h, voir *h*, Al. 16.   *i*, voir *h*, Al. 16.   *j*, vers. 8.   *k*, Al. 61.   *l*, voir *b*, 2 Né. 5.
m, Al. 27 : 26.   *n*, voir *h*, Al. 16.   *o*, Al. 56 : 56. 57 : 25.

VERS 62 AV. J.-C.

mandements ; et leur foi aux prophéties touchant ce qui est à venir est forte.

41. Et maintenant, mon frère Moroni bien-aimé, que le Seigneur notre Dieu, qui nous a rachetés et rendus libres, te garde continuellement en sa présence ; oui, qu'il favorise ce peuple, pour que tu puisses réussir à obtenir possession de tout ce que les Lamanites nous ont ravi, et qui était destiné à notre soutien. Et maintenant voici, je finis mon épître. Je suis Hélaman, fils d'Alma.

CHAPITRE 59.

Moroni écrit à Pahoran, demandant des renforts pour Hélaman. — La ville de Néphihah est prise par les Lamanites. — Colère de Moroni devant l'indifférence apparente du gouvernement.

1. * Dans † la trentième année du règne des juges sur le peuple de Néphi, après avoir reçu et lu ᵃl'épître d'Hélaman, Moroni se réjouit extrêmement de la prospérité, oui, des grands succès avec lesquels Hélaman avait obtenu ces terres qui étaient perdues.

2. Et il le fit annoncer à tout son peuple dans tout le pays environnant dans cette partie où il était, pour qu'il se réjouît aussi.

3. * Il envoya immédiatement une épître à ᵇPahoran pour lui demander de faire réunir des hommes pour fortifier Hélaman ou les armées d'Hélaman, afin qu'il pût aisément maintenir cette partie du pays qu'il avait si miraculeusement reconquise.

4. Et * quand il eut envoyé cette épître au pays de ᶜZarahemla, Moroni recommença à faire des plans pour rentrer en possession du reste des possessions et villes que les Lamanites leur avaient prises.

5. Et * pendant que Moroni se préparait ainsi à combattre les Lamanites, voici, le peuple de ᵈNéphihah qui s'était rassemblé de la ᵉville de Moroni, de la ᶠville de Léhi et de la ᵍville de Morianton, fut attaqué par les Lamanites.

6. Oui, ceux-là même qui avaient été forcés de fuir du ʰpays de Manti et des environs, étaient venus se joindre aux Lamanites dans cette partie du pays.

7. Devenus extrêmement nombreux et recevant journellement des renforts, par les ordres d'Ammoron, ils vinrent tomber sur le peuple de ⁱNéphihah et commencèrent à en faire un terrible massacre.

8. Et leurs armées étaient tellement nombreuses, que le reste du peuple de Néphihah fut obligé de prendre la fuite devant eux et ils vinrent se joindre à l'armée de Moroni.

9. Or, Moroni ayant supposé qu'on enverrait des hommes à la ville de ʲNéphihah pour aider le peuple à défendre cette ville, et sachant qu'il était plus facile d'empêcher la ville de tomber entre les mains des Lamanites que de la leur reprendre, il pensait qu'ils maintiendraient aisément cette ville.

10. C'est pourquoi, il retint toutes ses forces pour maintenir ces villes qu'il avait reprises.

11. Mais quand Moroni vit que la ville de Néphihah était perdue, il fut extrêmement affligé ; et il commença à se demander si, à cause de la méchanceté du peuple, ils ne tomberaient pas tous entre les mains de leurs frères.

12. Il en était de même de tous ses capitaines en chef. Ils étaient aussi dans le doute et dans l'étonnement à cause de la perversité du peuple ; et ceci, à cause du succès des Lamanites sur eux.

13. Et * Moroni s'irrita contre

---

a, Al. 56-58.   b, Al. 50 : 40.   c, Om. 13.   d, voir l, Al. 50.   e, voir k, Al. 50.
f, voir m, Al. 50.   g, voir p, Al. 50.   h, voir h, Al. 16. 58 : 29, 30.   i, voir l,
Al. 50.   j, voir l, Al. 50.
                                                                    † 62 av. J.-C.

le gouvernement devant son indifférence pour la ^kliberté de sa patrie.

CHAPITRE 60.

Seconde épître de Moroni à Pahoran. — Il se plaint de sa négligence. — Il réclame de l'aide immédiate sous peine de représailles.

1. Et * il écrivit de nouveau au gouverneur du pays, ^aqui était Pahoran ; et voici les paroles qu'il écrivit, disant : Voici, j'adresse mon épître à Pahoran, dans la ^bville de Zarahemla, grand-juge et gouverneur du pays, et à tous ceux qui ont été choisis par ce peuple pour le gouverner et diriger les affaires de cette guerre ;

2. Car voici, j'ai quelque chose à leur dire et c'est pour les condamner ; car voici, vous saviez vous-mêmes que vous avez été établis pour réunir des hommes et les ^carmer d'épées, de cimeterres et de toutes sortes d'armes de guerre, et pour les envoyer contre les Lamanites, partout où ils entreraient dans notre pays.

3. Et maintenant voici, je vous dis que moi-même, ainsi que mes hommes et Hélaman et ses hommes, avons enduré des souffrances extrêmement grandes ; oui, même la faim, la soif, et la fatigue, et toutes sortes d'afflictions.

4. Mais voici, si c'était là tout ce que nous avions souffert, nous ne murmurerions ni ne nous plaindrions.

5. Mais voici, grand a été le massacre parmi notre peuple ; oui, des milliers sont tombés par l'épée ; alors qu'il aurait pu en être autrement, si vous aviez accordé suffisamment de renforts et de secours à notre armée. Oui, grande a été votre négligence envers nous.

6. Et * maintenant voici, nous désirons connaître la cause de cette négligence extrême ; oui, nous désirons connaître la cause de votre insouciance.

7. Comment pouvez-vous ainsi rester sur vos trônes, dans un état de stupeur insensible, quand nos ennemis répandent autour de vous l'œuvre de mort ? Oui, tandis qu'ils assassinent des milliers de vos frères ?

8. Oui, ceux-là même qui se sont tournés vers vous pour obtenir protection, oui, vous ont ^dplacés dans une situation qui vous aurait permis de les secourir, oui, vous auriez pu leur envoyer des armées pour les renforcer et empêcher des milliers d'entre eux de tomber par l'épée.

9. Mais voici, ce n'est pas tout — vous avez omis de leur envoyer vos provisions au point que beaucoup ont combattu et donné leur vie avec leur sang à cause du grand désir qu'ils avaient de voir ce peuple prospère ; oui, et cela, ils l'ont fait à la veille de mourir de faim, par suite de votre extrême négligence envers eux.

10. Et maintenant, mes frères bien-aimés — car vous devriez être aimés ; oui, et vous auriez dû user de plus de diligence pour le bien-être et la liberté de ce peuple ; mais voici, vous l'avez négligé, et le sang de milliers d'hommes criera vengeance sur vos têtes, car leurs cris et toutes leurs souffrances sont connus de Dieu —

11. Voici, pouvez-vous penser que vous pourriez rester assis sur vos trônes et qu'à cause de l'extrême bonté de Dieu, vous pourriez ne rien faire et il vous délivrerait ? Voici, si vous avez pensé cela, vous avez pensé en vain.

12. Pensez-vous que si tant de vos frères ont été tués, c'est à cause de leur perversité ? Je vous le dis,

k, voir *m*, Mos. 29. CHAP. 60 : *a*, Al. 50 : 40. *b*, Om. 13. *c*, voir *f*, Al. 2. *d*, voir *e*, Mos. 29.
VERS 62 AV. J.-C.

si vous avez pensé cela, vous avez pensé en vain ; car je vous le dis, beaucoup sont tombés par l'épée ; et voici, c'est à votre condamnation ;

13. Car le Seigneur permet que les *justes soient tués, pour que sa justice et ses jugements tombent sur les méchants ; c'est pourquoi, vous ne devez point penser que les justes sont perdus parce qu'ils ont été tués ; mais voici, ils entrent dans le *repos du Seigneur leur Dieu.

14. Et maintenant voici, je vous le dis, je crains beaucoup que les jugements de Dieu ne frappent ce peuple à cause de son extrême indolence, oui, même de l'indolence de notre gouvernement et de sa négligence extrême envers ses frères, oui, envers ceux qui ont été tués.

15. Car sans la perversité qui commença à notre tête, nous aurions pu résister à nos ennemis de sorte qu'ils n'auraient acquis aucun pouvoir sur nous.

16. Oui, sans la guerre qui a éclaté *parmi nous ; oui, sans ces *hommes-du-roi qui ont fait répandre tant de sang parmi nous ; oui, si au moment où nous nous querellions entre nous, nous avions réuni toutes nos forces comme nous l'avions fait jusqu'alors ; oui, sans le désir de pouvoir et d'autorité que nourrissaient ces hommes-du-roi vis-à-vis de nous ; s'ils avaient été fidèles à la cause de notre liberté et unis avec nous et avaient marché contre nos ennemis au lieu de prendre l'épée contre nous, ce qui fut cause d'une si grande effusion de sang parmi nous ; oui, si nous étions allés contre eux dans la force du Seigneur, nous aurions dispersé nos ennemis, car cela aurait été fait selon *l'accomplissement de sa parole.

17. Mais voici, maintenant les Lamanites viennent sur nous, prenant possession de nos terres, et ils sont occupés à assassiner notre peuple par l'épée, oui, nos femmes et nos enfants, les emmenant aussi en captivité, leur infligeant toutes sortes d'afflictions, et cela à cause de la grande perversité de ceux qui recherchent le pouvoir et l'autorité : oui, même de ces *hommes-du-roi.

18. Mais pourquoi m'étendrais-je sur ce sujet ? Car nous ne savons pas si vous-mêmes ne recherchez point l'autorité. Nous ne savons pas si vous n'êtes pas aussi traîtres à votre patrie.

19. Ou bien nous avez-vous négligés parce que vous êtes au cœur de notre pays et que vous êtes entouré de sécurité de sorte que vous ne nous envoyez pas de vivres ni d'hommes pour renforcer nos armées ?

20. Avez-vous oublié les commandements du Seigneur votre Dieu ? Oui, avez-vous oublié la captivité de nos pères ? Avez-vous oublié combien de fois nous avons été délivrés des mains de nos ennemis ?

21. Ou bien pensez-vous que le Seigneur nous délivrera pendant que nous siégeons sur nos trônes, sans faire usage des *moyens que le Seigneur nous a fournis ?

22. Oui, allez-vous rester dans l'oisiveté, tandis que vous êtes entourés de milliers, oui, de dizaines de milliers qui restent aussi dans l'oisiveté, tandis qu'il y en a des milliers sur nos frontières qui tombent par l'épée, blessés et sanglants ?

23. Pensez-vous que Dieu vous considérera comme innocents pendant que vous restez immobiles et voyez tout cela ? Voici, je vous dis que non. Je voudrais maintenant

e. Mos. 17 : 10. Al. 14 : 11.   *f*, voir *2v*, Al. 12.   *g*, Al. 51 : 13-27.   *h*, voir *e*, Al. 51.   *i*, voir *h*, 2 Né. 1.   *j*, voir *e*, Al. 51.   *k*, vers. 11.   VERS 62 AV. J.-C.

que vous vous [l]souveniez que Dieu a dit que le vase intérieur sera d'abord purifié, ensuite le vase extérieur sera purifié aussi.

24.. Et à moins que vous ne vous repentiez de ce que vous avez fait et que vous ne commenciez à vous lever et à agir et ne nous envoyiez des vivres et des hommes, à nous et aussi à Hélaman, pour qu'il puisse maintenir ces parties du pays qu'il a recouvrées et que nous puissions reconquérir le reste de nos possessions dans cette région, voici, il sera expédient de ne plus combattre contre les Lamanites avant d'avoir purifié tout d'abord notre vase intérieur, oui, même la grande tête de notre gouvernement.

25. Et à moins que vous n'accédiez à ce que je demande dans mon épître, que vous ne vous leviez et ne me montriez un [m]véritable esprit de liberté ; et ne vous efforciez de renforcer et de fortifier nos armées et ne leur accordiez des vivres pour leur entretien, voici, je laisserai une partie de mes hommes-libres pour la défense de cette partie de notre pays et je laisserai sur eux la puissance et les bénédictions de Dieu afin qu'aucun autre pouvoir ne puisse opérer contre eux —

26. Et cela à cause de leur foi extrême et de leur patience dans les tribulations —

27. Et je viendrai à vous, et s'il y en a parmi vous qui désirent la liberté, oui, s'il reste même une [n]étincelle de liberté, voici, je susciterai des insurrections parmi vous même jusqu'à ce que ceux qui aspirent à usurper le pouvoir et l'autorité soient exterminés.

28. Oui, voici, je ne crains pas votre pouvoir ni votre autorité, mais c'est mon Dieu que je crains ; et c'est selon ses commandements que je prends mon épée pour défendre la cause de ma patrie, et c'est à cause de votre iniquité que nous avons essuyé tant de pertes.

29. Voici, il est temps, oui, le temps est proche maintenant où, à moins que vous ne vous mettiez en branle pour la défense de votre patrie et de vos enfants, l'épée de la justice sera suspendue au-dessus de vous ; oui, et elle tombera sur vous et vous frappera jusqu'à votre complète extermination.

30. Voici, j'attends de l'aide de vous ; et à moins que vous ne veniez à notre secours, voici, je marcherai contre vous, même jusqu'au [o]pays de Zarahemla, et je vous frapperai de l'épée, afin de vous ôter tout pouvoir de vous opposer aux succès de ce peuple dans la cause de notre [p]liberté.

31. Car voici, le Seigneur ne souffrira pas que vous viviez et vous fortifiiez dans vos iniquités pour causer la destruction de son peuple juste.

32. Voici, pouvez-vous penser que le Seigneur vous épargnera et viendra en jugement contre les Lamanites, quand ce sont les [q]traditions de leurs pères qui ont causé leur haine, oui, et qu'elle a été augmentée par ceux qui se sont séparés de nous tandis que votre iniquité provient de votre amour de la gloire et des choses vaines du monde ?

33. Vous savez que vous transgressez les lois de Dieu, et vous savez que vous les foulez aux pieds. Voici, le Seigneur me dit : Si ceux que tu as nommés ne se repentent point de leurs péchés et de leurs iniquités, tu monteras au combat contre eux.

34. Et maintenant voici, moi, Moroni, je suis contraint, selon l'alliance que j'ai faite, de garder les commandements de mon Dieu ; c'est pourquoi, je voudrais que vous vous conformiez à la parole

l, vers. 24. *m,* voir *2f,* Al. 43. *n,* voir *2f,* Al. 43. *o,* Om. 13. *p,* voir *2f,* Al. 43. *q,* voir *n,* Jacob 7.

VERS 62 AV. J.-C.

de Dieu, et que vous m'envoyiez promptement des hommes et des vivres, ainsi qu'à Hélaman.

35. Et si vous ne le faites pas, je marche à l'instant contre vous ; car voici, Dieu ne permettra pas que nous mourions de faim ; c'est pourquoi, il nous accordera de vos vivres, même s'il faut que ce soit par l'épée. Alors veillez à ʳaccomplir la parole de Dieu.

36. Voici, je suis Moroni, votre capitaine en chef. Je ne veux pas le pouvoir, mais je cherche à l'abattre. Je ne recherche pas les honneurs du monde, mais la gloire de mon Dieu et la ˢliberté et le bonheur de ma patrie. Et je finis ainsi mon épître.

CHAPITRE 61.

Réponse patriotique de Pahoran. — Il se justifie ainsi que les hommes-libres. — L'Etat néphite chancelle. — Le gouverneur réclame l'aide militaire contre les rebelles.

1. Voici, il arriva que lorsqu'il eut envoyé son épître au gouverneur en chef, Moroni reçut rapidement une épître de ᵃPahoran, le gouverneur en chef. Et voici les paroles qu'il reçut :

2. Moi, Pahoran, gouverneur en chef de ce pays, j'envoie ces paroles à Moroni, le capitaine en chef de l'armée. Voici, je te dis, Moroni, que je ne me réjouis pas de tes grandes afflictions, oui, elles m'affligent l'âme.

3. Mais voici, il y en a qui se réjouissent de tes afflictions, oui, à ce point qu'ils se sont révoltés contre moi et contre ceux de mon peuple qui sont des ᵇhommes-libres, oui, et ceux qui se sont soulevés sont extrêmement nombreux.

4. Et ce sont eux qui ont cherché à m'enlever le siège du jugement, qui ont été la cause de cette grande iniquité ; car ils se sont servis de grandes flatteries et ils ont détourné le cœur d'un grand nombre, ce qui sera la cause de beaucoup d'afflictions parmi nous ; ils ont retenu nos vivres et ont intimidé nos hommes-libres de sorte qu'ils ne sont point venus à toi.

5. Et voici, ils m'ont chassé de devant eux ; et je me suis réfugié au ᶜpays de Gidéon, avec autant d'hommes qu'il m'a été possible de réunir.

6. Et voici, j'ai envoyé une proclamation dans toute cette partie du pays ; et voici, ils accourent en foule, chaque jour, vers nous, pour prendre les armes pour défendre leur patrie et leur ᵈliberté et pour venger nos griefs.

7. Et ils sont venus à nous en nombre tel que ceux qui se sont rebellés contre nous, nous les défions maintenant, à tel point qu'ils nous craignent et n'osent pas venir nous combattre.

8. Ils ont pris possession du pays, ou de la ᵉville de Zarahemla ; ils ont établi un roi sur eux, et il a écrit une épître au roi des Lamanites, pour faire alliance avec lui : alliance dans laquelle il a convenu de garder la ville de Zarahemla, pensant qu'en gardant cette ville, il permettra aux Lamanites de conquérir le reste du pays et espérant être nommé roi de tout ce peuple, quand il aura été asservi par les Lamanites.

9. Et maintenant tu m'as censuré dans ton épître, mais cela ne fait rien ; je ne suis pas irrité, mais je me réjouis de la grandeur de ton cœur. Moi, Pahoran, je ne recherche pas le pouvoir, si ce n'est pour retenir mon siège du jugement, afin de préserver les droits et la ᶠliberté de mon peuple. Mon âme reste ancrée dans cette liberté, par laquelle Dieu nous a rendus libres.

10. Et maintenant voici, nous résisterons à l'iniquité, même jusqu'à l'effusion du sang. Nous ne verserions pas le sang des Lamanites, s'ils voulaient rester sur leurs propres terres.

11. Nous ne verserions pas le sang de nos frères, s'ils ne se révoltaient pas et ne prenaient l'épée contre nous.

12. Nous nous soumettrions au joug de la servitude, si c'était requis par la justice de Dieu, ou s'il nous commandait de le faire.

13. Mais voici, il ne nous commande pas de nous assujettir à nos ennemis, mais de mettre notre confiance en lui, et il nous délivrera.

14. C'est pourquoi, mon frère Moroni bien-aimé, résistons au mal ; et le mal auquel nous ne pouvons pas résister par nos paroles, oui, telles les rébellions et les dissensions, résistons-lui avec nos épées, afin que nous puissions conserver notre liberté et nous réjouir du grand privilège de notre Eglise, et de la cause de notre Rédempteur et de notre Dieu.

15. C'est pourquoi, viens à moi promptement, avec quelques-uns de tes hommes et laisse le reste sous le commandement de Léhi et de Téancum ; donne-leur le pouvoir de mener la guerre dans cette partie du pays selon l'Esprit de Dieu, qui est aussi l'esprit de liberté qui est en eux.

16. Voici, je leur ai envoyé quelques provisions pour qu'ils ne périssent point jusqu'à ce que tu puisses venir à moi.

17. Réunis le plus de forces que tu pourras au cours de ta marche vers nous et nous tomberons incontinent sur ces dissidents, dans la puissance de notre Dieu, selon la foi qui est en nous.

18. Et nous prendrons possession de la *ville de Zarahemla, pour que nous puissions obtenir

plus de vivres à envoyer à Léhi et à Téancum ; oui, nous marcherons contre eux. dans la force du Seigneur et nous mettrons un terme à cette grande iniquité.

19. Et maintenant, Moroni, je me réjouis d'avoir reçu ton épître, car j'étais un peu inquiet de savoir ce que nous devions faire, et s'il était juste que nous marchions contre nos frères.

20. Mais tu as dit qu'à moins qu'ils ne se repentent, le Seigneur ʰt'a commandé de marcher contre eux.

21. Veille à affermir Léhi et Téancum dans le Seigneur ; dis-leur de ne point craindre, car Dieu les délivrera, oui, ainsi que tous ceux qui restent ancrés dans cette liberté par laquelle Dieu les a rendus libres. Et maintenant, je finis mon épître à mon frère bien-aimé Moroni.

CHAPITRE 62.

Moroni marche au secours de Pahoran. — Zarahemla est reprise aux rebelles. — Des secours sont envoyés à Hélaman, Léhi et Téancum. — Les Lamanites se concentrent au pays de Moroni. — Téancum tue Ammoron au prix de sa propre vie. — Les Lamanites sont chassés du pays.

1. * Quand Moroni eut reçu cette épître, son cœur prit courage et fut rempli d'une joie extrême, à cause de la fidélité que montrait Pahoran, de ce qu'il n'était pas, lui aussi, traître à la liberté et à la cause de sa patrie.

2. Mais il fut aussi extrêmement affligé de l'iniquité de ceux qui avaient chassé Pahoran du siège du jugement, oui, et de ceux enfin qui s'étaient révoltés contre leur patrie et contre leur Dieu.

3. Et il arriva que Moroni prit un petit nombre d'hommes, selon le désir de Pahoran, donna à Léhi et à Téancum le commandement du

g, Om. 13.   h, Al. 60 : 33.

reste de son armée et se mit en marche pour le [a]pays de Gidéon.

4. Et il dressa [b]l'étendard de la liberté dans tous les lieux où il entrait et acquit toutes les forces qu'il put durant toute sa marche vers le [c]pays de Gidéon.

5. Et * des milliers d'hommes accoururent sous son étendard, et prirent leur épée pour défendre leur [d]liberté et pour ne point tomber dans la servitude.

6. Et ainsi, quand il eut rassemblé autant d'hommes qu'il put durant toute sa marche, Moroni atteignit le [e]pays de Gidéon ; et réunissant alors ses forces à celles de Pahoran ils devinrent extrêmement forts, même plus forts que les partisans de Pachus, qui était le roi de ces dissidents qui avaient chassé les [f]hommes-libres du pays de Zarahemla, et avaient pris possession du pays.

7. Et * Moroni et Pahoran descendirent avec leurs armées dans le [g]pays de Zarahemla et marchèrent contre la ville ; et rencontrèrent les hommes de Pachus, de sorte qu'ils leur livrèrent bataille.

8. Et voici, Pachus fut tué et ses hommes faits prisonniers ; et Pahoran fut rétabli sur le siège du jugement.

9. Et les hommes de Pachus furent jugés selon la loi, ainsi que les [h]hommes-du-roi qui avaient été pris et jetés en [i]prison ; et ils furent exécutés selon la loi ; oui, ces hommes de Pachus et ces hommes-du-roi, tous ceux qui n'avaient point voulu prendre les armes pour la défense de leur patrie, mais qui s'étaient battus contre elle, furent mis à mort.

10. Et ainsi il devint nécessaire que cette loi fût strictement obser-

vée pour la sécurité de leur patrie ; oui, et quiconque fut découvert niant leur liberté fut promptement exécuté selon la loi.

11. Et ainsi finit la trentième année du règne des juges sur le peuple de Néphi ; Moroni et Pahoran avaient rendu la paix au [j]pays de Zarahemla parmi leur propre peuple, et avaient puni de mort tous ceux qui n'avaient pas été fidèles à la [k]cause de la liberté.

12. * Vers le † commencement de la trente et unième année du règne des juges sur le peuple de Néphi, Moroni fit immédiatement envoyer des vivres et une armée de six mille hommes à Hélaman, afin de l'aider à conserver cette partie du pays.

13. Et il fit envoyer également à Léhi et aux armées de Téancum une armée de six mille hommes, avec une quantité suffisante de provisions. Et * cela fut fait pour fortifier le pays contre les Lamanites.

14. Et * Moroni et Pahoran, laissant un corps d'armée considérable dans le [l]pays de Zarahemla, se dirigèrent avec un corps d'armée considérable vers le [m]pays de Néphihah, résolus à renverser les Lamanites de cette ville.

15. Et * comme ils marchaient vers le pays, ils prirent un corps d'armée considérable de Lamanites, en tuèrent beaucoup, et s'emparèrent de leurs vivres et de leurs armes de guerre.

16. Et * lorsqu'ils les eurent pris, ils leur firent contracter l'alliance de ne plus prendre leurs armes de guerre contre les Néphites.

17. Et quand ils eurent conclu cette alliance, ils les envoyèrent habiter le pays [n]d'Ammon ; et ils

a, voir *m*, Al. 2.   *b*, Al. 46 : 12, 13, 36.   *c*, voir *m*, Al. 2.   *d*, voir *m*, Mos. 29.
e, voir *m*, Al. 2.   *f*, Al. 51 : 6, 7. 61 : 4.   *g*, Om. 13.   *h*, vers. 6, 10, 11. Al. 51 : 5,
7, 17, 21. 60 : 16. 61 : 8.   *i*, Al. 51 : 19.   *j*, Om. 13.   *k*, Al. 46 : 12, 13, 36.
l, Om. 13.   *m*. voir *l*, Al. 50.   *n*, Al. 27 : 26.   † 61 av. J.-C.

étaient quatre mille à n'avoir pas été tués.

18. Et * quand ils les eurent renvoyés, ils poursuivirent leur marche vers le [o]pays de Néphihah. Et * quand ils furent arrivés à la ville de Néphihah, ils dressèrent leurs tentes dans les plaines de Néphihah, proches de la ville de Néphihah.

19. Et Moroni désirait que les Lamanites sortissent pour les combattre dans les plaines ; mais connaissant leur courage extraordinaire, et voyant la multitude de leur nombre, les Lamanites n'osèrent pas sortir contre eux ; c'est pourquoi ils n'engagèrent pas la bataille ce jour-là.

20. Et quand la nuit vint, Moroni s'avança dans l'obscurité de la nuit, et monta au sommet de la muraille pour examiner dans quelle partie de la ville les Lamanites campaient avec leur armée.

21. Et * ils se trouvaient à l'est près de l'entrée ; et ils étaient tous endormis. Alors Moroni revint auprès de son armée et fit préparer à la hâte de fortes [p]cordes et des échelles, que l'on ferait descendre du haut de la muraille dans la partie intérieure de la muraille.

22. Et * Moroni fit avancer ses hommes et les fit monter au sommet de la muraille et descendre dans cette partie de la ville, oui, à l'ouest, où les Lamanites ne campaient pas avec leurs armées.

23. Et * ils descendirent tous dans la ville durant la nuit, au moyen de leurs fortes cordes et de leurs échelles ; et quand vint le jour, ils étaient tous dans l'enceinte de la ville.

24. Et lorsque les Lamanites s'éveillèrent et virent que les armées de Moroni étaient à l'intérieur des murs, ils furent saisis d'une telle frayeur qu'ils s'enfuirent tous par le passage.

25. Et lorsque Moroni vit qu'ils fuyaient devant lui, il fit marcher ses hommes contre eux et il en tua beaucoup et en encercla beaucoup d'autres et les fit prisonniers ; et le reste s'enfuit dans le [q]pays de Moroni, qui était auprès de la mer.

26. Ainsi, Moroni et Pahoran avaient obtenu possession de la [r]ville de Néphihah sans perdre une seule âme ; et il y eut un grand nombre de Lamanites qui furent tués.

27. Or, il arriva qu'un grand nombre des Lamanites qui étaient prisonniers furent désireux de s'unir au [s]peuple d'Ammon et de devenir un peuple libre.

28. Et * tous ceux qui avaient ce désir, il leur fut accordé selon leurs désirs.

29. C'est pourquoi tous les prisonniers lamanites se joignirent au peuple d'Ammon, et ils se mirent au travail avec acharnement, cultivant le sol, faisant pousser toutes sortes de grains, élevant des brebis et du bétail de toute espèce ; et ainsi, les Néphites furent soulagés d'un grand fardeau ; oui, au point qu'ils furent déchargés de tous les prisonniers lamanites.

30. * Lorsqu'il eut obtenu possession de la [t]ville de Néphihah. ayant fait beaucoup de prisonniers, ce qui réduisit les armées des Lamanites à l'extrême, et ayant repris beaucoup des Néphites qui avaient été faits prisonniers, ce qui renforça considérablement son armée, Moroni passa du pays de Néphihah au [u]pays de Léhi.

31. Et * quand les Lamanites virent que Moroni marchait contre eux, ils furent de nouveau saisis de frayeur et s'enfuirent devant l'armée de Moroni.

32. Et * Moroni et son armée

o, voir *l*, Al. 50. *p*, vers. 23. *q*, voir *k*, Al. 50. *r*, voir *l*, Al. 50. *s*, Al. 27 : 26. *t*, voir *l*, Al. 50. *u*, voir *m*, Al. 50.

les poursuivirent de ville en ville, jusqu'à ce qu'ils rencontrassent Léhi et Téancum ; et les Lamanites prirent la fuite devant Léhi et Téancum, même jusqu'au rivage de la mer, jusqu'au moment où ils arrivèrent au ^vpays de Moroni.

33. Et les armées des Lamanites étaient toutes rassemblées en un seul corps au pays de Moroni. Et Ammoron, le roi des Lamanites, était également avec eux.

34. Et * Moroni, Léhi et Téancum campèrent avec leurs armées à l'entour sur les confins du pays de Moroni, de telle sorte que les Lamanites se trouvaient entourés au sud, du côté du désert, et à l'est du côté du désert.

35. Et ils campèrent ainsi pour la nuit. Car voici, les Néphites et les Lamanites étaient fatigués de la longueur de la marche ; c'est pourquoi, ils n'essayèrent aucun stratagème pendant la nuit, si ce n'est par Téancum ; car il était extrêmement irrité contre Ammoron, parce qu'il considérait Ammoron et Amalickiah, son frère, comme la cause de cette grande et longue guerre entre eux et les Lamanites, qui avait causé tant de guerres et d'effusions de sang, oui, et tant de famines.

36. Et * dans sa colère, Téancum se rendit dans le camp des Lamanites, et se laissa descendre des murailles de la ville. Et, avec une corde, il alla de lieu en lieu, jusqu'à ce qu'il eût trouvé le roi ; et il lui lança son ^wjavelot qui le perça près du cœur. Mais voici, avant de mourir, le roi éveilla son serviteur de sorte qu'on poursuivit Téancum et qu'on le tua.

37. Et * quand Léhi et Moroni surent que Téancum était mort, ils en furent extrêmement affligés ; car voici, il avait été un homme qui avait vaillamment combattu pour sa patrie, oui c'était un véritable ami de la ^xliberté ; et il avait éprouvé un très grand nombre d'afflictions extrêmement pénibles. Mais voici, il était mort, et était allé où va toute terre.

38. Et * dès le lendemain, Moroni marcha contre les Lamanites et en fit un grand massacre ; et ils les chassèrent du pays ; et ceux-ci prirent la fuite, et ne revinrent plus à ce moment-là contre les Néphites.

39. Ainsi † finit la trente et unième année du règne des juges sur le peuple de Néphi ; et ils avaient eu des guerres, des effusions de sang, des famines et des afflictions durant de nombreuses années.

40. Et il y avait eu des meurtres, des contentions, des dissensions et toutes sortes d'iniquités parmi le peuple de Néphi ; cependant, à cause des justes, oui, à cause des ^yprières des justes, ils avaient été épargnés.

41. Mais voici, à cause de la durée extrême de la guerre entre les Néphites et les Lamanites, beaucoup s'étaient endurcis à cause de la durée extrême de la guerre ; et beaucoup d'autres s'étaient adoucis à cause de leurs afflictions de sorte qu'ils s'humilièrent devant Dieu, même dans les profondeurs de l'humilité.

42. Et * lorsque Moroni eut ^zfortifié ces parties du pays qui étaient les plus exposées aux Lamanites, jusqu'à ce qu'elles fussent suffisamment fortes, il revint à la ^{2a}ville de Zarahemla ; et Hélaman revint également au lieu de son héritage ; et la paix fut de nouveau établie parmi le peuple de Néphi.

43. Et Moroni remit le commandement de ses armées à son fils, qui s'appelait Moronihah ; et il se retira

dans sa maison privée pour y couler en paix le reste de ses jours.

44. Et Pahoran revint au· siège du jugement ; et Hélaman reprit la prédication de la parole de Dieu au peuple ; car à cause de tant de guerres et de contentions, il était devenu nécessaire que l'ordre fût de nouveau rétabli dans l'Eglise.

45. C'est pourquoi, Hélaman et ses frères allèrent déclarer la parole de Dieu avec grande puissance, convainquant beaucoup de gens de leurs iniquités, ce qui les porta à se repentir de leurs péchés et à être *²b*baptisés au Seigneur, leur Dieu.

46. Et * ils rétablirent l'Eglise de Dieu dans tout le pays.

47. Oui, et des règlements furent faits touchant la loi. *²c*Et leurs juges et leurs grands-juges furent choisis.

48. Et le peuple de Néphi se remit à prospérer dans le pays et commença à se multiplier et à devenir de nouveau fort puissant. Et il commença à devenir extrêmement riche.

49. Mais malgré sa richesse, ou sa puissance, ou sa prospérité, il n'était pas exalté dans l'orgueil de ses yeux ; et il n'était pas lent non plus à se souvenir du Seigneur son Dieu ; mais il s'humiliait profondément devant lui.

50. Oui, il se souvenait combien le Seigneur avait fait de grandes choses pour lui, qu'il l'avait délivré de la mort, des liens, des prisons et de toutes sortes d'afflictions et qu'il l'avait tiré des mains de ses ennemis.

51. Et il *²d*priait constamment le Seigneur son Dieu et le Seigneur le bénit selon sa parole, de sorte qu'il devint fort et prospéra dans le pays.

52. Et * toutes ces choses s'accomplirent. Et Hélaman mourut

dans la † trente-cinquième année du règne des juges sur le peuple de Néphi.

CHAPITRE 63.

Shiblon succède à Hélaman. — Mort de Moroni. — Hagoth, constructeur de navires. — Voyages néphites au pays du nord. — Hélaman, fils d'Hélaman, est gardien des annales. — Moronihah défait les Lamanites. — Fin du récit d'Alma.

1. * Au commencement ╫de la trente-sixième année du règne des juges sur le peuple de Néphi, *a*Shiblon prit possession des *b*objets sacrés qui avaient été confiés à Hélaman par Alma.

2. Et c'était un homme juste : Il marchait droit devant Dieu ; et il veillait à faire continuellement le bien, et à garder les commandements du Seigneur son Dieu ; et son frère faisait de même.

3. Et * Moroni mourut aussi. Ainsi finit la trente-sixième année du règne des juges.

4. Et * dans la §trente-septième année du règne des juges, une grande compagnie d'hommes s'élevant même à cinq mille quatre cents hommes, avec leurs femmes et leurs enfants, quitta le *d*pays de Zarahemla pour aller au pays qui se trouvait au *e*nord.

5. Et il arriva que Hagoth, homme extrêmement habile, s'en fut construire un *f*énorme vaisseau sur les confins du *g*pays d'Abondance, près du *h*pays de Désolation, et il le lança à la mer à l'ouest, près de la *i*langue étroite qui menait au pays du *j*nord.

6. Et voici, un grand nombre de Néphites y entrèrent et partirent avec beaucoup de provisions et aussi avec beaucoup de femmes et d'enfants ; et ils prirent la route du nord. Ainsi finit la trente-septième année.

2b, voir u, 2 Né. 9. 2c, Mos. 29 : 39. 2d, voir e, 2 Né. 32. CHAP. 63 : a, Al. 38. b, Al. 27 : 3-12. d, Om. 13. e, Al. 46 : 17. f, vers. 6-10. Héla. 3 : 10, 14. g, voir 2k, Al. 22. h, voir 2l, Al. 22. i, voir 2v, Al. 22. j, voir e. † 57 AV. J.-C. ╫ 56 AV. J.-C. § 55 AV. J.-C.

7. Et dans la trente-huitième année, cet homme construisit *d'autres vaisseaux. Et le premier vaisseau revint, et un plus grand nombre de gens s'y embarqua. Et ils prirent aussi beaucoup de provisions et se mirent de nouveau en route vers le nord.

8. Et * on n'entendit plus jamais parler d'eux. Et nous supposons qu'ils ont été noyés dans les profondeurs de la mer.

Et * un autre vaisseau mit à la voile, et nous ne savons pas où il est allé.

9. Et * dans cette année, un grand nombre de gens partirent pour le pays du nord. Ainsi finit la trente-huitième année.

10. Et * dans † la trente-neuvième année du règne des juges, ᶦShiblon mourut aussi, et ᵐCorianton était parti au pays du nord sur un ⁿvaisseau, pour porter des vivres au peuple qui s'était rendu dans ce pays.

11. C'est pourquoi, il devint expédient qu'avant sa mort, Shiblon confiât ces °objets sacrés au fils d'Hélaman, appelé Hélaman, du nom de son père.

12. Et voici, toutes ces inscriptions qui étaient en la possession d'Hélaman, ᵖfurent écrites et envoyées parmi tous les enfants des hommes dans tout le pays, à l'exception de ces parties qu'Alma avait ordonné de ne pas ᵠenvoyer.

13. Toutefois, ces choses devaient être tenues sacrées, et transmises de ʳgénération en génération ; et c'est pourquoi, cette année-là, elles avaient été ˢconfiées à Hélaman, avant la ᵗmort de Shiblon.

14. Et * dans le courant de cette année-là, des dissidents s'étaient rendus parmi les Lamanites ; et ceux-ci furent de nouveau excités à la colère contre les Néphites.

15. Et au cours de cette même année, ils descendirent avec une armée nombreuse pour attaquer le peuple de ᵘMoronihah ou l'armée de Moronihah, mais ils furent battus et refoulés sur leurs propres terres avec de grandes pertes.

16. Ainsi finit la trente-neuvième année du règne des juges sur le peuple de Néphi.

17. Et ainsi finit le récit d'Alma et d'Hélaman son fils et aussi de Shiblon, qui était son fils.

LE LIVRE D'HELAMAN

Histoire des Néphites. Leurs guerres, leurs querelles et leurs dissensions. Prophéties de beaucoup de saints prophètes avant l'avènement de Jésus-Christ, d'après les annales d'Hélaman, fils d'Hélaman, et d'après les annales de ses fils jusqu'à l'avènement du Christ. Beaucoup de Lamanites sont convertis. Récit de leur conversion. Récit de la droiture des Lamanites, des iniquités et des abominations des Néphites, d'après les annales d'Hélaman et de ses fils, même jusqu'à l'avènement du Christ : ce qui est appelé le livre d'Hélaman, etc.

CHAPITRE 1.

Les fils de Pahoran se disputent le siège du jugement. — Pahoran II est assassiné par Kishkumen. — Coriantumr, dissident néphite. — Zarahemla capturée et reprise.

1. Et maintenant voici, * au ‡‡commencement de la quarantième année du règne des juges sur le peuple de Néphi, une sérieuse difficulté s'éleva parmi le peuple des Néphites.

---

k, voir *f.*   *l*, voir *a.*   *m*, voir *c.*   *n*, voir *f.*   *o*, Al. 37 : 3-12.   *p*, Al. 17 : 2.
q, Al. 37 : 27-32.   *r*, Al. 37 : 4.   *s*, vers. 11.   *t*, vers. 10.   *u*, Al. 62 : 43.
† 53 ᴀᴠ. J.-C.   ‡‡ 52 ᴀᴠ. J.-C.

2. Car voici, ^aPahoran était allé où va toute la terre ; c'est pourquoi une grave querelle s'éleva concernant le point de savoir qui occuperait le siège du jugement parmi les frères qui étaient les fils de Pahoran.

3. Or, voici les noms de ceux qui luttèrent pour le siège du jugement et qui poussèrent aussi le peuple à se quereller : Pahoran, Paanchi et Pacuméni.

4. Or, ce ne sont pas là tous les fils de Pahoran (car il en avait beaucoup), mais ce sont ceux qui luttèrent pour le siège du jugement ; c'est pourquoi, ils formèrent trois partis parmi le peuple.

5. Néanmoins, * Pahoran fut choisi par la voix du peuple pour être grand-juge et gouverneur du peuple de Néphi.

6. Et * quand Pacuméni vit qu'il ne pouvait pas obtenir le siège du jugement, il joignit sa voix à celle du peuple.

7. Mais voici, Paanchi et cette portion du peuple qui le voulait pour gouverneur, furent extrêmement irrités ; et Paanchi était sur le point de flatter le peuple pour le porter à se révolter contre ses frères.

8. Et * comme il était sur le point de le faire, voici, il fut pris, jugé selon la ^bvoix du peuple, et condamné à mort ; car il avait été rebelle et avait cherché à détruire la liberté du peuple.

9. Lorsque ceux qui le voulaient pour gouverneur virent qu'il était condamné à mort, ils furent furieux, et voici, ils envoyèrent un nommé Kishkumen au siège du jugement de Pahoran et firent assassiner Pahoran alors qu'il était assis sur le siège du jugement.

10. Et il fut poursuivi par les serviteurs de Pahoran ; mais voici, la fuite de Kishkumen fut si rapide, que personne ne put le rattraper.

11. Et il alla à ceux qui l'avaient envoyé, et ils firent tous alliance, oui, jurant par leur Créateur éternel de ne dire à personne que Kishkumen avait tué Pahoran.

12. C'est pourquoi, Kishkumen ne fut point connu parmi le peuple de Néphi, car il était déguisé quand il tua Pahoran. Et Kishkumen et la bande qui avait fait alliance avec lui, se mêlèrent parmi le peuple, de manière à n'être pas tous découverts ; mais tous ceux qui furent découverts furent condamnés à mort.

13. Et maintenant voici, Pacuméni fut nommé, par la ^cvoix du peuple, grand-juge et gouverneur du peuple, pour régner à la place de son frère, Pahoran ; et c'était selon son droit. Et tout cela se passa dans la quarantième année du règne des juges et finit.

14. Et * dans la †quarante et unième année du règne des juges, les Lamanites levèrent une armée innombrable d'hommes et ^dl'armèrent d'épées, de cimeterres, d'arcs, de flèches, de casques, de cuirasses et de toutes sortes de boucliers.

15. Et ils redescendirent livrer bataille aux Néphites. Et ils étaient dirigés par un homme dont le nom était Coriantumr ; c'était un descendant de Zarahemla ; c'était un dissident des Néphites ; et c'était un homme grand et puissant.

16. C'est pourquoi, le roi des Lamanites, dont le nom était Tubaloth, fils d'Ammoron, pensant que Coriantumr, étant un homme puissant, pourrait faire face aux Néphites avec sa force et aussi avec sa grande sagesse, de sorte qu'en l'envoyant, il pourrait vaincre les Néphites —

17. Pour cette raison, il les excita à la colère, rassembla ses

a, Al. 50 : 40.   b, voir c, Mos. 29. Al. 1 : 10-15.   c, voir c, Mos. 29. Héla. 2 : 2.
d, voir 2p, Al. 43.   † 51 av. J.-C.

armées, fit de Coriantumr leur chef et les fit descendre au *pays de Zarahemla pour combattre les Néphites.

18. Et il arriva qu'à cause de toutes ces querelles et de toutes ces difficultés dans le gouvernement, on n'avait pas maintenu de gardes suffisantes dans le pays de Zarahemla ; car on pensait que les Lamanites n'oseraient pas entrer au cœur des terres pour attaquer cette grande ville de Zarahemla.

19. Mais * Coriantumr, à la tête de sa nombreuse armée, vint tomber sur les habitants de la ville ; et sa marche fut tellement rapide, que les Néphites n'eurent point le temps de réunir leurs armées.

20. C'est pourquoi, Coriantumr abattit les gardes à l'entrée de la ville et entra avec toute son armée dans la ville, et ils tuèrent tous ceux qui firent résistance de sorte qu'ils prirent possession de toute la ville.

21. Et il arriva que Pacuméni, qui était le grand-juge, prit la fuite devant Coriantumr, même jusqu'aux murs de la ville. Et Coriantumr le frappa contre la muraille, de sorte qu'il mourut. Et ainsi finirent les jours de Pacuméni.

22. Et lorsque Coriantumr vit qu'il était maître de la ville de Zarahemla et vit que les Néphites avaient pris la fuite devant eux, et étaient tués, et étaient pris, et étaient jetés en prison, et qu'il avait obtenu possession de la plus puissante forteresse de tout le pays, son cœur prit courage, de sorte qu'il était sur le point d'aller contre le reste du pays.

23. Et il ne s'attarda pas dans le pays de Zarahemla, il se mit en marche avec une grande armée pour la ƒville d'Abondance ; car il était déterminé à se frayer un chemin avec l'épée pour s'emparer des parties nord du pays.

24. Et pendant que leur plus grande force se trouvait au centre du pays, il marcha sans leur donner le temps de se rassembler, si ce n'est par petites compagnies ; et il vint ainsi tomber sur eux et les tailla en pièces.

25. Mais voici, cette marche de Coriantumr au centre du pays, donna à Moronihah un grand avantage sur lui, malgré le grand nombre de Néphites qui furent tués.

26. Car voici, Moronihah avait supposé que les Lamanites n'oseraient pas venir au centre du pays, mais qu'ils attaqueraient les villes environnantes situées sur les frontières, comme ils l'avaient fait jusqu'alors ; c'est pourquoi, Moronihah avait fait garder par ses puissantes armées ces parties qui se trouvaient à l'entour sur les frontières.

27. Mais voici, les Lamanites ne furent pas effrayés selon son désir ; ils étaient venus au centre du pays et avaient pris la capitale, qui était la ville de Zarahemla et traversaient les parties les plus vitales du pays, massacrant le peuple, à la fois les hommes, les femmes et les enfants, prenant possession de beaucoup de villes et de beaucoup de places fortes.

28. Mais quand Moronihah eut découvert cela, il envoya immédiatement Léhi en mouvement tournant avec une armée pour les devancer avant qu'ils n'arrivassent au ᵍpays d'Abondance.

29. Ce qu'il fit ; et il les devança avant qu'ils n'arrivassent au pays d'Abondance et leur livra bataille de sorte qu'ils commencèrent à battre en retraite vers le pays de Zarahemla.

30. Et * Moronihah les devança dans leur retraite, et leur livra une bataille qui devint une bataille extrêmement sanglante ; oui, beau-

coup furent tués, et Coriantumr fut trouvé parmi les morts.

31. Et maintenant, voici, les Lamanites ne pouvaient se retirer d'aucun côté, ni vers le nord, ni vers le sud, ni vers l'est, ni vers l'ouest, car ils étaient entourés de tous côtés par les Néphites.

32. Et c'est ainsi que Coriantumr plongea les Lamanites au milieu des Néphites, de sorte qu'ils furent au pouvoir des Néphites et que lui-même fut tué et les Lamanites se rendirent aux Néphites.

33. Et * Moronihah reprit possession de la ʰville de Zarahemla, et ordonna que les Lamanites qui avaient été faits prisonniers quittassent le pays en paix.

34. Et ainsi finit la quarante et unième année du règne des juges.

CHAPITRE 2.

Hélaman II est nommé grand-juge. — Kishkumen est tué. — Combinaisons secrètes. — Les voleurs de Gadianton.

1. Et * dans la †quarante-deuxième année, après que Moronihah eut rétabli la paix entre les Néphites et les Lamanites, voici, il n'y avait personne pour occuper le siège du jugement ; c'est pourquoi une querelle s'éleva de nouveau parmi le peuple sur le point de savoir qui devait occuper le siège du jugement.

2. Et * Hélaman, fils d'Hélaman, fut choisi par la ᵃvoix du peuple pour occuper le siège du jugement.

3. Mais voici, Kishkumen, qui avait ᵇassassiné Pahoran, dressa une embuscade pour détruire Hélaman aussi ; et il était soutenu par sa bande, qui avait fait alliance que personne ne connaîtrait sa perversité.

4. Car il y avait un nommé Gadianton qui était expert à dire beaucoup de paroles et aussi dans son art à poursuivre ᶜl'œuvre secrète de meurtre et de vol ; c'est pourquoi il devint le chef de la bande de Kishkumen.

5. Et il se mit à les flatter ainsi que Kishkumen, leur promettant que, s'ils le plaçaient au siège du jugement, il accorderait à ceux qui appartenaient à sa bande des postes de pouvoir et d'autorité parmi le peuple ; c'est pourquoi, Kishkumen chercha à ᵈdétruire Hélaman.

6. Et * comme il se dirigeait vers le siège du jugement pour détruire Hélaman, voici, un des serviteurs d'Hélaman qui était sorti la nuit et avait obtenu, au moyen d'un déguisement, la connaissance des plans qui avaient été faits par cette bande pour ᵉdétruire Hélaman —

7. Et * il rencontra Kishkumen et lui donna un signe ; c'est pourquoi, Kishkumen lui révéla l'objet de son désir, le priant de le conduire au siège du jugement pour qu'il pût tuer Hélaman.

8. Et quand le serviteur d'Hélaman connut tout le cœur de Kishkumen ; quand il sut que son but était d'assassiner, et que le but de sa bande était d'assassiner, de voler et d'obtenir du pouvoir (et c'était là leur ᶠplan secret et leur combinaison), le serviteur d'Hélaman dit à Kishkumen : Allons au siège du jugement.

9. Et ceci plut extrêmement à Kishkumen, car il pensait qu'il pourrait accomplir son dessein ; mais voici, comme ils allaient au siège du jugement, le serviteur d'Hélaman poignarda Kishkumen au cœur, de sorte qu'il tomba mort sans un soupir. Et le serviteur courut dire à Hélaman tout ce qu'il avait vu, entendu et fait.

10. Et * Hélaman envoya des gens pour se saisir de cette bande secrète de ᵍvoleurs et d'assassins,

---

h, Om. 13.   CHAP. 2 : *a*, voir *c*, Mos. 29.   *b*, Héla. 1 : 9.   *c*, voir *i*, 2 Né. 10.
d. vers. 3. 6, 9.   *e*, voir *d*.   *f*, voir *i*, 2 Né. 10.   *g*, voir *i*, 2 Né. 10.

† 50 ᴀᴠ. J.-C.

afin de les faire exécuter selon la loi.

11. Mais voici, lorsque Gadianton s'aperçut que Kishkumen ne revenait pas, il craignit d'être détruit ; c'est pourquoi, il ordonna à sa bande de le suivre. Et ils prirent la fuite hors du pays, dans le désert, par une voie secrète ; et ainsi, quand Hélaman envoya des gens pour se saisir d'eux, on ne put les trouver nulle part.

12. Et il sera parlé davantage de ce Gadianton plus tard. Ainsi finit la quarante-deuxième année du règne des juges sur le peuple de Néphi.

13. Et voici, à la fin de ce livre, vous verrez que ce Gadianton devint la cause de la ruine, oui, de la destruction presque complète du peuple de Néphi.

14. Voici, je ne veux pas dire à la fin du Livre d'Hélaman, mais je veux dire à la fin du ʰlivre de Néphi, duquel j'ai tiré tout le récit que j'ai écrit.

CHAPITRE 3.

Nouvelles migrations vers le nord. — Un pays de grandes eaux. — Maisons en ciment. — Nombreuses annales. — Le fils d'Hélaman, Néphi, lui succède.

1. * Dans la †quarante-troisième année du règne des juges, il n'y eut aucune querelle parmi le peuple de Néphi, si ce n'est un peu d'orgueil qui se trouvait dans l'Eglise, ce qui causa quelques petites dissensions parmi le peuple, mais ces affaires furent réglées vers la fin de la quarante-troisième année.

2. Et il n'y eut point de querelle parmi le peuple durant la quarante-quatrième année ; et il n'y eut pas non plus beaucoup de querelles dans la quarante-cinquième année.

3. Et * dans la ‡‡quarante-sixième, oui, il y eut de nombreuses querelles et de nombreuses dissensions ; à cause d'elles, un nombre extrêmement considérable de personnes quittèrent le ᵃpays de Zarahemla et allèrent dans le ᵇpays du nord pour hériter du pays.

4. Et elles voyagèrent sur une distance extrêmement considérable, de sorte qu'elles arrivèrent auprès ᶜd'immenses pièces d'eau et de nombreuses rivières.

5. Oui, et elles se répandirent dans toutes les parties du pays, dans tous les lieux qui n'avaient pas été désolés et qui n'étaient pas déboisés à cause des ᵈnombreux habitants qui avaient autrefois hérité du pays.

6. Or, nulle partie de ce pays n'était désolée si ce n'est pour le bois ; mais à cause de l'immensité de la destruction du peuple qui avait habité ce pays auparavant, on l'appelait ᵉdésolé.

7. Et comme il n'y avait que peu de bois sur la surface du pays, le peuple qui s'y rendit devint extrêmement habile à travailler le ciment ; c'est pourquoi, il bâtit des maisons de ᶠciment dans lesquelles il habita.

8. Et * il multiplia et s'étendit et passa du pays du ᵍsud au pays du ʰnord, et s'étendit au point qu'il commença à couvrir la surface de toute la terre, depuis la mer du ⁱsud jusqu'à la mer du ʲnord, de la mer du ᵏl'ouest à la mer de ˡl'est.

9. Et le peuple qui habitait le pays du ᵐnord, vivait sous des tentes et dans des maisons de ⁿciment ; et il laissait croître tous les arbres quels qu'ils fussent qui poussaient sur la surface du pays, pour avoir, à l'avenir, du bois pour bâtir leurs maisons, oui, leurs villes, leurs °temples, leurs ᵖsyna-

---

h, voir f, 1 Né. 1. CHAP. 3 : a, Om. 13. b, Al. 46 : 17. 63 : 4. c, voir i. Mos. 8. d, voir j, Mos. 8. e, voir 2l, Al. 22. f, vers. 9-11. g, voir n, Al. 46. h, voir p. Al. 46. j. 1 Né. 21 : 12. k, Al. 22 : 27, 32, 33. Héla. 11 : 20. l, voir k. m, voir h. n, voir f. o, voir h, 2 Né. 5. p, voir u. Al. 16.
† 49 AV. J.-C. ‡‡ 46 AV. J.-C.

gogues, leurs ᵈsanctuaires, et toutes sortes d'édifices.

10. Et * comme le bois de construction était extrêmement ʳrare dans le pays du nord, on en envoya beaucoup par ˢbateau.

11. Et ainsi on permit au peuple du pays du ᵗnord de construire beaucoup de villes, à la fois en bois et en ᵘciment.

12. Et * beaucoup de gens du ᵛpeuple d'Ammon, d'origine lamanite, partirent aussi pour ce pays.

13. Et ʷbeaucoup d'annales sont gardées sur les actions de ce peuple, par beaucoup de personnes de ce peuple et ces annales sont détaillées et très volumineuses.

14. Mais voici, la ˣcentième partie des actes de ce peuple, oui, l'histoire des Lamanites et des Néphites et leurs guerres, leurs querelles, leurs dissensions, leur prédication, leurs prophéties, leur ʸtrafic maritime, leur construction de vaisseaux, leurs constructions de ᶻtemples, et de ²ᵃsynagogues, leurs ²ᵇsanctuaires, leur droiture, leur iniquité, leurs meurtres, leurs vols, leurs pillages, et toutes sortes d'abominations et de luxures ne peuvent être contenues dans cet ouvrage.

15. Mais voici, il y a beaucoup de ²ᶜlivres et beaucoup d'annales de toute espèce, et ils ont été conservés principalement par les Néphites.

16. Et ils ont été ²ᵈtransmis de génération en génération par les Néphites, même jusqu'au moment où ceux-ci sont tombés dans la transgression et ont été assassinés, pillés, poursuivis, chassés, tués et dispersés sur toute la surface de la terre et mêlés aux Lamanites jusqu'à ²ᵉne plus être appelés Néphites, devenant corrompus, sauvages et féroces, oui, devenant même des Lamanites.

17. Et maintenant, je reviens à mon récit ; ce que j'ai dit se passa, après de graves querelles, des troubles, des guerres et des dissensions parmi le peuple de Néphi.

18. La †quarante-sixième année du règne des juges finit ;

19. Et il arriva qu'il y eut encore de graves querelles dans le pays, oui, même dans la quarante-septième année, et aussi dans la quarante-huitième année.

20. Néanmoins, ²ᶠHélaman occupa le siège du jugement avec droiture et équité ; oui, il observa les statuts, les jugements et les commandements de Dieu et il fit continuellement ce qui était juste aux yeux de Dieu ; et il marcha dans les voies de son père, de sorte qu'il prospéra dans le pays.

21. Et * il eut deux fils. Il donna à l'aîné le nom de Néphi et au plus jeune le nom de Léhi. Et ils commencèrent à grandir dans le Seigneur.

22. Et * vers la fin de la quarante-huitième année du règne des juges sur le peuple de Néphi, les guerres et les querelles commencèrent à cesser un peu parmi le peuple des Néphites.

23. Et * dans la ‡‡quarante-neuvième année du règne des juges, une paix constante fut établie dans le pays, mis à part les ²ᵍcombinaisons secrètes que Gadianton, le voleur, avait fondées dans les parties les plus peuplées du pays, combinaisons qui, à l'époque, étaient inconnues de ceux qui étaient à la tête du gouvernement ; c'est pourquoi, elles ne furent point détruites dans le pays.

24. Et * durant cette même an-

---

q, voir *t*, Al. 15.   *r*, vers. 5, 9.   *s*, voir *f*, Al. 63.   *t*, voir *h*.   *u*, voir *f*.
v, Al. 27 : 26.   *w*, vers. 15.   *x*, 3 Né. 26 : 6-11.   *y*, voir *f*, Al. 63.   *z*, voir *h*,
2 Né. 5.   *2a*, voir *u*. Al. 16.   *2b*, voir *t*, Al. 15.   *2c*, vers. 13.   *2d*, 1 Né.
5 : 16-19. Al. 37 : 4.   *2e*, Al. 45 : 12-14.   *2f*, Héla. 2 : 2.   *2g*, voir *i*, 2 Né. 10.
† 45 AV. J.-C.   ‡‡ 43 AV. J.-C.

née, l'Eglise jouit d'une grande prospérité, à ce point que des milliers s'unirent à l'Eglise et furent [2h]baptisés du baptême de repentance.

25. Et si grande était la prospérité de l'Eglise, si nombreuses étaient les bénédictions qui étaient déversées sur le peuple, que les [2i]grands-prêtres et les instructeurs s'en étonnaient eux-mêmes au-delà de toute mesure.

26. Et * l'œuvre du Seigneur prospéra par l'administration du [2j]baptême et par l'union de beaucoup d'âmes à l'Eglise de Dieu, oui, même de dizaines de milliers.

27. Nous pouvons voir par là que Dieu est miséricordieux à tous ceux qui veulent, dans la sincérité de leur cœur, invoquer son saint nom.

28. Oui, nous voyons ainsi que la porte du ciel est ouverte à tous, même à ceux qui voudront croire au nom de Jésus-Christ, qui est le Fils de Dieu.

29. Oui, nous voyons que quiconque s'attachera à la parole de Dieu, qui est vive et puissante, qui anéantira toutes les ruses, les pièges et les artifices du diable, et mène l'homme du Christ dans un chemin [2k]droit et étroit, à l'autre côté de ce [2l]gouffre éternel de misère préparé pour engloutir les méchants —

30. Et fera atterrir son âme, oui, son âme [2m]immortelle, à la droite de Dieu, dans le royaume du ciel, pour s'y asseoir avec Abraham et Isaac, et avec Jacob, et avec tous nos saints ancêtres, et ne plus sortir.

31. Et cette année-là, il y eut de continuelles réjouissances dans le [2n]pays de Zarahemla et dans toutes les régions à l'entour, même dans tout le pays possédé par les Néphites.

32. Et * il y eut de la paix et une très grande joie durant le reste de la quarante-neuvième année ; oui, et il y eut une paix continuelle et beaucoup de joie dans la cinquantième année du règne des juges.

33. Et dans la †cinquante et unième année du règne des juges, il y eut aussi de la paix, mais l'orgueil commença à pénétrer dans l'Eglise — non pas dans l'Eglise de Dieu, mais dans le cœur de ceux qui faisaient profession d'appartenir à l'Eglise de Dieu —

34. Et ils étaient enflés d'orgueil, jusqu'à persécuter beaucoup de leurs frères. C'était là un grand mal qui fit subir à la partie humble du peuple de grandes persécutions et lui fit traverser beaucoup d'afflictions.

35. Néanmoins, ils jeûnèrent et [2o]prièrent souvent, et ils devinrent de plus en plus forts dans leur humilité, et de plus en plus fermes dans la foi du Christ, jusqu'à se remplir l'âme de joie et de consolation, oui, jusqu'à se purifier et à se sanctifier le cœur, sanctification qu'ils obtinrent pour avoir donné leur cœur à Dieu.

36. Et * la cinquante-deuxième année finit aussi en paix, si ce n'est pour l'orgueil extrême qui avait pénétré dans le cœur du peuple ; et c'était à cause de sa richesse extrêmement grande et de sa prospérité dans le pays ; et cet orgueil croissait en lui de jour en jour.

37. Et * dans la ‖cinquante-troisième année du règne des juges, [2p]Hélaman mourut, et Néphi, son fils aîné, commença à régner à sa place. Et * il occupa le siège du jugement avec droiture et équité ; oui, il garda les commandements de Dieu et marcha dans les voies de son père.

2h, voir u, 2 Né. 9. 2i, voir g, Mos. 26. 2j, voir u, 2 Né. 9. 2k, voir e, 2 Né. 31. 2l, voir i, 1 Né. 15. 2m, Al. 42 : 9, 11. Voir t, Al. 12. 2n, Om. 13. 2o, voir t, Mos. 27. 2p, Héla. 2 : 2. † 41 AV. J.-C. ‖ 39 AV. J.-C.

CHAPITRE 4.

Les Lamanites envahissent de nouveau le pays de Zarahemla. — La ville est prise. — Les Néphites sont chassés au pays d'Abondance. — Moronihah fortifie la route. — Rendus faibles à cause de leurs iniquités, les Néphites ne parviennent pas à vaincre.

1. Et * dans †la cinquante-quatrième année, il y eut beaucoup de dissensions dans l'Eglise, et il y eut aussi une querelle parmi le peuple de sorte que beaucoup de sang fut versé.

2. Et les rebelles furent tués et chassés du pays, et s'en allèrent auprès du roi des Lamanites.

3. Et * ils cherchèrent à exciter les Lamanites à faire la guerre aux Néphites ; mais voici, les Lamanites avaient extrêmement peur, de sorte qu'ils ne voulurent pas écouter les paroles de ces dissidents.

4. Mais * dans la cinquante-sixième année du règne des juges, il y eut des dissidents qui montèrent des Néphites aux Lamanites ; et ils parvinrent avec ceux-ci à les exciter à la colère contre les Néphites ; et toute cette année, ils se préparèrent à la guerre.

5. Et dans ‡‡la cinquante-septième année, ils descendirent au combat contre les Néphites et commencèrent l'œuvre de mort ; oui, de telle sorte que, dans la cinquante-huitième année du règne des juges, ils réussirent à obtenir possession du ᵃpays de Zarahemla ; oui, et aussi de tous les pays, même jusqu'au pays qui se trouvait près du ᵇpays d'Abondance.

6. Et les Néphites et les armées de Moronihah furent repoussés jusqu'au pays d'Abondance.

7. Et là, ils se ᶜfortifièrent contre les Lamanites, depuis la mer de l'ouest, jusqu'à l'ᵈest ; et cette ligne qu'ils avaient ᵈfortifiée et sur laquelle ils avaient stationné leurs armées pour défendre leur pays du nord, avait la longueur d'une ᵉjournée de marche pour un Néphite.

8. C'est ainsi que les dissidents des Néphites, avec l'aide d'une nombreuse armée de Lamanites avaient obtenu toutes les possessions des Néphites qui se trouvaient dans le pays du sud. Et tout cela eut lieu dans les cinquante-huitième et cinquante-neuvième années du règne des juges.

9. Et * dans la soixantième année du règne des juges, Moronihah parvint avec ses armées à reconquérir de nombreuses parties du pays, oui, ils reprirent de nombreuses villes qui étaient tombées entre les mains des Lamanites.

10. Et * dans la §soixante et unième année du règne des juges, ils réussirent à reprendre même la moitié de leurs possessions.

11. Or, ces grandes pertes des Néphites et le grand massacre qui fut fait parmi eux, ne se seraient pas produits s'il n'y avait pas eu la méchanceté et les abominations qui existaient parmi eux ; oui, et elles se trouvaient aussi parmi ceux qui faisaient profession d'appartenir à l'Eglise de Dieu.

12. Et c'était à cause de l'orgueil de leur cœur, à cause de leur extrême richesse, oui, c'était parce qu'ils opprimaient les pauvres, refusant leur nourriture ᶠaux affamés, refusant leurs vêtements aux nus et frappant sur la joue leurs frères humbles, se moquant de ce qui était sacré, niant l'esprit de prophétie et de révélation, assassinant, pillant, mentant, commettant l'adultère, se livrant à de grandes querelles et désertant le pays pour passer aux Lamanites dans le ᵍpays de Néphi.

13. Et à cause de cette grande perversité qui était la leur, parce qu'ils se vantaient de leur propre force, ils furent réduits à leurs pro-

---

a, Om. 13.   *b*, voir *2k*, Al. 22.   *c*, voir *c*, Al. 48.   *d*, Al. 22 ; 32.   *e*, voir *c*, Al. 48.   *f*, voir *l*, Mos. 4.   *g*, voir *b*, 2 Né. 5.

pres moyens ; c'est pourquoi, ils ne prospérèrent pas, mais furent affligés, battus et chassés par les Lamanites jusqu'à ce qu'ils eussent perdu la possession de presque toutes leurs terres.

14. Mais voici, Moroniha prêcha beaucoup de choses au peuple à cause de son iniquité, et Néphi et Léhi, les fils d'Hélaman, prêchèrent aussi beaucoup de choses au peuple, oui, et lui prophétisèrent beaucoup de choses sur ses iniquités et sur ce qui lui arriverait s'il ne se repentait pas de ses péchés.

15. Et * il arriva qu'il se repentit de ses péchés ; et à mesure qu'il se repentait, il recommença à prospérer.

16. Car lorsque Moronihah vit qu'il se repentait, il s'aventura à le conduire de lieu en lieu et de ville en ville, jusqu'à ce qu'il eût repris ʰla moitié de ses propriétés et la moitié de toutes ses terres.

17. Et ainsi finit la soixante et unième année du règne des juges.

18. Et dans †la soixante-deuxième année du règne des juges, Moronihah ne put obtenir davantage de possessions sur les Lamanites.

19. C'est pourquoi, ils abandonnèrent leur dessein d'obtenir de reconquérir le reste de leurs terres, car les Lamanites étaient si nombreux qu'il devint impossible aux Néphites d'obtenir sur eux d'autres avantages ; c'est pourquoi, Moronihah employa toutes ses armées à conserver les parties qu'il avait prises.

20. Et * à cause de l'ampleur du nombre des Lamanites, les Néphites étaient dans une grande crainte d'être vaincus, écrasés, tués et détruits.

21. Ils commencèrent à se rappeler les prophéties d'Alma et ʹles paroles de Mosiah ; et ils virent

qu'ils avaient été un peuple obstiné et qu'ils avaient méprisé les commandements de Dieu.

22. Et qu'ils avaient altéré et foulé aux pieds les ʲlois de Mosiah, ou celles que le Seigneur lui avait commandé de donner au peuple ; et ils virent que leurs lois s'étaient corrompues et qu'ils étaient devenus un peuple pervers, au point qu'ils étaient devenus aussi pervers que les Lamanites.

23. Et l'Eglise avait commencé à déchoir, à cause de leurs iniquités ; et ils avaient commencé à ne plus croire à ᵏl'esprit de prophétie et à l'esprit de révélation ; et les jugements de Dieu les regardaient dans les yeux.

24. Et ils voyaient qu'ils étaient devenus faibles, semblables à leurs frères, les Lamanites, et que l'Esprit de Dieu ne les préservait plus ; oui, il s'était retiré d'eux, parce que l'Esprit du Seigneur ʹn'habite pas des temples impurs —

25. C'est pourquoi, le Seigneur cessa de les préserver de son pouvoir miraculeux et incomparable, car ils étaient tombés dans un état d'incrédulité et de terrible perversité ; et ils voyaient que les Lamanites étaient beaucoup plus nombreux qu'eux ; et que s'ils ne s'attachaient pas au Seigneur leur Dieu, ils périraient inévitablement.

26. Car voici, ils voyaient que la force des Lamanites était aussi grande que la leur, homme pour homme. Et c'est ainsi qu'ils étaient tombés dans cette grande transgression ; oui, c'est ainsi qu'ils s'étaient affaiblis à cause de leur transgression, dans l'espace de peu d'années.

CHAPITRE 5.

Néphi cède le siège du jugement à Cézoram. — En compagnie de son frère Léhi, il se consacre au ministère. — Manifestations merveilleuses. — Les La-

h, vers. 10.   i, Mos. 29 : 27.   j, Al. 1 : 1.   k, vers. 12.   l, voir r, Al. 7.
† 30 AV. J.-C.

manites convertis rendent les terres conquises aux Néphites.

1. Et * dans cette †même année, voici, Néphi "céda le siège du jugement à un homme nommé Cézoram.

2. Et comme leurs *b*lois et leurs gouvernements étaient établis par la voix du peuple, et que ceux qui voulaient le mal étaient plus nombreux que ceux qui voulaient le bien, ils devenaient mûrs pour la destruction, car les lois s'étaient corrompues.

3. Oui, et ce n'était pas tout ; c'était un peuple obstiné, à tel point qu'il ne pouvait plus être gouverné ni par la loi ni par la justice, mais uniquement pour sa destruction.

4. Et * Néphi s'était fatigué de leurs iniquités ; et il se démit du siège du jugement et prit sur lui de prêcher la parole de Dieu tout le restant de ses jours ; et Léhi, son frère, aussi, tout le restant de ses jours :

5. Car ils se rappelaient les paroles que leur père Hélaman leur avait dites. Et voici les paroles qu'il dit :

6. Voici, mes fils, je souhaite que vous vous souveniez de garder les commandements de Dieu ; et je voudrais que vous déclariez ces paroles au peuple. Voici, je vous ai donné les noms de nos premiers parents qui sortirent de Jérusalem ; et je l'ai fait, pour qu'en vous rappelant vos noms, vous vous souveniez d'eux, et afin qu'en vous souvenant d'eux, vous vous rappeliez leurs œuvres, et qu'en vous rappelant leurs œuvres, vous sachiez, par ce qui en a été dit et écrit, combien elles étaient bonnes.

7. C'est pourquoi, mes fils, je voudrais que vous fassiez ce qui est bon, afin qu'on puisse dire et écrire sur vous ce qui a été dit et écrit sur eux.

8. Et maintenant, mes fils, voici, je désire de vous quelque chose de plus, et ce désir, c'est que vous ne fassiez pas ces œuvres pour vous en vanter, mais que vous fassiez ces choses pour vous amasser des ᶜtrésors dans le ciel, ou des trésors qui sont éternels et qui ne passent jamais ; oui, pour obtenir ce ᵈprécieux don de la vie éternelle qui, nous avons des raisons de le supposer, a été accordé à nos pères.

9. O, souvenez-vous, souvenez-vous, mes fils, des ᵉparoles que le roi Benjamin a dites à son peuple ; oui, souvenez-vous qu'il n'y a d'autres voies ni d'autres moyens de sauver l'homme que le ᶠsang expiatoire de Jésus-Christ, qui viendra, oui, souvenez-vous qu'il vient pour racheter le monde.

10. Et souvenez-vous aussi des paroles d'Amulek à Zeezrom, dans la ᵍville d'Ammonihah ; car il lui dit que le Seigneur viendrait sûrement pour racheter son peuple ; mais qu'il ne ʰviendrait pas pour le racheter dans ses péchés mais pour le racheter de ses péchés.

11. Et le pouvoir lui est donné du Père de racheter les hommes de leurs péchés, à cause du repentir ; c'est pourquoi, il a ⁱenvoyé ses anges pour annoncer la bonne nouvelle des conditions du repentir, qui mène au pouvoir du Rédempteur pour le salut de leur âme.

12. Et maintenant, mes fils, souvenez-vous, souvenez-vous que c'est sur le rocher de notre Rédempteur, qui est le Christ, le Fils de Dieu, qu'il vous faut bâtir vos fondements ; afin que lorsque le diable ʲdéchaînera ses vents violents, oui, quand il lancera les dards dans le tourbillon, oui, quand toute sa grêle et son puissant orage s'abattront sur

---

a, Héla. 3 : 37. b, Mos. 29 : 27. c, Héla. 8 : 25. 3 Né. 13 : 19-21. d, 1 Né. 15 : 36. e, Mos. 2-5. f, Mos. 3 : 17. Voir f, 2 Né. 2. g, voir i, Al. 8. h, Al. 11 : 33-37. i, Al. 13 : 24, 25. 39 : 19. j, voir e, Al. 26. † 30 AV. J.-C.

vous, il n'ait point le pouvoir de vous entraîner dans le gouffre de misère et de douleur sans fin, à cause du rocher sur lequel vous êtes édifiés, qui est une fondation assurée, fondation qui protège de la chute celui qui y bâtit.

13. * Telles furent les paroles qu'Hélaman enseigna à ses fils ; oui, il leur enseigna beaucoup de choses qui ne sont point écrites, et aussi beaucoup de choses qui sont écrites.

14. Et ils se souvinrent de ses paroles ; c'est pourquoi, fidèles à garder les commandements du Seigneur, ils allèrent prêcher la parole de Dieu parmi tout le peuple de Néphi, en commençant par la [k]ville d'Abondance ;

15. Et de là, ils se rendirent dans la [l]ville de Gid ; et de la ville de Gid à la [m]ville de Mulek ;

16. Et ainsi d'une ville à une autre, jusqu'à ce qu'ils fussent allés parmi tout le peuple de Néphi, qui habitait le pays du [n]sud ; et de là, ils allèrent dans le [o]pays de Zarahemla, [p]parmi les Lamanites.

17. Et * ils prêchèrent avec une grande puissance, au point qu'ils confondirent beaucoup de [q]ces dissidents qui avaient quitté les Néphites ; de sorte qu'ils vinrent confesser leurs péchés et furent [r]baptisés du baptême de repentance et retournèrent immédiatement aux Néphites pour s'efforcer de réparer les torts qu'ils leur avaient causés.

18. Et * Néphi et Léhi prêchèrent aux Lamanites avec une si grande puissance et avec une si grande autorité, car de la puissance et de l'autorité leur avaient été données pour qu'ils pussent parler ; et ce qu'ils avaient à dire leur était donné aussi —

19. C'est pourquoi, ils parlèrent au grand étonnement des Lamanites, de manière à les convaincre ; de sorte qu'il y eut huit mille des Lamanites qui se trouvaient dans le [s]pays de Zarahemla et dans les environs, qui furent [t]baptisés du baptême de repentance, convaincus de la perversité des [u]traditions de leurs pères.

20. Et * Néphi et Léhi partirent de là pour se rendre au [v]pays de Néphi.

21. Et * ils furent pris par une armée de Lamanites et jetés en prison ; oui, dans cette même prison [w]où Ammon et ses frères avaient été jetés par les serviteurs de Limhi.

22. Et lorsqu'ils eurent passé de nombreux jours en prison sans nourriture, voici, on vint à la prison pour les prendre et les mettre à mort.

23. Et il arriva que Néphi et Léhi furent enveloppés comme par du feu, de sorte que personne [x]n'osa mettre la main sur eux, de peur d'être brûlé. Cependant Néphi et Léhi n'étaient point brûlés ; et ils se tenaient debout, paraissant être au milieu du feu, et ils n'étaient pas brûlés.

24. Et quand ils se virent enveloppés d'une colonne de feu, et qu'elle ne les brûlait pas, leur cœur prit courage.

25. Car ils voyaient que les Lamanites n'osaient pas porter la main sur eux et qu'ils n'osaient pas non plus les approcher, mais qu'ils se tenaient là comme frappés de mutisme par l'étonnement.

26. Et * alors, Néphi et Léhi commencèrent à leur parler, en leur disant : Soyez sans crainte, car voici, c'est Dieu qui vous a montré cette chose merveilleuse pour vous montrer que vous ne pouvez porter la main sur nous pour nous tuer.

27. Et quand ils eurent dit ces

k, voir *2k*, Al. 22. *l*, voir *2c*, Al. 51. *m*, voir *2d*, Al. 51. *n*, voir *n*, Al. 46. *o*, Om. 13. *p*, Héla. 4 : 5. *q*, Héla. 4 : 2, 4. *r*, voir *u*, 2 Né. 9. *s*, Om. 13. *t*, voir *u*, 2 Né. 9. *u*, voir *n*, Jacob 7. *v*, voir *b*, 2 Né. 5. *w*, Mos. 7 : 6-8. 21 : 22-24. *x*, vers. 25.

VERS 30 AV. J.-C.

paroles, la terre trembla fortement et les murs de la prison tremblèrent comme s'ils allaient s'écrouler à terre ; mais voici, ils ne tombèrent pas. Et voici, ceux qui étaient dans la prison étaient des Lamanites et des Néphites dissidents.

28. Et * ils furent enveloppés d'un nuage de ténèbres, et une crainte terrible et solennelle vint sur eux.

29. Et * une voix paraissant venir d'au-dessus du nuage de ténèbres, fit entendre ces paroles : Repentez-vous, repentez-vous, et ne cherchez plus à détruire mes serviteurs que je vous ai envoyés pour vous annoncer de bonnes nouvelles.

30. Et * quand ils entendirent cette voix, ils reconnurent que ce n'était pas une voix de tonnerre ni la voix d'un grand bruit tumultueux mais voici, ʸc'était le son d'une voix paisible, d'une parfaite douceur, comme un murmure, et elle pénétrait jusqu'à l'âme même —

31. Et malgré la douceur de la voix, voici, la terre trembla fortement et les murs de la prison s'ébranlèrent encore comme s'ils allaient s'écrouler par terre ; et voici, le nuage de ténèbres qui les avait enveloppés ne se dissipa point.

32. Et voici, la voix se fit entendre de nouveau, disant : Repentez-vous, repentez-vous, car le royaume des cieux est proche ; et ne cherchez plus à détruire mes serviteurs. Et * la terre trembla de nouveau, et les murs furent ébranlés.

33. Et une troisième fois, la voix se fit entendre et leur dit des paroles merveilleuses qui ne peuvent pas être exprimées par l'homme ; et les murs tremblèrent encore, et la terre fut secouée comme si elle allait se fendre.

34. Et il arriva que les Lamanites ne purent s'enfuir, à cause du nuage de ténèbres qui les entourait ; oui, ils étaient immobilisés aussi par la crainte qui les avait saisis.

35. Or, il y en avait parmi eux un qui était Néphite de naissance, qui avait autrefois appartenu à l'Eglise de Dieu, mais qui s'en était séparé.

36. Et * il se retourna, et voici, il vit, à travers le nuage de ténèbres, les visages de Néphi et de Léhi ; et voici, ils brillaient extrêmement comme des visages d'anges. Et il vit qu'ils élevaient les yeux au ciel ; et ils semblaient, par leur attitude, parler ou élever la voix vers un être qu'ils voyaient.

37. Et * cet homme cria à la multitude de se tourner et de regarder. Et voici, le pouvoir leur fut donné de se tourner et de regarder ; et ils virent le visage de Néphi et de Léhi.

38. Et ils dirent à l'homme : Voici, que signifie tout ceci ? Et qui est celui avec qui ces hommes s'entretiennent ?

39. Or, le nom de cet homme était Aminadab. Et Aminadab leur dit : Ils s'entretiennent avec les anges de Dieu.

40. Et * les Lamanites lui dirent : Que devons-nous faire pour que ce nuage de ténèbres ne nous entoure plus ?

41. Et Aminadab leur répondit : Il faut vous repentir et invoquer la voix, jusqu'à ce que vous ayez foi au Christ qui vous a été enseigné par Alma, Amulek et Zeezrom ; et quand vous ferez cela, le nuage de ténèbres se dissipera.

42. Et * ils se mirent tous à invoquer la voix de celui qui avait fait trembler la terre et ils crièrent jusqu'à ce que le nuage de ténèbres se fût dissipé.

43. Et * quand ils jetèrent les regards autour d'eux et virent que le nuage de ténèbres était dispersé, voici, ils se virent entourés, oui, chaque âme, par une colonne de feu.

44. Et Néphi et Léhi étaient au milieu d'eux ; oui, ils étaient entourés ; ils étaient comme au milieu d'un feu flamboyant ; et pourtant il ne leur faisait point de mal et il n'attaquait pas non plus les murs de la prison ; et ils étaient remplis de cette joie qui est inexprimable et pleine de gloire.

45. Et voici, le ʰSaint-Esprit de Dieu descendit du ciel et il entra dans leur cœur ; et ils furent remplis comme de feu ; et ils purent prononcer des paroles merveilleuses.

46. Et * il leur vint une voix, oui, une voix agréable comme un murmure, disant :

47. Paix, paix sur vous, à cause de votre foi en mon Bien-aimé, qui était depuis la ᶻᵃfondation du monde.

48. Et quand ils entendirent cela, ils levèrent les yeux comme pour voir d'où venait la voix ; et voici, ils virent les cieux ouverts, et des anges descendirent des cieux et les servirent.

49. Et il y eut environ trois cents âmes qui virent et entendirent ces choses ; et il leur fut commandé de s'en aller et de ne pas s'étonner ni douter.

50. Et * ils allèrent enseigner le peuple, déclarant dans toutes les régions à l'entour toutes les choses qu'ils avaient vues et entendues, au point que la plus grande partie des Lamanites furent convaincus par la force des preuves qu'ils avaient reçues.

51. Et tous ceux qui furent convaincus, déposèrent leurs armes de guerre et abandonnèrent leur ᶻᵇhaine et la tradition de leurs pères.

52. Et * ils ᶻᶜcédèrent aux Néphites les pays de leur possession.

CHAPITRE 6.

Les Lamanites envoient des missionnaires aux Néphites. — La paix et la liberté abondent. — Le pays de Léhi et le pays de Mulek. — Cézoram et son fils sont assassinés. — Les voleurs de Gadianton s'emparent du gouvernement.

1. * A la fin de la soixante-deuxième année du règne des juges, †toutes ces choses étaient arrivées et les Lamanites étaient devenus, pour la plupart, un peuple juste, au point que leur justice surpassait celle des Néphites à cause de leur fermeté et de leur stabilité dans la foi.

2. Car voici, beaucoup de Néphites étaient devenus endurcis, impénitents et fort méchants au point qu'ils rejetèrent la parole de Dieu ainsi que toutes les prédications et les prophéties qui leur étaient faites.

3. Néanmoins, le peuple de l'Eglise éprouva beaucoup de joie à cause de la conversion des Lamanites, oui, à cause de l'Eglise de Dieu, qui avait été établie parmi eux. Et ils fraternisèrent et se réjouirent ensemble et éprouvèrent une grande joie.

4. Et * beaucoup de Lamanites descendirent dans le ᵃpays de Zarahemla et déclarèrent au peuple des Néphites la manière dont ils s'étaient convertis et les exhortèrent à la foi et au repentir.

5. Oui, beaucoup prêchèrent avec une puissance et une autorité extrêmes, qui en amenèrent un grand nombre dans les profondeurs de l'humilité, pour être les humbles disciples de Dieu et de l'Agneau.

6. Et * beaucoup de Lamanites allèrent au pays du ᵇnord ; et Néphi et Léhi se rendirent aussi au pays du nord pour y prêcher au peuple. Ainsi finit la soixante-troisième année.

---

z, 3 Né. 9 : 20. Eth. 12 : 14.   *2a,* voir *d,* Mos. 4.   *2b,* voir *n,* Jacob 7. *2c,* Héla. 4 : 5, 9, 10, 18, 19.   Chap. 6 : *a,* Om. 13.   *b,* voir *p,* Al. 46.

† 29 av. J.-C.

7. Et voici, la paix régna dans tout le pays au point que les Néphites allaient dans toutes les parties du pays où ils voulaient aller, que ce fût parmi les Néphites ou les Lamanites.

8. Et * les Lamanites allaient aussi partout où ils voulaient, que ce fût parmi les Lamanites ou parmi les Néphites : et ils eurent ainsi des relations libres entre eux, pour acheter et pour vendre, et faire des gains selon leurs désirs.

9. Et * ils devinrent extrêmement riches, tant les Lamanites que les Néphites ; et ils eurent une ᶜabondance d'or, d'argent et de toutes sortes de métaux précieux, dans le pays du ᵈsud comme dans le pays du ᵉnord.

10. Le pays du sud fut ᶠappelé Léhi et le pays du nord fut ᵍappelé Mulek, comme le ʰfils de Sédécias ; car le Seigneur avait conduit ⁱMulek dans le pays du nord, et ʲLéhi dans le pays du sud.

11. Et voici, il existait dans ces deux pays ᵏtoute sorte d'or, d'argent et de métaux précieux ; et il y avait aussi d'habiles ouvriers qui travaillaient et raffinaient des minerais de toute espèce ; et ainsi ils devinrent riches.

12. Et ils cultivèrent du grain en abondance, tant dans le nord que dans le sud ; et ils devinrent extrêmement florissants, au nord comme au sud. Et ils multiplièrent et devinrent extrêmement puissants dans le pays. Et ils élevèrent beaucoup de troupeaux, oui, beaucoup de bestiaux gras.

13. Voici, leurs femmes ᶫtravaillèrent et filèrent ; elles fabriquèrent toutes sortes de draps et de toiles de lin fin pour couvrir leur nudité. Et ainsi s'écoula en paix la soixante-quatrième année.

14. Et dans la †soixante-cinquième année, ils eurent aussi beaucoup de joie et de paix, oui, de nombreuses prédications et beaucoup de prophéties sur les choses à venir. Ainsi passa la soixante-cinquième année.

15. Et * dans la ǂǂ soixante-sixième année du règne des juges, ᵐCézoram fut assassiné par une main inconnue tandis qu'il était assis sur le siège du jugement. Et * dans la même année, son fils, que le peuple avait nommé à sa place, fut également assassiné. Ainsi finit la soixante-sixième année.

16. Au § commencement de la soixante-septième année, le peuple commença de nouveau à devenir extrêmement méchant.

17. Car voici, le Seigneur avait depuis si longtemps répandu sur eux les richesses du monde qu'ils n'avaient pas été excités à la colère, ni à la guerre, ni à l'effusion du sang. C'est pourquoi, ils commencèrent à mettre leur cœur dans leurs richesses ; oui, ils commencèrent à chercher le gain pour s'élever les uns au-dessus des autres ; et c'est pourquoi, ils se mirent à commettre des ⁿmeurtres secrets, à voler et à piller, afin d'obtenir du gain.

18. Et maintenant voici, ces meurtriers et ces voleurs étaient une bande qui avait été formée par Kishkumen et Gadianton. Et * il y en avait beaucoup, même parmi les Néphites, qui appartenaient à la bande de ᵒGadianton. Mais ils étaient plus nombreux parmi les plus méchants des Lamanites. Et on les appelait les voleurs et les assassins de Gadianton.

19. Et c'étaient eux qui avaient assassiné le ᵖgrand-juge, Cézoram et ᑫson fils sur le siège du jugement ; et voici, on ne les trouva pas.

20. * Quand les Lamanites virent

c, voir n. 1 Né. 18.   d. voir n. Al. 46.   e, voir p. Al. 46.   f, Al. 50 : 25.
g, Al. 51 : 26.   h. Om. 14, 15.   i, voir d.   k, voir n. 1 Né. 18.
l, voir c. Mos. 10.   m, Héla. 5 : 1.   n, voir i. 2 Né. 10.   o, Héla. 2 : 12, 13.
p, vers. 15.   q, vers. 15.   † 27 AV. J.-C.   ǂǂ 26 AV. J.-C.   § 25 AV. J.-C.

qu'il y avait des voleurs parmi eux, ils en furent extrêmement affligés, et ils employèrent tous les moyens qui étaient en leur pouvoir pour les détruire de la surface de la terre.

21. Mais voici, Satan excita le cœur de la plus grande partie des Néphites, de sorte qu'ils se joignirent à ces ^rbandes de voleurs, firent leurs alliances et leurs serments de se protéger et de se préserver les uns les autres, quelles que fussent les circonstances difficiles dans lesquelles ils se trouveraient, afin de ne pas souffrir pour leurs meurtres, leurs vols et leurs brigandages.

22. Et * ils avaient leurs signes, oui, leurs ^ssignes secrets et leurs mots secrets ; et cela pour distinguer un frère qui avait fait l'alliance que, quelque méchanceté que son frère fît, il ne serait pas lésé par son frère, ni par ceux qui appartenaient à sa bande, qui avaient fait cette alliance.

23. Et ainsi ils pouvaient assassiner, piller et voler, se livrer à la luxure et commettre toutes sortes d'iniquités contraires aux lois de leur patrie et aux lois de leur Dieu.

24. Et tous ceux qui appartenaient à leur bande qui révélaient au monde leur perversité et leurs abominations devaient être jugés, non d'après les lois de leur patrie, mais selon les lois de leur perversité, qui avaient été données par Gadianton et Kishkumen.

25. Or voici, ce sont ces alliances et ces serments ^tsecrets qu'Alma donna l'ordre à son fils de ne point révéler au monde de crainte qu'ils ne devinssent un moyen de conduire le peuple à la destruction.

26. Maintenant voici, ces alliances et ces serments secrets ne vinrent pas à Gadianton des annales qui furent confiées à Hélaman ;

mais voici, ils furent mis au cœur ^ude Gadianton par ce même être qui entraîna nos premiers parents à prendre du fruit défendu —

27. Oui, ce même être qui complota avec Caïn, lui disant que s'il assassinait son frère Abel, cela resterait inconnu au monde. Et depuis lors, il a tramé constamment ^vavec Caïn et avec ses disciples.

28. Et c'est le même être qui inspira au cœur du peuple de bâtir une ^wtour assez haute pour atteindre le ciel. Et c'est le même être qui agit sur le peuple venu de cette tour ^xdans ce pays ; qui répandit les œuvres de ténèbres et les abominations sur toute la surface du pays, jusqu'à entraîner le peuple dans une ^ycomplète destruction et dans un enfer ^zsans fin.

29. Oui, c'est le même être qui inspira au cœur de ^{2a}Gadianton de continuer l'œuvre de ténèbres et de meurtres secrets ; et c'est ce qu'il a fait des hommes depuis le commencement jusqu'à ce jour.

30. Et voici, c'est lui qui est l'auteur de tout péché. Et voici, il poursuit son œuvre de ténèbres et ses meurtres cachés ; et il transmet leurs complots, leurs serments et leurs alliances et tous leurs plans d'horribles méchancetés, de génération en génération, selon qu'il peut s'emparer du cœur des enfants des hommes.

31. Et maintenant voici, il avait obtenu un grand pouvoir sur le cœur des Néphites ; oui, au point qu'ils étaient devenus extrêmement méchants ; oui, le plus grand nombre d'entre eux s'étaient détournés de la voie de la justice, foulaient aux pieds les commandements de Dieu, s'engageaient dans leurs propres voies et se faisaient des idoles de leur or et de leur argent.

r, voir *i*, 2 Né. 10.   *s*, Al. 37 : 27.   *t*, Al. 37 : 27-32.   *u*, P. de G. P., Moïse 4 : 6-12.   *v*, P. de G. P., Moïse 5 : 29-31.   *w*, voir Eth. 1.   *x*, le Livre d'Ether. *y*, Eth. 8 : 9, 15-25.   *z*, voir *k*, 1 Né. 15.   *2a*, Héla. 2 : 10-13.

32. Et * toutes ces iniquités les envahirent dans l'espace de quelques années seulement au point que la plupart d'entre elles les avaient envahis au cours de la soixante-septième année du règne des juges sur le peuple de Néphi.

33. Et ils grandirent dans leurs iniquités †dans la soixante-huitième année également, à la grande douleur et parmi les lamentations des justes.

34. Nous voyons par là que les Néphites commençaient à tomber dans l'incrédulité, et à croître en perversités et en abominations, tandis que les Lamanites commençaient à progresser rapidement dans la connaissance de leur Dieu ; oui, ils commençaient à garder ses statuts et ses commandements et à marcher devant lui en vérité et en droiture.

35. Et ainsi, nous voyons que l'Esprit du Seigneur commençait à se retirer des Néphites, à cause de la méchanceté et de l'endurcissement de leur cœur.

36. Et ainsi, nous voyons que le Seigneur commençait à répandre son Esprit sur les Lamanites, à cause de leur docilité et de leur bonne volonté à croire en sa parole.

37. Et * les Lamanites firent la chasse à la ᵍᵇbande de voleurs de Gadianton ; et ils prêchèrent la parole de Dieu parmi les plus pervers d'entre eux, de sorte que cette bande de voleurs fut entièrement détruite chez les Lamanites.

38. * D'un autre côté les Néphites les encourageaient et les soutenaient en commençant par la partie la plus perverse d'entre eux, jusqu'à ce qu'ils eussent couvert tout le pays des Néphites et eussent séduit la plus grande partie des justes, au point de les amener à croire en leurs œuvres, à partager leur butin, et à s'unir à eux dans leurs combi-naisons et leurs meurtres secrets.

39. Et c'est ainsi qu'ils obtinrent la direction entière du gouvernement au point qu'ils foulaient aux pieds, frappaient et déchiraient les pauvres et les humbles disciples de Dieu et leur tournaient le dos.

40. Et ainsi, nous voyons qu'ils étaient dans un état terrible, et devenaient mûrs pour une destruction éternelle.

41. Et * ainsi finit la soixante-huitième année du règne des juges sur le peuple de Néphi.

———

PROPHÉTIE DE NÉPHI, FILS D'HÉLAMAN. — *Dieu menace de visiter le peuple de Néphi dans sa colère et de le détruire entièrement, à moins qu'il ne se repente de sa méchanceté. Dieu frappe le peuple de Néphi de la peste ; il se repent et retourne à lui. Samuel, un Lamanite, prophétise aux Néphites.*

(Chapitres 7 à 16 inclusivement.)

CHAPITRE 7.

Néphi, rejeté par le peuple du Nord, revient à Zarahemla. — Du haut de la tour de son jardin, il prie Dieu et s'adresse à la multitude.

1. Voici, maintenant, il arriva, dans la ‡‡soixante-neuvième année du règne des juges sur le peuple de Néphi, que Néphi, le fils d'Hélaman, revint du pays du ᵃnord au ᵇpays de Zarahemla.

2. Car il était allé parmi le peuple du pays du nord, et lui avait prêché la parole de Dieu, et prophétisé beaucoup de choses ;

3. Et ils avaient rejeté toutes ses paroles ; de sorte qu'il ne put rester parmi eux, mais était revenu au pays de sa naissance.

4. Et voyant le peuple dans un état de perversité terrible comme celui-là, et ces voleurs de ᶜGadian-

---

ton occupant les sièges du jugement
— ayant usurpé le pouvoir et l'autorité dans le pays ; délaissant les
commandements de Dieu, et ne
marchant pas droit devant lui, et ne
rendant point la justice aux enfants
des hommes ;

5. Condamnant les justes à cause
de leur droiture, laissant aller les
coupables et les méchants impunis,
à cause de leur argent, et tout cela,
pour rester dans leurs fonctions à
la tête du gouvernement, pour gouverner et faire toutes leurs volontés,
dans le but de s'enrichir et de jouir
de la gloire de ce monde ; et de
plus, afin de pouvoir plus aisément
se livrer à l'adultère, au vol et au
meurtre, et agir selon leur bon
plaisir —

6. Et cette grande iniquité s'était
abattue sur les Néphites dans l'espace de peu d'années ; et quand
Néphi vit cela, son cœur se gonfla
de douleur dans sa poitrine, et il
s'écria dans l'agonie de son âme :

7. O, que n'ai-je vécu aux jours
où mon père Néphi sortit du pays
de Jérusalem ; je me serais réjoui
avec lui dans la *terre promise !
Alors son peuple était facile à supplier, ferme à garder les commandements de Dieu, et lent à être entraîné dans l'iniquité ; et ils étaient
prompts à écouter la parole du
Seigneur —

8. Oui, si j'avais pu vivre en ce
temps-là, mon âme se serait réjouie
de la justice de mes frères.

9. Mais voici, il a été arrêté que
je devais vivre dans ces jours, et
que mon âme serait remplie de
douleur à cause de cette méchanceté qui est celle de mes frères.

10. Or, * ceci se passait sur une
tour dans le jardin de Néphi, lequel
était situé près de la grand-route
qui menait au marché principal de
la *ville de Zarahemla ; et Néphi
s'était incliné sur la tour de son

jardin, tour qui était également près
de la porte du jardin devant laquelle passait la grand-route.

11. Et il arriva que certains
hommes passant par là, virent Néphi épanchant son âme à Dieu sur
la tour, et ils coururent dire au
peuple ce qu'ils avaient vu. Le
peuple vint en foule, afin de connaître la cause d'une si grande douleur pour la méchanceté du peuple.

12. Et quand Néphi se leva, il vit
les multitudes de gens qui s'étaient
assemblées.

13. Et * il ouvrit la bouche et
leur dit : Pourquoi vous êtes-vous
rassemblés ? Est-ce pour que je
vous parle de vos iniquités ?

14. Oui, parce que je suis monté
sur ma tour pour épancher mon
âme à Dieu, à cause de la douleur
excessive de mon cœur que me
causent vos iniquités !

15. Et à cause de mes gémissements et de mes lamentations, vous
vous êtes rassemblés et vous vous
étonnez ; oui, vous avez grand besoin de vous étonner ; oui, vous
devriez vous étonner parce que
vous avez permis à Satan de s'emparer à ce point de vos cœurs.

16. Oui, comment avez-vous pu
céder aux séductions de celui qui
cherche à précipiter votre âme dans
l'éternelle ʼmisère et dans la douleur sans fin ?

17. O, repentez-vous, repentez-
vous ! Pourquoi voulez-vous mourir ? Revenez au Seigneur votre
Dieu. Pourquoi vous a-t-il abandonnés ?

18. C'est parce que vous vous
êtes endurci le cœur ; oui, vous ne
voulez pas écouter la voix du ʼbon
berger ; oui, vous l'avez provoqué
à la colère contre vous.

19. Et voici, au lieu de vous rassembler, voici, si vous ne vous repentez, il vous dispersera pour que

d. voir a. 1 Né. 2.　　e. Om. 13.　　f. voir m, Jacob 6.　　g. voir 2e, Al. 5.

ENTRE 23 et 20 AV. J.-C

vous serviez de nourriture aux chiens et aux bêtes sauvages.

20. O, comment avez-vous pu oublier votre Dieu, au jour même où il vous a délivrés ?

21. Mais voici, c'est pour avoir du gain, pour être loués par les hommes, oui, c'est pour amasser de l'or et de l'argent. Et vous avez mis votre cœur dans la richesse et dans les choses vaines de ce monde ; c'est pour elles que vous tuez, que vous pillez, que vous volez, que vous portez de faux témoignages contre votre prochain et que vous commettez toutes sortes d'iniquités.

22. Et pour cette raison, le malheur tombera sur vous, à moins que vous ne vous repentiez. Car, si vous ne voulez pas vous repentir, voici, cette grande ville et toutes ces grandes villes qui se trouvent à l'entour, qui sont dans le pays de notre possession, vous seront enlevées et vous n'aurez plus de place ; car voici, le Seigneur ne vous accordera pas la force de résister à vos ennemis, comme il l'a fait jusqu'ici.

23. Car voici, ainsi dit le Seigneur ; Je ne montrerai pas ma force aux méchants, pas plus à l'un qu'à l'autre, si ce n'est à ceux qui se repentent de leurs péchés et écoutent mes paroles. Maintenant donc, je voudrais que vous reconnaissiez, mes frères, que ce sera plus tolérable pour les Lamanites que pour vous, à moins que vous ne vous repentiez.

24. Car voici, ils sont plus justes que vous, car ils n'ont point péché contre ces grandes connaissances que vous avez reçues ; c'est pourquoi, le Seigneur leur sera miséricordieux ; oui, il ʰprolongera leurs jours et augmentera leur postérité, même quand vous serez ⁱentièrement détruits, à moins que vous ne vous repentiez.

25. Oui, malheur à vous à cause de cette grande abomination qui s'est introduite parmi vous ; et vous vous y êtes unis, oui à cette ʲbande secrète qui fut établie par Gadianton !

26. Oui, le malheur fondra sur vous à cause de cet orgueil que vous avez laissé entrer dans votre cœur, qui vous a exaltés au-delà de ce qui est bon à cause de votre extrême richesse !

27. Oui, malheur à vous, à cause de votre méchanceté et de vos abominations !

28. Et à moins de vous repentir, vous périrez ; oui, même vos terres vous seront ravies, et vous serez ᵏexterminés de dessus la surface de la terre.

29. Voici, ce n'est pas de moi-même que je dis que ces choses seront, car ce n'est pas par moi-même que je connais ces choses ; mais voici, je sais qu'elles sont vraies parce que le Seigneur Dieu me les a fait connaître, c'est pourquoi, je témoigne qu'elles arriveront.

CHAPITRE 8.

Suite du discours de Néphi. — Des juges corrompus essaient en vain d'exciter le peuple contre lui. — Sous l'inspiration, il annonce le meurtre du grand-juge.

1. Et * quand Néphi eut prononcé ces paroles, voici, il y avait des hommes qui étaient juges et qui appartenaient aussi à la "bande secrète de Gadianton ; ils s'irritèrent et élevèrent la voix contre lui, disant au peuple : Pourquoi ne saisissez-vous pas cet homme et ne le faites-vous pas comparaître pour qu'il soit condamné selon le crime qu'il a commis ?

2. Pourquoi regardez-vous cet

h, voir *j*, Al. 9.   *i*, voir *m*, Al. 9.   *j*, voir *c*, voir aussi *i*, 2 Né. 10.   *k*, voir *m*, Al. 9.   CHAP. 8 : *a*, voir *b*. Voir aussi *i*, 2 Né. 10.

ENTRE 23 et 20 AV. J.-C.

homme et l'écoutez-vous injurier ce peuple et nos lois ?

3. Car voici, Néphi leur avait parlé de la corruption de leur loi ; oui, Néphi dit beaucoup de choses qui ne peuvent être écrites et il ne dit rien qui ne fût contraire aux commandements de Dieu.

4. Et ces juges étaient irrités contre lui, parce qu'il leur parlait clairement de leurs ᵇœuvres secrètes de ténèbres ; cependant, ils n'osèrent pas mettre les mains sur lui, car ils craignaient que le peuple ne s'élevât contre eux.

5. C'est pourquoi, ils crièrent au peuple : Pourquoi souffrez-vous que cet homme vous insulte ? Car voici, il condamne tout ce peuple, même à la destruction ; et il prétend que ces ᶜgrandes villes qui sont les nôtres, nous seront enlevées, de sorte que nous n'aurons plus place en elles.

6. Or, nous savons que cela est impossible, car voici, nous sommes puissants, et nos villes sont vastes ; c'est pourquoi, nos ennemis ne peuvent avoir aucun pouvoir sur nous.

7. * C'est ainsi qu'ils excitaient le peuple à la colère contre Néphi et provoquaient des querelles parmi eux ; car il y en eut qui s'écrièrent: Laissez cet homme tranquille, car c'est un homme vertueux et assurément les choses qu'il dit arriveront certainement à moins que nous ne nous repentions ;

8. Oui, voici, tous les jugements dont il a témoigné contre nous, nous frapperont ; car nous savons qu'il a témoigné correctement touchant nos iniquités. Et voici, elles sont nombreuses, et il connaît aussi bien toutes les choses qui nous arriveront, qu'il connaît nos iniquités ;

9. Oui, et voici, s'il n'était pas prophète, il ne pourrait témoigner de ces choses.

10. Et il arriva que ceux qui cherchaient à détruire Néphi, se continrent à cause de leur crainte, de sorte qu'ils ne mirent pas la main sur lui ; c'est pourquoi, il recommença à leur parler, voyant qu'il avait trouvé faveur aux yeux de certains, au point que les autres avaient peur.

11. C'est pourquoi, il fut contraint de leur parler davantage. disant : Voici, mes frères, n'avez-vous pas lu que Dieu donna pouvoir à un homme, même à Moïse, de frapper les eaux de la mer Rouge, et qu'elles se divisèrent de part et d'autre, de sorte que les Israélites, qui étaient nos pères, traversèrent à pied sec, et que les eaux se refermèrent sur les armées des Egyptiens et les engloutirent ?

12. Et maintenant voici, si Dieu donna un tel pouvoir à cet homme, pourquoi vous disputez-vous entre vous et pourquoi dites-vous qu'il ne m'a point donné le pouvoir de ᵈconnaître les jugements qui vous frapperont, à moins que vous ne vous repentiez ?

13. Mais voici, vous ne niez pas seulement mes paroles, mais vous niez aussi toutes les paroles qui ont été dites par nos pères, et aussi les paroles de cet homme, de Moïse, qui avait reçu tant de puissance, oui, les paroles qu'il a prononcées touchant la venue du Messie.

14. Oui, n'a-t-il pas rendu témoignage que le Fils de Dieu viendra ? Et de même qu'il ᵉéleva le serpent d'airain dans le désert, de même sera élevé celui qui viendra.

15. Et comme tous ceux qui lèveraient les regards vers ce serpent devaient vivre, de même ceux qui lèveraient les regards vers le Fils de Dieu avec foi, ayant l'esprit contrit, pourraient vivre, même pour cette vie qui est éternelle.

16. Et maintenant voici, Moïse n'est pas le seul qui ait témoigné

b, voir i, 2 Né. 10.   c, Héla. 7 : 22.   d, Héla. 7 : 28, 29.   e, Al. 33 : 19-22.
Entre 23 et 20 av. J.-C.

de ces choses, mais aussi tous les
saints prophètes, depuis son temps
jusqu'au temps d'Abraham.

17. Oui, et voici, Abraham vit sa
venue et fut rempli de joie et se
réjouit.

18. Oui, et voici, je vous dis
qu'Abraham ne fut pas le seul qui
connût ces choses, mais il y en eut
beaucoup avant le temps d'Abraham qui furent appelés selon
ᶠl'ordre de Dieu ; oui, même selon
l'ordre de son Fils ; et cela, afin
qu'il fût montré au peuple de nombreux millénaires avant sa venue,
que la rédemption lui serait apportée.

19. Et je voudrais que vous sachiez que, même depuis le temps
d'Abraham, il y a eu de nombreux
prophètes qui ont témoigné de ces
choses ; oui, voici, le prophète
ᵍZénos en a témoigné hardiment ;
et pour cela, il fut mis à mort.

20. Et ʰZénock aussi, et ᶦEzias,
et Esaïe. et Jérémie (Jérémie étant
ce même prophète qui a témoigné
de la destruction de Jérusalem). Et
nous savons que Jérusalem a été
détruite suivant les paroles de Jérémie. O alors, pourquoi le Fils de
Dieu ne viendrait-il pas selon sa
prophétie ?

21. Et maintenant, contesterez-
vous que Jérusalem ait été détruite ?
Direz-vous que les fils de Sédécias
n'ont pas tous été tués excepté
ʲMulek ? Et ne voyez-vous pas que
la postérité de Sédécias est avec
nous, et qu'elle a été chassée du pays
de Jérusalem ? Mais voici, ce n'est
pas là tout —

22. Notre père Léhi fut chassé
de Jérusalem, parce qu'il témoignait
de ces choses. Néphi témoigna aussi
de ces choses, ainsi que presque
tous nos pères, même jusqu'à ce
jour ; oui, ils ont témoigné de la

venue du Christ, et ils l'ont atten-
due et ils se sont réjouis du jour de
son avènement qui doit venir.

23. Et voici, il est Dieu, et il est
avec eux, et il s'est manifesté à
eux, de sorte qu'ils ont été rachetés
par lui ; et ils l'ont glorifié à cause
de ce qui est à venir.

24. Maintenant, puisque vous
connaissez ces choses, et à moins
de mentir vous ne pouvez les nier,
pour cette raison, vous avez péché
en ceci, car vous avez rejeté toutes
ces choses, malgré les nombreuses
preuves que vous avez reçues ; oui,
vous avez même reçu toutes choses
à la fois les choses du ciel et toutes
les choses qui sont sur la terre en
témoignage qu'elles sont vraies.

25. Mais voici, vous avez rejeté
la vérité et vous vous êtes révoltés
contre votre saint Dieu ; et même
aujourd'hui, au lieu de vous amasser
des ᵏtrésors dans le ciel, où rien ne
se corrompt et où rien d'impur ne
peut entrer, vous vous amassez de
la colère pour le jour du jugement.

26. Oui, même actuellement, à
cause de vos meurtres, de vos for-
nications et de votre méchanceté,
vous devenez mûrs pour la destruction éternelle ; oui, et à moins
de vous repentir, elle viendra bientôt sur vous.

27. Oui, en ce moment même
elle est à vos portes ; oui, allez au
siège du jugement, et faites des re-
cherches ; et voici, votre juge est
assassiné, et il est couché dans son
sang, et il a été assassiné par son
ᶦfrère, qui cherche à s'asseoir sur
le siège du jugement.

28. Et voici, ils appartiennent
tous deux à votre ᵐbande secrète
dont les organisateurs sont Gadianton, même le malin qui cherche à perdre
l'âme des hommes.

f, voir *g*, Mos. 26. Al. 13 : 19. D. et A. 84 : 6-16.   *g*, voir *h*, 1 Né. 19.   *h*, voir *g*,
1 Né. 19.   *i*, D. et A. 84 : 11-13.   *j*, Héla. 6 : 10. Om. 13. Ez. 17 : 22, 23. Om. 14,
k, voir *c*, Héla. 5.   *l*, Héla. 9 : 6, 26-38.   *m*, voir *i*, 2 Né. 10.

CHAPITRE 9.

*Les paroles de Néphi se vérifient. —
Le grand-juge est trouvé mort au siège
du jugement. — Néphi et cinq autres
sont accusés. — Leur innocence est établie. — Le meurtrier est révélé.*

1. Voici, * quand Néphi eut dit
ces paroles, certains hommes qui
étaient parmi eux coururent au
siège du jugement ; oui, il y en eut
même ^acinq qui y allèrent, et ils
disaient entre eux, en chemin :

2. Voici, nous allons savoir avec
certitude si cet homme est un prophète et si Dieu lui a commandé
de nous prédire des choses si merveilleuses ; voici, nous ne croyons
pas qu'il le lui ait commandé ; oui,
nous ne croyons pas qu'il soit prophète ; néanmoins, si ce qu'il a dit
touchant le grand-juge est vrai, s'il
est vrai qu'il soit mort, alors nous
croirons que les autres paroles qu'il
a dites sont vraies.

3. Et * ils coururent de toutes
leurs forces et entrèrent au siège
du jugement ; et voici, le grand-
juge était tombé à terre et ^bgisait
dans son sang.

4. Et maintenant voici, quand ils
virent cela, ils furent extrêmement
étonnés, au point qu'ils tombèrent
par terre ; car ils n'avaient pas cru
aux paroles que Néphi avait dites
touchant le grand-juge.

5. Mais quand ils virent, ils crurent : et ils furent envahis par la
crainte que les jugements prédits
par Néphi ne frappassent le peuple ; c'est pourquoi, ils tremblèrent
et tombèrent à terre.

6. Or, aussitôt que le grand-juge
avait été assassiné — ayant été poignardé par ^cson frère déguisé, qui
s'était enfui, les serviteurs avaient
couru pour l'annoncer au peuple,
en criant au meurtre à la foule ;

7. Et voici, le peuple se rassem-

bla dans le lieu du siège du jugement — et voici, à son étonnement,
il vit ces ^dcinq hommes qui étaient
tombés par terre.

8. Et maintenant voici, le peuple
ne savait rien de la multitude qui
s'était rassemblée au ^ejardin de
Néphi ; c'est pourquoi, ils se dirent
entre eux : ^fCes hommes sont ceux
qui ont assassiné le juge, et Dieu
les a frappés pour qu'ils ne puissent
nous échapper.

9. Et * ils les saisirent, les lièrent
et les jetèrent en prison. Et une proclamation fut envoyée pour annoncer que le juge avait été tué, et
que les assassins avaient été pris et
jetés en prison.

10. Et * le lendemain, le peuple
se réunit pour se lamenter et pour
^gjeûner aux funérailles du grand-
juge qui avait été assassiné.

11. Et ces juges qui étaient au
jardin de Néphi et qui avaient entendu ses paroles, étaient également
réunis aux funérailles.

12. Et * ils s'informèrent parmi
le peuple, disant : Où sont les ^hcinq
hommes qui avaient été envoyés
pour s'informer sur le grand-juge
pour savoir s'il était mort ? Et on
leur répondit : Nous ne savons rien
de ces cinq hommes que vous dites
avoir envoyés ; mais il y a cinq
hommes qui sont les assassins et
que nous avons jetés en prison.

13. * Les juges désirèrent qu'on
les amenât ; et ils furent amenés,
et voici, c'étaient les ⁱcinq hommes
qui avaient été envoyés ; et voici,
les juges les interrogèrent pour s'informer sur la question, et ils leur
apprirent tout ce qu'ils avaient fait,
disant :

14. Nous avons couru au siège
du jugement et quand nous avons
vu toutes les choses telles que Néphi en a témoigné, nous avons été
tellement étonnés, que nous som-

---

a, vers. 7-9, 12-18.   *b*, Héla. 8 : 27.   *c*, voir *l*, Héla. 8.   *d*, voir *a*.   *e*, Héla.
7 : 10, 11, 14.   *f*, voir *a*.   *g*, voir *t*, Mos. 27.   *h*, voir *a*.   *i*, voir *a*.
ENTRE 23 et 20 AV. J.-C.

mes tombés par terre ; et quand nous sommes revenus de notre étonnement, voici, nous avons été ʲconduits en prison.

15. Quant au meurtre de cet homme, nous ne savons qui l'a commis ; nous savons seulement que nous sommes accourus selon votre désir ; et voici, il était ᵏmort, selon les paroles de Néphi.

16. * Alors les juges exposèrent l'affaire au peuple, et, s'élevant contre Néphi, ils s'écrièrent : Voici, nous savons que ce Néphi a dû s'arranger avec quelqu'un pour assassiner le juge, afin de pouvoir nous le déclarer et par là nous convertir à sa foi, dans le but de s'élever au rang de grand homme, choisi de Dieu, et de prophète.

17. Et maintenant voici, nous dévoilerons cet homme et il avouera sa faute, et nous fera connaître le véritable meurtrier de ce juge.

18. Et * les ˡcinq hommes furent mis en liberté le jour des funérailles. Cependant, ils réprimandèrent les juges dans les paroles qu'ils avaient dites contre Néphi, et ils luttèrent avec eux, l'un après l'autre. de sorte qu'ils les confondirent.

19. Néanmoins, ils firent arrêter, lier et amener Néphi devant la multitude, et ils commencèrent à le questionner de diverses façons pour l'amener à se contredire, afin de pouvoir le mettre à mort —

20. Lui disant : Tu es complice ; quel est celui qui a commis ce meurtre ? Dis-le-nous et confesse ta faute ; disant : Voilà de l'argent ; et nous t'accorderons aussi la vie, si tu nous le dis et si tu avoues l'arrangement que tu as fait avec lui.

21. Mais Néphi leur dit : O insensés, incirconcis de cœur, aveugles, et toi, ô peuple obstiné, savez-vous combien de temps encore le Seigneur, votre Dieu, souf-frira que vous continuiez dans cette voie du péché qui est la vôtre ?

22. O, vous devriez commencer à hurler et à vous lamenter, à cause de la grande destruction qui vous attend en ce moment, à moins que vous ne vous repentiez.

23. Voici, vous dites que je me suis arrangé avec un homme pour assassiner Seezoram, notre grand-juge. Mais voici, je vous dis que c'est parce que je vous ai rendu mon témoignage pour que vous soyez au courant de la chose ; oui, même en témoignage devant vous que je savais la méchanceté et les abominations qui sont parmi vous.

24. Et parce que j'ai fait cela, vous dites que je me suis arrangé avec un homme pour lui faire commettre ce crime ; oui, parce que je vous ai montré ce signe, vous êtes irrités contre moi et cherchez à m'ôter la vie.

25. Et maintenant voici, je vais vous montrer un autre signe et voyons si vous chercherez encore à m'ôter la vie.

26. Voici, je vous dis : Allez à la maison de Séantum, qui est le ᵐfrère de Seezoram, et dites-lui —

27. Est-ce que Néphi, le soidisant prophète, qui prédit beaucoup de mal concernant ce peuple, s'est arrangé avec toi pour que tu assassines Seezoram, ton frère ?

28. Et voici, il vous dira : Non.

29. Et vous lui direz : As-tu assassiné ton frère ?

30. Et il sera saisi de crainte, et ne saura que dire. Et voici, il niera devant vous ; et il fera l'étonné ; néanmoins, il fera l'innocent.

31. Mais voici, vous l'examinerez et vous trouverez du sang sur le bas de son manteau.

32. Et quand vous aurez vu cela, vous direz : D'où vient ce sang ? Ne savons-nous pas que c'est le sang de ton frère ?

ʲ, vers. 9.   ᵏ, Héla. 8 : 27.   ˡ, voir a.   ᵐ, voir ˡ, Héla. 8.

33. Et alors il tremblera, il pâlira comme si la mort venait sur lui.

34. Alors vous lui direz : Par cette crainte et par cette pâleur qui a envahi ton visage, voici, nous savons que tu es coupable.

35. Et alors, une crainte encore plus grande l'envahira ; et alors il vous fera des aveux et ne niera plus qu'il a commis ce crime.

36. Et alors, il vous dira que moi, Néphi, je ne sais rien de l'affaire, à moins que cela ne m'ait été révélé par le pouvoir de Dieu. Et vous saurez alors que je suis un honnête homme et que je vous suis envoyé par Dieu.

37. Et * ils allèrent et firent ce que Néphi leur avait dit. Et voici, ce qu'il avait dit était vrai ; car selon ses paroles, il nia ; et selon ses paroles, il avoua.

38. Et il fut amené à prouver qu'il était le meurtrier, de sorte que les cinq hommes furent mis en liberté ainsi que Néphi.

39. Et quelques Néphites crurent aux paroles de Néphi et il y en eut aussi quelques-uns qui crurent à cause du témoignage des ᵃcinq, car ils avaient été convertis pendant qu'ils étaient en prison.

40. Et il y en eut, parmi le peuple, qui dirent que Néphi était un prophète.

41. Et il y en eut d'autres qui dirent : Voici, c'est un dieu, car s'il n'était un dieu, il ne pourrait pas connaître toutes choses. Car voici, il nous a dit les pensées de notre cœur, il nous a révélé des choses ; et c'est lui qui nous a fait connaître le vrai meurtrier de notre grand-juge.

CHAPITRE 10.

Le Seigneur réconforte Néphi en lui promettant un grand pouvoir. — Néphi prêche la repentance et met en garde les méchants contre les jugements imminents.

1. Et * il s'éleva une division parmi le peuple, au point qu'ils se divisèrent çà et là et allèrent chacun de son côté, laissant Néphi seul, tandis qu'il se tenait au milieu d'eux.

2. Et Néphi revint vers sa propre maison, en méditant sur les choses que le Seigneur lui avait révélées.

3. Et * comme il était plongé dans sa méditation — très découragé à cause de la méchanceté des Néphites, de leurs ᵃœuvres secrètes de ténèbres, de leurs meurtres, de leurs pillages et de toutes sortes d'iniquités — et * comme il méditait en son cœur, voici, une voix lui vint, disant :

4. Tu es béni, Néphi, pour les choses que tu as faites ; car j'ai vu combien inlassablement tu as déclaré à ce peuple la parole que je t'ai donnée. Tu n'as pas eu peur d'eux et tu n'as pas cherché à sauver ta propre vie, mais tu as fait ma volonté et tu as gardé mes commandements.

5. Et parce que tu as fait cela aussi inlassablement, voici, je te bénirai à jamais ; et je te rendrai puissant en paroles et en actes, en foi et en œuvres ; oui, toutes choses s'accompliront selon ta parole, car tu ne demanderas pas ce qui est contraire à ma volonté.

6. Voici, tu es Néphi, et je suis Dieu. Voici, je te déclare, en présence de mes anges, que tu auras pouvoir sur ce peuple, que tu frapperas la terre de ᵇfamine, de peste et de destruction, selon la méchanceté de ce peuple.

7. Voici, je te donne le pouvoir que tout ce que tu scelleras sur la terre sera scellé au ciel, et que tout ce que tu délieras sur la terre sera délié au ciel ; et ainsi tu seras puissant parmi ce peuple.

8. Et ainsi, si tu dis à ce temple de se fendre en deux, ce sera fait.

---

n, voir a.   CHAP..10 : a, voir i, 2 Né. 10.   b, Héla. 11 : 4-18.

9. Si tu ᶜdis à cette montagne : Sois abaissée et nivelle-toi, il en sera fait ainsi.

10. Et voici, si tu dis que Dieu frappera ce peuple, cela sera fait.

11. Et maintenant voici, je te commande d'aller déclarer à ce peuple : Ainsi dit le Seigneur Dieu, qui est le Tout-Puissant : A moins que vous ne vous repentiez, vous serez frappés ᵈjusqu'à la destruction.

12. Et voici, * quand le Seigneur eut déclaré ces paroles à Néphi, celui-ci s'arrêta et n'alla pas vers sa maison, mais il retourna vers les multitudes qui étaient dispersées sur la surface du pays, et il commença à leur annoncer la parole que le Seigneur lui avait donnée touchant leur destruction, s'ils ne se repentaient pas.

13. Mais voici, malgré ce grand miracle que Néphi avait fait en leur révélant la ᵉmort du grand-juge, ils s'endurcirent le cœur et n'écoutèrent point les paroles du Seigneur.

14. C'est pourquoi, Néphi leur déclara la parole du Seigneur, disant : A moins que vous ne vous repentiez, ainsi dit le Seigneur, vous serez frappés même ᶠjusqu'à la destruction.

15. Et * quand Néphi leur eut déclaré la parole, voici, ils s'endurcirent encore le cœur et refusèrent d'écouter ses paroles ; c'est pourquoi, ils l'injurièrent et cherchèrent à mettre la main sur lui pour le jeter en prison.

16. Mais voici, le pouvoir de Dieu était avec lui et on ne put se saisir de lui pour le jeter en prison, car il fut ravi par l'Esprit et ᵍemporté du milieu d'eux.

17. Et * il alla ainsi ʰdans l'Esprit, de multitude en multitude, déclarant la parole de Dieu, jusqu'à ce qu'il l'eût déclarée à tous, ou qu'il l'eût fait porter à tout le peuple.

18. Et * ils ne voulurent pas écouter ses paroles ; et des querelles s'élevèrent, de sorte qu'ils se divisèrent entre eux et commencèrent à s'entre-tuer par l'épée.

19. Ainsi finit la soixante et onzième année du règne des juges sur le peuple de Néphi.

CHAPITRE 11.

Une grande famine. — Le peuple se tourne vers le Seigneur et la prospérité revient. — Des dissensions et des luttes s'ensuivent. — La bande de Gadianton redevient active.

1. * Dans †la soixante-douzième année du règne des juges, les querelles s'accrurent au point qu'il y eut des guerres dans tout le pays, parmi tout le peuple de Néphi.

2. Et c'était cette ᵃbande secrète de voleurs qui accomplissait cette œuvre de destruction et de méchanceté. Cette guerre dura toute l'année et elle continua aussi dans la ╫soixante-treizième année.

3. Et * au cours de cette année-là, Néphi invoqua le Seigneur, disant :

4. O Seigneur, ne permets pas que ce peuple soit détruit par l'épée ; mais, ô Seigneur, qu'il y ait plutôt une ᵇfamine dans le pays, pour les pousser à se souvenir du Seigneur leur Dieu ; et peut-être se repentiront-ils et retourneront-ils à toi.

5. Et ainsi en fut-il selon les paroles de Néphi. Et il y eut une grande famine dans le pays, parmi tout le peuple de Néphi. Et ainsi, dans §la soixante-quatorzième année, la famine continua, et l'œuvre de destruction par l'épée cessa, mais devint grave par la famine.

6. Et cette œuvre de destruction

---

c, Eth. 12 : 30. Voir c, Jacob 4. Matt. 17 : 20.   d, vers. 12-14.   e, Héla. 8 : 27. 9 : 26-38.   f, vers. 11.   g, Actes 8 : 39, 40.   h, vers. 16.   CHAP. 11 : a, voir i, 2 Né. 10.   b, voir b, Héla. 10.   † 20 AV. J.-C.   ╫ 19 AV. J.-C.   § 18 AV. J.-C.

continua aussi dans la †soixante-quinzième année. Car la terre fut frappée de sécheresse et ne donna point de grains dans la saison des grains ; et la terre entière fut frappée, tant parmi les Lamanites que parmi les Néphites de sorte qu'ils furent frappés et ils périrent par milliers dans les parties les plus corrompues du pays.

7. Et * le peuple vit qu'il était sur le point de périr par la famine et commença à se souvenir du Seigneur son Dieu ; et il commença à se souvenir des paroles de Néphi.

8. Et le peuple commença à supplier ses grands-juges et ses dirigeants de dire à Néphi : Voici, nous savons que tu es un homme de Dieu ; implore donc le Seigneur notre Dieu pour qu'il détourne de nous cette famine, de crainte que tout ce que tu as dit ᶜtouchant notre destruction ne s'accomplisse.

9. Et * les juges dirent à Néphi ce que l'on désirait qu'ils disent. Et * quand Néphi vit que le peuple s'était repenti et s'humiliait dans le sac et la cendre, il invoqua de nouveau le Seigneur, disant :

10. O Seigneur, voici, ce peuple se repent ; il a chassé de son sein la ᵈbande de Gadianton, au point qu'elle n'existe plus et que ses plans secrets ont été cachés dans la terre.

11. Maintenant, ô Seigneur, à cause de cette humilité qui est la leur, veuille détourner ta colère, et qu'elle soit apaisée par la destruction des hommes méchants que tu as déjà fait périr.

12. O Seigneur, veuille détourner ta colère, oui, ta colère ardente et fais que la famine cesse dans ce pays.

13. O Seigneur, veuille m'écouter et faire qu'il en soit selon mes paroles, et envoie la pluie sur la surface de la terre pour qu'elle produise ses fruits et ses grains dans la saison des grains.

14. O Seigneur, tu as écouté mes paroles quand je disais : Qu'il y ait une ᵉfamine, afin que le fléau de l'épée cesse ; et je sais que tu exauceras mes paroles, même en ce moment, car tu as dit : Si ce peuple se repent, je l'épargnerai.

15. Oui, ô Seigneur, et tu vois qu'ils se sont repentis à cause de la famine, de la peste et de la destruction qui les a frappés.

16. Et maintenant, ô Seigneur, veux-tu détourner ta colère et faire encore un essai pour voir s'ils te serviront ? Et si oui, ô Seigneur, tu peux les bénir, selon les paroles que tu as déclarées.

17. Et * dans la ‡‡soixante-seizième année, le Seigneur détourna sa colère du peuple et fit tomber de la pluie sur la terre, en sorte qu'elle produisit ses fruits dans la saison de ses fruits. Et * elle produisit ses grains dans la saison de ses grains.

18. Et voici, le peuple se réjouit et glorifia Dieu et toute la face du pays fut remplie d'allégresse ; et on ne chercha plus à faire mourir Néphi ; mais il fut considéré comme un grand prophète et un homme de Dieu ayant reçu un ᶠgrand pouvoir et une grande autorité de Dieu.

19. Et voici, Léhi, son frère, n'était pas moindre que lui dans les choses de la justice.

20. C'est ainsi * que le peuple de Néphi recommença à prospérer dans le pays, recommença à rebâtir ses lieux désolés et commença à multiplier et à se répandre, même jusqu'à couvrir toute la surface du pays, tant au ᵍnord qu'au ʰsud, de la mer de l'ouest à la mer de l'est.

21. Et * la soixante-seizième année finit en paix. Et la soixante-

---

dix-septième année commença dans la paix ; l'Eglise se répandit sur toute la surface du pays ; la plus grande partie du peuple, tant les Néphites que les Lamanites, appartenait à l'Eglise ; et ils eurent une paix extrêmement grande dans le pays ; et ainsi finit la soixante-dix-septième année.

22. Et ils eurent aussi de la paix dans la soixante-dix-huitième année, à part quelques querelles sur des points de doctrine qui avaient été posés par les prophètes.

23. Et dans la †soixante-dix-neuvième année, il commença à y avoir beaucoup de disputes. Mais * Néphi, Léhi et un grand nombre de leurs frères qui, ayant beaucoup de révélations journalières, connaissaient les vrais points de la doctrine, prêchèrent au peuple, au point qu'ils mirent fin à ses disputes dans cette même année.

24. Et * dans la ‡‡quatre-vingtième année du règne des juges sur le peuple de Néphi, un certain nombre de dissidents du peuple de Néphi, qui, quelques années auparavant, étaient passés aux Lamanites et avaient pris le nom de Lamanites, ainsi qu'un certain nombre de vrais descendants des Lamanites, excités à la colère par eux, ou par ces dissidents, engagèrent une guerre contre leurs frères.

25. Et ils se livraient au meurtre et au pillage ; puis ils se retiraient dans les montagnes, dans le désert et dans les lieux secrets, se cachant de sorte qu'on ne pouvait les découvrir, recevant des renforts de jour en jour, étant donné que des dissidents venaient se joindre à eux.

26. Et ainsi ils devinrent, avec le temps, oui, même dans l'espace de peu d'années, une bande de voleurs extrêmement grande ; et ils cherchèrent à découvrir tous les ‘plans secrets de Gadianton et devinrent ainsi voleurs de Gadianton.

27. Or, voici, ces voleurs firent de grands ravages, oui, même de grandes destructions parmi le peuple de Néphi et également parmi le peuple des Lamanites.

28. Et * il devint expédient de mettre un terme à cette œuvre de destruction ; c'est pourquoi, on envoya une armée d'hommes robustes dans le désert et sur les ʲmontagnes, pour rechercher cette bande de voleurs et la détruire.

29. Mais voici, * cette même année, ils furent refoulés jusque sur leurs propres terres. Et ainsi finit la quatre-vingtième année du règne des juges sur le peuple de Néphi.

30. * Au commencement de § la quatre-vingt-unième année, ils marchèrent de nouveau contre cette bande de voleurs et en détruisirent beaucoup ; mais ils subirent, eux aussi, une grande destruction.

31. Et ils furent de nouveau obligés de retourner du désert et des montagnes pour revenir sur leurs propres terres, à cause du nombre extrêmement grand de ces brigands qui infestaient les montagnes et le désert.

32. * Ainsi finit cette année. Et les voleurs continuaient à augmenter et à devenir de plus en plus forts, au point qu'ils défiaient toutes les armées des Néphites et des Lamanites ; et ils firent tomber une grande crainte sur le peuple sur toute la surface du pays.

33. Oui, car ils se rendaient en de nombreuses parties du pays et y apportaient de grandes destructions ; oui, tuaient beaucoup de gens et en emmenaient d'autres captifs dans le désert, oui, et plus particulièrement leurs femmes et leurs enfants.

34. Or, cette grande calamité que le peuple s'était attirée par ses iniquités, le porta à se souvenir du Seigneur son Dieu.

---

i, voir *i*, 2 Né. 10.   *j*, vers. 25.   † 13 AV. J.-C.   ‡‡ 12 AV. J.-C.   § 11 AV. J.-C

35. Et ainsi finit la quatre-vingt-unième année du règne des juges.

36. Et dans la quatre-vingt-deuxième année, ils commencèrent encore à oublier le Seigneur leur Dieu. Et dans la quatre-vingt-troisième année, ils commencèrent à s'enraciner profondément dans l'iniquité. Ils ne réformèrent pas leurs voies dans la quatre-vingt-quatrième année.

37. Et * dans la †quatre-vingt-cinquième année, ils s'enracinèrent de plus en plus profondément dans leur orgueil et dans leur iniquité ; et ainsi ils devenaient de nouveau mûrs pour la destruction.

38. Et ainsi finit la quatre-vingt-cinquième année.

CHAPITRE 12.

Fragilité humaine et bonté et puissance de Dieu. — Bénis sont les pénitents. — Les hommes seront jugés selon leurs œuvres.

1. Nous pouvons voir par là combien est faux et inconstant le cœur des enfants des hommes ; oui, nous pouvons voir que le Seigneur, dans la grandeur de son infinie bonté, bénit et rend prospères ceux qui mettent leur confiance en lui.

2. Oui, et nous pouvons voir qu'au moment même où il répand la prospérité sur son peuple, en donnant de l'accroissement à ses champs, à son bétail et à ses troupeaux, en lui donnant de ᵃl'or, de l'argent et toutes sortes de choses précieuses de tout genre et de tout art ; lui épargnant la vie, le délivrant des mains de ses ennemis pour qu'ils ne lui fassent pas la guerre ; oui, faisant tout pour le bien-être et le bonheur de son peuple ; oui, c'est à ce moment-là qu'il s'endurcit le cœur, oublie le Seigneur son Dieu, foule aux pieds le Très-Saint — oui, et tout cela, à cause de son aisance et de son extrême prospérité.

3. Et ainsi nous voyons qu'à moins que le Seigneur ne châtie son peuple de nombreuses afflictions, oui, à moins qu'il ne le frappe de mort, de terreur, de famine et de toutes sortes de fléaux, il ne voudra pas se souvenir de lui.

4. O, combien insensés, combien vains, combien méchants et diaboliques, combien prompts à commettre l'iniquité, combien lents à pratiquer le bien, sont les enfants des hommes ; oui, combien prompts à écouter les paroles du malin et à mettre leur cœur dans les choses vaines du monde !

5. Oui, combien prompts à s'exalter dans l'orgueil ; oui, combien prompts à se vanter et à se livrer à toutes sortes d'iniquités ; et combien ils sont lents à se rappeler le Seigneur leur Dieu et à prêter l'oreille à ses conseils ; oui, combien ils sont lents à marcher dans les voies de la sagesse !

6. Voici, ils ne désirent pas que le Seigneur leur Dieu, qui les a créés, les gouverne et règne sur eux ; malgré sa grande bonté et sa miséricorde envers eux, ils méprisent ses conseils et ne veulent pas qu'il soit leur guide.

7. O combien est grand le néant des enfants des hommes ; oui, ils sont même moins que la poussière de la terre.

8. Car voici, la poussière de la terre se meut çà et là et s'entrouvre au commandement de notre grand Dieu éternel.

9. Oui, voici, à sa voix, les collines et les montagnes s'agitent et tremblent.

10. Et par la puissance de sa voix, elles sont fendues et deviennent planes, oui, même comme une vallée.

11. Oui, par la puissance de sa voix, toute la terre tremble.

---

a, voir *n*, 1 Né. 18.   † 7 ᴀᴠ. J.-C.

12. Oui, par la puissance de sa voix, les fondements s'ébranlent jusqu'au centre.

13. Oui, et s'il dit à la terre — Déplace-toi — elle est déplacée ;

14. Oui, s'il dit à la terre — Tu reculeras pour que cela ᵇallonge le jour de plusieurs heures — cela est fait ;

15. Et ainsi, selon sa parole, la terre recule et il semble aux hommes que le soleil s'arrête ; oui, voici, il en est ainsi, car assurément c'est la terre qui se meut, et non le soleil.

16. Et voici, aussi, s'il dit aux eaux du grand abîme — ᶜSoyez asséchées — cela se fait.

17. Voici, s'il dit à cette montagne — Sois élevée et ᵈviens tomber sur cette ville pour qu'elle soit ensevelie — voici, c'est fait.

18. Et voici, si un homme cache un trésor dans la terre, et que le Seigneur dise — ᵉQu'il soit maudit à cause de l'iniquité de celui qui l'a caché — voici, le trésor sera maudit.

19. Et si le Seigneur dit — Sois maudit afin que nul homme ne te retrouve, dorénavant et à jamais — voici, personne ne l'aura, dorénavant et à jamais.

20. Et voici, si le Seigneur dit à un homme — A cause de tes iniquités, tu seras ᶠmaudit pour toujours — ce sera fait.

21. Et si le Seigneur dit — A cause de tes iniquités, tu seras retranché de ᵍma présence — il fera qu'il en soit ainsi.

22. Et malheur à celui à qui il dira cela, car ce sera pour celui qui commettra l'iniquité et il ne pourra pas être sauvé. C'est pourquoi, le repentir a été déclaré pour que tous les hommes puissent être sauvés.

23. C'est pourquoi, bénis sont ceux qui veulent se repentir et écouter la voix du Seigneur leur Dieu, car ce sont eux qui seront sauvés.

24. Et puisse Dieu accorder, dans sa grande plénitude, que les hommes soient conduits au repentir et aux bonnes œuvres, pour être restaurés de grâce en grâce, selon leurs œuvres.

25. Je voudrais que tous les hommes fussent sauvés. Mais nous lisons qu'au grand et dernier jour il y en aura qui seront rejetés ; oui, qui seront jetés au dehors, oui, qui seront jetés ʰhors de la présence du Seigneur.

26. Oui, qui seront consignés à un état de ᶦmisère sans fin, en accomplissement des paroles qui disent : Ceux qui ont fait le bien auront la vie éternelle ; et ceux qui ont fait le mal auront la ʲdamnation sans fin. Et ainsi en est-il. Amen.

Prophéties de Samuel le Lamanite aux Néphites.

Chapitres 13 à 15 inclusivement.

CHAPITRE 13.

Samuel proclame ses prophéties du haut du mur de la ville. — L'épée de la justice tombera sur la quatrième génération. — Les villes néphites sont épargnées à cause des justes. — Le pays sera maudit. — Leurs trésors leur échapperont.

1. Et maintenant il arriva que dans la †quatre-vingt-sixième année, les Néphites restèrent dans leur méchanceté, oui, dans une grande méchanceté, tandis que les Lamanites s'appliquaient à garder strictement les commandements de Dieu, selon la ᵃloi de Moïse.

b, Jos. 10 : 12-14. 2 Rois 20 : 8-11. Es. 38 : 7, 8. Voir *2a*, Al. 30.   *c*, Es. 44 : 27. 51 : 10.   *d*, 3 Né. 8 : 10, 25. 9 : 5, 6, 8.   *e*, vers. 19. Héla. 3 : 17-23, 30-37. Morm. 1 : 17-19. 2 : 10-14. Eth. 14 : 1, 2.   *f*, voir *k*, Jacob 6.   *g*, vers. 25, 26. Voir *b*, 1 Né. 2.   *h*, voir *g*.   *i*, voir *m*, Jacob 6.   *j*, voir *m*, Jacob 6.   CHAP. 13 : *a*, voir *o*, 2 Né. 25.   † 6 AV. J.-C

2. Et * dans cette année, il y eut un nommé Samuel, un Lamanite, qui vint dans le *pays de Zarahemla et commença à prêcher au peuple. * Il prêcha, pendant de nombreux jours, la repentance au peuple ; et ils le chassèrent, et il était sur le point de rentrer dans son pays.

3. Mais la voix du Seigneur lui parvint, lui ordonnant de retourner et de prophétiser au peuple toutes les choses qui lui viendraient dans le cœur.

4. Et * on ne lui permit pas d'entrer dans la ville ; c'est pourquoi, il monta sur la muraille, étendit la main, éleva fortement la voix et prophétisa au peuple toutes les choses que le Seigneur lui mit dans le cœur.

5. Et il lui dit : Voici, moi, Samuel, Lamanite, je dis les paroles que le Seigneur me met dans le cœur ; et voici, il m'a mis dans le cœur de dire à ce peuple que l'épée de la justice est suspendue au-dessus de ce peuple ; et ʿquatre cents ans ne passeront point que l'épée de la justice ne tombe sur ce peuple.

6. Oui, une grande destruction attend ce peuple et elle vient assurément sur ce peuple, et rien ne peut sauver ce peuple si ce n'est le repentir et la foi au Seigneur Jésus-Christ, qui viendra sûrement dans le monde, qui souffrira beaucoup de choses et sera mis à mort pour son peuple.

7. Et voici, un ange du Seigneur me l'a déclaré et il a apporté de joyeuses nouvelles à mon âme. Et voici, je vous ai été envoyé pour vous le déclarer aussi, afin que vous ayez de bonnes nouvelles ; mais voici, vous ᵈn'avez pas voulu mè recevoir.

8. C'est pourquoi, ainsi dit le Seigneur : A cause de l'endurcissement du cœur du peuple des Né-

phites, à moins qu'ils ne se repentent, je leur retirerai ma parole et je leur ôterai mon Esprit, et je ne les supporterai pas plus longtemps, et je tournerai le cœur de leurs frères contre eux.

9. Et ʿquatre cents ans ne se passeront point que je ne les frappe ; oui, je les frapperai de l'épée, de la famine et de la peste.

10. Oui, je les visiterai dans ma colère ardente ; et il y en aura de la quatrième génération de vos ennemis qui vivront pour être témoins de votre entière destruction ; et cela arrivera, à moins que vous ne vous repentiez, dit le Seigneur ; et ceux de la quatrième génération seront les instruments de votre destruction.

11. Mais si vous voulez vous repentir et revenir au Seigneur votre Dieu, je détournerai ma colère, dit le Seigneur ; oui, ainsi dit le Seigneur, bénis sont ceux qui se repentiront et reviendront à moi, mais malheur à celui qui ne se repent pas.

12. Oui, ᶠmalheur à cette grande ville de Zarahemla ; car voici, c'est à cause des justes qu'elle est sauvée ; oui, malheur à cette grande ville, car je vois, dit le Seigneur, qu'il y en a beaucoup, oui, même la plus grande partie de cette grande ville, qui s'endurciront le cœur contre moi, dit le Seigneur.

13. Mais bénis sont ceux qui se repentiront, car je les épargnerai. Mais voici, s'il n'y avait les justes qui sont dans cette grande ville, voici, je ferais descendre sur elle le feu du ciel pour la détruire.

14. Mais voici, c'est à cause des justes qu'elle est épargnée. Mais voici, le temps vient, dit le Seigneur, que quand vous chasserez les justes de parmi vous, alors vous serez mûrs pour la destruction ; oui, malheur à cette grande ville à

---

cause de la perversité et des abominations qui sont en elle.

15. Oui, et malheur à la ^gville de Gidéon, pour la méchanceté et les abominations qui sont en elle.

16. Oui, et malheur à toutes les villes du pays environnant, qui sont possédées par les Néphites, à cause de la méchanceté et des abominations qui sont en elles.

17. Et voici, une ^hmalédiction viendra sur le pays, dit le Seigneur des armées, à cause du peuple qui se trouve dans le pays, oui, à cause de sa méchanceté et de ses abominations.

18. Et il arrivera, dit le Seigneur des armées, oui, notre grand et vrai Dieu, que quiconque cachera des trésors dans la terre ne les retrouvera plus, à cause de la grande malédiction du pays, à moins qu'il ne soit un homme juste et qu'il ne les cache dans le Seigneur.

19. Car je veux, dit le Seigneur, qu'ils cachent leurs trésors en moi ; et maudits soient ceux qui ne cachent pas leurs trésors en moi ; car nul ne cache ses trésors en moi, si ce n'est le juste ; et celui qui ne cache pas ses trésors en moi ⁱest maudit, et son trésor aussi, et nul ne le retrouvera à cause de la malédiction du pays.

20. Et le jour viendra où ils cacheront leurs trésors, parce qu'ils ont mis leur cœur dans les richesses ; et parce qu'ils ont mis leur cœur dans les richesses, je cacherai leurs trésors quand ils fuiront devant leurs ennemis ; parce qu'ils ne veulent point les cacher en moi, maudits soient-ils, eux et leurs trésors ; et en ce jour-là, ils seront frappés, dit le Seigneur.

21. Voici, peuple de cette grande ville, écoutez mes paroles ; oui, écoutez les paroles du Seigneur ; car voici, il dit que vous êtes maudits à cause de vos richesses, et que

vos richesses sont maudites aussi, parce que vous avez mis votre cœur en elles et que vous n'avez pas écouté les paroles de celui qui vous les a données.

22. Vous ne vous souvenez plus du Seigneur votre Dieu dans les bénédictions dont il vous a comblés ; mais vous vous souvenez toujours de vos richesses, non pour en remercier le Seigneur votre Dieu ; oui, votre cœur n'est pas ouvert au Seigneur, mais il est enflé d'un grand orgueil jusqu'à se vanter, s'enfler beaucoup, être envieux, se disputer, être malicieux, persécuter et assassiner, et commettre toutes sortes d'iniquités.

23. C'est pour cela que le Seigneur Dieu a fait tomber une malédiction sur le pays et aussi sur vos richesses, et cela à cause de vos iniquités.

24. Oui, malheur à ce peuple, parce que le temps est venu où vous ^jchassez les prophètes, vous moquez d'eux, les lapidez, les faites mourir et leur faites toutes sortes d'iniquités comme on faisait aux anciens jours.

25. Or, quand vous parlez, vous dites : Si nous avions vécu du temps de nos pères de jadis, nous n'aurions pas tué les prophètes, nous ne les aurions pas lapidés et chassés.

26. Voici, vous êtes pires qu'eux; car comme le Seigneur vit, si un prophète vient parmi vous, vous déclarer la parole du Seigneur, qui témoigne de vos péchés et de vos iniquités, vous êtes en colère contre lui ; vous le chassez et vous cherchez tous les moyens de le faire mourir ; oui, vous direz que c'est un faux prophète, que c'est un pécheur, qu'il est du diable, parce qu'il témoigne que vos œuvres sont mauvaises.

---

g, voir m, Al. 2.   h, voir e, Héla. 12.   i, voir e, Héla. 12.   j, vers. 26. Héla. 16 : 6.

27. Mais voici, si un homme vient parmi vous et dit : Faites ceci, il n'y a point là d'iniquité ; faites cela, et vous ne souffrirez pas ; oui, s'il vous dit : Marchez selon l'orgueil de votre cœur ; oui, marchez selon l'orgueil de vos yeux et faites tout ce que votre cœur désire — et si un homme vient parmi vous et dit ceci, vous le recevrez et vous direz que c'est un prophète.

28. Oui, vous l'exalterez, vous lui donnerez de vos biens, vous lui donnerez de votre or et de votre argent, et vous le couvrirez de vêtements somptueux ; et parce qu'il vous adresse des paroles flatteuses et qu'il vous dit que tout est bien, vous ne trouvez rien à redire sur lui.

29. O génération méchante et perverse ; peuple endurci et obstiné, combien de temps pensez-vous que le Seigneur vous supportera ? Oui, combien de temps souffrirez-vous d'être guidés par des guides insensés et aveugles ? Oui, combien de temps préférerez-vous les ténèbres à la lumière ?

30. Oui, voici, la colère du Seigneur est déjà allumée contre vous ; voici, [k]il a maudit le pays à cause de votre iniquité.

31. Et voici, le temps vient où il maudit vos richesses ; elles vous [l]glissent entre les doigts de sorte que vous ne pouvez les tenir ; et aux jours de votre pauvreté, vous ne pouvez les retenir.

32. Oui, aux jours de votre pauvreté, vous invoquerez le Seigneur ; mais vous crierez en vain, car votre désolation est déjà venue sur vous, et votre destruction est assurée ; et alors vous pleurerez et vous hurlerez en ce jour, dit le Seigneur des armées. Et alors vous vous lamenterez et vous direz :

33. [m]O si je m'étais repenti, si je n'avais tué, lapidé et chassé les prophètes. Oui, vous direz en ce jour : O si nous nous étions souvenus du Seigneur notre Dieu, au jour où il nous a donné nos richesses, alors elles ne nous auraient pas glissé des mains pour que nous les perdions ; car voici, nos richesses nous ont quittés.

34. Voici, nous posons un outil ici, et le lendemain il est parti, et voici, nos épées nous sont enlevées le jour où nous les cherchons pour la bataille.

35. Oui, nous avons caché nos trésors, et ils nous ont glissé des mains à cause de la malédiction du pays.

36. O si nous nous étions repentis au jour où la parole du Seigneur vint à nous ; car voici, la terre est maudite, et [n]toutes choses nous échappent, et nous ne pouvons les retenir.

37. Voici, nous sommes entourés de [o]démons, oui, nous sommes environnés par les anges de celui qui a cherché à détruire notre âme. Voici, nos iniquités sont grandes. O Seigneur, ne peux-tu détourner de nous ta colère ? Ce sera là votre langage en ces jours-là.

38. Mais voici, vos [p]jours d'épreuve sont passés ; vous avez différé le jour de votre salut jusqu'à ce qu'il soit éternellement trop tard, et [q]votre destruction est assurée ; oui, car vous avez recherché, tous les jours de votre vie, ce que vous ne pouviez obtenir ; et vous avez recherché le bonheur en commettant l'iniquité, chose qui est [r]contraire à la nature de cette justice qui est en notre grand Chef Eternel.

39. O peuple du pays, si vous vouliez écouter mes paroles ! Je

---

k, voir e, Héla. 12.   l, vers. 33-37. Morm. 1 : 17-19. Voir e, Héla. 12.   m, Morm. 2 : 10-15.   n, voir l.   o, Morm. 2 : 10.   p, Morm. 2 : 13-15.   q, Morm. 2 : 15. r, Al. 41 : 10-12.

prie que la colère du Seigneur se détourne de vous, que vous vous repentiez et que vous soyez sauvés.

CHAPITRE 14.

Samuel le Lamanite prédit le Christ. — Le signe de la naissance du Christ sera donné dans cinq ans. — Le signe de sa mort également prédit.

1. Et * Samuel le Lamanite prophétisa bien d'autres choses qui ne peuvent être écrites.

2. Et voici, il leur dit : Voici, je vous donne un signe ; encore *cinq ans, et voici, le Fils de Dieu vient racheter tous ceux qui croiront à son nom.

3. Et voici, je vous donnerai ceci comme signe au moment de sa venue ; car voici, il y aura de grandes lumières dans les cieux, au point que la nuit qui précédera sa venue, il n'y aura *pas de ténèbres, en sorte qu'il semblera à l'homme qu'il fait jour.

4. C'est pourquoi, il y aura un jour, une nuit et un jour, comme si c'était un jour sans nuit ; et ce sera pour vous un signe ; car vous verrez le lever du soleil et son coucher ; c'est pourquoi, on saura avec certitude qu'il y aura deux jours et une nuit ; néanmoins, la nuit ne sera pas assombrie ; et ce sera la nuit qui précédera sa naissance.

5. Et voici, une *nouvelle étoile se lèvera, telle que vous n'en avez jamais vue, et cela aussi vous sera un signe.

6. Et voici, ce n'est pas tout, il y aura *beaucoup de signes et de prodiges dans le ciel.

7. Et il arrivera que vous serez tous stupéfaits et étonnés, à tel point que vous *tomberez à terre.

8. Et * quiconque croira au Fils de Dieu aura la vie éternelle.

9. Et voici, le Seigneur m'a *commandé, par son ange, de venir vous dire cette chose ; oui, il m'a commandé de vous prophétiser ces choses ; oui, il m'a dit : Crie à ce peuple : Repentez-vous et préparez la voie du Seigneur.

10. Et maintenant, parce que je suis un Lamanite et que je vous ai dit les paroles que le Seigneur m'a commandé de vous adresser, et parce que c'était dur à entendre, vous êtes irrités contre moi, cherchez à m'ôter la vie et m'avez *chassé de parmi vous.

11. Et vous entendrez mes paroles, car c'est dans ce but que je suis monté *sur les murailles de cette ville, afin que vous entendiez et soyez au courant des jugements de Dieu qui vous attendent à cause de vos iniquités et que vous connaissiez aussi les conditions du repentir ;

12. Et afin que vous soyez au courant de la venue de Jésus-Christ, le Fils de Dieu, le *Père du ciel et de la terre, le Créateur de toutes choses depuis le commencement ; et afin que vous connaissiez les signes de sa venue pour que vous croyiez en son nom.

13. Et si vous croyez en son nom, vous vous repentirez de tous vos péchés, pour que vous en ayez de cette manière la rémission par ses mérites.

14. Et voici, je vous donne encore un autre signe, oui, un signe de sa mort.

15. Car il doit sûrement mourir pour que le salut arrive ; oui, il lui convient et il est expédient qu'il meure, pour réaliser la *résurrection des morts, afin que, par là, les hommes puissent être amenés dans la présence du Seigneur.

16. Oui, voici, cette mort réa-

---

a, 3 Né. 1 : 5-21.   *b*, vers. 4. 3 Né. 1 : 8. 13-20.   *c*, 3 Né. 1 : 21.   *d*, 3 Né. 1 : 20. 2 : 1-3.   *e*, 3 Né. 1 : 16, 17.   *f*, Héla. 13 : 3, 7.   *g*, Héla. 13 : 2.   *h*, Héla. 13 : 4.   *i*, Mos. 3 : 8. 15 : 4. Al. 11 : 39. 3 Né. 9 : 15. Eth. 4 : 7.   *j*, voir *d*, 2 Né. 2.   VERS 6 AV. J.-C.

lise la résurrection et rachète [k]toute l'humanité de la première mort — de cette mort spirituelle ; car toute l'humanité, étant retranchée de la présence du Seigneur par la chute d'Adam, est considérée comme morte, [l]tant aux choses temporelles qu'aux choses spirituelles.

17. Mais voici, la résurrection du Christ rachète l'humanité, oui, [m]même toute l'humanité et la ramène dans la présence du Seigneur.

18. Oui, et elle engendre l'état qui permet le repentir, de sorte que quiconque se repent ne sera pas abattu et jeté au feu ; mais quiconque ne se repent pas, est abattu et jeté au feu ; et une mort spirituelle, oui, une seconde mort vient de [n]nouveau sur lui, car il est [o]de nouveau retranché des choses de la justice.

19. C'est pourquoi, repentez-vous, repentez-vous, de crainte que connaissant ces choses et ne les faisant pas, vous ne souffriez de tomber sous la condamnation et que vous ne subissiez [p]cette seconde mort.

20. Mais voici, comme je vous ai [q]parlé d'un autre signe, du signe de sa mort, voici, le jour où il subira la mort, [r]le soleil sera obscurci et refusera de vous donner sa lumière, ainsi que la lune et les étoiles ; et il n'y aura pas de lumière sur la surface du pays, même depuis le temps où il subira la mort, pendant l'espace de trois jours, jusqu'au moment où il ressuscitera des morts.

21. Oui, au moment où il rendra l'esprit, [s]il y aura des tonnerres et des éclairs pendant de nombreuses heures ; et la terre s'agitera et tremblera ; et les [t]rochers qui sont sur la surface de cette terre, qui sont aussi bien au-dessus de la terre qu'au-dessous, que vous savez être solides en ce temps-ci et dont la plus grande partie est une seule masse solide, seront brisés.

22. Oui, ils seront fendus et on les [u]trouvera désormais remplis de fentes et de crevasses, en fragments brisés, sur toute la surface de la terre, oui, aussi bien au-dessus de la terre qu'au-dessous.

23. Et voici, il y aura de grandes [v]tempêtes, et beaucoup de montagnes seront [w]abaissées comme des vallées, et il y aura beaucoup de lieux que l'on appelle vallées qui deviendront des montagnes de grande hauteur.

24. Beaucoup de [x]grands-routes seront rompues ; et beaucoup de [y]villes deviendront désolées.

25. Et [z]beaucoup de tombeaux s'ouvriront et rendront beaucoup de leurs morts et [2a]beaucoup de saints apparaîtront à un grand nombre.

26. Et voilà ce que l'ange m'a dit ; et il m'a dit qu'il y aurait des tonnerres et des éclairs pendant l'espace de [2b]nombreuses heures.

27. Et il m'a dit que ces choses arriveraient durant le temps des éclairs, du tonnerre et de la tempête, et que les ténèbres couvriraient toute la surface de la terre pendant trois [2c]jours.

28. L'ange m'a dit que beaucoup verront des choses plus grandes que celles-là, afin qu'ils croient que ces signes et ces prodiges arriveront sur toute la surface de ce pays, afin qu'il n'y ait aucune cause d'incrédulité parmi les enfants des hommes —

29. Et cela, afin que quiconque

k, voir j, 2 Né. 9.   l, voir b et c, 2 Né. 2.   m, voir j, 2 Né. 9.   n, voir p, Al. 12.   o, voir q, Al. 12.   p, voir p, Al. 12.   q, vers. 14.   r, voir i, 1 Né. 19. s, vers. 26. 27. 1 Né. 12 : 4. 19 : 11. 12. 3 Né. 8 : 5-7, 19.   t, 1 Né. 19 : 12. 3 Né. 8 : 18. 10 : 9.   u, 3 Né. 8 : 18.   v, 1 Né. 19 : 11. 3 Né. 8 : 6, 12, 19. 10 : 14. w, 1 Né. 12 : 4. 19 : 11. 3 Né. 8 : 10-19.   x, 3 Né. 8 : 13.   y, 1 Né. 12 : 4. 3 Né. 8 : 8-10, 14, 24, 25. 9 : 3-12. 10 : 7.   z, voir g, Jacob 4.   2a, 3 Né. 23 : 7-13. 2b, voir s.   2c, voir i, 1 Né. 19.   VERS 6 AV. J.-C.

croira sera sauvé, et que quiconque ne voudra pas croire subisse un juste jugement ; et de plus, afin que, s'ils sont condamnés, ils s'attirent leur propre condamnation.

30. Et maintenant, souvenez-vous, souvenez-vous, mes frères, que quiconque périt, périt à lui-même et que quiconque commet l'iniquité, la commet à lui-même ; car voici, vous êtes [2d]libres, il vous est permis d'agir par vous-mêmes. Car voici, Dieu vous a donné la connaissance et il vous a faits libres.

31. Il vous a donné le pouvoir de discerner le bien du mal, et il vous a donné le pouvoir de choisir la vie ou la mort ; et vous pouvez faire le bien, et être [2e]restaurés à ce qui est bien, ou faire que ce qui est bien vous soit restauré ; ou vous pouvez faire le mal, et faire que ce qui est mal vous soit restauré.

CHAPITRE 15.

Samuel le Lamanite continue ses avertissements. — Un reste de son peuple sera préservé. — Les Néphites seront entièrement détruits à moins qu'ils ne se repentent.

1. Et maintenant, mes frères bien-aimés, voici, je vous déclare que si vous ne vous repentez, vos [a]maisons seront laissées dans la désolation.

2. Oui, à moins de vous repentir, vos femmes auront grand sujet de se lamenter le jour où elles allaiteront ; car vous essayerez de fuir, et il n'y aura aucun lieu de refuge ; oui, et malheur à celles qui seront enceintes, car elles seront pesantes et ne pourront fuir ; c'est pourquoi, elles seront foulées aux pieds et seront abandonnées pour périr.

3. Oui, malheur à ce peuple qu'on appelle le peuple de Néphi, à moins qu'il ne se repente, quand il verra tous ces signes et tous ces prodiges qui lui seront montrés ; car voici, il a été un peuple choisi du Seigneur ; oui, le peuple de Néphi, il l'a aimé et il l'a aussi châtié ; oui, au jour de ses iniquités, il l'a châtié, parce qu'il l'aimait.

4. Mais voici, mes frères, il a haï les Lamanites, parce que leurs œuvres ont été sans cesse mauvaises, et cela à cause de l'iniquité de la [b]tradition de leurs pères. Mais voici, le salut leur est venu par la prédication des Néphites ; et c'est dans ce but que le Seigneur a prolongé leurs jours.

5. Et je voudrais que vous voyiez que la plus grande partie d'entre eux sont dans la voie de leur devoir, qu'ils marchent avec circonspection devant Dieu et s'appliquent à garder ses commandements, ses statuts et ses jugements, selon la [c]loi de Moïse.

6. Oui, je vous dis que la plupart le font et ils s'efforcent avec une diligence infatigable d'amener le reste de leurs frères à la connaissance de la vérité ; c'est pourquoi il y en a beaucoup qui s'ajoutent chaque jour à leur nombre.

7. Et voici, vous savez par vous-mêmes, car vous en avez été témoins, que tous ceux qui sont amenés à la connaissance de la vérité et à reconnaître que les traditions de leurs pères sont [d]perverses et abominables, et sont conduits à croire aux saintes Ecritures, oui, aux prophéties des saints prophètes qui sont écrites, ce qui les amène à la foi au Seigneur et au repentir, foi et repentir qui produisent un changement dans leur cœur —

8. C'est pourquoi, tous ceux qui en sont venus là, vous le savez par vous-mêmes, sont fermes et inébranlables dans la foi, et dans la chose qui les a rendus libres.

2d, voir l, 2 Né. 2.   2e, Al. 41.   CHAP. 15 : a, voir y, Héla. 14.   b, voir n, Jacob 7.   c, voir o, 2 Né. 25.   d, voir n, Jacob 7.   VERS 6 AV. J.-C.

9. Vous savez aussi qu'ils ont *enterré leurs armes de guerre ; et ils n'osent les reprendre dans la crainte de pécher ; oui, vous pouvez voir qu'ils craignent de pécher — car voici, ils se laisseront fouler aux pieds et *tuer par leurs ennemis, et ils ne lèveront pas l'épée contre eux ; et cela, à cause de leur foi au Christ.

10. Et maintenant, à cause de leur fermeté quand ils croient en ce en quoi ils croient, car, à cause de leur fermeté, une fois qu'ils ont reçu la lumière, voici, le Seigneur les bénira et prolongera leurs jours, malgré leur iniquité —

11. Oui, même s'ils tombent dans l'incrédulité, le Seigneur *prolongera leurs jours jusqu'à ce qu'arrive le temps prédit par nos pères, et également par le prophète *Zénos et par beaucoup d'autres prophètes, touchant la restauration de nos frères, les Lamanites, à la connaissance de la vérité —

12. Oui, je vous déclare que les *promesses du Seigneur ont été faites à nos frères, les Lamanites, pour les derniers temps ; et malgré les nombreuses afflictions qu'ils subiront, malgré qu'ils seront *chassés çà et là sur la surface de la terre et qu'ils seront chassés, frappés et dispersés, n'ayant point de lieu de refuge, le Seigneur leur sera miséricordieux.

13. Et il arrivera, selon la prophétie, qu'ils seront ramenés à la vraie connaissance qui est la connaissance de leur Rédempteur, leur grand et *véritable berger et qu'ils seront comptés parmi ses brebis.

14. C'est pourquoi, je vous le dis, ce sera mieux pour eux que pour vous, à moins que vous ne vous repentiez.

15. Car voici, si les œuvres puissantes qui vous ont été montrées

leur avaient été manifestées, oui, à eux qui ont sombré dans l'incrédulité à cause des traditions de leurs pères, vous pouvez voir par vous-mêmes qu'ils ne seraient jamais retombés dans l'incrédulité.

16. C'est pourquoi, dit le Seigneur, je ne les détruirai pas entièrement ; mais au jour arrêté dans ma sagesse, je ferai qu'ils *reviendront à moi, dit le Seigneur.

17. Et maintenant, voici, dit le Seigneur, touchant le peuple des Néphites, s'ils ne se repentent et ne s'appliquent à faire ma volonté, je les *détruirai complètement, dit le Seigneur, à cause de leur incrédulité, malgré les nombreuses œuvres puissantes que j'ai faites parmi eux ; et aussi sûrement que le Seigneur vit, ces choses s'accompliront, dit le Seigneur.

CHAPITRE 16.

Certains des Néphites se joignent à l'Eglise de Christ. — La majorité rejette le témoignage de Samuel. — Ils essayent de l'assaillir et de le lier. — Il leur échappe et s'en retourne dans son propre pays. — Néphi continue son ministère. — Le scepticisme abonde.

1. Or * il y en eut beaucoup qui entendirent les paroles que Samuel le Lamanite prononça du haut des *murailles de la ville. Et tous ceux qui crurent à sa parole, se mirent à la recherche de Néphi ; et quand ils l'eurent trouvé, ils lui confessèrent leurs péchés, sans nier, désirant être *baptisés dans le Seigneur.

2. Mais tous ceux qui ne crurent point aux paroles de Samuel, furent irrités contre lui et lui jetèrent des pierres sur la muraille et beaucoup lui lancèrent des flèches comme il se tenait sur la muraille. Mais l'Esprit du Seigneur était avec lui, de sorte qu'ils ne purent l'attein-

dre de leurs pierres ni de leurs flèches.

3. Or, quand ils virent qu'ils ne pouvaient l'atteindre, un plus grand nombre crurent à ses paroles, de sorte qu'ils allèrent à Néphi pour être baptisés.

4. Car voici, Néphi baptisait, prophétisait, prêchait et proclamait le repentir au peuple ; montrant des signes et des prodiges ; faisant des miracles parmi le peuple, afin qu'il sût que le Christ viendrait bientôt —

5. Lui parlant de choses qui devaient bientôt arriver, afin qu'au jour de leur accomplissement il sût et se souvînt qu'elles lui avaient été annoncées d'avance, pour qu'il crût ; c'est pourquoi, tous ceux qui crurent aux paroles de Samuel, allèrent à Néphi pour être baptisés ; car ils venaient à lui, se repentant et confessant leurs péchés.

6. Mais la plus grande partie d'entre eux ne crurent pas aux paroles de Samuel ; c'est pourquoi, quand ils virent qu'ils ne pouvaient ᶜl'atteindre de leurs pierres et de leurs flèches, ils crièrent à leurs capitaines, disant : Saisissez cet homme et liez-le, car il a un démon ; et à cause du pouvoir du démon qui est en lui, nous ne pouvons le frapper de nos pierres et de nos flèches ; c'est pourquoi, prenez-le, et liez-le, et emmenez-le.

7. Et comme on allait se saisir de lui, voici, il se jeta du haut de la ᵈmuraille et s'enfuit de leur pays, oui, même dans sa patrie, où il commença à prêcher et à prophétiser parmi son propre peuple.

8. Et voici, on n'entendit plus jamais parler de lui parmi les Néphites ; et tel était alors l'état des affaires du peuple.

9. Ainsi finit la quatre-vingt-sixième année du règne des juges sur le peuple de Néphi.

10. Et ainsi finit aussi la †quatre-vingt-septième année du règne des juges, la plus grande partie du peuple persistant dans son orgueil et dans sa méchanceté, et la moindre marchant avec plus de circonspection devant Dieu.

11. Telle fut aussi la situation dans la quatre-vingt-huitième année du règne des juges.

12. Et il n'y eut que peu d'altération dans les affaires du peuple, si ce n'est que le peuple commença à s'endurcir encore plus dans l'iniquité et à faire de plus en plus ce qui était contraire aux commandements de Dieu, dans la quatre-vingt-neuvième année du règne des juges.

13. Mais dans la ‡‡quatre-vingt-dixième année du règne des juges, de grands signes et de grands prodiges furent donnés au peuple ; et les prophéties commencèrent à recevoir leur accomplissement.

14. Et des ᵉanges apparurent à des hommes, à des hommes sages et leur annoncèrent les bonnes nouvelles d'une grande joie ; ainsi, dans cette année, les Ecritures commencèrent à s'accomplir.

15. Néanmoins, le peuple commença à s'endurcir le cœur, oui, tout le monde, à l'exception de la partie la plus croyante, tant Néphites que Lamanites ; ils commencèrent à se fier à leurs propres forces et à leur propre sagesse, disant :

16. Parmi tant de choses, ils peuvent avoir deviné juste pour certaines ; mais voici, nous savons que toutes ces œuvres grandes et merveilleuses dont on a parlé ne peuvent arriver.

17. Et ils commencèrent à raisonner et à se disputer entre eux, disant :

18. Ce n'est pas raisonnable qu'il vienne un tel être qu'un Christ ; s'il en est ainsi et s'il est le Fils de

_c_, vers. 2.   _d_, Héla. 13 : 4.   _e_, Al. 13 : 26.   † 5 ᴀᴠ. J.-C.   ‡‡ 2 ᴀᴠ. J.-C.

Dieu, le ʲPère du ciel et de la terre, comme il a été dit, pourquoi ne se montre-t-il pas à nous aussi bien qu'à ceux qui seront à Jérusalem ?

19. Oui, pourquoi ne se montre-t-il pas dans ce pays aussi bien que dans le pays de Jérusalem ?

20. Mais voici, nous savons que c'est là une tradition perverse, qui nous a été transmise par nos pères, pour nous faire croire à une chose grande et merveilleuse qui doit arriver, non parmi nous, mais dans un pays lointain, un pays que nous ne connaissons pas ; c'est pourquoi, ils peuvent nous tenir dans l'ignorance ; car nous ne pouvons voir, de nos propres yeux, si elle est vraie.

21. Et ils inventeront, par la ruse et les arts mystérieux du malin, quelque grand mystère que nous ne pouvons comprendre, ce qui nous abaissera à être les serviteurs de leurs paroles, et aussi leurs serviteurs, car nous dépendons d'eux

pour l'enseignement de la parole ; et ainsi, ils nous garderont dans l'ignorance tous les jours de notre vie, si nous leur cédons.

22. Et le peuple imagina bien d'autres choses folles et vaines en son cœur ; et il fut très troublé, car Satan l'incitait constamment à commettre l'iniquité ; oui, il allait çà et là, répandant des rumeurs et des querelles sur toute la surface du pays, pour endurcir le cœur du peuple contre ce qui était bon et contre ces choses qui devaient venir.

23. Et ᵍmalgré les signes et les prodiges qui paraissaient parmi le peuple du Seigneur, malgré les nombreux miracles qui se faisaient, Satan obtint un grand pouvoir sur le cœur du peuple dans tout le pays.

24. Ainsi finit la †quatre-vingt-dixième année du règne des juges sur le peuple de Néphi.

25. Et ainsi finit le livre d'Hélaman, suivant les annales d'Hélaman et de ses fils.

---

3 NEPHI

LE LIVRE DE NEPHI

FILS DE NEPHI QUI ETAIT LE FILS D'HELAMAN

Et Hélaman était le fils d'Hélaman, fils d'Alma, qui était le fils d'Alma, descendant de Néphi, fils de Léhi qui sortit de Jérusalem, dans la première année du règne de Sédécias, roi de Juda.

CHAPITRE 1.

Départ de Néphi, fils d'Hélaman. — Apparition des signes de la naissance du Sauveur. — Résultats opposés. — Encore la bande de Gadianton.

1. * La quatre-vingt-onzième ††année s'était écoulée ; il y avait ᵉsix cents ans que Léhi avait quitté Jérusalem, et c'était l'année où

Lachonéus était grand-juge et gouverneur du pays.

2. Et Néphi, le fils d'Hélaman, était parti du pays de ᵇZarahemla, confiant à son fils Néphi, qui était son fils aîné, les ᶜplaques d'airain et toutes les annales qui avaient été conservées, et ᵈtoutes les choses qui avaient été considérées comme sacrées depuis le départ de Léhi de Jérusalem.

---

f, voir *a*, Mos. 3.   *g*, vers. 13.   **CHAP.** 1 : *a*, 1 Né. 10 : 4.   *b*, Om. 13. *c*, voir *a*, 1 Né. 3.   *d*, Al. 37.   † 1 AV. J.-C.   †† 1 AP. J.-C.

3. Il quitta ensuite le pays, et personne ne sait [e]où il est allé, et Néphi, son fils, garda les annales à sa place, oui, les annales de ce peuple.

4. * Au commencement de la quatre-vingt-douzième année, voici, les prophéties des prophètes commencèrent à s'accomplir encore davantage ; car de [f]plus grands signes et de plus grands miracles commencèrent à se faire parmi le peuple.

5. Mais il y en eut qui commencèrent à dire que le temps était passé pour l'accomplissement des paroles [g]annoncées par Samuel le Lamanite.

6. Et ils se mirent à se réjouir à propos de leurs frères, disant : Voici, le temps est passé, et les paroles de Samuel ne se sont pas accomplies ; donc votre joie et votre foi touchant cette chose ont été vaines.

7. Et * ils causèrent un grand tumulte dans tout le pays ; et les gens qui croyaient commencèrent à se chagriner beaucoup, craignant que ces choses, dont il avait été parlé, n'arrivassent pas.

8. Mais voici, ils attendaient avec constance [h]ce jour, et cette nuit, et ce jour qui devaient être comme un seul jour comme s'il n'y avait pas de nuit, afin d'être assurés que leur foi n'avait pas été vaine.

9. Or, il arriva que les incrédules fixèrent un jour où tous ceux qui croyaient en ces traditions [i]seraient mis à mort, si le [j]signe donné par Samuel, le prophète, ne se montrait pas.

10. Quand Néphi, le fils de Néphi, vit cette méchanceté de son peuple, il en eut le cœur extrêmement attristé.

11. * Il sortit, s'inclina jusqu'à terre et implora son Dieu avec ferveur pour son peuple, oui, pour ceux qui allaient être [k]massacrés à cause de leur foi en la tradition de leurs pères.

12. * Il implora le Seigneur avec ferveur tout le jour ; et voici, la voix de Dieu vint à lui, disant :

13. Lève la tête et prends courage ; car voici, le temps est proche, et [l]cette nuit le signe sera donné, et demain je viendrai au monde pour montrer aux hommes que j'accomplirai tout ce que j'ai fait annoncer par la bouche de mes saints prophètes.

14. Voici, je viens parmi les miens pour accomplir toutes les choses que j'ai fait connaître aux enfants des hommes [m]depuis la fondation du monde et pour faire la volonté du Père et du Fils — [n]du Père à cause de moi, et du [o]Fils à cause de ma chair. Et voici, le temps est proche, et [p]cette nuit le signe sera donné.

15. Et il arriva que les paroles données à Néphi s'accomplirent telles qu'elles avaient été annoncées ; car voici, au [q]coucher du soleil il n'y eut pas de ténèbres ; et le peuple commença à s'étonner de ce qu'il n'y avait point de ténèbres quand la nuit vint.

16. Et un grand nombre de ceux qui n'avaient pas cru aux paroles des prophètes, [r]tombèrent par terre et devinrent comme morts, car ils savaient que le [s]grand plan de destruction qu'ils avaient tramé contre ceux qui croyaient aux paroles des prophètes avait été déjoué ; car le signe qui avait été donné était déjà là.

17. Et ils commencèrent à savoir que le Fils de Dieu paraîtrait bientôt ; oui, enfin, tout le peuple sur toute la surface de la terre, de l'est

---

e, 3 Né. 2 : 9. *f*, Héla. 16 : 13, 23. *g*, Héla. 14 : 2-7. *h*, Héla. 14 : 3, 4. *i*, vers. 11, 16. *j*, Héla. 14 : 2-7. *k*, vers. 9, 16. *l*, vers. 8. Héla. 14 : 3, 4. *m*, voir *d*, Mos. 4. *n*, voir *c*, Mos. 15. *o*, voir *b*, Mos. 3. *p*, Héla. 14 : 3, 4. *q*, Héla. 14 : 3, 4. *r*, vers. 17. Héla. 14 : 7. *s*, vers. 9, 11. † 1 AP. J.-C.

à l'ouest, tant au ªpays du nord qu'au ªpays du sud, furent saisis d'un tel étonnement qu'ils ᵗtombèrent par terre.

18. Car ils savaient que les prophètes avaient témoigné de ces choses pendant de nombreuses années, et que le signe qui avait été donné était déjà là, et ils commencèrent à craindre à cause de leur iniquité et de leur incrédulité.

19. Et * il n'y eut pas ᵘ°d'obscurité pendant toute cette nuit, mais il faisait aussi clair qu'en plein midi. Et * le soleil se leva de nouveau le matin dans son ordre naturel ; et ils surent que c'était le jour où naîtrait le Seigneur, parce que le signe en avait été donné.

20. Et c'était arrivé, oui, absolument tout était arrivé selon les paroles des prophètes.

21. Et * une ˣnouvelle étoile apparut selon la parole.

22. Et * dès lors, Satan commença à envoyer des mensonges parmi le peuple pour endurcir les cœurs, afin de les empêcher de croire à ces signes et à ces prodiges qu'ils avaient vus ; mais, malgré ces mensonges et ces tromperies, la majorité du peuple crut et se convertit au Seigneur.

23. Et Néphi et beaucoup d'autres allèrent parmi le peuple, ᵞbaptisant du baptême de repentance, grâce auquel il y eut une grande rémission de péchés. Et ainsi le peuple recommença à avoir de la paix dans le pays.

24. Et il n'y eut pas de querelles, si ce n'est qu'il y en eut quelques-uns qui commencèrent à prêcher, s'efforçant de prouver par les Ecritures qu'il n'était plus expédient de suivre la loi de Moïse. Mais ils s'égaraient en cela, n'ayant pas compris les Ecritures.

25. Mais * ils furent bientôt convertis et furent convaincus qu'ils

étaient dans l'erreur, car on leur fit connaître que la ᶻloi n'était pas encore accomplie, et qu'il fallait qu'elle fût accomplie en tous points ; oui, la parole leur vint qu'il fallait qu'elle fût accomplie ; oui, que pas un iota ni un trait de lettre ne passerait avant que tout fût accompli : c'est pourquoi, dans cette même année, ils furent amenés à reconnaître leur erreur et à confesser leurs fautes.

26. Ainsi finit la quatre-vingt-douzième année, apportant de joyeuses nouvelles au peuple à cause de l'accomplissement des signes selon les paroles de la prophétie de tous les saints prophètes.

27. * La †quatre-vingt-treizième année passa aussi en paix, si ce n'est pour les voleurs de ²ªGadianton qui habitaient les montagnes et infestaient le pays ; car ils avaient fortifié leurs repaires et leurs lieux secrets de telle sorte, que le peuple ne pouvait les vaincre ; c'est pourquoi ils commirent beaucoup de meurtres et firent de grands massacres parmi le peuple.

28. * Dans la quatre-vingt-quatorzième année, ils commencèrent à augmenter considérablement, parce que beaucoup de dissidents néphites se réfugiaient parmi eux, ce qui donna beaucoup de chagrin aux Néphites qui restaient dans le pays.

29. Et il existait aussi une cause de profond chagrin parmi les Lamanites ; car voici, ils avaient beaucoup d'enfants qui croissaient et commençaient à devenir forts avec les années, de sorte qu'ils devenaient leurs propres maîtres, et ils étaient entraînés par les mensonges et les paroles flatteuses de certains Zoramites, à se joindre à ces voleurs de Gadianton.

30. Ainsi les Lamanites étaient affligés aussi, et leur foi et leur

justice commencèrent à diminuer, à cause de la méchanceté de la génération montante.

CHAPITRE 2.

Dégénérescence des Néphites. — Lamanites blancs. — Les deux peuples s'unissent pour se défendre contre les voleurs et les meurtriers.

1. * Ainsi s'écoula la quatre-vingt-quinzième année. Le peuple commença à oublier ᵃces signes et ces prodiges qu'il avait entendus et à s'étonner de moins en moins devant un signe ou un prodige du ciel, au point qu'il commença à devenir dur de cœur et aveugle d'esprit et commença à douter de tout ce qu'il avait vu et entendu —

2. Imaginant l'une ou l'autre chose vaine en son cœur, se disant que tout cela était fait par des hommes et par le pouvoir du diable, pour égarer et tromper le cœur des gens ; et ainsi Satan s'emparait de nouveau du cœur des hommes au point qu'il leur aveuglait les yeux et les amenait à croire que la doctrine du Christ était une chose insensée et vaine.

3. Et * le peuple commença à s'enraciner dans la méchanceté et les abominations ; et il ne croyait pas qu'il lui serait encore donné de signes ou de prodiges ; et Satan allait partout, égarant le cœur du peuple, le tentant et lui faisant faire de grandes méchancetés dans le pays.

4. Ainsi passa la quatre-vingt-seizième année ; et la quatre-vingt-dix-septième année de même ; et la quatre-vingt-dix-huitième de même ; et la quatre-vingt-dix-neuvième année de même ;

5. Et cent ans avaient passé depuis les jours de ᵇMosiah, qui fut roi du peuple des Néphites.

6. Et six cent neuf ans avaient passé depuis que Léhi avait quitté Jérusalem.

7. Et neuf ans avaient passé depuis le moment où avait été donné le ᶜsigne dont les prophètes avaient parlé, et qui devait annoncer la naissance du Christ.

8. Les Néphites commencèrent à ᵈcompter leur temps à partir de cette période où le signe avait été donné, ou de la venue du Christ ; c'est pourquoi, neuf ans s'étaient écoulés.

9. Et Néphi, qui était le père de Néphi, qui avait charge des annales, n'était pas ᵉrevenu au pays de ᶠZarahemla, et on n'avait pu le retrouver nulle part dans tout le pays.

10. Et * le peuple demeurait dans la méchanceté en dépit des nombreuses prédications et prophéties qui lui étaient envoyées ; et ainsi passa aussi la dixième année ; et la onzième année passa aussi dans l'iniquité.

11. Et * dans la treizième année, il se mit à y avoir des guerres et des querelles dans tout le pays ; car les voleurs de ᵍGadianton étaient devenus si nombreux, tuaient tant de monde, avaient désolé tant de villes et avaient tellement répandu la mort et le carnage dans tout le pays, qu'il devint nécessaire que le peuple tout entier, tant les Néphites que les Lamanites, prît les armes contre eux.

12. C'est pourquoi, tous les Lamanites qui s'étaient convertis au Seigneur, s'unirent à leurs frères les Néphites et furent contraints, pour la sécurité de leur vie, de leurs femmes et de leurs enfants, de prendre les armes contre ces voleurs de Gadianton, oui, et ʰaussi pour le maintien de leurs droits, des privilèges de leur église, de leur culte, de leur indépendance et de leur liberté.

13. Et * avant que cette treizième année fût passée, les Néphites

---

a, Héla. 14 : 3-7. 3 Né. 1 : 8, 13-21.   *b*, Mos. 29 : 46, 47.   *c*, voir *a*.   *d*, vers. 7.
e, 3 Né. 1 : 2, 3.   *f*, Om. 13.   *g*, Héla. 2 : 11-13.   *h*, voir *m*, Mos. 29.

étaient menacés d'une entière destruction, à cause de cette guerre qui était devenue extrêmement cruelle.

14. Et il arriva que ces Lamanites qui s'étaient unis aux Néphites, furent comptés parmi les Néphites ;

15. Et ʻleur malédiction leur fut enlevée et leur peau devint ʲblanche comme celle des Néphites.

16. Et leurs jeunes garçons et leurs filles devinrent extrêmement beaux ; et ils furent comptés au nombre des Néphites et appelés Néphites. Ainsi finit la treizième année.

17. * Au commencement de la quatorzième année, la guerre continua entre ᵏles voleurs et le peuple de Néphi, et devint extrêmement cruelle ; cependant le peuple de Néphi eut quelques avantages sur les voleurs, au point qu'ils les repoussèrent hors de leurs terres dans les montagnes et dans leurs lieux secrets.

18. Ainsi finit la quatorzième année. Dans la †quinzième année, ils allèrent contre le peuple de Néphi ; et à cause de la méchanceté du peuple de Néphi et de ses nombreuses querelles et dissensions, les voleurs de Gadianton obtinrent sur lui beaucoup d'avantages.

19. Ainsi finit la quinzième année ; et ainsi le peuple était accablé de nombreuses afflictions ; et l'épée de la destruction était si bien suspendue au-dessus de lui, qu'il était sur le point d'être abattu par elle, et cela à cause de son iniquité.

CHAPITRE 3.

Lachonéus, gouverneur du pays, reçoit une épître de Giddianhi, le chef des voleurs. — Reddition exigée. — Lachonéus ignore l'exigence et se prépare à la défense.

1. * La seizième année après la venue du Christ, ᵃLachonéus, gou-

verneur du pays, reçut une épître du chef et gouverneur de cette bande de voleurs ; et tels étaient les mots qui étaient écrits, disant :

2. Lachonéus, très noble gouverneur en chef du pays, voici, je t'écris cette épître et te loue extrêmement à cause de ta fermeté et aussi de la fermeté de ton peuple, pour le maintien de ce que vous supposez être votre ᵇdroit et votre liberté ; oui, vous faites bonne contenance, comme si vous étiez protégés par la main d'un dieu pour la défense de votre liberté, de vos propriétés, de votre patrie ou de ce que vous appelez ainsi.

3. Et il me semble que c'est une pitié, très noble Lachonéus, que vous soyez assez insensés et assez vains pour penser pouvoir tenir tête à autant d'hommes braves que ceux qui sont sous mes ordres, qui sont actuellement sous les armes et attendent avec la dernière impatience le signal — Descendez attaquer les Néphites et détruisez-les.

4. Et moi, connaissant leur courage indomptable pour les avoir éprouvés sur le champ de bataille et sachant leur haine éternelle contre vous, à cause des nombreux torts que vous leur avez causés — c'est pourquoi, s'ils descendaient vous attaquer, ils vous frapperaient d'une complète destruction —

5. C'est pourquoi, j'ai écrit cette épître, la scellant de ma propre main, parce que j'éprouve de la sympathie pour votre bien-être, à cause de votre fermeté en ce que vous croyez être juste et de votre noble esprit sur le champ de bataille.

6. C'est pourquoi, je vous écris, désirant que vous cédiez à ce peuple qui est le mien, vos villes, vos terres et vos possessions, plutôt que de les voir vous attaquer avec l'épée et la destruction s'abattre sur vous.

7. Ou, en d'autres termes, rendez-vous à nous, unissez-vous à nous, soyez initiés à nos œuvres ^csecrètes, devenez nos frères, pour que vous soyez comme nous — non pas nos esclaves, mais nos frères et nos associés dans tout ce que nous possédons.

8. Et voici, si vous voulez faire cela, je vous jure avec serment que vous ne serez pas détruits ; mais si vous ne voulez pas le faire, je vous jure avec serment que dans un mois, à partir de demain, je donnerai l'ordre à mes armées de descendre contre vous et elles ne retiendront pas la main et ne vous épargneront pas, mais elles vous frapperont et laisseront tomber l'épée sur vous jusqu'à votre extinction.

9. Et voici, je suis Giddianhi ; et je suis gouverneur de cette ^dsociété secrète de Gadianton ; et je sais que cette société et ses œuvres sont bonnes ; et elles sont d'ancienne date, et elles nous ont été transmises.

10. Et je t'écris cette épître, à toi, Lachonéus, et j'espère que vous livrerez vos terres et vos possessions, sans effusion de sang, afin que ce peuple qui est le mien, qui s'est séparé de vous à cause de la méchanceté que vous avez manifestée en lui refusant ses droits au gouvernement, puisse recouvrer ses droits et le gouvernement, et à moins que vous ne fassiez ceci, je vengerai les torts qui lui ont été faits. Je suis Giddianhi.

11. Et * quand Lachonéus reçut cette épître, il fut extrêmement étonné de l'effronterie de Giddianhi à exiger la possession du pays des Néphites et de ses menaces contre le peuple de venger les torts de ceux à qui aucun tort n'avait été fait, si ce n'est qu'ils s'étaient fait tort à eux-mêmes en se séparant pour se joindre à ces voleurs pervers et abominables.

12. Maintenant voici, ce Lachonéus, le gouverneur, était un homme juste et les exigences et les menaces d'un voleur ne pouvaient l'effrayer ; c'est pourquoi, il ne fit pas attention à l'épître de Giddianhi, le gouverneur des voleurs, mais il fit prier son peuple pour implorer le Seigneur de lui donner de la force pour le moment où les voleurs descendraient l'attaquer.

13. Oui, il envoya une proclamation parmi tout le peuple, avec ordre de ^eréunir leurs femmes et leurs enfants, leur bétail et leurs troupeaux, et tous leurs biens excepté leurs terres, en un seul lieu.

14. Et il fit construire des ^ffortifications tout autour d'eux et la force devait en être extrêmement grande. Et il fit placer tout à l'entour des armées, tant de Néphites que de Lamanites ou de tous ceux qui étaient comptés parmi les Néphites, pour les garder nuit et jour contre les voleurs.

15. Oui, il leur dit : Comme le Seigneur vit, à moins que vous ne vous repentiez de vos iniquités et que vous n'imploriez le Seigneur, vous ne serez d'aucune manière délivrés des mains de ces ^gvoleurs de Gadianton.

16. Les paroles et les prophéties de Lachonéus furent si grandes et si merveilleuses, qu'elles remplirent tout le peuple de crainte ; et ils firent tous leurs efforts pour agir selon les paroles de Lachonéus.

17. * Lachonéus établit des capitaines en chef sur toutes les armées des Néphites pour les commander au moment où les voleurs descendraient du désert les attaquer.

---

c, voir i, 2 Né. 10.   d, voir i, 2 Né. 10.   e, vers. 22-24.   f, voir c, Al. 48.
g, Héla. 2 : 11-13.
16 AP. J.-C.

18. Alors, le capitaine principal parmi tous les capitaines et le commandant en chef des armées des Néphites fut nommé ; il s'appelait ʰGidgiddoni.

19. Or, c'était la coutume chez tous les Néphites de choisir pour leurs capitaines en chef (sauf à leurs époques de perversité), des hommes ayant l'esprit de révélation et de prophétie. C'est pourquoi, ce Gidgiddoni était un grand prophète parmi eux, comme l'était le grand-juge.

20. Le peuple dit à Gidgiddoni : Prie le Seigneur, et montons sur les montagnes et dans le désert, pour tomber sur les voleurs et les détruire sur leurs propres terres.

21. Mais Gidgiddoni lui répondit : le Seigneur vous en préserve ; car si nous montions contre eux, le Seigneur nous livrerait entre leurs mains ; c'est pourquoi, nous nous préparerons dans le centre de nos terres et réunirons toutes nos armées ; nous n'irons point contre eux, mais nous attendrons qu'ils marchent contre nous ; c'est pourquoi, comme le Seigneur vit, si nous faisons cela, il les livrera entre nos mains.

22. Et * dans la †dix-septième année, vers la fin de l'année, la proclamation de ⁱLachonéus était allée sur toute la surface du pays ; et ils avaient pris leurs ʲchevaux, leurs ᵏchariots, leur bétail, tous leurs troupeaux, leurs grains et tous leurs biens et s'avancèrent par milliers jusqu'à ce qu'ils fussent tous allés à l'endroit ˡdésigné pour le rassemblement, afin de se défendre contre leurs ennemis.

23. Et le pays qui fut désigné fut le ᵐpays de Zarahemla et le ⁿpays d'Abondance, qui, à la ligne

qui était entre le pays d'Abondance et le ᵒpays de Désolation.

24. Et il y eut des myriades de gens que l'on appelait Néphites qui se réunirent dans ce pays. Or, Lachonéus les avait fait rassembler dans le ᵖpays du sud, à cause de la grande malédiction qui frappait le ᵠpays du nord.

25. Et ils ʳse fortifièrent contre leurs ennemis ; et ils demeurèrent en un seul pays et en un seul corps, et ils craignaient les paroles prononcées par Lachonéus au point qu'ils se repentirent de tous leurs péchés et élevèrent leurs prières au Seigneur leur Dieu pour qu'il les délivrât au moment où leurs ennemis descendraient se battre contre eux.

26. Ils étaient extrêmement affligés à cause de leur ennemi. Et ˢGidgiddoni leur fit fabriquer des armes de guerre de toute ᵗespèce, et ils devaient être forts dans leur armement, leurs boucliers et leurs cuirasses, d'après ses instructions.

CHAPITRE 4.

Les voleurs battus et leur chef tué. — Son successeur, Zemnarihah est pendu. — Prouesses militaires de Gidgiddoni.

1. * Vers la fin de la dix-huitième année, ces armées de ᵃvoleurs s'étaient préparées à la bataille et commencèrent à descendre et à faire des sorties hors des collines, des montagnes du désert, de leurs forteresses et de leurs lieux secrets, et commencèrent à prendre possession des terres, tant celles qui étaient dans le pays du ᵇsud que celles qui étaient dans le pays du ᶜnord et commencèrent à prendre possession de toutes les terres qui avaient été ᵈdésertées par les Néphites et les villes qui étaient laissées désolées.

---

h, vers. 20, 21, 26. 3 Né. 4 : 13, 13, 24, 26.   i, 3 Né. 1 : 1.   j, voir m, 1 Né. 18. k, voir l, Al. 18.   l, vers. 13, 23, 24.   m, Om. 13.   n, voir 2k, Al. 22.   o, voir 2l, Al. 22.   p, voir n, Al. 46.   q, voir p, Al. 46.   r, voir c, Al. 48.   s, voir h. t, voir 2p, Al. 43.   CHAP. 4 : a, Héla. 2 : 11-13.   b, voir n, Al. 46.   c, voir p, Al. 46.   d, 3 Né. 3 : 13, 14, 22-24.   † 17 AP. J.-C.

2. Mais voici, il n'y avait ni bêtes sauvages, ni gibier sur ces terres qui avaient été désertées par les Néphites et il n'y avait de gibier pour les voleurs *que dans le désert.

3. Et les voleurs, faute de vivres, ne pouvaient subsister qu'au désert ; car les Néphites avaient laissé leurs terres désolées et avaient rassemblé leur bétail, leurs troupeaux et tous leurs biens et ils étaient en un *seul corps.

4. Il ne restait donc aux voleurs aucune occasion de piller et d'obtenir de la nourriture à moins d'en venir à une bataille ouverte contre les Néphites ; et les Néphites étaient en un seul corps, étaient très nombreux et s'étaient *réservé des provisions, des *chevaux et des troupeaux, afin de pouvoir subsister durant l'espace de sept ans, pendant lesquels ils avaient l'espoir de détruire les voleurs de la surface du pays ; ainsi s'écoula la dix-huitième année.

5. * Dans la dix-neuvième année, Giddianhi s'aperçut qu'il était expédient d'aller au combat contre les Néphites, car il ne leur restait plus aucun moyen de subsister, sinon par le pillage, le vol et le meurtre.

6. Et ils n'osaient pas se répandre sur la face du pays afin de pouvoir faire pousser du grain de peur que les Néphites ne les vinssent fondre sur eux et ne les tuassent ; c'est pourquoi, Giddianhi fit savoir à ses armées qu'elles monteraient cette année-là au combat contre les Néphites.

7. Et * ils montèrent au combat ; et c'était au sixième mois ; et voici, grand et terrible fut le jour où ils montèrent au combat ; ils étaient ceints à la manière des voleurs : ils avaient une peau d'agneau autour des reins et ils étaient teints de sang ; et ils avaient la tête rasée et couverte d'un casque ; et l'appa-

rence des armées de Giddianhi était grande et terrible à cause de leur armement et du sang dont ils étaient teints.

8. * Quand les armées des Néphites virent l'apparence de l'armée de Giddianhi, elles tombèrent toutes par terre et élevèrent leurs cris au Seigneur leur Dieu, pour qu'il les épargnât et les délivrât des mains de leurs ennemis.

9. * Quand les armées de Giddianhi virent cela, elle se mirent à pousser de grands cris de joie, car elles pensaient que les Néphites étaient tombés de peur à cause de la terreur qu'inspiraient leurs armées.

10. Mais en cela ils furent déçus, car les Néphites ne les craignaient pas, mais ils craignaient leur Dieu, et ils le suppliaient de les protéger ; c'est pourquoi, quand les armées de Giddianhi se ruèrent sur eux, ils étaient prêts à leur tenir tête : oui, ils les reçurent dans la force du Seigneur.

11. La bataille commença en ce mois qui était le sixième ; et grande et terrible fut la mêlée, oui, grand et terrible fut le massacre, au point qu'on n'avait jamais vu de massacre aussi grand parmi tout le peuple de Léhi, depuis son départ de Jérusalem.

12. Et en dépit des *menaces et des serments de Giddianhi, voici, les Néphites les battirent au point qu'ils se replièrent devant eux.

13. Et * *Gidgiddoni donna l'ordre à ses armées de les poursuivre jusqu'aux frontières du désert et de n'épargner aucun de ceux qui tomberaient dans leurs mains en route ; et ainsi, ils les poursuivirent et les tuèrent, jusqu'aux frontières du désert, même jusqu'à ce qu'ils eussent exécuté le commandement de Gidgiddoni.

14. Et * Giddianhi, qui avait ré-

sisté et combattu avec hardiesse, fut poursuivi dans sa fuite ; et comme il était fatigué d'avoir beaucoup combattu, il fut rattrapé et tué. Telle fut la fin de Giddianhi, le voleur.

15. Et * les armées des Néphites revinrent à leur lieu de sûreté. Et * cette dix-neuvième année passa et les voleurs ne revinrent pas au combat ; et ils ne revinrent pas non plus la vingtième année.

16. La †vingt et unième année, ils ne montèrent pas au combat, mais ils montèrent de tous les côtés pour mettre le siège tout autour du peuple de Néphi ; car ils pensaient que s'ils coupaient le peuple de Néphi de ses terres et le cernaient de tous côtés et s'ils le coupaient de tous ses privilèges extérieurs, ils pourraient le forcer à se rendre selon leurs désirs.

17. Ils avaient mis à leur tête un autre chef du nom de Zemnarihah ; c'est pourquoi, ce fut Zemnarihah qui fit mettre ce siège.

18. Mais voici, c'était un avantage pour les Néphites ; car il était impossible aux voleurs de tenir assez longtemps le siège pour qu'il produisît de l'effet sur les Néphites à cause ᵏdes nombreuses provisions qu'ils avaient accumulées,

19. A cause de l'insuffisance de provisions parmi les voleurs — car voici, ils n'avaient que de la viande pour leur subsistance, viande qu'ils se procuraient au désert :

20. Et il arriva que le gibier sauvage devint rare dans le désert — à tel point que les voleurs furent à la veille de mourir de faim.

21. Et les Néphites sortaient continuellement le jour et la nuit, tombant sur leurs armées, les massacrant par milliers et par dizaines de mille.

22. Et ainsi, le peuple de Zemnarihah fut pris du désir d'abandonner son projet, à cause de la grande destruction qui le frappait nuit et jour.

23. Et * Zemnarihah donna l'ordre à son peuple de lever le siège et de se mettre en marche pour les parties les plus reculées du pays du 'nord.

24. Et Gidgiddoni, instruit de leur dessein et connaissant leur faiblesse, causée par le manque de vivres et par le grand massacre qui avait été fait d'eux, fit sortir ses armées pendant la nuit, leur coupa la retraite et plaça ses armées sur le chemin de leur retraite.

25. Et ils firent cela pendant la nuit et dépassèrent les voleurs dans leur marche de sorte que le lendemain, quand les voleurs se mirent en marche, ils se heurtèrent aux armées des Néphites à la fois sur leurs avants et sur leurs arrières.

26. Et les voleurs qui étaient au sud eurent aussi leur retraite coupée. Et tout se fit sur l'ordre de Gidgiddoni.

27. Et il y en eut des milliers qui se rendirent prisonniers aux Néphites, et le reste fut tué.

28. Et Zemnarihah, leur chef, fut pris et pendu à un arbre, oui, à la cime d'un arbre, jusqu'à ce qu'il fût mort. Et quand ils l'eurent pendu jusqu'à ce qu'il fût mort, ils abattirent l'arbre et ils crièrent à haute voix, disant :

29. Que le Seigneur conserve son peuple dans la justice et la sainteté du cœur, afin qu'il puisse abattre tous ceux qui chercheront à le tuer par la force et les ᵐcombinaisons secrètes, de même que cet homme a été abattu.

30. Et ils se réjouirent et crièrent de nouveau d'une seule voix : Puisse le Dieu d'Abraham, le Dieu d'Isaac et le Dieu de Jacob protéger ce peuple dans la justice aussi longtemps qu'il invoquera le nom de son Dieu pour avoir sa protection.

---

k, vers. 4.   l, voir p, Al. 46.   m, voir i, 2 Né. 10.   † 21 AP. J.-C.

31. Et * tous comme un seul homme, ils éclatèrent en chants et en louanges à leur Dieu pour la grande chose qu'il avait faite pour eux en les préservant de tomber entre les mains de leurs ennemis.

32. Oui, ils crièrent : Hosanna au Dieu très-haut. Et ils crièrent : Béni soit le nom du Seigneur Dieu tout-puissant, le Dieu très-haut.

33. Et ils avaient le cœur rempli de joie au point de verser beaucoup de larmes à cause de la grande bonté que Dieu avait manifestée en les délivrant des mains de leurs ennemis ; et ils savaient que c'était à cause de leur repentir et de leur humilité qu'ils avaient été délivrés d'une destruction éternelle.

CHAPITRE 5.

Les Néphites se repentent et cherchent à mettre fin aux iniquités. — Mormon parle de lui-même et des plaques dont il est le gardien. — Nouvelle allusion au rassemblement d'Israël.

1. Et maintenant voici, il n'y avait pas une âme vivante parmi tout le peuple des Néphites qui doutât le moins du monde des paroles de tous les saints prophètes qui avaient parlé, car tous savaient qu'il fallait que toutes les choses arrivassent suivant ce qui avait été dit.

2. Et ils savaient que le Christ avait nécessairement dû venir, à cause des nombreux signes qui avaient été donnés, selon les paroles des prophètes ; et à cause des choses qui s'étaient déjà produites, ils savaient que toutes choses devaient nécessairement se passer selon ce qui avait été dit.

3. C'est pourquoi, ils renoncèrent à tous leurs péchés, à leurs abominations et à leur impudicité, et ils servirent Dieu jour et nuit, en toute diligence.

4. * Après avoir fait prisonniers tous les voleurs, de sorte que pas un seul de ceux qui ne furent pas tués n'échappa, ils jetèrent leurs prisonniers en prison et leur firent prêcher la parole de Dieu ; et tous ceux qui se repentirent de leurs péchés et firent alliance de ne plus commettre le meurtre, furent mis en liberté.

5. Mais tous ceux qui refusèrent de contracter cette alliance et qui conservaient dans le cœur le goût de ces ᶜmeurtres secrets, oui, tous ceux qu'on trouva proférant des menaces contre leurs frères, furent condamnés et punis selon la loi.

6. C'est ainsi que l'on mit un terme à toutes ces combinaisons perverses, secrètes et abominables dans lesquelles tant de méchancetés et tant de meurtres furent commis.

7. Ainsi s'était passée la vingt-deuxième année, et la vingt-troisième année aussi, et la vingt-quatrième, et la vingt-cinquième ; et ainsi †ᵇvingt-cinq ans avaient passé.

8. Et beaucoup de choses s'étaient produites, choses qui, aux yeux de certains, seraient grandes et merveilleuses ; néanmoins, elles ne peuvent toutes être écrites dans ce livre : Oui, ᶜce livre ne peut contenir même la centième partie de ce qui se passa parmi tant de peuples dans l'espace de vingt-cinq ans.

9. Mais voici, il y a des ᵈannales qui rapportent tous les actes de ce peuple ; et un récit plus court mais vrai en a été donné par Néphi.

10. C'est pourquoi, j'ai fait mon récit de ces choseς selon les ᵉannales de Néphi, qui furent gravées sur les plaques appelées les ᶠplaques de Néphi.

11. Et voici, j'écris ce récit sur des ᵍplaques que j'ai faites de mes propres mains.

12. Et voici. je m'appelle Mormon, ainsi appelé du ^h pays de Mormon, où ^i Alma établit l'Eglise parmi le peuple, oui, la première église qui fut établie dans son sein après sa transgression.

13. Voici, je suis disciple de Jésus-Christ, le Fils de Dieu. J'ai été appelé de lui pour déclarer sa parole parmi son peuple, afin qu'il ait la vie éternelle.

14. Et il est devenu expédient que, d'après la volonté de Dieu, et pour que les prières de ceux qui sont morts et qui étaient de saints hommes, soient exaucées selon leur foi. je fasse un récit de ces choses qui ont été faites —

15. Oui, un ^k petit récit de ce qui s'est passé depuis le moment où Léhi quitta Jérusalem, jusqu'aux temps actuels.

16. C'est pourquoi, je fais mon récit d'après les rapports qui ont été faits par ceux qui m'ont précédé jusqu'au début de mon temps ;

17. Et ensuite, je fais le récit des choses que j'ai vues de mes propres yeux.

18. Et je sais que le récit que je fais est un récit juste et véritable : cependant. il y a beaucoup de choses que, selon notre langue, nous ne sommes pas à même d'écrire.

19. Et maintenant, je cesse de parler de moi et je fais mon récit des choses qui ont été avant moi.

20. Je suis Mormon, un pur descendant de Léhi. J'ai des raisons de bénir mon Dieu et mon Sauveur Jésus-Christ pour avoir emmené nos pères du pays de Jérusalem (et personne ne l'a su que lui seul et les personnes qu'il emmena de ce pays), et pour nous avoir amené, à moi et à mon peuple, tant de connaissances touchant le salut de notre âme.

21. Assurément, il a béni la maison de Jacob et il a été miséricordieux envers la postérité de Joseph.

22. Et ^m lorsque les enfants de Léhi ont gardé ses commandements. il les a bénis et fait prospérer selon sa parole.

23. Oui, et il ramènera sûrement le ^n reste de la postérité de Joseph à la connaissance du Seigneur leur Dieu.

24. Et aussi certainement que le Seigneur vit, il rassemblera des quatre parties du monde ^o tout le reste de la postérité de Jacob, qui est dispersé sur toute la surface de la terre.

25. Et comme il a fait alliance avec toute la maison de Jacob, même l'alliance qu'il a faite avec la maison de Jacob sera accomplie au temps qu'il a lui-même arrêté, afin de restaurer toute la maison de Jacob à la connaissance de l'alliance qu'il a contractée avec eux.

26. Et ils connaîtront alors leur Rédempteur, qui est Jésus-Christ. le Fils de Dieu ; et alors ils seront rassemblés des quatre parties de la terre, dans leurs propres pays, d'où ils avaient été dispersés ; oui, comme le Seigneur vit, ainsi en sera-t-il. Amen.

CHAPITRE 6.

Le peuple vit dans la prospérité. — L'orgueil, l'opulence et les distinctions de classe s'ensuivent. — L'Eglise est déchirée par les dissensions. — Œuvres de ténèbres.

1. Et il arriva que les Néphites retournèrent tous sur leurs propres terres dans †la vingt-sixième année. chaque homme avec sa famille, ses troupeaux, ses ^a chevaux et son bétail et tout ce qui lui appartenait.

2. Et * ils n'avaient pas consommé toutes leurs provisions ; c'est pourquoi, ils emportèrent avec eux tout ce qu'ils n'avaient pas

---

h, voir *b,* Mos. 18.   *i,* Mos. 18.   *k,* voir *g.*   *l,* Morm. 1-7.   *m,* voir *h,* 2 Né. 1.
n, voir *g,* 2 Né. 3.   *o,* voir *e,* 1 Né. 15.   CHAP. 6 : *a,* voir *m,* 1 Né. 18.
† 26 AP. J.-C.

mangé, de tout leur grain de toute espèce, leur or, leur argent, et toutes leurs choses précieuses ; et ils revinrent dans leurs propres terres et leurs possessions du nord et du sud, tant au ᵇpays du nord qu'au ᶜpays du sud.

3. Ils concédèrent à ces voleurs qui avaient ᵈfait l'alliance de garder la paix, à ceux de la bande qui voulaient rester Lamanites, des terres selon leur nombre, afin qu'ils eussent de quoi subsister par leur travail. Ils établirent ainsi la paix dans tout le pays.

4. Et ils recommencèrent à prospérer et à s'accroître ; et les vingt-sixième et vingt-septième années passèrent et il y eut un grand ordre dans le pays ; et ils avaient formé leurs lois selon l'équité et la justice.

5. Et il n'y avait rien dans le pays pour empêcher le peuple de prospérer continuellement, à moins qu'il ne tombât dans la transgression.

6. Et c'était ᵉGidgiddoni, le juge ᶠLachonéus et ceux qui avaient été nommés dirigeants qui avaient établi cette grande paix dans le pays.

7. Et * il y eut beaucoup de villes qui furent reconstruites et beaucoup de villes anciennes qui furent réparées.

8. Et ᵍbeaucoup de chemins furent faits et beaucoup de routes furent posées, pour mener de ville en ville, de pays en pays et de lieu en lieu.

9. Ainsi s'écoula la vingt-huitième année et le peuple eut une paix continuelle.

10. Mais * dans la vingt-neuvième année, il s'éleva quelques disputes parmi le peuple ; et certains furent exaltés dans l'orgueil et dans la présomption à cause de leur extrême richesse, oui, même

jusqu'à se livrer à de grandes persécutions.

11. Car il y avait de nombreux ʰmarchands dans le pays, ainsi que beaucoup de ᶜdocteurs de la loi et d'officiers publics.

12. Et le peuple commença à se distinguer par classes, selon leurs richesses et leurs chances de s'instruire, oui, les uns étaient ignorants à cause de leur pauvreté, et les autres recevaient beaucoup d'instruction à cause de leur richesse.

13. Les uns. étaient exaltés dans l'orgueil, les autres étaient extrêmement humbles ; les uns rendaient injure pour injure, tandis que d'autres, subissaient les injures, les persécutions et toutes sortes d'afflictions et ne se retournaient pas pour insulter à leur tour, mais étaient humbles et pénitents devant Dieu.

14. Et ainsi, une grande inégalité s'introduisit dans tout le pays, au point que l'Eglise commença à se dissoudre ; oui, au point que dans la trentième année, l'Eglise fut dissoute dans tout le pays, sauf parmi un petit nombre de Lamanites, qui étaient convertis à la vraie foi ; et ils ne voulaient pas s'en éloigner, car ils étaient fermes, inébranlables et immuables, prêts à garder en toute diligence les commandements du Seigneur.

15. Or, la cause de cette perversité du peuple était celle-ci — Satan avait grand pouvoir, jusqu'à exciter le peuple à se livrer à toutes sortes d'iniquités et à le remplir d'orgueil, le tentant à rechercher le pouvoir, l'autorité, les richesses et les choses vaines du monde.

16. Et ainsi, Satan entraînait le cœur du peuple à se livrer à toutes sortes d'iniquités ; c'est pourquoi, ils ne jouirent de la paix que peu d'années.

17. Et ainsi, au commencement

---

b, voir p, Al. 46.   c, voir n, Al. 46.   d, 3 Né. 5 : 4.   e, voir h, 3 Né. 3. f, 3 Né. 1 : 1. 3 : 1.   g, Héla. 14 : 24. 3 Né. 8 : 13.   h, Héla. 6 : 8.   i, vers. 21, 22, 27. Al. 10 : 14,. 15, 17, 27, 32. 14 : 5, 18, 23, 27.   29-30 AP. J.-C.

de la 'trentième année — le peuple ayant été livré pendant un temps assez long pour être ballotté par les tentations du diable là où il désirait l'amener et pour s'adonner à toutes les iniquités qu'il désirait lui voir commettre — et ainsi, au commencement de cette année, qui était la trentième, il se trouvait dans un état de perversité terrible.

18. Or, il ne péchait pas par ignorance, car il connaissait la volonté de Dieu à son sujet, car elle lui avait été enseignée ; c'est pourquoi, il se rebellait volontairement contre Dieu.

19. Et cela se passait au temps de ᵏLachonéus, fils de Lachonéus ; car Lachonéus occupait le siège de son père et gouvernait le pays cette année-là.

20. Et il se mit à y avoir des hommes inspirés du ciel et envoyés au dehors, qui se tinrent parmi le peuple dans tout le pays, prêchant et témoignant hardiment des péchés et des iniquités du peuple et lui rendant témoignage de la rédemption que le Seigneur ferait pour son peuple, oui, en d'autres termes, de la résurrection du Christ; et ils témoignaient hardiment de sa mort et de ses souffrances.

21. Or, il y en eut beaucoup, parmi le peuple, qui furent extrêmement irrités à cause de ceux qui témoignaient de ces choses ; et ceux qui étaient irrités étaient surtout les grands-juges, ceux qui avaient été ˡgrands-prêtres et ᵐdocteurs de la loi ; oui, tous ceux qui étaient docteurs de la loi étaient irrités contre ceux qui témoignaient de ces choses.

22. Or, il n'était pas de docteur de la loi, ni de juge, ni de °grand-prêtre qui eût le pouvoir de condamner un homme à mort, à moins que la condamnation ne fût signée par le ᵖgouverneur du pays.

23. Et il y en eut beaucoup de ceux qui témoignaient des choses touchant le Christ, qui témoignaient hardiment, qui furent pris et mis secrètement à mort par les juges, de sorte que le bruit de leur mort ne parvint au gouverneur du pays qu'après leur mort.

24. Or, voici, il était contraire aux lois du pays de mettre quelqu'un à mort, sans autorisation du gouverneur du pays —

25. C'est pourquoi, une plainte parvint au gouverneur du pays, au pays de ʳZarahemla, contre ces juges qui avaient condamné à mort les prophètes du Seigneur, contrairement à la loi.

26. * Ils furent pris et amenés devant le juge, pour être jugés sur le crime qu'ils avaient commis, selon la loi qui avait été donnée par le ᵗpeuple.

27. Or, * ces juges avaient beaucoup d'amis et de parents ; et le reste, oui, même presque tous les ᵗdocteurs de la loi et les ᵘgrands-prêtres se rassemblèrent et s'unirent aux parents de ces juges qui allaient être jugés selon la loi.

28. Et ils firent alliance les uns avec les autres, oui, même cette alliance qui avait été donnée par les hommes d'autrefois, alliance qui avait été donnée et administrée par le diable, pour s'unir contre toute justice.

29. C'est pourquoi, ils s'unirent contre le peuple du Seigneur et firent alliance de le détruire et de délivrer ceux qui étaient coupables de meurtre des mains de la justice qui était sur le point d'être administrée selon la loi.

30. Et ils bravèrent la loi et les droits de leur patrie ; et ils firent

j, 3 Né. 2 : 8.　ᵏ, 3 Né. 1 : 1.　ˡ, voir g, Mos. 26.　ᵐ, voir i.　ⁿ, voir i.
o, voir g, Mos. 26.　p, vers. 19.　q, vers. 19.　r, Om. 13.　s, voir e, Mos. 29.
t, voir i.　u, voir g, Mos. 26.

alliance les uns avec les autres de tuer le gouverneur et d'établir un roi sur le pays, afin que le pays ne fût plus *libre mais fût soumis à des rois.

CHAPITRE 7.

Le grand-juge est assassiné et le gouvernement renversé. — Division en tribus. — Le roi Jacob. — Puissant ministère de Néphi.

1. Maintenant voici, je vais vous montrer qu'ils n'établirent pas de roi sur le pays ; mais, dans cette même année, oui, la trentième année, ils assassinèrent le grand-juge du pays sur le siège du jugement.

2. Et les hommes furent divisés les uns contre les autres, et ils se séparèrent les uns des autres en tribus, chaque homme avec sa famille, ses parents et ses amis ; et ainsi fut détruit le gouvernement du pays.

3. Chaque individu se choisit un chef ou un gouverneur ; et ainsi, ils devinrent des tribus et des chefs de tribus.

4. Et comme il n'y avait pas un homme parmi eux qui n'eût une nombreuse famille et beaucoup de parents et d'amis, leurs tribus devinrent extrêmement grandes.

5. Et tout cela se fit, et il n'y avait pas encore de guerres parmi eux ; et toute cette iniquité s'était abattue sur le peuple parce qu'il s'était livré au pouvoir de Satan.

6. Et les statuts du gouvernement furent détruits à cause de la *combinaison secrète des amis et des parents de ceux qui avaient assassiné les prophètes.

7. Et ils provoquèrent une grande querelle dans le pays au point que la partie la plus juste du peuple était devenue presque entièrement corrompue ; oui, il ne resta que peu de justes parmi eux.

8. Ainsi, *six ans ne s'étaient pas écoulés, que la plus grande partie de ce peuple s'était déjà détournée de la justice, comme le chien retourne à ce qu'il a vomi, ou comme une truie se vautre dans la fange.

9. Alors cette *combinaison secrète qui avait amené une si grande iniquité sur le peuple, se réunit et mit à sa tête un homme qu'on appelait Jacob ;

10. Et l'appela son roi ; c'est pourquoi, il devint roi de cette bande perverse ; et c'était un des principaux de ceux qui avaient donné leur voix contre les prophètes qui avaient témoigné de Jésus.

11. * Ils n'étaient pas aussi forts en nombre que les tribus du peuple, qui étaient unies ensemble à part que leurs chefs établissaient leurs lois, chacun selon sa tribu ; bien qu'ils ne fussent pas un peuple juste, ils étaient cependant unis dans leur haine de ceux qui avaient fait l'alliance de détruire le gouvernement.

12. C'est pourquoi Jacob, voyant que leurs ennemis étaient plus nombreux qu'eux, étant le roi de la bande, il commanda à son peuple de prendre la fuite vers la partie la plus septentrionale du pays, dans le but d'y fonder un royaume, jusqu'à ce qu'ils fussent renforcés par les dissidents (car il les flattait de l'espoir qu'il y aurait un grand nombre de dissidents) et qu'ils fussent devenus suffisamment forts pour pouvoir lutter contre les tribus. Et ils firent ainsi.

13. Et leur marche fut si rapide qu'elle ne put être empêchée, jusqu'à ce qu'ils fussent mis hors d'atteinte du peuple. Ainsi finit la trentième année, et telles étaient les affaires du peuple de Néphi.

14. * Dans la trente et unième

---

v, voir *m*, Mos. 29.　CHAP. 7 : *a*, voir *i*. 2 Né. 10.　*b*, 3 Né. 5 : 7.　*c*, voir *i*, 2 Né. 10.　　　　　29-30 AP. J.-C.

année, ils étaient divisés en tribus, chaque homme selon sa famille, ses parents et ses amis ; cependant ils étaient parvenus à un accord de ne point se faire la guerre entre eux ; mais ils n'étaient point unis en ce qui concernait leurs lois et leur forme de gouvernement, car elles avaient été établies selon la volonté de ceux qui étaient leurs chefs et leurs dirigeants. Mais ils firent des lois fort sévères pour qu'aucune tribu n'empiétât sur une autre, et par là, ils jouirent, dans une certaine mesure, de la paix dans le pays ; cependant leur cœur s'était éloigné du Seigneur, leur Dieu, et ils ^{d}lapidaient les prophètes et les chassaient de parmi eux.

15. Et il arriva que Néphi — ayant été visité par des anges et ayant entendu la voix du Seigneur, ayant donc vu des anges, et étant témoin oculaire, et ayant reçu le pouvoir de connaître ce qui concernait le ministère du Christ, étant aussi témoin oculaire de leur ^{e}prompt retour de la justice à leur perversité et à leurs abominations —

16. Et affligé de leur dureté de cœur et de leur aveuglement d'esprit — alla parmi eux dans cette même année et commença à témoigner avec hardiesse le repentir et la rémission des péchés par la foi au Seigneur Jésus-Christ.

17. Et il fit beaucoup de choses pour eux ; et toutes ne peuvent être écrites, et une partie ne saurait suffire ; c'est pourquoi, elles ne sont pas écrites dans ce livre. Et Néphi remplit son ministère avec puissance et grande autorité.

18. Et * ils furent irrités contre lui, surtout parce qu'il avait un plus grand pouvoir qu'eux, car il ne leur était pas possible de douter de ses paroles, car si grande était sa foi au Seigneur Jésus-Christ que les ^{f}anges le servaient chaque jour.

19. Et au nom de Jésus, il chassait des démons et des esprits impurs ; et il ressuscita même son ^{g}frère d'entre les morts, lorsque celui-ci eut été lapidé et mis à mort par le peuple.

20. Et le peuple le vit, et en fut témoin, et s'irrita contre lui, à cause de son pouvoir ; et au nom de Jésus, il fit encore beaucoup d'autres miracles sous les yeux du peuple.

21. * La trente et unième année passa, et il n'y en eut qu'un petit nombre qui se convertirent au Seigneur ; mais tous ceux qui furent convertis témoignèrent en toute vérité au peuple qu'ils avaient été visités par le pouvoir et l'Esprit de Dieu qui était en Jésus-Christ, en qui ils croyaient.

22. Et tous ceux de qui les ^{h}démons avaient été chassés et qui avaient été guéris de leurs maladies et de leurs infirmités, manifestaient en toute vérité au peuple, que l'Esprit de Dieu était descendu sur eux et qu'ils avaient été guéris ; et ils montrèrent aussi des signes et firent quelques miracles parmi le peuple.

23. Et ainsi s'écoula aussi la trente-deuxième année. Au commencement de la trente-troisième année, Néphi cria au peuple et lui prêcha le repentir et la rémission des péchés.

24. Et je voudrais que vous vous souveniez aussi qu'il n'y en eut pas un de ceux qui furent amenés à la repentance, qui ne fût ^{i}baptisé d'eau.

25. C'est pourquoi, il y eut des hommes ordonnés par Néphi pour ce ministère, afin que tous ceux qui viendraient à eux fussent baptisés d'eau ; et cela en gage et en témoignage devant Dieu et au peuple, qu'ils s'étaient repentis et avaient reçu la rémission de leurs péchés.

---

d, vers. 19. 3 Né. 6 : 23-25.   *e*, vers. 8.   *f*, vers. 15.   *g*, 3 Né. 19 : 4.
h, vers. 19.   *i*, voir *u*, 2 Né. 9.   32-33 AP. J.-C.

26. Et il y en eut beaucoup, au commencement de cette année, qui furent ʲbaptisés au repentir ; ainsi s'écoula la plus grande partie de l'année.

CHAPITRE 8.

La crucifixion du Christ attestée par les signes prédits. — Tempête et tremblement de terre, tornade et feu. — Grande et terrible destruction. — Trois jours de ténèbres.

1. Et * selon nos annales, et nous savons que nos annales sont vraies ; car voici, c'était un ᵃhomme juste que celui qui a tenu ces annales — car il fit vraiment ᵇbeaucoup de miracles au nom de Jésus ; et il n'est pas d'homme qui pourrait faire un miracle au nom de Jésus, s'il n'est entièrement purifié de son iniquité —

2. Or donc, si cet homme n'a pas commis d'erreur dans le calcul de notre temps, la ᶜtrente-troisième année s'était écoulée ;

3. Et le peuple se mit à attendre avec un grand empressement le signe donné par le prophète Samuel, le Lamanite, oui, le moment où il y aurait des ᵈténèbres pendant trois jours sur la surface du pays.

4. Et bien que tant de signes eussent été donnés, de grands doutes et des débats s'élevèrent parmi le peuple.

5. Et il arriva que dans la ᵉtrente-quatrième année, le premier mois, le quatrième jour du mois, il s'éleva un grand orage, tel qu'on n'en avait jamais connu dans tout le pays.

6. Et il y eut une ᶠforte et terrible tempête ; et il y eut un ᵍtonnerre terrible, au point qu'il secoua la terre tout entière, comme si elle allait se fendre.

7. Et il y eut des ʰéclairs extrêmement vifs, tels qu'on n'en avait jamais vu de semblables dans tout le pays.

8. Et la ⁱville de Zarahemla prit feu.

9. Et la ʲville de Moroni s'enfonça dans les profondeurs de la mer et les habitants en furent noyés.

10. Et la terre fut soulevée sur la ᵏville de Moronihah, de sorte qu'à la place de la ville, il y eut une grande montagne.

11. Et il y eut une grande et terrible destruction dans le ˡpays du sud.

12. Mais voici, il y eut une destruction plus grande et plus terrible dans le ᵐpays du nord ; car voici, toute la surface du pays fut changée par la ⁿtempête, les ᵒtornades, les ᵖtonnerres et les éclairs, et le tremblement extrêmement violent de toute la terre.

13. Les ʳgrands chemins furent fendus, les routes plates furent abîmées et de nombreux endroits lisses ˢdevinrent raboteux.

14. Et beaucoup de grandes villes furent ᵗenglouties, beaucoup furent ᵘbrûlées et beaucoup furent secouées jusqu'à ce que leurs bâtiments se fussent ᵛécroulés, que les habitants en fussent écrasés et que leurs emplacements fussent désolés.

15. Et il y eut quelques villes qui restèrent ; mais les dégâts y étaient extrêmement grands, et il y avait beaucoup de leurs habitants qui étaient tués.

16. Et il y en eut qui furent emportés dans la ʷtornade et nul

---

j, voir u, 2 Né. 9.   **Chap. 8** : a, 3 Né. 23 : 7, 12.   b, 3· Né. 7 : 19, 20. c, 3 Né. 2 : 8.   d, vers. 23. 1 Né. 19 : 10.   e, 3 Né. 2 : 8.   f, voir v, Héla. 14.   g, voir s, Héla. 14.   h, voir k, 1 Né. 19. i, Om. 13. Al. 2 : 26.   j, voir k, Al. 50.   k, vers. 25. Héla. 12 : 17. 3 Né. 9 : 5. l, voir n, Al. 46.   m, voir p, Al. 46.   n, voir v, Héla. 14.   o, vers. 16. 3 Né. 10 : 13, 14.   p, voir s, Héla. 14.   q, voir k, 1 Né. 19.   r, voir g, 3 Né. 6. s, 1 Né. 12 : 4.   t, 1 Né. 12 : 4.   u, 1 Né. 12 : 4.   v, 1 Né. 12 : 4.   w, vers. 12.

34 AP. J.-C.

ne sait où ils sont allés tout ce qu'on sait, c'est qu'ils furent emportés.

17. Ainsi, toute la surface de la terre fut déformée par les *tempêtes, les *tonnerres, les *éclairs et les secousses de la terre.

18. Et voici, les *arochers se fendirent et ils se brisèrent sur toute la surface de la terre, au point qu'on les *btrouva remplis de fentes et de crevasses en fragments brisés, sur toute la surface du pays.

19. Et * quand les *ctonnerres, les *déclairs, la *etempête et les *ftremblements de terre eurent cessé — car voici, ils durèrent pendant environ *gtrois heures ; et certains dirent que ce fut plus long ; toutefois, toutes ces grandes et terribles choses se produisirent en trois heures environ — et *halors, voici, il y eut des ténèbres sur la surface du pays.

20. Et il y eut des ténèbres épaisses sur toute la surface du pays, de telle sorte que les habitants qui n'étaient pas tombés purent sentir la *ivapeur des ténèbres ;

21. Et il ne pouvait y avoir aucune lumière, à cause des ténèbres, ni chandelles, ni torches ; et il était impossible d'allumer du feu avec leur bois fin et extrêmement sec, de sorte qu'il ne pouvait y avoir absolument aucune lumière.

22. Et on ne voyait aucune lumière, ni feu, ni lueur, ni le soleil, ni la lune, ni les étoiles, tant étaient épais les brouillards de ténèbres qui s'étaient répandus sur la surface du pays.

23. Et * pendant *jtrois jours, on ne vit aucune lumière. Et il y avait continuellement de grandes lamentations, des gémissements et des

pleurs parmi le peuple tout entier ; oui, grands furent les gémissements du peuple à cause des ténèbres et de la grande destruction qui s'était abattue sur lui.

24. Et dans un endroit, on les entendit crier, disant : O, si nous nous étions repentis avant ce grand et terrible jour, alors nos frères auraient été épargnés et ils n'auraient point été *kbrûlés dans cette grande ville de Zarahemla !

25. Et dans un autre endroit, on les entendit crier et se lamenter, disant : O, si nous nous étions repentis avant ce grand et terrible jour et n'avions pas tué et lapidé les prophètes et ne les avions pas chassés ; alors nos mères, nos belles filles et nos enfants auraient été épargnés et ils n'auraient pas été ensevelis dans cette *lgrande ville de Moronihah. Et ainsi, les hurlements du peuple étaient grands et terribles.

CHAPITRE 9.

La voix de Dieu proclame l'étendue du désastre et en déclare les causes. — La Loi de Moïse est accomplie. — Le sacrifice acceptable du cœur brisé et de l'esprit contrit.

1. Et * une *avoix se fit entendre à tous les habitants de la terre sur toute la surface de ce pays, criant :

2. Malheur, malheur, malheur à ce peuple ; malheur aux habitants de toute la terre, à moins qu'ils ne se repentent ; car le diable rit, et ses anges se réjouissent de la mort des beaux garçons et des belles filles de mon peuple ; et c'est à cause de leurs iniquités et de leurs abominations qu'ils sont tombés !

3. Voici, cette *bgrande ville de

Zarahemla, je l'ai °détruite par le feu, ainsi que ses habitants.

4. Et voici, cette grande ᵈville de Moroni, je l'ai °engloutie dans les profondeurs de la mer et j'en ai noyé les habitants.

5. Et voici, cette grande ᶠville de Moronihah, je l'ai couverte de terre ainsi que ses habitants, pour cacher leurs iniquités et leurs abominations de devant ma face, pour que le sang des prophètes et des saints ne monte plus jusqu'à moi contre eux.

6. Et voici, la ville de Gilgal, je l'ai engloutie et j'en ai enseveli les habitants dans les entrailles de la terre ;

7. Oui, et la ville d'Onihah et ses habitants, et la ville de Mocum et ses habitants, et la ᵍville de Jérusalem et ses habitants ; et j'ai fait monter les eaux à leur place pour cacher leur méchanceté et leurs abominations de devant ma face, afin que le sang des prophètes et des saints ne monte plus jusqu'à moi contre eux.

8. Et voici, la ville de Gadiandi, et la ville de Gadiomnah, et la ville de Jacob, et la ville de Gimgimno, je les ai toutes englouties ; j'ai fait surgir des ʰcollines et des vallées à leur place, et j'en ai enterré les habitants dans les entrailles de la terre, pour cacher leur méchanceté et leurs abominations de devant ma face, afin que le sang des prophètes et des saints ne monte plus jusqu'à moi contre eux.

9. Et voici, cette grande ville de Jacobugath, qu'habitait le peuple du roi Jacob, je l'ai ⁱdétruite par le feu, à cause de ses péchés et de ses méchancetés qui étaient au-dessus de toute la méchanceté de la terre tout entière, à cause de leurs com-binaisons et de leurs ʲmeurtres secrets : Car ce sont eux qui détruisirent la ᵏpaix de mon peuple et le gouvernement du pays ; c'est pourquoi je les ai fait brûler pour les détruire de devant ma face, afin que le ⁱsang des prophètes et des saints ne monte plus jusqu'à moi contre eux.

10. Et voici, la ville de Laman et la ville de Josh, et la ville de Gad, et la ville de Kishkumen, je les ai ᵐbrûlées par le feu, ainsi que leurs habitants, à cause de la méchanceté dont ils ont fait preuve en chassant les prophètes et en lapidant ceux que j'avais envoyés pour leur déclarer leur méchanceté et leurs abominations.

11. Et parce qu'ils les ont tous chassés, jusqu'à ce qu'il n'y eût plus aucun juste parmi eux, j'ai fait descendre le ⁿfeu et je les ai détruits, afin que leur méchanceté et leurs abominations soient cachées de devant ma face, afin que le sang des prophètes et des saints que je leur avais envoyés, ne monte plus de la terre jusqu'à moi contre eux.

12. Et j'ai frappé ce pays et ses habitants de nombreuses et grandes calamités, à cause de leur méchanceté et de leurs abominations.

13. O vous tous qui avez été épargnés, parce que vous étiez plus justes qu'eux, ne voulez-vous pas maintenant revenir à moi, vous repentir de vos péchés et vous convertir, pour que je vous guérisse ?

14. Oui, en vérité, je vous le dis, si vous voulez venir à moi, vous aurez la vie éternelle. Voici, mon bras de miséricorde est étendu vers vous ; et quiconque veut venir, je le recevrai ; et bénis sont ceux qui viennent à moi.

15. Voici, je suis Jésus-Christ le

c, 3 Né. 8 : 8.   d, voir k, Al. 50.   e, 3 Né. 8 : 9.   f, voir k, 3 Né. 8.   g, voir b, Al. 21.   h, 1 Né. 19 : 11. Héla. 12 : 17.   14 : 23.   3 Né. 8 : 10. 10 : 13, 14. i, vers. 10. 1 Né. 12 : 4. 3 Né. 8 : 14.   j, voir i, 2 Né. 10.   k, 3 Né. 7 : 9-13. l, 3 Né. 6 : 23-25. 7 : 10.   m, voir i.   n, voir i.   34 AP. J.-C.

Fils de Dieu. J'ai °créé les cieux et la terre, et toutes les choses qu'ils contiennent. ᵖJ'étais avec le Père dès le commencement. Je suis dans le Père et le Père est en moi ; et ᵠen moi, le Père a glorifié son nom.

16. Je suis venu vers les ʳmiens et les miens ne m'ont point reçu. Et les Ecritures ˢtouchant ma venue sont accomplies.

17. Et à tous ceux qui m'ont reçu, j'ai ᵗdonné le pouvoir de devenir les fils de Dieu ; et je ferai de même à tous ceux qui croiront en mon nom, car voici, par moi vient la ᵘrédemption et en ᵛmoi, la loi de Moïse est accomplie.

18. Je ʷsuis la lumière et la vie du monde. Je suis l'Alpha et l'Oméga, le commencement et la fin.

19. Et vous ne m'offrirez plus ˣl'effusion du sang ; oui, vos sacrifices et vos holocaustes seront supprimés, car je n'accepterai aucun de vos sacrifices et aucun de vos holocaustes.

20. Et vous m'offrirez en sacrifice un cœur brisé et un esprit contrit. Et quiconque vient à moi le cœur brisé et l'esprit contrit, je le baptiserai ʸde feu et du Saint-Esprit, de même que les Lamanites, à cause de leur foi en moi au moment de leur ᶻconversion, furent baptisés de feu et du Saint-Esprit, et ils ne le surent pas.

21. Voici, je suis venu au monde pour apporter la ²ᵃrédemption au monde, pour sauver le monde du péché.

22. C'est pourquoi, quiconque se repent et vient à moi comme un ²ᵇpetit enfant, celui-là je le recevrai ; car le royaume de Dieu est

à ceux qui leur ressemblent. Voici, c'est pour ceux-là que j'ai donné ma vie et l'ai reprise ; c'est pourquoi, repentez-vous et venez à moi, bouts de la terre, et soyez sauvés.

CHAPITRE 10.

Silence dans le pays. — De nouveau la voix des cieux. — Les ténèbres se dispersent. — Seuls les plus justes parmi le peuple sont épargnés.

1. Et maintenant voici, il arriva que tout le peuple du pays ᵃentendit ces paroles et en fut témoin. Et après ces paroles, il y eut du silence dans le pays pendant l'espace de nombreuses heures ;

2. Car l'étonnement du peuple était si grand qu'il cessa de se lamenter et de gémir sur la perte de ceux des siens qui avaient été tués ; c'est pourquoi, il y eut du silence dans tout le pays pendant l'espace de nombreuses heures.

3. Et * une voix se fit encore entendre au peuple, et tout le peuple l'entendit et rendit témoignage qu'elle disait :

4. O peuple de ces ᵇgrandes villes qui sont tombées, toi, qui es descendant de Jacob, oui, qui es de la maison d'Israël, combien de fois ne t'ai-je pas rassemblé comme une poule rassemble ses poussins sous ses ailes et t'ai nourri.

5. Et encore, combien de fois t'aurais-je rassemblé comme une poule rassemble ses poussins sous ses ailes ; oui, ô peuple de la maison d'Israël qui es tombé ; oui, ô peuple de la maison d'Israël qui habites Jérusalem, de même que ceux qui sont tombés, oui, combien de fois ne vous aurais-je pas ras-

---

o, Mos. 3 : 8. 4 : 2. Voir *i,* Héla. 14. *p,* 3 Né. 11 : 27. 19 : 23, 29. Eth. 3 : 14. *q,* 3 Né. 11 : 7, 11. *r,* Jean 1 : 11. *s,* 3 Né. 15 : 4, 5. *t,* Jean 1 : 12. *u,* vers. 21. 2 Né. 31 : 21. Mos. 3 : 17. 4 : 7, 8. Voir *d,* Mos. 5. *v,* 3 Né. 15 : 2-8. *w,* voir *m,* Mos. 16. *x,* 3 Né. 15 : 2-8. *y,* 1 Né. 10 : 17, 19, 22. 13 : 37. 2 Né. 31 : 11-14, 17, 18. 32 : 2-5. 33 : 1, 2. Jacob 6 : 8. 7 : 12. Al. 13 : 28. 34 : 38. 36 : 24. Héla. 5 : 45. 3 Né. 7 : 21. 11 : 35, 36. 12 : 1, 2. 15 : 23. 16 : 4, 6. 18 : 37. 19 : 9, 13, 14, 20-22. 26 : 17. 28 : 11, 18. 30 : 2. 4 Né. 1, 3, 48. Morm. 1 : 14. 7 : 10. Eth. 5 : 4. 12 : 14, 23, 41. Moro. 2 : 3. 4 : 3. 5 : 2. 6 : 4, 9. 7 : 32, 36. 8 : 7, 9, 23, 26. 10 : 4-7, 9-19. *z,* Héla. 5 : 45. Eth. 12 : 14. *2a,* voir *u. 2b,* 3 Né. 11 : 37, 38. CHAP. 10 : *a,* 1 Né. 19 : 11. *b,* 3 Né. 8 : 8-16, 24, 25. 9 : 3-12.   34 AP. J.-C.

semblés comme une poule rassemble ses poussins, et vous ne l'avez pas voulu.

6. O maison d'Israël, que j'ai ᶜépargnée, combien de fois te rassemblerai-je comme une poule rassemble ses poussins sous ses ailes, si tu veux te repentir et revenir à moi avec une détermination ferme.

7. Mais si tu ne le fais pas, ô maison d'Israël, les emplacements de tes demeures deviendront désolés, jusqu'au ᵈtemps de l'accomplissement de mon alliance avec tes pères.

8. Et * lorsque le peuple eut entendu ces paroles, voici, il recommença à pleurer et à gémir à cause de la perte de ses parents et amis.

9. Et * les ᵉtrois jours se passèrent ainsi. Ce fut le ᶠmatin et les ténèbres se dissipèrent de la surface du pays ; la terre cessa de trembler, les ᵍrochers cessèrent de se fendre, les mugissements terribles cessèrent et tous les bruits tumultueux s'apaisèrent.

10. La terre se referma et s'affermit ; le deuil, les pleurs et les lamentations des gens dont la vie avait été épargnée, cessèrent ; et leur deuil fit place à la joie, et les lamentations à la louange et aux actions de grâces au Seigneur Jésus-Christ, leur Rédempteur.

11. Et jusque-là, les ʰEcritures dites par les prophètes étaient accomplies.

12. Et c'était la ⁱpartie la plus juste du peuple qui avait été sauvée ; c'étaient ceux qui avaient reçu les prophètes et ne les avaient pas lapidés ; et c'étaient ceux qui n'avaient pas versé le sang des saints, qui avaient été épargnés —

13. Et ils avaient été épargnés, n'avaient ʲpas été engloutis et ensevelis dans la terre ; et ils n'avaient pas été ᵏnoyés dans les profondeurs de la mer ; et ils n'avaient pas été ˡbrûlés par le feu et ils n'avaient pas non plus été recouverts et écrasés à mort ; et ils n'avaient pas été emportés dans la ᵐtornade ; ils n'avaient pas non plus été accablés par la ⁿvapeur de la fumée et des ténèbres.

14. Et maintenant, que celui qui lit, comprenne ; que celui qui a les Ecritures les ᵒsonde ; qu'il regarde et voie si toutes ces morts et toutes ces destructions par le ᵖfeu, la ᑫfumée, les ʳtempêtes, par les ˢtornades et ᵗl'ouverture de la terre pour les recevoir, ainsi que toutes ces choses, ne sont pas pour accomplir les prophéties d'un grand nombre des saints prophètes.

15. Voici, je vous dis : Oui, beaucoup ont témoigné de ces choses à la venue du Christ et ont été mis à mort parce qu'ils témoignaient de ces choses.

16. Oui, le prophète ᵘZénos a témoigné de ces choses, et ᵛZénock a aussi parlé de ces choses parce qu'ils témoignaient tout particulièrement à notre sujet, à nous, qui sommes le reste de leur postérité.

17. Voici, notre père Jacob a aussi témoigné ʷà propos d'un reste de la postérité de Joseph. Et voici, ne sommes-nous pas un reste de la postérité de Joseph ? Et ces choses qui témoignent de nous, ne sont-elles pas écrites sur les ˣplaques d'airain que notre père Léhi apporta de Jérusalem ?

18. * Maintenant, je vous montrerai que, vers la fin de la trente-quatrième année, le peuple de

c, vers. 12, 13. 3 Né. 9 : 13.   d, voir e, 1 Né. 15.   e, voir i, 1 Né. 19.
j, 3 Né. 8 : 19-23.   g, voir t, Héla. 14.   h, 1 Né. 12 : 4, 5. 19 : 10-12. Héla.
14 : 20-28.   i, vers. 13. 3 Né. 9 : 13.   j, 3 Né. 8 : 9. 9 : 4-8.   k, 3 Né. 8 : 9. 9 : 4,
7.   l, 3 Né. 8 : 8, 24. 9 : 3, 9, 10.   m, vers. 14. 3 Né. 8 : 16.   n, voir 2i, 3 Né. 8.
o, voir h.   p, voir l.   q, voir 2i, 3 Né. 8.   r, voir v, Héla. 14.   s, voir m.
t, voir h, 3 Né. 9.   u, voir h, 1 Né. 19.   v, voir g, 1 Né. 19.   w, Al. 46 : 24-26.
3 Né. 20 : 22.   x, voir a, 1 Né. 3.   34 ᴀᴘ. J.-C.

Néphi qui avait été épargné ainsi que ceux qui avaient été appelés Lamanites qui avaient été épargnés, reçurent de grandes faveurs, et de grandes bénédictions furent versées sur leur tête ; car peu après l'ascension du Christ au ciel, il se manifesta vraiment à eux —

19. Leur *montrant son corps et les enseignant ; et un récit de son ministère sera *donné ci-après. C'est pourquoi, pour le moment, je cesse de parler.

———

Jésus-Christ se montra au peuple de Néphi, alors que la multitude était rassemblée au pays d'Abondance, et les enseigna ; et c'est ainsi qu'il se montra à eux.
(Chapitres 11 à 26 inclusivement.)

CHAPITRE 11.

Le Père Eternel proclame le Christ. — Le Christ Ressuscité apparaît. — Il permet à la multitude de toucher ses plaies. — Prescription du mode du baptême. — Toute contention ou dispute est interdite. — Le Christ est le rocher.

1. Et maintenant, il arriva qu'une grande multitude de gens du peuple de Néphi s'était réunie autour du *temple, qui était au *pays d'Abondance ; et ils s'émerveillaient et s'étonnaient entre eux, et ils se montraient le *grand et merveilleux changement qui s'était opéré.

2. Et ils s'entretenaient aussi de ce Jésus-Christ et du *signe qui avait été donné touchant sa mort.

3. Et * tandis qu'ils s'entretenaient de la sorte, ils entendirent une voix paraissant venir du ciel ; et ils jetèrent les regards autour d'eux, car ils ne comprenaient pas la voix qu'ils entendaient ; et ce n'était pas une voix dure ni une voix forte ; néanmoins, et malgré que c'était une *voix faible, elle

perça ceux qui entendirent jusqu'au fond du cœur à tel point qu'il n'y avait pas une partie de leur corps qu'elle ne fît trembler ; oui, elle les perçait jusqu'à l'âme même et leur brûlait le cœur.

4. Et il arriva qu'ils entendirent encore la voix et ils ne la comprirent pas.

5. Et une troisième fois ils entendirent la voix et ouvrirent les oreilles pour l'entendre, et leurs yeux se tournèrent du côté du son : et ils les gardèrent fixés vers le ciel, d'où le son venait.

6. Et voici, la troisième fois, ils comprirent la voix qu'ils entendaient ; et elle leur disait :

7. Voici mon Fils bien-aimé, en qui je me complais, en qui *j'ai glorifié mon nom — écoutez-le.

8. Et * comme ils comprenaient ces paroles, ils levèrent de nouveau les yeux vers le ciel ; et voici ils virent un *Homme descendre du ciel : et il était vêtu d'une robe blanche, et il descendit, et se tint au milieu d'eux : et les yeux de toute la multitude étaient tournés vers lui, et ils n'osaient ouvrir la bouche, même pour se parler l'un à l'autre, et ne savaient pas ce que cela signifiait, car ils pensaient que c'était un ange qui leur était apparu.

9. Et il arriva qu'il étendit la main et parla au peuple, disant :

10. Voici, je suis Jésus-Christ, de qui les prophètes ont témoigné qu'il viendrait au monde.

11. Et voici, je suis *la lumière et la vie du monde ; j'ai bu à cette coupe *amère que le Père m'a donnée et j'ai *glorifié le Père en prenant sur moi les *péchés du monde, en quoi j'ai souffert la volonté du Père en toutes choses depuis le commencement.

12. Et * quand Jésus eut pro-

y, voir b, 1 Né. 12.   z, 3 Né. chaps. 11-30.   CHAP. 11 : a, voir h, 2 Né. 5. b, voir 2k, Al. 22.   c, 3 Né. 8 : 11-14.   d, Héla. 14 : 20-27. 3 Né. 8 : 5-25. 9 : 10. e, Héla. 30, 31, 46, 47.   f, vers. 11. 3 Né. 9 : 15.   g, voir b, 1 Né. 12. h, voir m, Mos. 16.   i, Jean 18 : 11.   j, vers. 7. 3 Né. 9 : 15.   k, vers. 14. 3 Né. 9 : 21. Jean 1 : 29.   34 AP. J.-C.

noncé ces paroles, toute la multitude tomba à terre ; car ils se rappelaient qu'il leur avait été [l]prophétisé que le Christ se montrerait à eux après son ascension au ciel.

13. Et * le Seigneur leur parla. disant :

14. Levez-vous et venez à moi afin de [m]mettre les mains dans mon côté, et aussi toucher la marque des clous dans mes mains et mes pieds, afin que vous sachiez que je suis le Dieu d'Israël et le [n]Dieu de toute la terre, et que j'ai été mis à mort pour [o]les péchés du monde.

15. Et * la multitude alla se [p]mit les mains dans son côté et dans la marque des clous dans ses mains et ses pieds ; et ils le firent, s'avançant l'un après l'autre jusqu'à ce qu'ils se fussent tous avancés, eussent vu de leurs yeux et senti de leurs mains, connussent avec certitude et eussent rendu témoignage qu'il était bien celui dont les [q]prophètes avaient écrit et annoncé qu'il viendrait.

16. Et quand tous se furent avancés et eurent été eux-mêmes témoins. ils s'écrièrent d'un seul accord :

17. Hosanna ! Béni soit le nom du [r]Dieu très haut ! Et ils tombèrent aux pieds de Jésus et l'adorèrent.

18. Et * il parla à Néphi (car [s]Néphi était parmi la multitude) et lui commanda d'avancer.

19. Et Néphi se leva, s'avança, s'agenouilla devant le Seigneur et lui [t]baisa les pieds.

20. Et le Seigneur lui commanda de se lever. Et il se leva et se tint debout devant lui.

21. Et le Seigneur lui dit : Je te donne le [u]pouvoir de [v]baptiser ce peuple quand je serai [w]remonté au ciel.

22. Et le Seigneur en appela d'autres et leur dit la même chose ; et il leur donna le [x]pouvoir de baptiser. Et il leur dit : Vous baptiserez de cette manière ; et il n'y aura [y]point de disputes parmi vous.

23. En vérité, je vous dis que tous ceux qui se repentiront de leurs péchés après vos paroles et désireront être baptisés en mon nom, vous les baptiserez de cette manière : Voici, vous descendrez et vous vous [z]tiendrez dans l'eau, et vous les baptiserez en mon nom.

24. Et maintenant voici les paroles que vous prononcerez en les appelant par leur nom :

25. Ayant reçu [2a]l'autorité de Jésus-Christ, je vous [2b]baptise au nom du Père, et du Fils, et du Saint-Esprit. Amen.

26. Et alors, vous les plongerez dans l'eau et puis vous sortirez de l'eau.

27. Et c'est de cette manière que vous baptiserez en mon nom ; car voici, en vérité, je vous dis que le [2c]Père, le Fils et le Saint-Esprit sont un ; et je suis [2d]dans le Père, et le Père est en moi, et le Père et moi sommes [2e]un.

28. Et selon que je vous l'ai commandé, [2f]ainsi vous baptiserez. Et il n'y aura plus de [2g]disputes parmi vous, comme il y en a eu jusqu'à présent ; et il n'y aura plus non plus de disputes parmi vous sur les points de ma doctrine. comme il en a été jusqu'à présent.

29. Car, en vérité, en vérité, je vous le dis : Celui qui a l'esprit de [2h]contention n'est pas de moi. mais est du diable, qui est le père de la contention ; et il pousse le cœur des hommes à lutter les uns contre les autres avec colère.

30. Voici, ce n'est pas ma doc-

---

l, voir b. 1 Né. 12. m, vers. 15. Jean 20 : 27. n, voir 2b, Mos. 7. o, voir k. p, vers. 14. q, vers. 10. r, voir 2b, Mos. 7. s, 3 Né. 1 : 2, 3, 10. 7 : 15, 20, 23-26. t. 3 Né. 17 : 10. u, voir g, Mos. 18. v, voir u, 2 Né. 9. w, 3 Né. 18 : 39. x. voir g. Mos. 18. y, vers. 28-30. 3 Né. 18 : 34. z, Mos. 18 : 12. 3 Né. 19 : 10-13. 2a, voir g, Mos. 18. 2b, voir u. 2 Né. 9. 2c, voir k, 2 Né. 31. 2d, voir p. 3 Né. 9. 2e, voir k, 2 Né. 31. 2f, vers. 25, 26. 2g, vers. 22, 29, 30. 2h. vers. 22, 28. 30.

trine d'exciter les cœurs des hommes à la colère l'un contre l'autre mais c'est ma doctrine que de [2i]telles choses soient abandonnées.

31. Voici, en vérité, en vérité, je vous le dis, je vous déclarerai ma doctrine.

32. Et ceci est ma doctrine, et c'est la doctrine que le Père m'a donnée ; et je rends [2j]témoignage du Père, et le Père rend témoignage de moi, et le Saint-Esprit rend témoignage du Père et de moi ; et je rends témoignage que le Père commande à tout homme, en tous lieux, de se repentir et de croire en moi.

33. Et quiconque croit en moi et est [2k]baptisé, sera sauvé ; et ce sont ceux-là qui hériteront du royaume de Dieu.

34. Et quiconque ne croit point en moi et n'est pas baptisé, sera damné.

35. En vérité, en vérité, je vous dis que c'est ma doctrine et [2l]j'en rends témoignage de la part du Père ; et [2m]quiconque croit en moi, croit aussi au Père ; et le Père lui [2n]témoignera de moi, car il le visitera de [2o]feu et du Saint-Esprit.

36. Et ainsi, le Père [2p]témoignera de moi et le Saint-Esprit rendra témoignage du Père et de moi ; car [2q]le Père, et moi, et le Saint-Esprit sommes un.

37. Et je vous dis encore : Vous devez vous repentir et devenir comme un petit enfant, et être [2r]baptisés en mon nom, ou vous ne pouvez, en aucune manière, recevoir ces choses.

38. Et de plus, je vous le dis : Vous devez vous repentir et être baptisés en mon nom, et devenir comme un [2s]petit enfant, ou vous ne pouvez, en aucune manière hériter du royaume de Dieu.

39. En vérité, en vérité, je vous le dis, voilà ma doctrine ; et quiconque bâtit sur ces choses, bâtit sur mon roc ; et les [2t]portes de l'enfer ne prévaudront pas contre lui.

40. Et quiconque déclarera plus ou moins que ceci et l'établira pour ma doctrine, celui-là vient du mal et ne bâtit pas sur mon roc ; mais il bâtit sur un [2u]fondement de sable, et les portes de l'enfer seront ouvertes pour le recevoir, quand viendront les inondations et que les vents s'abattront sur lui.

41. C'est pourquoi, allez à ce peuple, et déclarez les paroles que j'ai dites jusqu'aux bouts de la terre.

CHAPITRE 12.

Les enseignements du Sauveur aux Néphites. — Il appelle et commissionne les douze disciples. — Ses paroles à la multitude. — Répétition du Sermon sur la Montagne. — Comparer Matthieu 5.

1. * Quand Jésus eut dit ces paroles à [a]Néphi et à ceux qui avaient été appelés (or, le nombre de ceux qui avaient été appelés et qui avaient reçu le [b]pouvoir et l'autorité de baptiser était de [c]douze), voici, il étendit la main vers la multitude et leur cria, disant : Bénis serez-vous si vous êtes attentifs aux paroles de ces douze que j'ai choisis de parmi vous pour vous enseigner et pour être vos serviteurs ; je leur ai [d]donné le pouvoir de vous baptiser d'eau ; et lorsque vous aurez été baptisés d'eau, voici, je vous baptiserai [e]de feu et du Saint-

2i, vers. 22, 28, 29.   2j, vers. 35, 36. 3 Né. 28 : 11. Eth. 5 : 4.   2k, voir u, 2 Né. 9.   2l, vers. 32, 36.   2m, Eth. 4 : 12.   2n, vers. 32, 36.   2o, voir y, 3 Né. 9.   2p, voir 2j.   2q, voir k, 2 Né. 31.   2r, voir u, 2 Né. 9.   2s, voir 2b, 3 Né. 9.   2t, Matt. 16 : 18. 3 Né. 18 : 12, 13.   2u, Matt. 7 : 24-27. 3 Né. 14 : 24-27. 18 : 12, 13.   CHAP. 12 : a, voir s, 3 Né. 11.   b, voir g, Mos. 18. c, 3 Né. 13 : 25. 15 : 11. 18 : 1-17, 26-39. 19 : 4-36. 20 : 6. 26 : 17. chaps. 27, 28. 4 Né. 1, 5, 13, 14, 30-33, 37, 44, 46. Morm. 1 : 13. 3 : 19. 8 : 10, 11. 9 : 22, 25. Eth. 12 : 17. Moro. 2 : 3.   d, voir g, Mos. 18.   e, voir y, 3 Né. 9.   34 AP J.-C.

Esprit. C'est pourquoi, bénis soyez-vous si vous croyez en moi et si vous êtes' baptisés, après m'avoir vu et avoir su que je suis.

2. Et encore plus bénis seront ceux qui croiront en vos paroles, parce que vous témoignerez m'avoir vu et savoir que je suis. Oui, bénis seront ceux qui croiront en vos paroles, s'abaisseront dans les profondeurs de l'humilité et seront 'baptisés, car ils seront visités ᵍpar le feu et par le Saint-Esprit, et ils recevront la rémission de leurs péchés.

3. Oui, bénis sont les ʰpauvres en esprit qui viennent à moi, car le royaume des cieux est à eux.

4. Et de plus, bénis sont ceux qui se lamentent, car ils seront consolés.

5. Et bénis sont ceux qui sont doux de cœur, car ils hériteront la terre.

6. Et bénis sont tous ceux qui ont faim et soif de justice, car ils seront 'remplis du Saint-Esprit.

7. Et bénis sont les miséricordieux, car ils obtiendront miséricorde.

8. Et bénis ceux qui ont le cœur pur, car ils verront Dieu.

9. Et bénis sont les pacifiques, car ils seront appelés enfants de Dieu.

10. Et bénis sont tous ceux qui seront ʲpersécutés à cause de mon nom, car le royaume des cieux est à eux.

11. Et bénis serez-vous quand les hommes vous insulteront et vous persécuteront, et diront faussement toute sorte de mal contre vous, à cause de moi ;

12. Car vous aurez une grande ᵏjoie et serez remplis d'allégresse, et grande sera votre récompense au ciel ; car c'est ainsi qu'ils ont

persécuté les prophètes qui étaient avant vous.

13. En vérité, en vérité, je vous le dis : Je vous donne d'être le sel de la terre ; mais si le sel perd sa saveur, avec ˡquoi la terre sera-t-elle salée ? Le sel désormais ne serait plus bon à rien qu'à être jeté et foulé aux pieds des hommes.

14. En vérité, en vérité, je vous le dis : Je vous donne d'être la lumière de ce peuple. Une ville placée sur une colline ne peut être cachée.

15. Voici, les hommes allument-ils une lampe pour la mettre sous le boisseau ? Non, mais sur un chandelier, et elle éclaire tous ceux qui sont dans la maison ;

16. C'est pourquoi, que votre lumière luise ainsi devant ce peuple, afin qu'il voie vos bonnes œuvres et qu'il glorifie votre Père qui est dans les cieux.

17. Ne pensez pas que je sois venu pour détruire la loi ou les prophètes. Je ne suis pas venu pour détruire, mais pour accomplir ;

18. Car, en vérité, je vous le dis : Pas un seul iota, pas un seul trait de lettre n'est passé de ᵐla loi ; mais en moi, elle a été toute accomplie.

19. Et voici, je vous ai donné la loi et les commandements de mon Père, pour que vous croyiez en moi, que vous vous repentiez de vos péchés et veniez à moi le cœur ⁿbrisé et l'esprit contrit. Voici, vous avez les commandements devant vous, et la ᵒloi est accomplie.

20. C'est pourquoi, venez à moi et soyez sauvés ; car, en vérité, je vous dis qu'à moins de garder mes ᵖcommandements, que je vous donne en ce moment, vous n'entrerez en aucun cas dans le royaume des cieux.

f, voir u, 2 Né. 9.   g, voir y, 3 Né. 9.   h, Matt. 5 : 3.   i, Matt. 5 : 6.
j, Matt. 5 : 10.   k, Matt. 5 : 12.   l, Matt. 5 : 13.   m, Matt. 5 : 18.   n, 3 Né.
9 : 20.   o, vers. 18, 46. 3 Né. 9 : 17. 15 : 4-10.   p, vers. 19. 3 Né. 15 : 10.
34 AP. J.-C.

21. Vous avez entendu qu'il a été dit par ceux des temps anciens, et c'est également écrit devant vous : Tu ne tueras point ; et quiconque tuera, encourra le danger du ⁱjugement de Dieu.

22. Mais je vous dis que quiconque s'irrite contre son frère, sera en danger de son ʳjugement. Et quiconque dira à son frère : Raca, sera en danger du conseil ; et quiconque dira : Insensé, sera en danger du feu de l'enfer.

23. C'est pourquoi, si tu viens à moi, ou si tu ˢdésires venir à moi, et que tu te souviennes que ton frère a quelque chose contre toi, —

24. Va auprès de ton frère et réconcilie-toi d'abord avec ton frère et alors, viens à moi avec une ferme résolution, et je te recevrai.

25. Accorde - toi promptement avec ton adversaire pendant que tu es en chemin avec lui, de peur que, d'un moment à l'autre, il ne te prenne et que tu ne sois jeté en prison.

26. En vérité, en vérité, je te le dis, tu ne sortiras en aucune façon de là, que tu n'aies payé jusqu'à la dernière ⁱsénine. Et pendant que tu es en prison, peux-tu payer même une sénine ? En vérité, en vérité, je te dis que non.

27. Voici, il a été écrit par ceux de l'ancien temps : Tu ne commettras point d'adultère ;

28. Mais je vous dis que quiconque regarde une femme pour la convoiter a déjà commis l'adultère dans son cœur.

29. Voici, je vous donne le commandement de ne permettre à aucune de ces ᵘchoses d'entrer dans votre cœur ;

30. Car il vaut mieux que vous refusiez ces choses et preniez en cela votre croix, que d'être jetés en enfer.

31. Il a été écrit que quiconque répudie sa femme, lui donnera une lettre de divorce.

32. En vérité, en vérité, je vous dis que quiconque ᵛrépudie sa femme, à moins que ce ne soit pour cause de fornication, lui fait commettre l'adultère ; et quiconque épouse celle qui est divorcée, commet l'adultère.

33. Il est encore écrit : Tu ne seras point parjure, mais tu tiendras tes serments au Seigneur :

34. Mais en vérité, en vérité, je vous dis : Ne jurez d'aucune manière, ni par le ciel, car c'est le trône de Dieu,

35. Ni par la terre, car c'est son marchepied ;

36. Et tu ne jureras pas non plus par la tête, parce que tu ne peux rendre un cheveu noir ou blanc,

37. Mais que ta parole soit : Oui, oui ; Non, non ; car tout ce qui est plus est mal.

38. Et voici, il est écrit : Œil pour œil, dent pour dent.

39. Mais je vous dis : Vous ne résisterez point au mal ; et quiconque te frappera la joue droite, tends-lui aussi l'autre.

40. Et si un homme te poursuit en justice et te prend ton habit, laisse-lui aussi ton manteau.

41. Et quiconque t'obligera à marcher un mille, fais-en deux avec lui.

42. Donne à celui qui te demande et ne te détourne point de celui qui veut emprunter de toi.

43. Et voici, il est encore écrit : Tu aimeras ton prochain, et haïras ton ennemi ;

44. Mais voici, je vous dis : Aimez vos ennemis, bénissez ceux

q, Matt. 5 : 21.   r, Matt. 5 : 22.   s, Matt. 5 : 23, 24.   t, voir c, Al. 11.
u, D. et A. 42 : 23, 43 : 16, 17, Voir i, 2 Né. 28.   v, Matt. 5 : 32. Marc 10 : 11, 12.
Luc 16 : 18.   34 AP. J.-C.

qui vous maudissent, faites du bien à ceux qui vous haïssent et priez pour ceux qui vous maltraitent et vous persécutent ;

45. Afin que vous soyez les enfants de votre Père céleste ; car il fait lever son soleil sur le méchant et le bon.

46. C'est pourquoi, ces choses de l'ancien temps, qui étaient sous la loi, sont *toutes accomplies en moi.

47. Les choses anciennes *sont finies, et toutes choses sont devenues nouvelles.

48. C'est pourquoi, je voudrais que vous soyez parfaits, même *comme moi, ou comme votre Père céleste est parfait.

CHAPITRE 13.

Suite du sermon du Seigneur aux Néphites. — Ses commandements aux douze. — Comparez Matthieu 6.

1. En vérité, en vérité, je dis que je voudrais que vous fassiez des aumônes aux pauvres ; mais gardez-vous de faire vos aumônes devant les hommes pour être vus d'eux ; autrement, vous n'avez point de récompense de votre Père qui est aux cieux.

2. C'est pourquoi, quand vous ferez vos aumônes, ne sonnez point de la trompette devant vous, comme le font les hypocrites dans les *synagogues et dans les rues pour que les hommes leur donnent de la gloire. En vérité, je vous le dis, ils ont leur récompense.

3. Mais quand tu fais des aumônes, que ta main gauche ne sache pas ce que fait ta main droite ;

4. Afin que tes aumônes soient secrètes ; et ton Père, qui voit dans le secret, te récompensera ouvertement.

5. Et quand tu pries, tu ne feras point comme les hypocrites ; car ils aiment à prier, debout dans les synagogues et aux coins des rues,

afin d'être vus des hommes. En vérité, je vous dis qu'ils ont leur récompense.

6. Mais toi, lorsque tu pries, entre dans ton cabinet, et quand tu as fermé ta porte, prie ton Père qui est dans le secret ; et ton Père qui voit dans le secret, te récompensera ouvertement.

7. Mais quand vous priez, n'usez pas de vaines répétitions, comme les païens ; car ils pensent qu'ils seront écoutés à cause de la quantité de leurs paroles.

8. Ne soyez donc pas semblables à eux, car votre Père connaît les choses dont vous avez besoin, avant que vous les lui demandiez.

9. Priez donc de cette manière : Notre Père, qui es au ciel, que ton nom soit sanctifié,

10. Que ta volonté soit faite sur la terre comme au ciel.

11. Et pardonne-nous nos offenses comme nous pardonnons à ceux qui nous ont offensés.

12. Et ne nous conduis pas en tentation, mais délivre-nous du mal.

13. Car à toi sont, à jamais, le royaume, le pouvoir et la gloire. Amen.

14. Car si vous pardonnez aux hommes leurs offenses, votre Père céleste vous pardonnera aussi les vôtres ;

15. Mais si vous ne pardonnez pas aux hommes leurs offenses, votre Père ne vous pardonnera pas non plus vos offenses.

16. De plus, quand vous *jeûnez, n'ayez point le visage triste, comme les hypocrites ; car ils affectent un visage défait pour montrer aux hommes qu'ils jeûnent. En vérité, je vous le dis, ils ont leur récompense.

17. Mais toi, quand tu jeûnes, oins-toi la tête et lave-toi le visage,

18. Afin de ne pas montrer aux hommes que tu jeûnes, mais à ton

---

w. voir o.   x. 3 Né. 15 : 2, 3.   y. Matt. 5 : 48. 3 Né. 19 : 25-29. 27 : 27.
CHAP. 13 : a. voir u. Al. 16.   b. voir t. Mos. 27.   34 AP. J.-C.

Père, qui est dans le secret ; et ton Père, qui voit dans le secret, te récompensera ouvertement.

19. Ne vous amassez pas des trésors sur la terre, où la teigne et la rouille rongent et où les voleurs percent et dérobent ;

20. Mais amassez-vous des trésors dans le ciel où ni les vers ni la rouille ne rongent ; et où les voleurs ne percent ni ne dérobent.

21. Car là où est votre trésor, là aussi sera votre cœur.

22. La lumière du corps est l'œil ; si donc ton œil est sain, tout ton corps sera rempli de lumière.

23. Mais si ton œil est mauvais, tout ton corps sera rempli de ténèbres. Si donc la lumière qui est en toi est ténèbres, combien grandes sont ces ténèbres !

24. Nul ne peut servir deux maîtres, car ou il haïra l'un et aimera l'autre, ou il s'attachera à l'un et méprisera l'autre. Vous ne pouvez servir Dieu et Mamon.

25. * Quand Jésus eut prononcé ces paroles, il posa les yeux sur les douze qu'il avait choisis, et leur dit : Rappelez-vous ce que je vous ai dit. Car voici, ᶜvous êtes ceux que j'ai choisis pour enseigner ce peuple. C'est pourquoi, je vous dis: N'ayez point souci de votre vie, de ce que vous aurez à manger et de ce que vous aurez à boire, ni de votre corps, ni de ce dont vous le revêtirez. La vie n'est-elle pas plus que la nourriture et le corps plus que le vêtement ?

26. Considérez les oiseaux de l'air, car ils ne sèment pas, ils ne moissonnent pas, ils n'amassent pas dans les greniers ; cependant votre Père céleste les nourrit. N'êtes-vous pas préférables à eux ?

27. Qui de vous, par ses inquiétudes, pourrait ajouter une coudée à sa taille ?

28. Et pourquoi avez-vous souci de vos vêtements ? Voyez comme croissent les lis des champs ; ils ne travaillent pas ni ne filent.

29. Et pourtant je vous dis que même Salomon, dans toute sa gloire, n'était pas vêtu comme l'un d'eux.

30. Donc, si Dieu pare ainsi l'herbe des champs, qui est aujourd'hui, et demain est jetée au four, de même il vous vêtira, si vous n'êtes pas de peu de foi,

31. C'est pourquoi, ne vous inquiétez point, disant : Que mangerons-nous ? ou, Que boirons-nous ? ou, De quoi serons-nous vêtus ?

32. Car votre Père sait que vous avez besoin de toutes ces choses.

33. Mais cherchez premièrement le royaume de Dieu et sa justice, et toutes ces choses vous seront données par-dessus.

34. C'est pourquoi, ne vous inquiétez pas du lendemain, car le lendemain prendra soin de lui-même. A chaque jour suffit sa peine.

CHAPITRE 14.

Suite du sermon du Sauveur. — Autres instructions à la multitude. — Comparer Matthieu 7.

1. * Quand il eut dit ces mots, Jésus se tourna de nouveau vers la multitude et ouvrit de nouveau la bouche et lui dit : En vérité, en vérité, je vous le dis, ne jugez pas, afin que vous ne soyez pas jugés.

2. Car vous serez jugés du jugement dont vous jugez ; et vous serez mesurés avec la mesure dont vous vous servez.

3. Et pourquoi vois-tu la paille qui est dans l'œil de ton frère, mais ne considères-tu pas la poutre qui est dans ton propre œil ?

4. Ou, comment peux-tu dire à ton frère : Laisse-moi ôter la paille de ton œil — et voici, il y a une poutre dans ton propre œil.

5. Hypocrite, ôte tout d'abord la

poutre de ton propre œil et alors tu verras clair pour ôter la paille de l'œil de ton frère.

6. Ne donne pas ce qui est sain aux chiens et ne jette pas tes perles devant les pourceaux, de crainte qu'ils ne les foulent aux pieds, ne se retournent et ne te déchirent.

7. ªDemandez, et l'on vous donnera ; cherchez, et vous trouverez ; frappez, et l'on vous ouvrira.

8. Car quiconque demande reçoit, celui qui cherche trouve, et l'on ouvre à celui qui frappe.

9. Lequel de vous donnera une pierre à son fils s'il lui demande du pain ?

10. Ou, s'il demande un poisson, lui donnera-t-il un serpent ?

11. Si donc, méchants comme vous l'êtes, vous savez donner de bonnes choses à vos enfants, à combien plus forte raison votre Père qui est dans les cieux donnera-t-il de bonnes choses à ceux qui les lui demandent ?

12. C'est pourquoi, tout ce que vous voulez que les hommes fassent pour vous, faites-le de même pour eux, car c'est la loi et les prophètes.

13. Entrez par la porte ᵇétroite ; car large est la porte, spacieux est le chemin qui mènent à la destruction, et il y en a beaucoup qui entrent par là.

14. Parce qu'étroite est la porte, resserré le chemin qui mènent à la vie et il y en a peu qui les trouvent.

15. Gardez-vous des faux prophètes qui viennent à vous en habits de brebis, mais qui, au dedans, sont des loups ravisseurs.

16. Vous les reconnaîtrez à leurs fruits : Cueille-t-on des raisins sur des épines, ou des figues sur des chardons ?

17. Ainsi, tout arbre qui est bon produit de bons fruits, mais un arbre qui est corrompu produit de mauvais fruits.

18. Un bon arbre ne peut produire de mauvais fruits ni un arbre corrompu produire de bons fruits.

19. Tout arbre qui ne porte pas de bons fruits est coupé et jeté au feu.

20. C'est pourquoi, vous les reconnaîtrez à leurs fruits.

21. Ceux qui me disent, Seigneur ! Seigneur ! n'entreront pas tous dans le royaume des cieux, mais celui qui fait la volonté de mon Père qui est dans les cieux.

22. Beaucoup me diront en ce jour-là: Seigneur, Seigneur, n'avons-nous pas prophétisé en ton nom ? Et en ton nom, n'avons-nous pas chassé les démons ? Et en ton nom, n'avons-nous pas fait des œuvres merveilleuses ?

23. Et alors je leur dirai : Je ne vous ai jamais connus, retirez-vous de moi, vous qui commettez l'iniquité.

24. C'est pourquoi, quiconque entend ces paroles que je dis et les met en pratique, je le comparerai à un homme sage qui a bâti sa maison sur le roc.

25. Et la ᶜpluie est tombée, les torrents sont venus, les vents ont soufflé et se sont jetés contre cette maison ; et elle n'est pas tombée, parce qu'elle était fondée sur le roc.

26. Et quiconque entend ces paroles que je dis et ne les met pas en pratique, sera semblable à un homme insensé, qui a bâti sa maison sur le sable.

27. Et la pluie est tombée et les torrents sont venus, et les vents ont soufflé et frappé cette maison ; et elle s'est écroulée et grande a été sa chute.

CHAPITRE 15.

La Loi de Moïse est remplacée. — Celui qui donne la Loi accomplit la Loi. — Brebis d'une autre bergerie.

1. * Quand Jésus eut ainsi parlé,

ª, 3 Né. 27 : 29.   ᵇ, voir 2a, 2 Né. 9. 3 Né. 27 : 33.   ᶜ, voir e, Al. 26.
34 ᴀᴘ. J.-C.

il jeta les yeux à l'entour sur la multitude et lui dit : Voici, vous avez entendu les choses que j'ai [a]enseignées avant d'être monté vers mon Père ; c'est pourquoi, quiconque se souvient de ces paroles que je dis et les met en pratique, je le [b]ressusciterai au dernier jour.

2. Et il arriva que lorsque Jésus eut prononcé ces paroles, il s'aperçut qu'il y en avait quelques-uns parmi eux qui s'étonnaient et se demandaient ce qu'il voulait à propos de la [c]loi de Moïse ; car ils n'avaient pas compris [d]ces paroles : Que les anciennes choses étaient finies, et que toutes choses étaient devenues nouvelles.

3. Et il leur dit : Ne vous étonnez pas de ce que je vous ai dit que les anciennes choses sont finies, et que toutes choses sont devenues nouvelles.

4. Voici, je vous dis que la [e]loi qui fut donnée à Moïse est accomplie.

5. Voici, c'est [f]moi qui ai donné la loi et c'est moi qui ai fait alliance avec mon peuple, Israël ; c'est pourquoi, la [g]loi est accomplie en moi, parce que je suis venu pour accomplir la loi ; c'est pourquoi, elle est finie.

6. Voici, je [h]ne détruis pas les prophètes, car tous ceux qui n'ont point été accomplis en moi, en vérité, je vous le dis, ils seront tous accomplis.

7. Et parce que je vous disais que les [i]anciennes choses sont passées, je ne détruis pas ce qui a été dit concernant ce qui est à venir.

8. Car voici, [j]l'alliance que j'ai faite avec mon peuple n'est pas entièrement accomplie ; mais [k]la loi qui fut donnée à Moïse est finie en moi.

9. Voici, je suis la loi et la [l]lumière. Levez les yeux vers moi, et persévérez jusqu'à la fin, et vous vivrez ; car à celui qui [m]persévérera jusqu'à la fin, je donnerai la vie éternelle.

10. Voici, je vous ai donné les commandements ; c'est pourquoi, gardez mes commandements. Et c'est là la loi et les prophètes, car ils ont vraiment témoigné de moi.

11. * Quand il eut dit ces mots, Jésus dit [n]aux douze qu'il avait choisis :

12. Vous êtes mes disciples ; et vous êtes une lumière pour ce peuple, qui est un reste de la maison de Joseph.

13. Et voici, [o]ce pays est la terre de votre héritage, et le Père vous l'a donné.

14. Et jamais le Père ne m'a commandé de le dire à vos frères à Jérusalem.

15. Et jamais le Père ne m'a commandé de leur parler des [p]autres tribus de la maison d'Israël, que le Père a emmenées hors du pays.

16. Le Père ne m'a commandé de ne leur dire que ceci :

17. J'ai [q]d'autres brebis, qui ne sont pas de cette bergerie ; celles-là il faut aussi que je les amène, et elles entendront ma voix ; et il y aura un seul troupeau, un seul berger.

18. Or, à cause de leur obstination et de leur incrédulité, ils ne comprirent pas ma parole ; c'est pourquoi le Père me commanda de ne rien leur dire de plus concernant cette chose.

19. Mais, en vérité, je vous dis que le Père m'a commandé de vous dire que vous avez été séparés d'eux, à cause de leur iniquité ; c'est

a, Matt. chaps. 5-7.   b, voir p, Mos. 23. 47.   e, 3 Né. 9 : 17.   f, 1 Cor. 10 : 4.   c, voir o, 2 Né. 25.   d, 3 Né. 12 : 46, 47.   g, 3 Né. 12 : 46, 47.   h, vers. 7, 8. 3 Né. 20 : 11, 12. 23 : 1-3.   i, 3 Né. 12 : 46, 47.   j, 3 Né. 5 : 24-26. 16 : 5. Voir e, 1 Né. 15.   k, voir o, 2 Né. 25.   l, voir m, Mos. 16.   m, voir 2 Né. 31 : 20. n, 3 Né. 12 : 1.   o, voir k, 1 Né. 18.   p, vers. 20. 2 Né. 21 : 12. 3 Né. 16 : 1-4. 17 : 4.   q, vers. 21-24. Jean 10 : 16.   34 AP. J.-C.

pourquoi, c'est à cause de leur iniquité qu'ils n'ont aucune connaissance de vous.

20. Et, en vérité, je vous le dis encore que le Père a séparé d'eux les *autres tribus ; et c'est à cause de leur iniquité qu'ils n'ont aucune connaissance d'elles.

21. Et en vérité, je vous le dis, *vous êtes ceux de qui j'ai dit : J'ai d'autres brebis, qui ne sont pas de cette bergerie ; celles-là, il faut aussi que je les amène, et elles entendront ma voix ; et il y aura un seul troupeau, un seul berger.

22. Et ils ne m'ont point compris, car ils supposaient que c'étaient les Gentils ; car ils ne comprenaient pas que les Gentils seraient *convertis par leurs prédications.

23. Et ils ne m'ont pas compris quand je disais : Elles entendront ma voix ; et ils n'ont pas compris que les Gentils n'entendront en aucun temps ma voix — que je ne me manifesterais pas à eux, si ce *n'est par le Saint-Esprit.

24. Mais voici, vous avez entendu ma voix et vous m'avez vu ; et vous êtes mes *brebis, et vous êtes comptés parmi ceux que le Père m'a donnés.

CHAPITRE 16.

Cependant un autre troupeau doit encore entendre le Sauveur. — Bénédictions sur les Gentils qui croiront. — L'état de ceux qui rejettent l'évangile. — Le prophète Esaïe est cité.

1. Et en vérité, en vérité, je vous dis que j'ai *d'autres brebis qui ne sont pas de ce pays, ni du pays de Jérusalem, ni d'aucun pays aux alentours, où je suis allé exercer mon ministère.

2. Car ceux dont je parle, sont ceux qui n'ont *pas encore entendu ma voix ; et je ne me suis encore jamais manifesté à eux.

3. Mais j'ai reçu du Père le commandement d'aller à eux, et ils *entendront ma voix, et seront comptés parmi mes brebis, pour qu'il y ait un seul troupeau, un seul berger ; c'est pourquoi, je vais me montrer à eux.

4. Et je vous commande d'écrire ces paroles, lorsque je serai parti, afin que, s'il arrive que mon peuple de Jérusalem, ceux qui m'ont vu et qui ont été avec moi dans mon ministère, ne demandent pas en mon nom de recevoir par le Saint-Esprit une connaissance de vous et des *autres tribus qui leur sont inconnues, ces paroles que vous écrirez, soient gardées et soient un jour manifestées *aux Gentils, pour que, par la *plénitude des Gentils. le reste de leur postérité qui sera dispersé sur la surface de la terre. à cause de son incrédulité, puisse être ramené ou être amené à me connaître, moi, leur Rédempteur.

5. Et *alors, je les rassemblerai des quatre parties de la terre ; alors, j'accomplirai *l'alliance que le Père a faite avec tout le peuple de la maison d'Israël.

6. Et bénis sont les Gentils, à cause de leur croyance en moi, au *Saint-Esprit et par le Saint-Esprit. qui leur témoigne *de moi et du Père.

7. Voici, à cause de leur croyance en moi, dit le Père, et à cause de ton incrédulité, ô maison d'Israël, la vérité parviendra aux Gentils dans les *derniers jours pour que la plénitude de ces choses leur soit révélée.

8. Mais *malheur aux Gentils incrédules, dit le Père — car bien qu'ils soient venus sur la surface

---

r, voir *p.*   *s,* vers. 17.   *t,* Actes 10 : 34-43.   *u,* Actes 10 : 44, 48.   *v,* vers. 17, 21.   **CHAP.** 16 : *a,* voir *p,* 3 Né. 15.   *b,* 3 Né. 15 : 17, 21, 23, 24.   *c,* voir *b.* *d,* voir *p,* 3 Né. 15.   *e,* voir *c,* 2 Né. 27.   *f,* 1 Né. 10 : 14. Voir *c,* 2 Né. 27. *g,* voir *e,* 1 Né. 15.   *h,* voir *j,* 3 Né. 15.   *i,* voir *u,* 3 Né. 15.   *j,* 3 Né. 11 : 32, 35, 36.   *k,* voir *c,* 2 Né. 27.   *l,* 2 Né. 28 : 32. Voir *d,* 1 Né. 14.   **34 AP. J.-C.**

de ce pays et qu'ils aient dispersé mon peuple, qui est de la maison d'Israël ; et mon peuple, qui est de la maison d'Israël, a été chassé de parmi eux et a été foulé sous leurs pieds ;

9. Et à cause de la miséricorde du Père envers les Gentils, et à cause des jugements du Père sur mon peuple, qui est de la maison d'Israël, en vérité, en vérité, je vous dis [m]qu'après tout cela, et j'ai fait en sorte que mon peuple, qui est de la maison d'Israël, soit affligé, tué, chassé de parmi eux, soit haï par eux et soit devenu un sujet de dérision et de mépris parmi eux —

10. Et ainsi, le Père me commande de vous dire : Le jour où les Gentils pècheront contre mon [n]évangile, et seront exaltés dans l'orgueil de leur cœur au-dessus de [o]toutes les nations et au-dessus de tous les peuples de la terre entière, et seront remplis de toutes sortes de mensonges, de tromperies, et de malice, et de toutes sortes d'hypocrisies, de meurtres, [p]d'intrigues de prêtres, de [q]luxures et [r]d'abominations secrètes ; et s'ils font toutes ces choses, et rejettent la [s]plénitude de mon évangile, voici, dit le Père, [t]j'emporterai la plénitude de mon évangile de parmi eux.

11. Et alors, je me souviendrai de mon alliance avec mon peuple, ô maison d'Israël, et je lui apporterai [u]mon évangile.

12. Et je te montrerai, ô maison d'Israël, que les Gentils n'ont aucun pouvoir sur toi ; mais je me souviendrai de mon [v]alliance avec toi, ô maison d'Israël ! et tu viendras à la [w]connaissance de la plénitude de mon évangile.

13. Mais si les Gentils se repentent et reviennent à moi, dit le Père, voici, ils seront [x]comptés parmi mon peuple, ô maison d'Israël.

14. Et je ne permettrai pas à mon peuple, qui est de la maison d'Israël, de fondre sur eux et de les fouler aux pieds, dit le Père.

15. Mais s'ils ne viennent pas à moi et n'écoutent pas ma voix, je leur permettrai, oui, je permettrai à mon peuple, ô maison d'Israël, de fondre sur eux et de les fouler aux pieds et ils seront comme du [y]sel qui a perdu sa saveur et qui, dès lors, n'est plus bon à rien qu'à être jeté et foulé sous les pieds de mon peuple, ô maison d'Israël.

16. En vérité, en vérité, je vous le dis, le Père [z]me l'a ainsi commandé de donner à ce peuple ce pays en héritage.

17. Et alors les paroles d'Esaïe seront accomplies, qui disent :

18. [2a]Tes sentinelles élèveront la voix ; d'une même voix elles chanteront, car elles verront œil à œil quand le Seigneur ramènera Sion.

19. Eclatez de joie, chantez ensemble, lieux désolés de Jérusalem, car le Seigneur a consolé son peuple, il a racheté Jérusalem.

20. Le Seigneur a mis à nu son bras saint aux yeux de toutes les nations ; et tous les bouts de la terre verront le salut de Dieu.

CHAPITRE 17.

Suite des instructions du Sauveur. — Les tribus perdues. — Le Seigneur guérit les malades et bénit de petits enfants. — Scène merveilleuse et touchante.

1. Voici, il arriva que quand il eut dit ces paroles, Jésus posa de nouveau les yeux à l'entour sur la multitude, et il leur dit : Voici, mon temps est proche.

2. Je m'aperçois que vous êtes faibles, que vous ne pouvez com-

---

m, voir *j*, 2 Né. 26.   *n*, 1 Né. 13 : 34, 36. 3 Né. 27 : 9-12.   *o*, Morm. 8 : 35-41.
p, 2 Né. 26 : 29.   *q*, voir *i*, 2 Né. 28.   *r*, voir *i*, 2 Né. 10.   *s*, voir *n*.   *t*, 3 Né.
20 : 27, 28.   *u*, voir *v*, 3 Né. 20 : 29.   *v*, voir *j*, 3 Né. 15.   *w*, Héla. 15 : 13.
x, 2 Né. 10 : 18, 19. 3 Né. 21 : 22-25, chap. 30.   *y*, 3 Né. 12 : 13.   *z*, voir *o*,
3 Né. 15.   *2a*, Es. 52 : 8-10.   34 AP. J.-C.

prendre toutes les paroles que mon Père m'a commandé de vous dire en ce moment.

3. C'est pourquoi, retournez chez vous et méditez les choses que je vous ai dites, et demandez au Père, en mon nom, de pouvoir comprendre, et préparez votre esprit pour demain, et je viendrai de nouveau vers vous.

4. Mais maintenant je ᵃvais au Père, et aussi me montrer aux ᵇtribus perdues d'Israël, car elles ne sont pas perdues pour le Père, car il sait où il les a emmenées.

5. Et il arriva que lorsque Jésus eut ainsi parlé, il jeta de nouveau les regards sur la multitude et vit qu'ils étaient en pleurs et avaient les regards fixés sur lui, comme s'ils voulaient lui demander de rester un peu plus longtemps avec eux.

6. Et il leur dit : Voici, mes entrailles sont remplies de compassion pour vous.

7. ᶜAvez-vous des malades parmi vous ? Amenez-les ici. Avez-vous des estropiés, des aveugles, des boiteux, des mutilés, des lépreux, des desséchés, des sourds ou des gens affligés de toute autre manière ? Amenez-les ici et je les guérirai, car j'ai compassion de vous ; mes entrailles sont remplies de miséricorde.

8. Car je vois que vous désirez que je vous montre ce que j'ai fait pour vos frères de Jérusalem, car je vois que votre foi est ᵈsuffisante pour que je vous guérisse.

9. * Lorsqu'il eut ainsi parlé, toute la multitude, de commun accord, s'avança avec ses malades, ses affligés, ses estropiés, ses aveugles, ses muets, et avec tous ceux qui étaient affligés de toute autre manière ; et il ᵉguérit chacun d'eux à mesure qu'on les lui amenait.

10. Et tous, tant ceux qui avaient été guéris que ceux qui étaient sains, se prosternèrent à ses pieds et l'adorèrent ; et tous ceux à qui la foule permit de l'approcher, lui ᶠbaisèrent les pieds au point qu'ils lui baignèrent les pieds de leurs larmes.

11. Et * il ordonna qu'on lui amenât les ᵍpetits enfants.

12. Et ils amenèrent leurs petits enfants et les posèrent à terre autour de lui, et Jésus se tint au milieu ; et la multitude se retira jusqu'à ce que tous lui eussent été amenés.

13. Et * lorsqu'ils eurent tous été amenés, et que Jésus se tint au milieu d'eux, il commanda à la multitude de ʰs'agenouiller par terre.

14. Et * quand ils se furent agenouillés par terre, Jésus gémit en lui-même et dit : Père, je suis ⁱtroublé à cause de la méchanceté du peuple de la maison d'Israël.

15. Et quand il eut dit ces mots, il ʲs'agenouilla lui-même par terre ; et voici, il pria le Père, et les prières qu'il fit ne peuvent être écrites, et la multitude qui l'entendit en rendit témoignage.

16. Et voici leur témoignage : ᵏL'œil n'a jamais vu et l'oreille n'a jamais entendu de choses aussi grandes et aussi merveilleuses que celles que nous vîmes et entendîmes Jésus adresser au Père ;

17. Et nulle langue ne peut rendre, nul homme ne saurait écrire, ni le cœur des hommes concevoir les choses grandes et merveilleuses que nous vîmes et que nous entendîmes de la bouche de Jésus ; et personne ne saurait concevoir la joie qui nous remplit l'âme au moment où nous l'entendîmes prier le Père pour nous.

---

a, 3 Né. 18 : 39.   *b*, voir *p*, 3 Né. 15.   *c*, vers. 9, 10.   *d*, 2 Né. 27 : 23. Eth. 12 : 12.   *e*, 3 Né. 26 : 15.   *f*, 3 Né. 11 : 19.   *g*, vers. 12, 21, 23, 24. 3 Né. 26 : 14, 16.   *h*, 3 Né. 19 : 6, 16, 17.   *i*, 3 Né. 27 : 32.   *j*, 3 Né. 19 : 19, 27. *k*, 3 Né. 19 : 32-34.

34 AP. J.-C.

18. * Quand Jésus eut cessé de prier le Père, il se leva ; mais si grande était la joie de la foule qu'ils en étaient abattus.

19. Et * Jésus leur parla et leur ordonna de se lever.

20. Et ils se levèrent de terre et il leur dit : Vous êtes bénis à cause de votre foi. Et maintenant voici, ma joie est pleine.

21. Et lorsqu'il eut dit ces mots, il pleura, et la multitude en rendit témoignage, et il 'prit leurs petits enfants un à un, et les bénit, et pria le Père pour eux.

22. Et lorsqu'il eut fait cela, il pleura de nouveau.

23. Et il parla à la multitude et leur dit : Voici vos petits enfants.

24. Et comme ils regardaient, voici, ils levèrent les yeux vers le ciel, ils virent les cieux s'ouvrir, et ils virent des anges descendre du ciel comme au milieu d'un feu ; et ils descendirent et entourèrent ces petits enfants, et ils ᵐétaient environnés de feu ; et les anges les servirent.

25. Et la multitude vit, entendit et rendit témoignage ; et ils savent que leur témoignage est vrai, car ils ont vu et entendu, chacun pour soi-même ; et ils étaient environ deux mille cinq cents âmes, hommes, femmes et enfants.

CHAPITRE 18.

Le sacrement du pain et du vin est institué parmi les Néphites. — La nécessité de la prière soulignée. — L'autorité de conférer le Saint-Esprit est donnée.

1. * Jésus commanda à ses ᵃdisciples de lui apporter ᵇdu pain et du vin.

2. Et pendant qu'ils étaient allés chercher du pain et du vin, il commanda à la multitude de s'asseoir à terre.

3. Et quand les disciples furent venus avec du pain et du vin, il prit le pain, le rompit et le bénit ; et il en donna à ses disciples et leur commanda de manger.

4. Et quand ils eurent mangé et furent rassasiés, il leur ordonna d'en donner à la multitude.

5. Et quand la multitude eut mangé et fut rassasiée, il dit aux disciples : Voici, il y en aura un qui sera ᶜordonné parmi vous, et je lui donnerai le pouvoir de rompre le pain et de le bénir, et de le donner au peuple de mon Eglise, à tous ceux qui croiront et seront ᵈbaptisés en mon nom.

6. Vous veillerez toujours à faire ceci, comme je l'ai fait, comme j'ai rompu et béni ce pain et comme je vous l'ai donné.

7. Et vous ferez ceci en ᵉsouvenir de mon corps que je vous ai montré. Et ce sera un témoignage au Père que vous vous souvenez toujours de moi. Et si vous vous souvenez ᶠtoujours de moi, vous aurez mon Esprit avec vous.

8. * Quand il eut dit ces mots, il commanda à ses disciples de prendre du vin d'une coupe et d'en boire, et d'en donner aussi à la multitude, pour qu'elle en bût.

9. Et * ils firent ainsi, et burent et furent désaltérés ; et ils en donnèrent à la multitude, et elle but et fut désaltérée.

10. Lorsque les disciples eurent fait cela, Jésus leur dit : Vous êtes bénis pour cette chose que vous avez faite ; car en ceci vous exécutez mes commandements, et ceci témoigne au Père que vous êtes disposés à faire ce que je vous ai commandé de faire.

11. Et vous ferez toujours ceci à ceux qui se repentent et sont ᵍbaptisés en mon nom ; et vous le

ferez en ʰsouvenir de mon sang que j'ai versé pour vous, afin que vous témoigniez au Père que vous vous souvenez ʰtoujours de moi. Et si vous vous souvenez toujours de moi, mon Esprit sera avec vous.

12. Et je vous donne le commandement de faire ces choses. Et si vous faites toujours ces choses, vous serez bénis, car vous êtes bâtis sur mon roc.

13. Mais tous ceux, parmi vous, qui feront plus ou moins que ces choses, ne ʲsont point bâtis sur mon roc, mais ils sont bâtis sur un fondement de sable ; et quand la pluie tombera, que les torrents viendront, et que les vents souffleront et s'abattront sur eux, ils tomberont, et les portes de l'enfer seront ouvertes, prêtes à les recevoir.

14. C'est pourquoi, vous serez bénis, si vous gardez les commandements que le Père m'a ordonné de vous donner.

15. En vérité, en vérité, je vous le dis, vous devez veiller et ᵏprier sans cesse, de peur d'être tentés par le diable et d'être emmenés ᶜcaptifs par lui.

16. Et comme j'ai prié parmi vous, de même vous prierez dans mon église, parmi mon peuple qui se repent et est baptisé en mon nom. Voici, ˡje suis la lumière ; je vous ai montré l'exemple.

17. Et * quand il eut dit ces mots à ses disciples, Jésus se tourna de nouveau vers la multitude et lui dit :

18. Voici, en vérité, en vérité, je vous le dis, vous devez veiller et ᵐprier sans cesse, de peur de tomber dans la tentation ; car Satan désire vous posséder, pour vous cribler comme du blé.

19. C'est pourquoi, vous devez sans cesse prier le Père en mon nom ;

20. Et tout ce que vous demanderez de juste au Père, en mon nom, croyant l'obtenir, voici, cela vous sera donné.

21. ⁿPriez le Père dans vos familles, toujours en mon nom, afin que vos femmes et vos enfants soient bénis.

22. Et voici, vous vous rassemblerez souvent ; et vous ne défendrez à personne de venir à vous quand vous vous assemblez, mais vous souffrirez qu'ils viennent à vous et ne les empêcherez pas ;

23. Mais vous prierez pour eux et ne les chasserez pas. Et s'ils viennent souvent à vous, vous prierez le Père pour eux en mon nom.

24. C'est pourquoi, élevez votre lumière pour qu'elle brille dans le monde. Voici, je suis la ᵒlumière que vous devez élever — ce que vous m'avez vu faire. Voici, vous voyez que j'ai prié le Père et vous en avez tous été témoins.

25. Et vous voyez que j'ai commandé que ᵖnul de vous ne se retire de moi, mais plutôt que je vous ai ordonné de venir à moi, pour que vous puissiez ᵍtoucher et voir. Vous ferez de même au monde ; et quiconque enfreint ce commandement, se laisse conduire en tentation.

26. Quand il eut dit ces mots, Jésus tourna de nouveau le regard sur les ʳdisciples qu'il avait choisis et leur dit :

27. Voici, en vérité, en vérité, je vous le dis, je vous donne un ˢautre commandement ; et alors je dois aller à mon Père pour accomplir d'autres commandements qu'il m'a donnés.

28. Et maintenant voici, ceci est le commandement que je vous donne : vous ne permettrez sciem-

h, voir e. i. voir f. j, voir e, Al. 26. k, voir e, 2 Né. 32. l, voir m, Mos. 16. m, voir e, 2 Né. 32. n, Al. 34 : 21. Voir e, 2 Né. 32. o, voir m, Mos. 16. p. vers. 22. 23. q, 3 Né. 11 : 14, 16. r, voir c, 3 Né. 12. s, 3 Né. 16 : 3.   34 AP. J.-C.

ment à qui que ce soit de 'prendre ma chair et mon sang indignement quand vous l'administrerez.

29. Car quiconque mange et boit ma chair et mon sang indignement, mange et boit de la damnation pour son âme. C'est pourquoi, si vous savez qu'un homme est indigne de manger et de boire de ma chair et de mon sang, vous le lui interdirez.

30. Néanmoins, vous ne le chasserez point de parmi vous, mais vous l'enseignerez et prierez le Père pour lui en mon nom ; et s'il arrive qu'il se repente et qu'il soit "baptisé en mon nom, alors vous le recevrez et vous lui administrerez de ma chair et de mon sang.

31. Mais s'il ne se repent pas, il ne sera pas compté au nombre de mon peuple, afin qu'il ne détruise pas mon peuple, car voici, je connais mes "brebis et elles sont comptées.

32. Toutefois, vous ne le chasserez point de vos "synagogues, ou de vos lieux de culte, car vous continuerez à enseigner les personnes de ce genre ; car vous ne savez point si elles ne reviendront pas, si elles ne se repentiront pas et si elles ne viendront pas à moi avec une ferme résolution, et je les guérirai ; et vous serez le moyen qui leur apportera le salut.

33. C'est pourquoi, gardez ces commandements que je vous ai donnés, afin que vous ne tombiez pas sous la condamnation ; car malheur à celui que le Père condamne.

34. Et je vous donne ces commandements à cause des disputes qui se sont élevées parmi vous. Et bénis serez-vous, s'il n'y a pas de "disputes parmi vous.

35. Je vais "maintenant au Père, parce qu'il est expédient que j'aille au Père, pour l'amour de vous.

36. Et * lorsqu'il eut fini de parler, Jésus toucha de la main les disciples qu'il avait choisis, un par un, jusqu'à ce qu'il les eût tous touchés et il leur parlait tandis qu'il les touchait.

37. Et la multitude n'entendit pas les paroles qu'il prononçait ; c'est pourquoi elle ne rendit point témoignage. Mais les disciples rendirent témoignage qu'il leur avait accordé le 'pouvoir de donner le "Saint-Esprit. Et je montrerai "ci-après que ce témoignage est vrai.

38. * Quand Jésus les eut touchés tous, un nuage survint, qui couvrit la multitude, de sorte qu'elle ne pouvait voir Jésus.

39. Et pendant qu'ils étaient couverts du nuage, il les quitta et monta au ciel. Et les "disciples virent et rendirent témoignage qu'il était remonté au ciel.

CHAPITRE 19.

Noms des Douze néphites. — Leur baptême. — Le Saint-Esprit leur est donné. — Seconde visite du Sauveur. — Effusion ineffable de prière.

1. Et * lorsque Jésus fut "monté au ciel, la multitude se dispersa et chacun prit sa femme et ses enfants et rentra chez lui.

2. Aussitôt le bruit se répandit parmi le peuple, avant que la nuit fût tombée, que la multitude avait vu Jésus, qu'il l'avait enseignée et qu'il se montrerait encore le "lendemain à la multitude.

3. Oui, le bruit de ce qui concernait Jésus se répandit même toute la nuit ; et on envoya tant de messagers au peuple, qu'il y en eut beaucoup, oui, un nombre extrêmement grand, qui travaillèrent de toutes leurs forces toute cette nuit-là afin de pouvoir être le lendemain

---

t, vers. 29. 30. 3 Né. 20 : 8. Morm. 9 : 29. *u*, voir *u*, 2 Né. 9. *v*, 1 Né. 22 : 25. *w*, voir *u*, Al. 16. *x*, 3 Né. 11 : 28-30. *y*, 3 Né. 17 : 4. *z*, Moro. 2. *2a*, voir *y*, 3 Né. 9. *2b*, Moro. 2. *2c*, voir *c*, 3 Né. 12. CHAP. 19 : *a*, 3 Né. 18 : 39. *b*, 3 Né. 17 : 3. 34 AP. J.-C.

à l'endroit où Jésus devait se montrer à la multitude.

4. * Le lendemain, quand la multitude se fut rassemblée, voici, Néphi et son ᵉfrère, qu'il avait ressuscité des morts, et dont le nom était Timothée, son fils qui s'appelait Jonas, et aussi Mathoni et Mathonihah, son frère, Kumen, Kuménonhi, Jérémie, Shemnon, Jonas, Sédécias et Esaïe — tels étaient les noms des ᵈdisciples que Jésus avait choisis — * ils s'avancèrent et se tinrent au milieu de la multitude.

5. Et voici, la multitude était si grande, qu'ils la firent diviser en douze corps.

6. Et les douze enseignèrent la multitude ; et voici, ils firent ᵉagenouiller la multitude sur la surface de la terre et lui firent prier le Père au nom de Jésus.

7. Et les disciples prièrent aussi le Père au nom de Jésus. Et * ils se levèrent et enseignèrent le peuple.

8. Et lorsqu'ils eurent enseigné ces mêmes paroles que Jésus avait dites — sans rien ᶠchanger aux paroles que Jésus avait dites — voici, ils s'agenouillèrent de nouveau pour invoquer le Père, au nom de Jésus.

9. Ils lui demandèrent ce qu'ils désiraient le plus ardemment ; et ils désiraient que le ᵍSaint-Esprit leur fût donné.

10. Et lorsqu'ils eurent ainsi prié, ils descendirent au bord de l'eau, et la multitude les suivit.

11. Et * Néphi descendit dans l'eau et fut baptisé.

12. Et il sortit de l'eau et commença à baptiser. Et il baptisa tous ceux que Jésus avait choisis.

13. * Quand ils eurent tous été ʰbaptisés et qu'ils furent sortis de l'eau, le ⁱSaint-Esprit vint sur eux, et ils furent remplis du Saint-Esprit et de feu.

14. Et voici, ils furent ʲenveloppés comme par le feu ; et ce feu descendit du ᵏciel, et la multitude le vit et rendit témoignage ; et des anges descendirent du ciel et les enseignèrent.

15. Et * tandis que les anges enseignaient les disciples, voici, Jésus vint, se tint au milieu d'eux et les enseigna.

16. Et * il parla à la multitude et lui commanda de ˡs'agenouiller de nouveau sur la terre et il commanda aussi à ses disciples de s'agenouiller sur la terre.

17. Et * quand ils se furent tous agenouillés à terre, il commanda à ses disciples ᵐde prier.

18. Et voici, ils se mirent à prier ; et ils prièrent Jésus, l'appelant leur Seigneur et leur Dieu.

19. * Jésus sortit du milieu d'eux, s'éloigna un peu d'eux, se prosterna sur le sol et dit :

20. Père, je te remercie d'avoir ⁿdonné le Saint-Esprit à ceux que j'ai choisis ; et c'est pour leur croyance en moi que je les ai ᵒchoisis de parmi le monde.

21. Père, je te prie de ᵖdonner le Saint-Esprit à tous ceux qui croiront en leurs paroles.

22. Père, tu leur a donné le Saint-Esprit, parce qu'ils croient en moi ; et tu vois qu'ils croient en moi, parce que tu les entends et ils me prient ; et ils me prient parce que je suis avec eux.

23. Et maintenant, Père, je te prie pour eux et aussi pour tous ceux qui croiront en leurs paroles, pour qu'ils croient en moi, pour que ⁱje sois en eux, comme toi,

c, 3 Né. 7 : 19.   d, voir c, 3 Né. 12.   e, voir h, 3 Né. 17.   f, 3 Né. chaps. 11-18.   g, voir y, 3 Né. 9.   h, voir u, 2 Né. 9.   i, voir y, 3 Né. 9.   j, Héla. 5 : 23, 24, 36, 43-45. 3 Né. 17 : 24.   k, Héla. 5 : 45.   l, voir h, 3 Né. 17.   m, voir c, 2 Né. 32.   n, voir y, 3 Né. 9.   o, voir c, 3 Né. 12.   p, voir y, 3 Né. 9   q, voir p, 3 Né. 9.

34 AP. J.-C.

Père, tu es en moi, pour que nous soyons 'un.

24. Et * quand Jésus eut ainsi prié le Père, il vint vers ses disciples, et voici, ils continuaient encore à le prier sans cesse ; et ils ne multipliaient pas beaucoup leurs paroles, car 'ce qu'ils devaient demander leur était révélé, et ils étaient remplis de désirs.

25. Et * Jésus les bénit, pendant qu'ils le priaient ; et son visage leur sourit et la lumière de son visage brilla sur eux, et voici, ils étaient aussi blancs que le visage et les vêtements de Jésus ; et cette blancheur 'surpassait toute blancheur, oui, et rien sur la terre ne saurait approcher d'une telle blancheur.

26. Et Jésus leur dit : Continuez à prier ; et ils ne cessèrent point de prier.

27. Et il se détourna à nouveau d'eux, s'éloigna un peu et se prosterna à terre ; et il pria de nouveau son Père, disant :

28. Père, je te remercie d'avoir purifié ceux que j'ai choisis, à cause de leur foi ; et je prie pour eux, et aussi pour ceux qui croiront en leurs paroles, afin que ceux-ci soient purifiés en moi par la foi en leurs paroles, de même qu'ils sont purifiés en moi.

29. Père, je ne prie pas pour le monde, mais pour ceux que tu m'as donnés de parmi le monde, à cause de leur foi, pour qu'ils soient purifiés en moi, pour que je sois "en eux, comme toi, Père, tu es en moi pour que nous soyons un et que je sois glorifié en eux.

30. Et quand il eut dit ces mots, Jésus revint vers ses disciples ; et voici, ils le priaient toujours, sans cesse ; et il leur sourit encore ; et voici, ils étaient 'blancs tout comme Jésus.

31. Et * il s'éloigna de nouveau un peu et pria le Père ;

32. Et la "langue ne peut exprimer les paroles qu'il dit dans sa prière, et nul homme ne peut écrire les mots qu'il prononça dans sa prière.

33. Et la multitude entendit et rend témoignage : et son cœur s'ouvrit, et elle comprit dans son cœur les paroles de sa prière.

34. Toutefois, si grandes et si merveilleuses étaient les paroles de sa prière, qu'elles ne peuvent être écrites ni prononcées par l'homme.

35. Et * quand Jésus eut fini de prier, il revint vers ses disciples et leur dit : Je n'ai jamais vu une si grande foi parmi tous les Juifs ; c'est pourquoi, je n'ai pas pu leur montrer d'aussi "grands miracles, à cause de leur incrédulité.

36. En vérité, je vous le dis, il n'en est aucun parmi eux qui ait vu d'aussi grandes choses que celles que vous avez vues ; et ils n'ont pas entendu non plus d'aussi grandes choses que celles que vous avez entendues.

CHAPITRE 20.

Le pain et le vin, miraculeusement fournis, sont de nouveau administrés. — Le reste de Jacob. — Le Sauveur proclame qu'il est le prophète mentionné comme étant semblable à Moïse. — De nombreux prophètes sont cités.

1. Et * il commanda à la multitude et à ses disciples de cesser de prier. Et il leur commanda de ne pas cesser de prier dans leur cœur.

2. Et il leur commanda de se lever et de se tenir debout. Et ils se levèrent et se tinrent debout.

3. * Il "rompit encore le pain, le bénit et le donna à manger à ses disciples.

r, voir k, 2 Né. 31.　　s, vers. 9.　　t. vers. 30.　　u, voir p, 3 Né. 9.　　v. vers. 25.
w. 3 Né. 17 : 16, 17. 26 : 14. 28 : 14. 16.　　x, voir d, 3 Né. 17.　　CHAP. 20 : a, voir
b. 3 Né. 18.　　　　　　　　　　　　　　　　　　　　　　　　　　　34 AP. J.-C.

4. Et quand ils eurent mangé, il leur commanda de rompre du pain et d'en donner à la multitude.

5. Et quand ils eurent donné à la multitude, il leur donna aussi du vin à boire et leur commanda d'en donner à la multitude.

6. Or, ni pain ni vin n'avaient été apportés par les disciples ou par la multitude ;

7. Mais, en vérité, il leur donna du pain à manger et du vin à boire.

8. Et il leur dit : Celui qui mange ce pain mange [b]mon corps en son âme ; et celui qui boit ce vin boit mon sang en son âme ; et son âme n'aura jamais ni faim ni soif, mais elle sera rassasiée.

9. Quand toute la multitude eut mangé et bu, voici, elle fut [c]remplie de l'Esprit ; et elle cria d'une voix unanime, et rendit gloire à Jésus qu'elle voyait et entendait.

10. Et * quand tous eurent rendu gloire à Jésus, il leur dit : Voici, maintenant j'accomplis le commandement que le Père m'a donné touchant ce peuple, qui est un reste de la maison d'Israël.

11. Vous vous souvenez que je vous ai parlé et dit que, [d]lorsque les paroles d'Esaïe seraient accomplies — voici, elles sont écrites, vous les avez devant vous ; c'est pourquoi, sondez-les —

12. Et en vérité, en vérité, je vous le dis, quand elles seront accomplies, alors arrivera l'accomplissement de [e]l'alliance que le Père a faite avec son peuple, ô maison d'Israël.

13. Et alors, les restes qui seront dispersés sur la surface de la terre, seront [f]rassemblés de l'est et de l'ouest, du sud et du nord ; et ils seront amenés à la connaissance du Seigneur leur Dieu, qui les a rachetés.

14. Et le Père m'a commandé de [g]vous donner ce pays en héritage.

15. Et je vous dis que si les Gentils ne se [h]repentent pas après la [m]bénédiction qu'ils recevront lorsqu'ils auront dispersé [n]mon peuple —

16. Alors [o]vous, qui êtes un reste de la maison de Jacob, vous irez parmi eux ; et vous serez au milieu d'eux qui seront nombreux ; et vous serez parmi eux, comme un lion parmi les bêtes de la forêt et comme un jeune lion parmi les troupeaux de brebis, qui, s'il passe à travers, les foule aux pieds et les déchire en pièces, et nul ne peut les délivrer.

17. Ta main sera levée sur tes adversaires, et tous tes ennemis seront retranchés.

18. Et je [p]rassemblerai mon peuple, comme un homme rassemble ses gerbes dans la grange.

19. Car toi, mon peuple, avec qui le Père a fait alliance, oui, je ferai que tes cornes soient de fer et je ferai que tes sabots soient d'airain. Et tu mettras de nombreux peuples en pièces ; et je consacrerai leur gain au Seigneur et leurs biens au Seigneur de toute la terre. Et voici, c'est moi qui le fais.

20. Et il arrivera, dit le Père, qu'en ce jour-là l'épée de ma justice sera suspendue au-dessus d'eux ; et, à moins qu'ils ne se repentent, elle tombera sur eux, dit le Père, oui, même sur toutes les [q]nations des Gentils.

21. Et il arrivera que j'établirai mon peuple, ô maison d'Israël.

22. Et voici, [r]j'établirai ce peuple dans ce pays, en accomplissement de [s]l'alliance que j'ai faite avec votre père Jacob ; et il sera

---

b, voir *t*. 3 Né. 18.   *c*, voir *y*, 3 Né. 9.   *d*, 3 Né. 16 : 17. Es. 52 : 9, 10. *e*, voir *j*, 3 Né. 15.   *f*, voir *e*, 1 Né. 15.   *g*, voir *o*, 3 Né. 15.   *h*, voir *j*, 3 Né. 16. *m*, voir *c*, 2 Né. 27.   *n*, 3 Né. 16 : 10-14.   *o*, 3 Né. 16 : 14, 15. 21 : 11-21. Morm. 5 : 22-24. Mich. 4 : 12, 13. 5 : 8-15.   *p*, Mich. 4 : 12, 13.   *q*, voir *j*, 1 Né. 14. *r*, voir *o*. 3 Né. 15.   *s*, Gen. 49 : 22-26.   34 AP. J.-C.

une 'nouvelle Jérusalem. Et les "puissances du ciel seront au milieu de ce peuple : oui, je 'serai moi-même au milieu de vous.

23. Voici, je suis celui de qui Moïse a parlé, disant : Le Seigneur votre Dieu vous suscitera, d'entre vos frères, un "prophète semblable à moi ; et vous l'écouterez en tout ce qu'il vous dira. Et il arrivera que toute âme qui n'écoutera pas ce prophète sera retranchée de parmi le peuple.

24. En vérité, je vous le dis, oui, et "tous les prophètes depuis Samuel et ceux qui l'ont suivi, tous ceux qui ont parlé, ont témoigné de moi.

25. Et voici, vous êtes les enfants des prophètes ; et vous êtes de la maison d'Israël ; et vous êtes de l'alliance que le Père a faite avec vos pères, disant à Abraham : 'En ta postérité, toutes les familles de la terre seront bénies.

26. Le Père, m'ayant ressuscité tout d'abord pour vous et m'ayant envoyé vous bénir en détournant chacun de vous de ses iniquités ; et cela, parce que vous êtes les enfants de l'alliance —

27. Et lorsque vous aurez été bénis, le Père accomplira l'alliance qu'il a faite avec Abraham, disant : 'En ta postérité, toutes les familles de la terre seront bénies — par l'effusion du ²ᵃSaint-Esprit, par moi, sur les Gentils, bénédiction sur les Gentils qui les ²ᵇrendra puissants au-dessus de tous, de sorte qu'ils disperseront mon peuple, ô maison d'Israël.

28. Et ils ²ᶜseront un fléau sur le peuple de ce pays. Néanmoins, quand ils auront reçu la ²ᵈplénitude de mon évangile, s'ils s'endurcissent le cœur contre moi, alors je ²ᵉretournerai leurs iniquités sur leur propre tête, dit le Père.

29. Et je me souviendrai de ²ᶠl'alliance que j'ai faite avec mon peuple ; et j'ai fait l'alliance de le ²ᵍrassembler au moment choisi par moi, de lui rendre la terre de ses pères pour héritage, laquelle est le pays de Jérusalem, la terre qui lui a été promise pour toujours, dit le Père.

30. Et * le temps vient où la plénitude de mon évangile lui sera ²ʰprêchée ;

31. Et ils croiront en moi, ils croiront que je suis Jésus-Christ, le Fils de Dieu et ils prieront le Père en mon nom.

32. Alors leurs ²ⁱsentinelles élèveront la voix, et tous chanteront d'une voix unanime, car ils verront œil à œil.

33. Alors le Père les ²ʲrassemblera de nouveau et leur donnera Jérusalem comme terre de leur héritage.

34. Alors ils éclateront de joie — Chantez ensemble, places vides de Jérusalem ; car le Père a consolé son peuple, il a racheté Jérusalem.

35. Le Père a mis à nu son bras saint devant les yeux de toutes les nations ; et tous les bouts de la terre verront le salut du Père ; et le Père et moi ²ᵏsommes un.

36. Et ainsi arrivera ce qui est écrit : ²ˡEveille-toi, éveille-toi, revêts-toi de ta force, ô Sion ; pare-toi de tes beaux vêtements, ô Jérusalem, ville sainte, car désormais l'incirconcis et l'impur n'entreront plus chez toi.

37. Secoue-toi de la poussière ; lève-toi, assieds-toi, ô Jérusalem ; romps les chaînes de ton cou, ô fille captive de Sion.

---

t, 3 Né. 21 : 23, 24. Eth. 13 : 1-12.   u, 3 Né. 21 : 25.   v, 3 Né. 21 : 25.
w, voir m, 1 Né. 22. Deut. 18 : 15, 18,   19. Actes 3 : 19-26.   x, Actes 3 : 19-26.
y, vers. 27. Gen. 22 : 18. Actes 3 : 25.   z, voir y.   2a, 3 Né. 15 : 23. Actes
10 : 44-48.   2b, 1 Né. 13 : 11-15.   2c, 1 Né. 13 : 11, 14. 3 Né. 16 : 8, 9.
2d, 3 Né. 16 : 10.   2e, 3 Né. 16 : 15. 20 : 15-20.   2f, voir j. 3 Né. 15.   2g, voir e,
1 Né. 15.   2h, voir f, 2 Né. 25.   2i, Es. 52 : 9, 10. 3 Né. 16 : 18-20.   2j, voir e,
1 Né. 15.   2k, voir k. 2 Né. 31.   2l, Es. 52 : 1-3, 6.   34 ᴀᴘ. J.-C.

38. Car, ainsi dit le Seigneur : Vous vous êtes vendus pour rien, et vous serez rachetés sans argent.

39. En vérité, en vérité, je vous dis que mon peuple connaîtra mon nom ; oui, en ce jour-là, ils sauront que je suis celui qui parle.

40. Et ils diront alors : [2m]Combien sont beaux sur les montagnes les pieds de celui qui leur apporte de bonnes nouvelles, qui publie la paix, qui apporte de bonnes nouvelles aux gens de bien, qui proclame le salut ; qui dit à Sion : Ton Dieu règne !

41. Et alors éclatera ce cri : [2n]Partez, partez, sortez d'ici, ne touchez pas ce qui est impur. Sortez du milieu d'elle ; soyez purs, vous qui portez les vases de l'Éternel.

42. Car vous ne sortirez pas à la hâte ni en fuite ; car le Seigneur ira devant vous, et le Dieu Israël sera votre arrière-garde.

43. Voici, mon serviteur agira prudemment ; il sera élevé, exalté et sera très haut placé.

44. Comme beaucoup s'étonnaient à cause de toi — son visage était plus défiguré que celui d'aucun homme, et sa forme plus défaite que celle des fils des hommes —

45. Ainsi il arrosera beaucoup de nations : Les rois [2o]fermeront la bouche devant lui ; car ce qui ne leur avait pas été dit, ils le verront et ce qu'ils n'avaient pas écouté, ils le considéreront.

46. En vérité, en vérité, je vous le dis, toutes ces choses arriveront, de même que le Père me l'a commandé. Alors cette [2p]alliance que le Père a faite avec son peuple sera accomplie ; [2q]alors mon peuple habitera de nouveau Jérusalem, et ce sera là le pays de son héritage.

CHAPITRE 21.

Le signe de l'œuvre du Père. — Destin glorieux des Gentils repentants. — Condamnation prédite pour les impénitents. — La Nouvelle Jérusalem.

1. Et en vérité, je vous le dis, je vous donne un [a]signe, afin que vous connaissiez le temps où ces choses seront sur le point de se produire — alors que je [b]rassemblerai mon peuple de sa longue dispersion, ô maison d'Israël, et que je rétablirai ma Sion en son sein ;

2. Et voici ce que je vous donnerai pour [c]signe — car en vérité, je vous dis que, quand ces choses que je vous déclare et que je vous déclarerai ci-après de moi-même, et par le [d]pouvoir du Saint-Esprit qui vous sera donné par le Père, seront [e]communiquées aux Gentils, afin qu'ils sachent ce qui concerne [f]ce peuple qui est un reste de la maison de Jacob, et ce qui concerne ce peuple, mon peuple, qui sera [g]dispersé par eux ;

3. En vérité, en vérité, je vous le dis, quand ces choses leur seront communiquées par le Père et viendront du Père, [h]d'eux à vous ;

4. Car il est de la sagesse du Père qu'ils soient établis sur cette terre et qu'ils soient établis en [i]peuple libre par le pouvoir du Père, afin que ces choses puissent venir d'eux à un [j]reste de votre postérité, pour que [k]l'alliance que le Père a faite avec son peuple s'accomplisse, ô maison d'Israël ;

5. C'est pourquoi, quand ces œuvres et les œuvres qui seront faites ci-après parmi vous viendront des Gentils à votre [l]postérité, qui sera [m]tombée dans l'incrédulité à cause de ses iniquités ;

6. Car il convient au Père qu'elles arrivent par les Gentils,

2m, Es. 52 : 7.   *2n*, Es. 52 : 11-15.   *2o*, 3 Né. 21 : 8.   *2p*, voir *j*, 3 Né. 15. *2q*, voir *e*, 1 Né. 15.   CHAP. 21 : *a*, verset 2, 7. Es. 66 : 19.   *b*, voir *e*, 1 Né. 15. *c*, voir *a*.   *d*, voir *y*, 3 Né. 9.   *e*, voir *c*, 2 Né. 27.   *f*, voir *o*, 3 Né. 20. *g*, voir *2c*, 3 Né. 20.   *h*, voir *b*, 2 Né. 30.   *i*, Né. 13 : 17-19. Voir *f*, 2 Né. 10. *j*, voir *b*, 2 Né. 30.   *k*, voir *j*, 3 Né. 15.   *l*, voir *b*, 2 Né. 30.   *m*, voir *g* et *h*, 1 Né. 12.

34 AP. J.-C.

pour qu'il puisse montrer son "pouvoir aux Gentils ; afin que, si les Gentils ne s'endurcissent point le cœur, ils puissent se repentir, venir à moi, être °baptisés en mon nom et connaître les vrais points de ma doctrine, afin qu'ils puissent être ᵖcomptés parmi mon peuple, ô maison d'Israël ;

7. Et quand ces choses arriveront, quand ta postérité ᵍcommencera à connaître ces choses, ce lui sera un ʳsigne pour qu'elle sache que l'œuvre du Père a ˢdéjà commencé, pour accomplir l'alliance qu'il a faite avec les peuples de la maison d'Israël.

8. Et quand ce jour arrivera, * les ᵗrois fermeront la bouche ; car ce qui ne leur avait pas été dit, ils le verront et ce qu'ils n'avaient pas entendu, ils le considéreront.

9. Car, en ce jour-là, le Père fera pour moi, une œuvre qui sera "grande et merveilleuse parmi eux ; et il y en aura parmi eux qui n'y croiront pas, bien qu'un homme la leur annoncera.

10. Mais voici, la vie de mon ʳserviteur sera dans ma main ; c'est pourquoi, ils ne lui feront point de mal, bien qu'il sera ʷdéfiguré à cause d'eux. Cependant, je le guérirai, car je leur montrerai que ma sagesse est plus grande que la ˣruse du diable.

11. Par conséquent, il arrivera que tous ceux qui ne croiront pas en mes paroles, moi qui suis Jésus-Christ, paroles que le Père ʸlui fera porter aux Gentils et qu'il lui donnera le pouvoir d'apporter aux Gentils (ce qui se fera comme le dit ᶻMoïse), ceux-là seront retranchés de mon peuple qui est de l'alliance.

12. Et mon ²ᵃpeuple, qui est un reste de Jacob, sera au milieu des Gentils, oui, au milieu d'eux, comme un lion au milieu des bêtes de la forêt, comme un jeune lion parmi les troupeaux de brebis, qui, s'il passe à travers elles, les foule aux pieds et les déchire en pièces, et nul ne peut les délivrer.

13. Ses mains seront levées contre ses adversaires, et tous ses ennemis seront retranchés.

14. Oui, malheur aux Gentils, à moins qu'ils ne se repentent ; car * en ce jour-là, dit le Père, je retrancherai tes chevaux du milieu de toi, je briserai tes chariots ;

15. Et je retrancherai les villes de ton pays et j'abattrai toutes tes places fortes ;

16. Et je retrancherai les sorcelleries de ton pays, et tu n'auras plus de devins ;

17. Je retrancherai aussi tes images gravées et tes statues du milieu de toi, et tu n'adoreras plus les œuvres de tes mains ;

18. J'arracherai les bosquets du milieu de toi ; et ainsi je détruirai tes villes.

19. Et * tous les ²ᵇmensonges, toutes les tromperies, les envies, les luttes, les intrigues de prêtres et les impudicités cesseront.

20. Car il arrivera, dit le Père, qu'en ce jour-là, quiconque ne voudra pas se repentir et venir à mon Fils bien-aimé, je le ²ᶜretrancherai de mon peuple, ô maison d'Israël.

21. Et j'exécuterai ma ²ᵈvengeance et ma fureur sur eux comme sur les païens, une vengeance et une fureur telles qu'ils n'en ont jamais vu de pareilles.

22. Mais s'ils veulent se repentir, écouter mes paroles et ne pas

n, voir i, 1 Né. 14. o, voir u, 2 Né. 9. p, voir x, 3 Né. 16. q, 3 Né. 16 : 10-13. r, voir a. s, vers. 26-29. t, 3 Né. 20 : 45. u, voir i, 2 Né. 25. v, vers. 11. 3 Né. 20 : 43, 45. w, 3 Né. 20 : 44. x, D. et A. 10 : 43. y, voir e, 2 Né. 3. z, voir w, 3 Né. 20. 2a, voir o, 3 Né. 20. 2b, vers. 11, 20, 21. 3 Né. 29 : 4, 9. chap. 30. Morm. 8 : 21, 41. 2c, voir w, 3 Né. 20. 2d, voir 2b.
34 AP. J.-C.

s'endurcir le cœur, j'établirai mon [18]Eglise parmi eux ; ils entreront dans [21]l'alliance et seront [19]comptés parmi ce reste de Jacob, à qui j'ai donné [20]cette terre pour son héritage ;

23. Et ils [21]aideront mon peuple, le reste de Jacob, et autant qu'il en viendra de la maison d'Israël, à bâtir une ville qui sera [21j]appelée la Nouvelle Jérusalem.

24. Et alors, ils [2k]aideront mon peuple, qui est dispersé sur toute la surface de ce pays, à se rassembler dans la [2m]Nouvelle Jérusalem.

25. Alors la [2n]puissance du ciel descendra parmi eux, et moi-même, je serai [2o]aussi au milieu d'eux.

26. Et alors, l'œuvre du Père commencera, en ce jour même [2p]où cet évangile sera prêché parmi les restes de ce peuple. En vérité, je vous le dis, en ce jour-là, l'œuvre du Père commencera parmi tous les dispersés de mon peuple ; oui, même [2q]parmi les tribus qui ont été perdues, celles que le Père a emmenées hors de Jérusalem.

27. Oui, l'œuvre sera commencée par le Père, parmi tous les dispersés de mon peuple, pour préparer la voie par laquelle ils pourront venir à moi pour pouvoir invoquer le Père en mon nom.

28. Et alors l'œuvre sera commencée par le Père parmi toutes les nations, pour préparer la voie par laquelle [2r]son peuple pourra être ramené chez lui, dans le pays de son héritage.

29. Et ils sortiront de toutes les nations, et ils ne [2s]partiront pas à la hâte, ni en fuite ; car j'irai devant eux, dit le Père, et je serai leur arrière-garde.

CHAPITRE 22.

Le Sauveur cite encore les prophéties d'Esaïe. — Comparer Esaïe 54.

1. Et alors arrivera ce qui est écrit : "Chante, stérile, toi qui n'as pas enfanté ; éclate en chants et pousse des cris de joie, toi qui n'as pas éprouvé les douleurs de l'enfantement, car plus nombreux sont les enfants de la [b]délaissée que les enfants de la femme [c]mariée, dit le Seigneur.

2. [d]Elargis l'espace de ta tente et qu'on étende les courtines de tes habitations ; ne retiens pas, allonge tes cordages et affermis tes pieux ;

3. Car tu te répandras à droite et à gauche, et ta postérité héritera des Gentils et peuplera les villes désertes.

4. Ne crains point, car tu ne seras point honteuse ; et ne sois pas non plus confuse, car on ne te fera point honte ; car tu oublieras la honte de ta jeunesse et tu ne te souviendras plus de l'opprobre de ta jeunesse, non, tu ne te souviendras plus de l'opprobre de ton veuvage.

5. Car ton créateur, ton époux, le Seigneur des armées est son nom ; et il sera appelé ton Rédempteur, le Saint d'Israël — le Dieu de toute la terre.

6. Car le Seigneur t'a appelée [c]comme une femme délaissée et affligée en esprit, comme l'épouse de sa jeunesse, alors que tu étais répudiée, dit ton Dieu.

7. Pour un petit moment, je t'ai délaissée ; mais je te [f]rassemblerai avec de grandes miséricordes.

8. Avec un peu de colère, je t'ai un moment dérobé ma face ;

2e, 1 Né. 14 : 12, 14.   2f, voir j, 3 Né. 15.   2g, voir x, 3 Né. 16.   2h, voir o, 3 Né. 15.   2i, Eth. 13 : 10.   2j, vers. 24, 25. 3 Né. 20 : 22. Eth. 13 : 1-12. 2k, vers. 6.   2m, voir 2j.   2n, 3 Né. 20 : 22.   2o, 3 Né. 20 : 22.   2p, voir b, 2 Né. 30.   2q, voir p, 3 Né. 15.   2r, voir e, 1 Né. 15.   2s, 3 Né. 20 : 42. Es. 52 : 11-15.   CHAP. 22 : a, Soph. 3 : 14.   b, Es. 49 : 21.   d, Es. 49 : 19, 20. c, Es. 62 : 4.   f, voir e, 1 Né. 15.   34 AP. J.-C.

mais avec une bonté éternelle j'aurai compassion de toi, dit le Seigneur, ton Rédempteur.

9. Car ceci me sera comme les eaux de Noé ; car, comme j'ai juré que les eaux de Noé ne se répandront plus sur la terre, de même j'ai juré de ne plus m'irriter contre toi.

10. Car les *montagnes s'enfuiront et les collines seront enlevées, mais ma bonté ne s'éloignera point de toi et *l'alliance de mon peuple ne sera pas non plus enlevée, dit le Seigneur, qui a compassion de toi.

11. O toi, affligée, *battue de la tempête, et que nul ne console ! Voici, je garnirai tes pierres de vives couleurs et je poserai tes fondements avec des saphirs.

12. Et je ferai tes fenêtres d'agathes, et tes portes *d'escarboucles, et toutes tes enceintes de pierres précieuses.

13. Et *tous tes enfants seront enseignés par le Seigneur ; et grande sera la paix de tes enfants.

14. C'est dans la justice que tu seras établie ; tu seras loin de l'oppression, car tu ne craindras point ; et de la terreur, car elle ne s'approchera pas de toi.

15. Voici, on se *réunira certainement contre toi, mais ce ne sera pas par moi ; tous ceux qui se réuniront contre toi, tomberont à cause de toi.

16. Voici, j'ai créé le forgeron qui souffle sur les charbons du feu et qui fabrique un outil pour son travail ; et j'ai aussi créé le gaspilleur pour détruire.

17. Aucune arme forgée contre toi ne prospérera ; et toute langue qui s'élève en jugement contre toi, tu la condamneras. C'est là l'héritage des serviteurs du Seigneur, et leur droiture est de moi, dit le Seigneur.

CHAPITRE 23.

Le Sauveur ordonne de suppléer aux omissions figurant dans les annales néphites. — Une prophétie de Samuel le Lamanite est ajoutée.

1. Et maintenant, voici, je vous dis que vous devez sonder ces choses. Oui, je vous donne le commandement de sonder diligemment ces choses ; car grandes sont les paroles d'Esaïe.

2. Car assurément il a parlé sur toutes les choses concernant mon peuple qui est de la maison d'Israël ; c'est pourquoi, il était indispensable qu'il parlât également aux Gentils.

3. Et toutes les choses qu'il a dites ont été et seront *selon ses paroles.

4. Soyez donc attentifs à mes paroles, écrivez les choses que je vous ai dites ; et au temps arrêté, et selon la volonté du Père, elles *parviendront aux Gentils.

5. Et quiconque écoute mes paroles, se repent et est *baptisé, celui-là sera sauvé. Sondez les prophètes, car il y en a beaucoup qui témoignent de ces choses.

6. * Lorsque Jésus eut prononcé ces paroles et qu'il leur eut expliqué toutes les Ecritures qu'ils avaient reçues, il leur dit encore : Voici, il y a d'autres Ecritures que vous n'avez pas, et je voudrais que vous les écriviez.

7. Et * il dit à *Néphi : Apporte les annales que tu as gardées.

8. Et quand Néphi eut apporté les annales et les eut mises devant lui, il jeta les yeux sur elles et dit :

9. En vérité, je vous le dis, j'ai commandé à mon serviteur Samuel

---

g, Héla. 12 : 8-12. Es. 40 : 4, 5. h, voir j, 3 Né. 15. i, Es. 49 : 21. j, Apo. 21 : 18-21. k, Es. 60 : 21. Jér. 31 : 33, 34. l, voir j, 1 Né. 22. CHAP. 23 : a, 2 Pi. 1 : 19-21. b, voir c, 2 Né. 27. c, voir u, 2 Né. 9. d, 3 Né. 8 : 1, 2. 34 AP. J.-C.

le Lamanite de témoigner à ce peuple que le jour où le Père glorifierait son nom en moi, [e]beaucoup de saints ressusciteraient d'entre les morts, apparaîtraient à un grand nombre et les enseigneraient. Et il leur dit : Cela ne s'est-il pas fait ainsi ?

10. Et ses disciples lui répondirent : Oui, Seigneur, Samuel a prophétisé selon tes paroles, et elles se sont toutes accomplies.

11. Et Jésus leur dit : Comment se fait-il que vous n'ayez pas écrit cette chose : Que beaucoup de saints ont été ressuscités, ont apparu à un grand nombre de personnes et les ont enseignées ?

12. Alors * Néphi se souvint que cette chose n'avait pas été écrite.

13. Et * Jésus ordonna qu'elle fût écrite ; c'est pourquoi, elle fut écrite selon son commandement.

14. Et * quand Jésus eut expliqué toutes les Ecritures qu'ils avaient écrites, en une seule Ecriture, il leur ordonna d'enseigner les choses qu'il leur avait exposées.

CHAPITRE 24.

Les paroles de Malachie sont données aux Néphites. — La loi de la dîme et des offrandes. — Comparer Malachie 3.

1. Et * il leur commanda d'écrire les paroles que le Père avait données à Malachie, qu'il allait leur indiquer. Et * lorsqu'ils eurent écrit, il les expliqua. Voici les paroles qu'il leur déclara, disant : Ainsi a dit le Père à Malachie — [a]Voici, j'enverrai mon messager, et il préparera la voie devant moi ; et [b]soudainement, le Seigneur, que vous cherchez, entrera dans son temple, oui, le messager de l'alliance en qui vous mettez vos déli-

ces. Voici, il viendra, dit le Seigneur des armées.

2. Mais qui pourra [c]soutenir le jour de sa venue ? Et qui pourra subsister quand il paraîtra ? Car il est comme le feu du raffineur et comme le savon du foulon.

3. Et il sera assis comme celui qui raffine et qui purifie l'argent ; et il purifiera les [d]fils de Lévi, il les épurera comme l'or et l'argent, afin qu'ils puissent offrir au Seigneur une offrande en justice.

4. Alors l'offrande de Juda et de Jérusalem sera agréable au Seigneur, comme aux jours d'autrefois et comme dans les années d'antan.

5. Je [e]m'approcherai de vous pour le jugement ; et je me hâterai de [f]témoigner contre les enchanteurs et contre les adultères, et contre ceux qui jurent faussement, et contre ceux qui oppriment le mercenaire dans ses gages, la veuve et l'orphelin, qui repoussent l'étranger et ne me craignent point, dit le Seigneur des armées.

6. Car je suis le Seigneur, je ne change point ; à cause de cela, enfants de Jacob, vous n'êtes point consumés.

7. Depuis le temps de vos pères, vous vous êtes détournés de mes ordonnances et ne les avez point gardées. Revenez à moi, et je reviendrai à vous, dit le Seigneur des armées. Mais vous dites : En quoi devons-nous revenir ?

8. Un homme volera-t-il Dieu ? Cependant vous m'avez volé. Mais vous dites : En quoi t'avons-nous volé ? Dans les dîmes et les offrandes.

9. Vous êtes frappés de malédiction, car vous m'avez volé, même toute cette nation.

10. Apportez [f]toutes les dîmes

e, voir *g*, Jacob 4. Héla. 14 : 25, 26. CHAP. 24 : *a*, D. et A. 45 : 9. Es. 66 : 6.
40 : 3-5, 9-11. 59 : 20, 21. *b*, Es. 2 : 2-4. Mich. 4 : 1-4. 3 Né. 20 : 22. 21 : 25.
c, 3 Né. 25. *d*, D. et A. sec. 13. 84 : 31-34. *e*, Ez. 43 : 1, 2, 4-7. *f*, 3 Né. 25 : 1,
3, 6. Voir *w*, 3 Né. 20. *g*, D. et A. 64 : 23. 119, 120. 34 AP. J.-C.

au magasin, qu'il y ait de la nourriture dans ma maison : et éprouvez-moi en ceci. dit le Seigneur des armées. si je ne vous ouvre les écluses des cieux et si je ne répands sur vous une bénédiction telle qu'il n'y aura pas assez de place pour la recevoir.

11. Pour l'amour de vous, je réprimanderai celui qui dévore, et il ne détruira point les fruits de votre terre ; et votre vigne ne jettera plus son fruit avant le temps dans les champs, dit le Seigneur des armées.

12. Toutes les nations vous diront bénis, car votre terre sera une terre de délices, dit le Seigneur des armées.

13. Vos paroles ont été dures contre moi. dit le Seigneur. Pourtant vous dites : Qu'avons-nous dit contre toi ?

14. Vous avez dit : Il est vain de servir Dieu ; et à quoi cela nous a-t-il profité de garder ses ordonnances et de marcher tristement devant le Seigneur des armées ?

15. Et maintenant. nous tenons pour heureux les orgueilleux ; oui, ceux qui commettent la méchanceté sont avancés ; oui, ceux qui tentent Dieu sont même délivrés.

16. Alors ceux qui craignaient le Seigneur se parlaient [h]souvent l'un à l'autre, et l'Eternel était attentif et écoutait : et un [i]livre de souvenir fut écrit devant lui, pour ceux qui craignaient le Seigneur et qui pensaient à son nom.

17. Et ils seront à moi, dit le Seigneur des armées, le jour où je [j]mettrai à part mes joyaux ; et je les épargnerai comme un homme épargne son fils qui le sert.

18. Alors vous reviendrez et vous discernerez les justes des mé-

chants, celui qui sert Dieu de celui qui ne le sert point.

CHAPITRE 25.

Suite des paroles de Malachie. — Elie et sa mission. — Le jour grand et redoutable du Seigneur. — Comparer Malachie 4.

1. Car voici, le jour vient. [a]ardent comme une fournaise : tous les orgueilleux et tous les méchants seront du chaume ; et le jour qui vient les brûlera, dit l'Eternel des armées, de sorte qu'il ne leur sera laissé ni racine ni rameau.

2. Mais pour vous qui [b]craignez mon nom, se lèvera le Fils de la Justice avec la guérison dans les ailes ; et vous sortirez et vous grandirez comme les [c]veaux à l'étable.

3. Et vous foulerez les méchants ; car ils seront de la [d]cendre sous la semelle de vos pieds, le jour où je ferai mon œuvre, dit le Seigneur des armées.

4. Souvenez-vous de la loi de Moïse, mon serviteur, à qui je l'ai donnée en Horeb. pour tout Israël. avec les statuts et les jugements.

5. Voici, je vous enverrai [e]Elie le prophète avant que le jour grand et redoutable de l'Eternel [f]arrive.

6. Il [g]tournera le cœur des pères vers les enfants, et le cœur des enfants vers leurs pères ; de peur que je ne vienne frapper la terre de malédiction.

CHAPITRE 26.

Le Sauveur expose toutes les choses depuis le commencement. — Des choses merveilleuses sortent de la bouche de tout petits enfants. — Le travail des disciples.

1. * Quand Jésus eut dit ces choses, il les expliqua à la multi-

---

h, Moro. 6 : 5, 6.   *i*, 3 Né. 27 : 25.   26.   *j*, D. et A. 101 : 3.   CHAP. 25 : *a*, vers. 3. 1 Né. 22 : 15. 17, 18, 23. 2 Né. 27 : 2. 30 : 10. Jacob 6 : 3. Es. 24 : 6. 66 : 16.   *b*. 3 Né. 24 : 16.   *c*. 1 Né. 22 : 24.   *d*, vers. 1.   *e*, D. et A. 101 : 13. *f*, 3 Né. 25 : 3.   *g*, D. et A. 98 : 16. 17.   34 AP. J.-C.

tude ; et il leur expliqua toutes choses, grandes et petites.

2. Et il dit : "Ces Ecritures que vous n'aviez pas avec vous, le Père a commandé que je vous les donne ; car il est dans sa sagesse qu'elles soient données aux générations futures.

3. Et il leur expliqua toutes choses, depuis le commencement jusqu'au temps où il *b*viendrait dans sa gloire — oui, même toutes les choses qui arriveraient sur la surface de la terre, même jusqu'à ce que les *c*éléments fondent sous une chaleur ardente, que la terre soit pliée et roulée comme un rouleau, et que les cieux et la terre passent ;

4. Et même jusqu'au grand et dernier jour, *d*lorsque tous les peuples, toutes les familles, toutes les nations et langues se tiendront devant Dieu pour être jugés selon leurs œuvres, bonnes ou mauvaises —

5. Si elles sont bonnes, à la *e*résurrection de la vie éternelle ; et si elles sont mauvaises, à la résurrection de la damnation ; étant sur un parallèle, les uns d'un côté, les autres de l'autre, suivant la miséricorde, la justice et la sainteté qui sont en Jésus-Christ qui était *f*avant que le monde ne commençât.

6. Or, on ne peut écrire dans ce *g*livre même la centième partie des choses que Jésus a enseignées en vérité au peuple ;

7. Mais voici, les *h*plaques de Néphi contiennent la plus grande partie des choses qu'il enseigna au peuple.

8. Et j'ai écrit ces choses, qui sont une *i*petite partie des choses qu'il enseigna au peuple ; et je les ai écrites avec le dessein qu'elles

soient ramenées à ce peuple, *j*de la part des Gentils, suivant les paroles que Jésus a dites.

9. Et quand ils auront reçu cela, qu'il leur est expédient de recevoir en premier lieu, pour éprouver leur foi, et s'il arrive qu'ils croient en ces *k*choses, alors de *l*plus grandes choses leur seront manifestées.

10. Et s'il arrive qu'ils ne veulent pas croire en ces choses, alors les plus grandes choses leur seront *m*refusées, à leur condamnation.

11. Voici, j'étais sur le point de les écrire, *n*toutes celles qui étaient écrites sur les plaques de Néphi, mais le Seigneur l'interdit, disant : Je veux *o*éprouver la foi de mon peuple.

12. C'est pourquoi, moi, Mormon, j'écris les choses qui m'ont été ordonnées par le Seigneur. Et maintenant, moi, Mormon, je finis mes paroles et je continue à écrire les choses qui m'ont été commandées.

13. C'est pourquoi, je voudrais que vous voyiez que le Seigneur enseigna véritablement le peuple durant l'espace de trois jours ; et après cela, il se montra souvent à eux, *p*rompit souvent le pain, le bénit et le leur donna.

14. Et il arriva qu'il servit et enseigna les *q*enfants de la multitude dont il a été parlé, et il leur délia la langue ; et ils dirent à leurs pères des choses *r*grandes et merveilleuses, même de plus grandes choses que celles qu'il avait révélées au peuple ; et il leur délia la langue afin qu'ils pussent parler.

15. Et *s* lorsqu'il fut monté au ciel — la deuxième fois qu'il se montra à eux, et qu'il fut allé au Père, après avoir *guéri tous leurs

a, 3 Né. 24, 25. *b*, voir *f*, 3 Né. 25. *c*, Morm. 5 : 23. 2 Pi. 1 : 10, 12. Es. 24 : 1-4, 17-20. Apo. 20 : 11. *d*, Mos. 16 : 1, 2, 10. Al. 12 : 12. 40 : 21. 3 Né. 27 : 14, 15. Morm. 9 : 13, 14. *e*, Mos. 16 : 11. Voir *d*, 2 Né. 2. *f*, voir *d*, Mos. 4. *g*, P. de Morm. 5. Héla. 3 : 14. 3 Né. 5 : 8. Eth. 15 : 33. *h*, voir *f*, 1 Né. 1. *i*, voir *g*. *j*, voir *b*, 2 Né. 30. *k*, voir *l*. *l*, D. et A. 128 : 18. Eth. 4 : 6-8, 13. *m*, Eth. 4 : 8-10. *n*, vers. 7. *o*, Eth. 11 : 6. *p*, voir *b*, 3 Né. 18. *q*, voir *g*, 3 Né. 17. *r*, voir *w*, 3 Né. 19. *s*, 3 Né. 17 : 7-10. 34-35 ap. J.-C.

malades et leurs estropiés, ouvert les yeux aux aveugles et les oreilles aux sourds, après avoir opéré toutes sortes de guérisons parmi eux, et ressuscité un homme de la mort, et leur eut montré sa puissance, et qu'il fut monté au Père —

16. Voici, il arriva le lendemain que la multitude se rassembla et vit et entendit ces enfants ; oui, ʰmême de tout petits enfants ouvrirent la bouche et dirent des choses merveilleuses ; et les choses qu'ils dirent, il ne fut permis à nul homme de les écrire.

17. * Les ⁱdisciples choisis par Jésus commencèrent dès lors à ʲbaptiser et à enseigner tous ceux qui venaient à eux ; et tous ceux qui étaient baptisés au nom de Jésus étaient ᵏremplis du Saint-Esprit.

18. Et beaucoup d'entre eux virent et entendirent des choses ineffables qu'il est ˡdéfendu d'écrire.

19. Et ils s'enseignaient et se servaient les uns les autres ; et ᵐtoutes choses étaient en commun parmi eux et ils pratiquaient tous la justice les uns envers les autres.

20. Et * ils firent tout ce que Jésus leur avait commandé.

21. Et ceux qui furent ⁿbaptisés au nom de Jésus ᵒᵖfurent appelés l'Eglise du Christ.

CHAPITRE 27.

Jésus-Christ donne son nom à l'Eglise. — Tout est écrit par le Père. — Les hommes seront jugés par ce qui est écrit dans les livres.

1. Et * comme les ᵃdisciples de Jésus voyageaient et prêchaient les choses qu'ils avaient vues et entendues, baptisant au nom de Jésus, il arriva que les disciples se rassemblèrent et s'unirent en une ᵇprière et un ᶜjeûne fervents.

2. Et Jésus se montra de nouveau à eux, car ils priaient le Père en son nom ; et Jésus vint et se tint au milieu d'eux, et il leur dit : Que voulez-vous que je vous donne ?

3. Et ils lui dirent : Seigneur, nous désirons que tu nous indiques le nom par lequel nous désignerons cette église ; car il y a des disputes à ce sujet parmi le peuple.

4. Et le Seigneur leur dit : En vérité, en vérité, je vous le dis, pourquoi le peuple murmure-t-il et se dispute-t-il à cause de cette chose ?

5. N'a-t-il pas lu les Ecritures qui disent que vous devez prendre sur vous le ᵈnom du Christ, qui est mon nom ? Car c'est de ce nom que vous serez appelés au dernier jour ;

6. Et quiconque prend mon nom et persévère jusqu'à la fin, celui-là sera sauvé au dernier jour.

7. C'est pourquoi, tout ce que vous ferez, vous le ferez en mon nom ; vous appellerez donc l'Eglise de mon nom et vous invoquerez le Père en mon nom, afin qu'il bénisse l'Eglise pour l'amour de moi.

8. Et comment est-elle mon église, si elle n'est appelée de mon nom ? Car si une église est appelée du nom de Moïse, alors c'est l'église de Moïse ; ou si elle est appelée du nom d'un homme, alors c'est l'église d'un homme ; mais si elle porte mon nom, alors c'est mon église, si elle est fondée sur mon évangile.

9. En vérité, je vous dis que vous êtes édifiés sur mon évangile ; c'est pourquoi tout ce que vous appellerez, vous l'appellerez en mon nom ; si donc vous priez le Père pour l'Eglise, si c'est en mon nom, le Père vous entendra ;

t, voir *w*, 3 Né. 19.   *u*, voir *c*, 3 Né. 12.   *v*, 4 Né. 1. Voir *u*, 2 Né. 9.
w, voir *y*, 3 Né. 9.   *x*, voir *w*, 3 Né. 19.   *y*, 4 Né. 2, 3, 25, 26.   *z*, voir *u*,
2 Né. 9.   *2a*, voir *d*, Mos. 26.   CHAP. 27 : *a*, voir *c*, 3 Né. 12.   *b*, voir *e*, 2 Né.
32.   *c*, voir *t*, Mos. 27.   *d*, vers. 6-10. Voir *e*, Mos. 5.   34-35 AP. J.-C.

10. Et s'il arrive que l'Eglise soit édifiée sur mon évangile, alors le Père montrera ses œuvres en elle.

11. Mais si elle n'est pas édifiée sur mon évangile et qu'elle est bâtie sur les œuvres des hommes ou les œuvres du diable, je vous le dis, en vérité, ils auront de la joie en leurs œuvres pour une saison et bientôt la fin arrive et ils sont *abattus et jetés au feu, d'où l'on ne revient pas.

12. Car leurs œuvres les suivent, car c'est à cause de leurs œuvres qu'ils sont abattus ; c'est pourquoi rappelez-vous les choses que je vous ai dites.

13. Voici, je vous ai donné mon évangile, et voici l'évangile que je vous ai donné : Que je suis venu au monde pour faire la volonté de mon Père, parce que mon Père m'a envoyé.

14. Et mon Père m'a envoyé pour que je sois *élevé sur la croix ; afin que, après avoir été élevé sur la croix, je puisse attirer tous les hommes à moi ; pour que, de même que j'ai été élevé par les hommes, de même les hommes soient *élevés par le Père, pour se tenir devant moi et être jugés selon leurs œuvres, bonnes ou mauvaises —

15. Et c'est pour cette raison que j'ai été élevé ; c'est pourquoi, selon le pouvoir du Père, j'attirerai tous les hommes à moi, pour qu'ils soient jugés selon leurs œuvres.

16. Et il arrivera que quiconque se repentira et sera *baptisé en mon nom, sera rassasié ; et s'il 'persévère jusqu'à la fin, voici, celui-là je le tiendrai pour innocent devant mon Père, en ce jour où je me tiendrai pour juger le monde.

17. Et celui qui ne persévère pas jusqu'à la fin, celui-là sera 'abattu et jeté au feu, d'où personne ne revient plus à cause de la justice du Père.

18. Et c'est là la parole qu'il a donnée aux enfants des hommes. C'est pour cela qu'il accomplit les paroles qu'il a données et il ne ment pas, mais il accomplit toutes ses paroles.

19. Et *aucune chose impure ne peut rentrer dans son royaume ; c'est pourquoi, n'entrent dans son repos, que ceux qui ont lavé leurs vêtements dans mon sang, à cause de leur foi, du repentir de tous leurs péchés, et de leur fidélité jusqu'à la 'fin.

20. Maintenant, voici le commandement : Repentez-vous tous, bouts de la terre, et venez à moi, et soyez *baptisés en mon nom, pour que vous soyez sanctifiés par la *réception du Saint-Esprit, afin d'être sans tache devant moi au dernier jour.

21. En vérité, en vérité, je vous le dis, ceci est mon évangile ; et vous connaissez les choses que vous devez faire dans mon Eglise, car les œuvres que vous m'avez vu faire, vous les ferez aussi ; et ce que vous m'avez vu faire, cela même vous le ferez ;

22. C'est pourquoi, si vous faites ces choses, vous êtes bénis, car vous serez °exaltés au dernier jour.

23. Ecrivez les choses que vous avez vues et entendues, excepté celles *qui sont défendues.

24. Ecrivez les œuvres de ce peuple, celles qui seront, comme vous avez écrit celles qui ont été.

25. Car voici, c'est *par les livres qui ont été écrits et qui seront écrits, que ce peuple 'sera jugé ;

---

e. voir k. 1 Né. 15.   f, vers. 15. 1 Né. 19 : 10. 3 Né. 28 : 6.   g, voir j.
h, voir u, 2 Né. 9.   i, 1 Né. 13 : 37. Voir h, 2 Né. 31.   j, voir k, 1 Né. 15.
k, Al. 11 : 37. Voir r, Al. 7.   l, voir i.   m, voir u, 2 Né. 9.   n, voir y, 3 Né. 9.
o, voir p, Mos. 23.   p, 3 Né. 26 : 16, 18.   q, vers. 26. Voir c, 2 Né. 27.   r, voir j,
2 Né. 29.   34-35 AP. J.-C

car c'est par eux que ses œuvres seront connues des hommes.

26. Et voici, toutes choses sont ᵉécrites par le Père ; c'est pourquoi le monde sera jugé d'après les ᵗlivres qui seront écrits.

27. Et sachez que ᵘvous serez les juges de ce peuple, selon le jugement que je vous donnerai, qui sera juste. C'est pourquoi, quelle espèce d'hommes devez-vous être ? En vérité, je vous le dis, vous devez être tels que je suis moi-même.

28. Et maintenant, je vais au Père. En vérité, je vous le dis : Tout ce que vous demanderez au Père, en mon nom, vous sera donné.

29. C'est pourquoi, ᵛdemandez et vous recevrez ; frappez et il vous sera ouvert ; car celui qui demande reçoit ; et à celui qui frappe on ouvrira.

30. Et maintenant, voici, ma joie est grande, même jusqu'à la plénitude à cause de vous et de cette génération ; oui, même le Père se réjouit, et aussi tous les saints anges, à cause de vous et de cette génération ; car aucun d'eux n'est perdu.

31. Voici, je voudrais que vous compreniez ; car je veux dire ceux de cette génération qui sont maintenant en vie ; et aucun d'eux n'est perdu ; et en eux ma joie est complète.

32. Mais voici, je suis attristé à cause de la ʷquatrième génération, après cette génération, car ils sont emmenés captifs par lui, comme l'a été le ˣfils de perdition ; car ils me vendront pour de l'argent et pour de l'or, pour ce que la ʸteigne corrompt et que des voleurs peuvent percer et dérober. Et en ce jour-là, je les visiterai même en retournant leurs œuvres sur leur propre tête.

33. * Quand Jésus eut fini ces paroles, il dit à ses disciples : ᶻᵃEntrez par la porte étroite, car étroite est la porte et resserré le chemin qui mène à la vie, et il y en a peu qui le trouvent ; mais large est la porte et spacieux le chemin qui mène à la mort, et il y en a beaucoup qui y marchent, jusqu'à ce que la nuit arrive, dans laquelle nul homme ne peut travailler.

CHAPITRE 28.

A chacun des douze est accordé le désir de son cœur. — Trois d'entre eux choisissent de rester sur terre jusqu'à ce que le Seigneur vienne en gloire. — Manifestations merveilleuses aux trois. — Ils sont immunisés contre la mort et le désastre.

1. * Lorsqu'il eut dit ces mots, Jésus parla à ses disciples, un par un, leur disant : Que désirez-vous de moi, après que je serai allé au Père ?

2. Et ils lui dirent tous, excepté trois : Nous désirons que lorsque nous aurons vécu l'âge d'homme, le ministère auquel tu nous as appelés prenne fin, afin que nous puissions rapidement aller à toi dans ton royaume.

3. Et il leur dit : Vous êtes bénis, parce que vous avez désiré cette chose de moi ; c'est pourquoi, quand vous aurez atteint l'âge de ᵃsoixante-douze ans, vous viendrez à moi dans mon royaume ; et, avec moi, vous trouverez du repos.

4. Et lorsqu'il leur eut parlé, il se tourna vers les trois et leur dit : Que voulez-vous que je vous fasse, quand je serai allé au Père ?

5. Et ils étaient tristes dans leur

---

s, 3 Né. 24 : 16.   *t*, vers. 25. Voir *c*, 2 Né. 27.   *u*, 1 Né. 12 : 9, 10. Morm. 3 : 19.   *v*, 3 Né. 14 : 7, 8.   *w*, voir *d*, 1 Né. 12.   *x*, 3 Né. 29 : 7.   *y*, 3 Né. 13 : 19-21.   *z*, Morm. 5.   *2a*, 3 Né. 14 : 13, 14. Voir *2a*, 2 Né. 9. CHAP. 28 : *a*, 4 Né. 14.

34-35 AP. J.-C.

cœur, car ils n'osaient pas lui dire la chose qu'ils désiraient.

6. Et il leur dit : Voici, je connais vos pensées ; et vous avez désiré la chose que [b]Jean, mon bien-aimé, qui était avec moi dans mon ministère, avant que je fusse [c]élevé par les Juifs, avait désirée de moi.

7. C'est pourquoi, vous êtes bénis davantage, car vous ne goûterez [d]jamais la mort ; mais vous vivrez pour voir toutes les œuvres du Père envers les enfants des hommes, même jusqu'à ce que toutes choses soient accomplies, selon la volonté du Père, quand je [e]viendrai dans ma gloire avec les puissances du ciel.

8. Et vous ne [f]subirez jamais les angoisses de la mort ; mais quand je viendrai dans ma gloire, vous serez changés, en un clin d'œil, de la mortalité à l'immortalité ; et alors vous serez bénis dans le royaume de mon Père.

9. Et de plus, tant que vous serez dans la chair, vous n'éprouverez ni [h]douleur, ni chagrin, si ce [i]n'est pour les péchés du monde ; et je ferai tout cela, à cause de ce que vous avez désiré de moi, car vous avez désiré pouvoir m'amener les âmes des hommes, aussi longtemps que le monde subsistera.

10. Et pour cela, vous aurez une plénitude de joie ; et vous vous assiérez dans le royaume de mon Père ; oui, votre joie sera complète, comme le Père m'a donné une plénitude de joie ; et vous serez comme moi, et je suis tout comme le Père ; et le Père et moi sommes [j]un ;

11. Et le Saint-Esprit rend témoignage du Père et de moi ; et le Père [k]donne le Saint-Esprit aux enfants des hommes, à cause de moi.

12. Et * lorsqu'il eut dit ces mots, Jésus toucha chacun d'eux du doigt, excepté les trois qui devaient rester, puis il partit.

13. Et voici, les cieux s'ouvrirent, et ils [l]furent enlevés au ciel, et ils virent et entendirent des choses ineffables.

14. Et il leur fut [m]défendu de les rapporter ; et le pouvoir ne leur fut pas donné non plus d'exprimer les choses qu'ils virent et entendirent ;

15. Et ils ne pouvaient dire s'ils étaient dans le corps ou hors du corps ; car il leur sembla qu'ils étaient comme transfigurés, qu'ils étaient changés de ce corps de chair en un état immortel, de sorte qu'ils pouvaient contempler les choses de Dieu.

16. Mais il arriva qu'ils enseignèrent encore sur la surface de la terre ; cependant ils n'enseignèrent pas les choses qu'ils avaient vues et entendues, à cause du [n]commandement qui leur avait été donné au ciel.

17. Et [o]maintenant, étaient-ils mortels ou immortels depuis le jour de leur transfiguration ? Je l'ignore ;

18. Mais ce que je sais, d'après l'écrit qui en a été donné, c'est qu'ils allèrent sur la face du pays et qu'ils enseignèrent tout le peuple, unissant à l'Eglise tous ceux qui crurent à leur prédiction ; [p]les baptisant, et tous ceux qui furent baptisés [q]reçurent le Saint-Esprit.

19. Et ils furent jetés en prison par ceux qui n'appartenaient pas à l'Eglise. Et les [r]prisons ne pouvaient les retenir, car elles se fendaient en deux.

b, D. et A. 7.   c, voir f, 3 Né. 27.   d, vers. 8, 9, 19-22, 25, 37-40. 4 Né. 14, 37. Morm. 8 : 10-12. Eth. 12 : 17.   e, 3 Né. 20 : 22, 21 : 25.   f, voir d.   g, vers. 15, 17, 36-40.   h, voir d.   i, 4 Né. 44. Morm. 8 : 10.   j, voir k, 2 Né. 31.   k, voir y, 3 Né. 9.   l, vers. 2, 4-8, 12, 36. 4 Né. 14, 37.   m, voir w, 3 Né. 19.   n, vers. 14. o, vers. 36-40.   p, voir u, 2 Né. 9.   q, voir y, 3 Né. 9.   r, 4 Né. 5 : 30-33. Morm. 8 : 24.

20. Et ils furent jetés dans la terre ; mais ils frappaient la terre de la parole de Dieu, de sorte que, par son pouvoir, ils étaient délivrés des entrailles de la terre ; c'est pourquoi, on ne pouvait creuser des puits assez profonds pour les contenir.

21. Trois fois ils furent jetés dans une fournaise sans subir aucun mal.

22. Deux fois ils furent jetés dans un antre de bêtes sauvages, et voici, ils jouèrent avec les bêtes, comme un enfant avec un agneau qui tète encore ; et ils ne reçurent aucun mal.

23. * Ils allèrent ainsi parmi tout le peuple de Néphi, et prêchèrent l'évangile du Christ à tous les habitants du pays ; ils les convertirent au Seigneur et les unirent à l'Eglise du Christ ; et ainsi le peuple de cette ᵍgénération fut béni selon la parole de Jésus.

24. Et maintenant, moi, Mormon, je finis de parler touchant ces choses, pour un moment.

25. Voici, j'allais inscrire le ᵗnom de ceux qui ne devaient jamais goûter la mort, mais le Seigneur l'a défendu ; c'est pourquoi, je n'inscris pas leurs noms ; car ils sont cachés au monde.

26. Mais voici, ᵘje les ai vus, et ils m'ont enseigné.

27. Et voici, ils seront parmi les Gentils, et les Gentils ne les connaîtront pas.

28. Ils seront aussi parmi les Juifs, et les Juifs ne les connaîtront pas.

29. Et il arrivera, quand le Seigneur le jugera convenable dans sa sagesse, qu'ils enseigneront toutes les tribus dispersées d'Israël et toutes les nations, familles, langues et peuples ; et amèneront de parmi eux un grand nombre d'âmes à Jésus, pour que leur ᵛdésir soit satisfait, et à cause du pouvoir de ᵂconviction qu'ils ont reçu de Dieu.

30. Et ils sont comme les anges de Dieu et s'ils prient le Père au nom de Jésus, ils peuvent se montrer à tout homme selon qu'ils le jugent convenable.

31. C'est pourquoi, des œuvres ˣgrandes et merveilleuses seront accomplies par eux avant le grand jour qui vient où tout peuple se tiendra certainement devant le siège du jugement du Christ ;

32. Oui, même parmi les Gentils, une œuvre grande et merveilleuse sera faite par euxˣ avant ce jour du jugement.

33. Et si vous aviez ʸtoutes les Ecritures qui rapportent toutes les œuvres merveilleuses du Christ, vous sauriez, selon les paroles du Christ, que ces choses arriveront sûrement.

34. Et malheur à celui qui ne veut pas ᶻécouter les paroles de Jésus ni de ceux qu'il a choisis et envoyés parmi les hommes ; car quiconque ne reçoit pas les paroles de Jésus et les paroles de ceux qu'il a envoyés, ne le reçoit pas ; c'est pourquoi il ne le recevra pas au dernier jour.

35. Et il eût mieux valu pour lui qu'il ne fût pas né. Car supposez-vous que vous puissiez échapper à la justice d'un Dieu offensé, qui a été foulé aux pieds des hommes pour qu'ainsi le salut puisse être donné ?

36. Et maintenant voici, quand j'ai parlé de ceux que le Seigneur avait choisis, oui, ces trois disciples qui furent ²ᵃenlevés au ciel, j'ai dit que je ne savais pas ²ᵇs'ils avaient été purifiés de la mortalité à l'immortalité —

37. Mais voici, depuis que j'ai écrit cela, j'ai interrogé le Seigneur,

s, 3 Né. 27 : 30, 31.   t, 3 Né. 19 : 4.   u, Morm. 8 : 11.   v, vers. 9.   w, vers. 30-33.   x, voir w.   y, 3 Né. 26 : 6-12.   z, Eth. 4 : 8-12.   2a, vers. 13-16.   2b, vers. 17.   34-35 AP. J.-C.

et il m'a manifesté qu'il avait fallu qu'un changement fût opéré sur leur corps, [2c]sinon ils auraient dû goûter la mort ;

38. C'est pourquoi, pour qu'ils ne dussent pas goûter la mort, un changement avait été opéré sur leur corps, pour qu'ils ne [2d]souffrissent pas la douleur ni le chagrin, si ce n'est pour les péchés du monde.

39. Or, ce changement n'est pas égal à celui qui aura lieu au dernier jour ; mais un changement fut opéré en eux de sorte que Satan n'avait aucun pouvoir sur eux pour les tenter ; et ils étaient sanctifiés dans la chair, de sorte qu'ils étaient saints, et que les [2e]pouvoirs de la terre n'avaient aucune prise sur eux.

40. Et ils devaient rester dans cet état jusqu'au jour du jugement du Christ ; et en ce jour-là, ils devaient recevoir un [2f]plus grand changement et être reçus dans le royaume du Père pour n'en plus sortir, mais pour demeurer avec Dieu éternellement dans les cieux.

CHAPITRE 29.

Avertissement de Mormon à ceux qui méprisent les paroles et les œuvres du Seigneur.

1. Et maintenant voici, je vous dis que, lorsque dans sa sagesse, le Seigneur jugera convenable que ces paroles [a]arrivent aux Gentils, selon ce qu'il a dit, alors vous pourrez savoir que [b]l'alliance que le Père a faite avec les enfants d'Israël, touchant leur restauration sur les terres de leur héritage, commence déjà à s'accomplir.

2. Et vous pourrez savoir que les paroles du Seigneur, annoncées par les saints prophètes, seront toutes accomplies ; et vous n'aurez pas besoin de dire que le Seigneur tarde à venir aux enfants d'Israël.

3. Et vous n'avez pas besoin de vous imaginer que les paroles qui ont été dites sont vaines ; car voici, le Seigneur se souviendra de l'alliance qu'il a faite avec son peuple de la maison d'Israël.

4. Et [c]quand vous verrez venir ces paroles parmi vous, alors vous n'aurez pas besoin de mépriser plus longtemps les actes du Seigneur ; car l'épée de sa justice est dans sa main droite ; et voici, en ce jour-là, si vous méprisez ses actes, il fera en sorte [d]qu'elle vous rattrape bientôt.

5. Malheur à celui qui méprise les actes du Seigneur ; oui, malheur à celui qui niera le Christ et ses œuvres !

6. Oui, [e]malheur à celui qui niera les révélations du Seigneur et qui dira : Le Seigneur n'opère plus par révélation, ou par prophétie, ou par dons ou par langues, ou par guérisons, ou par le pouvoir du Saint-Esprit !

7. Oui, et malheur à celui qui, pour acquérir les richesses, dira, en ce jour-là, qu'aucun miracle ne peut être fait par Jésus-Christ ; car celui qui fait cela, deviendra comme le [f]fils de perdition, pour qui il n'y eut point de miséricorde, suivant la parole du Christ !

8. Oui, et vous n'aurez plus besoin d'insulter, de mépriser et de vous jouer des Juifs ni d'aucun des restes de la maison d'Israël ; car voici, le Seigneur se souvient de son [g]alliance avec eux, et il leur fera selon ce qu'il a juré.

9. C'est pourquoi, vous n'avez pas à supposer que vous puissiez transformer la main droite du Seigneur en sa gauche afin qu'il [h]n'exé-

2c, voir d. 2d, vers. 9. 2e, vers. 20.   2f, vers. 8. CHAP. 29 : a, voir c, 2 Né. 27. b, voir j, 3 Né. 15. c, voir j, 3 Né. 15. d, voir 2b, 3 Né. 21. e, Morm. 9 : 7-11, 15-26. Moro. 7 : 35-38. 10 : 19-29. f, 3 Né. 27 : 32. g, voir j, 3 Né. 15. h, voir 2b, 3 Né. 21.

cute pas son jugement, pour accomplir ‘l’alliance qu’il a faite avec la maison d’Israël.-

CHAPITRE 30.

Mormon appelle les Gentils à la repentance.

1. Prêtez l’oreille, ô Gentils, et écoutez les paroles de Jésus-Christ, le Fils du Dieu vivant, qu’il m’a ᵃcommandé de vous dire à votre sujet ; car voici, il me commande d’écrire, disant :

2. Détournez-vous tous Gentils, de vos voies iniques ; repentez-vous de vos mauvaises actions, de vos ᵇmensonges, de vos tromperies, de votre ᶜluxure, de vos ᵈabominations secrètes, de vos idolâtries, de vos meurtres, de vos ᵉintrigues de prêtres, de vos jalousies, de vos luttes et de toutes vos iniquités et abominations ; venez à moi, et soyez ᶠbaptisés en mon nom, pour que vous receviez la rémission de vos péchés, pour être ᵍremplis du Saint-Esprit et être ʰcomptés avec mon peuple qui est de la maison d’Israël.

---

4 NEPHI

LE LIVRE DE NEPHI

FILS DE NEPHI — L’UN DES DISCIPLES DE JESUS-CHRIST

Histoire du peuple de Néphi, d’après ses annales.

L’Eglise du Christ prospère. — Néphites et Lamanites sont convertis. — Ils ont tout en commun. — Deux siècles de justice suivis de dissensions et de dégénérescence. — Amos puis Ammaron sont gardiens des annales.

1. Et il arriva que la ᵃtrente-quatrième année passa, ainsi que la trente-cinquième et voici, les ᵇdisciples de Jésus avaient formé une église du Christ dans tous les pays à l’entour. Et tous ceux qui vinrent à eux et se repentirent sincèrement de leurs péchés furent ᶜbaptisés au nom de Jésus et ᵈreçurent aussi le Saint-Esprit.

2. * Dans la trente-sixième année, tous les habitants de tout le pays, tant Néphites que Lamanites, furent convertis au Seigneur ; il n’y avait

ni querelles ni disputes parmi eux, et tous les hommes pratiquaient la justice les uns envers les autres.

3. Et ils avaient ᵉtout en commun ; c’est pourquoi il n’y avait ni riches ni pauvres, ni esclaves ni libres, mais ils étaient tous affranchis et bénéficiaires du don ᶠcéleste.

4. * La trente-septième année passa aussi et la paix continua à régner dans le pays.

5. Des œuvres grandes et merveilleuses ᵍfurent accomplies par les disciples de Jésus de sorte qu’ils guérissaient les malades, ressuscitaient les morts, faisaient marcher les estropiés, rendaient la vue aux aveugles et l’ouïe aux sourds ; et ils opéraient toutes sortes de miracles parmi les enfants des hommes ; et ils ne faisaient de miracles qu’au nom de Jésus.

6. Et ainsi passa la trente-hui-

---

i, voir *j*, 3 Né. 15.   CHAP. 30 : *a*, 3 Né. 5 : 12, 13.   *b*, 3 Né. 21 : 19-21.   *c*, voir *y*, 2 Né. 9.   *d*, voir *l*, 2 Né. 10.   *e*, voir *x*, 2 Né. 26.   *f*, voir *u*, 2 Né. 9. *g*, voir *y*, 3 Né. 9.   *h*, voir *x*, 3 Né. 16.   4 NÉPHI : *a*, 3 Né. 2 : 6-8.   *b*, voir *y*, 3 Né. 12.   *c*, voir *u*, 2 Né. 9.   *d*, voir *y*, 3 Né. 9.   *e*, voir *y*, 3 Né. 26.   *f*, voir *v*, 3 Né. 9.   *g*, voir *r*, 3 Né. 28.   34-38 AP. J.-C.

tième année et aussi la trente-neuvième et la quarante et unième, et la quarante-deuxième, oui, même jusqu'à ce que quarante-neuf années fussent passées ainsi que la cinquante et unième et la cinquante-deuxième, oui, même jusqu'à ce que cinquante-neuf ans se fussent passés.

7. Et le Seigneur les fit prospérer extrêmement dans le pays, oui, à tel point qu'ils bâtirent de nouveau des villes là où des villes avaient été brûlées.

8. Oui, même cette grande *ville de Zarahemla, ils la firent reconstruire.

9. Mais il y avait beaucoup de villes qui avaient été englouties et des eaux étaient montées à leur place ; c'est pourquoi, ces villes ne purent être renouvelées.

10. Et maintenant, voici, * le peuple de Néphi devint fort, et se multiplia avec une rapidité extrême, et devint un peuple extrêmement beau et agréable.

11. Ils se mariaient, étaient donnés en mariage et étaient bénis selon la multitude de promesses que le Seigneur leur avait faites.

12. Ils ne marchaient plus selon les cérémonies et les ordonnances de la ʲloi de Moïse ; mais ils marchaient selon les commandements qu'ils avaient reçus de leur Seigneur et de leur Dieu, persévérant dans le ᵏjeûne et la prière et se ˡréunissant souvent pour ᵐprier et pour écouter la parole du Seigneur.

13. Et * il n'y avait pas de querelles parmi tout le peuple, dans tout le pays, mais de ⁿgrands miracles étaient accomplis parmi les disciples de Jésus.

14. Et †la soixante et onzième année passa, et aussi la soixante-

douzième année, oui, et enfin, jusqu'à ce que la soixante-dix-neuvième année fût passée ; oui même cent ans étaient passés, et les disciples de Jésus, qu'il avait choisis, étaient tous entrés dans le ᵒparadis de Dieu, excepté les ᵖtrois qui devaient rester ; et il y eut ᵠd'autres disciples ordonnés à leur place ; et un grand nombre d'hommes de cette génération étaient morts.

15. Et il n'y eut aucune querelle dans le pays, parce que l'amour de Dieu demeurait dans le cœur du peuple.

16. Et il n'y avait pas d'envies, ni de luttes, ni de tumultes, ni de luxure, ni de mensonges, ni de meurtres, ni aucune sorte de lasciveté ; et assurément il ne pouvait exister de peuple plus heureux parmi tous les peuples qui avaient été créés par la main de Dieu.

17. Il n'y avait ni voleurs, ni meurtriers, et il n'y avait pas de Lamanites non plus, ni aucune sorte d'-ites ; mais ils étaient tous un, enfants du Christ et héritiers du royaume de Dieu.

18. Et combien ils étaient bénis ! Car le Seigneur les bénissait dans tout ce qu'ils faisaient ; oui, ils furent même bénis et rendus prospères ‡‡jusqu'à ce que cent dix ans se fussent écoulés ; et la première génération depuis le Christ était passée, et il n'y avait pas de querelles dans tout le pays.

19. Et il arriva que ʳNéphi, celui qui a tenu ces dernières annales (et il les a tenues sur les ˢplaques de Néphi) mourut et son fils Amos les garda à sa place ; et il les tint aussi sur les plaques de Néphi.

20. Et il les garda quatre-vingt-quatre ans, et il y avait toujours de

h. Om. 13. 3 Né. 8 : 8, 24. 9 : 3.   *i,* 3 Né. 8 : 9. 9 : 4, 7.   *j,* voir *o*, 2 Né. 25.
3 Né. 9 : 19. 15 : 2-8.   *k,* voir *t,* Mos. 27.   *l,* 3 Né. 24 : 16.   *m,* voir *e,* 2 Né. 32.
n, voir *r.* 3 Né. 28.   *o,* voir *l,* 2 Né. 9.   *p,* voir *d,* 3 Né. 28.   *r,* voir le titre de
4 Néphi.   *s,* voir *j,* 1 Né. 1 : 17.   † 72 AP. J.-C.   ‡‡ 111 AP. J.-C.

la paix dans le pays, si ce n'est qu'une petite partie du peuple s'était révoltée contre l'Eglise et avait pris le nom de Lamanites ; c'est pourquoi il commença de nouveau à y avoir des Lamanites dans le pays.

21. Et Amos mourut aussi (et ce fut cent quatre-vingt-quatorze ans après la venue du Christ), et son fils Amos tint les annales à sa place, et il les tint aussi sur les plaques de Néphi ; et elles furent également écrites dans le livre de Néphi, qui est ce livre-ci.

22. Et il arriva que †deux cents ans s'étaient écoulés ; et de la deuxième génération il ne restait plus qu'un petit nombre de personnes.

23. Et maintenant, moi, Mormon, je voudrais que vous sachiez que le peuple s'était multiplié au point qu'il était répandu sur toute la surface du pays et qu'il était devenu extrêmement riche à cause de sa prospérité dans le Christ.

24. Et maintenant, dans ‡‡cette deux cent unième année, il commença à y avoir parmi eux des gens qui étaient enflés d'orgueil, se revêtant d'habits coûteux et de toutes sortes de perles fines et des choses exquises du monde.

25. A partir de cette époque, ils ne mirent ʼplus leurs biens et leur subsistance en commun.

26. Et ils commencèrent à être divisés en classes ; et ils commencèrent à se bâtir des églises à eux-mêmes pour acquérir du gain et commencèrent à nier la véritable Eglise du Christ.

27. Et il arriva que quand §deux cent dix ans se furent écoulés, il y eut beaucoup d'églises dans le pays ; oui, il y avait beaucoup d'églises qui faisaient profession de connaître le Christ, et pourtant elles niaient la plus grande partie de son évangile au point qu'elles reçurent toutes sortes d'iniquités et qu'elles administrèrent ce qui était sacré à qui cela ʼʼétait défendu pour cause d'indignité.

28. Et cette église se multiplia extrêmement à cause de l'iniquité et à cause du pouvoir de Satan qui avait gagné leur cœur.

29. Et il y eut encore une autre église qui niait le Christ ; et elle persécuta la véritable Eglise du Christ, à cause de son humilité et de sa croyance au Christ ; et elle la méprisait à cause des nombreux miracles qui se faisaient en son sein.

30. Et elle exerça du pouvoir et de l'autorité sur les ʼdisciples de Jésus qui restaient avec eux ; elle les jeta en prison ; mais, par la puissance de la parole de Dieu, qui était en eux, les ʷʷprisons se fendaient ; et ils allaient partout, faisant de puissants miracles.

31. Néanmoins, malgré tous ces miracles, le peuple s'endurcit le cœur et chercha à les tuer, de même que les Juifs à Jérusalem cherchèrent à faire mourir Jésus, selon sa parole.

32. On les jetait dans des ˣfournaises ardentes, et ils en sortaient sans avoir reçu de mal.

33. On les jetait aussi dans des ʸantres de bêtes sauvages, et ils jouaient avec les bêtes sauvages de même qu'un enfant joue avec un agneau ; et ils sortaient de là sans avoir reçu de mal.

34. Néanmoins, le peuple s'endurcit le cœur, car il était poussé par de nombreux prêtres et faux prophètes à édifier beaucoup d'églises et à se livrer à toutes sortes d'iniquités. Et ils frappaient le peuple de Jésus ; mais le peuple de Jésus ne frappait pas en retour. Ils tombaient ainsi d'année en année

t. voir y, 3 Né. 26.   u, 3 Né. 18 : 28, 29.   v, voir d, 3 Né. 28.   w. vers. 5.
3 Né. 28 : 19.   x. 3 Né. 29 : 21.   y, 3 Né. 28 : 22.

† 201 ap. J.-C.   ‡‡ 201 ap. J.-C.   § 211 ap. J.-C

dans l'incrédulité et dans la méchanceté jusqu'à ce que deux cent trente ans fussent passés.

35. Et il arriva que cette année-là, oui. dans †la deux cent trente et unième année, il y eut une grande division parmi le peuple.

36. Et * cette année-là, s'éleva un peuple qui fut appelé Néphites, qui étaient de vrais croyants au Christ ; et parmi eux se trouvaient ceux que les Lamanites appelaient Jacobites, Joséphites, et Zoramites ;

37. C'est pourquoi, les vrais croyants en Christ, et les véritables adorateurs du Christ (parmi lesquels se trouvaient les *trois disciples de Jésus qui devaient rester) furent appelés Néphites et Jacobites, Joséphites et Zoramites.

38. Et * ceux qui rejetaient l'évangile, furent appelés Lamanites, Lémuélites, et Ismaélites ; et ils ne tombaient pas dans l'incrédulité, mais ils se révoltaient *consciemment contre l'évangile du Christ ; et ils enseignaient à leurs enfants à ne point croire, comme l'avaient fait leurs pères, dès le commencement.

39. Et c'était à cause de la méchanceté et des abominations de leurs pères, comme au commencement. Et on leur enseignait à détester les enfants de Dieu, comme les Lamanites avaient appris à *haïr les enfants de Néphi dès le commencement.

40. Et * ††deux cent quarante-quatre ans s'étaient écoulés et telles étaient les affaires du peuple. Et la la partie la plus méchante du peuple devint forte et devint extrêmement plus nombreuse que le peuple de Dieu.

41. Ils continuèrent encore à se bâtir des églises et à les orner de toutes sortes d'objets précieux. Ainsi

deux cent cinquante ans s'écoulèrent et aussi deux cent soixante ans.

42. Et * la partie corrompue du peuple se mit de nouveau à mettre sur pied les *ecombinaisons et les serments secrets de Gadianton.

43. Et le peuple qui s'appelait le peuple de Néphi commença à être fier dans son cœur à cause de sa richesse extrême et à devenir vain comme ses frères, les Lamanites.

44. Et dès ce moment-là, les *ddisciples commencèrent à s'attrister pour les péchés du monde.

45. Et * lorsque trois cents ans se furent écoulés, le peuple de Néphi et les Lamanites étaient devenus extrêmement méchants, les uns autant que les autres.

46. * Les *evoleurs de Gadianton se répandirent sur toute la surface du pays ; et il n'y avait pas de justes à part les disciples de Jésus. Et ils accumulèrent de l'or et de l'argent en abondance et exercèrent toutes sortes de trafics.

47. * Lorsque §trois cent cinq ans furent passés (et le peuple demeurait toujours dans la méchanceté), Amos mourut ; et son frère, Ammaron, garda les annales à sa place.

48. Et * lorsque §§trois cent vingt ans se furent écoulés, Ammaron, contraint par le Saint-Esprit, cacha les annales qui étaient sacrées — oui, même *ftoutes les annales sacrées qui avaient été transmises de génération en génération, et qui étaient sacrées — même jusqu'à la trois cent vingtième année depuis la venue du Christ.

49. Et il les cacha dans le Seigneur, pour qu'elles pussent, un jour, parvenir *gau reste de la maison de Jacob, selon les prophéties et les promesses du Seigneur. Telle est la fin des annales d'Ammaron.

z. voir d, 3 Né. 28.   2a, 3 Né. 27 : 32. Morm. 1 : 16.   2b, voir n, Jacob 7. 2c, voir i. 2 Né. 10. Héla. 2 : 3-14.   2d, 3 Né. 28 : 9.   2e, voir 2c.   2f, Al. 37 : 2-4. Héla. 3 : 13. 15. 16.   2g, 3 Né. 21 : 26.
† 231 ap. J.-C.   †† 245 ap. J.-C.   § 306 ap. J.-C.   §§ 321 ap. J.-C

LE LIVRE DE MORMON

CHAPITRE 1.

Ammaron charge Mormon de tenir les inscriptions sacrées. — Guerre et méchanceté. — Départ des trois disciples néphites. — Dieu défend à Mormon de prêcher. — Accomplissement des prédictions d'Abinadi et de Samuel le Lamanite.

1. Et maintenant, moi, Mormon, j'écris le récit des choses que j'ai vues et entendues, et je l'appelle le ᵃLivre de Mormon.

2. Vers le moment où Ammaron cacha les annales dans le Seigneur, il vint à moi (j'avais alors environ dix ans et je commençais à posséder quelque instruction dans la science de mon peuple), et Ammaron me dit : Je vois que tu es un enfant sérieux et que tu es rapide pour observer.

3. C'est pourquoi, quand tu auras environ vingt-quatre ans, je voudrais que tu te souviennes des choses que tu as observées au sujet de ce peuple ; et quand tu auras cet âge, va au pays ᶜd'Antum, à une colline qui s'appellera ᵈShim ; j'ai ᵉdéposé là, dans le Seigneur, toutes les inscriptions sacrées touchant ce peuple.

4. Et voici, tu prendras les ᶠplaques de Néphi et tu laisseras les autres où elles sont ; et tu graveras sur les plaques de Néphi ᵍtout ce que tu as observé au sujet de ce peuple.

5. Et moi, Mormon, descendant de ʰNéphi (et le nom de mon père était Mormon), je me souvins de ce qu'Ammaron m'avait commandé.

6. Et * à l'âge de †onze ans, je fus emmené par mon père dans le ⁱpays du sud, même au ʲpays de Zarahemla.

7. Toute la surface du pays s'était couverte de constructions et le peuple était presque aussi nombreux, pour ainsi dire, que le sable de la mer.

8. * Cette même année, une guerre éclata entre les Néphites, qui se composaient des Néphites, des Jacobites, des Joséphites et des Zoramites ; et cette guerre fut entre les Néphites et les Lamanites, les Lémuélites et les Ismaélites.

9. Or, les Lamanites, les Lémuélites et les Ismaélites étaient appelés Lamanites, et les deux partis étaient Néphites et Lamanites.

10. * La guerre commença à sévir parmi eux sur les confins du pays de Zarahemla, près des ᵏeaux de Sidon.

11. * Les Néphites avaient réuni un grand nombre d'hommes au point de dépasser le nombre de trente mille. Et * ils eurent cette même année un certain nombre de batailles, dans lesquelles les Néphites battirent les Lamanites et en tuèrent beaucoup.

12. * Les Lamanites abandonnèrent leur dessein et la paix s'établit dans le pays ; et la paix dura l'espace d'environ quatre ans, pendant lesquels il n'y eut pas d'effusion de sang.

13. Mais l'iniquité régnait sur toute la surface du pays, au point que le Seigneur enleva ses disciples ˡbien-aimés, et l'œuvre de miracles et de guérisons cessa à cause de l'iniquité du peuple.

14. Et il n'y avait pas de dons du Seigneur, et le Saint-Esprit ne venait sur personne, à cause de leur méchanceté et de leur incrédulité.

15. Et moi, ‡‡étant âgé de quinze ans, étant d'un esprit plutôt sérieux, je fus, pour cette raison, visité du

---

a, Morm. 2 : 17. 18. 5 : 9.   *b*, 4 Né. 47-49.   *c*, Morm. 2 : 17.   *d*, Morm. 4 : 23. Eth. 9 : 3.   *e*, 4 Né. 48.   *f*, voir *f*, 1 Né. 1.   *g*, Morm. 2 : 18.   *h*, 3 Né. 5 : 12, 20. Voir *b*, Mos. 18.   *i*, voir *n*, Al. 46.   *j*, Om. 13.   *k*, voir *g*, Al. 2.   *l*, 3 Né. 28 : 2-12. Voir *d*, 3 Né. 28.   † VERS 322 AP. J.-C.   ‡‡ 326 AP. J.-C.

Seigneur et goûtai et connus la bonté de Jésus.

16. Et j'essayai de prêcher à ce peuple, mais la bouche me fut fermée, et il me fut défendu de lui prêcher ; car voici, il s'était obstinément *m*révolté contre son Dieu ; et les disciples *n*bien-aimés avaient été enlevés du pays à cause de son iniquité.

17. Mais je restai au milieu de lui, mais il me fut défendu de lui prêcher à cause de la dureté de son cœur ; et à cause de la dureté de son cœur, le pays fut *o*maudit à cause de lui.

18. Et ces voleurs de *p*Gadianton, qui étaient parmi les Lamanites, infestaient le pays au point que les habitants commencèrent à cacher leurs trésors dans la terre ; et ils devinrent difficiles à conserver, parce que le Seigneur avait *q*maudit le pays ; et ils ne pouvaient les garder ni les retrouver.

19. Et il arriva qu'il y eut des sorcelleries, des maléfices, et de la magie ; et le pouvoir du malin opéra sur toute la surface du pays, même jusqu'à accomplir toutes les *r*paroles d'Abinadi et de Samuel le Lamanite.

CHAPITRE 2.

Mormon conduit les armées néphites. — Encore les voleurs de Gadianton. — Par traité, le pays du nord est accordé aux Néphites et le pays du sud aux Lamanites.

1. * Dans cette même *a*année, la guerre éclata de nouveau entre les Néphites et les Lamanites. Et malgré ma jeunesse, j'étais d'une grande taille, c'est pourquoi le peuple de Néphi me nomma son chef ou chef de ses armées.

2. Ainsi, * dans ma †seizième année, je marchai à la tête d'une armée de Néphites contre les La-

manites. Et trois cent vingt-six ans *b*s'étaient écoulés.

3. * La trois cent vingt-septième année, les Lamanites vinrent sur nous avec une puissance extrêmement grande au point qu'ils terrifièrent mes armées ; c'est pourquoi, elles ne voulurent pas se battre et commencèrent à se retirer vers les *c*régions du nord.

4. Et * nous arrivâmes à la ville d'Angola et nous prîmes possession de la ville et fîmes des préparatifs pour nous défendre contre les Lamanites. * Nous *d*fortifiâmes la ville de toutes nos forces ; mais malgré toutes nos fortifications, les Lamanites vinrent sur nous et nous chassèrent de la ville.

5. Et ils nous chassèrent aussi du pays de David.

6. Et nous nous mîmes en route et arrivâmes au pays de Josué, qui se trouvait sur les frontières de l'est près du bord de la mer.

7. Et * nous réunîmes notre peuple aussi rapidement que possible, afin de nous réunir en un seul corps.

8. Mais voici, le pays était rempli de voleurs *e*et de Lamanites ; et malgré la grande destruction qui était suspendue au-dessus de mon peuple, il ne se repentait point de ses mauvaises actions ; c'est pourquoi le sang et le carnage étaient répandus sur toute la surface du pays, tant de la part des Néphites que de la part des Lamanites. Et il y eut une révolution complète sur toute la surface du pays.

9. Or, les Lamanites avaient un roi, et se nommait *f*Aaron ; et il vint contre nous avec une armée de quarante-quatre mille hommes. Et voici, je lui résistai avec quarante-deux mille hommes. Et * avec mon armée, je le battis de sorte qu'il prit la fuite devant moi. Et

m, voir 2a. 4 Né.   *n*, voir *l*.   *o*, voir *d*, 2 Né. 1.   *p*. voir 2c, 4 Né.   *q*. voir *d*, 2 Né. 1.   *r*. Héla. 13 : 18-23, 30-37. Morm. 2 : 10-15.   CHAP. 2 : *a*, Morm. 1 : 12, 15.   *b*, 3 Né. 2 : 7, 8.   *c*. voir 2r. Al. 22. Voir aussi *p*, Al. 46.   *d*, voir *c*, Al. 48. *e*, voir 2c, 4 Né.   *f*, Moro. 9 : 17.   † 327-328 AP. J.-C.

voici, tout ceci se passa, et †trois cent trente ans s'étaient écoulés.

10. Et * les Néphites commencèrent à se repentir de leurs iniquités et à implorer le Seigneur, comme l'avait prédit *Samuel le prophète ; car voici, personne ne pouvait garder ce qui était à lui, à cause des larrons, des voleurs, des meurtriers, de la magie et de la sorcellerie qui existaient dans le pays.

11. Ainsi, il commença à y avoir du deuil et des lamentations dans tout le pays à cause de ces choses, et plus particulièrement parmi le peuple de Néphi.

12. Et * quand moi, Mormon, je vis leurs lamentations, et leur deuil, et leur tristesse devant le Seigneur, mon cœur commença à se réjouir au-dedans de moi, connaissant la miséricorde et la longanimité du Seigneur et supposant, pour cette raison, qu'il leur serait miséricordieux de sorte qu'ils redeviendraient un peuple juste.

13. Mais voici, cette joie qui était la mienne fut vaine, car leur chagrin ne les conduisait point au repentir, à cause de la bonté de Dieu ; mais c'était plutôt le chagrin des damnés, parce que le Seigneur ne voulait pas toujours leur permettre de continuer à mettre leur joie dans le péché.

14. Et ils ne venaient pas à Jésus le cœur brisé et l'esprit contrit, mais ils maudissaient Dieu et souhaitaient mourir. Néanmoins, ils combattaient avec l'épée pour défendre leur vie.

15. Et * le chagrin me saisit de nouveau, et je vis que le jour de la grâce était passé pour eux, et temporellement, et spirituellement ; car j'en vis des milliers, fauchés en rébellion ouverte contre leur Dieu et entassés comme du fumier sur la surface du pays. Et ainsi ‖trois cent quarante-quatre ans s'étaient écoulés.

16. * Dans la trois cent quarante-cinquième année, les Néphites commencèrent à fuir devant les Lamanites, et ils furent poursuivis jusqu'à ce qu'ils arrivassent même au pays de Jashon, avant qu'il fût possible de les arrêter dans leur retraite.

17. Or, la ᵏville de Jashon était près du pays où Ammaron avait ⁱdéposé les annales dans le Seigneur, afin qu'elles ne fussent point détruites. Et voici, je m'y rendis, suivant le commandement d'Ammaron ; je pris les ʲplaques de Néphi et j'y inscrivis un récit, selon les paroles d'Ammaron.

18. Et sur les plaques de Néphi. je fis un récit ᵏcomplet de toute la méchanceté et de toutes les abominations ; mais sur ces ⁱplaques, je m'abstins de faire un récit complet de leur méchanceté et de leurs abominations. Car voici, une scène continuelle de méchanceté et d'abominations a été devant mes yeux. depuis que je suis assez âgé pour observer les voies de l'homme.

19. Et malheur à moi à cause de leur méchanceté ; car mon cœur a été rempli de douleur pendant toute ma vie à cause d'eux ; néanmoins. je sais que je serai ᵐélevé au dernier jour.

20. Et il arriva que cette année. le peuple de Néphi fut de nouveau chassé et refoulé. Et * nous fûmes chassés jusqu'à ce que nous fûmes arrivés vers le nord dans le pays qui s'appelait Shem.

21. * Nous ⁿfortifiâmes la ville de Shem et nous y réunîmes notre peuple autant qu'il nous était possible, dans l'espoir de le sauver de la destruction.

---

g, voir r, Morm. 1. h, Morm. 1 : 3. 4 : 23. i, 4 Né. 48, 49. j, Morm. 1 : 4. Voir f. 1 Né. 1. k. Morm. 1 : 4. l, voir g. 3 Né. 5. m. voir p. Mos. 23. n, voir c. Al. 48.　　　　　　† 331 ap. J.-C.　‖ 345 ap. J.-C.

22. * Dans la †trois cent quarante-sixième année, ils se remirent à marcher sur nous.

23. * Je parlai à mon peuple et l'exhortai avec une grande énergie à résister hardiment aux Lamanites et à combattre pour ses femmes, ses enfants, ses maisons et ses foyers.

24. Mes paroles lui inspirèrent quelque vigueur, de sorte qu'il ne s'enfuit pas devant les Lamanites, mais leur résista hardiment.

25. Et nous combattîmes, avec une armée de trente mille hommes contre une armée de cinquante mille. Et * nous leur résistâmes avec une telle fermeté, qu'ils prirent la fuite devant nous.

26. Et * lorsqu'ils se furent enfuis, nous les poursuivîmes avec nos armées, les rencontrâmes de nouveau et les battîmes, cependant, la force du Seigneur n'était pas avec nous ; oui, nous étions laissés à nous-mêmes, de sorte que l'Esprit du Seigneur ne reposait plus en nous ; c'est pourquoi, nous étions devenus faibles comme nos frères.

27. Et mon cœur s'affligeait, à cause de cette grande calamité qui était celle de mon peuple, à cause de sa méchanceté et de ses abominations. Mais voici, nous marchâmes contre les Lamanites et contre °les voleurs de Gadianton, jusqu'à ce que nous eûmes repris possession des terres de notre héritage.

28. Et la ††trois cent quarante-neuvième année s'était écoulée. Dans la trois cent cinquantième année, nous conclûmes un traité avec les Lamanites et les voleurs de Gadianton, selon lequel les terres de notre héritage furent divisées.

29. Et les Lamanites nous donnèrent le ᵖpays du nord, jusqu'à l'étroit passage qui conduisait dans le pays du. sud. Et nous donnâmes aux Lamanites tout le pays du sud.

CHAPITRE 3.

Les Néphites persistent dans la méchanceté. — Mormon refuse d'être leur chef militaire. — Son discours aux futures générations. — Les douze jugeront la maison d'Israël.

1. Et * les Lamanites ne revinrent au combat que lorsque §dix autres années se furent écoulées. Et voici, j'avais occupé mon peuple. les Néphites, à préparer leurs terres et leurs armes pour le jour du combat.

2. Et * le Seigneur me dit : Crie à ce peuple— Repentez-vous, venez à moi, soyez ªbaptisés et rétablissez mon Eglise, et vous serez épargnés.

3. Et je criai à ce peuple, mais ce fut en vain ; et ils ne se rendirent pas compte que c'était le Seigneur qui les avait épargnés, et qu'il leur accordait l'occasion de se repentir. Et voici, ils s'endurcirent le cœur contre le Seigneur leur Dieu.

4. Et * lorsque cette dixième année fut passée, ce qui faisait en tout trois cent soixante ans depuis l'avènement du Christ, le roi des Lamanites m'envoya une épître, pour me faire savoir qu'ils étaient occupés à se préparer pour venir de nouveau à la bataille contre nous.

5. * Je fis rassembler mon peuple au ᵇpays de Désolation, dans une ville située sur les frontières près de °l'étroit passage qui conduisait au ᵈpays du sud.

6. Et nous y plaçâmes nos armées afin d'arrêter les armées des Lamanites pour qu'elles ne prissent possession d'aucune de nos terres ;

---

o, voir 2c, 4 Né.   *p*, voir *c*.   *q*, voir 2v, Al. 22.   *r*, voir *n*, Al. 46.   CHAP. 3 :
a, voir *u*, 2 Né. 9.   *b*, voir 2l, Al. 22.   *c*, voir 2v, Al. 22.   *d*, voir *n*, Al. 46.
† 346 AP. J.-C.   ‡‡ 350 AP. J.-C.   § 360 AP. J.-C.

c'est pourquoi, nous nous °forti-
fiâmes contre eux de toutes nos
forces.

7. Et * dans la trois cent soixante
et unième année, les Lamanites descendirent à la ᶠville de Désolation
pour nous combattre, et * cette
année-là, nous les battîmes au point
qu'ils retournèrent encore sur leurs
propres terres.

8. Dans la †trois cent soixante-
deuxième année, ils redescendirent
au combat. Et nous les battîmes de
nouveau et en tuâmes un grand
nombre, et leurs morts furent jetés
dans la mer.

9. Et à cause de cette grande
chose que mon peuple, les Néphites,
avait faite, il commença à se vanter
de sa propre force et commença à
jurer devant les cieux qu'il tirerait
vengeance du sang de ses frères
tués par ses ennemis.

10. Et il jura par les cieux et
aussi par le trône de Dieu, qu'il
monterait au combat contre ses
ennemis et les retrancherait de la
surface du pays.

11. Et * à partir de ce moment,
moi, Mormon, je refusai complètement d'être le chef et le conducteur
de ce peuple, à cause de sa méchanceté et de ses abominations.

12. Voici, je l'avais conduit, malgré sa méchanceté, je l'avais conduit de nombreuses fois au combat
et je l'avais aimé de tout mon cœur,
selon l'amour de Dieu qui était en
moi ; et mon âme s'était épanchée
tout le jour en prières à mon Dieu
pour lui. Cependant, c'était sans
foi, à cause de l'endurcissement de
son cœur.

13. ᵍTrois fois, je l'ai délivré
des mains de ses ennemis ; et il ne
s'est point repenti de ses péchés.

14. Et quand il eut ʰjuré par tout
ce qui lui avait été interdit, par

notre Seigneur et Sauveur Jésus-
Christ, qu'il monterait au combat
contre ses ennemis et qu'il se ven-
gerait du sang de ses frères, voici,
la voix du Seigneur me vint, disant :

15. La vengeance est à moi, et je
rétribuerai ; et parce que ce peuple
ne s'est pas repenti, après que je
l'ai délivré, voici, il sera ᶦretranché
de la face de la terre.

16. Et il arriva que je refusai
complètement de monter contre
mes ennemis ; je fis ce que le Seigneur m'avait commandé ; et je me
tins, en témoin passif, pour manifester au monde les choses que
j'avais vues et entendues, suivant
les manifestations de l'Esprit qui
avaient témoigné des choses à
venir.

17. C'est pourquoi, je vous ʲécris,
ô Gentils, et à toi aussi, maison
d'Israël que, quand l'œuvre ᵏcom-
mencera, vous serez sur le point de
vous préparer à retourner au pays
de votre héritage ;

18. Oui, voici, j'écris à tous les
bouts de la terre ; oui, à vous, les
douze tribus d'Israël, qui serez jugées selon vos œuvres ˡpar les
douze que Jésus a choisis pour ses
disciples dans le pays de Jérusalem.

19. Et j'écris également au reste
de ce peuple, qui sera jugé par les
ᵐdouze que Jésus choisit dans ce
pays ; et ⁿils seront jugés par les
autres douze que Jésus choisit dans
le pays de Jérusalem.

20. Et cela, l'Esprit me le manifeste, c'est pourquoi je vous écris à
tous. Et je vous écris, afin que vous
sachiez qu'il faut que vous vous
teniez devant le siège du jugement
du Christ, oui, °toute âme qui appartient à toute la famille humaine
d'Adam ; et il faut que vous vous
y teniez pour être jugés selon vos
œuvres, bonnes ou mauvaises ;

e, voir c, Al. 48.　　f, voir 2l, Al. 22.　　g, vers. 7, 8. Morm. 2 : 27-29.　　h, vers. 9,
10.　　i, Morm. 6.　　j, voir c, 2 Né. 27.　　k, voir e, 1 Né. 15.　　l, 1 Né. 12 : 9.
m, 1 Né. 12 : 10. 3 Né. 27 : 27.　　n, 1 Né. 12 : 9.　　o, voir d, 3 Né. 26.
† 362 AP. J.-C.

21. Et aussi, afin que vous croyiez à l'évangile de Jésus-Christ que vous ᵖaurez parmi vous ; et afin que les Juifs, le peuple de l'alliance du Seigneur, aient �q d'autres témoins que celui qu'ils ont vu et entendu, attestant que Jésus, qu'ils ont mis à mort, était le véritable Christ et le ʳvéritable Dieu ;

22. Et je voudrais vous persuader, vous, tous les bouts de la terre, de vous repentir et de vous préparer à vous tenir devant le siège du jugement du Christ.

CHAPITRE 4.

Les Néphites entreprennent une guerre de représailles contre les Lamanites. — Les Néphites ne sont plus vainqueurs. — Les annales sacrées sont enlevées de la colline de Shim.

1. * La †trois cent soixante-troisième année, les Néphites montèrent avec leurs armées du ᵃpays de Désolation pour aller combattre les Lamanites.

2. Et * les armées des Néphites furent repoussées dans le pays de Désolation. Et pendant qu'ils étaient harassés de fatigue, une armée fraîche de Lamanites vint sur eux ; et ils eurent une bataille terrible au point que les Lamanites prirent possession de la ᵇville de Désolation et tuèrent beaucoup de Néphites, et firent beaucoup de prisonniers.

3. Et le reste s'enfuit et vint se joindre aux habitants de la ᶜville de Téancum. La ville de Téancum était située aux frontières, près de la mer, et elle était également près de la ᵈville de Désolation.

4. Or, c'était parce que les armées des Néphites étaient montées vers les Lamanites, qu'ils commençaient à être frappés ; car, sans cela, les Lamanites n'auraient pu avoir aucun pouvoir sur eux.

5. Mais voici, les jugements de Dieu rattraperont les méchants ; et c'est par les méchants que les méchants sont punis ; car ce sont les méchants qui excitent le cœur des enfants des hommes à l'effusion du sang.

6. Et il arriva que les Lamanites firent des préparatifs pour marcher contre la ville de Téancum.

7. * ╫La trois cent soixante-quatrième année, les Lamanites marchèrent contre la ᵉville de Téancum.

8. Et * ils furent repoussés et mis en fuite par les Néphites. Et quand les Néphites virent qu'ils avaient chassé les Lamanites, ils se vantèrent ᶠencore de leur force et ils allèrent dans leur propre force et reprirent possession de la ᵍville de Désolation.

9. Et toutes ces choses s'étaient faites et des milliers d'hommes avaient été tués des deux côtés, tant Néphites que Lamanites.

10. * La trois cent soixante-sixième année s'était écoulée, quand les Lamanites vinrent encore attaquer les Néphites ; et cependant les Néphites ne se repentaient point du mal qu'ils avaient fait, mais ils persévéraient dans leurs iniquités.

11. Et il est impossible à la langue de décrire, et à l'homme d'écrire en une description parfaite la scène horrible de sang et de carnage qui existait parmi le peuple, tant chez les Néphites que chez les Lamanites ; et tous les cœurs étaient endurcis, de sorte qu'ils prenaient plaisir à répandre continuellement le sang.

12. Et il n'y avait jamais eu une si grande méchanceté parmi tous les enfants de Léhi, ni même parmi

---

p, 1 Né. 13 : 20-29, 41, 42.   *q*, voir *k*, 2 Né. 25.   *r*, 2 Né. 26 : 12. Voir *b*, Mos 3.   Chap. 4 : *a*, voir *2l*, Al. 22.   *b*, voir *2l*, Al. 22.   *c*, vers. 6, 7, 14. *d*, voir *2l*, Al. 22.   *e*, voir *c*.   *f*, Morm. 3 : 9.   *g*, voir *2l*, Al. 22.

† 363 AP. J.-C.   ╫ 364 AP. J.-C.

toute la maison d'Israël, selon les paroles du Seigneur, que celle qui existait parmi ce peuple.

13. * Les Lamanites prirent possession de la ᵇville de Désolation et cela, parce que leur nombre dépassait le nombre des Néphites.

14. Et ils marchèrent aussi sur la ᶦville de Téancum, en chassèrent les habitants, firent beaucoup de prisonniers tant femmes qu'enfants et ʲles offrirent en sacrifice à leurs idoles.

15. * Dans la trois cent soixante-septième année, les Néphites, furieux de ce que les Lamanites avaient ᵏsacrifié leurs femmes et leurs enfants, marchèrent contre les Lamanites avec une colère extrême, au point qu'ils battirent à nouveau les Lamanites et les chassèrent de leurs terres.

16. Et les Lamanites ne vinrent plus attaquer les Néphites jusqu'à la trois cent soixante-quinzième année.

17. Et cette année-là, ils descendirent contre les Néphites avec toutes leurs forces ; et on ne les compta pas à cause de leur grand nombre.

18. Et à partir de ce moment, les Néphites n'obtinrent plus aucun pouvoir sur les Lamanites, mais ils commencèrent à être balayés par eux, comme la rosée devant le soleil.

19. Et il arriva que les Lamanites descendirent contre la ᶦville de Désolation ; une bataille extrêmement acharnée se livra dans le pays de Désolation, au cours de laquelle ils battirent les Néphites.

20. Et ils s'enfuirent de nouveau devant eux et arrivèrent à la ville de Boaz ; et là, ils tinrent tête à leurs ennemis avec une hardiesse extrême, au point que les Lamanites ne les battirent que lorsqu'ils revinrent la deuxième fois.

21. Et lorsqu'ils furent venus pour la deuxième fois, les Néphites furent chassés et massacrés en un très grand massacre ; leurs femmes et leurs enfants furent ᵐencore sacrifiés aux idoles.

22. Et * les Néphites s'enfuirent de nouveau devant eux, prenant avec eux tous les habitants des villes et des villages.

23. Et maintenant, moi, Mormon, voyant que les Lamanites étaient sur le point de renverser le pays, je me rendis à la colline de ⁿShim et je pris toutes les annales qu'Ammaron avait ᵒcachées dans le Seigneur.

CHAPITRE 5.

Mormon cède et dirige de nouveau les Néphites. — Les Néphites sont accablés sous le nombre des Lamanites. — Crime et carnage. — Mormon fait un abrégé des annales.

1. * Et j'allai parmi les Néphites et me repentis du ᵃserment que j'avais fait de ne plus les aider ; et ils me donnèrent de nouveau le commandement de leurs armées, car ils me considéraient comme pouvant les délivrer de leurs afflictions.

2. Mais voici, j'étais sans espoir ; car je connaissais les jugements du Seigneur qui devaient tomber sur eux ; car ils ne se repentaient pas de leurs iniquités, mais luttaient pour leur vie sans invoquer l'Etre qui les avait créés.

3. * Les Lamanites vinrent contre nous alors que nous étions enfuis à la ville de Jordan ; mais voici, ils furent repoussés, de sorte qu'ils ne prirent pas la ville à ce moment-là.

4. * Ils revinrent contre nous et nous conservâmes la ville. Et il y avait aussi d'autres villes qui étaient défendues par les Néphites, places

---

h, voir 2l, Al. 22.   i, voir c.   j, vers. 15, 21.   k, voir j.   l, voir 2l, Al. 22.
m, voir j.   n. Morm. 1 : 3. Eth. 9 : 3.   o, voir 2f, 4 Né.   Chap. 5 : a, Morm.
3 : 11. 16.   367-375 ap. J.-C.

fortes qui les arrêtèrent de sorte qu'ils ne pouvaient entrer dans la région qui s'étendait devant nous, pour détruire les habitants de notre pays.

5. Et * toutes les contrées que nous avions passées et dont les habitants n'avaient pas été réunis à nous furent détruites par les Lamanites, et leurs petites villes, leurs villages et leurs grandes cités furent brûlés par le feu, et ainsi passèrent trois cent soixante-dix-neuf ans.

6. * La trois cent quatre-vingtième année, les Lamanites vinrent encore nous livrer bataille ; et nous leur résistâmes vigoureusement ; mais tous nos efforts furent vains, car leur nombre était si grand qu'ils foulaient le peuple des Néphites sous leurs pieds.

7. Et * nous prîmes de nouveau la fuite ; ceux dont la fuite était plus rapide que les Lamanites échappèrent, et ceux dont la fuite ne dépassait pas les Lamanites furent balayés et détruits.

8. Et maintenant, voici, moi Mormon, je ne désire pas déchirer l'âme des hommes en leur présentant une scène aussi terrible de sang et de carnage que celle qui se déroula devant mes yeux ; mais moi, sachant que ᵇces choses doivent certainement être révélées et que tout ce qui est caché ᶜdoit être révélé sur le toit des maisons —

9. Et que la connaissance de ces choses doit venir au reste de ce peuple, et aussi aux Gentils dont le Seigneur a dit qu'ils ᵈdisperseront ce peuple, et que ce peuple sera compté pour rien parmi eux — c'est pourquoi, j'écris un ᵉpetit abrégé, n'osant pas donner un récit complet des choses que j'ai vues, à cause du commandement que j'ai reçu, et aussi pour que vous n'ayez pas une trop grande tristesse à cause de la méchanceté de ce peuple.

10. Et maintenant, voici, j'annonce ceci à ᶠleur postérité et aux Gentils qui s'intéressent à la maison d'Israël, qui comprennent et savent d'où viennent leurs bénédictions.

11. Car je sais que ceux-là s'affligeront de la calamité de la maison d'Israël ; oui, ils seront affligés de la destruction de ce peuple : ils seront affligés de ce que ce peuple ne s'est pas repenti, afin d'être reçu dans les bras de Jésus.

12. Or, ces choses sont écrites pour le reste de la maison de Jacob ; et elles sont écrites de cette manière, parce que Dieu sait que la perversité ne les leur fera jamais parvenir ; et elles doivent être ᵍcachées dans le Seigneur, afin de reparaître en temps voulu, selon sa volonté.

13. Et voici le commandement que j'ai reçu ; et voici, elles ʰparaîtront suivant le commandement du Seigneur, quand il le jugera convenable dans sa sagesse.

14. Et voici, elles iront aux incrédules d'entre les Juifs ; et elles iront dans ce but — qu'ils soient ⁱpersuadés que Jésus est le Christ, le Fils du Dieu vivant ; afin que le Père puisse accomplir, par son Bien-Aimé, son grand dessein éternel, la ʲrestauration des Juifs, ou toute la maison d'Israël, dans le pays de leur héritage, que le Seigneur leur Dieu leur a donné en accomplissement de son alliance :

15. Et aussi, afin que la ᵏpostérité de ce peuple puisse croire plus pleinement à son ˡévangile qui doit leur être apporté par les Gentils.

b, vers. 9-15. c, voir c, 2 Né. 27. d, vers. 19, 20. 1 Né. 13 : 14. 22 : 7. 2 Né. 1 : 11, 12. 10 : 18. 26 : 19. 3 Né. 16 : 8. 9. 20 : 27, 28. e, voir a, Morm. 1. f, 2 Né. 1 : 31. g, Morm. 8 : 4, 13, 14. Moro. 10 : 2. h, voir c, 2 Né. 27. i, voir f, 2 Né. 25. j, voir e, 1 Né. 15. k, voir f. l, 1 Né. 13 : 20-29, 38-41. Morm. 7 : 8. 9.

Car ce peuple sera ^mdispersé, et il ⁿdeviendra un peuple sombre, sale et dégoûtant, au-delà de toute description de ce qui a jamais été parmi nous, oui, même de ce qui est arrivé parmi les Lamanites ; et ceci à cause de leur incrédulité et de leur ^oidolâtrie.

16. Car voici, l'Esprit du Seigneur a déjà cessé de lutter avec leurs pères ; et ils sont sans Christ et sans Dieu dans le monde ; et ils sont chassés comme de la paille devant le vent.

17. Autrefois, ils étaient un peuple agréable ; et ils avaient le Christ pour leur berger ; oui, ils étaient dirigés même par Dieu le Père.

18. Mais maintenant, voici, ils sont menés par Satan, comme la paille est chassée par le vent, ou comme un vaisseau, sans voiles ni ancre et sans rien pour le diriger, est ballotté par les vagues ; et ils sont comme lui.

19. Et voici, le Seigneur a réservé les bénédictions qu'ils auraient pu recevoir dans le pays, pour les Gentils ^pqui posséderont ce pays.

20. Mais voici, il arrivera qu'ils seront ^qchassés et dispersés par les Gentils ; et lorsqu'ils auront été chassés et dispersés par les Gentils, voici, ^ralors le Seigneur se souviendra de l'alliance qu'il a faite avec Abraham et toute la maison d'Israël.

21. Et le Seigneur se souviendra aussi des ^sprières des justes qui lui ont été adressées pour elle.

22. Et alors, ô Gentils, comment pouvez-vous subsister devant le pouvoir de Dieu, si vous ne vous repentez et si vous ne quittez vos mauvaises voies ?

23. Ne savez-vous pas que vous êtes dans les mains de Dieu ? Ne savez-vous pas qu'il a tout pouvoir, et qu'à son grand commandement la ^tterre se roulera comme un rouleau ?

24. C'est pourquoi, repentez-vous, humiliez-vous devant lui, de peur qu'il ne vienne en justice contre vous — de peur qu'un ^ureste de la postérité de Jacob ne vienne parmi vous comme un lion et ne vous déchire en pièces, sans que nul ne puisse vous délivrer.

CHAPITRE 6.

La colline de Cumorah et ses annales. — Lutte finale entre les deux nations. — Les Lamanites sont victorieux. — Vingt-quatre Néphites survivent.

1. Je termine maintenant mon récit touchant la destruction de mon peuple, les Néphites. Et il arriva que nous marchâmes devant les Lamanites.

2. Et moi, Mormon, j'écrivis une épître au roi des Lamanites, et désirai de lui qu'il nous permît de rassembler notre peuple au ^apays de Cumorah, auprès d'une colline qui s'appelait Cumorah, et que là nous lui livrerions bataille.

3. Et * le roi des Lamanites m'accorda la chose que je désirais.

4. Et * nous allâmes au pays de Cumorah et nous plantâmes nos tentes autour de la colline de Cumorah, et c'était dans un pays d'eaux, de rivières et de sources nombreuses ; et là, nous avions l'espoir de prendre de l'avantage sur les Lamanites.

5. Et †quand ^btrois cent quatre-vingt-quatre ans se furent passés, nous avions rassemblé tout le reste de notre peuple au pays de Cumorah.

---

m, voir *d*.   *n*, voir *d*, 1 Né. 2.   *o*, voir *j*, Morm. 4.   *p*, 1 Né. 13 : 12-19. 2 Né. 1 : 11. 10 : 10-14, 18, 19. 26 : 19, 20. 30 : 3.   *q*, voir *d*.   *r*, 3 Né. 16 : 8-12. 21 : 1-11.   *s*, Énos 12-18. Morm. 8 : 24-26. Morm. 9 : 36, 37.   *t*, voir *c*, 3 Né. 26. *u*, voir *o*, 3 Né. 20.   CHAP. 6 : *a*, vers. 4-6, 11. Morm. 8 : 2.   *b*, 2 Né. 2 : 7, 8.
† 385 AP. J.-C.

6. Et * quand nous eûmes rassemblé tout notre peuple en un seul groupe dans le pays de Cumorah, voici, moi, Mormon, je commençais à ᶜdevenir âgé ; et sachant que c'était la dernière lutte de mon peuple et ayant reçu du Seigneur le commandement de ne point souffrir que les ᵈannales qui avaient été transmises par nos pères, annales qui étaient sacrées, ne tombassent entre les mains des Lamanites (car les Lamanites les détruiraient), je fis ᵉces annales d'après les ᶠplaques de Néphi et ᵍcachai dans la ʰcolline de Cumorah ᶦtoutes les annales qui m'avaient été confiées par la main du Seigneur, excepté ʲces quelques plaques que je donnai à mon fils Moroni.

7. Et il arriva que mon peuple, avec ses femmes et ses enfants, vit les armées lamanites marcher vers lui, et c'est avec cette terrible crainte de la mort qui remplit le cœur de tous les méchants qu'il attendait de les recevoir.

8. Et * ils vinrent nous livrer bataille, et chaque âme fut remplie de terreur à cause de leur grand nombre.

9. Et * ils fondirent sur mon peuple ᵏavec l'épée, avec l'arc, avec la flèche, avec la hache et avec toutes sortes d'armes de guerre.

10. Et * mes hommes furent taillés en pièces, oui, même mes dix mille qui étaient avec moi ; et je tombai blessé au milieu d'eux, et ils passèrent à côté de moi de sorte qu'ils ne mirent pas fin à ma vie.

11. Et quand ils eurent passé et fauché tout mon peuple, excepté vingt-quatre des nôtres (parmi lesquels se trouvait mon fils Moroni), nous qui avions survécu aux morts de notre peuple, nous vîmes le lendemain, quand les Lamanites se furent retirés dans leurs camps, du haut de la ᶦcolline de Cumorah, les dix mille hommes que j'avais conduits au combat qui étaient fauchés.

12. Et nous vîmes aussi les dix mille de mon peuple qui avaient été conduits par mon fils Moroni.

13. Et voici, les dix mille de Gidgiddonah étaient tombés ainsi que lui-même au milieu d'eux.

14. Et Lamah était tombé avec ses dix mille ; et Gilgal était tombé avec ses dix mille ; et Limhah était tombé avec ses dix mille ; et Jonéam était tombé avec ses dix mille ; et Camenihah, Moronihah, Antionum, Shiblom, Shem et Josh, étaient tombés chacun avec leurs dix mille.

15. Et * dix autres étaient tombés par l'épée chacun avec ses dix mille ; oui, même tout mon peuple était tombé, à l'exception des vingt-quatre qui étaient avec moi, et aussi de ᵐquelques-uns qui s'étaient échappés dans les pays du sud et de quelques °dissidents qui étaient passés aux Lamanites ; et leur chair, leurs os et leur sang gisaient sur la surface de la terre, abandonnés par les mains de ceux qui les avaient tués pour tomber en poussière sur le pays, et se décomposer, et retourner à la terre, leur mère.

16. Et mon âme fut déchirée d'angoisse à cause de ceux de mon peuple qui avaient été tués, et je m'écriai :

17. O belles créatures, comment avez-vous pu quitter les voies du Seigneur ! O belles créatures, comment avez-vous pu rejeter ce Jésus qui se tenait pour vous recevoir à bras ouverts !

18. Voici, si vous ne l'aviez pas

c, 4 Né. 48. Morm. 1 : 2. 8 : 1.   d, voir 2f, 4 Né.   e, voir a, Morm. 1. f, voir f, 1 Né. 1.   g, voir g, Morm. 5.   h, voir a.   i, voir 2f, 4 Né.   j, voir a, Morm. 1.   k, voir 2p, Al. 43.   l, voir a.   m, vers. 11.   n, Morm. 8 : 2. o, voir h, Al. 45.   VERS 385 AP. J.-C.

fait, vous ne seriez pas tombés ! Mais voici, vous êtes tombés, et je pleure votre perte.

19. O fils et filles si beaux, pères et mères, maris et femmes, belles créatures, comment est-il possible que vous soyez tombés !

20. Mais voici, vous vous en êtes allés, et mes douleurs ne peuvent provoquer votre retour.

21. Et le jour viendra bientôt où votre mortalité revêtira l'immortalité, et où ces corps, qui maintenant *tombent en corruption, deviendront des corps incorruptibles ; et alors vous vous tiendrez devant le siège du jugement du Christ, pour être jugés selon vos œuvres ; et si vous êtes justes, alors vous serez bénis avec vos pères qui s'en sont allés avant vous.

22. Oh ! que ne vous êtes-vous repentis avant que cette grande destruction ne tombât sur vous ! Mais voici, vous vous en êtes allés, et le Père, oui, le Père éternel du ciel connaît votre état, et il agit envers vous selon sa justice et sa miséricorde.

CHAPITRE 7.

Mormon affirme aux Lamanites qu'ils sont de la maison d'Israël. — Il les exhorte en vue de leur salut.

1. Et maintenant voici, je voudrais parler quelque peu au reste de ce peuple qui sera épargné, afin que, si Dieu leur donne mes paroles, ils connaissent les choses de leurs pères ; oui, je m'adresse à vous, reste de la maison d'Israël ; et voici les paroles que je dis :

2. Sachez que vous êtes de la maison d'Israël.

3. Sachez que vous devez arriver à vous repentir, ou vous ne pouvez pas être sauvés.

4. Sachez que vous devez déposer vos armes de guerre, ne plus prendre plaisir à verser le sang et ne plus reprendre les armes, à moins que Dieu ne vous le commande.

5. Sachez que vous devez arriver à *connaître vos pères, vous repentir de tous vos péchés et de toutes vos iniquités, et croire que Jésus-Christ est le Fils de Dieu, et qu'il a été mis à mort par les Juifs ; et que, par le pouvoir du Père, il est ressuscité, ce qui lui a donné la *victoire sur le tombeau, et qu'en lui *l'aiguillon de la mort est absorbé.

6. Et il réalise la *résurrection des morts, par laquelle l'homme sera ressuscité pour se tenir devant son siège du jugement.

7. Et par lui il a réalisé la rédemption du monde, par laquelle, à celui qui sera trouvé innocent devant lui au jour du jugement, il sera donné d'habiter dans la présence de Dieu dans son royaume, pour chanter des louanges éternelles avec les *chœurs d'en haut, au Père, au Fils et au Saint-Esprit, qui sont *un Dieu, dans un état de bonheur qui n'a pas de fin.

8. C'est pourquoi, repentez-vous et soyez *baptisés au nom de Jésus, et saisissez-vous de l'évangile du Christ, qui sera placé devant vous, non seulement dans ces annales, mais aussi dans les *annales qui viendront des *Juifs aux Gentils, lesquelles annales viendront des Gentils à vous.

9. Car voici, *celles-ci sont écrites pour que vous croyiez à *celles-là ; et si vous croyez à celles-là, vous croirez également à celles-ci, et si vous croyez à celles-ci, vous *saurez ce qui touche vos pères, et les œuvres merveilleuses qui ont été

accomplies parmi eux par la puissance de Dieu.

10. Et vous saurez aussi que vous êtes un reste de la postérité de Jacob ; c'est pourquoi, vous êtes comptés parmi le peuple de la première alliance ; et si vous croyez au Christ, et êtes "baptisés, tout d'abord d'eau. puis de feu °et du Saint-Esprit. suivant l'exemple de notre Sauveur. selon ce qu'il nous a commandé, vous vous en trouverez bien au jour du jugement. Amen.

CHAPITRE 8.

Moroni termine les annales de son père. — Après le carnage de Cumorah. — Mormon est parmi les morts. — Les Lamanites et les voleurs possèdent le pays. — Les annales de Mormon sortiront de terre. — Description des conditions et des calamités des derniers jours.

1. Voici, moi, °Moroni, je termine les annales de mon père, Mormon. Voici, je n'ai que peu de choses à écrire, choses que mon père m'a commandé d'écrire.

2. Il arriva qu'après la ᵇgrande et terrible bataille de ᶜCumorah, voici, les Néphites qui s'étaient ᵈéchappés dans le pays du sud, furent pourchassés par les Lamanites jusqu'à ce qu'ils furent tous détruits.

3. Et mon père fut aussi tué par eux, et je reste seul pour écrire la triste histoire de la destruction de mon peuple. Mais voici, ils s'en sont allés et j'obéis au commandement de mon père. Et je ne sais s'ils me tueront.

4. C'est pourquoi, j'écrirai et °cacherai ces annales dans la terre, et peu importe où j'irai.

5. Voici, mon père a ᶠfait ces annales, et il en a écrit le but.

Et voici, je l'écrirais aussi. si j'avais de la ᵍplace sur les plaques. mais elle me manque ; et je n'ai pas de métal, car je suis seul. Mon père a ʰété tué au combat, ainsi que tous mes parents ; je suis sans amis et je ne sais où aller ; et ᶦcombien de temps le Seigneur me permettra de vivre, je ne sais.

6. Voici. quatre cents ans †se sont écoulés depuis l'avènement de notre Seigneur et Sauveur.

7. Et voici, les Lamanites ont chassé mon peuple, les Néphites. de ville en ville et de lieu en lieu, même jusqu'à ce qu'ils ʲne soient plus ; et grande a été leur chute ; oui, grande et prodigieuse a été la destruction de mon peuple, les Néphites.

8. Et voici, c'est la main du Seigneur qui l'a fait. Et voici aussi. les Lamanites sont maintenant en guerre les uns contre les autres ; et toute la surface de ce pays est une ronde continuelle de meurtres et d'effusion de sang ; et nul ne connaît la ᵏfin de la guerre.

9. Et maintenant, voici, je ne parle plus d'eux. car sur toute la surface du pays il n'existe plus que des Lamanites et des ˡvoleurs.

10. Et il n'y en a aucun qui connaisse le vrai Dieu, si ce n'est les ᵐdisciples de Jésus, qui restèrent dans le pays jusqu'à ce que la méchanceté du peuple fût si grande, que le Seigneur ne leur permit plus de ⁿdemeurer avec le peuple ; et s'ils sont sur la surface du pays, nul ne le sait.

11. Mais voici, °mon père et moi, nous les avons vus, et ils nous ont enseignés.

12. Et quiconque reçoit ᵖces annales, et ne les condamne pas à cause des imperfections qui s'y

n, voir u. 2 Né. 9.   o, voir y, 3 Né. 9.
b, Morm. 6 : 8-15.   c, voir a, Morm. 6.
f, voir a, Morm. 1.   g, Morm. 6 : 6.
i, voir d, 1 Né. 12.   k, 1 Né. 12 : 20-23.
n. Morm. 1 : 16.   o. 3 Né. 28 : 26.

CHAP. 8 : a, Morm. 6. Moro. 9 : 24.
d, Morm. 6 : 15.   e, voir g, Morm. 5.
h, vers. 3.   i, Moro. 1. 10 : 1, 2.
l, voir 2c, 4 Né.   m. voir d, 3 Né. 28.
p. 3 Né. 5 : 8-11. 13-18. Voir u. Morm. 1.
÷ 401 AP. J.-C

trouvent, celui-là connaîtra des choses plus *grandes que celles-ci. Voici, je suis Moroni, et si cela était possible, je vous ferais connaître toutes choses.

13. Voici, je cesse de parler de ce peuple. Je suis le fils de Mormon, et mon père était un 'descendant de Néphi.

14. Et je suis celui qui *cache ces annales dans le Seigneur. Ces plaques ne sont d'aucune valeur à cause du commandement du Seigneur. Car il a dit, en vérité, que nul ne les obtiendra pour en avoir du gain ; mais leur contenu est d'un grand prix ; et quiconque les ramènera au jour, le Seigneur 'le bénira.

15. Car nul ne peut avoir le pouvoir de ramener ces annales à la lumière, si cela ne lui est donné de Dieu ; car Dieu veut que cela se fasse uniquement en vue de sa gloire, ou pour le bien-être du peuple ancien de l'alliance du Seigneur, depuis longtemps dispersé.

16. Et béni soit *celui qui les ramènera au jour, car elles seront ramenées des ténèbres à la lumière, selon la parole de Dieu ; oui, elles seront *prises de la terre, et elles brilleront hors des ténèbres et viendront à la connaissance du peuple ; et cela se fera par le pouvoir de Dieu.

17. Et s'il s'y trouve des fautes, ce sont "les fautes d'un homme. Mais voici, nous ne connaissons pas de fautes ; cependant Dieu sait toutes choses ; c'est pourquoi, celui qui les *condamne, qu'il prenne bien garde de se mettre en danger du feu de l'enfer.

18. Et celui qui dit : Montrez-moi, ou vous serez *frappés — qu'il prenne garde, de peur qu'il ne commande ce qui est défendu par le Seigneur.

19. Car voici, celui qui juge avec témérité, sera aussi jugé avec témérité ; car ses gages seront selon ses œuvres. C'est pourquoi celui qui frappe sera aussi frappé du Seigneur.

20. Voici ce que dit l'Ecriture — L'homme ne frappera ni ne jugera ; car le jugement m'appartient, dit le Seigneur, la vengeance m'appartient aussi, et je donnerai la rétribution.

21. Et celui qui respirera la colère et la lutte contre l'œuvre du Seigneur et contre le peuple de l'alliance du Seigneur qui est la maison d'Israël, et dira : Nous détruirons l'œuvre du Seigneur, et le Seigneur ne se souviendra point de l'alliance qu'il a faite avec la maison d'Israël — celui-là est en danger d'être *retranché et jeté au feu ;

22. Car les desseins éternels du Seigneur poursuivront leur cours jusqu'à ce que toutes ses promesses se soient accomplies.

23. Sondez les prophéties d'Esaïe. Voici, je ne puis les écrire. Oui, voici, je vous dis que ces saints qui s'en sont allés avant moi, qui ont possédé ce pays, crieront, oui, même de la *poussière, ils crieront au Seigneur ; et comme le Seigneur vit, il se souviendra de l'alliance qu'il a faite avec eux.

24. Et il connaît leurs prières, il sait qu'elles étaient en faveur de leurs frères. Et il connaît leur foi, car, en *son nom, ils pouvaient déplacer des montagnes ; et en son nom, ils pouvaient faire trembler la terre ; et par la puissance de sa parole, ils faisaient crouler les prisons ; oui, même la fournaise ardente ne pouvait leur faire aucun

q. 3 Né. 26 : 6-11. Eth. 4 : 8, 13.   *r.* 3 Né. 5 : 20.   *s.* voir *s,* 1 Né. 13. Moro. 10 : 1, 2.   *t,* voir *e,* 2 Né. 3.   *u,* voir *e,* 2 Né. 3.   *v,* voir *c,* 2 Né. 27.   *w,* voir page de titre. Morm. 9 : 31, 33. Eth. 12 : 22-28, 35.   *x,* voir page de titre. Vers. 19, 21. 2 Né. 28 : 29, 30. 3 Né. 29. Eth. 4 : 8-10.   *y,* vers. 19, 20. *z,* voir *x.*   *2a,* voir *s,* Morm. 5.   *2b,* voir *c,* Jacob 4.

ENTRE 400 et 421 AP. J.-C.

mal, ni les bêtes sauvages, ni les serpents venimeux, à cause de la puissance de sa parole.

25. Et [c]leurs prières étaient aussi pour [d]celui à qui le Seigneur permettra de mettre au jour ces choses.

26. Et personne ne doit dire qu'elles ne viendront pas, car elles viendront certainement, car le Seigneur l'a dit ; car elles sortiront [e]de la terre par la main du Seigneur, et personne ne peut l'arrêter ; et cela arrivera dans un jour où l'on dira que les [f]miracles ont cessé ; et cela arrivera comme si [g]quelqu'un parlait d'entre les morts.

27. Et cela arrivera dans un jour où le [h]sang des saints criera au Seigneur, à cause des [i]combinaisons secrètes et des œuvres des ténèbres.

28. Oui, cela arrivera dans un jour où le pouvoir de Dieu sera [j]nié, où les églises [k]deviendront souillées et seront exaltées dans l'orgueil de leur cœur ; oui, même dans un jour où les chefs des églises et les instructeurs se lèveront dans l'orgueil de leur cœur, au point même d'envier ceux qui appartiennent à leurs églises.

29. Oui, cela arrivera dans un jour où l'on [l]entendra parler de feux, de tempêtes, et de vapeurs de fumée dans les pays étrangers ;

30. Et on entendra aussi parler de [m]guerres, de bruits de guerres et de [n]tremblements de terre en divers lieux.

31. Oui, cela arrivera dans un jour où il y aura de grandes souillures sur la face de la terre ; il [o]y aura des meurtres, des vols, des

mensonges, des tromperies, des impudicités et toutes sortes d'abominations ; quand il y en aura beaucoup qui diront : Faites ceci, ou faites cela, peu importe, car le Seigneur soutiendra ceux qui le font au dernier jour. Mais malheur à ceux-là car ils sont dans le fiel de l'amertume et dans les liens de l'iniquité.

32. Oui, cela arrivera dans un jour où seront établies des églises qui diront : Venez à moi, et pour votre argent vous obtiendrez le pardon de vos péchés.

33. O peuple méchant, pervers et obstiné, pourquoi [p]vous êtes-vous bâti des églises pour obtenir du gain ? Pourquoi avez-vous [q]défiguré la sainte parole de Dieu, pour attirer la damnation sur vos âmes ? Voici, examinez les [r]révélations de Dieu ; car voici, le temps vient, en ce jour-là, où toutes ces choses doivent être accomplies.

34. Voici, le Seigneur m'a montré des [s]choses grandes et merveilleuses touchant ce qui doit arriver bientôt, le jour où ces choses paraîtront parmi vous.

35. Voici, je vous parle comme si vous étiez présents, et pourtant vous ne l'êtes pas. Mais voici, Jésus-Christ vous a montrés à moi, et je connais vos œuvres.

36. Et je sais que vous marchez dans [t]l'orgueil de votre cœur ; et il n'y en a point si ce n'est [u]quelques-uns, qui ne s'exaltent dans l'orgueil de leur cœur au point de se parer de vêtements somptueux, de se livrer à l'envie, à la lutte, à la malice, aux persécutions et à toutes sortes d'iniquités ; et vos églises, oui, même chacune d'elles,

2c, voir s. Morm. 5.   2d, voir e, 2 Né. 3.   2e, voir c, 2 Né. 27.   2f, 2 Né. 28 : 4-6. 3 Né. 29 : 7. Morm. 8 : 28. 9 : 15-26. Voir r, 2 Né. 26.   2g, 2 Né. 26 : 15. 16. 33 : 13. Morm. 9 : 30. Moro. 10 : 27   2h, voir i, 2 Né. 27.   2i, voir i, 2 Né. 10.   2j, voir 2f.   2k, vers. 32-38. Voir q, 2 Né. 26.   2l, 1 Né. 22 : 18. 2 Né. 27 : 1-3.   2m, 1 Né. 14 : 15-17. 22 : 13-15. Es. 66 : 15, 16.   2n, 2 Né. 27 : 2. 2o, 3 Né. 16 : 10. 21 : 19. Chap. 30.   2p, voir 2k.   2q, 1 Né. 13 : 20-29, 32, 34, 35, 40, 41.   2r, 1 Né. 14 : 18-27. Eth. 4 : 16.   2s, voir i, 2 Né. 25.   2t, 2 Né. 28. 3 Né. 16 : 10.   2u, 2 Né. 28 : 14.

ENTRE 400 et 421 AP. J.-C.

sont devenues souillées, à cause de l'orgueil de votre cœur.

37.. Car voici, vous aimez l'argent, et vos biens, et vos vêtements magnifiques, et les ornements de vos églises, plus que vous [2w]n'aimez les pauvres et les nécessiteux, les malades et les affligés.

38. O corruptions, hypocrites, instructeurs, qui vous vendez pour ce qui se corrompra, pourquoi avez-vous souillé la sainte Eglise de Dieu ? Pourquoi avez-vous honte de prendre sur vous le [2x]nom du Christ ? Pourquoi ne pas penser que l'éternelle félicité est d'un plus grand prix que cette misère qui ne meurt jamais — à cause des louanges du monde ?

39. Pourquoi vous parez-vous de ce qui n'a point de vie, tandis que vous [2y]souffrez que les affamés, les nécessiteux, les nus, les malades et les affligés passent près de vous sans que vous les remarquiez ?

40. Oui, pourquoi édifiez-vous vos [2z]secrètes abominations pour obtenir du gain ; pourquoi faites-vous que les veuves et les orphelins se lamentent devant le Seigneur, et que le [3a]sang de leurs pères et de leurs maris crie de la terre au Seigneur vengeance sur votre tête ?

41. Voici, [3b]l'épée de la vengeance est suspendue au-dessus de vous ; et le jour vient bientôt où il vengera sur vous le [3b]sang des saints, car il ne souffrira pas plus longtemps leurs cris.

CHAPITRE 9.

Moroni s'adresse aux incroyants. — Son témoignage du Christ. — La langue néphite est de l'égyptien réformé.

1. Et maintenant, je parle aussi de ceux qui ne croient pas au Christ.

2. Voici, croirez-vous au jour où vous serez visités — voici, quand le Seigneur viendra, oui, même en ce grand jour, où la [a]terre sera roulée comme un rouleau et où les éléments fondront sous la chaleur ardente, oui, en ce grand jour où vous serez amenés à comparaître devant l'Agneau de Dieu — direz-vous alors qu'il n'y a point de Dieu ?

3. Alors nierez-vous plus longtemps le Christ, ou pourrez-vous regarder l'Agneau de Dieu ? Supposez-vous que vous habiterez avec lui avec la conscience de votre culpabilité ? Supposez-vous que vous pourriez être heureux d'habiter avec cet Etre saint, pendant que votre âme est tourmentée de la conscience de votre culpabilité d'avoir constamment abusé de ses lois ?

4. Voici, je vous dis que vous seriez plus malheureux d'habiter avec un Dieu juste et saint, avec la conscience de votre impureté devant lui, que vous ne le seriez d'habiter l'enfer avec les âmes damnées.

5. Car voici, lorsque vous serez amenés à voir votre nudité devant Dieu, et aussi la gloire de Dieu et la sainteté de Jésus-Christ, cela allumera en vous la flamme d'un feu inextinguible.

6. O alors, incrédules, tournez-vous vers le Seigneur ; invoquez le Père avec ferveur au nom de Jésus, afin qu'au grand et dernier jour vous puissiez être trouvés sans tache, purs, beaux et blancs, ayant été purifiés par le [b]sang de l'Agneau.

7. Et de nouveau je vous parle, à vous qui niez les révélations de Dieu, qui dites qu'elles ont cessé, qu'il n'y a [c]pas de révélations, ni

---

2v, voir l, Mos. 4.   2w, voir e, Mos. 5.   2x, voir l, Mos. 4.   2y, voir i, 2 Né. 10.   2z, voir f, 2 Né. 28.   3a, voir k, 1 Né. 14.   3b, voir f, 2 Né. 28. CHAP. 9 : a, voir c, 3 Né. 26.   b, voir f, 2 Né. 2.   c, voir e, 3 Né. 29. Voir 2f, Morm. 8.

ENTRE 400 et 421 ap. J.-C.

de prophéties, ni de dons. ni de guérisons, ni de dons des langues. ni a'interprétation des langues.

8. Voici. je vous dis. celui qui nie ces choses, ne connaît pas l'évangile du Christ ; oui, il n'a pas lu les Ecritures ; et s'il les a lues, il ne les comprend pas.

9. Car ne lisons-nous pas que Dieu est le ᵉmême, hier, aujourd'hui, et à jamais ; qu'il n'y a en lui ni variation ni ombre de changement ?

10. Et maintenant. si vous vous êtes imaginé un dieu qui varie, et en qui il y a une ombre de changement. alors vous vous êtes imaginé un dieu qui n'est pas un Dieu de miracles.

11. Mais voici, je vous montrerai un Dieu de miracles, même le Dieu d'Abraham, le Dieu d'Isaac et le Dieu de Jacob ; et c'est le même Dieu qui a créé les cieux et la terre, et tout ce qu'ils contiennent.

12. Voici, ᵍil créa Adam. et par ᶠAdam vint la chute de l'homme. Et à cause de la chute de l'homme est venu Jésus-Christ. même le ᶦPère et le ʰFils, et c'est à cause de Jésus-Christ qu'est venue la rédemption de l'homme.

13. Et à cause de la rédemption de l'homme qui est venue par Jésus-Christ. les hommes sont ramenés en la présence du Seigneur ; oui, c'est en ceci que tous ᶦles hommes sont rachetés parce que la mort du Christ réalise la ʲrésurrection, qui réalise la rédemption d'un ᵏsommeil sans fin ; duquel sommeil tous les hommes seront éveillés par la puissance de Dieu, quand la trompette sonnera ; et ils sortiront, petits et grands, et tous se tiendront devant sa barre, étant rachetés et déliés de cette chaîne

éternelle de la mort : laquelle mort est une mort temporelle.

14. Et alors vient le jugement du Très-Saint sur eux : et c'est alors que vient le temps où celui qui est ᶦimpur restera impur, que celui qui est juste restera juste ; celui qui est heureux restera heureux et ceiui qui est malheureux restera malheureux.

15. Et maintenant, ô vous tous. qui vous êtes imaginé un Dieu qui ne peut faire de ᵐmiracles, je vous demande : Est-ce que toutes les choses dont je vous ai parlé se sont accomplies ? La fin est-elle déjà venue ? Voici, je vous dis que non ; et Dieu n'a pas cessé d'être un Dieu de miracles.

16. Voici, les choses que Dieu a faites ne sont-elles pas merveilleuses à nos yeux ? Oui. et qui peut comprendre les œuvres merveilleuses de Dieu ?

17. Qui dira que ce ne fut pas un miracle que, par sa parole, le ciel et la terre soient ? Que par la puissance de sa parole, l'homme ait été créé de la ⁿpoussière de la terre; et que par la puissance de sa parole, des miracles aient été opérés ?

18. Et qui dira que Jésus-Christ n'a pas fait beaucoup de grands miracles ? Et il y eut beaucoup de grands miracles qui furent faits par les apôtres.

19. Et si des miracles furent opérés alors pourquoi Dieu a-t-il cessé d'être un Dieu de miracles et est-il cependant un Etre immuable ? Et voici, je vous le dis, il ne ᵒchange pas ; s'il changeait, il ᵖcesserait d'être Dieu ; et il ne cesse pas d'être Dieu, et il est un Dieu de miracles.

20. Et la raison pour laquelle il cesse de faire des miracles parmi

d, vers. 10, 19. 1 Né. 10 : 18, 19. Al. 7 : 20. Moro. 8 : 18.   e, voir m, Mos. 2. f, 2 Né. 2 : 18. 19, 21. 9 : 6-9. Mos. 3 : 26. 16 : 3-5. Al. 12 : 22. 26. Héla. 14 : 16. Eth. 3 : 13. Moro. 8 : 8.   g, voir c, Mos. 15.   h, voir b, Mos. 3.   i, voir j, 2 Né. 9.   j, voir d, 2 Né. 2.   k, voir g, 2 Né. 9.   l, voir o, 2 Né. 9.   m, voir c. n. voir m. Mos. 2.   o. voir d.   p, voir f, 2 Né. 11. ENTRE 400 et 421 AP. J.-C.

les enfants des hommes, c'est *parce qu'ils tombent dans l'incrédulité, qu'ils quittent la vraie voie et ne connaissent pas le Dieu en qui ils devraient mettre leur confiance.

21. Voici, je vous dis que quiconque croit au Christ, n'ayant aucun doute, 'tout ce qu'il demandera au Père au nom du Christ lui sera accordé ; et cette promesse est à tous, même jusqu'aux bouts de de la terre.

22. Car voici, ainsi a dit Jésus-Christ, le Fils de Dieu, à ses disciples qui *devaient rester, oui, et aussi à 'tous ses autres disciples, en présence de la multitude : Allez par tout le monde et prêchez l'évangile à toute créature ;

23. Celui qui croira et sera "baptisé, sera sauvé ; mais celui qui ne croira pas, sera condamné.

24. Et "ces signes suivront ceux qui croient — en mon nom, ils chasseront des démons ; ils parleront de nouvelles langues, ils saisiront des serpents ; et s'ils boivent une chose mortelle, elle ne leur nuira point ; ils imposeront les mains aux malades, et ils seront guéris ;

25. Et quiconque croira en mon nom, n'ayant aucun doute, je lui confirmerai toutes mes paroles, même jusqu'aux bouts de la terre.

26. Et maintenant, voici, qui peut résister aux œuvres du Seigneur ? Qui peut nier ses paroles ? Qui s'élèvera contre le pouvoir tout-puissant du Seigneur ? Qui méprisera les œuvres du Seigneur ? Qui méprisera les enfants du Christ ? Voici, vous tous qui méprisez les œuvres du Seigneur, vous serez dans "l'étonnement et vous périrez.

27. O alors, ne méprisez point,

et ne soyez point surpris, mais écoutez les paroles du Seigneur et demandez au Père, au nom de Jésus, tout ce dont vous avez besoin. Ne doutez point, soyez croyants et commencez, comme dans les temps anciens, à venir au Seigneur de tout votre cœur ; et travaillez à votre salut avec crainte et tremblement devant lui.

28. Soyez sages aux jours de votre épreuve ; purifiez-vous de toute impureté ; ne demandez pas une chose pour la consommer dans vos convoitises, mais demandez, avec une résolution inébranlable, que vous ne succombiez pas à la tentation mais que vous serviez le Dieu vrai et vivant.

29. Veillez à ne pas être "baptisés indignement ; veillez à ne point prendre la Sainte Cène du Christ ʸindignement ; mais veillez à faire toutes choses d'une manière digne, et faites-le au nom de Jésus-Christ, le Fils du Dieu vivant ; et si vous faites ceci, et ʳpersévérez jusqu'à la fin, vous ne serez nullement rejetés.

30. Voici, je vous parle comme si je vous parlais ²ᵃde parmi les morts ; car je sais que vous entendrez mes paroles.

31. Ne me condamnez pas à cause de mes imperfections, ni mon père à cause de ses imperfections, ni ceux qui ont écrit avant lui ; mais rendez plutôt grâces à Dieu de ce qu'il vous a manifesté ²ᵇnos imperfections, afin que vous appreniez à être plus sages que nous l'avons été.

32. Et maintenant, voici, nous avons écrit ces annales selon notre connaissance, dans les caractères qui sont appelés, parmi nous, ²ᶜl'égyptien réformé, qui nous ont été transmis et ont été altérés par

q, voir d, 3 Né. 17. Voir c.　r, 3 Né. 18 : 20.　s, voir d, 3 Né. 28.　t, voir c, 3 Né. 12.　u, voir u, 2 Né. 9.　v, voir c, aussi Marc 16 : 17, 18.　w, vers. 27. x, voir u, 2 Né. 9.　y, voir t, 3 Né. 18.　z, voir h, 2 Né. 31.　2a, voir 2g, Morm. 8.　2b, voir w, Morm. 8.　2c, voir a, 1 Né. 1.

nous, selon notre manière de nous exprimer.

33. Et si nos [2d]plaques avaient été suffisamment grandes, nous aurions écrit en hébreu ; mais l'hébreu a été [2e]altéré par nous aussi ; et si nous avions pu écrire en hébreu, voici, vous n'auriez pas eu [2f]d'imperfections dans nos annales.

34. Mais le Seigneur connaît les choses que nous avons écrites, et il sait qu'aucun autre peuple ne connaît notre langue ; c'est pourquoi il a préparé des [2g]moyens pour leur interprétation.

35. Et ces choses sont écrites, afin que nous puissions laver nos vêtements du sang de nos frères, qui sont [2h]tombés dans l'incrédulité.

36. Et, voici, ce que nous avons désiré touchant nos frères, oui même leur restauration à la connaissance du Christ, est [2i]selon les prières de tous les saints qui ont habité le pays.

37. Et puisse le Seigneur Jésus-Christ accorder que leurs prières soient exaucées selon leur foi ; et puisse Dieu le Père se souvenir de [2j]l'alliance qu'il a faite avec la maison d'Israël ; et puisse-t-il les bénir à jamais par la foi au nom de Jésus-Christ, Amen.

LE LIVRE D'ETHER

Les annales des Jarédites, prises des vingt-quatre plaques trouvées par le peuple de Limhi du temps du roi Mosiah.

CHAPITRE 1.

Généalogie du prophète Ether. — La grande tour. — Jared et son frère. — Leur langage n'est pas confondu. — Ils se préparent à émigrer sous la direction du Seigneur.

1. Et maintenant, moi, Moroni, je me mets en devoir de donner l'histoire de ces anciens habitants qui furent détruits par la main du Seigneur sur la face de ce [a]pays du nord.

2. Et je prends mon récit des [b]vingt-quatre plaques qui furent trouvées par le peuple de Limhi, que l'on appelle le Livre d'Ether.

3. Et je suppose que la première partie de ces annales, qui parle [c]de la création du monde et aussi d'Adam et est un récit allant de cette époque jusqu'à la [d]grande tour, histoire de tout ce qui est arrivé parmi les enfants des hommes jusqu'à ce temps-là, existe parmi les Juifs —

4. C'est pourquoi, je n'écris pas ces choses qui sont arrivées depuis l'époque d'Adam jusqu'à ce temps-là ; mais elles existent sur les plaques ; et quiconque les trouve aura le pouvoir d'obtenir le récit complet.

5. Mais voici, je ne donne pas le récit complet, je donne une [e]partie du récit, depuis la [f]tour jusqu'à l'époque où ils furent détruits.

6. Et c'est de cette manière que je fais le récit. Celui qui écrivit ces annales fut Ether, et il était descendant de Coriantor.

7. Et Coriantor était le fils de Moron.

8. Et Moron était le fils d'Ethem.

9. Et Ethem était le fils d'Ahah.

2d, voir a, Morm. 1. Voir g, Morm. 8.   2e, 1 Né. 1 : 2.   2f, voir w, Morm. 8.
2g, Mos. 8 : 13-18. Eth. 3 : 23, 28. D. et A. 17 : 1.   2h, voir d, 1 Né. 2.   2i, voir s, Morm. 5.   2j, voir j, 3 Né. 15.   CHAP. 1 : a, voir p, Al. 46.   b, voir k, Mos. 8.   c, Mos. 28 : 17.   d, vers. 5, 33. Om. 20-22. Mos. 28 : 17.   e, Eth. 3 : 17. 15 : 33.   f, voir d.

10. Et Ahah était le fils de Seth.

11. Et Seth était le fils de Shiblon.

12. Et Shiblon était le fils de Com.

13. Et Com était le fils de Coriantum.

14. Et Coriantum était le fils d'Amnigaddah.

15. Et Amnigaddah était le fils d'Aaron.

16. Et Aaron était descendant de Heth, qui était le fils de Héarthom.

17. Et Héarthom était le fils de Lib.

18. Et Lib était le fils de Kish.

19. Et Kish était le fils de Corom.

20. Et Corom était le fils de Lévi.

21. Et Lévi était le fils de Kim.

22. Et Kim était le fils de Morianton.

23. Et Morianton était descendant de Riplakish.

24. Et Riplakish était le fils de Shez.

25. Et Shez était le fils de Heth.

26. Et Heth était le fils de Com.

27. Et Com était le fils de Coriantum.

28. Et Coriantum était le fils d'Emer.

29. Et Emer était le fils d'Omer.

30. Et Omer était le fils de Shule.

31. Et Shule était le fils de Kib.

32. Et Kib était le fils d'Orihah, qui était le fils de Jared.

33. Lequel Jared vint, avec son frère et leurs familles, avec quelques autres et leurs familles, de la *grande tour, au temps où le Seigneur *confondit la langue du peuple et jura dans sa colère qu'il 'serait dispersé sur toute la surface de la terre ; et, selon la parole du Seigneur, le peuple fut dispersé.

34. Et le frère de Jared, étant un homme puissant et fort, et un homme hautement favorisé du Seigneur, Jared, son frère, lui dit : Invoque le Seigneur afin qu'il ne nous *confonde point de telle sorte que nous ne puissions plus comprendre nos paroles.

35. Et il arriva que le frère de Jared invoqua le Seigneur, et le Seigneur eut compassion de Jared ; c'est pourquoi, il ne confondit point la langue de Jared ; et Jared et son frère ne furent pas confondus.

36. Alors Jared dit à son frère : Invoque de nouveau le Seigneur ; il se peut qu'il détourne sa colère de ceux qui sont nos amis, de sorte qu'il ne confonde point leur langue.

37. Et * le frère de Jared invoqua le Seigneur, et le Seigneur eut compassion de leurs amis et de leurs familles aussi, de sorte qu'ils ne *furent point confondus.

38. Et * Jared parla encore à son frère, disant : Va demander au Seigneur s'il veut nous 'chasser du pays ; et s'il veut nous chasser du pays, demande-lui où nous devons aller. Et qui sait si le Seigneur ne nous emmènera pas dans un pays qui soit préférable à toute la terre ! Et s'il en est ainsi, soyons fidèles au Seigneur, afin que nous le recevions pour notre héritage.

39. Et * le frère de Jared invoqua le Seigneur, selon ce qui avait été dit de la bouche de Jared.

40. Et * le Seigneur entendit le frère de Jared, et eut compassion de lui, et lui dit :

41. Va, rassemble tes troupeaux, mâles et femelles, de toute espèce et aussi des semences de la terre, de toutes sortes ; et "'tes familles ; et aussi Jared, ton frère et sa famille ; et "aussi tes amis et leurs familles, et les amis de Jared et leurs familles.

---

g, voir d.   h, vers. 34-37. Gen. 11 : 7, 9. Om. 22. Mos. 28 : 17.   i, vers. 38 : 43. Om. 22. Mos. 28 : 17. Gen. 11 : 8, 9.   j, voir h.   k, voir h.   l, voir i.   m. Eth. 6 : 20.   n. Eth. 6 : 16.

42. Et quand tu auras fait cela, tu descendras, à leur tête, à la vallée qui est au nord. Et là, je viendrai à ta rencontre, et j'irai devant toi °dans un pays qui est préférable à tous les pays de la terre.

43. Et là, je te bénirai, toi et ta postérité ; et de ta postérité et de la postérité de ton frère et de ceux qui iront avec toi, je me susciterai une grande nation. Et il n'y aura pas sur toute la surface de la terre de nation plus ᵖgrande que celle que je me susciterai de ta postérité. Et c'est ainsi que j'agirai envers toi, parce que tu m'as invoqué si longtemps.

CHAPITRE 2.

Dans la vallée de Nimrod. — Déséret, l'abeille. — Le Seigneur parle de nouveau au frère de Jared. — Décret divin au sujet de la terre de promission. — Le lieu appelé Moriancumer. — Construction de barques.

1. Et * Jared et son frère, et leurs familles, et aussi les amis de Jared et de son frère et leurs familles, descendirent dans la vallée qui ᵃétait au nord (et le nom de la vallée était Nimrod, ainsi appelée du nom du puissant chasseur), avec leurs troupeaux qu'ils avaient rassemblés, mâles et femelles, de ᵇtoute espèce.

2. Et ils posèrent aussi des pièges et prirent des oiseaux de l'air ; et ils préparèrent aussi un vase dans lequel ils emportèrent les poissons de l'eau.

3. Et ils emportèrent aussi avec eux déséret, qui, par interprétation, est une abeille ; et ils emportèrent ainsi des essaims d'abeilles, et toutes les espèces de ce qui se trouvait sur la face du pays, des ᶜsemences de toutes sortes.

4. Et il arriva que, quand ils

furent descendus dans la ᵈvallée de Nimrod, le Seigneur ᵉdescendit et parla avec le frère de Jared ; et il était dans une ᶠnuée, et le frère de Jared ne le vit pas.

5. Et * le Seigneur leur commanda de s'en aller dans le désert, oui, dans cette partie où l'homme n'était jamais allé. Et * le Seigneur alla ᵍdevant eux, et il leur parla tandis qu'il se tenait dans une nuée et il leur indiqua la direction qu'ils devaient suivre.

6. Et * ils voyagèrent dans le désert et construisirent des barques dans lesquelles ils traversèrent de nombreuses eaux, étant continuellement dirigés par la main du Seigneur.

7. Et le Seigneur ne voulut pas leur permettre de s'arrêter au-delà de la mer dans le désert, mais il voulut qu'ils allassent dans la ᵗterre de promission, qui était préférable à tous les autres pays, terre que le Seigneur Dieu avait réservée pour un peuple juste.

8. Et il avait juré dans sa colère, au frère de Jared que, désormais, quiconque posséderait cette terre de promission, devrait le servir, lui, le seul vrai Dieu, sinon il serait balayé quand la plénitude de sa colère tomberait sur lui.

9. Et maintenant, nous pouvons voir les ᶦdécrets de Dieu touchant ce pays ; que c'est une terre de promission ; et que toute nation qui la possédera servira Dieu ; sinon, elle sera balayée, quand la plénitude de sa colère tombera sur elle. Et la plénitude de sa colère tombe sur elle, quand elle a mûri dans l'iniquité.

10. Car voici, c'est un pays qui est préférable à tous les autres pays ; c'est pourquoi, celui qui le possède servira Dieu ou sera ba-

o, voir a, 1 Né. 2.   p, Eth. 15 : 2.   CHAP. 2 : a, Eth. 1 : 42.   b, Eth. 1 : 41. 6 : 4.   9 : 18, 19.   c, Eth. 1 : 41.   d, vers. 1.   e, Eth. 1 : 42.   f, vers. 5, 14. g, Eth. 1 : 42.   i, vers. 8, 12-15. Voir o. Eth. 1. Voir aussi d, 2 Né. 1.   j, vers. 10.   11. Voir i.

layé ; car c'est le décret éternel de Dieu. Et ce n'est qu'au moment de la plénitude de l'iniquité parmi les enfants du pays, qu'ils sont balayés.

11. Et ceci vous parvient, ô Gentils, pour que vous connaissiez les décrets de Dieu — que vous vous repentiez et ne continuiez pas dans vos iniquités jusqu'à ce que la plénitude arrive, afin de ne pas faire tomber sur vous la plénitude de la colère de Dieu, comme l'ont fait jusqu'à présent les habitants du pays.

12. Voici, ceci est un pays de choix ; et toute nation qui le possédera, sera ᵏaffranchie de la servitude, de la captivité et de la domination de toutes les autres nations sous le ciel, si elle veut simplement servir le Dieu du pays, qui est Jésus-Christ, lequel a été manifesté par les choses que nous avons écrites.

13. Et maintenant, je poursuis mon récit ; car voici, il arriva que le Seigneur amena Jared et ses frères à cette grande mer qui sépare les terres. Et quand ils arrivèrent à la mer, ils dressèrent leurs tentes ; et ils donnèrent à l'endroit le nom de Moriancumer ; et ils demeurèrent dans des tentes, et demeurèrent dans des tentes au bord de la mer l'espace de quatre ans.

14. Et * au bout de quatre ans, le Seigneur vint de nouveau au frère de Jared et se tint dans une ˡnuée et parla avec lui. Et l'espace de trois heures, le Seigneur parla avec le frère de Jared, et le réprimanda parce qu'il ne s'était pas souvenu d'invoquer le nom du Seigneur.

15. Et le frère de Jared se repentit du mal qu'il avait fait et invoqua le nom du Seigneur pour ses frères qui étaient avec lui. Et le Seigneur lui dit : Je te pardonnerai et je pardonnerai à tes frères leurs péchés ; mais tu ne pécheras plus,

car tu te souviendras que mon Esprit ne luttera pas toujours avec l'homme ; c'est pourquoi, si tu pèches jusqu'à ce que tu sois tout à fait mûr, tu seras retranché de la présence du Seigneur. Et tels sont ᵐmes desseins sur le pays que je te donnerai en héritage ; car ce sera un pays préférable à tous les autres pays.

16. Et le Seigneur dit : Mets-toi au travail et construis le genre de barques que tu as ⁿconstruites jusqu'à présent. Et * le frère de Jared se mit au travail, ainsi que ses frères, et ils construisirent des barques de la manière dont ils avaient construit, selon les instructions du Seigneur. Et elles étaient petites et elles étaient légères sur l'eau, semblables même à la légèreté d'un oiseau sur l'eau.

17. Et elles étaient construites de manière à être extrêmement ᵒétanches, même à pouvoir contenir de l'eau comme un plat ; et le fond en était étanche comme un plat ; et les côtés en étaient étanches comme un plat ; et les bouts en étaient pointus ; et le sommet en était étanche comme un plat ; et la longueur en était la longueur d'un arbre, et la porte, quand elle était fermée, était étanche comme un plat.

18. Et il arriva que le frère de Jared invoqua le Seigneur, disant : O Seigneur, j'ai accompli le travail que tu m'as demandé et j'ai construit les barques, selon tes instructions.

19. Et voici, ô Seigneur, il n'y a en elles aucune lumière ; vers où allons-nous gouverner ? Et de plus, nous périrons, car nous ne pouvons y respirer que l'air qui s'y trouve ; c'est pourquoi nous périrons.

20. Et le Seigneur dit au frère de Jared : Voici, tu feras un trou dans le sommet et aussi dans le

k, 1 Né. 13 : 19. 2 Né. 1 : 7. 10 : 10-14. l, voir f. m, voir i. n, vers, 6. o, Éth. 6 : 7.

'fond ; et quand tu souffriras du manque d'air, tu déboucheras le trou et tu recevras de l'air, et si l'eau entre sur toi, voici, vous boucherez le trou, afin de ne pas périr dans le flot.

21. Et * le frère de Jared fit ainsi, selon ce que le Seigneur lui avait commandé.

22. Et il invoqua de nouveau le Seigneur, disant : O Seigneur, voici, j'ai fait ce que tu m'as commandé ; et j'ai préparé les vaisseaux pour mon peuple, et voici, il n'y a en eux aucune lumière. Voici, ô Seigneur, souffriras-tu que nous fassions traversions cette grande eau dans les ténèbres ?

23. Et le Seigneur dit au frère de Jared : Que veux-tu que je fasse pour que tu aies de la lumière dans tes vaisseaux ? Car voici, tu ne peux avoir de fenêtres, car elles seront brisées en pièces. Tu n'emporteras pas non plus de feu avec toi, car tu n'iras pas par la lumière du feu.

24. Car voici, tu seras comme une baleine au 'milieu de la mer, car les vagues montagneuses se jetteront sur toi. Cependant, je te ferai remonter des profondeurs de la mer ; car les vents sont sortis de ma bouche, et les pluies et les flots, je les ai aussi envoyés.

25. Et voici, je te prépare contre ces choses ; car tu ne peux traverser ce grand abîme, à moins que je ne te prépare contre les vagues de la mer, et les vents qui sont sortis, et les flots qui viendront. C'est pourquoi, que veux-tu que je te prépare pour que tu aies de la lumière, quand tu seras englouti dans les profondeurs de la mer ?

CHAPITRE 3.

Le doigt du Seigneur. — Jésus-Christ se montre en esprit au frère de Jared. — Les pierres lumineuses. — Les interprètes. — Il y aura encore d'autres annales.

1. Et * le frère de Jared (or, le nombre des vaisseaux, qui avaient été préparés, était de huit) alla sur la montagne qu'ils appelaient mont Shelem, à cause de sa hauteur extrême et fondit d'un rocher seize petites pierres ; et elles étaient blanches et claires, même comme du verre transparent ; et il les transporta dans ses mains sur le sommet de la montagne, et invoqua de nouveau le Seigneur, disant :

2. O Seigneur, tu as dit 'que nous devons être enveloppés par les flots. Maintenant voici, ô Seigneur, ne sois point irrité contre ton serviteur, à cause de sa faiblesse devant toi ; car nous savons que tu es saint, que tu demeures aux cieux, et que nous sommes indignes de toi ; à cause de 'la chute, notre nature est devenue continuellement mauvaise ; cependant, ô Seigneur, tu nous a donné le commandement de t'invoquer, afin que nous puissions recevoir de toi selon nos désirs.

3. Voici, ô Seigneur, tu nous as frappés à cause de notre iniquité, tu nous as chassés et, pendant ces nombreuses années, nous avons été dans le désert ; néanmoins tu nous a été miséricordieux. O Seigneur, aie pitié de moi, et détourne ta colère de ce peuple qui est le tien, et ne souffre pas qu'il traverse ce furieux abîme dans les ténèbres ; mais vois 'ce que j'ai fondu du rocher.

4. Et je sais, ô Seigneur, que tu as tout pouvoir, et que tu peux faire tout ce que tu veux pour le bien de l'homme ; c'est pourquoi, touche ces pierres, ô Seigneur, de 'ton doigt et prépare-les pour qu'elles brillent dans les ténèbres ; et elles brilleront pour nous dans les vaisseaux que nous avons préparés, pour que nous ayons de la

---

q, vers. 24, 25.   r, vers. 25. Eth. 6 : 6. 7, 10.   CHAP. 3 : b, Eth. 2 : 24, 25.
c, voir f, Morm. 9.   d, vers. 1, 4, 6. Eth. 6 : 2, 3, 10.   e, vers. 6-9, 19. Eth.
12 : 19-21.

lumière pendant que nous traverserons la mer.

5. Voici, ô Seigneur, tu peux faire ceci. Nous savons que tu es capable de faire montre d'un grand pouvoir, qui paraît petit à l'entendement des hommes.

6. Et * quand le frère de Jared eut dit ces mots, voici, le Seigneur étendit la main et toucha les pierres, une à une, du doigt. Et le [f]voile fut enlevé des yeux du frère de Jared, et il [g]vit le doigt du Seigneur ; et il était comme un doigt d'homme semblable à de la chair et du sang ; et le frère de Jared tomba devant le Seigneur, car il était frappé de crainte.

7. Et le Seigneur vit que le frère de Jared était tombé par terre ; et le Seigneur lui dit : Lève-toi, pourquoi es-tu tombé ?

8. Et il dit au Seigneur : J'ai vu le doigt du Seigneur et j'ai craint qu'il ne me frappât ; car je ne savais pas que le Seigneur eût de la chair et du sang.

9. Et le Seigneur lui dit : A cause de ta foi, tu as vu que je prendrai sur moi de la chair et du sang ; et jamais homme n'est venu devant moi avec une foi aussi grande que toi ; car, s'il n'en était ainsi, tu n'aurais pu voir mon doigt. As-tu vu plus que cela ?

10. Et il répondit : Non, Seigneur, montre-toi à moi.

11. Et le Seigneur lui dit : Crois-tu aux paroles que je dirai ?

12. Et il répondit : Oui, Seigneur, je sais que tu dis la vérité, car tu es un Dieu de vérité, et tu ne peux mentir.

13. Et quand il eut dit ces mots, voici, le Seigneur se montra à lui et dit : Parce que tu sais ces choses, tu es racheté [h]de la chute ; c'est pourquoi tu es ramené en ma présence ; c'est pourquoi, je me montre à toi.

14. Voici, je suis celui qui fut préparé [i]depuis la fondation du monde pour racheter mon peuple. Voici, je suis Jésus-Christ. Je suis le [j]Père et le [k]Fils. En moi, toute l'humanité aura la lumière, et cela éternellement, même ceux qui croiront en mon nom ; et ils deviendront mes fils et mes filles.

15. Et je ne me suis [l]jamais montré à l'homme que j'ai créé, car jamais l'homme n'a cru en moi comme toi. Vois-tu que tu es créé à mon image ? Oui, même [m]tous les hommes furent créés au commencement à ma propre image.

16. Voici, ce corps, que tu vois maintenant, est le [n]corps de mon esprit ; et j'ai créé [o]l'homme selon le corps de mon esprit ; et j'apparaîtrai à mon peuple dans la chair exactement comme je t'apparais dans l'esprit.

17. Et maintenant, moi, Moroni, comme j'ai déjà dit que je ne [p]pouvais faire un récit complet de ces choses qui sont écrites, pour cette raison, il me suffit de dire que Jésus se montra à cet homme dans l'esprit, même à la [q]manière et selon la ressemblance du même corps tout comme il se montra aux Néphites.

18. Et il l'enseigna comme il enseigna les Néphites ; et tout cela, afin que cet homme sût qu'il était Dieu, à cause des nombreuses grandes œuvres que le Seigneur lui avait montrées.

19. Et à cause de la connaissance de cet homme, il ne pouvait lui être interdit de regarder [r]au-dedans du voile ; et il [s]vit le doigt de Jésus, et quand il vit, il [t]tomba

f, vers. 19, 20. Eth. 12 : 19, 21. *g*, voir *e*. *h*, Eth. 12 : 19, 21. *i*, voir *d*, Mos. 4. *j*, voir *c*, Mos. 15. *k*, voir *b*, Mos. 3. *l*, voir D. et A. 107 : 54. *m*, vers. 16. Mos. 7 : 27. Al. 18 : 34. *n*, 1 Né. 11 : 11. *o*, voir *m*. *p*, voir *e*, Eth. 1. *r*, voir *f*. *s*, voir *e*. *t*, vers. 6.

de peur ; car il sut que c'était le doigt du Seigneur ; et n'eut plus la foi, car il savait, sans conserver aucun doute.

20. C'est pourquoi, ayant cette connaissance parfaite de Dieu, il était impossible de le retenir ᵘde l'intérieur du voile ; c'est pourquoi, il vit Jésus, et Jésus ᵛl'enseigna.

21. Et il arriva que le Seigneur dit au frère de Jared : Voici, tu ne permettras pas que ces choses, que tu as vues et entendues, se répandent dans le monde, jusqu'à ce que vienne le ᵂtemps où je glorifierai mon nom dans la chair ; c'est pourquoi, tu thésauriseras les choses que tu as vues et entendues et tu ne les montreras à aucun homme.

22. Et voici, quand tu viendras à moi, tu les ˣécriras et tu les scelleras, pour que personne ne puisse les interpréter ; car tu les écriras dans une langue qui ne peut pas être lue.

23. Et voici, je te donnerai ces ʸdeux pierres, et tu les scelleras aussi avec les choses que tu écriras.

24. Car voici, la ᶻlangue que tu écriras, je l'ai ²ᵃconfondue ; c'est pourquoi, je ferai, dans le temps que j'ai arrêté, que ces pierres ²ᵇmagnifient aux yeux des hommes les choses que tu écriras.

25. Et quand le Seigneur eut dit ces mots, il ²ᶜmontra au frère de Jared tous les habitants de la terre qui avaient été et aussi tous ceux qui seraient ; et il ne les dissimula point à sa vue, même jusqu'aux extrémités de la terre.

26. Car il lui avait dit, lors de précédentes occasions, que, s'il voulait croire en lui, il pouvait lui montrer toutes choses — que cela lui serait montré ; c'est pourquoi le Seigneur ne pouvait rien lui cacher,

car il savait que le Seigneur pouvait lui montrer toutes choses.

27. Et le Seigneur lui dit : Ecris ces choses et ²ᵈscelle-les ; et je les montrerai, au temps que j'ai arrêté, aux enfants des hommes.

28. Et * le Seigneur lui commanda de ²ᵉsceller les deux pierres qu'il avait reçues et de ne pas les montrer, jusqu'au temps où le Seigneur les montrerait aux enfants des hommes.

CHAPITRE 4.

Le frère de Jared reçoit l'ordre d'écrire. — Admonition solennelle de Moroni. — Maudit est celui qui lutte contre la parole du Seigneur. — Tout ce qui persuade les hommes de faire le bien vient de Dieu.

1. Et le Seigneur ordonna au frère de Jared de descendre du ᵃmont, de la présence du Seigneur, et d'écrire les choses qu'il avait vues ; et il fut ᵇdéfendu qu'elles parvinssent aux enfants des hommes jusqu'à ce qu'il eût été élevé sur la croix ; et c'est pour cette raison que le roi ᶜMosiah les garda, afin qu'elles ne parvinssent au monde que lorsque le Christ se serait montré à son peuple.

2. Et lorsque le Christ se fut, en effet, montré à son peuple, il commanda qu'elles fussent manifestées.

3. Et maintenant, après cela, ils sont tous tombés dans l'incrédulité ; et il n'en reste aucun, si ce n'est les Lamanites, et ils ont rejeté l'évangile du Christ ; il m'est commandé de les ᵈcacher de nouveau dans la terre.

4. Voici, j'ai écrit sur ces plaques les ᵉchoses mêmes que le frère de Jared a vues ; et jamais choses plus grandes n'ont été manifestées

---

u, voir f.   v, vers. 18.   w, Eth. 4 : 1, 2.   x, vers. 27.   y, voir n, Mos. 8. z, vers. 22.   2a, voir h, Eth. 1.   2b, voir n, Mos. 8.   2c, vers. 26. Eth. 4 : 4. 2d, 2 Né. 27 : 6-23. Mos. 28 : 11-20. Al. 37 : 21-31.   2e, voir n, Mos. 8. CHAP. 4 : a, Eth. 3 : 1.   b, Eth. 3 : 21.   c, Mos. 28 : 11-20.   d, voir s, 1 Né. 13. Morm. 8 : 14. Moro. 10 : 1, 2.   e, vers. 5-7, 13-16. 2 Né. 27 : 6-11, 15, 17, 21, 22. Eth. 5 : 1.

que celles qui furent manifestées au frère de Jared.

5. C'est pourquoi, le Seigneur m'a commandé de les écrire, et je les ai écrites. Et il m'a commandé de les sceller ; et il m'a aussi commandé d'en sceller l'interprétation ; c'est pourquoi, j'ai scellé les 'interprètes, selon le commandement du Seigneur.

6. Car le Seigneur m'a dit : Elles n'iront pas aux Gentils, ᵍavant le jour où ils se repentiront de leur iniquité et deviendront purs devant le Seigneur.

7. Et en ce jour où ils prouveront leur foi en moi, dit le Seigneur, ʰcomme le fit le frère de Jared, afin de devenir sanctifiés en moi, alors je leur manifesterai les choses que le frère de Jared a vues, leur dévoilant même toutes mes révélations, dit Jésus-Christ, le Fils de Dieu, ⁱle Père des cieux et de la terre, et toutes les choses qui s'y trouvent.

8. Et celui qui luttera contre la parole du Seigneur, ʲqu'il soit maudit ; et celui qui niera ces choses, qu'il soit maudit ; car je ne leur montrerai pas de ᵏplus grandes choses, dit Jésus-Christ, car c'est moi qui parle.

9. Et à mon commandement, les cieux sont ouverts et sont fermés ; et à ma parole, la ˡterre tremblera ; et à mon commandement, ses habitants passeront comme si c'était ᵐpar le feu.

10. Et celui qui ne croit pas mes paroles ne croit pas mes disciples ; et si je ne parle pas, jugez-en, car vous saurez, au dernier jour, que c'est moi qui parle.

11. Mais celui qui croit ces choses que j'ai dites, je le visiterai par les ⁿmanifestations de mon Esprit,

et il saura et rendra témoignage. Car, à cause de mon Esprit, il saura que ces choses sont vraies ; car il persuade les hommes de faire le bien.

12. Et tout ce qui °persuade les hommes de faire le bien, est de moi ; car le bien ne vient d'aucun autre que de moi. Je suis celui-là même qui pousse les hommes à faire tout ce qui est bien ; celui qui ne veut ᵖpas croire mes paroles, ne me croira pas — ne me croira pas que je suis ; et celui qui ne veut pas me croire, ne croira pas le Père qui m'a envoyé. Car voici, je suis ᑫle Père, je suis la ˡumière, et la vie, et la vérité du monde.

13. Venez à moi, ô Gentils, et je vous montrerai des 'choses plus grandes, la connaissance qui est cachée, à cause de l'incrédulité.

14. Viens à moi, ô maison d'Israël ! et il te sera manifesté les grandes choses que le Père t'a réservées depuis la fondation du monde ; et cela ne t'est point parvenu à cause de l'incrédulité.

15. Voici, quand tu déchireras ce voile d'incrédulité qui te fait rester dans ton affreux état de méchanceté, de dureté de cœur et d'aveuglement d'esprit, alors les choses ˢgrandes et merveilleuses qui t'ont été cachées depuis la ᵗfondation du monde — oui, quand tu invoqueras le Père en mon nom, le cœur brisé et l'esprit contrit, alors tu sauras que le Père s'est souvenu de ᵘl'alliance qu'il a faite avec tes pères, ô maison d'Israël.

16. Et alors mes révélations, que j'ai fait écrire par mon serviteur ᵛJean, seront dévoilées aux yeux de tout le peuple. Souviens-toi, quand tu verras ces choses, tu sau-

---

f, voir n, Mos. 8.   g, vers. 7-16. 2 Né. 27 : 7, 8, 11, 21.   h, Eth. 3.   i, voir a, Mos. 3, Mos. 3 : 8. 4 : 2. 7 : 27. Héla. 16 : 18.   j, Eth. 2 : 14. 28 : 29, 30. 33 : 11-15. · k, vers. 13-16. 3 Né. 26 : 6-12.   l, Héla. 12 : 8-18. 3 Né. 26 : 3. Morm. 5 : 23. 9 : 2.   m, voir a, 3 Né. 25.   n, Eth. 5 : 4. Moro. 10 : 4, 5.   o, Moro. 7 : 5-22. 10 : 6, 7.   p, vers. 10. 3 Né. 28 : 34, 35.   q, voir c, Mos. 15.   r, voir m, Mos. 16.   s, voir k.   t, voir i, 2 Né. 25.   u, voir d, Mos. 4.   v, voir j, 3 Né. 15. w. 1 Né. 14 : 18-28.

ras que le temps est proche où elles seront manifestées en toute réalité.

17. C'est pourquoi, *quand tu recevras ces annales, tu sauras que l'œuvre du Père a commencé sur toute la surface du pays.

18. C'est pourquoi, repentez-vous, tous les bouts de la terre, venez à moi, croyez en mon évangile et soyez *baptisés en mon nom ; car celui qui croit et est baptisé sera sauvé ; mais celui qui ne croit pas sera damné ; et des *signes suivront ceux qui croiront en mon nom.

19. Et béni est celui qui est trouvé fidèle à mon nom, au dernier jour, car il sera *ᵃélevé pour habiter le royaume préparé pour lui *ᵇdepuis la fondation du monde. Et voici, c'est moi qui l'ai dit. Amen.

CHAPITRE 5.

Moroni au futur traducteur de ses écrits.

1. Et maintenant, moi, Moroni, j'ai écrit les paroles qui m'étaient commandées, selon ma mémoire ; et je *ᵗai dit les choses que j'ai *ᵇscellées ; c'est pourquoi n'y *ᵗouche pas pour les traduire ; car cela t'est interdit, sauf plus tard, quand ce sera la sagesse de Dieu.

2. Et voici, tu auras le privilège de montrer les plaques à *ᶜceux qui aideront à produire cet ouvrage ;

3. Et elles seront montrées à *ᵗrois par le pouvoir de Dieu ; c'est pourquoi, ils sauront avec certitude que ces choses sont vraies.

4. Et ces choses seront établies dans la bouche de *ᶠtrois témoins ; et le témoignage de trois, et cet ouvrage, dans lequel sera démontré le *ᵍpouvoir de Dieu, et aussi sa

parole, *ʰdont le Père, et le Fils, et le Saint-Esprit rendent témoignage — tout cela se tiendra comme un témoignage contre le monde, au dernier jour.

5. Et s'il arrive qu'ils se repentent et viennent au Père, au nom de Jésus, ils seront reçus dans le royaume de Dieu.

6. Et maintenant, si je n'ai point d'autorité pour ces choses, juges-en ; car tu sauras que j'ai de l'autorité, *ᵗlorsque tu me verras, et que nous serons devant Dieu au dernier jour, Amen.

CHAPITRE 6.

Suite de l'histoire des Jarédites. — Leurs vaisseaux sont miraculeusement éclairés. — A travers les profondeurs de la mer vers la terre promise. — Le peuple désire un roi. — Ses chefs prévoient qu'il en résultera des maux mais cèdent au désir du peuple. — Mort de Jared et de son frère.

1. Et maintenant, moi, Moroni, je continue à donner l'histoire de Jared et de son frère.

2. Car il arriva que lorsque le Seigneur eut préparé les *ᵃpierres que le frère de Jared avait portées sur le mont, le frère de Jared descendit de la montagne, et il disposa ces pierres dans les *ᵇvaisseaux qui avaient été préparés, une à chaque bout ; et voici, elles donnèrent de la lumière aux vaisseaux.

3. Et ainsi, le Seigneur fit luire des *ᶜpierres dans les ténèbres pour donner de la lumière à des hommes, des femmes et des enfants, afin qu'ils ne traversassent pas les grandes eaux dans les ténèbres.

4. Et * quand ils eurent préparé toute sorte de nourriture, afin de subsister par là sur les eaux, et aussi de la nourriture pour leur *ᵈbé-

---

x, 3 Né. 21 : 1-11, 26-29.   *y*, voir *u*, 2 Né. 9.   *z*, voir *i*, 3 Né. 29. Voir 2*f*, Morm. 8.   *2a*, voir *p*, Mos. 23.   *2b*, voir *d*, Mos. 4.   CHAP. 5 : *a*, 2 Né. 27 : 7-12. *b*, voir *e*, Eth. 4.   *c*, voir *a*.   *d*, voir *d*, 2 Né. 11.   *e*, vers. 4. Voir *c*, 2 Né. 11. *f*, voir *e*.   *g*, voir *t*, 1 Né. 13, voir *e*, 3 Né. 29, voir 2*f*, Morm. 8.   *h*, 3 Né. 11 : 32-36.   *i*, voir *g*, 2 Né. 33.   CHAP. 6 : *a*, voir *d*, Eth. 3.   *b*, Eth. 3. *c*, voir *d*. Eth. 3.   *d*. voir *b*. Eth. 2.

tail et leurs troupeaux et pour toutes les bêtes, ou tous les animaux ou tous les volatiles qu'ils emporteraient — et * quand ils eurent fait tout cela, ils montèrent à bord de leurs vaisseaux ou barques et se mirent en mer, se confiant au Seigneur leur Dieu.

5. Et * le Seigneur Dieu fit souffler un vent ᵉfurieux sur la surface des eaux, vers la terre promise ; et ainsi, ils furent ballottés sur les vagues de la mer devant le vent.

6. Et * ils furent ensevelis de nombreuses fois dans les profondeurs de la mer, à cause des vagues montagneuses qui se brisaient sur eux, et aussi à cause des grandes et terribles tempêtes causées par la violence du vent.

7. Et il arriva que, lorsqu'ils étaient ensevelis dans les profondeurs, l'eau ne pouvait leur nuire, leurs vaisseaux étant ᶠétanches comme un plat, et ils étaient étanches comme l'arche de Noé ; c'est pourquoi, quand ils étaient entourés de nombreuses eaux, ils invoquaient le Seigneur, et il les ramenait au sommet des eaux.

8. Et * le vent ne cessa jamais de souffler vers la terre promise pendant qu'ils étaient sur les eaux ; et ainsi ils furent poussés devant le vent.

9. Et ils chantaient des louanges au Seigneur ; oui, le frère de Jared chantait des louanges au Seigneur, et il remerciait et louait le Seigneur tout le jour ; et quand venait la nuit, ils ne cessaient de louer le Seigneur.

10. Et ainsi, ils furent poussés en avant, et aucun monstre de la mer ne pouvait les briser, aucune baleine ne pouvait leur causer d'avarie ; et ils avaient continuellement de la ᵍlumière, que ce fût au-dessus ou au-dessous de l'eau.

11. Et ils furent ainsi poussés

durant trois cent quarante-quatre jours sur l'eau.

12. Et ils abordèrent sur le ʰrivage de la terre promise. Et quand ils eurent posé les pieds sur les rivages de la terre promise, ils se prosternèrent sur la surface du pays et s'humilièrent devant le Seigneur, et versèrent des larmes de joie devant le Seigneur, à cause de la multitude de ses tendres miséricordes envers eux.

13. Et * ils s'en allèrent sur la surface du pays et commencèrent à cultiver la terre.

14. Et Jared avait quatre fils, et ils se nommaient Jacom, Gilgah, Mahah et Orihah.

15. Et le frère de Jared engendra aussi des fils et des filles.

16. Et les amis de Jared et de son frère étaient au nombre d'environ vingt-deux âmes ; et ils engendrèrent aussi des fils et des filles avant de venir à la terre promise ; c'est pourquoi, ils commençaient à être nombreux.

17. Et il leur fut enseigné à marcher humblement devant le Seigneur, et ils reçurent aussi des instructions d'en-haut.

18. Et * ils commencèrent à se répandre sur la surface du pays, à multiplier et à cultiver la terre ; et ils se fortifièrent dans le pays.

19. Et le frère de Jared commença à vieillir et vit qu'il devait bientôt descendre au tombeau ; c'est pourquoi, il dit à Jared : Rassemblons notre peuple, afin que nous puissions le dénombrer, afin que nous sachions de lui ce qu'il ᶦdésire de nous, avant que nous ne descendions au tombeau.

20. Et en conséquence, le peuple fut rassemblé. Or, le nombre des fils et des filles du frère de Jared était de ʲvingt-deux âmes, et le nombre des fils et des filles de

---

e, vers. 6. Eth. 2 : 24, 25.   f, Eth. 2 : 17, 20.   g, voir d, Eth. 3.   h, Eth. 7 : 6.
Al. 22 : 29-34.   i, vers. 21, 22.   j, Eth. 1 : 41.

Jared était de douze, et il avait quatre fils.

21. Et * ils dénombrèrent leur peuple et lorsqu'ils l'eurent dénombré, ils lui demandèrent les choses qu'il voudrait qu'ils fissent avant de descendre au tombeau.

22. Et il arriva que le peuple ᵏdésira d'eux qu'ils oignissent un de leurs fils roi pour les gouverner.

23. Et maintenant voici, ceci leur fit de la peine. Et le frère de Jared leur dit : Assurément cette chose ˡmène à la captivité.

24. Mais Jared dit à son frère : Souffre qu'ils aient un roi. C'est pourquoi il leur dit : Choisissez-vous parmi nos fils celui que vous voulez pour roi.

25. Et * ils choisirent le premier-né du frère de Jared ; et son nom était Pagag. Et * il refusa, et ne voulut pas être leur roi. Et le peuple désira que son père le contraignît, mais son père ne voulut pas ; et il leur ordonna de ne jamais contraindre personne d'être leur roi.

26. Et il arriva qu'ils choisirent tous les frères de Pagag et ils ne voulurent pas.

27. Et * les fils de Jared ne voulurent pas non plus, même tous, sauf un ; et ᵐOrihah fut oint roi du peuple.

28. Et il commença à régner et le peuple commença à prospérer ; et ils devinrent extrêmement riches.

29. Et * ⁿJared mourut, et son frère aussi.

30. Et * Orihah marcha humblement devant le Seigneur et se souvint des grandes choses que le Seigneur avait faites pour son père, et enseigna aussi à son peuple les grandes choses que le Seigneur avait faites pour leurs pères.

CHAPITRE 7.

Règne juste d'Orihah suivi d'une révolte, d'usurpation et de luttes. — Les royaumes rivaux de Shule et de Cohor. — Méchanceté et idolâtrie. — Des prophètes apparaissent et le peuple se repent.

1. Et * Orihah rendit le jugement avec justice dans le pays durant toute sa vie, dont les jours furent extrêmement nombreux.

2. Et il engendra des fils et des filles ; oui, il en engendra trente et un, parmi lesquels il y eut vingt-trois fils.

3. Et * il engendra aussi ᵇKib dans sa vieillesse. Et * Kib régna à sa place ; et Kib engendra ᶜCorihor.

4. Et quand Corihor eut trente-deux ans, il se révolta contre son père et s'en alla habiter le ᵈpays de Néhor ; et il engendra des fils et des filles et ils devinrent extrêmement beaux ; c'est pourquoi, Corihor attira beaucoup de gens derrière lui.

5. Et quand il eut réuni une armée, il monta au pays de ᵉMoron où demeurait le roi et le fit prisonnier, ce qui accomplit la parole du frère de Jared, qu'ils seraient ᶠréduits en captivité.

6. Or, le pays de ᵍMoron où résidait le roi, était près du pays qui est appelé ʰDésolation par les Néphites.

7. Et * Kib demeura en captivité, et son peuple, sous Corihor, son fils, jusqu'à ce qu'il devînt extrêmement vieux ; néanmoins, Kib engendra Shule, dans sa vieillesse, pendant qu'il était encore en captivité.

8. Et * Shule fut irrité contre son frère, et Shule grandit en force et devint puissant selon la force de l'homme ; et il était puissant aussi dans le jugement.

k, vers. 19, 21.   *l*, Eth. 7 : 5.   *m*, vers. 14. 30. Eth. 1 : 32. 7 : 1.   *n*, vers. 19.
CHAP. 7 : *b*, vers. 3-10. Eth. 1 : 31, 32.   *c*, vers. 3-15.   *d*, vers. 9.   *e*, vers. 6, 16,
17. Eth. 14 : 6, 11.   *f*, Eth. 6 : 23.   *g*, voir *e*.   *h*, voir *2l*, Al. 22.

9. C'est pourquoi, il se rendit à la colline d'Ephraïm, et il fondit de la colline, et fit des épées 'd'acier pour ceux qu'il avait entraînés avec lui ; et lorsqu'il les eut amenés d'épées, il retourna à la 'ville de Néhor, livra bataille à son frère Corihor, moyen par lequel il obtint le royaume et le rendit à son père Kib.

10. Et maintenant, à cause de la chose que Shule avait faite, son père lui conféra le royaume ; c'est pourquoi, il commença à régner à la place de son père.

11. Et * il exécuta le jugement en justice ; et il répandit son royaume sur toute la surface du pays, car le peuple était devenu extrêmement nombreux.

12. Et * Shule engendra aussi beaucoup de fils et de filles.

13. Et Corihor se repentit des nombreux maux qu'il avait causés ; c'est pourquoi, Shule lui donna du pouvoir dans son royaume.

14. Et * Corihor eut beaucoup de fils et de filles. Et parmi les fils de Corihor, il y en avait un qui s'appelait Noé.

15. Et il arriva que Noé se révolta contre Shule, le roi, et contre son père Corihor et entraîna Cohor son frère, et aussi tous ses autres frères et beaucoup de gens.

16. Et il livra une bataille à Shule, le roi, dans laquelle il obtint la terre de leur 'premier héritage ; et il devint roi de cette partie du pays.

17. Et * il livra de nouveau bataille à Shule, le roi, et il prit Shule, le roi, et l'emmena captif à 'Moron.

18. Et * comme il était sur le point de le mettre à mort, les fils de Shule se glissèrent la nuit dans la maison de Noé, le tuèrent, enfoncèrent la porte de la prison, firent sortir leur père et le placè-

rent sur son trône dans son propre royaume.

19. C'est pourquoi, le fils de Noé édifia son royaume à sa place ; néanmoins ils n'obtinrent plus de pouvoir sur Shule, le roi, et le peuple qui était sous le règne de Shule, le roi, prospéra extrêmement et devint fort.

20. Et le pays fut divisé ; et il y eut deux royaumes ; le royaume de Shule et le royaume de Cohor, le fils de Noé.

21. Et Cohor, le fils de Noé, fit que son peuple livrât une bataille à Shule, dans laquelle Shule les battit et tua Cohor.

22. Cohor avait un fils, qui se nommait Nimrod ; et Nimrod abandonna le royaume de Cohor à Shule, et il trouva grâce aux yeux de Shule ; c'est pourquoi Shule lui conféra de grandes faveurs, et il fit selon ses désirs dans le royaume de Shule.

23. Et sous le règne de Shule, des ᵐprophètes envoyés du Seigneur vinrent parmi le peuple, prophétisant que la méchanceté et l'idolâtrie du peuple apporteraient une malédiction sur le pays, et qu'ils seraient détruits, s'ils ne se repentaient pas.

24. Et * le peuple insulta les prophètes et se moqua d'eux. Et * le roi Shule passa jugement sur tous ceux qui insultaient les prophètes.

25. Et il décréta une loi dans tout le pays, qui donnait aux prophètes le pouvoir d'aller partout où ils voudraient ; et de cette façon, le peuple fut amené à la repentance.

26. Et parce que le peuple se repentit de ses iniquités et de ses idolâtries, le Seigneur l'épargna, et il recommença à prospérer dans le pays. Et il arriva que Shule engendra des fils et des filles dans sa vieillesse.

---

i. voir e, 1 Né. 16. j, vers. 4. k. vers. 17. Voir e. l, voir k. m, vers. 24-26.

27. Et il n'y eut plus de guerres du temps de Shule ; et il se souvint des grandes choses que le Seigneur avait faites pour ses pères, en les amenant à ⁿtravers le grand abîme, à la terre promise ; c'est pourquoi, il exécuta le jugement en justice toute sa vie.

CHAPITRE 8.

Le bon roi Omer. — Son fils Jared conspire avec Akish pour s'emparer de la couronne. — Luttes et effusion de sang. — Combinaisons secrètes et meurtrières. — Les Gentils modernes avertis contre de telles choses.

1. Et * il engendra Omer, et Omer régna à sa place. Et Omer engendra Jared ; et Jared engendra des fils et des filles.

2. Et Jared se révolta contre son père, et alla habiter le pays de Heth. Et * il flatta beaucoup de gens, par ses paroles rusées, jusqu'à ce qu'il eût gagné la moitié du royaume.

3. Et quand il eut gagné la moitié du royaume, il livra bataille à son père, emmena son père en captivité et le fit servir en captivité.

4. Et maintenant, du temps des règnes d'Omer, il fut en captivité la moitié de ses jours. Et * il engendra des fils et des filles, parmi lesquels il y eut Esrom et Coriantumr.

5. Et ils furent extrêmement irrités à cause des actes de Jared, leur frère, au point qu'ils levèrent une armée et livrèrent bataille à Jared. Et * ils lui livrèrent bataille pendant la nuit.

6. Et il arriva que quand ils eurent massacré l'armée de Jared, ils étaient sur le point de le tuer aussi ; et il les supplia de ne pas le tuer et il abandonnerait le royaume à son père. Et * ils lui accordèrent la vie.

7. Et Jared devint extrêmement triste à cause de la perte du royaume, car il avait mis son cœur sur le royaume et sur la gloire du monde.

8. Or, la fille de Jared, étant extrêmement experte et voyant la tristesse de son père, pensa à établir un plan pour rendre le royaume à son père.

9. Or, la fille de Jared était très belle. Et * elle parla à son père et lui dit : Pourquoi mon père a-t-il tant de chagrin ? N'a-t-il pas lu les ᵃannales que nos pères ont apportées à travers le grand abîme ? Voici, n'y a-t-il pas une histoire sur ceux de jadis, qui, par leurs ᵇplans secrets, obtinrent des royaumes et une grande gloire ?

10. C'est pourquoi, que mon père envoie chercher Akish, le fils de Kimnor ; et voici, je suis belle, je danserai devant lui, et je lui plairai, de sorte qu'il me désirera pour femme ; c'est pourquoi, s'il désire de toi que tu me donnes à lui pour femme, alors, tu diras : Je te la donnerai, si tu m'apportes la tête de mon père, le roi.

11. Or, Omer était un ami d'Akish ; c'est pourquoi, quand Jared eut envoyé chercher Akish, la fille de Jared dansa devant lui de sorte qu'elle lui plut, au point qu'il la désira pour femme. Et * il dit à Jared : Donne-la moi pour femme ;

12. Et Jared lui dit : Je te la donnerai, si tu m'apportes la tête de mon père, le roi.

13. Et il arriva qu'Akish réunit dans la maison de Jared tous ses parents, et leur dit : Voulez-vous me jurer que vous me serez fidèles dans ce que je vais désirer de vous ?

14. Et * ils lui ᶜjurèrent tous, par le Dieu du ciel, et aussi par les cieux et aussi par la terre, et par leur tête, que quiconque refuserait d'aider Akish dans ce qu'il désirait

---

n, Eth. 6 : 1-12. **CHAP.** 8 : *a*, Eth. 1 : 3. *b*, vers. 15, P. de G. P., Moïse 5 : 18-33. Héla. 6 : 27. Voir *i*. 2 Né. 10. *c*. voir *i*. 2 Né. 10.

perdrait la tête ; et que quiconque dévoilerait ce qu'Akish leur ferait connaître perdrait la vie.

15. Et * c'est ainsi qu'ils s'accordèrent avec Akish. Et Akish leur administra les serments qui étaient donnés par *ceux d'autrefois, qui recherchaient aussi le pouvoir, serments qui avaient été transmis même à Caïn, qui fut un meurtrier dès le commencement.

16. Et ils étaient poussés par le pouvoir du diable à administrer ces serments au peuple, pour le tenir dans les ténèbres, pour aider ceux qui cherchaient le pouvoir à obtenir du pouvoir, et à tuer, à piller, à mentir et à se livrer à toutes sortes de méchancetés et d'impudicités.

17. Et ce fut la fille de Jared qui mit en son cœur de rechercher ces choses d'autrefois ; et Jared le mit dans le cœur d'Akish ; c'est pourquoi, Akish l'administra à ses parents et amis, les entraînant par de belles promesses à faire tout ce qu'il désirait.

18. Et * ils formèrent une *combinaison secrète, comme ceux d'autrefois ; combinaison qui est la plus abominable et la plus perverse de toutes, aux yeux de Dieu ;

19. Car le Seigneur n'opère pas par les combinaisons secrètes, et il ne veut pas non plus que les hommes versent le sang, mais il l'a interdit en toutes choses, depuis le commencement de l'homme.

20. Et maintenant, moi, Moroni, je n'écris pas la nature de leurs serments et de leurs combinaisons, car il m'a été révélé qu'ils existent parmi tous les peuples, et qu'ils existent parmi les Lamanites.

21. Et ils ont causé la destruction de ce peuple, dont je parle maintenant, et aussi la destruction du peuple de Néphi.

22. Et toute nation qui favorisera de telles combinaisons secrètes pour obtenir du pouvoir et du gain, jusqu'à ce qu'elles soient répandues dans toute la nation, voici, elle sera détruite : car le Seigneur ne souffrira pas que le *sang de ses saints, qui sera versé par eux, crie toujours à lui, de la terre, vengeance contre eux, sans le venger.

23. C'est pourquoi, ô Gentils, il est de la sagesse de Dieu que ces choses vous soient montrées, afin que vous puissiez par là vous repentir de vos péchés, et que vous ne souffriez pas que ces *combinaisons meurtrières gagnent de l'ascendant sur vous, lesquelles sont établies pour obtenir du pouvoir et du gain — et que l'œuvre, oui, même l'œuvre de destruction ne s'abatte sur vous, oui, *l'épée de la justice du Dieu éternel ne tombe sur vous, pour votre ruine et votre destruction si vous souffrez que ces choses soient.

24. C'est pourquoi, le Seigneur vous commande, quand vous verrez ces choses arriver parmi vous, de vous éveiller au sentiment de votre terrible situation, à cause de cette *combinaison secrète qui sera parmi vous ; et malheur à elle, à cause du *sang de ceux qui ont été tués ; car ils crient vengeance de la poussière contre elle, et contre ceux qui l'ont établie.

25. Car il arrive que quiconque l'établit, cherche à *renverser la liberté de tous les pays, nations et peuples ; et elle produit la destruction de tout peuple, car elle est édifiée par le diable, qui est le père de tout mensonge ; ce même menteur qui trompa nos premiers parents, oui, ce même menteur qui a fait que l'homme a commis le meurtre dès le commencement ; qui a endurci le cœur des hommes

d, voir *b*.   *e*, voir *i*, 2 Né. 10.   *f*, voir *f*, 2 Né. 28.   *g*, voir *i*, 2 Né. 10.
h, voir *k*, 1 Né. 14.   *i*, voir *i*, 2 Né. 10.   *j*, voir *f*, 2 Né. 28.   *k*, vers. 21, 22.

de sorte qu'ils ont assassiné les prophètes, et les ont lapidés, et chassés depuis le commencement.

26. C'est pourquoi, moi, Moroni, je reçois le commandement d'écrire ces choses pour que le mal soit vaincu, et que vienne le temps où °Satan n'aura plus de pouvoir sur le cœur des enfants des hommes, mais qu'ils soient persuadés de faire sans cesse le bien, afin qu'ils viennent à la source de toute justice et qu'ils soient sauvés.

CHAPITRE 9.

Omer perd et regagne sa couronne. — Règne prospère d'Emer. — Cureloms et cumoms, animaux de cette période. — Divers rois. — Famine et serpents venimeux.

1. Et maintenant, moi, Moroni, je continue mon récit. Voici, il arriva qu'à cause des °combinaisons secrètes d'Akish et de ses amis, voici, ils renversèrent le royaume d'Omer.

2. Néanmoins, le Seigneur fut miséricordieux à Omer, et aussi à ses fils et à ses filles qui ne cherchaient pas sa destruction.

3. Et le Seigneur avertit Omer dans un songe de quitter le pays ; c'est pourquoi Omer quitta le pays avec sa famille et voyagea de nombreux jours, et, passant par la ᵇcolline de Shim, il arriva près de l'endroit où les Néphites furent ᶜdétruits et de là, se dirigeant vers l'est, il arriva à un lieu appelé ᵈAblom, sur les bords de la mer ; et il y planta sa tente, ainsi que ses fils et ses filles, et toute sa maison, excepté Jared et sa famille.

4. Et * Jared fut oint roi du peuple par la main de la méchanceté ; et il donna sa fille pour femme à Akish.

5. Et * Akish chercha à ôter la vie à son beau-père ; et il fit appel à ceux qu'il avait assermentés par le °serment des anciens ; et ils obtinrent la tête de son beau-père pendant qu'il était assis sur son trône, donnant audience à son peuple.

6. Car si grande avait été l'expansion de cette société perverse et secrète, qu'elle avait corrompu le cœur de tout le peuple ; c'est pourquoi, Jared fut assassiné sur son trône, et Akish régna à sa place.

7. Et * Akish commença à être jaloux de son fils, c'est pourquoi, il l'enferma en prison, et ne lui donna que peu ou point de nourriture, jusqu'à ce qu'il souffrît la mort.

8. Et le frère de celui qui souffrit la mort (son nom était Nimrah) fut irrité contre son père, à cause de ce que celui-ci avait fait à son frère.

9. Et * Nimrah réunit un petit nombre d'hommes et s'enfuit du pays et vint habiter ᶠavec Omer.

10. Et * Akish engendra d'autres fils, et ils gagnèrent le cœur du peuple, malgré qu'ils lui eussent juré de commettre toutes sortes d'iniquités, selon ce qu'il désirait.

11. Or, le peuple d'Akish était aussi avide de gain qu'Akish était avide de pouvoir ; c'est pourquoi les fils d'Akish lui offrirent de l'argent, moyen par lequel ils entraînèrent la plus grande partie du peuple après eux.

12. Et il commença à y avoir une guerre entre les fils d'Akish et Akish, qui dura de nombreuses années et fit périr presque tout le peuple du royaume, oui, même tous, excepté trente âmes et ceux qui s'étaient enfuis de la maison d'Omer.

13. C'est pourquoi, Omer fut rétabli sur la ᵍterre de son héritage.

14. Et * Omer commença à vieillir ; néanmoins, dans sa vieillesse, il engendra Emer ; et il oignit Emer roi pour régner à sa place.

15. Et lorsqu'il eut oint Emer

l, voir *n*, 2 Né. 30. CHAP. 9 : *a*, voir *i*, 2 Né. 10. *b*, voir *d*, Morm. 1. *c*, Morm. 6 : 1-15. *e*, voir *i*, 2 Né. 10. *f*, vers. 3. *g*, voir *e*, Eth. 7.

roi, il vit la paix dans le pays pendant deux ans, et il mourut ayant vu un nombre extrêmement grand de jours, qui furent remplis de chagrin. Et * Emer régna à sa place et marcha sur les traces de son père.

16. Et le Seigneur commença de nouveau à lever la malédiction qui pesait sur le pays, et la maison d'Emer jouit d'une extrême prospérité sous le règne d'Emer ; et dans l'espace de soixante-deux ans, ils étaient devenus extrêmement forts, au point qu'ils devinrent extrêmement riches —

17. Ayant "toutes sortes de fruits, de grains, de 'soieries, de fin lin, ʲd'or, d'argent et de choses précieuses ;

18. Et aussi ᵏtoutes sortes de bétail, de bœufs, de vaches, de brebis, de porcs, de chèvres et aussi beaucoup d'autres sortes d'animaux utiles pour la nourriture de l'homme.

19. Et ils avaient aussi des ˡchevaux et des ânes, et il y avait des éléphants, et des cureloms et des cumoms ; lesquels étaient tous utiles à l'homme ; et plus spécialement les éléphants, les cureloms et les cumoms.

20. Et ainsi le Seigneur répandit ses bénédictions sur ce pays, qui était ᵐpréférable à tous les autres pays ; et il commanda que quiconque posséderait le pays, le posséderait dans le Seigneur, ou il serait ⁿdétruit, quand il aurait mûri dans l'iniquité ; car sur ceux-là, dit le Seigneur, je déverserai la plénitude de ma colère.

21. Et Emer exécuta le jugement en justice durant toute sa vie et il engendra beaucoup de fils et de filles ; et il engendra Coriantum, et il oignit Coriantum pour qu'il régnât à sa place.

22. Et lorsqu'il eut oint Corian-

tum pour qu'il régnât à sa place, il vécut quatre ans et vit la paix dans le pays ; oui, il vit même le Fils de la Justice, se réjouit et glorifia son jour, et il mourut en paix.

23. Et * Coriantum marcha sur les traces de son père ; il bâtit beaucoup de villes puissantes et administra ce qui était bon à son peuple durant toute sa vie. Et il arriva qu'il n'eut point d'enfants, même jusqu'à ce qu'il fût extrêmement âgé.

24. Et * sa femme mourut, âgée de cent deux ans. Et * dans sa vieillesse, Coriantum prit pour femme une jeune fille et engendra des fils et des filles ; et il vécut jusqu'à l'âge de cent quarante-deux ans.

25. Et il arriva qu'il engendra Com, et Com régna à sa place ; et il régna quarante-neuf ans et il engendra Heth ; et il engendra aussi d'autres fils et filles.

26. Et le peuple s'était de nouveau répandu sur toute la surface du pays et il commença de nouveau à y avoir une méchanceté extrême sur la surface du pays, et Heth se mit à rétablir les ᵒplans secrets de jadis pour détruire son père.

27. Et * il détrôna son père, car il le tua de sa propre épée ; et il régna à sa place.

28. Et des prophètes vinrent ᵖde nouveau dans le pays, leur criant la repentance — qu'ils devaient préparer la voie du Seigneur, ou qu'une malédiction s'abattrait sur la face du pays ; oui, qu'il y aurait même une ᑫgrande famine dans laquelle ils seraient détruits s'ils ne se repentaient pas.

29. Mais le peuple ne crut pas aux paroles des prophètes, mais il les chassa ; et il en jeta quelques-uns dans des fosses et les laissa périr. Et * il fit tout cela selon le commandement du roi, Heth.

---

h, Eth. 1 : 41.   i, Eth. 10 : 24.   j, Eth. 10 : 12, 23.   k, vers. 31, 34. Eth. 10 : 12, 19. 20, 26.   l, voir m, 1 Né. 18.   m, voir i. Eth. 2.   n, Eth. 2 : 8-11.   o, voir i. 2 Né. 10.   p, vers. 29. Eth. 7 : 23. 11 : 1, 12. 20.   q, vers. 30-35.

30. Et * il commença à y avoir une grande disette dans le pays ; et les habitants commencèrent à être détruits extrêmement vite à cause de la disette, car il n'y avait pas de pluie sur la surface de la terre.

31. Et des 'serpents venimeux envahirent aussi la surface du pays et ils empoisonnèrent beaucoup de gens. Et il arriva que leurs troupeaux se mirent à fuir devant les serpents venimeux, vers le 'pays du sud, appelé 'Zarahemla par les Néphites.

32. Et * beaucoup d'entre eux périrent en route ; néanmoins, il y en eut quelques-uns qui se sauvèrent dans le pays du sud.

33. Et * le Seigneur fit que les serpents ne les poursuivissent plus, mais qu'ils coupassent le chemin, afin que le peuple ne pût passer, et que quiconque tenterait de passer, pérît par les serpents venimeux.

34. Et il arriva que le peuple suivit la course des bêtes ; et il dévora les carcasses de celles qui étaient mortes en chemin, jusqu'à ce qu'il les eût dévorées toutes. Or, quand le peuple vit qu'il allait périr, il commença à se repentir de ses iniquités et à implorer le Seigneur.

35. Et * quand il se fut suffisamment humilié devant lui, le Seigneur envoya de la pluie sur la surface de la terre, et le peuple se mit à revivre, et il se mit à y avoir des fruits dans les contrées du nord et dans toutes les contrées environnantes. Et le Seigneur leur montra son pouvoir, en les préservant de la famine.

CHAPITRE 10.

Riplakish, le malfaiteur. — Morianton, le réformateur. — Autres monarques et leurs guerres. — Le pays du sud, un désert. — Le pays du nord est habité.

1. Et * Shez, qui était descendant de Heth — car Heth avait péri de la famine avec toute sa maison, excepté Shez — c'est pourquoi, Shez commença à réédifier un peuple brisé.

2. Et * Shez se souvint de la destruction de ses pères, et il édifia un royaume juste ; car il se souvenait de ce que le Seigneur avait fait en menant Jared et son frère à "travers l'abîme ; et il marcha dans les voies du Seigneur ; et il engendra des fils et des filles.

3. Et son fils aîné, qui se nommait Shez, se révolta contre lui ; néanmoins, Shez fut frappé par la main d'un voleur, à cause de son extrême richesse, ce qui rendit la paix à son père.

4. Et * son père édifia beaucoup de villes sur la surface du pays et le peuple commença de nouveau à se répandre sur toute la surface du pays. Et Shez vécut jusqu'à un âge très avancé ; et il engendra Riplakish et il mourut, et Riplakish régna à sa place.

5. Et * Riplakish ne fit pas ce qui est juste aux yeux du Seigneur, car il eut 'beaucoup de femmes et de concubines, et il posa sur les épaules des hommes ce qu'il était pénible de porter ; oui, il les taxa de lourds impôts ; et avec les impôts, il construisit beaucoup de vastes édifices.

6. Et il s'érigea un trône extrêmement beau ; et il construisit de nombreuses prisons ; et quiconque ne voulait pas se soumettre aux impôts, il le jetait en prison ; et quiconque n'était pas capable de payer les taxes, il le jetait en prison ; et il les fit travailler constamment pour leur soutien ; et quiconque refusait de travailler, il le faisait mettre à mort.

7. C'est pourquoi, il obtint tous ses beaux ouvrages ; oui, même son or fin, il le fit raffiner en prison, et il fit faire toutes sortes d'objets

---

r. vers. 32-34. Eth. 10 : 19.   *s.* voir *n*, Al. 46.   *t.* Om. 13.   **CHAP.** 10 : *a.* Eth. 6 : 1-12. 7 : 27.   *b.* voir *k. l.* et *q.* Jacob 2.

précieux, en prison. Et il affligea son peuple de ses ᶜimpudicités et de ses abominations.

8. Et quand il eut régné pendant l'espace de quarante-deux ans, le peuple se souleva contre lui ; et il se remit à y avoir de la guerre dans le pays, au point que Riplakish fut tué et que ses descendants furent chassés du pays.

9. Et * après bien des années, Morianton (un descendant de Riplakish), réunit une armée de proscrits et alla livrer bataille au peuple ; et il acquit du pouvoir sur beaucoup de villes ; et la guerre devint extrêmement cruelle et dura un grand nombre d'années ; et il acquit du pouvoir sur tout le pays et s'établit roi sur tout le pays.

10. Et lorsqu'il se fut établi roi, il allégea les fardeaux du peuple, ce qui lui fit gagner de la faveur aux yeux du peuple et il l'oignit son roi.

11. Et il fit justice au peuple, mais pas à lui-même, à cause de ses ᵈnombreuses impudicités ; c'est pourquoi il fut retranché de la présence du Seigneur.

12. Et * Morianton bâtit beaucoup de villes, et le peuple, sous son règne, devint extrêmement riche en édifices, en ᵉor, en argent, dans la culture du grain, en ᶠtroupeaux, et en toutes les choses qui lui avaient été rendues.

13. Et Morianton vécut jusqu'à un très grand âge ; alors il engendra Kim ; et Kim régna à la place de son père ; et il régna huit ans, et son père mourut. Et il arriva que Kim ne régna pas en justice, c'est pourquoi il ne fut pas favorisé du Seigneur.

14. Et son frère se souleva contre lui, et par ce moyen le mena en captivité ; et il resta toute sa vie en captivité ; et il engendra, en

captivité, des fils et des filles, et dans sa vieillesse il engendra Lévi ; et il mourut.

15. Et * après la mort de son père, Lévi servit en captivité pendant quarante-deux ans. Et il fit la guerre au roi du pays, et par ce moyen, il obtint le royaume pour lui-même.

16. Et lorsqu'il eut obtenu le royaume pour lui-même, il fit ce qui était juste aux yeux du Seigneur ; et le peuple prospéra dans le pays ; et il vécut jusqu'à un âge respectable et engendra des fils et des filles ; et il engendra aussi Corom qu'il oignit roi à sa place.

17. Et il arriva que Corom fit toute sa vie ce qui était bon aux yeux du Seigneur ; et il engendra beaucoup de fils et de filles ; et après avoir vu beaucoup de jours, il passa comme passe toute terre ; et Kish régna à sa place.

18. Et * Kish mourut aussi, et Lib régna à sa place.

19. Et * Lib fit aussi ce qui était bon aux yeux du Seigneur. Et du temps de Lib, les ᵍserpents venimeux furent détruits. C'est pourquoi, ils allèrent au pays du ʰsud pour chasser de la nourriture pour le peuple du pays, car le pays était couvert ⁱd'animaux de la forêt. Et Lib lui-même devint un grand chasseur.

20. Et ils bâtirent une grande ville auprès de la langue étroite de terre, près de l'endroit où la mer divise la terre ;

21. Et ils conservèrent le pays du ʲsud en désert pour avoir du gibier. Et toute la surface du ᵏpays du nord était couverte d'habitants.

22. Et ils étaient extrêmement industrieux, et ils achetaient et vendaient, et trafiquaient entre eux pour s'enrichir.

23. Ils travaillaient toutes ˡsortes

c, voir i, 2 Né. 28.   d, voir c.   e, voir j, Eth. 9.   f, voir k, Eth. 9.   g, voir r, Eth. 9.   h, voir n, Al. 46.   i, Eth. 9 : 32.   j, voir n, Al. 46.   k, voir p, Al. 46. l, voir j, Eth. 9.

de minerais ; ils se faisaient de l'or, de l'argent, du fer, du cuivre, et toutes sortes de métaux ; et ils les tiraient de la terre ; c'est pourquoi ils entassèrent des monceaux ᵐimmenses de terre, pour obtenir du minerai d'or, d'argent, de fer et de cuivre. Et ils firent toutes sortes de fins ouvrages.

24. Et ils ⁿeurent des soieries et du fin lin ; et ils fabriquèrent toutes sortes de tissus, afin de revêtir leur nudité.

25. Et ils firent toutes sortes ᵒd'outils pour cultiver la terre, à la fois pour labourer et semer, pour moissonner et houer, et aussi pour battre.

26. Et ils firent toutes sortes d'outils avec lesquels ils firent travailler leurs bêtes.

27. Et ils firent toutes sortes d'armes de guerre. Et ils exécutèrent toutes sortes d'ouvrages d'un travail extrêmement curieux.

28. Jamais peuple ne fut plus béni qu'eux, ni rendu plus prospère par la main du Seigneur. Et ils étaient dans un pays qui était ᵖpréférable à tous les pays, car le Seigneur l'avait dit.

29. * Lib vécut de nombreuses années et engendra des fils et des filles, et il engendra aussi Héarthom.

30. Et * Héarthom régna à la place de son père. Et quand Héarthom eut régné vingt-quatre ans, voici, le royaume lui fut enlevé, et il servit de nombreuses années en captivité, oui, même tout le reste de ses jours.

31. Et il engendra Heth et Heth vécut toute sa vie en captivité. Et Heth engendra Aaron, et Aaron demeura toute sa vie en captivité ; et il engendra Amnigaddah, et Amnigaddah demeura aussi toute sa vie en captivité ; et il engendra Coriantum, et Coriantum demeura

toute sa vie en captivité ; et il engendra Com.

32. Et il arriva que Com détourna la moitié du royaume. Et il régna quarante-deux ans sur la moitié du royaume ; et il alla combattre le roi, Amgid, et ils se battirent pendant de nombreuses années, temps pendant lequel Com prit du pouvoir sur Amgid et obtint le pouvoir sur le reste du royaume.

33. Et du temps de Com, il commença à y avoir des voleurs dans le pays ; et ils adoptèrent les vieux plans, et administrèrent des ᑫserments à la manière des anciens, et cherchèrent de nouveau à détruire le royaume.

34. Com combattit beaucoup contre eux ; néanmoins, il ne l'emporta pas sur eux.

CHAPITRE 11.

Des prophètes jarédites prédisent l'anéantissement complet de leur peuple si celui-ci ne se repent pas. — L'avertissement est méprisé.

1. Et il parut aussi, du temps de Com, ᵃde nombreux prophètes, qui prophétisèrent la destruction de ce grand peuple, à moins qu'il ne se repentît, ne se tournât vers le Seigneur et ne renonçât à ses meurtres et à sa méchanceté.

2. Et * les prophètes furent rejetés par le peuple, et ils s'enfuirent auprès de Com pour avoir sa protection, car le peuple cherchait à les détruire.

3. Et ils prophétisèrent à Com beaucoup de choses ; et il fut béni durant tout le reste de ses jours.

4. Et il vécut jusqu'à un âge respectable, et engendra Shiblom ; et Shiblom régna à sa place. Et le frère de Shiblom se révolta contre lui, et il se mit à y avoir une guerre extrêmement grande dans tout le pays.

5. Et * le frère de Shiblom fit mettre à mort ᵇtous les prophètes

---

ᵐ, voir *l.*   ⁿ, Eth. 9 : 17.   ᵒ, vers. 25.   ᵖ, voir *i,* Eth. 2.   ᑫ, voir *i,* 2 Né. 10.
CHAP. 11 : *a.* voir *p,* Eth. 9.   *b.* vers. 1.

qui avaient prédit la destruction du peuple ;

6. Et il y eut une grande calamité dans tout le pays, car ils avaient attesté qu'une grande malédiction frapperait le pays et aussi le peuple et qu'il y aurait une grande destruction parmi eux, une destruction comme il n'y en avait jamais eu de pareille sur la surface de la terre ; et que leurs ossements deviendraient comme des monticules de terre sur la surface du pays. à moins qu'ils ne se repentissent de leur méchanceté.

7. Et ils n'écoutèrent point la voix du Seigneur, à cause de leurs *d*combinaisons perverses ; c'est pourquoi, des guerres et des contentions éclatèrent dans tout le pays, et aussi beaucoup de famines et de pestes, au point qu'il y eut une grande destruction comme on n'en avait jamais connu de pareille sur la surface de la terre ; et tout ceci arriva du temps de Shiblom.

8. Et le peuple commença à se repentir de son iniquité ; et dans la mesure où il se repentait, le Seigneur eut pitié de lui.

9. Et il arriva que Shiblom fut tué, et Seth fut emmené en captivité, et demeura en captivité toute sa vie.

10. Et * Ahah son fils, obtint le royaume, et il régna sur le peuple durant toute sa vie. Et il commit toutes sortes d'iniquités, de son vivant, par lesquelles il causa l'effusion de beaucoup de sang ; et ses jours furent peu nombreux.

11. Et Ethem, descendant d'Ahah, obtint le royaume ; et de son vivant il fit aussi ce qui est mal.

12. Et * du temps d'Ethem, il vint *e*beaucoup de prophètes et ils prophétisèrent de nouveau au peuple ; oui, ils prophétisèrent que le Seigneur l'exterminerait entièrement de la surface de la terre, à

moins qu'il ne se repentît de ses iniquités.

13. Et * le peuple s'endurcit le cœur, et ne voulut pas écouter leurs paroles ; et les prophètes furent affligés et se retirèrent du milieu du peuple.

14. Et * Ethem exécuta le jugement avec iniquité durant toute sa vie ; et il engendra Moron. Et * Moron régna à sa place ; et Moron fit ce qui était mal devant le Seigneur.

15. Et * une révolte éclata parmi le peuple à cause de cette *f*combinaison secrète qui avait été formée pour obtenir du pouvoir et du gain ; et un homme puissant en iniquité s'éleva parmi eux ; il livra à Moron une bataille dans laquelle il renversa la moitié du royaume ; et il conserva la moitié du royaume durant un grand nombre d'années.

16. Et * Moron le renversa et obtint de nouveau le royaume.

17. Et * il parut un autre homme puissant ; et c'était un descendant du frère de Jared.

18. Et * il renversa Moron et obtint le royaume ; et c'est pourquoi Moron demeura en captivité tout le reste de ses jours ; et il engendra Coriantor.

19. Et * Coriantor demeura toute sa vie en captivité.

20. Et du temps de Coriantor, il vint aussi beaucoup de *g*prophètes qui prophétisèrent des choses grandes et étonnantes et crièrent repentance au peuple, et s'il ne se repentait pas, le Seigneur Dieu exécuterait contre lui son jugement, à son entière destruction ;

21. Et que le Seigneur Dieu enverrait ou susciterait un *h*autre peuple pour posséder le pays, par son pouvoir, de la même manière qu'il avait amené ses pères.

22. Mais il rejeta toutes les paroles des prophètes, à cause de sa

---

d. voir *i*. 2 Né. 10.   e, voir *p*, Eth. 9.   f, voir *i*, 2 Né. 10.   g, voir *p*, Eth. 9.
h, Eth. 13 : 20. 21.

'société secrète et de ses abominations perverses.

23. Et * Coriantor engendra Ether et mourut, étant demeuré toute sa vie en captivité.

CHAPITRE 12.

Le prophète Ether et le roi Coriantumr. — Les langues jarédite et néphite. — Dieu donne des faiblesses pour que les hommes soient humbles. — Adieux de Moroni aux Gentils.

1. Et * les jours d'Ether furent du temps de Coriantumr ; et Coriantumr était roi de tout le pays.

2. Et Ether était un prophète du Seigneur ; c'est pourquoi, Ether sortit du temps de Coriantumr et commença à prophétiser au peuple, car on ne pouvait pas l'arrêter à cause de l'Esprit du Seigneur qui était en lui.

3. Car il criait du matin, même jusqu'au coucher du soleil, exhortant le peuple à croire en Dieu et à se repentir de peur qu'il ne fût *détruit, lui disant que toutes choses s'accomplissent par la foi —

4. C'est pourquoi, quiconque croit en Dieu peut avec ᵇassurance espérer un monde meilleur, oui, même une place à la droite de Dieu, espérance qui vient de la foi et qui, pour l'âme des hommes, est une ancre, laquelle les rendra fermes et inébranlables, toujours abondants en bonnes œuvres, étant poussés à glorifier Dieu.

5. Et il arriva qu'Ether prophétisa des choses grandes et étonnantes au peuple, que celui-ci ne crut pas, parce qu'il ne les voyait pas.

6. Et maintenant, moi, Moroni, je voudrais parler quelque peu de ces choses ; je voudrais montrer au monde que la foi, ce sont les choses qu'on espère et qu'on ne voit pas ;

c'est pourquoi ne disputez pas parce que vous ne voyez pas ; car vous ne recevez de témoignage que lorsque votre foi a été mise à l'épreuve.

7. Car c'est par la foi que le Christ se montra à nos pères, lorsqu'il fut ressuscité d'entre les morts; et il ne se montra à eux que lorsqu'ils eurent foi en lui ; c'est pourquoi, il fallait nécessairement que quelques-uns eussent foi en lui, car il ne se montra pas au monde.

8. Mais à cause de la foi des hommes, il s'est montré au monde, a glorifié le nom du Père, et a préparé une voie pour que d'autres obtiennent le don céleste, afin qu'ils puissent espérer ces choses qu'ils n'ont pas vues.

9. C'est pourquoi, vous pouvez aussi avoir de l'espoir et obtenir le don si vous voulez simplement avoir la foi.

10. Voici, c'est par la foi que ceux d'autrefois furent appelés ᶜd'après le saint ordre de Dieu.

11. C'est par la foi que la loi de Moïse fut donnée. Mais, dans le don de son Fils, Dieu a préparé une voie plus excellente ; et c'est par la foi que cela s'est accompli.

12. Car s'il n'y a pas de foi parmi les enfants des hommes, Dieu ne peut faire ᵈaucun miracle parmi eux ; c'est pourquoi, il ne s'est montré qu'après leur foi.

13. Voici, c'est la foi d'Alma et d'Amulek qui fit crouler la ᵉprison.

14. Voici, c'est la foi de Néphi et de Léhi qui opéra le ᶠchangement sur les Lamanites, de sorte qu'ils furent baptisés de feu et du Saint-Esprit.

15. Voici, c'est la foi ᵍd'Ammon et de ses frères qui fit un si grand miracle parmi les Lamanites.

16. Oui, et tous ceux qui firent des miracles, les firent par la foi,

i, voir *i*, 2 Né. 10.   CHAP. 12 : *a*. Eth. 11 : 12, 20-22.   *b*, vers. 6. 8, 9. 32. Moro. 7 : 40-44. 8 : 26. 10 : 20-22.   *c*, voir *g*. Mos. 26.   *d*, voir *d*, 3 Né. 17.   *e*, Al. 14 : 26-29.   *f*, Héla. 5 : 20-52. 3 Né. 9 : 20.   *g*, Al. 17 : 29-39.

même ceux qui furent avant le Christ et aussi ceux qui furent ensuite.

17. Et c'est par la foi que les trois disciples obtinrent la promesse qu'ils ʰne goûteraient point la mort ; et ils n'obtinrent cette promesse que lorsqu'ils eurent la foi.

18. Et jamais personne n'a, en aucun temps, fait de miracles qu'après avoir eu la foi ; c'est pourquoi, ils croyaient tout d'abord au Fils de Dieu.

19. Et il y en eut beaucoup, même avant que le Christ ne vînt, dont la foi était tellement forte, qu'il ne fut pas possible de les empêcher de voir ʿau-dedans du voile, mais ils virent réellement, de leurs yeux, ce qu'ils avaient vu par l'œil de la foi ; et ils s'en réjouirent.

20. Et voici, nous avons vu dans ces annales qu'un de ceux-ci fut le frère de Jared ; car si grande était sa foi en Dieu, que quand Dieu ʲétendit son doigt, il ne put le cacher à la vue du frère de Jared, à cause de la parole qu'il lui avait dite, laquelle parole il avait obtenue par la foi.

21. Et lorsque le frère de Jared eut vu le doigt du Seigneur, à cause de la ᵏpromesse que le frère de Jared avait obtenue par la foi, le Seigneur ne put rien ˡcacher à sa vue ; c'est pourquoi il lui montra toutes choses, car il ne pouvait pas être tenu ᵐplus longtemps en dehors du voile.

22. Et c'est par la foi que mes pères ont obtenu ⁿla promesse que ces choses viendront, par les Gentils, à leurs frères ; c'est pourquoi le Seigneur m'a commandé de les écrire, oui, même Jésus-Christ.

23. Et je lui dis : Seigneur, les Gentils se ᵒmoqueront de ces choses, à cause de notre faiblesse

à écrire ; car, Seigneur, tu nous as rendus puissants en paroles par la foi mais tu ne nous as pas rendus puissants à écrire ; car tu as fait que tout ce peuple puisse parler beaucoup, à cause du Saint-Esprit que tu lui as donné ;

24. Et tu as fait que nous ne puissions écrire que peu, à cause de la ᵖmaladresse de nos mains. Voici, tu ne nous as pas rendus puissants à écrire, comme le frère de Jared, car tu fis que les choses ᵠqu'il écrivait fussent puissantes comme tu l'es, jusqu'à terrasser l'homme qui les lit.

25. Tu as aussi rendu nos paroles grandes et puissantes, au point que nous ne ʳpouvons les écrire ; c'est pourquoi, quand nous écrivons, nous voyons notre faiblesse et nous trébuchons à cause de l'arrangement de nos paroles ; et je crains que les Gentils ne ˢse moquent de nos paroles.

26. Et quand j'eus dit cela, le Seigneur me dit : Les insensés se moquent, mais ils se lamenteront ; et ma grâce est suffisante pour les humbles, afin qu'ils ne tirent aucun avantage de votre faiblesse ;

27. Et si les hommes viennent à moi, je leur démontrerai leur faiblesse. Je donne aux hommes de la faiblesse afin qu'ils soient humbles, et ma grâce suffit à tous ceux qui s'humilient devant moi ; car s'ils s'humilient devant moi, et ont foi en moi, alors je rends fortes pour eux les choses qui sont faibles.

28. Voici, je montrerai aux Gentils leur faiblesse, et je leur montrerai que la foi, l'espérance et la charité mènent à moi — la source de toute justice.

29. Et moi, Moroni, ayant entendu ces paroles, je fus consolé

h, voir d, 3 Né. 28.   i, voir f, Eth. 3.   j, voir e, Eth. 3.   k, Eth. 3 : 26. l, Eth. 3 : 25, 26.   m, voir f, Eth. 3.   n, Enos 13.   o, vers. 26-28. Voir w, Morm. 8.   p, voir w, Morm. 8. .   q, Eth. 3 : 27. 4 : 1.   r, vers. 23, 24, 40. 2 Né. 33 : 1. s, vers. 23, 27.

et je dis : O Seigneur, que ta juste volonté soit faite, car je sais que tu fais aux enfants des hommes selon leur foi ;

30. Car le frère de Jared dit à la montagne Zérin : Déplace-toi — et 'elle fut déplacée. Et s'il n'avait pas eu la foi, elle ne se serait pas déplacée ; c'est pourquoi tu opères, lorsque les hommes ont la foi ;

31. Car c'est ainsi que tu t'es manifesté à tes disciples ; car lorsqu'ils eurent la foi, et parlèrent en ton nom, tu te montras à eux en grand pouvoir.

32. Et je me souviens aussi que tu as dit que tu as préparé une maison pour l'homme, oui, même parmi les "demeures de ton Père, dans laquelle l'homme peut avoir une "espérance plus excellente ; c'est pourquoi, l'homme doit espérer, ou il ne peut recevoir un héritage dans le lieu que tu as préparé.

33. Et je me souviens encore que tu as dit que tu as aimé le monde, même jusqu'à donner ta vie pour le monde, afin que tu pusses la reprendre pour préparer une place pour les enfants des hommes.

34. Et maintenant, je sais que cet amour que tu as pour les enfants des hommes, c'est la "charité ; c'est pourquoi, si les hommes n'ont pas la charité, ils ne peuvent hériter de cette place que tu as préparée dans les demeures de ton Père.

35. C'est pourquoi, je sais, parce que tu l'as dit, que si les Gentils n'ont pas de charité pour notre faiblesse, tu les mettras à l'épreuve, et tu leur ôteras leur talent, oui même ce qu'ils ont reçu, et tu donneras à ceux qui auront plus abondamment.

36. Et il arriva que je priai le Seigneur de donner la grâce aux Gentils, afin qu'ils eussent la charité.

37. Et * le Seigneur me dit : S'ils n'ont pas la charité, il ne t'importe point, tu as été fidèle ; c'est pourquoi tes vêtements seront purifiés. Et parce que tu as "vu ta faiblesse, tu seras rendu fort, même jusqu'à t'asseoir dans le lieu que j'ai préparé dans les "demeures de mon Père.

38. Et maintenant, moi, Moroni, je dis adieu aux Gentils, oui, et aussi à mes frères que j'aime, jusqu'à ce que nous nous rencontrions devant le siège du jugement du Christ, où tous les hommes sauront que mes vêtements ne sont point tachés de votre sang.

39. Et alors vous saurez que j'ai vu Jésus, et qu'il m'a parlé face à face ; et qu'il m'a parlé en toute humilité, même comme un homme parle à un autre, dans ma propre langue, touchant ces choses ;

40. Et je n'en ai écrit que "peu, à cause de ma faiblesse à écrire.

41. Et maintenant je voudrais vous recommander de chercher ce Jésus, au sujet duquel les prophètes et les apôtres ont écrit, afin que la grâce de Dieu le Père, et aussi du Seigneur Jésus-Christ, et du Saint-Esprit, qui rend "témoignage d'eux, soit et habite en vous à jamais. Amen.

CHAPITRE 13.

Moroni continue l'histoire des Jarédites. — Ether et ses prédictions. — On cherche à lui ôter la vie. — Il habite la cavité d'un rocher. — Il contemple, la nuit, la destruction qui s'abat sur son peuple.

1. Et maintenant, moi, Moroni, je vais terminer mon récit touchant la destruction du peuple sur lequel j'ai écrit.

2. Car voici, ils rejetèrent toutes les paroles d'Ether ; car il leur ra-

---

t, voir c, Jacob 4. u, vers. 33, 34, 37. Enos 27. v, voir h. w, vers. 35-37.
x, vers. 26-28, 35, 40. y, voir u. z, voir e, Eth. 1. 2a, 3 Né. 11 : 32, 36.

conta. en toute vérité, tout ce qui fut depuis le commencement de l'homme ; et qu'après que les eaux se furent retirées de la surface de ce pays, il devint un pays préférable à tous les autres pays, un pays choisi du Seigneur ; c'est pourquoi le Seigneur voulait que tous les hommes qui l'habitent, le servissent ;

3. Et qu'il était le *a*lieu de la Nouvelle Jérusalem qui devait *b*descendre du ciel et du saint sanctuaire du Seigneur.

4. Voici, Ether vit les jours du Christ, et il parla d'une *c*Nouvelle Jérusalem dans ce pays.

5. Il dit aussi, touchant la maison d'Israël et la Jérusalem d'où *d*Léhi viendrait — qu'après avoir été détruite, elle serait bâtie de nouveau, ville *e*sainte dans le Seigneur ; c'est pourquoi elle ne pourrait pas être une nouvelle Jérusalem, car elle avait existé dans les temps passés, mais elle serait bâtie de nouveau, et deviendrait une ville sainte du Seigneur et serait bâtie pour la maison d'Israël.

6. Et qu'une *f*Nouvelle Jérusalem serait édifiée dans ce pays pour le reste de la postérité de ce Joseph, ce dont il y a eu un type.

7. Car comme Joseph amena son père dans le pays d'Egypte, où il mourut, ainsi le Seigneur amena un reste de la postérité de Joseph hors du pays de Jérusalem, afin de témoigner sa miséricorde envers la postérité de Joseph, et qu'elle *g*ne périt pas, de même qu'il avait été miséricordieux envers le père de Joseph, pour qu'il ne périt pas.

8. C'est pourquoi les restes de la maison de Joseph seront établis dans ce pays, et ce sera la terre

de *h*leur héritage ; et ils bâtiront une ville *i*sainte au Seigneur, semblable à l'ancienne Jérusalem ; et ils ne seront plus confondus jusqu'à ce que la fin arrive, quand la terre passera.

9. *j*Et il y aura de nouveaux cieux et une nouvelle terre ; et ils seront semblables aux anciens, si ce n'est que les anciens sont passés, et que toutes choses sont devenues nouvelles.

10. Et *k*alors vient la Nouvelle Jérusalem, et bénis sont ceux qui l'habitent, car ce sont ceux dont les vêtements sont blanchis par le sang de l'Agneau ; et ce sont ceux qui sont *l*comptés parmi le reste de la postérité de Joseph, qui était de la maison d'Israël.

11. Et *m*alors vient aussi la Jérusalem d'autrefois ; et bénis en sont les habitants, car ils ont été lavés par le sang de l'Agneau ; et ce sont ceux qui étaient dispersés et qui ont été rassemblés des quatre parties de la terre, et des régions du *n*nord, et qui participent à l'accomplissement de l'alliance que Dieu a faite avec leur père, Abraham.

12. Et quand ces choses arrivent, l'Ecriture sera accomplie, qui dit : Il y *o*en a de ceux qui étaient les premiers qui seront les derniers ; et il y en a de ceux qui étaient les derniers qui seront les premiers.

13. J'étais sur le point d'écrire davantage, mais cela m'est défendu ; mais grandes et merveilleuses étaient les prophéties d'Ether ; mais ils l'estimèrent comme d'aucune valeur et le chassèrent ; et il se cachait dans la *p*cavité d'un rocher pendant le jour, et il en sortait la *q*nuit pour voir les choses qui allaient arriver au peuple.

a, voir *t*, 3 Né. 20.   *b*, vers. 10. Apo. 3 : 12. 21 : 2.   *c*, voir *t*, 3 Né. 20. *d*, 1 Né., chaps 1-18.   *e*, vers. 11. Apo. 21 : 10-27.   *f*, voir *t*, 3 Né. 20.   *g*, 2 Né. 3 : 5-24. Al. 46 : 24-26.   *h*, voir *o*, 3 Né. 15.   *i*, voir *t*, 3 Né. 20.   *j*, Apo. 21 : 1. *k*, voir *b*.   *l*, voir *x*, 3 Né. 16.   *m*, voir *e*.   *n*. D. et A. 133 : 26-35.   *o*. 1 Né. 13 : 42.   *p*. vers. 14. 18. 22.   *q*. vers. 14. Eth. 15 : 13.

14. Et pendant qu'il habitait dans la cavité d'un rocher, il fit le 'reste de ces annales, observant, la nuit, les destructions qui s'abattaient sur le peuple.

15. Et il arriva que cette même année où il fut chassé de parmi le peuple, il se mit à y avoir une grande guerre parmi le peuple, car il y en eut beaucoup qui s'élevèrent, qui étaient des hommes puissants et cherchèrent à détruire Coriantumr par leurs 'plans secrets de méchanceté dont il a été parlé.

16. Or, Coriantumr, ayant étudié lui-même tous les arts de la guerre et toutes les ruses du monde, livra bataille à ceux qui cherchaient à le détruire.

17. Mais il ne se repentit pas, ni ses beaux fils ni ses jolies filles ; ni les beaux fils ni les jolies filles de Cohor ; ni les beaux fils ni les jolies filles de Corihor ; et enfin, il n'y avait aucun des beaux fils ni des jolies filles sur toute la surface de la terre qui se repentît de ses péchés.

18. C'est pourquoi, * dans la première année qu'Ether habita dans 'la cavité d'un rocher, il y eut beaucoup de gens qui furent tués par l'épée de ces "combinaisons secrètes, qui combattaient Coriantumr pour obtenir le royaume ;

19. Et * les fils de Coriantumr combattirent beaucoup et saignèrent beaucoup.

20. Et dans la deuxième année, la parole du Seigneur vint à Ether d'aller prophétiser à Coriantumr que, s'il voulait se repentir, ainsi que toute sa maison, le Seigneur lui donnerait son royaume, et épargnerait le peuple —

21. Sinon ils seraient détruits, ainsi que toute sa maison, excepté lui-même. Et qu'il ne vivrait que pour voir l'accomplissement des prophéties qui avaient été données

concernant un °autre peuple qui recevrait le pays pour son héritage ; et Coriantumr serait enseveli par lui ; et toute âme serait "détruite excepté Coriantumr.

22. Et * Coriantumr ne se repentit pas, ni sa maison, ni le peuple ; et les guerres ne cessèrent pas ; et on chercha à tuer Ether, mais il s'enfuit et se cacha de nouveau dans la "cavité du rocher.

23. Et * Shared se leva et livra également bataille à Coriantumr ; et il le battit, au point que, la troisième année, il le mena en captivité.

24. Et dans la quatrième année, les fils de Coriantumr battirent Shared, et reconquirent le royaume pour leur père.

25. Alors il commença à y avoir une guerre sur toute la surface du pays, chacun avec sa bande combattant pour ce qu'il désirait.

26. Et il y eut des voleurs, et en un mot, toutes sortes de méchancetés sur toute la surface du pays.

27. * Coriantumr fut extrêmement irrité contre Shared, et marcha au combat contre lui avec ses armées ; et ils se rencontrèrent dans une grande colère, et ils se rencontrèrent dans la vallée de Gilgal ; et la bataille devint extrêmement acharnée.

28. Et * Shared le combattit pendant l'espace de trois jours. Et * Coriantumr le battit et le poursuivit jusqu'aux plaines de Heshlon.

29. Et * Shared lui livra de nouveau bataille dans les plaines ; et voici, il battit Coriantumr, et le refoula de nouveau dans la vallée de Gilgal.

30. Et Coriantumr livra à Shared une nouvelle bataille dans la vallée de Gilgal, dans laquelle il battit Shared et le tua.

31. Et Shared blessa Coriantumr à la cuisse, de sorte qu'il n'alla plus

r. Eth. 15 : 33.   s. voir i. 2 Né. 10.   t. voir p.   u. voir i. 2 Né. 10.   v. Om. 21.   w. Eth. 15 : 29-32.   x. voir v.

au combat pendant l'espace de deux ans, temps pendant lequel tous les peuples sur la surface du pays versèrent le sang, et il n'y avait personne pour les retenir.

CHAPITRE 14.

Malédiction sur le pays. — Luttes et effusions de sang continuelles. — Coriantumr ne tombera pas par l'épée.

1. Et maintenant, il commença à y avoir une grande ᵃmalédiction sur tout le pays à cause de l'iniquité du peuple en ce sens que si un homme mettait un outil ou son épée sur sa tablette, ou à l'endroit où il voulait les garder, voici, le lendemain il ne pouvait les retrouver, tant était grande la malédiction du pays.

2. C'est pourquoi chacun s'accrochait des mains à tout ce qui était à lui, et ne voulait ni emprunter ni prêter ; et chacun tenait à la main droite la poignée de son épée pour défendre sa propriété, sa propre vie, et celle de ses femmes et de ses enfants.

3. Et maintenant, après l'espace de deux ans, et après la mort de Shared, voici, le frère de Shared se leva et livra une bataille à Coriantumr, dans laquelle Coriantumr le battit et le poursuivit jusqu'au désert d'Akish.

4. Et * le frère de Shared lui livra bataille dans le désert d'Akish, et la bataille devint extrêmement furieuse, et de nombreuses myriades tombèrent par l'épée.

5. Et * Coriantumr mit le siège au désert ; et le frère de Shared sortit la nuit du désert, et tua une partie de l'armée de Coriantumr, pendant qu'elle était dans l'ivresse.

6. Et il alla au ᵇpays de Moron, et se plaça sur le trône de Coriantumr.

7. Et il arriva que Coriantumr passa deux ans dans le désert avec son armée, durant lesquels il reçut de grandes forces pour son armée.

8. Mais le frère de Shared, dont le nom était Giléad, reçut aussi de grandes forces pour son armée, à cause des ᶜcombinaisons secrètes.

9. Et * son grand-prêtre l'assassina tandis qu'il était assis sur son trône.

10. Et * quelqu'un des combinaisons secrètes l'assassina dans un passage secret, et obtint le royaume pour lui-même ; et son nom était Lib ; et Lib était un homme de grande stature, plus grand que n'importe quel autre homme parmi tout le peuple.

11. Et * dans la première année de Lib, Coriantumr monta au ᵈpays de Moron et livra bataille à Lib.

12. Et * il se battit avec Lib, et Lib le frappa de sorte qu'il fut blessé ; néanmoins, l'armée de Coriantumr pressa Lib, de sorte qu'il prit la fuite vers les bords de la mer.

13. Et * Coriantumr le poursuivit ; et Lib lui livra bataille sur les bords de la mer.

14. Et * Lib défit l'armée de Coriantumr de sorte qu'ils s'enfuirent de nouveau dans le désert d'Akish.

15. Et * Lib le poursuivit jusqu'à ce qu'il arrivât aux plaines d'Agosh. Et Coriantumr avait pris tout le peuple avec lui, tandis qu'il fuyait devant Lib, dans cette partie du pays où il s'enfuit.

16. Et quand il fut arrivé aux plaines d'Agosh, il livra bataille à Lib, et il le frappa jusqu'à ce qu'il mourût ; néanmoins le frère de Lib alla contre Coriantumr à sa place, et la bataille devint extrêmement acharnée, bataille dans laquelle Coriantumr s'enfuit de nouveau devant l'armée du frère de Lib.

---

a, voir *k,* Héla. 13.   *b,* voir *e.* Eth. 7.   *c,* voir *i,* 2 Né. 10.   *d,* voir *e,* Eth. 7.

17. Or, le nom du frère de Lib était Shiz. Et il arriva que Shiz se mit à la poursuite de Coriantumr, et il renversa beaucoup de villes, et il tua les femmes et les enfants, et brûla les villes.

18. Et la terreur de Shiz se répandit dans tout le pays ; oui, un cri se fit entendre partout dans le pays — Qui peut résister à l'armée de Shiz ? Voici il balaie la terre devant lui !

19. Et * le peuple commença à se réunir en armées sur toute la surface du pays.

20. Et ils étaient divisés ; et une partie d'entre eux s'enfuit dans l'armée de Shiz, et une partie d'entre eux s'enfuit dans l'armée de Coriantumr.

21. Et si grande et longue avait été la guerre et si longue avait été la scène d'effusion de sang et de carnage que toute la surface du pays était couverte des corps des morts.

22. Et si rapide et si expéditive fut la guerre, qu'il n'était resté personne pour ensevelir les morts, mais ils marchaient d'effusion de sang en effusion de sang, laissant les corps des hommes, des femmes et des enfants disséminés sur la surface du pays, pour devenir la proie des vers de la chair ;

23. Et l'odeur s'en répandit sur la surface du pays, même sur toute la surface du pays ; c'est pourquoi, le peuple fut troublé jour et nuit, à cause de l'odeur.

24. Cependant, Shiz ne cessa de poursuivre Coriantumr, car il avait juré de venger sur Coriantumr le ᵉsang de son frère, qui avait été tué, et de faire mentir la parole du Seigneur qui était venue à Ether que Coriantumr ᶠne tomberait point par l'épée.

25. Et ainsi, nous voyons que le Seigneur les visita dans la plénitude de sa colère, et que leur méchanceté et leurs abominations avaient préparé la voie de leur destruction éternelle.

26. Et * Shiz poursuivit Coriantumr vers l'est, jusqu'aux bords de la mer, et là, il livra bataille à Shiz durant trois jours.

27. Et si terrible fut la destruction parmi les armées de Shiz, que le peuple commença à être terrifié et commença à fuir devant les armées de Coriantumr ; et ils s'enfuirent au pays de Corihor, et balayèrent les habitants devant eux, tous ceux qui ne voulaient pas se joindre à eux.

28. Et ils plantèrent leurs tentes dans la vallée de Corihor, et Coriantumr planta ses tentes dans la vallée de Shurr. Or, la vallée de Shurr était près de la colline de Comnor ; c'est pourquoi, Coriantumr réunit ses armées sur la colline de Comnor, et fit sonner de la trompette pour l'armée de Shiz pour l'appeler au combat.

29. Et ils s'avancèrent, mais furent repoussés ; ils revinrent une deuxième fois, et ils furent de nouveau repoussés, pour la deuxième fois. Et * ils revinrent une troisième fois, et la bataille devint excessivement acharnée.

30. Et il arriva que Shiz frappa Coriantumr et lui infligea de nombreuses blessures profondes ; et Coriantumr, ayant perdu son sang, s'évanouit et fut emporté comme s'il était mort.

31. Et la perte des hommes, des femmes et des enfants, fut si grande des deux côtés, que Shiz donna l'ordre à son peuple de ne pas poursuivre les armées de Coriantumr ; c'est pourquoi ils revinrent à leur camp.

---

e, vers. 16.   *f*, Eth. 13 : 21.

CHAPITRE 15.

La colline de Ramah ou Cumorah. — Préparatifs d'une formidable bataille. — Des millions de personnes sont massacrées. — Shiz est tué par Coriantumr. — Dernières paroles d'Ether. — Fin des annales jarédites.

1. Lorsque Coriantumr fut rétabli de ses blessures, il se mit à se rappeler les *paroles qu'Ether lui avait dites.

2. Il vit qu'il y avait déjà près de deux millions de personnes de son peuple, tuées par l'épée, et il commença à être affligé dans son cœur ; oui, il y avait eu ᵇdeux millions d'hommes puissants de tués, et aussi leurs femmes et leurs enfants.

3. Il commença à se repentir du mal qu'il avait fait ; il commença à se souvenir des paroles qui avaient été dites par la bouche de tous les prophètes et il vit qu'elles s'étaient accomplies en tous points jusque-là ; et son âme fut dans le deuil et refusa d'être consolée.

4. Et * il écrivit une épître à Shiz désirant qu'il épargnât le peuple et il lui céderait le royaume pour l'amour de la vie de son peuple.

5. Et * quand Shiz eut reçu son épître, il écrivit une épître à Coriantumr, disant que s'il voulait se rendre, pour qu'il pût le tuer de sa propre épée, il épargnerait la vie du peuple.

6. Et * le peuple ne se repentit point de son iniquité ; et le peuple de Coriantumr était excité à la colère contre le peuple de Shiz ; et le peuple de Shiz était excité à la colère contre le peuple de Coriantumr ; c'est pourquoi le peuple de Shiz livra bataille au peuple de Coriantumr.

7. Et quand Coriantumr vit qu'il était sur le point de succomber, il s'enfuit de nouveau devant le peuple de Shiz.

8. Et * il arriva aux ᶜeaux de Ripliancum, ce qui signifie, par interprétation, vaste, ou qui surpasse tout ; c'est pourquoi, quand ils arrivèrent à ces eaux, ils plantèrent leurs tentes ; et Shiz planta aussi ses tentes près d'eux ; et dès le lendemain ils engagèrent la bataille.

9. Et * ils menèrent une bataille extrêmement acharnée, dans laquelle Coriantumr fut de nouveau blessé, et il s'évanouit par la perte de sang.

10. Et * les armées de Coriantumr pressèrent les armées de Shiz de sorte qu'elles les battirent et leur firent prendre la fuite devant elles : et elles s'enfuirent vers le ᵈsud, et plantèrent leurs tentes en un lieu nommé Ogath.

11. Et * l'armée de Coriantumr planta ses tentes près de la ᵉcolline de Ramah ; c'était cette même colline où mon père Mormon ᶠcacha les annales, qui étaient sacrées, dans le Seigneur.

12. Et il arriva qu'ils rassemblèrent tout le peuple sur toute la surface du pays, tous ceux qui n'avaient pas été tués, à l'exception d'Ether.

13. Et * Ether ᵍvit tout ce que le peuple faisait ; et il vit que le peuple qui était pour Coriantumr fut rassemblé dans l'armée de Coriantumr ; et le peuple qui était pour Shiz fut rassemblé dans l'armée de Shiz.

14. C'est pourquoi, ils mirent quatre ans à réunir le peuple, afin d'avoir tous ceux qui se trouvaient sur la surface du pays, et de recevoir toute la force qu'il leur était possible de recevoir.

15. Et * quand ils furent tous réunis chacun à l'armée qu'il avait choisie, avec leurs femmes et leurs enfants — les hommes, les femmes et les enfants ʰarmés d'armes de guerre, ayant des boucliers, et

---

a, Eth. 13 : 20, 21.   *d*. voir *a*, Morm. 6.   *f*, Morm. 6 : 6.   *g*, Eth. 13 : 14. *h*. Eth. 10 : 27.

des cuirasses et des casques, et étant vêtus pour la guerre — ils marchèrent les uns contre les autres pour se battre ; et ils se battirent toute cette journée-là et ne vainquirent point.

16. Et * quand la nuit vint, ils furent las et se retirèrent dans leurs camps ; et lorsqu'ils se furent retirés dans leurs camps, ils ʲcommencèrent à hurler et à se lamenter sur la perte de ceux de leur peuple qui avaient été tués ; et si grands furent leurs cris, leurs hurlements et leurs lamentations, qu'ils en déchirèrent fortement l'air.

17. Et * le lendemain ils allèrent de nouveau au combat, et grande et terrible fut cette journée ; néanmoins ils ne vainquirent point et quand la nuit fut venue, ils ʲdéchirèrent de nouveau l'air de leurs cris, de leurs hurlements et de leurs lamentations, pour la perte de ceux de leur peuple qui avaient été tués.

18. Et * Coriantumr écrivit ᵏencore une épître à Shiz, pour le prier de ne plus revenir au combat mais de prendre le royaume et d'épargner la vie du peuple.

19. Et voici, l'Esprit du Seigneur avait cessé de lutter avec eux, et Satan avait plein pouvoir sur le cœur du peuple ; car ils étaient livrés à l'endurcissement de leur cœur et à l'aveuglement de leur esprit, afin qu'ils fussent détruits ; c'est pourquoi ils allèrent de nouveau au combat.

20. Et * ils combattirent toute cette journée-là ; et quand la nuit vint, ils dormirent sur leurs épées.

21. Et le lendemain, ils combattirent encore, même jusqu'à la nuit.

22. Et quand la nuit fut venue, ils étaient ivres de colère, même comme un homme est ivre de vin ; et ils dormirent encore sur leurs épées.

23. Et le lendemain, ils combat-

tirent encore ; et quand la nuit arriva, tous étaient tombés par l'épée, excepté cinquante-deux du peuple de Coriantumr et soixante-neuf du peuple de Shiz.

24. Et * ils dormirent sur leurs épées cette nuit-là, et le lendemain ils se battirent encore ; et ils combattirent puissamment tout ce jour-là avec leurs épées et leurs boucliers.

25. Et quand la nuit vint, il y en avait trente-deux du peuple de Shiz et vingt-sept du peuple de Coriantumr.

26. Et il arriva qu'ils mangèrent, dormirent et se préparèrent à mourir le lendemain. Et c'étaient des hommes grands et puissants quant à la force des hommes.

27. Et * ils se battirent durant trois heures et s'évanouirent de la perte de leur sang.

28. Et * quand les hommes de Coriantumr eurent repris des forces suffisantes pour marcher, ils furent sur le point de fuir pour sauver leur vie ; mais voici, Shiz se leva avec ses hommes ; et il jura dans sa colère qu'il tuerait Coriantumr ou qu'il périrait par l'épée.

29. C'est pourquoi il les poursuivit, et le lendemain, il les rattrapa ; et ils combattirent de nouveau par l'épée. Et * quand ils furent tous tombés par l'épée, excepté Coriantumr et Shiz, voici, Shiz s'était évanoui par la perte de son sang.

30. Et * quand Coriantumr se fut appuyé sur son épée pour se reposer un peu, il coupa la tête de Shiz.

31. Et * quand il eut coupé la tête à Shiz, Shiz se souleva sur les mains et tomba ; et après avoir essayé de respirer, il mourut.

32. Et * ᶜCoriantumr tomba à terre et devint comme s'il était sans vie.

---

i. vers. 17.   j. vers. 16.   k. vers. 4.   l. Om. 20-22.

33. Et le Seigneur parla à Ether et lui dit : Sors. Et il sortit, et il vit que les paroles du Seigneur avaient toutes été accomplies ; et il [m]finit ses annales (et je n'en ai pas écrit la [n]centième partie) ; et il les cacha de telle manière que le [o]peuple de Limhi les trouva.

34. Or, les dernières paroles écrites par Ether sont celles-ci : Que le Seigneur veuille que je sois enlevé au ciel, ou que je souffre la volonté du Seigneur dans la chair, cela n'a pas d'importance, pourvu que je sois sauvé dans le royaume de Dieu. Amen.

LE LIVRE DE MORONI

CHAPITRE 1.

Etat désolé de Moroni. — Il écrit, espérant pour le bien-être des Lamanites.

1. Maintenant, moi, Moroni, après avoir fini [a]d'abréger l'histoire du peuple de Jared, j'avais supposé que je n'écrirais pas davantage ; mais je n'ai pas encore péri ; et je ne me fais pas connaître aux Lamanites, de crainte qu'ils ne me tuent.

2. Car voici, leurs guerres entre eux sont [b]extrêmement féroces ; et à cause de leur haine, ils mettent à mort tout Néphite qui ne veut pas nier le Christ.

3. Et moi, Moroni, je ne veux pas nier le Christ ; c'est pourquoi j'erre partout où je peux pour sauver ma propre vie.

4. C'est pourquoi, j'écris encore un petit nombre de choses, contrairement à ce que j'avais pensé ; car j'avais pensé que je n'écrirais plus ; mais j'écris encore un petit nombre de choses, afin qu'elles aient, peut-être, de la [c]valeur pour mes frères, les Lamanites, dans un temps futur, suivant la volonté de Dieu.

CHAPITRE 2.

Au sujet du don du Saint-Esprit par les Douze néphites.

1. Paroles du Christ, qu'il dit à ses [a]disciples, les douze qu'il avait choisis, tandis qu'il leur imposait les mains —

2. Et il les appela par leur nom, disant : Vous invoquerez le Père en mon nom, en fervente prière ; et quand vous aurez fait cela, [b]vous aurez le pouvoir de donner le Saint-Esprit à celui à qui vous imposerez les mains ; et vous le donnerez en mon nom, car ainsi font mes apôtres.

3. Or, le Christ leur dit ces paroles au temps de sa première apparition et la multitude ne les [c]entendit point, mais les disciples les entendirent ; et le Saint-Esprit descendit sur tous ceux à qui ils [d]imposèrent les mains.

CHAPITRE 3.

Concernant l'ordination des prêtres et des instructeurs.

1. Manière dans laquelle les [a]disciples, qui étaient appelés les anciens de l'Eglise, [b]ordonnaient les prêtres et les instructeurs —

2. Après avoir prié le Père au nom du Christ, ils leur imposaient les mains et disaient :

3. Au nom de Jésus-Christ, je vous ordonne prêtre (ou, si c'était

---

m, Eth. 13 : 14.　　*n*, voir *e*, Eth. 1.　　*o*, voir *k*, Mos. 8.　　**CHAP.** 1 : *a*, voir le Livre d'Ether.　　*b*, 1 Né. 12 : 20-23. Morm. 5 : 15.　　*c*, 2 Né. 3 : 7, 11, 12, 19-21. Voir *c*, 2 Né. 27.　　**CHAP.** 2 : *a*, voir *c*, 3 Né. 12.　　*b*, vers. 3. 3 Né. 18 : 37. *c*, 3 Né. 18 : 37.　　*d*, voir *b*.　　**CHAP.** 3 : *a*, voir *c*, 3 Né. 12.　　*b*, vers. 2-4. Voir *c*, Mos. 6.

ENTRE 400 et 421 AP. J.-C.

un instructeur), je vous ordonne instructeur, pour prêcher le repentir et la rémission des péchés par Jésus-Christ, par la persistance dans la foi en son nom jusqu'à la fin. Amen.

4. Et c'est de cette manière qu'ils ordonnaient les prêtres et les instructeurs, selon les dons et les appels de Dieu aux hommes. Et ils les ordonnaient par le ᶜpouvoir du Saint-Esprit qui était en eux.

CHAPITRE 4.

Mode d'administration du pain de la Sainte-Cène.

1. Manière dont les ᵃanciens et les prêtres administraient la ᵇchair et le sang du Christ à l'Eglise ; et ils les administraient selon les commandements du Christ ; c'est pourquoi, nous savons que cette manière est vraie ; et l'ancien ou le prêtre les administrait —

2. Et ils ᶜs'agenouillaient avec l'Eglise et priaient le Père au nom du Christ, disant :

3. O Dieu, Père éternel, nous te demandons, au nom de ton Fils, Jésus-Christ, de bénir et de sanctifier ce pain pour les âmes de tous ceux qui en prennent afin qu'ils le mangent en souvenir du ᵈcorps de ton Fils, et te témoignent, ô Dieu, Père éternel, qu'ils veulent prendre sur eux le ᵉnom de ton Fils, se souvenir toujours de lui, et garder les commandements qu'il leur a donnés, afin qu'ils aient toujours son Esprit avec eux. Amen.

CHAPITRE 5.

Mode d'administration du vin de la Sainte-Cène.

1. Manière d'administrer le vin.

Voici, ils prenaient la coupe et disaient :

2. O Dieu, Père éternel, nous te demandons, au nom de ton Fils, Jésus-Christ, de bénir et de sanctifier ce vin pour les âmes de tous ceux qui en boivent, afin qu'ils le fassent en souvenir du ᵃsang de ton Fils, qui a été versé pour eux, afin qu'ils te témoignent, ô Dieu, Père éternel qu'ils se souviennent toujours de lui, et qu'ils aient son Esprit avec eux. Amen.

CHAPITRE 6.

Conditions et mode du baptême. — Discipline de l'Eglise.

1. Et maintenant, je parle du baptême. Voici, les ᵃanciens, les ᵇprêtres et les instructeurs étaient baptisés ; et ils n'étaient pas ᶜbaptisés s'ils ne produisaient du fruit qui montrât qu'ils en étaient dignes.

2. Et ils ne recevaient au baptême que ceux qui venaient le cœur brisé et l'esprit contrit et témoignaient à l'Eglise qu'ils se repentaient véritablement de tous leurs péchés.

3. Et nul n'était reçu au baptême à moins qu'il ne prît sur lui le ᵈnom du Christ, avec la détermination de le servir jusqu'à la fin.

4. Après avoir reçu le baptême, et avoir été influencés et purifiés par le ᵉpouvoir du Saint-Esprit, ils étaient comptés parmi le peuple de l'Eglise du Christ ; et leurs noms étaient pris, pour qu'on se souvînt d'eux, et qu'on les nourrît de la bonne parole de Dieu, pour les garder dans la voie juste, pour les garder continuellement en éveil, de sorte qu'ils ᶠpriassent, se reposant seulement sur les mérites du Christ, qui était l'auteur et le consommateur de leur foi.

---

c, 1 Né. 13 : 37. Moro. 6 : 9.   CHAP. 4 : a, Moro. 3 : 1.   b, voir t, 3 Né. 18. c, D. et A. 20 : 76.   d, voir t, 3 Né. 18.   e, voir e, Mos. 5.   CHAP. 5 : a, voir t, 3 Né. 18. D. et A. 20 : 79. 27 : 2-4.   CHAP. 6 : a, Moro. 3 : 1.   b, voir c, Mos. 6. c, voir u, 2 Né. 9.   d, voir e, Mos. 5.   e, voir y, 3 Né. 9.   f, voir e, 2 Né. 32.
ENTRE 400 et 421 AP. J.-C.

5. Et l'Eglise se rassemblait pour *g*jeûner et prier, et pour se parler l'un à l'autre du bien-être de leur âme.

6. Et ils se réunissaient souvent pour *h*prendre le pain et le vin en souvenir du Seigneur Jésus.

7. Et ils étaient stricts à observer qu'il n'y eût point d'iniquité parmi eux ; et tous ceux qui étaient trouvés commettant l'iniquité, *i*trois témoins de l'Eglise les condamnaient devant les anciens, et s'ils ne se repentaient pas et ne se confessaient pas, leur nom était rayé, et ils n'étaient plus comptés parmi le peuple du Christ.

8. Mais aussi *j*souvent qu'ils se repentaient et cherchaient le pardon avec une intention réelle, ils étaient pardonnés.

9. Et leurs assemblées étaient dirigées par l'Eglise, selon les inspirations de l'Esprit, et par le *k*pouvoir du Saint-Esprit ; car, selon que le pouvoir du Saint-Esprit les amenait, soit à prêcher, soit à exhorter, à prier, à supplier ou à chanter, ainsi faisait-on.

CHAPITRE 7.

Moroni présente les enseignements de Mormon sur la foi, l'espérance et la charité.

1. Et maintenant, moi, Moroni, j'écris quelques-unes des paroles de mon père Mormon, qu'il dit *a*touchant la foi, l'espérance et la charité ; car c'est ainsi qu'il parla au peuple, tandis qu'il l'enseignait dans la *b*synagogue qu'ils avaient bâtie comme lieu de culte.

2. Et maintenant, moi, Mormon, je m'adresse à vous, mes frères bien-aimés ; et c'est par la grâce de Dieu, le Père, et de notre Seigneur Jésus-Christ, et par sa sainte volonté, à cause du *c*don de l'appel qu'il m'a fait, qu'il m'est permis de vous parler en ce moment.

3. C'est pourquoi je voudrais m'adresser à vous, qui êtes de l'Eglise, qui êtes les disciples paisibles du Christ, qui avez obtenu une espérance suffisante, par laquelle vous pouvez entrer dans le repos du Seigneur, désormais jusqu'à ce que vous vous reposiez avec lui dans le ciel.

4. Et maintenant, mes frères, je préjuge ces choses de vous, à cause de votre conduite paisible envers les enfants des hommes.

5. Car je me souviens de la parole de Dieu qui dit : Vous les reconnaîtrez *d*à leurs œuvres ; car si leurs œuvres sont bonnes, alors ils sont bons aussi.

6. Car voici, Dieu a dit : Un homme méchant ne peut faire ce qui est bien ; car s'il offre un don, ou prie Dieu, à moins qu'il ne le fasse avec une intention réelle, cela ne lui profite en rien.

7. Car voici, cela ne lui est pas imputé à justice.

8. Car voici, si un homme méchant offre un don, il le fait à contre-cœur ; c'est pourquoi cela lui est imputé comme s'il avait retenu le don, c'est pourquoi, il est considéré comme mauvais devant Dieu.

9. Et de même, cela est imputé à mal à un homme, s'il prie sans une intention réelle du cœur ; oui, et cela ne lui profite en rien, car Dieu ne reçoit aucun de ceux-là.

10. C'est pourquoi, un homme méchant ne peut faire ce qui est bien ; et il ne donnera pas non plus une bonne offrande.

11. Car voici, une source amère ne peut pas fournir de bonne eau ;

g, voir *t*, Mos. 27.   *h*, voir *b*, 3 Né. 18.   *i*, D. et A. 42 : 80, 81.   *j*, Mos. 26 : 31.
k, voir *c*, Moro. 3.   CHAP. 7 : *a*, vers. 21-39, 40-44, 45, 48. Eth. 12 : 3-37. Moro.
8 : 14, 26. 10 : 20-23.   *b*, voir *u*, Al. 16.   *c*, 3 Né. 14 : 15-20.   *d*, 3 Né. 14 : 15-20.
ENTRE 400 et 421 AP. J.-C.

et une bonne source ne peut pas fournir de l'eau amère ; c'est pourquoi, un homme qui sert le diable ne peut suivre le Christ ; et s'il suit le Christ, il ne peut être serviteur du diable.

12. C'est pourquoi, ^etout ce qui est bon vient de Dieu ; et ce qui est mauvais vient du diable.; car le diable est l'ennemi de Dieu, et lutte continuellement contre lui, et invite à pécher et à faire continuellement ce qui est mal.

13. Mais voici, ce qui est de Dieu invite et incite à faire continuellement le bien ; c'est pourquoi tout ce qui invite et incite à faire le bien, à aimer Dieu et à le servir, est inspiré de Dieu.

14. C'est pourquoi, prenez garde, mes frères bien-aimés, de ^fjuger que ce qui est mal vient de Dieu, ou que ce qui est bien et de Dieu est du diable.

15. Car voici, mes frères, il vous est donné de juger, afin que vous puissiez discerner le bien du mal ; et la manière de juger pour savoir d'une connaissance parfaite est aussi simple que la lumière du jour l'est de la nuit sombre.

16. Car voici, l'Esprit du Christ est donné à tout homme, afin qu'il puisse reconnaître le bien du mal ; c'est pourquoi, je vous montre la manière de juger : ^gTout ce qui invite à faire le bien et à persuader de croire au Christ est envoyé par le pouvoir et le don du Christ ; c'est pourquoi, vous pouvez savoir avec une connaissance parfaite que c'est de Dieu.

17. Mais tout ce qui persuade les hommes de faire le mal, de ne pas croire au Christ, de le nier, de ne point servir Dieu, vous pouvez savoir avec une connaissance parfaite que c'est du diable ; car c'est de cette manière que le diable tra-

vaille, car il ne persuade aucun homme de faire le bien, non, pas un seul ; ni ses anges non plus ; ni ceux qui se soumettent à lui.

18. Et maintenant, mes frères, que vous connaissez la lumière par laquelle vous pouvez juger, lumière qui est la lumière du Christ, veillez à ne pas ^hjuger à tort ; car de ce même jugement dont vous jugez, vous serez aussi jugés.

19. C'est pourquoi je vous supplie, frères, de rechercher diligemment dans la lumière du Christ, afin que vous puissiez discerner le bien du mal ; et si vous voulez vous saisir de toute bonne chose et ne la condamnez pas, vous serez assurément des enfants du Christ.

20. Or, mes frères, comment est-il possible de vous saisir de toute bonne chose ?

21. Et maintenant, j'en arrive à cette ⁱfoi dont je disais que je voulais parler ; et je vous indiquerai la manière dont vous pouvez vous saisir de toute bonne chose.

22. Car voici, Dieu ^jsachant toutes choses, ^kétant d'éternité en éternité, voici, il a envoyé des anges pour instruire les enfants des hommes, pour leur rendre manifeste ce qui concerne la venue du Christ ; et dans le Christ, toutes les bonnes choses devaient venir.

23. Et Dieu déclara aussi, de sa propre bouche, à des prophètes, que le Christ viendrait.

24. Et voici, il a eu diverses manières de manifester aux enfants des hommes des choses qui étaient bonnes ; et tout ce qui est bon vient du Christ ; autrement, les hommes étaient déchus et ^laucune bonne chose ne pouvait leur être donnée.

25. C'est pourquoi, par le ministère d'anges et par toute parole qui sortait de la bouche de Dieu, les

e, voir o, Eth. 4. f, vers. 18. 3 Né. 14 : 2. Morm. 8 : 19. g, voir o, Eth. 4. h, voir f. i, voir a. j, voir r, 2 Né. 9. k, voir a, Mos. 3. l, voir b et c, 2 Né. 2.

ENTRE 400 et 421 AP. J.-C.

hommes commencèrent à faire preuve de foi au Christ ; et ainsi, par la ^{m}foi, ils se saisissaient de tout ce qui est bon ; et il en fut ainsi jusqu'à la venue du Christ.

26. Et lorsqu'il fut venu, les hommes furent également sauvés par la foi en son nom ; et, par la foi, ils deviennent les fils de Dieu. Et aussi vrai que Jésus-Christ vit, il adressa ces paroles à nos pères, disant : ^{n}Tout ce que vous demanderez de bon à mon Père, en mon nom, avec foi et croyant que vous le recevrez, voici, cela vous sera fait.

27. C'est pourquoi, mes frères bien-aimés, est-ce que les miracles ont cessé parce que le Christ est monté au ciel et s'est assis à la droite de Dieu pour ^{o}réclamer les droits de miséricorde qu'il a sur les enfants des hommes ?

28. Car il a satisfait aux buts de la loi, et il revendique tous ceux qui ont ^{p}foi en lui ; et ceux qui ont foi en lui s'attacheront à tout ce qui est bon ; c'est pourquoi, il ^{q}défend la cause des enfants des hommes ; et il habite éternellement les cieux.

29. Et parce qu'il a fait cela, mes frères bien-aimés, est-ce que les miracles ^{r}ont cessé ? Voici, je vous dis que non ; et les anges n'ont pas ^{s}cessé non plus de servir les enfants des hommes.

30. Car voici, ils lui sont soumis pour servir selon la parole de son commandement, se montrant à ceux qui ont la foi forte et l'esprit ferme dans toute forme de sainteté.

31. Et l'office de leur ministère est d'appeler les hommes au repentir, d'accomplir et de faire l'œuvre des alliances que le Père a faites avec les enfants des hommes, pour préparer la voie parmi les enfants des hommes, en déclarant la parole du Christ aux vases choisis du Seigneur, afin qu'ils rendent témoignage de lui.

32. Et ce faisant le Seigneur Dieu prépare la voie pour que le reste des hommes ait foi au Christ, et afin que le ^{t}Saint-Esprit ait place dans leur cœur, par sa propre puissance ; et c'est ainsi que le Père accomplit les ^{u}alliances qu'il a faites avec les enfants des hommes.

33. Et le Christ a dit : Si vous avez foi en moi, vous aurez le pouvoir de faire tout ce qu'il est expédient de faire pour moi.

34. Et il a dit : ^{v}Repentez-vous, tous les bouts de la terre ; venez à moi, soyez ^{w}baptisés en mon nom, et ayez foi en moi afin que vous soyez sauvés.

35. Et maintenant, mes frères bien-aimés, si ces choses dont je vous ai parlé sont vraies, et Dieu vous montrera, au dernier jour, ^{x}avec pouvoir et grande gloire, qu'elles sont vraies, est-ce que le ^{y}jour des miracles a cessé ?

36. Les anges ont-ils ^{z}cessé d'apparaître aux enfants des hommes ? Dieu a-t-il ^{2a}retiré d'eux le pouvoir du Saint-Esprit, ou le retirera-t-il aussi longtemps que le temps durera, ou que la terre subsistera, ou qu'il y aura au monde un homme à sauver ?

37. Voici, je vous dis que non ; car c'est par la ^{2b}foi que se font les miracles, et c'est par la foi que les ^{2c}anges apparaissent aux hommes et les servent. C'est pourquoi, si ces choses ont cessé, malheur aux enfants des hommes, car c'est à ^{2d}cause de l'incrédulité, et tout est vain.

38. Car, suivant les paroles du Christ, nul ne peut être sauvé, s'il

m, voir a. n, 3 Né. 18 : 20. o, voir e. 2 Né. 2. p, voir a. q. voir e, 2 Né. 2. r, voir r, 2 Né. 26. s, vers. 30 : 32, 36, 37. t, voir 2 Né. 9. u, voir j, 3 Né. 15. v, 3 Né. 27 : 20. Eth. 4 : 18. w, voir u. 2 Né. 9. x, voir g, 2 Né. 33. y, voir r, 2 Né. 26. z, voir s. 2a, 1 Né. 10 : 17-19. 2 Né. 28 : 4. Moro. 10 : 4, 5, 7, 19, 24-27. 2b, voir a. 2c, voir s. 2d, vers. 38. Moro. 10 : 19, 23-27.   ENTRE 400 et 421 ap. J.-C.

ne croit en son nom ; c'est pourquoi, si ces choses ont cessé, la ²ᵉfoi a également cessé ; et terrible est l'état de l'homme, car il est comme s'il n'y avait point eu de rédemption de faite.

39. Mais voici, mes frères bien-aimés, j'attends de vous de meilleures choses, car je juge que vous avez foi au Christ, à cause de votre humilité ; car si vous n'avez pas foi en lui, alors vous n'êtes pas dignes d'être comptés parmi le peuple de son église.

40. Et de plus, mes frères bien-aimés, je voudrais vous parler de ²ᶠl'espérance. Comment pouvez-vous atteindre la foi, si vous n'avez pas l'espérance ?

41. Et qu'allez-vous espérer ? Voici, je vous dis que vous aurez l'espérance, par ²ᵍl'expiation du Christ et le pouvoir de sa résurrection, d'être ²ʰressuscités à la vie éternelle ; et cela à cause de votre foi en lui, selon la promesse.

42. C'est pourquoi, si un homme a la foi, il faut qu'il ait l'espérance ; car sans la foi il n'y a pas d'espérance.

43. Et je vous dis, en outre, qu'il ne peut avoir la foi et l'espérance, à moins qu'il ne soit doux et humble de cœur ;

44. Sinon, sa foi et son espérance sont vaines. Car seuls sont acceptables devant Dieu les doux et les humbles de cœur ; et si un homme est doux et humble de cœur et confesse par le pouvoir du Saint-Esprit que Jésus est le Christ, il faut qu'il ait la ²ⁱcharité ; car s'il n'a pas la charité, il n'est rien ; c'est pourquoi il faut qu'il ait la charité.

45. La charité est patiente, pleine de bonté, n'est point envieuse, n'est point enflée par l'orgueil, ne cherche point son intérêt, ne se laisse point facilement provoquer, ne pense à aucun mal, ne se réjouit pas de l'iniquité, mais met sa joie dans la vérité, souffre toutes choses, croit toutes choses, espère toutes choses et endure toutes choses.

46. C'est pourquoi, mes frères bien-aimés, si vous n'avez pas la charité, vous n'êtes rien, car la charité ne périt jamais. Ainsi, attachez-vous à la charité, qui est le plus grand de tous les biens, car toutes les choses doivent périr —

47. Mais la charité, c'est l'amour pur du Christ, et elle subsiste à jamais ; et tout sera bien, au dernier jour, pour celui qui sera trouvé la possédant.

48. C'est pourquoi, mes frères bien-aimés, priez le Père avec toute l'énergie du cœur, pour que vous soyez remplis de cet amour qu'il a accordé à tous ceux qui sont les vrais disciples de son Fils, Jésus-Christ, afin que vous deveniez les fils de Dieu, et que, quand il paraîtra, nous soyons ²ʲsemblables à lui, car nous le verrons tel qu'il est, afin que nous ayons cette espérance, afin que nous soyons purifiés ²ᵏcomme il est pur. Amen.

CHAPITRE 8.

Epître de Mormon à Moroni. — Les petits enfants n'ont besoin ni de repentance ni de baptême.

1. Epître de mon père Mormon écrite à moi, Moroni ; et elle me fut écrite un peu après mon appel au ministère. Et il m'écrivit en ces termes :

2. Mon fils Moroni bien-aimé, je me réjouis à l'extrême de ce que ton Seigneur Jésus-Christ s'est souvenu de toi et t'a appelé à son ministère et à sa sainte œuvre.

3. Je pense toujours à toi dans mes prières, invoquant sans cesse Dieu, le Père, au nom de son Saint

2e, voir 2d.   2f, voir a.   2g, voir f, 2 Né. 2.   2h, voir d, 2 Né. 2. 2i, voir a.   2j, 3 Né. 27 : 27. 1 Jean 3 : 2.   2k, 3 Né. 19 : 28, 29.

ENTRE 400 et 421 AP. J.-C.

Enfant Jésus, afin que par sa bonté et sa grâce infinies il te ^agarde dans la foi en son nom jusqu'à la fin.

4. Et maintenant, mon fils, je te parle de ce qui me fait une peine extrême ; car cela me fait de la peine que des disputes s'élèvent parmi vous.

5. Car, si j'ai appris la vérité, il y a eu parmi vous des disputes sur le ^bbaptême de vos petits enfants.

6. Je désire, mon fils, que tu travailles diligemment afin que cette erreur grossière soit ôtée du milieu de vous ; car c'est dans ce but que j'ai écrit cette épître.

7. Car aussitôt que j'eus appris de vous ces choses, j'interrogeai le Seigneur à ce sujet. Et la parole du Seigneur me parvint par le ^cpouvoir du Saint-Esprit, disant :

8. Ecoute les paroles du Christ, ton Rédempteur, ton Seigneur et ton Dieu. Voici, je suis venu au monde, non pas pour appeler les justes, mais les pécheurs au repentir. Ce ne sont pas ceux qui ont la santé qui ont besoin du médecin, mais ce sont ceux qui sont malades ; c'est pourquoi les petits enfants ont la santé, car ils sont incapables de commettre le péché ; et la malédiction d'Adam leur est ^denlevée en moi, de sorte qu'elle n'a aucun pouvoir sur eux ; et la ^eloi de la circoncision est finie en moi.

9. C'est ainsi que le Saint-Esprit m'a manifesté la parole de Dieu. Je sais donc, mon fils bien-aimé, que c'est une moquerie ^fsolennelle devant Dieu que de baptiser les petits enfants.

10. Voici, je te dis que tu enseigneras cette chose — le repentir et le baptême à ceux qui sont responsables et capables de commettre le péché ; oui, enseigne aux parents

qu'il faut qu'ils se repentent et qu'ils soient baptisés, et qu'ils s'humilient pour devenir comme leurs petits enfants, et ils seront tous sauvés avec leurs petits enfants ;

11. Et leurs petits enfants n'ont besoin ni de repentir ni de baptême. Voici, le baptême est pour la repentance, pour l'accomplissement des commandements, pour la ^grémission des péchés.

12. Mais les petits enfants sont vivants dans le Christ, même ^hdepuis la fondation du monde ; sinon, Dieu est un Dieu partial, un Dieu changeant, faisant acception de personnes ; car combien de petits enfants sont morts sans baptême !

13. C'est pourquoi, si les petits enfants ne pouvaient être sauvés sans baptême, ils ont dû aller dans un enfer sans fin.

14. Voici, je te dis que celui qui pense que les petits enfants ont besoin du baptême est dans le fiel de l'amertume et dans les liens de l'iniquité, car il n'a ⁱni foi, ni espérance, ni charité ; c'est pourquoi, s'il mourait dans de telles pensées, il faudrait qu'il descendît en ^jenfer.

15. Car c'est une affreuse impiété que de supposer que Dieu sauve un enfant à cause du baptême, et que l'autre doive périr parce qu'il n'a pas de baptême.

16. Malheur à ceux qui pervertiront de la sorte les voies du Seigneur, car ils périront, à moins qu'ils ne se repentent. Voici, je parle avec hardiesse, ayant autorité de Dieu ; et je ne crains point ce que l'homme peut faire, car l'amour parfait bannit toute crainte.

17. Et je suis rempli de charité, qui est l'amour éternel ; c'est pour cela que tous les petits enfants sont les mêmes pour moi ; c'est pourquoi j'aime les petits enfants d'un

a, voir *h*, 2 Né. 31.   *b*, vers. 9-26.   *c*. voir *c*, Moro. 3.   *d*. voir *m*, Mos. 3.
e, Gen. 17 : 9-14.   *f*, vers. 14, 23. Voir *b*.   *g*, 3 Né. 12 : 2. 30 : 2.   *h*, voir *d*,
Mos. 4.   *i*. voir *a*, Moro. 7.   *j*, voir *k*, 1 Né. 15.

ENTRE 400 et 421 AP. J.-C.

amour parfait ; et ils sont tous égaux et ^kont part au salut.

18. Car je sais que Dieu n'est pas un Dieu partial, ni un Etre changeant ; mais il est ^linvariable de ^mtoute éternité à toute éternité.

19. Les petits enfants ne peuvent se repentir ; c'est donc une affreuse impiété de nier les pures miséricordes de Dieu à leur égard, car ils sont ⁿtous vivants en lui, à cause de sa ^omiséricorde.

20. Et celui qui dit que les petits enfants ont besoin du baptême, nie les miséricordes du Christ, et tient pour nuls son ^pexpiation et le pouvoir de sa rédemption.

21. Malheur à lui, car il est en danger de mort, de ^ql'enfer, et d'un tourment sans fin. Je le dis hardiment, Dieu me l'a commandé. Ecoutez mes paroles et faites attention, sinon elles se lèveront contre vous au siège du jugement du Christ.

22. Car sache que tous les petits enfants sont ^rvivants dans le Christ, de même que tous ^sceux qui n'ont pas la loi. Car le pouvoir de la rédemption embrasse tous ceux qui n'ont pas de loi ; c'est pourquoi, celui qui n'est point condamné, ou celui qui n'est sous aucune condamnation, ne peuvent se repentir ; et pour ceux-là, le baptême ne sert à rien.

23. Mais c'est une ^tmoquerie devant Dieu ; c'est nier les ^umiséricordes du Christ et le pouvoir de son Saint-Esprit, et c'est mettre sa confiance en des œuvres mortes.

24. Voici, mon fils, cela ne doit pas être ; car le repentir est pour ceux qui sont sous la condamnation et sous la malédiction d'une loi violée.

25. Et le premier fruit du repentir, c'est le baptême ; et le baptême vient par la foi, pour ^vaccomplir les commandements ; et l'accomplissement des commandements amène la rémission des péchés :

26. Et la rémission des péchés produit la douceur et l'humilité du cœur. Et à cause de la douceur et de l'humilité du cœur, vient la ^wvisitation du Saint-Esprit Consolateur qui remplit ^xd'espérance et d'amour parfait ; et cet amour, par la diligence dans la ^yprière, subsiste jusqu'à ce que la fin vienne, quand tous les saints demeureront avec Dieu.

27. Voici, mon fils, je t'écrirai de nouveau, si je ne marche pas bientôt contre les Lamanites. Voici, l'orgueil de cette nation, ou du peuple des Néphites, s'est avéré être leur destruction, à moins qu'ils ne se repentent.

28. Prie pour eux, mon fils, afin que le repentir leur vienne. Mais voici, je crains que l'Esprit n'ait cessé de lutter avec eux ; et dans cette partie du pays, ils cherchent également à détruire tout pouvoir et toute autorité venant de Dieu ; et ils ^znient le Saint-Esprit.

29. Et après avoir rejeté une si grande connaissance, mon fils, il faut qu'ils périssent bientôt, pour accomplir les prophéties qui ont été ^{2a}faites par les prophètes, aussi bien que les paroles de notre Sauveur lui-même.

30. Adieu, mon fils, jusqu'à ce que je t'écrive ou te voie encore. Amen.

CHAPITRE 9.

Deuxième épître de Mormon à son fils Moroni.

Atrocités commises par les Lamanites et les Néphites. — Dernière et affectueuse exhortation d'un père.

---

k, voir *m*. Mos. 3.   *l*, voir *d*, Morm. 9.   *m*, voir *a*, Mos. 3.   *n*, vers. 22
o, vers. 20, 23.   *p*, voir *f*, 2 Né. 2.   *q*, voir *k*, 1 Né. 15.   *r*, vers. 19.   *s*, voir *f*
Mos. 3.   *t*, voir *f*.   *u*, vers. 19, 20, 23.   *v*, voir *g*.   *w*, voir *y*, 3 Né. 9
x, voir *a*, Moro. 7.   *y*, voir *e*. 2 Né. 32.   *z*, Al. 39 : 5, 6.   *2a*, voir *d*, 1 Né. 12
ENTRE 400 et 421 AP. J.-C

1. Mon fils bien-aimé, je t'écris de nouveau, afin que tu saches que je suis encore vivant ; mais j'écris quelque peu de ce qui est affligeant.

2. Voici, j'ai eu une terrible bataille contre les Lamanites, dans laquelle nous n'avons pas vaincu ; et Archéantus est tombé par l'épée, ainsi que Luram et Emrom ; oui, et nous avons perdu un grand nombre de nos hommes d'élite.

3. Et maintenant voici, mon fils, je crains que les Lamanites ne *détruisent ce peuple, car ils ne se repentent point, et Satan les excite sans cesse à la colère les uns contre les autres.

4. Voici, je travaille continuellement parmi eux ; et quand je dis la parole de Dieu avec *sévérité, ils tremblent et deviennent furieux contre moi ; et quand je ne parle pas avec sévérité, ils s'endurcissent le cœur contre ce que j'ai dit ; c'est pourquoi, je crains *que l'Esprit du Seigneur n'ait cessé de lutter avec eux.

5. Car ils se mettent si violemment en colère, qu'il me semble qu'ils n'ont pas peur de la mort ; et ils ont perdu leur amour les uns pour les autres et ils ont continuellement *soif de sang et de vengeance.

6. Et maintenant, mon fils bien-aimé, malgré leur dureté, travaillons avec diligence ; car si nous cessions de travailler, nous nous attirerions la condamnation. Nous avons une œuvre à faire pendant que nous sommes dans ce tabernacle d'argile, afin de vaincre l'ennemi de toute justice, et pour que notre âme se repose dans le royaume de Dieu.

7. Et maintenant, j'écris quelque peu des souffrances de ce peuple. Car selon la connaissance que j'ai reçue d'Amoron, voici, les Lamanites ont beaucoup de prisonniers qu'ils ont pris de la tour de Sherrizah ; et il y avait des hommes, des femmes et des enfants.

8. Ils ont tué les maris et les pères de ces femmes et de ces enfants ; et ils font manger la chair de leurs maris aux femmes et la chair de leurs pères aux enfants, et ils ne leur donnent que fort peu d'eau.

9. Et cette grande abomination de la part des Lamanites ne surpasse pas celle de notre peuple à Moriantum. Car voici, ils ont fait prisonnières un grand nombre de filles lamanites ; et, après leur avoir ravi ce qu'il y a de plus cher et de plus précieux au monde, la chasteté et la vertu —

10. Après avoir fait cela, ils les ont tuées de la manière la plus cruelle, torturant leurs corps même jusqu'à la mort ; et après avoir fait cela, ils dévorent leur chair comme des bêtes sauvages, à cause de la dureté de leur cœur ; et ils le font en signe de bravoure.

11. O mon fils bien-aimé, comment un peuple pareil, qui est sans civilisation —

12. (Et il n'y a que peu d'années c'était un peuple civilisé et agréable.)

13. O mon fils, comment un peuple pareil qui met ses délices dans de telles abominations —

14. Comment pouvons-nous espérer que Dieu arrêtera sa main dans les jugements qu'il va déverser contre nous ?

15. Voici, mon cœur crie : Malheur à ce peuple. Sors pour juger, ô Dieu, et cache leurs péchés, leur méchanceté et leurs abominations de devant ta face !

16. Et de plus, mon fils, il y a beaucoup de veuves avec leurs filles qui restent à Sherrizah ; et cette partie des provisions que les Lamanites n'avaient pas emportée, voici,

a. voir *d,* 1 Né. 12.   *b,* voir *a,* 1 Né. 16.   *c,* Moro. 8 : 28.   *d,* Morm. 4 : 11, 12.
ENTRE 400 et 421 AP. J.-C.

l'armée de Zénéphi l'a emportée, et il les a laissées errer là où elles le peuvent pour trouver de la nourriture ; et beaucoup de vieilles femmes perdent conscience en cours de route et meurent.

17. L'armée qui est avec moi est faible ; et les armées des Lamanites sont entre Sherrizah et moi, et tous ceux qui se sont enfuis à l'armée ^ed'Aaron sont tombés victimes de leur horrible brutalité.

18. O dépravation de mon peuple ! Ils sont sans frein et sans miséricorde. Voici, je ne suis qu'un homme, je n'ai que la force d'un homme, et je ne puis plus les faire obéir à mes commandements.

19. Ils sont devenus forts dans leur perversité ; ils sont également brutaux, n'épargnant personne, ni jeunes ni vieux, et ils mettent leur joie en toutes choses, excepté en ce qui est bien ; et les souffrances de nos femmes et de nos enfants, sur toute la surface de ce pays, dépassent tout ; oui, la langue ne peut les raconter, et elles ne peuvent être écrites.

20. Et maintenant, mon fils, je ne m'attarde plus sur cette horrible scène. Voici, tu connais la méchanceté de ce peuple ; tu sais qu'il est sans principes et au-delà de tout sentiment, et sa méchanceté dépasse celle des Lamanites.

21. Voici, mon fils, je ne puis le recommander à Dieu, de crainte qu'il ne me frappe.

22. Mais voici, mon fils, je te recommande à Dieu, et j'espère dans le Christ que tu seras sauvé ; et je prie Dieu de ^ft'épargner la vie, pour que tu sois témoin du retour de son peuple à lui ou de leur entière destruction. Car je sais qu'ils doivent périr, à moins qu'ils ne se repentent et ne reviennent à lui.

23. Et s'ils périssent, ce sera ^gcomme les Jarédites, à cause de l'opiniâtreté de leur cœur à chercher le ^hsang et la vengeance.

24. Et s'ils périssent, nous savons que beaucoup de nos frères sont ⁱpassés aux Lamanites, et qu'un nombre plus grand encore passera à eux. C'est pourquoi, si tu es épargné et que je périsse et ne te voie plus, écris quelque chose. Mais j'espère te revoir bientôt, car j'ai des annales sacrées à te ^jconfier.

25. Mon fils, sois fidèle au Christ ; et que les choses que j'ai écrites ne t'affligent pas au point de causer ta mort ; mais que le Christ te console, et que ses souffrances et sa mort, son apparition dans son corps à nos pères, sa miséricorde et sa longanimité, et l'espoir de la gloire et de la vie éternelle, demeurent dans ton esprit à jamais.

26. Et que la grâce de Dieu le Père, dont le trône est haut dans les cieux, et de notre Seigneur Jésus-Christ, qui est assis à la droite de sa puissance, jusqu'à ce que toutes choses lui soient assujetties, soit et demeure avec toi, à jamais. Amen.

CHAPITRE 10.

Les adieux de Moroni aux Lamanites. — Conditions à observer pour obtenir un témoignage personnel de la véracité du Livre de Mormon. — Moroni scelle les annales de son peuple.

1. Maintenant, moi, Moroni, j'écris ce qui me semble bon ; et j'écris à mes frères les Lamanites ; et je voudrais qu'ils sachent que †plus de quatre cent vingt ans se sont écoulés depuis que le ^asigne fut donné de la venue du Christ.

2. Et je scelle ^bces annales, après vous avoir dit quelques paroles par voie d'exhortation.

3. Voici, quand vous lirez ces choses, s'il est de la sagesse de Dieu

---

e, Morm. 2 : 9.   *f*, Morm. 8 : 3.   *g*, Eth. chaps. 13-15.   *h*, vers. 5. Morm. 4 : 11, 12.   *i*, 1 Né. 13 : 31. Al. 45 : 14.   *j*, Morm. 6 : 6.   CHAP. 10 : *a*, 3 Né. 2 : 8.   *b*, Morm. 6 : 6.   † VERS 421 AP. J.-C.

que vous les lisiez, je vous exhorte à vous souvenir combien le Seigneur a été miséricordieux envers les enfants des hommes, depuis la ᶜcréation d'Adam jusqu'au temps où vous recevrez ces choses. Et méditez cela dans votre cœur.

4. Et quand vous recevrez ces choses, je vous exhorte à demander à Dieu, le Père éternel, au nom du Christ, si ces choses ne sont pas vraies ; et si vous le demandez avec un cœur sincère et avec une intention réelle, ayant foi au Christ, il vous en manifestera la vérité ᵈpar le pouvoir du Saint-Esprit.

5. Et par le pouvoir du Saint-Esprit vous pouvez connaître la vérité de toutes choses.

6. Tout ce qui est bon est également juste et vrai ; c'est pourquoi rien de ce qui est bon ne nie le Christ, mais reconnaît qu'il est.

7. Et vous pouvez savoir qu'il est par le pouvoir du Saint-Esprit ; c'est pourquoi, je voudrais vous exhorter à ne ᵉpas nier le pouvoir de Dieu ; car il opère par son pouvoir ᶠselon la foi des enfants des hommes, le ᵍmême aujourd'hui, demain, et à jamais.

8. Et je vous exhorte encore, mes frères, à ne pas ʰnier les dons de Dieu, car il y en a beaucoup ; et ils viennent du même Dieu. Ces dons sont administrés de différentes manières, mais c'est le même Dieu qui opère tout en tout ; et ils sont donnés aux hommes par les manifestations de l'Esprit de Dieu, pour qu'ils en profitent.

9. ⁱCar voici, à l'un il est donné par l'Esprit de Dieu d'enseigner la parole de sagesse,

10. Et à un autre d'enseigner la parole de connaissance par le même Esprit ;

11. Et à un autre une foi extrê-mement grande ; et à un autre les dons de guérison par le même Esprit ;

12. Et à un autre il est donné de faire de puissants miracles ;

13. Et à un autre de prophétiser sur toutes choses ;

14. Et à un autre de voir les anges et les esprits qui servent ;

15. Et à un autre toutes sortes de langues ;

16. Et à un autre l'interprétation des langages et de diverses espèces de langues.

17. Et tous ces dons viennent par l'Esprit du Christ ; et ils sont donnés aux hommes, séparément, selon sa volonté.

18. Et je voudrais vous exhorter, mes frères bien-aimés, à vous souvenir que ʲtout bon don vient du Christ ;

19. Et je voudrais vous exhorter, mes frères bien-aimés, à vous souvenir qu'il est le ᵏmême hier, aujourd'hui et à jamais, et que tous ces dons dont j'ai parlé, qui sont spirituels, ne ˡcesseront d'exister aussi longtemps que le monde subsistera, si ce n'est selon l'incrédulité des enfants des hommes.

20. ᵐC'est pourquoi il faut qu'il y ait de la foi ; et s'il faut qu'il y ait de la foi, il faut qu'il y ait aussi de l'espérance ; et s'il faut qu'il y ait de l'espérance, il faut qu'il y ait aussi de la charité.

21. Et si vous n'avez pas la charité, vous ne pouvez en aucune manière être sauvés dans le royaume de Dieu ; et vous ne pouvez pas non plus être sauvés dans le royaume de Dieu, si vous n'avez pas la foi ; et vous ne le pouvez pas non plus, si vous n'avez pas l'espérance.

22. Et si vous n'avez pas l'espérance, il faut nécessairement que

c, voir m, Mos. 2.   d, vers. 5, 7. Voir c, Moro. 3.   e, voir r, 2 Né. 26. j, voir d, 3 Né. 17.   g, voir d, Morm. 9.   h, voir e, 3 Né. 29.   i, voir e, 3 Né. 29. 1 Cor. 12 : 8-11. D. et A. 46 : 8-30.   j, voir o, Eth. 4.   k, voir d, Morm. 9.   l, voir 2d, Moro. 7.   m, voir a, Moro. 7.   VERS 421 AP. J.-C.

vous soyez dans le désespoir ; et le désespoir vient de l'iniquité.

23. Et le Christ a dit en vérité à nos pères : "Si vous avez la foi, vous pouvez faire tout ce qui m'est expédient.

24. Et maintenant je parle à tous les bouts de la terre : °Si le jour arrive que le pouvoir et les dons de Dieu cessent parmi vous, ce sera à cause de l'incrédulité.

25. Et malheur aux enfants des hommes, si cela arrive ; car il n'y en aura aucun parmi vous qui fera le bien, non pas un seul. Car s'il y en a un parmi vous qui fait le bien, il opérera par le pouvoir et les dons de Dieu.

26. Et malheur à ceux qui feront cesser ces choses et mourront, car ils meurent dans leurs péchés, et ne peuvent être sauvés dans le royaume de Dieu ; je le dis d'après les paroles du Christ ; et je ne mens pas.

27. Et je vous exhorte à vous souvenir de ces choses, car le temps vient rapidement où vous ᵖsaurez que je ne mens pas, car vous me verrez à la barre de Dieu ; et le Seigneur Dieu vous dira : Ne vous ai-je point déclaré mes paroles, écrites par cet homme, comme quelqu'un qui ᵠcrie de parmi les morts ; oui, comme quelqu'un qui parle de la poussière ?

28. Je déclare ces choses en accomplissement des prophéties. Et voici, elles sortiront de la bouche du Dieu éternel, et sa parole ʳsifflera de génération en génération.

29. Et Dieu vous ˢmontrera que ce que j'ai écrit est vrai.

30. Et je voudrais vous exhorter

encore à venir au Christ, à vous saisir de tout ᵗbon don, et à ne point ᵘtoucher au don maùvais ni à l'impureté.

31. Eveille-toi, ᵛlève-toi de la poussière, ô Jérusalem ; oui, revêts-toi de tes beaux vêtements, ô fille de Sion ; renforce tes pieux, élargis tes bornes à jamais, afin que tu ʷne sois plus confondue, et que les ˣalliances que le Père éternel a faites avec toi, ô maison d'Israël, soient accomplies.

32. Oui, venez au Christ, et soyez rendus parfaits en lui, et refusez-vous toute impiété ; et si vous vous refusez toute impiété et aimez Dieu de toutes vos forces, de toute votre âme et de tout votre esprit, alors sa grâce vous suffit ; et, par sa grâce, vous serez parfaits dans le Christ ; et si par la grâce de Dieu, vous êtes parfaits dans le Christ, vous ne pouvez ʸnullement nier le pouvoir de Dieu.

33. Et encore, si, par la grâce de Dieu, vous êtes parfaits dans le Christ, et ne niez point son pouvoir, alors vous êtes sanctifiés dans le Christ par la grâce de Dieu, par ᶻl'effusion du sang du Christ qui est dans l'alliance du Père pour la rémission de vos péchés, afin que vous deveniez saints et sans tache.

34. Et maintenant, je vous dis à tous adieu. Je vais bientôt me reposer dans le ²ᵃparadis de Dieu, jusqu'à ce que mon esprit et mon corps soient ²ᵇréunis de nouveau, et que je sois ramené triomphant dans les airs, pour vous rencontrer devant la ²ᶜbarre agréable du grand Jého-vah, le Juge éternel des vivants et des morts. Amen.

---

n, Moro. 7 : 33.   o, voir 2d, Moro. 7.   p, voir g, 2 Né. 33.   q, voir s, Morm. 5.
Voir aussi 2g, Morm. 8.   r, voir d, 2 Né. 29.   s, voir g, 2 Né. 33.   t, voir o.
Eth. 4.   u, 2 Né. 18 : 19.   v, Es. 52 : 1, 2.   w, Eth. 13 : 8.   x, voir j, 3 Né. 15.
y, voir e, 3 Né. 29.   z, voir f, 2 Né. 2.   2a, voir l, 2 Né. 9. Apo. 2 : 7.   2b, voir
d, 2 Né. 2.   2c, Jacob 6 : 13.   Vers 421 ap. J.-C.

FIN.

SOMMAIRE DES CHAPITRES

3 NEPHI

4 NEPHI

LE LIVRE DE MORMON

INDEX

Les nombres renvoient aux pages et aux versets. Ainsi, 189-34 signifie page 189 et le verset 34 qui se trouve sur cette page. En général, seul le verset dans lequel le sujet commence est indiqué.

et **Amulek** ; guérit et baptise Zeezrom, 215-10 ; établit l'Eglise à Sidom,
215-13 ; rencontre les fils de Mosiah,
sur la route de Gidéon à Manti, 217-
1, 242-16 ; conduit les fils de -Mosiah à
Zarahemla, 243-20 ; relate sa conversion au peuple d'Ammon, 243-25 ; souhaite être un ange, 245-1 ; dit que le
Seigneur suscite des hommes dans
toutes les nations pour enseigner la
vérité, 245-8 ; juge Korihor, 248-30 ;
son travail dans le ministère n'était pas
payé, 248-33 ; donne un signe à Korihor — le mutisme, 249-49 ; conduit un
groupe de missionnaires chez les Zoramites, 251-6 ; étonné des prières des
Zoramites, 251-19 ; impose les mains
sur ses compagnons, 253-36 ; et ses
frères se séparent, 253-37 ; prêche sur
la colline Onidah, 253-4 ; prêche les
pauvres, 254-12 ; et ses frères vont à
Jershon, 260-1 ; donne des commandements à Hélaman, 262-1 ; raconte sa
conversion, 262-6, 268-7 ; décrit son
état terrible avant sa repentance, 262-
12 ; ressentit une souffrance et une
joie exquises, 263-21 ; raconte ses travaux, 263-24 ; confie les plaques sacrées
à Hélaman, 264-1 ; donne des commandements à Shiblon, 268-1 ; conseille à Shiblon de brider ses passions,
269-12 ; recommande l'humilité et la
pénitence, 269-14 ; donne des commandements à Corianton, 269-1 ; réprimande Corianton, 269-2 ; dénonce
l'impudicité, 269-5 ; explique la résurrection, 270-1 ; explique l'état qui
sépare la mort de la résurrection, 271-
11 ; explique la doctrine de la restauration, 272-22, 1 ; montre la nécessité
du châtiment, 274-1 ; explique la chute
d'Adam, 274-3 ; discourt sur l'expiation, 275-15 ; explique les rapports
entre la justice et la miséricorde, 275-
24 ; envoie Corianton prêcher, 276-31 ;
reçoit la parole du Seigneur donnant les
directives à Moroni, 278-24 ; instruit
Hélaman, 282-2 ; prophétise sur la
méchanceté du peuple de Néphi et sur
l'extinction qu'elle entraînera, 283-10 ;
bénit ses fils et les justes,
283-16 ; bénit l'Eglise, 283-17 ; se met
en route vers Mélek et disparaît, 283-
18 ; supposé avoir été enlevé par l'Esprit, 283-19 ; ses enseignements cités
par Aminadab, 339-41.
Alma et Amulek, à Ammonihah, 198-1 ;
parlent à Zeezrom et au peuple, 206-
1 ; interrogés par Antionah, 207-20 ;
enseignent la repentance, 209-33 ; liés
de cordes par le peuple d'Ammonihah,
212-4 ; voient les convertis brûlés, 212-
10 ; frappés par le grand-juge, 213-14,
214-24 ; mis en prison et liés, 213-17 ;
frappés d'un grand nombre, 214-25 ;

rompent leurs cordes, 214-26 ; délivrés
quand la prison s'écroule, 214-28 ; vont
d'Ammonihah à Sidon, 214-1 ; retournent à Zarahemla, 215-18 ; prêchent la
repentance, 217-13.
Alpha et Oméga, le Christ appelé l',
382-18.
Amaléki, fils d'Abinadom, 120-12 ;
donne les plaques au roi Benjamin,
121-25 ; termine ses annales, 121-30.
Amaléki, un des frères d'Ammon, 136-6.
Amalékites, aidés à construire la ville
de Jérusalem, 228-2 ; plus endurcis et
haineux que les Lamanites, 228-3 ;
exhortés par Aaron, 229-4 ; de l'ordre
des Néhors, 229-4 ; pas convertis, 234-
14 ; rebelles, 235-2 ; tempérament mauvais des, 242-12 ; choisis comme capitaines en chef à cause de leurs dispositions meurtrières, 276-6 ; dissidents des
Néphites, 277-13.
Amalickiah, mène la révolte contre Hélaman, 284-3 ; homme rusé, 284-10 ;
fuit devant Moroni, 286-29 ; armée de,
faite prisonnière, 286-33 ; ceux des gens
d', qui sont inflexibles, mis à mort,
286-35 ; excite les Lamanites, 287-1 ;
chef de l'armée lamanite, 287-3 ; cherche à renverser le roi, 287-4 ; envoie
un message à Léhonti, 288-10 ; son
armée encerclée par celle de Léhonti,
288-14 ; provoque la mort de Léhonti,
288-18 ; nommé chef de l'armée, 288-
19 ; marche sur la ville de Néphi, 288-
20 ; provoque la mort du roi, 288-24 ;
prend la ville de Néphi, 289-31 ; appelé devant la reine, 289-33 ; fait roi,
289-35 ; pousse les Lamanites à la
haine contre les Néphites, 289-1 ; fait
des Zoramites des capitaines, 290-5 ;
ordonne la marche sur Zarahemla, 290-
6 ; perd beaucoup de soldats, 293-25 ;
enragé par la défaite de son armée,
maudit Moroni, 294-27 ; dirige l'armée
en personne, 298-12 ; prend la ville de
Moroni, 299-23 ; prend beaucoup de
villes, 299-26 ; rencontre Téancum, 299-
29 ; tué par Téancum, 299-34 ; le frère
d', devient roi, 300-3.
Amalickiahites, voir **Amalickiah**.
Amaron, fils d'Omni, reçoit les plaques
de son père, 119-3 ; remet les plaques
à Chémish, 120-8.
Ambassade, Amalickiah à Léhonti, 288-
10 ; Amalickiah à la reine des Lamanites, 289-32 ; Moroni à Jacob, 301-20 ;
Hélaman au gouverneur, 315-4.
Ames, état final des âmes, 27-35 ; entre
la mort et la résurrection, 271-7.
Amgid, roi jarédite, battu par Com, 455-
32.
Aminadab, dissident néphite, enseigne
les Lamanites, 339-39.
Aminadi, ancêtre d'Amulek, interpréta
l'écriture dans le temple, 201-2.

Antionum, pays d', colonisé par les Zoramites, 250-3 ; les Lamanites entrent à, 276-5 ; les Lamanites se retirent d', 277-22.

Antiparah, ville d', prise par les Lamanites, 309-14 ; armée d', attirée par Hélaman, 310-31 ; recouvrée par les Néphites, 312-4.

Antipas, une montagne sur laquelle les Lamanites s'assemblent, 287-7.

Antipus, Hélaman va aider, 309-9 ; poursuit les Lamanites, 310-33 ; rattrape les Lamanites, 311-49 ; tué, 312-51 ; Hélaman secourt l'armée d', 312-52.

Antre, du basilic, 78-8 ; de bêtes sauvages, les trois disciples jetés dans un, 414-22, 418-33.

Antum, pays d', plaques cachées au, par Ammaron, 420-3.

Apôtre, vu par Néphi, 24-20 ; Jean écrira sur la fin du monde, 24-22, 27.

Apôtres, vus dans la vision de Léhi, 2-10 ; vus dans la vision de Néphi, 17-29 ; Israël et les nations luttent contre les, 18-35 ; jugeront les tribus d'Israël, 18-9 ; un livre sort d'entre les, 21-24 ; miracles opérés par les, 435-18.

Appel, des prêtres et des grands-prêtres, 209-3, 210-8 ; un saint, 209-4, 246-13.

Arbre, l', de la vision de Léhi, 12-10 ; la rivière près de l', 12-13 ; une barre de fer mène à l', 12-19 ; le fruit désirable de l', 12-10, 15 ; de vie, 17-25, 26-22, 27-28, 207-21, 274-3.

Arbres, les, obéissent, par la foi, 105-6.

Arc, Néphi brise son, 28-18. Voir aussi Armes.

Archéantus, officier néphite, tué par l'épée, 474-2.

Argent, 20-7 ; dans la terre de promission, 36-25 ; travail en, 55-15 ; les Néphites riches en, 118-8, 181-29.

Argent, des Néphites, 204-6 ; méchants impunis à cause de leur, sous le gouvernement de Gadianton, 344-5 ; les prêtres qui travaillent pour de l', périront, 87-31 ; le pardon des péchés pour de l', promis par l'église corrompue, 433-32.

Armes, faites par les Néphites, 118-8 ; par les Jarédites, 455-27 ; les Néphites équipés d', 182-12 ; déposées par le peuple d'Ammon, 236-17 ; par les Lamanites pleins de remords, 237-25, 238-14 ; enterrées, 236-17, 238-14, 362-9.

Armure, de justice, 46-23 ; de guerre, 185-5, 277-19.

Ascension, du Christ, prédite, 154-2, 272-20 ; affirmée par le Christ, 391-1 ; les Néphites y assistent après sa visite chez eux, 398-39, 409-15.

Aspic, l', deviendra inoffensif, 95-14.

Asservissement, du diable, 50-29, 63-28.

Attachées, une punition et une bénédiction sont, 48-10 ; 275-16.

Attente, état terrible et effrayant des méchants qui attendent la résurrection, 271-14.

Attirer, les Lamanites hors de leurs fortifications, 301-21 ; incapacité d', 315-1.

Attribution, au bonheur ou à la misère, 271-15.

Autel, construit par Léhi, 3-7 ; dans les sanctuaires de Sidom, 215-17 ; Lamanites pénitents amenés devant l', 218-4.

Autorité, de Dieu, baptême refusé par manque d', 162-33 ; les fils de Mosiah enseignaient avec, 218-3.

Aveugles, qui ne veulent pas voir, 63-32 ; verront dans l'obscurité, 89-29 ; recevront la vue, 129-5, 409-15, 416-5.

Avocat, le Christ, l', 470-28.

Babillages, des gens qui ne sont pas membres de l'Eglise, 181-32.

Babylone, les captifs juifs emmenés à, 14-ch. 10 : 3, 120-15 ; sera détruite, 83-15.

Baptême, un prophète l'administrera à Béthabara, selon une prédiction de Léhi, 15-9 ; de l'Agneau de Dieu, prédit, 15-10, 17-27 ; commandé, 62-23 ; tous les hommes doivent accepter le, 95-5 ; du Christ, pourquoi nécessaire, 95-7 ; le Saint-Esprit suit le, 96-12 ; du feu et du Saint-Esprit, 96-13, 386-35, 1, 399-13, 410-17 ; la porte d'entrée, 96-17, 467-ch. 6 : 4 ; témoignage d'une alliance avec le Seigneur, 155-10 ; administré par Alma, 155-13, 196-5 ; de Zeezrom, 215-12 ; à Sidom, 215-14 ; de 8000 Lamanites, 338-19 ; prêché par les fils de Hélaman, 338-17 ; les douze disciples autorisés à accomplir le, 385-22, 386-1 ; formule de l'ordonnance spécifiée, 385-25 ; de Néphi, petit-fils d'Hélaman, 399-11 ; par Néphi, 399-12 ; nécessaire au salut, 386-33, 445-18 ; par les douze disciples, 410-17 ; l'humilité, condition du, 467-ch. 6 : 2 ; des petits enfants, erroné, 473-19 ; doit être administré à ceux qui sont responsables, 472-10.

Barques, construites par Jared, 439-6 ; description des, 440-16 ; nombre des, 441-1 ; le peuple navigue dans les, 445-ch. 6 : 4 ; poussées par le vent, 446-5.

Barre, de Dieu, 98-11, 99-15, 113-9, 13, 153-10, 190-22, 205-44, 207-12, 435-13, 477-34.

Barre de fer, vision de la, par Léhi, 12-19 ; vue par Néphi, 17-25 ; explication de la, 26-23.

Basilic, 78-8, 81-29, 95-14.

Bataille, parmi les Néphites, prédite par Néphi, 18-2, 19-15 ; avec les Lamanites, menée par Mormon, 474-2 ; finale, des Néphites, 429-8 ; finale, des Jarédites, 464-15.

Clous, marques dans les mains et les pieds du Sauveur, 385-14.

Cognée, à la racine de l'arbre, 192-52.

Cohor, frère de Noé, un Jarédite, 448-15.

Cohor, fils de Noé, devint roi des Jarédites, 448-20.

Colère, de Laman et de Lémuel, 52-13, 54-1 ; du Seigneur, 85-6 ; excitée par le diable, 91-20 ; les armées jarédites, ivres de, 465-22 ; des Néphites, 474-5.

Colline, d'Amnihu, etc., voir **Amnihu,** colline d', etc.

Colombe, la descente du Saint-Esprit sur le Christ en forme de, 17-27, 95-8.

Com, roi Jarédite, père de Heth, 438-26, 452-25 ; détrôné et tué, 452-27.

Com, roi jarédite, né en captivité, 455-31 ; soumet Amgid et acquiert une partie du royaume, 455-32 ; lutte contre les voleurs, 455-34 ; protège les prophètes, 455-2.

Combat, contre les apôtres, dans la vision de Néphi, 18-34; contre l'Agneau de Dieu, dans la vision de Néphi, 24-13, le, contre Sion, apporte le désastre, 43-14　57-12, 88-3 ; contre Dieu, 83-14.

Combinaison, secrète de Kishkumen, 331-8 ; de meurtriers, 377-6 ; parmi les Jarédites, 450-18, 456-15.

Combinaisons, secrètes, 86-22. Voir aussi **Voleurs de Gadianton.** Jugements de Dieu sur les, 266-30 ; origine des, parmi les Néphites, 341-18 ; signes et mots parmi les, 342-22 ; leurs serments secrets doivent être cachés au peuple, 342-25 ; les serments des, donnés par le diable à Caïn, 342-27, 450-15 ; les Néphites mettent fin aux, 373-6 ; données par le diable, 376-28 ; détruisent le gouvernement, 377-6 ; se réunissent et nomment un roi, 377-9 ; chez les Jarédites, 450-18 ; causent la destruction des Néphites, 332-13 ; des Jarédites, 450-21 ; les Gentils mis en garde contre les, 450-23 ; édifiées par le diable, 450-25 ; instiguées par la fille du roi détrôné Jared, 450-17 ; Jared assassiné par les, 451-6 ; Heth embrasse les, 452-26 ; Com lutte contre les, 455-34 ; les prophètes rejetés à cause des, 452-29 ; beaucoup de gens tués à cause des, 461-18 ; Giléad reçoit des recrues par les, 462-8 ; causent le meurtre de Giléad, 462-9.

Combinaisons, secrètes et abominables, 61-9, 86-22, 265-21, 373-6, 456-22.

Combinaisons secrètes, d'Akish, 449-13. Voir aussi **Voleurs de Gadianton.**

Commandant, 279-44 ; Moroni, en chef, 284-11 ; Amalickiah, en chef, 288-19 ; Gidgiddoni, en chef, 370-18 ; Mormon refuse d'être, 424-11.

Commandements, le Seigneur ouvre la voie pour qu'on accomplisse ses, 4-7 ; garder les, apporte des bénédictions, 45-9 ; les Néphites gardaient la loi à cause des, 84-25 ; résumés, 87-32 ; doivent être gardés par les Néphites, 94-1 ; garder les, fait prospérer le peuple, 118-9 ; enseignés par le roi Benjamin, 126-13 ; les dix, 148-12 ; ceux qui désobéissent aux, seront retranchés, 199-13.

Commencement, du règne des juges, 179-44.

Comnor, colline de, scène d'une grande bataille jarédite, 463-28.

Compas, voir **Liahona.**

Compassion, divine, envers les enfants des hommes, 150-ch. 15 : 9 ; les Lamanites eurent, 157-14, 160-26, 165-34 ; Ammon ému de, 242-4 ; Jésus rempli de, 395-6 ; du Seigneur pour Jared, 438-35.

Concubines, de David et de Salomon, 100-15, 102-24 ; interdites, 102-27 ; du roi Noé et de ses méchants prêtres, 144-14 ; chez les Jarédites, 453-5.

Condamnation, il n'y en a pas là où il n'y a pas de loi, 62-25.

Conditions, du salut, 131-8, 134-10 ; de Moroni, pour l'échange des prisonniers, 305-11.

Connaissance, du Seigneur, les pénitents amenés à la, 234-5, 264-9, 289-36, 374-23, 401-13 ; la terre sera remplie de, 78-9, 95-15.

Conseil, de Dieu, 63-28.

Conseil de guerre, convoqué par Moroni et Téancum, 300-1.

Consolateur, 473-26 ; voir **Saint-Esprit.**

Contempteur, le, sera consumé, 90-31.

Contentions, et guerres, rapportées sur les grandes plaques, 14-4, 37-4 ; prédites par Néphi, 18-3 ; prophétisées par Néphi, 85-2 ; vues par Jacob, 115-26 ; par Enos, 117-23 ; par Jarom, 119-13 ; par Benjamin, 123-12 ; par Zéniff, 141-13 ; avertissement contre les, par Mosiah, 176-7 ; chez le peuple de Zarahemla, 120-17 ; le peuple averti contre les, 128-32 ; interdites, 156-21 ; concernant Amlici, 182-5 ; dans l'Eglise, 187-9 ; chez les Lamanites concernant Ammon, 225-28 ; concernant les pays de Léhi et de Morianton, 295-25 ; cause des guerres et de la destruction des Néphites, 297-9 ; causées par les voleurs de Gadianton, 367-11 ; le diable, père des, 385-29 ; chez les Jarédites, 456-7.

Contrit, l'esprit, et le cœur brisé, 53-32, 43-15, 467-ch. 6 : 2 ; une offrande acceptable au lieu des sacrifices mosaïques, 382-20, 387-19.

Conversion, d'Alma par Abinadi, 154-1, 189-11 ; d'Alma et des fils de Mosiah,

172-11 ; de Zeezrom. 215-5 ; d'Abish, 224-16 ; de la maison de Lamoni, 232-23 ; du père de Lamoni, 231-15 ; d'un seul Amalékite, 234-14.

Convertis, brûlés, 212-8 ; beaucoup de, faits par le signe de la naissance du Christ, 365-16.

Convoitises, de la chair, recherchées par les méchants, 43-23 ; des yeux, 269-9 ; ne demandez pas des choses pour les consommer dans votre, 436-28.

Cordes, Néphi lié de, 11-16, 35-11 ; du diable, 86-22 ; et échelles utilisées par Moroni, 325-21.

Corianton, va chez les Zoramites, 251-7 ; instruit par Alma, 269-1 ; avait abandonné le ministère, 269-3 ; avait fait tort à la mission, 270-11 ; encouragé par Alma, 273-14 ; instruit par Alma sur la probation, 274-4 ; sur la rédemption, 274-11 ; sur la justice, 275-14 ; sur l'expiation, 275-15 ; sur la repentance, 275-16 ; sur le libre arbitre, 275-27 ; appelé à prêcher de nouveau, 276-31 ; fait voile vers le nord, 328-10.

Coriantor, fils de Moron, 437-7 ; né en captivité, 456-18 ; engendre Ether, meurt en captivité, 457-23.

Coriantum, fils d'Amnigaddah, 438-14 ; demeure en captivité, 455-31.

Coriantum, fils d'Emer, 438-28 ; oint roi, 452-21 ; règne avec justice, 452-23.

Coriantumr, fils d'Omer, 449-4 ; bat Jared, 449-6.

Coriantumr, dernier survivant jarédite, demeure avec le peuple de Zarahemla, 121-21 ; histoire de son peuple, 456-18 ; roi des Jarédites, 457-1 ; on cherche à le tuer, 461-15 ; stratège habile, 461-16 ; averti par Ether, 461-20 ; sera enterré par un autre peuple, 461-21 ; pris par Shared, 461-23 ; délivré par ses fils, 461-24 ; rencontre Shared à la bataille, 461-28 ; bat le frère de Shared, 462-3 ; trône de, pris par Giléad, 462-6 ; se bat contre Lib, 462-12 ; fuit à Agosh, 462-15 ; tue Lib, 462-16 ; se bat avec Shiz, 462-16 ; fuit devant Shiz, 463-17 ; ne tombera pas par l'épée, 463-24 ; rencontre Shiz à Comnor, 463-29 ; blessé par Shiz, 463-30, 464-9 ; repentance de, 464-3 ; écrit à Shiz, 464-4, 465-18 ; fuit devant Shiz, 464-7 ; va à Ripliancum 464-8 ; bat Shiz, 464-10 ; campe à la colline de Ramah, 464-11 ; observé par Ether, 464-13 ; bataille finale avec Shiz, 464-15 ; tue Shiz, 465-30 ; tombe blessé, 465-32.

Coriantumr, dissident néphite. commandant des Lamanites, 329-15 ; prend Zarahemla, 330-20 ; tue le juge, Pacuméni, 330-21 ; marche sur Abondance, 330-23 ; tué, 330-30 ; armée de, prise, 331-32.

Corihor, compagnon de Coriantumr, 461-17.

Corihor, fils de Kib, 447-3 ; se révolte contre Kib, 447-4 ; fait son père prisonnier, 447-7 ; perd le royaume, qui va à Shule, 448-9 ; se repent et gagne la faveur de Shule. 448-13.

Corihor, pays de, 463-27.

Corom, fils de Lévi, 438-20, 454-16.

Corps, le Christ montrera son, 60-5 ; mortel, ressuscité à l'immortalité, 189-15 ; l'esprit sera réuni au, 205-43 ; chaque partie du, sera restituée, 205-43, 272-2 ; de l'esprit du Christ, 442-16.

Correspondance, entre les Lamanites et les Néphites, 234-18, 235-8 ; crainte que les Zoramites n'entrent en, 250-4.

Corruption, la, de la mortalité revêtira l'incorruptibilité, 61-7, 153-10, 270-2, 273-4, de la loi sous le régime de Gadianton, 346-3.

Coupables, les, pensent que la vérité est dure, 27-2.

Coupe, amère (figuré), 60-17, 130-26. 272-26, 384-11 ; sacramentelle, 396-8, 467-ch. 5 : 1.

Coutume, quant à la manière de nommer les villes, 196-7 ; pour l'arrestation des étrangers, 219-20 ; pour la succession au commandement, 288-17 ; sur la nomination de dirigeants doués, 370-19.

Crainte, du Seigneur, 68-10. 131-1, 224-15, 262-7 ; de la mort, 429-7 ; de la destruction, 214-26.

Créateur, voir **Christ**.

Créateur, le, nom du Seigneur, 59-13, 63-40, 101-6. 116-4, 329-11, 405-5.

Création, de la terre, 33-36, 45-10, 48-14, 67-7 ; d'Adam, 175-17 ; de l'homme, 105-9 ; de l'homme à l'image de Dieu, 442-15.

Créature, le salut pour toute, 174-3 ; la justice réclame la, 275-22 ; l'évangile pour toute, 436-22.

Crevasses, dans la terre, 360-22, 380-18.

Crimes, prédication contre les, par Jacob, 101-9 ; plus grossiers, 102-22 ; jugement par Alma selon les, 170-11 ; Korihor défend ses. 247-17.

Cris, des non-repentants, Dieu lent à entendre les, 145-24 ; des justes, Dieu prompt à entendre les, 200-26 ; des espions néphites entendus par les prisonniers, 314-32 ; à la destruction des Jarédites, 465-16.

Crise, la, terrible, au jugement, 260-34.

Croix, de la crucifixion, vue dans la vision de Néphi, 18-33 ; le Christ parle de la, 411-14 ; du monde, 62-18.

Croyance, individuelle, pas punissable par la loi, 180-17, 246-7.

Croyants, ceux qui croient au Christ, appelés chrétiens, 285-14 ; les vrais, appelés de nouveau Néphites, 419-36.

prend possession des méchants, 271-13 ; destructeur d'âmes, 347-28 ; ennemi de Dieu, 469-12.

Dieu, amour de, 17-22 ; justice de, 19-18 ; se livre pour être crucifié, 37-10 ; fera une œuvre merveilleuse chez les Gentils, 42-8 ; grandeur de, 47-2 ; commandement donnés par, 49-21 ; le péché est abominable pour, 101-5 ; commande qu'il n'y ait pas d'intrigues de prêtres, 87-29 ; de miracles, 435-15 ; inchangeable, 473-18.

Différer, le jour de la repentance, 260-33, 35.

Dilemme, le, terrible de la culpabilité, 194-3, 195-18.

Diligence, la, gagne le prix, 133-27 ; à garder les commandements, 196-23.

Dîme, payée par Abraham à Melchisédek, 210-15 ; le Seigneur volé dans la, 407-8.

Directeur, voir **Liahona**.

Directives, données sur le Liahona, 29-30 ; données au frère de Jared, 439-5.

Disciple, Mormon, un, 374-13.

Disciples, les douze, vus en vision par Néphi, 18-8, 19-10 ; choisis, 385-22, 386-1, 392-12 ; noms des, 399-4 ; enseignent en douze assemblées, 399-5 ; promesse de Jésus aux, 412-1 ; les trois, ne goûteront pas la mort, 413-7 ; fondent une église, 416-ch. 1 : 1 ; miracles faits par les, 416-5, 418-30 ; emprisonnés et délivrés, 418-30 ; dans la fournaise, 418-32 ; dans des antres de bêtes, 418-33 ; enlevés, 420-13, 431-10 ; vus par Mormon et Moroni, 414-26 ; 431-11.

Disciples, du Christ, 91-14, 468-3, 471-48 ; de Dieu, 187-15, 340-5.

Disette, famine dans le pays de Heth, 453-30.

Dispersion, d'Israël prédite, 14-ch. 10 : 3, 15-14, 26-17, 42-3, 57-11, 65-6, 83-15.

Disposition, des convertis du roi Benjamin, 134-3 ; du roi lamanite, 140-5 ; des Amalékites, 276-6.

Disputes, interdites par le Christ, 385-22, 28, 398-34 ; concernant le nom de l'Eglise, 410-3 ; concernant le baptême des petits enfants, 472-4, 5 ; voir **Contentions**.

Dissension, causée par Alma, 172-9 ; par Amalickiah, 284-6.

Dissensions, à l'époque de Mosiah, 169-5 ; suivies de méchanceté, 289-36.

Dissident, Coriantumr, un, 329-15.

Dissidents, noms effacés, 181-24 ; pas convertis, 237-29 ; persécutent les Lamanites, 237-5 ; pourchassés par les Lamanites, 238-8 ; les Zoramites, 251-8 ; s'unissent aux Lamanites, 277-13, 289-35, 353-24 ; menace pour les Néphites, 291-24 ; les hommes-du-roi, refu-

sent de se battre, 298-13, 324-6 ; un seul converti, 339-35 ; Jacob et les conspirateurs. 377-12.

Divisions, prophétisées parmi le peuple, 94-10 ; chez le peuple du roi Noé, 152-2 ; entre les hommes-libres et les hommes-du-roi, 297-4 ; après la mort de Pahoran, 329-4 ; entre l'Eglise et les incroyants, 419-35.

Divorce, figure pour l'apostasie, 58-ch. 7 : 1 ; condamné par le Christ, si ce n'est pour cause de fornication, 388-31.

Doctrines, fausses, 91-9, 12, 180-16 ; fausses, seront confondues par les Ecritures néphites et juives combinées, 51-12 ; du Christ, 97-21, 386-32. Voir aussi **Christ, enseignements du**.

Doigt, de Dieu, écrivit sur le mur, 201-2 ; du Seigneur vu par Jared, 442-6 ; le Christ touche ses disciples du doigt, 413-12.

Dons, spirituels, Amaléki exhorte les hommes à croire aux, 121-25 ; spirituels, Alma parle de divers, 200-21 ; manifestations diverses des, 476-8 ; retirés du peuple à cause de l'incrédulité, 477-24.

Doutes, sur la prophétie de Samuel le Lamanite, 379-4.

Dragons (figuré), 59-9, 80-22 ; le peuple de Limhi se bat comme les, 159-11 ; les Lamanites se battent comme des, 279-44.

Eau, la source d', impure vue dans la vision de Néphi, 19-16 ; signification de la vision de Léhi de l', 26-26 ; du rocher par le pouvoir de Dieu en Moïse, 32-29, 84-20 ; le Christ sera baptisé d', 95-5 ; Alma et Hélam ensevelis ou baptisés dans l', 155-14 ; Zarahemla presque entourée d', 233-32 ; grandes pièces d', dans le pays du nord, 332-4 ; les Jarédites poussés pendant 344 jours sur l', 446-11 ; les sources amères ne peuvent pas donner de bonne, 468-11.

Eaux, nombreuses, vues par Néphi en vision, 20-10 ; Irréantum veut dire : bien des, 30-5 ; Cumorah dans un pays d', nombreuses, 428-4 ; de la mer Rouge divisées, 32-26 ; de Sidon, cadavres jetés dans les, 184-3, 282-22 ; de Sébus, Ammon aux, 220-34, 219-26 ; de Mormon, voir **Mormon**, eaux de.

Ecarlate, désirée par l'abominable église, 20-8.

Echelles, utilisées par les armées de Moroni, 325-21.

Eclairs, et tonnerres, montrés en vision à Néphi, 18-4 ; Dieu fera fondre sur Israël des, 37-11 ; les méchants seront châtiés par des, 85-6 ; à la mort du Christ, 379-7.

Ecrits, des rois, 120-14.

Ismaël, descendant d'Aminadi, 201-2.
Ismaël, et sa famille se joignent à la compagnie de Léhi, 10-ch. 7 : 5, 11-22 ; les filles d', épousent les fils de Léhi, 28-7 ; Zoram épousa la fille aînée d', 28-7 ; mort d', à Nahom, 29-34 ; Lamoni descendant d', 219-21.
Ismaël, pays d', 219-19 ; Ammon en, 219-20, 21 ; synagogues construites en, 230-20.
Israël, maison d', comparée à un olivier, 15-12 ; sera dispersée puis rassemblée, 15-14 ; sera jugée par les apôtres, 18-9 ; lutte contre les apôtres, 18-35 ; les Gentils seront comptés avec, 23-2 ; alliances du Seigneur avec, 23-5 ; l'œuvre de Dieu commencera parmi, 24-17 ; sera un objet de moquerie et de dérision, 38-14 ; une branche juste sera suscitée à, 50-5 ; sera restaurée, 51-13 ; les tribus d', écriront les paroles du Seigneur, 93-12 ; le Christ parle à, 382-5 ; le Christ va vers les tribus perdues d', 395-4.
Ites, il n'en reste plus, 417-17.
Ivresse, ruse militaire, 307-8, 308-30.

Jacob, chef zoramite, 301-20 ; et son armée, encerclés, 302-31 ; tué, 302-35.
Jacob, fils de Léhi, 35-7 ; fuit avec Néphi, 54-6 ; fait prêtre, 56-26 ; prêche au peuple, 56-1, 66-1, 100-1 ; doit écrire l'histoire du peuple sur les plaques, 99-2 ; confond Shérem, 114-8 ; termine ses annales, 115-26.
Jacob, Livre de, 99.
Jacob, roi des voleurs, 377-9 ; fuit vers le nord, 377-12.
Jacob, ville de, engloutie dans la mer, 381-8.
Jacob, Maison de, 39-1, 67-5, 90-33, 374-21, 25, 401-16, 403-2.
Jacobites, une des divisions des Néphites, 100-13.
Jacobugath, ville de, brûlée, 381-9.
Jacom, fils de Jared, 446-14.
Jalousie, d'Ephraïm, 78-13.
Jaloux, Dieu est, 144-22, 148-13.
Jardin, d'Eden, les premiers parents chassés du, 49-19, 274-2 ; de Néphi, la multitude enseignée au, 344-10, 348-8, 11.
Jared, fils d'Omer, 449-1 ; se révolte contre son père, 449-2 ; battu au combat, 449-6 ; proposition meurtrière à Akish, 449-12 ; oint roi, 451-4 ; tué, 451-5.
Jared, partit de la grande tour, 438-33 ; langue de, pas confondue, 438-35 ; se voit promettre un pays de choix, 439-42 ; va dans la vallée de Nimrod, 439-1 ; embarque, 445-6. 6 : 4 ; atteint la terre promise, 446-12 ; dénombre son peuple, 446-19 ; mort de, 447-29. Voir aussi **Frère de Jared**.

Jarédites, Histoire des, 437-1 ; périrent à cause de l'obstination de leur cœur, 475-23.
Jarom, fils d'Enos, 118-1.
Jarom, Livre de, 118.
Jashon, pays de, 422-16.
Javelot, fait par les Néphites pour la guerre, 118-8 ; Amalickiah tué avec un, 299-34 ; Ammoron tué avec un, 326-36.
Jean, l'apôtre, 24-27, 413-6 ; ordonné pour écrire, 24-25 ; révélations écrites de, 44-16.
Jéhovah, 79-ch. 22 : 2, 477-34.
Jérémie, un des douze disciples, 399-4.
Jérémie, prophète d'Israël, les plaques d'airain contiennent quelques prophéties de, 9-13 ; jeté en prison, 11-14.
Jershon, pays de, 243-22 ; donné au peuple d'Anti-Néphi-Léhi, 243-22. Voir **Ammon, peuple de**. L'Église établie au, 244-1 ; Korihor au, 247-19 ; Alma et Amulek entrent dans le, 260-1 ; le peuple d'Ammon quitte le, 261-13 ; Néphites réunissent leurs armées au, 276-4.
Jérusalem, de Palestine, destruction de, prédite par les prophètes, 1-4 ; Léhi prophétise contre, 2-18 ; Léhi et sa famille quittent, 3-4 ; les prophéties concernant, s'accompliront, 11-13 ; les fils de Léhi retournent à, pour avoir les plaques d'airain, 6-2 ; les fils de Léhi retournent à, pour prendre la famille d'Ismaël, 10-ch. 7 : 2 ; détruite, 45-4, 57-8, 83-10 ; le peuple de Zarahemla vint de, 120-14 ; le peuple de l'alliance retournera à, 402-29 ; sera rachetée, 402-34.
Jérusalem, la Nouvelle, voir **Nouvelle Jérusalem**.
Jérusalem, ville lamanite, 228-1 ; Aaron se rendit à la ville de, 229-4 ; engloutie, 381-7.
Jessé, 78-1, 10.
Jésus, voir **Christ**.
Jeûne, le, et la prière recommandés, 121-26, 193-6 ; et la prière apportèrent la révélation, 218-3.
Jeunes, soldats, l'armée de, d'Hélaman, 305-22, 312-57.
Joie, les hommes sont pour avoir de la joie, 49-25 ; des justes sera pleine, 62-18, 90-30.
Jonas, un des douze disciples, 399-4.
Jonéam, chef néphite, tué 429-14.
Jordan, ville de, les Lamanites repoussés à, 426-3.
Joseph, qui fut vendu en Egypte, Léhi descendant de, 50-4 ; un voyant sera suscité de, 50-11, 51-14 ; prophéties de, 52-1 ; sa postérité ne périra jamais, 84-21 ; une branche juste de, 102-25 ; Amulek descendant de, 201-2 ; une partie du manteau de, préservée, 286-

Néphihah, nommé grand-juge, successeur d'Alma, 188-17 ; meurt, 296-37.

Néphihah, pays de, Moroni va au, 324-14 ; Moroni quitte le, 325-30.

Néphihah, ville de, 295-15 ; les Néphites s'enfuient à, 299-24 ; prise par Amalickiah, 299-26 ; attaquée par les Lamanites, 318-5 ; reprise par Moroni, 325-26.

Néphites, tous ceux qui n'étaient pas Lamanites, 100-13 ; Jacob les déclare plus méchants que les Lamanites, 103-35 ; Enos prie que des annales des, soient conservées, 116-13 ; les croyants appelés, 185-11 ; les armées des, s'assemblent à Jershon, 276-4 ; se battent pour leur liberté, 276-9 ; se battent, non pas pour le pouvoir, mais pour leurs foyers, et leur droit d'adorer, 279-45 ; apprennent à se défendre, jusqu'à l'effusion du sang, 290-14, 279-46 ; fortifient Ammonihah, 292-4 ; fortifient Noé, 292-13 ; attaqués à Noé, 293-21 ; beaucoup s'embarquent dans les bateaux d'Hagoth, 327-6 ; se repentent, 336-15 ; ont peur des Lamanites, 336-20 ; avaient corrompu les lois, 336-22 ; impénitents, 340-2, 342-31 ; convertis par les Lamanites, 340-5 ; et les Lamanites dans une amitié mutuelle, 340-6 ; peuvent être détruits, à moins qu'ils ne se repentent, 362-17 ; deviennent de nouveau incroyants et endurcis, 367-1 ; tous convertis, 373-1 ; et les Lamanites, convertis, 416-ch. 1 : 2 ; retournent chez eux, 374-1 ; ont la paix après avoir soumis la bande de Gadianton, 375-3 ; tombent dans la dissension et forment des tribus, 377-2 ; prospèrent durant une période de justice, 417-9 ; un peuple beau et agréable, 417-10 ; des factions se forment parmi les, 419-36; deviennent fiers et vains, 419-43 ; leur nation exterminée par les Lamanites, 429-10, 431-2 ; tuent ceux qui ne veulent pas nier le Christ, 466-ch. 1 : 2 ; deviennent dépravés, lascifs et barbares, 474-9 ; déclarés être sans civilisation, 474-11.

Néum, un prophète, prédit la crucifixion du Christ, 37-10.

Nimrah, fils d'Akish, 451-8 ; s'enfuit du royaume de son père et s'unit à Omer, 451-9.

Nimrod, fils de Cohor, 448-22.

Nimrod, vallée de, 439-1.

Noblesse, droit à la, affirmé par les hommes-du-roi, 297-8, 298-17, 18, 21.

Noé, Jarédite, fils de Corihor, 448-14, 15 ; prend Shule, 448-17, tué, 448-18.

Noé, fils de Zéniff, 136-9 ; devient roi, 143-1 ; bâtiments érigés par, 143-8 ; devient ivrogne, 144-15 ; s'endurcit le cœur contre la parole de Dieu, 152-29 ;

emprisonne Abinadi, 146-17 ; ordonne qu'Abinadi soit tué, 147-1, 153-1 ; accuse Alma de sédition, 157-33 ; la vie de, épargnée par .Gidéon, 157-8 ; fuit avec son peuple devant les Lamanites, 157-9 ; commande aux hommes d'abandonner leurs femmes et leurs enfants, 157-11 ; brûlé à mort, 158-20 ; les prêtres de, enlèvent les filles Lamanites, 159-3.

Noé, le patriarche, le déluge à l'époque de, 202-22, 406-9 ; les barques jarédites étanches comme l'arche de, 446-7.

Noé, pays et ville de, 216-3, 292-12 ; fortifié, 292-13 ; Léhi, responsable du, 293-17.

Notre Père, le, 389-9.

Nourriture, et avertissements du Seigneur, 116-1.

Nourriture, donnée par Amulek à Alma, 197-20 ; refusée à Alma et à Amulek en prison, 213-22 ; mendiée par Korihor, 250-56 ; l'armée d'Hélaman souffre du manque de, 315-7 ; pas envoyée par les gouverneurs, 320-19 ; reçue par Léhi et Téancum, 324-13 ; Néphi et Léhi emprisonnés sans, 338-22 ; des Néphites mise à l'abri des voleurs, 371-3 ; animaux utilisés pour la, par les Jarédites, 452-18 ; recherchée pour le peuple dans la chasse, 454-19.

Nouvelle Jérusalem, sera établie, 401-22, 405-23 ; une, descendra du ciel, 460-3.

Nouvelles, bonnes, d'une grande joie, au roi Benjamin, 129-3.

Nuage, un ange descendit dans un, 172-11 ; de ténèbres sur Lamoni, 224-6 ; de ténèbres sur la multitude, 339-28 ; recouvrit la multitude pendant que le Christ montait, 398-38 ; le Seigneur parle au frère de Jared dans un, 439-4.

Objets sacrés, les annales, les interprètes, etc., dits, 37-5, 99-4, 264-2, 265-14, 268-47, 296-38, 327-1, 364-2, 419-48, 429-6.

Odeur, l', des cadavres, 216-11, 463-23.

Œil, de Dieu scrutateur, 64-44, 174-31 ; perçant, 101-10 ; voir œil à, 146-22, 152-29, 1, 263-26, 394-18, 402-32 ; de la foi, 189-15, 256-40, 458-19 ; pour œil, 388-38 ; est la lumière du corps, 390-22 ; la paille dans l', du frère, 390-3 ; changer en un clin d', 413-8. Voir Yeux.

Œuvre, grande et merveilleuse, du Seigneur, 23-7, 83-17, 92-1, 404-9 ; une, merveilleuse parmi les Gentils, 42-8 ; une, merveilleuse et prodigieuse, 89-26 ; l', du Seigneur, pas encore finie, 93-9 ; du Père, commencement de l', 405-26.

Œuvres, les hommes seront jugés par leurs, 27-32.

Offensé, ceux qui ont, 389-11.

Sénum, pièce d'argent, valeur de la, 203-3, 204-6.

Sépulcre, le Christ déposé dans un, pendant trois jours, 83-13.

Serment, et ordonnance sacrée, 297-39 ; pervers et secret, 266-27, 29, 342-21, 25, 30, 419-42, 450-15, 20, 455-33 ; entre Néphi et Zoram, 8-33, 35, 37 ; du peuple d'Ammon, 304-11, 14, 309-8 ; Mormon se repent de son, 426-1.

Sermon, le, sur la montagne, répété, 386 à 391.

Serpent, élevé par Moïse, 84-20, 346-14. Voir aussi **Diable.**

Serpents, serpents brûlants qui volaient, un fléau, 33-41, 81-29 ; venimeux, fléau des Jarédites, 453-31 ; détruits, 454-19.

Serviteur, de Laban, Zoram, 7-20 ; Ammon, du roi Lamoni, 219-25 ; de Téancum, 299-33 ; du diable, 468-11.

Serviteurs, inutiles, 127-21 ; de Lamoni dispersés par les Lamanites, 219-27.

Servitude, Israël tiré de la, 32-24, 37-10; de Limhi chez les Lamanites, 136-15 ; prédite par Abinadi, 145-2 ; Limhi cherche à se libérer de la, 162-36 ; Alma et son peuple délivrés de la, 167-17.

Seth, Jarédite, fils de Shiblon, 438-11 ; emmené en captivité, 456-9.

Shared, Jarédite, se bat contre Coriantumr, 461-23 ; tué, 461-30.

Shazer, camp du peuple de Léhi, 28-13.

Shelem, montagne, lieu de la manifestation du Seigneur au frère de Jared, 441-1.

Shem, chef néphite, tué à Cumorah, 429-14.

Shem, pays de, 422-20.

Shemlon, pays de, 142-7, 158-1.

Shemnon, un des douze disciples, 399-4.

Shérem, renie le Christ, 113-1 ; demande un signe, 114-13 ; est frappé et meurt, 114-15, 115-20.

Shéum, variété de plante comestible, 140-9.

Shez, roi jarédite, fils de Heth, 438-25 ; essaye de relever la nation brisée, 453-1 ; mort de, 453-4.

Shiblom, chef néphite, tué à Cumorah, 429-14.

Shiblon, ou Shiblom, roi jarédite, fils de Com, 438-12 ; le frère de, met les prophètes à mort, 455-5 ; mort de, 456-9.

Shiblon, fils d'Alma le jeune, 251-7, 268-1 ; va en mission chez les Zoramites, 251-7 ; Commandements d'Alma à, 268-1 ; réussit avec ses frères dans le ministère, 294-30 ; prend possession des objets sacrés, 327-1 ; meurt, 328-10.

Shiblon, pièce de monnaie, 204-15.

Shiblum, pièce de monnaie, 204-16.

Shilom, pays de, 136-5, 142-8 ; beaucoup de bâtiments érigés au, par le roi Noé, 144-13.

Shilom, ville de, 137-21, 140-8.

Shim, colline où Ammaron cacha les inscriptions sacrées, 420-3 ; annales sacrées enlevées de la, par Mormon, 426-23 ; mentionnée dans les annales des Jarédites, 451-3.

Shiz, Jarédite, frère de Lib, 465-17 ; son serment vengeur, 463-24 ; tué par Coriantumr, 465-30.

Shule, roi jarédite, fils de Kim, 438-31, 447-7 ; rend le royaume à son père, 448-9 ; règne comme roi, 448-10 ; justice de, 448-11 ; pris par Noé, 448-17 ; reprend le royaume, 448-18 ; protège les prophètes, 448-24.

Shum, pièce de monnaie, 204-5.

Shurr, vallée de, camp de Coriantumr, 463-28.

Sidom, pays de, 214-1.

Sidon, rivière, ou eaux de, 420-10 ; baptêmes dans la, 186-4 ; désert à la source de la, 232-29, 277-22.

Siège, des voleurs contre le peuple de Néphi, 372-16 ; de Coriantumr contre l'armée dans le désert, 462-5.

Sifflera, la parole du Seigneur, 71-26, 73-18, 92-2, 477-28.

Signe, de la naissance du Christ, 85-3, 359-3, 365-13 ; de la mort du Christ, 37-10, 360-20, 379-3, 380-20 ; demandé par Shérem, 114-13 ; du rassemblement d'Israël, 78-1, secret, reçu par Kishkumen, 331-7.

Signes, secrets, utilisés pour favoriser la méchanceté, 342-22.

Sion, ceux qui soutiennent, seront bénis, 22-37 ; les ennemis de, seront détruits, 43-14, 57-13, 65-13, 88-3 ; la loi sortira de, 67-3 ; travailleur en, 87-31 ; la doctrine du diable que tout est bien en, 91-21.

Siron, pays de, 269-3.

Société, des voleurs, secrète, 369-9, 451-6, 456-22.

Soies, 20-7, 187-6, 452-17, 455-24.

Soleil, parut s'arrêter, 355-15.

Sombre, désert, et triste, dans la vision de Léhi, 12-4, 12-7 ; peuple, et sale, les Lamanites, 19-23, 427-15 ; voile d'incrédulité, 224-6.

Sommeiller, la foi peut, 255-34.

Sorcellerie, 181-22, 421-19.

Sorcelleries, seront supprimées, 404-16.

Soufflet, de peaux, fait par Néphi, 31-11.

Soufre, le feu et le, tourment des méchants, 62-16, 26, 92-23, 104-11, 113-10, 207-17.

Source, dans la vision de Néphi, 19-16 ; la barre de fer menant par la, 12-20, 17-25 ; à Mormon, 156-5 ; de toute justice, 451-26, 458-28 ; une, amère ne peut pas produire de bonne eau, 468-11.

Sourds, qui ne veulent pas entendre, 63-31 ; entendront les paroles du livre,

89-29 ; entendront, 129-5 ; guéris par le Christ, 395-7 ; guéris par les disciples, 416-5.

Statuts, voir Loi de Moïse.

Stratagème, de Moroni, 300-10, 305-3 ; d'Antipus, 310-30 ; Manti prise par, 317-28.

Synagogues, personne ne doit être exclu des, 87-26 ; Alma et Amulek prêchèrent dans les, 217-13 ; selon l'ordre des Néhors, 229-4 ; les pauvres chassés des, chez les Zoramites, 253-2 ; hypocrites dans les, 389-5.

Tache, figure pour la méchanceté, 189-21, 235-12.

Taxes, légères sous le roi Benjamin, 126-14 ; du peuple de Limhi, 136-15 ; lourdes, levées par Riplakish, 453-5.

Téancum, commandant néphite, tue Morianton, 296-35 ; rencontre l'armée d'Amalickiah, 299-29 ; campe sur le territoire d'Abondance, 299-32 ; tue Amalickiah, 299-34 ; marche de diversion de, 301-22 ; met les prisonniers au travail, 303-3 ; tue Ammoron, 326-36.

Téancum, ville de, 425-3.

Témoignage, les paroles de Néphi, un, 84-28 ; un petit nombre rendra, des annales néphites, 88-13 ; de deux nations pour être témoin de Dieu, 93-8 ; d'Alma concernant le Christ, 195-13 ; de trois, concernant les annales néphites, 88-12, 445-ch. 5 : 3 ; de trois et huit témoins, voir introduction de ce Livre.

Témoignage, faux, interdit, 148-23.

Témoin, le sang des innocents, un, 213-11.

Témoins du Livre de Mormon, trois, attesteront la véracité du livre, 67-ch. 11 : 3, 445-ch. 5 : 3, 4 ; autres que les trois, 88-14, 89-22. Voir le Témoignage de Trois et de Huit Témoins au début de ce livre.

Tempête, durant le voyage de Léhi, 35-13 ; Dieu punira Israël par la, 37-11 ; les incroyants seront détruits par la, 57-15 ; les nations seront punies par la, 87-2 ; à la mort du Christ, 360-23, 379-5.

Temple, Néphi construit le, 55-16 ; Jacob enseigne dans le, 100-17, 2, 100-11 ; Mosiah convoque le peuple au, 125-18 ; le peuple assemblé près du, à Abondance, au moment de l'apparition du Christ, 384-1.

Temps, calcul néphite du, changé après la naissance du Christ, 367-8.

Ténèbres, sur la terre de promission vues dans la vision de Néphi, 18-4 ; s'abattront sur Israël, 37-11 ; Israël sera retiré des, 43-12 ; les œuvres secrètes des, seront détruites, 65-15 ; les écailles des, tomberont, 94-6 ; une pierre qui brillera dans les, 266-23 ; la nuit sans, signe de la naissance du Christ, 359-3, 365-15 ; pendant trois jours, signe de la mort du Christ, 379-3 ; la vapeur des, pouvait être sentie, 380-20 ; disparurent, 383-9.

Ténèbres extérieures, les esprits des méchants subiront les, 271-13.

Tentation, du Christ, 129-7, 150-5, 194-11 ; par le diable, 19-17, 19, 260-39 ; avertissement d'éviter la, 266-33, 389-12, 397-18.

Tentes, départ de Léhi avec ses, 28-12 ; dans la terre de promission, 36-23 ; de la colonie de Néphi, 54-7 ; coutume des Lamanites de loger dans des, 117-20 ; dressées autour du temple, par l'assemblée du roi Benjamin, 125-5.

Téommer, officier néphite sous les ordres d'Hélaman, en embuscade, 316-16.

Ternies, les plaques ne seront pas, par le temps, 9-19, 264-5.

Terre, entassée pour faire des fortifications, 291-2, 303-4.

Terre de promission, Néphi sera conduit à la, 4-20, 15-13 ; Léhi se réjouit au sujet de la, 8-5 ; Néphi et ses frères obtiendront la, 11-13 ; Néphi voit en vision la, 18-1 ; les Gentils seront conduits auprès de la postérité de Léhi dans la, 20-13 ; choisie parmi toutes les autres terres, 21-30, 45-5 ; voir Choix ; la colonie de Léhi poussée vers la, 35-8 ; l'arrivée dans la, 36-23 ; la postérité de Léhi prospère dans la, 45-9 ; l'or, l'argent et les métaux précieux abondent dans la, 101-12 ; la colonie de Jared portée vers la, 446-5 ; les Jarédites atteignent la, 101-12.

Territoires, de l'Église du Christ seront réduits, 24-12.

Timothée, petit-fils d'Hélaman, ressuscité des morts par son frère, Néphi ; un des douze disciples, 399-4.

Toile, faite par le peuple de Zéniff, 142-5 ; par les Néphites, 341-13 ; par les Jarédites, 455-24.

Toits des maisons, le livre scellé sera lu sur les, 88-11.

Tombe, nul voyageur ne peut revenir de la, 46-14 ; doit rendre ses morts, 61-12 ; n'auront pas la victoire, 231-14.

Tomber dans l'incrédulité, Laban tué pour empêcher la nation de, 7-13 ; prédiction que la postérité de Léhi va, 19-22, 22-35, 45-10, 283-10, 403-5 ; chez les Néphites on commence à, 295-22, 343-34 ; une malédiction suit, 19-23 ; différence avec la révolte volontaire, 419-38 ; d'où les miracles cessent, 452-20.

Tombes, ouvertes, 360-25.

Tonnerre, prédit, comme punition au moment de la mort du Christ, 18-4,

Le but du Livre de Mormon :

... Vous faire connaître et comprendre Jésus-Christ davantage ;

... Vous aider à savoir que le Christ vit, et qu'il est le Rédempteur de la famille humaine ;

... Vous faire comprendre l'évangile de Jésus-Christ ;

... Apporter de la joie dans votre vie, et vous faire comprendre le but de notre existence.

Il est très important que le monde chrétien ait les réponses aux questions ci-dessous :

1. Comment peut-on savoir avec certitude que l'évangile est vrai ?
   REPONSE : Alma 5 : 45-46
   (p. 191).

2. Quel est le nom correct de l'Eglise de Jésus-Christ ?
   REPONSE : 3 Néphi 27 : 8
   (p. 410).

3. Pourquoi y a-t-il du mal dans le monde ?
   REPONSE : 2 Néphi 2
   (p. 47).

4. Pourquoi l'ordonnance du baptême est-elle nécessaire ?
   REPONSE : 2 Néphi 31 : 1-13
   (p. 95).
   3 Néphi 11 : 33-34
   (p. 386).

5. Que pense Dieu des divisions qui existent dans le monde au sujet de la religion ?
   REPONSE : 3 Néphi 11 : 28-30
   (p. 385).

6. Doit-on baptiser les petits enfants ?
   REPONSE : Moroni 8
   (p. 471).

7. Peut-on se repentir sur son lit de mort ?
   REPONSE : Alma 34 : 32-34
   (p. 260).

8. Doit-on se battre pour son pays ?
   REPONSE : Alma 48 : 11-17
   (p. 290).

9. Le Seigneur nous donnera-t-il encore d'autres Ecritures que la Bible ?
   REPONSE : 2 Néphi 29 : 2-3
   (p. 92).

10. Dieu et Jésus-Christ sont-ils un Dieu sans forme, ou bien l'homme fut-il créé à l'image du Fils unique ?
    REPONSE : Ether 3 : 3-16
    (p. 441, voir Genèse 1 : 26-27).

11. Pourquoi la Chute et l'Expiation ?
    REPONSE : 2 Néphi 2 : 14-27
    (pp. 48-49).
    2 Néphi 9 : 6-16
    (p. 61).
    Alma 42 : 3-16
    (p. 274).

12. Ressusciterons-nous ?
    REPONSE : Alma 11 : 40-45
    (p. 205).

13. Où va l'esprit après la mort ?
    REPONSE : Alma chap. 40
    (p. 270).

14. Qui a édifié les anciennes civilisations découvertes par les savants modernes ?
    REPONSE : Hélaman 3 : 7-10
    (p. 332).
    Hélaman 6 : 9-12
    (p. 341).

15. Qu'est-ce qui s'est passé sur le continent américain lors de la crucifixion et de la visite du Christ là-bas ?
    REPONSE : 3 Néphi chap. 8 à 11 inclus
    (pp. 379-386).

16. Le Christ a parlé d'autres brebis aux Juifs (Jean 10:16). Qui ?
    REPONSE : 3 Néphi 15 - 13-24
    (p. 392).

17. Institution de la Sainte-Cène. Qui doit la prendre ?
    REPONSE : 3 Néphi 18 : 1-14
    (p. 396). Lire tout le chapitre.

Vous aurez intérêt à commencer votre lecture du Livre de Mormon par les pages 384 à 410 (3 Néphi, chapitres 11 à 26). Elles vous parlent d'un autre peuple visité par Jésus-Christ.

Vous pouvez lire ensuite à partir de la première page pour mieux connaître le message de ces annales sacrées.

VOUS AUSSI POUVEZ SAVOIR QUE LE LIVRE DE MORMON EST LA PAROLE DE DIEU !

Moroni 10 : 4-5 (p. 476)